la Scala

DONNA TARTT
Il cardellino

Traduzione di Mirko Zilahi de' Gyurgyokai

Rizzoli

Proprietà letteraria riservata
© by Tay, Ltd 2013
© 2014 RCS Libri S.p.A., Milano

ISBN 978-88-17-07238-0

Titolo originale dell'opera:
THE GOLDFINCH

Diciassettesima edizione: settembre 2014

Illustrazione di copertina:
© *Il cardellino*, 1654 (olio su tela), Carel Fabritius (1622–1654),
Mauritshuis, The Hague, The Netherlands, riproduzione su licenza.
The Bridgeman Art Library.

Per le citazioni all'interno del libro: p. 9: © CAMUS, ALBERT, *Il mito di
Sisifo*, Bompiani, Milano 2013, traduzione di Attilio Borelli; p. 243: ©
RIMBAUD, ARTHUR, *Opere in versi e prosa*, Garzanti, Milano 2004, tradu-
zione di Dario Bellezza; p. 429: © LA ROCHEFOUCAULD, FRANÇOIS, *Massime*,
BUR, Milano 2001, traduzione di Giovanni Bogliolo; p. 495: © SCHILLER,
JOHANN CHRISTOPH FRIEDRICH, *I masnadieri*, Garzanti, Milano 1991, tra-
duzione di Enrico Groppali; p. 739: © NIETZSCHE, FRIEDRICH WILHELM,
Opere complete, vol. 8: *Frammenti postumi (1888-1889)*, Adelphi, Milano
1974, traduzione di Sossio Giametta.

Realizzazione editoriale: Librofficina, Roma

Il cardellino

Alla mamma,
a Claude

I

L'assurdo non libera: vincola.
ALBERT CAMUS

Capitolo 1

Ragazzo con un teschio

I

Quand'ero ancora ad Amsterdam, per la prima volta dopo anni sognai mia madre. Ero rimasto confinato nella mia stanza d'albergo per più di una settimana, terrorizzato all'idea di chiamare chicchessia o di mettere il naso fuori, il cuore che fremeva e sussultava anche al più innocuo dei rumori: il campanello dell'ascensore, l'andirivieni del carrello del minibar, persino i campanili delle chiese che scandivano le ore, de Westertoren, Krijtberg, un clangore dai contorni vagamente oscuri, come i presagi di sventura delle fiabe. Durante il giorno me ne stavo sul letto e mi sforzavo di decifrare le notizie in olandese alla TV (impresa impossibile, dal momento che non conoscevo una parola di olandese) e, quando rinunciavo, mi sedevo accanto alla finestra a fissare il canale, il cappotto cammello gettato sui vestiti che indossavo, perché avevo lasciato New York in fretta e furia e le cose che avevo portato con me non erano abbastanza calde, nemmeno al chiuso.

Fuori tutto era fermento e allegria. Era Natale, di sera le luminarie luccicavano sui ponti dei canali; *dames en heren* con le guance rosee, le sciarpe svolazzanti nel vento gelido, sferragliavano sull'acciottolato in sella alle biciclette, gli abeti legati ai portapacchi. Nel pomeriggio una piccola band amatoriale si esibiva in canti natalizi che indugiavano lievi e metallici nell'aria invernale.

Il trambusto dei vassoi del servizio in camera; le troppe sigarette; la vodka tiepida presa al duty free. Nel corso di quegli irrequieti giorni di clausura avevo imparato a conoscere ogni centimetro del-

la mia stanza, come un prigioniero impara a conoscere la propria
cella. Era la mia prima volta ad Amsterdam e non avevo visto quasi nulla della città, eppure la camera piena di spifferi, con la sua
bellezza grezza e cupa, trasudava un sentore di Europa del Nord,
come un modello dell'Olanda in miniatura: la specchiata probi-
tà protestante mescolata al lusso colorato e sgargiante delle merci
sbarcate dall'Est. Trascorrevo un'irragionevole quantità di tempo
a osservare due quadretti a olio dalle cornici dorate – il primo con
dei contadini che pattinavano su un laghetto ghiacciato vicino a
una chiesa, l'altro con una barca a vela sballottata da un mare invernale in tempesta – appesi sopra lo scrittoio: due semplici copie
senz'altra ambizione che quella di fungere da ornamento, niente
di speciale, ma io le studiavo come se racchiudessero, tradotta in
un qualche linguaggio cifrato, la chiave d'accesso al cuore degli
antichi maestri fiamminghi. Fuori, una pioggerella ghiacciata picchiettava contro il vetro della finestra e gocciolava sopra il canale;
e malgrado la ricchezza dei broccati e la soffice carezza dei tappeti,
la luce portava con sé una gelida eco di quella del '43, un sentore
di privazione e austerità, tè annacquato senza zucchero e a letto
senza cena.

Ogni mattina, all'alba, quando fuori era ancora buio, prima che
lo staff prendesse servizio e la hall cominciasse a riempirsi di gente,
scendevo per i giornali. Il personale dell'hotel si muoveva con passo leggero sussurrando appena, lanciandomi sguardi che mi attraversavano freddi, quasi non mi vedessero realmente – l'americano
della stanza 27 che non usciva mai durante il giorno –, e io cercavo
di convincermi che il portiere di notte (completo scuro, capelli a
spazzola e occhiali dalla montatura di corno) avrebbe fatto qualunque cosa pur di evitare complicazioni o sceneggiate.

L'«Herald Tribune» non riportava notizie che riguardassero il
guaio in cui mi ero cacciato, ma la storia era su tutti i quotidiani
olandesi: densi blocchi di quella lingua ignota, provocantemente
sospesi al di fuori del raggio della mia comprensione. *Onopgeloste
moord. Onbekende.* Tornavo di sopra, mi rimettevo a letto – vestito,
perché la stanza era ghiacciata – e aprivo i giornali sulle coperte:
foto di macchine della polizia, nastri gialli a delimitare la scena del

crimine, persino le didascalie erano indecifrabili e, anche se non citavano il mio nome, non c'era modo di capire se riportassero una mia descrizione o se le autorità, pur essendo in possesso di quelle informazioni, avessero preferito non renderle pubbliche.

La stanza. Il termosifone. *Een Amerikaan met een strafblad.* L'acqua verde oliva del canale.

Dal momento che ero malato e perennemente intirizzito, e non avevo nulla da fare per gran parte del tempo – oltre ai vestiti caldi avevo dimenticato di portare un libro –, di giorno più che altro restavo a letto. La notte sembrava calare nel bel mezzo del pomeriggio. Spesso – cullato dal fruscio dei giornali sparsi ovunque – fluttuavo tra sonno e veglia, e i miei sogni erano contaminati dalla stessa ansia indefinita che filtrava nelle mie ore diurne: procedimenti giudiziari, valigie che si aprivano di scatto sull'asfalto sparpagliando ovunque i miei abiti e interminabili corridoi d'aeroporto che percorrevo a rotta di collo per raggiungere voli che, ne ero certo, non sarei riuscito a prendere.

Per via della febbre facevo sogni strani e straordinariamente vividi, contorcimenti convulsi e sudati durante i quali perdevo qualsiasi cognizione del tempo. Ma nel corso dell'ultima e più terribile di quelle nottate avevo sognato mia madre: una visione breve e misteriosa, che somigliava a un'apparizione. Mi trovavo nel negozio di Hobie – o meglio, in un inquietante spazio onirico sommariamente ricalcato sul modello del negozio di Hobie –, quando lei era comparsa all'improvviso alle mie spalle e ne avevo colto il riflesso in uno specchio. Vedendola ero rimasto paralizzato dalla gioia; era lei fin nei più piccoli dettagli, persino la disposizione delle lentiggini era esatta, e mi sorrideva, più bella e per nulla invecchiata, i capelli neri e quel curioso modo di atteggiare le labbra, l'angolo leggermente curvato all'insù. Non era un'illusione, ma una presenza che riempiva la stanza: una forza a sé, un'espressione vivente di alterità. E per quanto lo desiderassi, sapevo di non potermi voltare, sentivo che guardandola direttamente avrei violato le leggi del suo mondo e del mio; era venuta a farmi visita nella sola forma che le era concessa, e i nostri occhi s'incontrarono nello specchio in un lungo, immobile istante; ma proprio quando sembrava sul punto di parlare – con un sorriso tra il divertito, l'affettuoso e il frustrato sul volto – una cortina di vapore si srotolò tra noi e mi svegliai.

II

Le cose sarebbero andate per un verso migliore se lei fosse vissuta. Ma è morta quand'ero bambino; e benché la colpa di tutto ciò che è accaduto in seguito sia solo mia, perdere lei fu come perdere l'unico punto di riferimento in grado di guidarmi verso un luogo più felice, verso un'esistenza più ricca di legami e più congeniale.

La sua morte ha tracciato una linea di demarcazione tra il Prima e il Dopo. E benché sia deprimente ammetterlo dopo tutti questi anni, non ho mai più incontrato nessuno in grado di farmi sentire tanto amato. In sua compagnia ogni cosa prendeva vita; emanava una luce incantata, simile a quella che uno vede a teatro, e il mondo attraverso i suoi occhi acquistava colori più vividi. Ricordo una cena a tarda sera, in un ristorante italiano del Village, qualche settimana prima che morisse; mi aveva afferrato il braccio di fronte all'inattesa, quasi dolorosa bellezza di una torta con le candeline accese portata in processione dalle cucine, il fievole cerchio di luce che avanzava tremolando lungo il soffitto scuro, poi la torta che calava a risplendere sulla famiglia, beatificando il volto di quell'anziana signora, e tutti intorno a sorridere mentre i camerieri arretravano con le mani dietro la schiena… Una tipica cena di compleanno, come tante a cui può capitare di assistere in uno qualunque dei locali alla mano della città. Sono certo che l'avrei dimenticata, se lei non fosse morta poco dopo; invece dalla sua morte non ho fatto che pensarci e ripensarci, e probabilmente continuerò a farlo per il resto della vita: quel cerchio di luce proiettato dalle candeline, un tableau vivant della quotidiana, banale felicità che avevo perso insieme con lei.

E poi era bella. È un fatto quasi secondario, ma è la verità. Quand'era arrivata a New York dal Kansas aveva cominciato a lavorare part time come modella, anche se davanti all'obiettivo era troppo a disagio per poter pensare di farsi strada in quel mondo: qualunque dono possedesse, non era trasferibile su pellicola.

Eppure era assolutamente unica: una rarità. Non ricordo di aver mai incontrato nessuna che le somigliasse. Aveva capelli neri, un incarnato pallido che d'estate si copriva di lentiggini, luminosi occhi blu cobalto, e l'insolito taglio degli zigomi evocava un tale, eccentrico miscuglio tra il celtico e il tribale, che la gente a volte le attribuiva origini islandesi. In realtà era per metà irlandese e per metà cherokee, era nata in una cittadina del Kansas vicina al confine con l'Oklahoma, e le piaceva farmi sorridere dando a se stessa della contadinotta, nonostante fosse splendida, fiera ed elegante come una puledra di razza. Questa sua natura esotica, ahimè, emerge un tantino troppo aspra e prepotente dalle fotografie – le lentiggini sotto il trucco, i capelli raccolti in una coda bassa simile a quella di un nobiluomo uscito dalla *Storia di Genji* – mentre non traspare affatto il suo calore, il suo spirito allegro e imprevedibile, tutto ciò che più amavo di lei. È evidente dall'immobilità che trasuda in ogni scatto quanta diffidenza nutrisse nei confronti dell'obiettivo: ha l'aria vigile e tigresca di chi si prepara a reagire a un attacco. Ma nella vita di tutti i giorni non era così. Si muoveva a velocità impressionante, con gesti improvvisi e leggeri. Stava appollaiata sul bordo delle sedie come un elegante uccello palustre, pronto a fuggire al minimo segno di pericolo. Amavo il suo profumo al sandalo, acre e inaspettato, e il fruscio delle sue camicie inamidate quando si chinava a baciarmi la fronte. Ovunque andasse, gli uomini la spiavano con la coda dell'occhio, e a volte la osservavano apertamente, in un modo che mi infastidiva.

È morta per colpa mia. Gli altri sono sempre stati fin troppo solerti nell'assicurarmi che, andiamo, ero *solo un bambino, chi avrebbe potuto immaginarlo, un terribile incidente, maledetta sfortuna, sarebbe potuto accadere a chiunque*, tutto assolutamente vero, ma io non ho mai creduto a una sola parola.

È successo a New York, il 10 aprile di quattordici anni fa. (La mia mano esita di fronte a questa data, devo costringermi a scriverla, imporre alla penna di continuare a scorrere sul foglio. Era un giorno come tanti, ma da allora buca il calendario come un chiodo arrugginito.)

Se la giornata fosse andata come previsto, sarebbe scivolata via

senza lasciar traccia, inghiottita dalla memoria insieme al resto del
mio ultimo anno di scuole medie. Cosa ne ricorderei, ora? Poco
o nulla. E invece ogni particolare di quel giorno, persino l'umida
consistenza dell'aria, è più nitido del presente. La notte prima era
piovuto, un temporale spaventoso, c'erano negozi allagati e un paio
di stazioni della metropolitana inagibili. Noi due ce ne stavamo sulla passatoia zuppa all'esterno del palazzo dove abitavamo, mentre il
suo portiere preferito, Goldie – che nutriva per lei una vera adorazione –, camminava all'indietro sulla Cinquantasettesima col braccio alzato, fischiando per fermare un taxi. Le macchine sfrecciavano
sollevando schizzi d'acqua sporca; nuvole cariche di pioggia rotolavano oltre le cime dei grattacieli diradandosi e aprendosi su squarci
di cielo azzurro, e giù, sulla strada, tra i gas di scarico, il vento era
bagnato e lieve come la primavera.

«Ah, questo è occupato, signora» urlò Goldie sopra il frastuono del traffico, facendosi da parte mentre un taxi svoltava l'angolo
sollevando alti spruzzi e la luce sul tettuccio si spegneva. Era il più
minuto dei portieri: un piccoletto pallido, magro e pieno di vita,
un portoricano dalla carnagione chiara, ex peso piuma. Anche se
aveva il viso gonfio per l'alcol (ogni tanto si presentava al turno di
notte che puzzava di J&B), era ancora forte, sinuoso e veloce; sempre pronto a scherzare o a concedersi una sigaretta all'angolo del
palazzo, sempre intento a saltellare da un piede all'altro alitandosi
sulle mani guantate di bianco quand'era freddo o a raccontare barzellette in spagnolo per far ridere i colleghi.

«Ha molta fretta stamattina?» domandò a mia madre. Il suo
cartellino di riconoscimento diceva BURT D., ma tutti lo chiamavano Goldie per via di quel dente d'oro e perché di cognome faceva
De Oro.

«No, abbiamo tutto il tempo, nessuna fretta.» Però aveva l'aria
esausta e le mani le tremavano mentre riannodava la sciarpa strat-
tonata dal vento.

Anche Goldie doveva averci fatto caso, perché (mentre me ne
stavo un po' in disparte accanto al vaso di cemento cercando di po-
sare lo sguardo ovunque tranne che su di lei) mi lanciò un'occhiata
di vaga disapprovazione.

«Non prendi la metro?» mi chiese.

«Oh, dobbiamo sbrigare delle commissioni» rispose mia madre evasiva, quando si accorse che non sapevo cosa dire. Di solito non prestavo attenzione a com'era vestita, ma quel che indossava quella mattina (un trench bianco, una sciarpa di chiffon rosa e dei mocassini bianchi e neri) è impresso a fuoco nella mia memoria, tanto che ancora oggi faccio fatica a ricordarla vestita in modo diverso.

Avevo tredici anni. Detesto pensare all'imbarazzo che c'era tra noi in quelle ultime ore, talmente palpabile che persino il portiere lo aveva avvertito; in un giorno normale avremmo chiacchierato tranquillamente, ma quella mattina non avevamo granché da dirci perché io ero stato sospeso da scuola. Il giorno prima l'avevano chiamata in ufficio; era tornata a casa silenziosa e irritata; e la cosa peggiore era che non avevo idea del motivo della sospensione, anche se ero sicuro al settantacinque per cento che il signor Beeman (lungo il tragitto dal suo ufficio alla sala professori) avesse guardato fuori dalla finestra del primo piano nel momento sbagliato e mi avesse visto fumare. (O meglio, mi avesse visto in compagnia di Tom Cable mentre *lui* fumava, il che, nella mia scuola, era considerato quasi altrettanto grave.) Mia madre odiava il fumo. I suoi genitori – di cui mi piaceva ascoltare le storie, e che ingiustamente erano morti prima che potessi conoscerli – erano stati una coppia di amabili addestratori di cavalli che viaggiavano per l'Ovest del Paese e si guadagnavano da vivere allevando purosangue di razza Morgan: tipi vivaci, amanti dei cocktail e dei tornei di canasta, che ogni anno andavano al Derby del Kentucky e tenevano le sigarette dentro astucci d'argento disseminati per casa. Poi, un giorno, di ritorno dalle stalle, mia nonna si era piegata su se stessa e aveva cominciato a tossire sangue; e per il resto dell'adolescenza di mia madre c'erano state bombole d'ossigeno impilate sul portico e stanze da letto con gli scuri accostati a tutte le ore del giorno.

Ma – sospettavo – la sigaretta di Tom era solo la punta dell'iceberg. Era un pezzo che avevo guai a scuola. Tutto era iniziato – come la classica palla di neve che piano piano diventa valanga – nel momento in cui, mesi prima, mio padre se n'era andato di casa. A me e alla mamma non era mai piaciuto davvero e, a conti fatti, era-

vamo molto più felici senza di lui, ma la gente sembrava scioccata
e addolorata per la maniera brutale con cui ci aveva lasciati (all'improvviso, senza denaro né assegni di mantenimento o un recapito),
e gli insegnanti della mia scuola nell'Upper West Side si erano mo-
strati così amareggiati per l'accaduto, e così ansiosi di offrire comprensione e sostegno, da concedere a me – che beneficiavo di una
generosa borsa di studio – ogni genere di attenuante, di proroga, di
seconda e di terza possibilità: io avevo finito per approfittarmene e
tirare troppo la corda, e nel giro di pochi mesi ero riuscito a scavar-
mi la fossa.

Quindi entrambi – mia madre e io – eravamo stati convocati a
scuola per un colloquio. L'incontro era fissato per le undici e mezza,
ma dato che lei aveva dovuto prendersi la mattinata libera stavamo
andando nel West Side in anticipo per fare colazione (e, immaginavo, per darle occasione di sottopormi a una strigliata coi fiocchi)
oltre che per cercare un regalo per una delle sue colleghe. Quella
notte era rimasta in piedi fino alle due e mezza, i lineamenti tesi nel
bagliore del computer, a scrivere email e a portarsi avanti col lavoro.

«Non so lei» le stava dicendo Goldie con un certo trasporto, «ma
io ne ho abbastanza della primavera e di questa umidità. Pioggia,
pioggia...» Rabbrividì, fece il gesto di stringersi il bavero del cappotto attorno al collo e guardò il cielo.

«Dicono che nel pomeriggio migliorerà.»

«Sì, lo so, ma io sono pronto per l'*estate*.» Goldie si sfregò le
mani. «Col caldo le persone scappano dalla città, non la sopportano, si lamentano, io invece... io sono un uccello tropicale. Più caldo
fa, meglio è. Avanti, fermati, amico!» Batté le mani, arretrando sui
talloni lungo il marciapiede. «E... sa qual è il momento che preferisco in assoluto? Luglio, quando tutto è tranquillo... e gli edifici
sono vuoti e addormentati, ha presente?» Schioccò le dita mentre
un altro taxi passava oltre. «Ecco la *mia* idea di vacanza.»

«Ma d'estate non cuoce qui fuori?» Il mio scontroso papà odiava
la propensione della mamma a conversare con cameriere, uscieri e
coi vecchietti asmatici della lavanderia a secco. «Voglio dire, se non
altro in inverno può indossare un cappotto in più...»

«Mi dia retta, lavorare alla porta in inverno? Be', sa che le dico, fa *freddo*. Per quanti cappelli e cappotti possa mettermi addosso. Starsene qui fuori a gennaio, a febbraio, col vento che soffia dal fiume? *Brr*.»

Mi mordicchiavo l'unghia del pollice in preda all'ansia, osservando i taxi sfrecciare oltre il braccio sollevato di Goldie. Sapevo che l'attesa fino all'appuntamento delle undici e mezza sarebbe stata estenuante, e tutto quello che potevo fare era restare al mio posto ed evitare di fare domande impulsive e compromettenti. Non avevo idea di cosa mi sarebbe potuto piovere in testa una volta messo piede in quell'ufficio; la semplice parola, *colloquio*, evocava accuse e confronti incrociati, lo spettro dell'espulsione. Perdere la borsa di studio sarebbe stata una catastrofe; eravamo al verde da quando mio padre se n'era andato, avevamo a malapena i soldi per l'affitto. Ma ad assillarmi era il terrore che il signor Beeman avesse scoperto chissà come che io e Tom Cable, quand'ero stato a casa sua negli Hamptons, avevamo fatto irruzione in alcune case approfittando dell'assenza degli affittuari. Dico «fatto irruzione» anche se in realtà non avevamo forzato alcuna serratura né provocato altri danni (la madre di Tom faceva l'agente immobiliare, eravamo entrati usando le chiavi di riserva prese dallo scaffale del suo ufficio). Non ci eravamo limitati a frugare negli stanzini e nelle cassettiere, ma avevamo preso qualche birra dal frigorifero, dei giochi della Xbox, un DVD (*Danny the Dog*, con Jet Li) e del denaro, novantadue dollari in tutto: banconote stropicciate da cinque e da dieci da un barattolo in cucina e mucchietti di monete dai locali lavanderia.

Ogni volta che ci pensavo mi veniva la nausea. Erano passati mesi da quando ero stato da Tom, eppure, per quanto continuassi a ripetermi che il signor Beeman non poteva sapere quel che avevamo fatto – *non* poteva! –, la mia immaginazione galoppava. Non volevo fare la spia e mettere nei guai Tom (anche se non ero così sicuro che lui non avesse già provveduto a mettere nei guai me), ma questo mi relegava a una posizione scomoda. Perché ero stato così stupido? Effrazione e violazione di proprietà privata erano reati; chi veniva pizzicato a commetterli andava in galera. La notte precedente ero rimasto sveglio a torturarmi per ore, girandomi e rigirandomi nel letto mentre raffiche di pioggia intermittenti picchiavano contro il vetro, pensando a cosa avrei risposto se mi avessero chiesto spiegazioni. Ma come potevo difendermi se non avevo la più pallida idea di cosa sapevano?

Goldie fece un sospiro, abbassò il braccio e raggiunse mia madre.

«Incredibile» le disse, con un'occhiata esasperata alla via. «SoHo è allagata, ha sentito, vero? E Carlos dice che hanno chiuso diverse strade dalle parti delle Nazioni Unite.»

Scoraggiato, osservai alcuni impiegati riversarsi fuori dall'autobus come uno sciame di malinconici calabroni. Forse avremmo avuto maggior fortuna se ci fossimo spostati verso ovest di un isolato o due, ma io e mia madre conoscevamo Goldie abbastanza da sapere che si sarebbe offeso se ce ne fossimo andati rinunciando al suo aiuto. E proprio in quell'istante – così all'improvviso che sobbalzammo tutti – un taxi con la luce accesa attraversò di taglio la corsia e si fermò davanti a noi sollevando una cortina d'acqua che puzzava di fogna.

«Attenzione!» fece Goldie con un salto di lato mentre la macchina inchiodava. Poi notò che mia madre non aveva l'ombrello. «Aspetti un attimo» disse, precipitandosi nell'atrio, verso la collezione di ombrelli persi o dimenticati che custodiva in un'ombrelliera d'ottone vicino al camino per distribuirli nei giorni di maltempo.

«No» gli urlò dietro lei, frugando nella borsa in cerca del suo ombrellino pieghevole a righe bianche e rosse. «Non serve, Goldie, sono a posto…»

Lui si affrettò di nuovo all'esterno e chiuse la portiera del taxi. Bussò al finestrino.

«Le auguro una buona giornata» disse rivolto a mia madre.

III

Mi piace credere di essere una persona dotata di una sensibilità non comune (lo stesso vale per il resto del mondo, immagino) e mentre butto giù queste righe sono tentato di aggiungere alla scena la lieve ombreggiatura di una premonizione, un senso di minaccia incombente. Ma la verità è che in quei momenti ero cieco e sordo;

e che la mia unica, impellente preoccupazione era l'appuntamento a scuola. Quando avevo chiamato Tom per dirgli che ero stato sospeso (bisbigliando nel telefono di casa: il cellulare mi era stato requisito), non era sembrato sorpreso dalla notizia. «Ascolta» aveva detto, interrompendomi. «Non fare lo scemo, Theo, nessuno sa niente, limitati a tenere chiusa quella cazzo di bocca»; e prima che io potessi pronunciare un'altra parola, aveva tagliato corto: «Scusa, devo andare». E aveva riagganciato.

Nel taxi provai ad aprire il finestrino per prendere una boccata d'aria, ma era bloccato. Lì dentro puzzava come se ci avessero cambiato dei pannolini sporchi, o come se qualcuno se la fosse addirittura fatta addosso e poi avesse tentato di rimediare con una spruzzata di deodorante – al cocco, lo stesso profumo dell'olio abbronzante. I sedili unti erano rappezzati con del nastro adesivo e gli ammortizzatori erano praticamente andati. Ogni volta che prendevamo una buca i denti cozzavano come le chincaglierie sacre appese allo specchietto retrovisore: medaglioni, una spada ricurva in miniatura agganciata a una catenella di plastica e un guru barbuto con turbante che fissava il sedile posteriore con lo sguardo affilato e i palmi alzati in segno di benedizione.

Lungo tutta Park Avenue, file di tulipani rossi ci salutavano sull'attenti. Una canzoncina pop in stile Bollywood col volume regolato al minimo – un fioco lamento, una presenza subliminale – fluttuava e balenava ipnotica, appena al di qua della soglia della mia percezione. Sugli alberi le foglie avevano appena cominciato a spuntare. I ragazzi delle consegne dei supermercati D'Agostino e Gristedes spingevano carrelli carichi di sacchetti della spesa; donne d'affari in tacchi alti si affannavano esasperate lungo il marciapiede trascinandosi dietro pargoli recalcitranti; un operaio in tuta spazzava i detriti di un canale di scolo su una paletta fissata a un bastone; avvocati e agenti di cambio allargavano le braccia e fissavano il cielo con espressione accigliata. Mentre procedevamo a scatti lungo la carreggiata (mia madre con lo sguardo affranto e la mano avvinghiata alla maniglia) osservavo le facce dispeptiche, da giornata lavorativa, che sfilavano oltre il finestrino (corrucciati pedoni in impermeabile che aggredivano risoluti le strisce pedonali, tizi che sorseggiavano caffè da tazze usa e getta e intanto parlavano al cellulare guardandosi furtivamente intorno) e mi sforzavo di non pensare a tutti gli scenari sgradevoli, tribunale minorile e riformatorio compresi, che di lì a poco mi si sarebbero potuti spalancare davanti.

Il taxi svoltò di botto sull'Ottantaseiesima. Mia madre mi scivolò addosso, e nell'istante in cui si aggrappò al mio braccio mi resi conto che era sudaticcia e pallida come un baccalà.

«Ti dà fastidio l'auto?» chiesi, mettendo da parte i miei problemi per un istante. Aveva l'espressione sofferente e fissa che conoscevo bene: le labbra serrate, la fronte imperlata di sudore, gli occhi vitrei e spalancati.

Fece per dire qualcosa, ma fu costretta a premersi una mano sulla bocca mentre il taxi si fermava al semaforo con un sussulto, sospingendoci in avanti e poi violentemente indietro contro il sedile.

«Aspetta» le dissi, e mi allungai a bussare sul plexiglas sudicio facendo trasalire il tassista (un sikh col turbante).

«Senta» gridai da dietro il divisorio. «Va bene così, scendiamo qui, okay?»

Il sikh mi scrutò impassibile nello specchietto adorno di ammennicoli. «Vuoi fermarti qui.»

«Sì, grazie.»

«Non è l'indirizzo che mi hai dato.»

«Lo so, ma va bene lo stesso» insistetti, lanciando un'occhiata a mia madre che rovistava nella borsa in cerca del portafoglio, il mascara sbavato, lo sguardo stravolto.

«Si sente bene?» domandò il tassista, perplesso.

«Sì, sì, sta bene. Però dobbiamo scendere, grazie.»

Con le mani che tremavano, mia madre agguantò un mucchio di banconote umidicce e le infilò nella fessura del divisorio. Mentre il sikh alzava il braccio per prenderle (rassegnato, guardando altrove), io smontai e le tenni aperta la portiera.

Sul marciapiede barcollò, e l'afferrai per il gomito. «Stai bene?» chiesi ancora mentre il taxi si allontanava. Ci trovavamo sulla Quinta Avenue, nei pressi dei maestosi edifici affacciati sul parco.

Prese un bel respiro, si tamponò le sopracciglia e mi strinse il braccio. «Uff!» si lamentò, sventagliandosi il viso con la mano. La fronte era lucida, lo sguardo vacuo, sembrava uno di quegli arruffati uccellini di mare sballottati dal vento. «Scusa, ho ancora lo stomaco un po' sottosopra. Grazie a Dio siamo scesi da lì. Sto bene, ho solo bisogno d'aria.»

La gente ci sciamava intorno sotto le raffiche di vento: ragazzine in uniforme scolastica che ridevano e ci schivavano di corsa, tate che spingevano sofisticati passeggini con dentro due o tre bambini alla volta. Un padre in affanno – aria da avvocato – ci superò in tutta fretta, stringendo il figlioletto per il polso. «No, Braden» gli diceva, mentre quello trottava per tenere il passo, «non dovresti vederla così, è più importante avere un lavoro che ti *piace*...»

Ci tirammo da parte per scansare la secchiata d'acqua che il portiere di un palazzo lanciava sul marciapiede.

«Dimmi una cosa» fece mia madre, le dita premute sulle tempie, «è una mia impressione o quel taxi era *incredibilmente*...»

«Schifoso? E puzzava di crema e cacca di neonato?»

«In realtà» riprese a farsi aria, «sarebbe stato sopportabile, se non avesse continuato a inchiodare. Stavo bene, e poi di colpo mi è venuta la nausea.»

«Perché non chiedi mai se puoi salire davanti?»

«Mi sembra di sentire tuo padre.»

Distolsi lo sguardo, a disagio. L'avevo avvertito anch'io quel tono sgradevole da so-tutto-io. «Camminiamo fino alla Madison e cerchiamo un posto dove ti puoi sedere» dissi. Morivo di fame e da quelle parti c'era una tavola calda che mi piaceva.

Ma lei – con una specie di brivido, un'evidente ondata di nausea – scosse la testa. «Aria.» Si passò le dita sotto gli occhi, sul mascara sbavato. «L'aria mi fa bene.»

«D'accordo» risposi un po' troppo precipitosamente. «Come vuoi.»

Facevo del mio meglio per mostrarmi amabile, ma a mia madre – agitata e intontita insieme – non era sfuggita la punta d'ansia nella mia voce, e mi studiò con attenzione per capire cos'avessi in testa. (Leggere l'uno nella mente dell'altro, ecco un'altra cattiva abitudine che avevamo sviluppato durante gli anni di convivenza con mio padre.)

«Che c'è?» domandò. «Vuoi andare da qualche parte?»

«Uh, no. No, davvero» risposi, arretrando di un passo e guardandomi intorno; avevo fame, ma non ero nella posizione di farlo presente.

«Sto bene. Dammi solo un minuto.»

«Magari...» Sbattei le palpebre, nervoso. Cosa voleva? Cosa poteva farle piacere? «Che ne dici di andare a sederci al parco?»

Lei, per fortuna, annuì. «D'accordo» disse, con quella sua voce che io chiamavo «da Mary Poppins», «giusto il tempo di riprendere fiato.» C'incamminammo verso le strisce pedonali sulla Settantanovesima, superando alberelli potati ad arte dentro vasi barocchi e massicci portoni in ferro battuto. La luce aveva ceduto il passo a un grigiore industriale e la brezza era densa come il vapore sbuffato da una teiera. Lungo il marciapiede che costeggiava il parco, alcuni artisti allestivano i propri banchetti srotolando le tele e mettendo in fila le riproduzioni ad acquerello della cattedrale di Saint Patrick e del ponte di Brooklyn.

Passeggiammo in silenzio. Io rimuginavo sulle mie disgrazie (la scuola aveva chiamato i genitori di Tom? Perché diavolo non avevo pensato di domandarglielo?) e su cosa avrei ordinato per colazione non appena fossi riuscito a trascinarla alla tavola calda (Western omelette con patatine fritte e bacon; lei avrebbe preso il solito, un toast di segale, uova à la coque e una tazza di caffè). Non facevo quasi caso a dove stavamo andando e d'un tratto mi resi conto che aveva appena detto qualcosa. Non guardava me, ma il parco; e la sua espressione mi ricordò un famoso film francese di cui non conoscevo il titolo, con dei tizi distratti che camminavano lungo strade piene di vento, e parlavano e parlavano, ma mai veramente tra loro.

«Come hai detto?» chiesi, con un paio di secondi di ritardo, mentre affrettavo il passo per raggiungerla. «Tempo-che-cosa?»

Lei mi parve spiazzata, quasi avesse dimenticato che ero lì. Il trench bianco alzato dal vento e quelle sue lunghe gambe la facevano somigliare a un ibis sul punto di spiegare le ali e spiccare il volo.

«Oh.» Scosse la testa e fece una risatina, acuta e infantile come sempre. «Temporale. Una dimensione spazio-temporale parallela. Uno squarcio sul passato.»

Sapevo cosa intendeva, o almeno credevo di saperlo: il brivido della connessione interrotta, i secondi sul marciapiede come un singulto del tempo perduto, la manciata di fotogrammi tagliati di un film.

«Vedi, cucciolo, è questo quartiere.» Mi arruffò i capelli, strappandomi un sorriso sbilenco: *cucciolo* era il nomignolo con cui mi chiamava da piccolo, e non mi piaceva più, così come non mi piaceva che mi scompigliasse i capelli, ma per quanto disagio mi procurassero quelle effusioni ero contento che il suo umore fosse migliorato. «Succede sempre quassù. Ogni volta che ci vengo è come se fossi ancora una diciottenne appena scesa dall'autobus.»

«Qui?» domandai, confuso, lasciando che mi prendesse per mano, cosa che normalmente non avrei tollerato. «E perché?» Sapevo tutto dei primi tempi di mia madre a Manhattan, in un monolocale sopra un bar della Avenue B, ben lontano dai fasti della Quinta – coi barboni che dormivano davanti alla porta, gli ubriachi che litigavano per strada, e una vecchia matta di nome Mo che teneva illegalmente una dozzina di gatti sul pianerottolo recintato all'ultimo piano.

Si strinse nelle spalle. «Perché qui è rimasto tutto uguale. Il Lower East Side invece… be', sai come funziona laggiù, una novità dietro l'altra, ma a me ha sempre dato una sensazione un po' alla Rip Van Winkle, come se la mia realtà si allontanasse sempre di più. Certi giorni mi svegliavo e mi sembrava che qualcuno avesse smontato e rimontato i negozi durante la notte. Vecchi ristoranti falliti, un bar nuovo di zecca al posto della lavanderia…»

Mantenni un rispettoso silenzio. Nell'ultimo periodo il tempo che passava era un pensiero fisso per mia madre, forse perché si avvicinava il suo compleanno. «Sono troppo vecchia per questo film» aveva detto qualche giorno prima mentre ci aggiravamo per l'appartamento rovistando sotto i cuscini del divano e nelle tasche di giacche e cappotti in cerca degli spiccioli necessari a pagare il ragazzo delle consegne del ristorante indiano.

Affondò le mani nelle tasche del trench. «Quassù è tutto più stabile» disse. Nonostante la voce serena, gli occhi erano velati di nebbia; era evidente che non aveva dormito bene, per colpa mia.

«Upper Park Avenue è una delle poche aree in cui si può ancora vedere la città com'era nel 1890. Lo stesso vale per Gramercy Park e per il Village, almeno in parte. La prima volta che sono venuta qui ho pensato che questo quartiere fosse un miscuglio di Edith Wharton, *Franny e Zooey* e *Colazione da Tiffany*.»

«*Franny e Zooey* è ambientato nel West Side.»

«Già, ma io ero troppo ignorante per saperlo. Comunque di sicuro era molto diverso dal Lower East, coi barboni che accendevano i falò nei bidoni della spazzatura. Qui i fine settimana erano magici… andavo per musei… bighellonavo da sola per Central Park…»

«Bighellonavi?» Mia madre usava spesso parole che alle mie orecchie suonavano antiquate, e quell'espressione, *bighellonare*, mi fece pensare chissà perché ai suoi trascorsi di cavallerizza. La immaginai che trotterellava per la città curiosa come una giovane puledra.

«Be', sì, scorrazzavo, gironzolavo senza meta come piace fare a me. Avevo pochi soldi, le calze bucate e mi nutrivo esclusivamente di fiocchi d'avena. Che tu ci creda o no, certi weekend venivo fin quassù *a piedi*. Così potevo tornare a casa con la metro. A quei tempi c'erano ancora i gettoni al posto delle tessere. E anche se per entrare nei musei dovevi pagare… sai, la "donazione libera"… Be', evidentemente la faccia tosta non mi mancava, o forse gli facevo pena perché… Oh, no» esclamò fermandosi di colpo.

«Che c'è?» Mi voltai, qualche passo avanti a lei.

«Ho sentito una goccia.» Tese la mano e guardò insù. «Tu no?»

E proprio mentre lo diceva, la luce sembrò venir meno. Il cielo illividì, più plumbeo a ogni istante che passava; il vento scuoteva gli alberi del parco e sui rami le foglie nuove spiccavano tenere e gialle contro i nuvoloni neri.

«Accidenti, lo sapevo» disse mia madre. «Sta per venir giù il finimondo.» Si sporse, scrutò la strada in direzione nord: niente taxi.

La presi per mano. «Andiamo» dissi. «Dall'altra parte è più facile.»

Attendemmo con impazienza le ultime pulsazioni della scritta DON'T WALK. Pezzetti di carta mulinavano nell'aria e ricadevano a terra. «Ehi, eccone uno» gridai, indicando la Quinta; ma in quell'attimo, a pochi passi da noi, un uomo d'affari levò il braccio e allungò il passo, e la luce sul tettuccio del taxi si spense.

Sul lato opposto della strada, gli artisti si affrettavano a coprire i quadri con dei teli di plastica. Il chiosco del caffè stava chiudendo. Ci sbrigammo ad attraversare, e proprio mentre approdavamo sul marciapiede, una goccia di pioggia mi bagnò la guancia. Sul cemento – grandi come monete da dieci centesimi – cominciavano a fiorire innumerevoli cerchi scuri.

«Oh, *maledizione*!» esclamò mia madre. Frugò nella borsa in cerca dell'ombrello che a stento poteva servire a riparare una persona, figuriamoci due.

E subito dopo prese a venire giù a dirotto, una pioggia gelida e obliqua, scrosci violenti che investivano alberi e tendoni. Mia madre trafficava col suo minuscolo e tutt'altro che resistente ombrello, senza riuscire ad aprirlo. La gente per strada e nel parco si riparava coi quotidiani e le ventiquattrore, precipitandosi su per la scalinata del museo, l'unico posto accessibile e asciutto nelle vicinanze. E c'era qualcosa di festoso e allegro nell'immagine di noi due che salivamo di corsa i gradini sotto il piccolo ombrello a righe bianche e rosse – veloci, più veloci – come per sfuggire a un qualche pericolo mentre invece gli correvamo incontro.

IV

Appena giunta a New York a bordo di un autobus proveniente dal Kansas, senza amici e praticamente senza soldi, alla mamma erano capitate tre cose importanti. La prima, il giorno in cui un agente di nome Davy Jo Pickering l'aveva notata in un bar del Village: un'adolescente denutrita che serviva ai tavoli in Dr. Martens e vestiti di seconda mano, con una treccia di capelli talmente lunga da potercisi sedere sopra. Quando mia madre gli aveva servito il caffè, lui le aveva offerto prima settecento e poi mille dollari per sostituire una modella che non si era presentata sul set fotografico di un catalogo di moda. Le aveva indicato il camper della troupe dall'altra parte della strada – il set era stato allestito nel parco di Sheridan

Square – e aveva contato il denaro, lasciandolo in bella vista sul bancone. «Mi dia dieci minuti» aveva risposto lei; aveva finito il giro ai tavoli, aveva appeso il grembiule e se n'era andata.

«Ho lavorato per cataloghi di vendita per corrispondenza» si premurava di spiegare alla gente, puntualizzando che non era mai comparsa sulle riviste di moda e nemmeno in passerella, ma solo sui volantini che offrivano capi sportivi alle ragazze del Missouri e del Montana. Certe volte era divertente, diceva, ma nella maggior parte dei casi no: costumi da bagno a gennaio, coi brividi per la febbre; lana e tweed nell'afa dell'estate, a soffocare per ore tra mucchi di foglie color autunno mentre il ventilatore dello studio sputava aria calda e uno dei ragazzi del trucco accorreva tra uno scatto e l'altro a tamponarle il sudore dal viso.

Tuttavia, nel corso degli anni trascorsi a far finta di andare al college – posando in gruppetti di due o di tre sullo sfondo di finti campus ricostruiti ad arte, i libri stretti al petto –, era riuscita a mettere da parte i soldi per cominciare a frequentarlo davvero, il college: Storia dell'arte alla New York University. Fino ai diciotto anni, quando si era trasferita in città, non aveva mai ammirato un capolavoro dal vivo, perciò non vedeva l'ora di recuperare il tempo perduto.

«Pura meraviglia, un autentico paradiso» dichiarava ripensando a quell'epoca: ore e ore trascorse sepolta tra i libri, a guardare e riguardare le stesse vecchie diapositive (Manet, Vuillard) finché la vista non le si annebbiava. («Può sembrare assurdo» diceva, «ma sarei perfettamente felice di passare il resto della vita a guardare sempre la stessa mezza dozzina di quadri. Non mi viene in mente un modo migliore per perdere la ragione.»)

Il college era la seconda cosa importante che le era capitata a New York, probabilmente la più importante in assoluto. E se non fosse stato per la terza cosa (conoscere e sposare mio padre, circostanza meno fortunata delle prime due), quasi sicuramente avrebbe proseguito con un master e poi col dottorato. Ogni volta che aveva qualche ora per sé andava dritta alla Frick Collection, al MoMa o al Met; ragion per cui, mentre ce ne stavamo sotto il loggiato gocciolante del museo a guardare una sfocata Quinta Avenue e la pioggia che rimbalzava pallida sul selciato, non mi sorprese vederla scrollare l'ombrello e proporre: «Perché non entriamo a fare un giro finché non smette?».

«Uhm…» Tutto ciò che volevo era fare colazione. «Okay.»

Lei diede un'occhiata all'orologio. «Tanto vale. Non troveremo mai un taxi sotto quest'acqua.»

Poco ma sicuro. Anche se io stavo morendo di fame. *Quando andiamo a mangiare?*, pensai contrariato mentre la seguivo all'interno. Dopo l'incontro a scuola sarebbe stata sicuramente arrabbiata e di certo non mi avrebbe portato a pranzo fuori, e io sarei dovuto tornare a casa e accontentarmi di una ciotola di cereali o roba del genere.

Eppure andare al museo era un po' come essere in vacanza; e una volta dentro, circondato dall'allegro chiacchiericcio dei turisti, mi sentii improvvisamente lontano da qualsiasi cosa la giornata avesse in serbo per me. La hall era una cacofonia di voci e puzzava di cappotti bagnati. Un'ondata di asiatici in età da pensione e zuppi fino al midollo ci scivolò accanto, al seguito di una guida in impeccabile tenuta da hostess; nei pressi del guardaroba, alcune ragazze scout con le divise fradice e stropicciate parlottavano tra loro; vicino al banco informazioni dei cadetti della scuola militare aspettavano in fila, in divisa grigia e senza cappello, le mani dietro la schiena.

Per me – un ragazzino di città sempre confinato tra le mura di un appartamento – il museo era straordinario soprattutto in virtù delle sue dimensioni, un palazzo le cui stanze non finivano mai, sempre più deserte man mano che ci si addentrava nell'edificio. Alcune delle camere da letto meno visitate e dei salotti dell'ala Decorazione d'interni sembravano isole sotto l'effetto di un profondo incantesimo, come se nessuno vi mettesse piede da secoli. Da quando avevo cominciato a prendere la metro da solo mi piaceva andare al museo per conto mio e girovagare, spingendomi sempre più in là nel labirinto di gallerie, finché non capitavo in qualche remota sala delle armature o delle porcellane che non avevo mai visto prima (e che, in seguito, non sarei più riuscito a trovare).

Mentre ciondolavo in fila dietro mia madre, alzai la testa e fissai gli occhi sull'imponente cupola del soffitto due piani sopra di noi:

se restavo così abbastanza a lungo, mi sembrava di volteggiare lassù leggero come una piuma, un trucco di quand'ero bambino il cui effetto si affievoliva man mano che diventavo grande.

Intanto mia madre – il naso arrossato e il fiato corto per la corsa sotto la pioggia – cercava il portafoglio. «Magari prima di uscire faccio un salto al negozio di souvenir» disse. «Di certo l'ultima cosa che Mathilde desidera è un libro d'arte, però se gliene regalo uno non potrà lamentarsi troppo senza fare la figura della stupida.»

«Oh» mi stupii. «Il regalo è per Mathilde?» Mathilde era l'art director dell'agenzia pubblicitaria per cui lavorava mia madre, la figlia di un importatore di tessuti francese, più giovane della mamma e notoriamente capricciosa, capace di farsi venire una crisi isterica se l'autonoleggio o il servizio catering non si dimostravano all'altezza delle sue aspettative.

«Già.» Mi offrì una gomma da masticare, che accettai, e gettò il pacchetto dentro la borsa. «Voglio dire, Mathilde è fissata col fatto che il regalo perfetto non costa un mucchio di soldi, ma deve essere, tipo, un fermacarte curioso preso al mercato delle pulci. Il che mi troverebbe più che d'accordo, se solo qualcuno di noi avesse il tempo di andare Downtown a passare al setaccio le bancarelle. L'anno scorso Pru si è fatta prendere dal panico dell'ultimo minuto ed è corsa da Saks durante la pausa pranzo. Ha finito per spendere cinquanta dollari di tasca sua, oltre a quelli raccolti tra i colleghi, per degli occhiali da sole Tom Ford, se non sbaglio, e per tutto ringraziamento le è toccato sorbirsi la tirata di Mathilde sugli americani e le trappole della cultura consumistica. E il bello è che Pru non è nemmeno americana, è australiana.»

«Ne hai parlato con Sergio?» chiesi. Sergio – che si vedeva di rado in ufficio e molto spesso sulle pagine delle riviste di gossip a braccetto con gente tipo Donatella Versace – era il multimilionario proprietario dell'agenzia. «Parlarne con Sergio» equivaleva a chiedere: «Cosa farebbe Gesù?».

«"Arte" per Sergio significa Helmut Newton, o qualcosa di patinato tipo quel libro che ha pubblicato Madonna qualche anno fa…»

Stavo per chiederle chi fosse Helmut Newton, ma ebbi un'idea migliore. «Perché non le prendi una card della metro?»

La mamma fece una smorfia. «In effetti non sarebbe male.» Di recente, al lavoro era successo il finimondo quando l'autista di Mathilde era rimasto imbottigliato nel traffico, costringendola a una lunga attesa a Williamsburg, bloccata nel laboratorio di un orafo.

«Intendo… in forma anonima. Gliela lasci sulla scrivania, una tessera vecchia, col credito esaurito. Solo per vedere come reagisce.»

«Ti dico io cosa farebbe» replicò mia madre facendo scivolare l'abbonamento sotto il vetro della biglietteria. «Licenzierebbe la sua assistente e metà delle persone che lavorano in produzione.»

L'agenzia pubblicitaria di mia madre era specializzata nella promozione di accessori da donna. Tutto il giorno, sotto lo sguardo agitato e vagamente maligno di Mathilde, mia madre supervisionava servizi fotografici con sfavillanti orecchini di cristallo adagiati sopra mucchietti di finta neve natalizia e borse di coccodrillo che risplendevano circonfuse di luce celestiale sui sedili di limousine vuote. Era brava in quello che faceva, preferiva stare dietro l'obiettivo piuttosto che davanti, e sapevo che le dava soddisfazione vedere il risultato del suo impegno sui cartelloni della metro e sui tabelloni di Times Square. Ma nonostante il glamour e lo sfavillio del suo lavoro (champagne a colazione, pacchi dono di Bergdorf) gli orari erano folli e c'era, al cuore di quel mondo, un vuoto che – lo sentivo – la rattristava. Il suo vero desiderio era ricominciare a studiare, anche se entrambi sapevamo che adesso che il papà se n'era andato le probabilità che un giorno coronasse quel sogno erano minime.

«Allora» disse, voltando le spalle alla biglietteria e porgendomi il biglietto, «aiutami a non perdere la cognizione del tempo, d'accordo? È una mostra enorme» indicò il cartellone, RITRATTI E NATURE MORTE: CAPOLAVORI NORDICI DELL'ETÀ DELL'ORO, «non possiamo pensare di vederla tutta, ma ci sono alcune cose che…»

La sua voce scivolò oltre mentre si incamminava su per la scalinata, e io la seguii, combattuto tra la prudente necessità di rimanerle accanto e la tentazione di tenermi qualche passo indietro, come se non fossi lì insieme a lei.

«Odio guardare i quadri così di fretta» stava dicendo quando la raggiunsi in cima alle scale, «ma d'altra parte questa è la tipica mostra che richiede più di una visita. C'è la *Lezione di anatomia*, e non possiamo perdercela, ma quello che m'interessa davvero è un quadro piccolo, una rarità, opera di un pittore che fu il maestro di Vermeer. Il più grande artista fiammingo di cui nessuno ha mai sentito parlare. E anche i quadri di Frans Hals sono importanti. Conosci Hals, vero? *L'allegro bevitore.* E *I reggenti dell'ospizio dei vecchi.*»

«Certo» risposi esitante. Dei dipinti che aveva menzionato, la *Lezione di anatomia* era l'unico che conoscevo. Un particolare della tela era riprodotto sul manifesto della mostra: la carne livida, le varie tonalità di nero, i chirurghi che sembravano mezzi ubriachi, con gli occhi iniettati di sangue e il naso rosso.

«Roba da restare a bocca aperta» disse mia madre. «Per di qua, a sinistra.»

Al piano di sopra si congelava e io avevo ancora i capelli bagnati. «No, no, da questa parte» si corresse lei afferrandomi per la manica. Trovare la mostra non fu facile, e mentre ci aggiravamo per le gallerie affollate (facendoci largo tra la gente, prendendo a destra e poi a sinistra, tornando sui nostri passi attraverso labirinti indecifrabili di indicazioni e allestimenti) i grossi poster funerei della *Lezione di anatomia* spuntavano nei posti più inaspettati, il cadavere col braccio scorticato con sotto la freccia rossa che indicava la direzione da seguire. Mancava solo la didascalia: *sala operatoria, per di qua.*

Non ero granché eccitato alla prospettiva di vedere tutti quegli olandesi vestiti di nero, e quando oltrepassammo le porte a vetri – dall'eco dei corridoi al silenzio ovattato della moquette – di primo acchito pensai che fossimo entrati nella sala sbagliata. I muri rifulgevano di un opaco, tiepido alone di opulenza, un generico, molle sentore di cose antiche; ma poi tutto esplose nella nitidezza, nel colore e nella luce pura del Nord, i ritratti, le riproduzioni d'interni, le nature morte, alcune piccole, altre maestose: dame coi mariti, dame con cani da salotto, bellezze in abiti ricamati e magnifici, solitari mercanti ingioiellati e impellicciati. Banchetti in rovina, tavole costellate di mele sbucciate e gusci di noce; arazzi alle pareti, argenti, *trompe-l'œils* con insetti striscianti e fiori dai petali striati. Più in là ci spingevamo, più belle e insolite diventavano le pitture. Limoni pelati, con la scorza appena indurita accanto alla lama del coltello, l'ombra verdastra di una chiazza di muffa. La luce che cadeva sull'orlo di un bicchiere di vino mezzo vuoto.

«Questo piace anche a me» sussurrò mia madre, raggiungendomi davanti a una natura morta particolarmente suggestiva: una farfalla bianca volteggiava attorno a dei frutti rossi. Il fondale – di un nero cioccolato molto carico – trasmetteva un calore complesso che faceva pensare a magazzini stracolmi, alla Storia, al tempo che passa.

«I pittori olandesi erano maestri nel lavorare su questo confine... la maturazione che scivola nella decomposizione. Il frutto è perfetto ma non durerà, è già sul punto di deperire. E guarda qui» disse, sporgendosi oltre la mia spalla per tracciare un segno nell'aria col dito, «la farfalla.» L'ala era come fatta di polvere, da far pensare che si sarebbe sbriciolata al minimo tocco. «Con quanta finezza l'ha ritratta. L'immobilità con dentro un fremito di movimento.»

«Quanto ci avrà messo a dipingerla?»

Si era avvicinata un po' troppo al quadro e indietreggiò per osservarlo meglio, incurante di aver attirato l'attenzione del custode, che ruminava un chewing gum con gli occhi incollati alla sua schiena.

«Be', gli olandesi hanno inventato il microscopio» disse. «Erano gioiellieri, tornitori di lenti. Ci tenevano ai dettagli, perché c'è un significato anche nelle cose minuscole. Ogni volta che vedi una mosca o un insetto in una natura morta – un petalo sfiorito, la lieve ammaccatura di una mela –, l'artista ti sta inviando un messaggio in codice. Ti sta dicendo che le cose vive non durano... che tutto è effimero. La morte è connaturata alla vita. Per questo si chiamano nature morte. Può essere che all'inizio, dentro tutta questa bellezza, questo rigoglio, tu non riesca a scorgere l'impercettibile traccia di marcescenza. Ma se guardi attentamente... la troverai.»

Mi abbassai per leggere la targhetta fissata al muro; diceva, in caratteri piccolissimi, che il pittore – Adriaen Coorte, date di nascita e morte incerte – in vita era stato pressoché ignorato, e che la sua opera era stata rivalutata solo a partire dagli anni Cinquanta. «Ehi, mamma» richiamai la sua attenzione, «hai visto qui?»

Ma lei si era già allontanata. Le sale erano fredde e silenziose, i soffitti bassi, e non c'era traccia del monumentale frastuono e dell'eco che risuonavano nella hall principale. Visitatori ce n'erano, eppure si respirava l'atmosfera calma e rarefatta del luogo isolato, una sorta di vuoto pneumatico: respiri protratti ed enfatici sospiri, come in un'aula di studenti sotto esame. Mi trascinavo dietro a mia madre mentre zigzagava di dipinto in dipinto – dai fiori alle carte da gioco alla frutta – più rapidamente di quanto non fosse solita fare alle mostre, ignorando una gran quantità di quadri (il quarto boccale d'argento o fagiano morto) e puntando senza esitazione verso altri («Ecco Hals. Certe volte è così manierato... con tutti quegli avvinazzati e quelle giovinette... ma quando fa centro, *fa centro*. Dipinge *alla prima*, e tanti saluti ai dettagli e alla precisione, pennellata su pennellata, tutto è estremamente *veloce*. I volti e le mani sono riprodotti fedelmente – lui lo sa che sono le parti sulle quali lo sguardo si sofferma –, ma fai caso ai vestiti... sono approssimativi, si direbbero abbozzati. Guarda com'è aperta e moderna la pennellata!»). Indugiammo davanti a un dipinto di Hals che ritraeva un ragazzo con un teschio in mano («Non arrabbiarti, Theo, ma chi ti ricorda?» Mi tirò i capelli. «Qualcuno che avrebbe bisogno di un bel taglio, forse?») e ai ritratti di due ufficiali che banchettavano – sempre di Hals – che, disse mia madre, erano famosissimi e avevano avuto un'enorme influenza su Rembrandt. («Anche Van Gogh amava Hals. Da qualche parte, parlando di lui, ha scritto: *Frans Hals conosce non meno di ventinove sfumature di nero!* O erano ventisette?») Io la seguivo, quasi stordito dalla sensazione di tempo sospeso, deliziato dall'intensità del suo rapimento, da quanto ignara sembrasse dei minuti che passavano. La mezz'ora a nostra disposizione doveva essere già quasi finita, ma io volevo distrarla, continuare a perder tempo, nell'infantile speranza che le ore sarebbero scivolate via e con esse l'appuntamento che ci aspettava.

«E adesso, Rembrandt» annunciò mia madre. «Tutti dicono che *La lezione* è un quadro che parla del potere della ragione, dell'alba della ricerca scientifica eccetera, ma a me fa uno strano effetto vedere quei personaggi dall'aria educata e formale affollarsi intorno al tavolo anatomico come se fosse il buffet di una festa. Eppure... vedi le due figure un po' più distaccate sul fondo? Loro non guardano il corpo, guardano *noi*. Me e te. Come se potessero vederci qui in piedi, in questo momento... due persone del futuro. Sono sorpresi. *Cosa ci fate voi lì?* Molto realistico. Ma, sorpresa» tracciò la sagoma del cadavere a mezz'aria, «la salma non lo è per niente. Emana uno strano bagliore, non ti pare? Quasi stessimo assistendo all'autopsia di un alieno. La luce si irradia fin sul viso degli astanti... Come se il cadavere fosse radioattivo, perché l'artista voleva che il nostro sguardo ne fosse attratto... voleva che risaltasse. E qui» indicò la mano scorticata, «richiama l'attenzione sulla mano dipingendola troppo grande, del tutto sproporzionata rispetto al corpo, hai visto? E la gira addirittura, di modo che il pollice cada dalla parte sbagliata. Be', l'ha fatto apposta. La mano è priva di pelle – una cosa innaturale, fuori posto, che salta subito all'occhio –, ma il ribaltamento del pollice fa sembrare il tutto ancora *più* sbagliato, e pur non essendone consapevole chi guarda registra questa sensazione a livello subliminale. Un trucco alquanto intelligente.» Eravamo alle spalle di un gruppetto di turisti asiatici, e le teste erano così fitte che a stento riuscivo a intravedere il dipinto, ma non me ne importava granché perché avevo visto la ragazzina.

Anche lei mi aveva visto. Ci eravamo scambiati occhiate fugaci mentre giravamo per le gallerie. Non avrei saputo dire cosa ci fosse di interessante in lei, dal momento che era più piccola di me e aveva un aspetto un po' strano, lontano anni luce da quello delle ragazze che di solito mi affascinavano, le bellezze fredde e posate che nei corridoi della scuola si guardavano intorno sdegnose e uscivano con quelli più grandi. Questa ragazzina aveva i capelli color rosso acceso; movimenti rapidi, il viso appuntito, malandrino, insolito, e occhi di un marrone diverso, dorato come il miele. E anche se era troppo magra, tutta gomiti, e in un certo senso insignificante, qualcosa in lei mi procurava una stretta allo stomaco. Continuava a sventolare una custodia da flauto piuttosto malconcia, tamburellandoci sopra le dita... era una studentessa qui in città? Magari in attesa di recarsi a lezione di musica? Probabilmente no, pensai, circumnavigandola per seguire mia madre nella galleria successiva; i vestiti che indossava erano un tantino troppo scialbi per una newyorkese, era più probabile che si trattasse di una turista. Eppure si muoveva con maggior sicurezza della gran parte delle ragazze che conoscevo; e lo sguardo calmo e diretto ma non privo di malizia che mi lanciò superandomi mi diede alla testa.

Continuavo a seguire mia madre, senza prestare troppa attenzione a quel che diceva, e quando lei si fermò di botto di fronte a un altro quadro, per poco non le finii addosso.

«Oh, scusa...!» disse senza guardarmi, spostandosi appena per farmi spazio. Aveva il volto come illuminato dall'interno. «Ecco *quello* di cui ti parlavo» annunciò. «Non è straordinario?»

Inclinai la testa, fingendo di concentrarmi, mentre i miei occhi tornavano a posarsi sulla ragazzina. Era accompagnata da un buffo soggetto coi capelli bianchi che a giudicare dalla spigolosità del volto doveva essere un parente, forse suo nonno: cappotto principe di Galles, lunghe scarpe strette lucide come uno specchio. Aveva gli occhi ravvicinati e il naso adunco come il becco di un uccello; zoppicava... in effetti pendeva di lato con tutto il corpo e teneva una spalla più alta dell'altra, tanto che lo si sarebbe quasi potuto definire gobbo. Ma allo stesso tempo aveva un che di elegante. E l'adorazione che nutriva nei confronti della ragazzina era evidente nell'atteggiamento divertito e affabile con cui le ballonzolava accanto, attento a dove metteva i piedi, la faccia sempre rivolta verso di lei.

«È il primissimo quadro che ho amato» stava dicendo mia madre. «Era in un libro che prendevo sempre in prestito alla biblioteca quand'ero bambina. Mi sedevo per terra accanto al letto e lo guardavo per ore, completamente rapita dal fascino di quella creaturina! Insomma, è incredibile quante cose si possano imparare a proposito di un quadro osservando una banalissima riproduzione. All'inizio mi affezionai all'uccellino, come se fosse il mio animale da compagnia o qualcosa del genere, poi mi innamorai del modo in cui era dipinto.» Rise. «Ora che ci penso, la *Lezione di anatomia* era nello stesso volume, e mi terrorizzava a morte. Chiudevo il libro di scatto, se per sbaglio mi capitava di aprirlo su quella pagina.»

La ragazzina e il signore anziano ci avevano raggiunti. Per mascherare l'imbarazzo mi chinai in avanti e fissai lo sguardo sul quadro. Era piccolo, il più piccolo della mostra, e il più semplice: un cardellino giallo su sfondo pallido, la zampetta sottile come un ramoscello incatenata a un trespolo.

«L'artista era un allievo di Rembrandt, e maestro di Vermeer» riprese mia madre. «E questo minuscolo dipinto è l'anello di congiunzione tra i due artisti... la luce del giorno, limpida, trasparente... si capisce da dove Vermeer ha preso la qualità della *sua* luce. Naturalmente, allora non ero in grado di apprezzarne la rilevanza storica. Ma tant'è.»

Feci un passo indietro per osservarlo meglio. Era una piccola creatura ritratta senza artificio né sentimentalismo; e qualcosa, nel modo compatto con cui se ne stava ripiegata su se stessa – la sua luminosità, l'espressione vigile e all'erta – mi ricordò alcune fotografie di mia madre da bambina: un cardellino anche lei, con la testa scura e lo sguardo fermo.

«È una catastrofe famosa nella storia olandese» la sentii dire. «Gran parte della città andò distrutta.»

«Quale catastrofe?»

«L'incendio di Delft. In cui morì Fabritius. Non hai sentito l'insegnante, laggiù, che ne parlava alla classe?»

Sì che l'avevo sentita, mentre passavamo davanti a un trittico di spettrali paesaggi dipinti da un tale Egbert van der Poel, differenti prospettive della medesima landa desolata: case bruciate e distrutte, un mulino a vento con le vele a brandelli, corvi che volteggiavano in un cielo scuro di fumo. Una donna stava spiegando a un gruppo di ragazzini che a Delft, nel Seicento, una fabbrica di polvere da sparo era esplosa e che l'artista era rimasto talmente colpito dalla devastazione della sua città da dipingerla più e più volte, ossessivamente.

«Be', Egbert era un vicino di casa di Fabritius, e in seguito all'esplosione per poco non impazzì, o almeno così viene da pensare guardando le sue tele; Fabritius invece morì nel rogo del suo studio, dove andò perduta gran parte delle sue opere. Ma questo quadretto si salvò.» Fece una pausa, in attesa di un mio commento, ma siccome non aprii bocca continuò: «Fabritius era uno dei più grandi artisti della sua epoca, che a livello pittorico fu una delle più importanti in assoluto. Ed era molto, molto famoso ai suoi tempi. È triste, perché di tutto il suo lavoro sono sopravvissuti soltanto cinque o sei quadri. Tutto il resto è andato distrutto... tutto ciò che aveva creato».

La ragazzina e il signore si aggiravano in silenzio a pochi passi da noi mentre mia madre parlava, e la cosa era un po' imbarazzante. Distolsi lo sguardo, ma poi – incapace di resistere – tornai a osservarli. Erano vicini, così vicini che avrei potuto allungare una mano e toccarli. Lei strattonava la manica del vecchio, lo attirava a sé per sussurrargli qualcosa all'orecchio.

«Ad ogni modo» proseguì mia madre, «secondo me questo è il dipinto più straordinario della mostra. Fabritius ci rivela qualcosa che lui per primo ha scoperto, qualcosa che nessun altro pittore al mondo aveva ancora saputo cogliere… neppure Rembrandt.»

A voce tanto bassa che a stento riuscii a udirla, la ragazzina domandò: «Ed è rimasto legato così per tutta la vita?».

Mi stavo appunto chiedendo la stessa cosa, la zampina imprigionata e quell'insopportabile catenella, quando il signore anziano mormorò una risposta. Mia madre (che sembrava non averli notati) fece un passo indietro e continuò: «Un'immagine semplice e misteriosa. Tenera… ti viene voglia di andargli vicino, vero? Tutti quei fagiani morti di prima, e adesso questa creaturina tanto piena di vita».

Mi concessi un'altra sbirciata in direzione della ragazzina. Se ne stava in equilibrio su una gamba, di profilo rispetto a me. Poi, d'improvviso, si voltò e mi fissò negli occhi; il mio cuore perse un battito per la sorpresa, e distolsi lo sguardo.

Come si chiamava? Perché non era a scuola? Avevo provato a leggere il nome scarabocchiato sulla custodia del flauto, ma anche sforzandomi non ero riuscito a decifrare i tratti di pennarello scuri e appuntiti, più simili a un disegno che a una scritta, come i graffiti fatti con lo spray sui vagoni della metro. Il cognome era corto, appena quattro o cinque lettere. La prima sembrava una R, o forse era una P?

«La gente muore, questo è un dato di fatto» diceva la mamma. «Ma il modo in cui perdiamo le *cose* è insensato e terribile. Per incuria. Incendi, guerre. Il Partenone utilizzato come un magazzino per le munizioni, ma ci pensi? Tutto ciò che sopravvive alla Storia dovrebbe essere considerato un miracolo.»

Il signore anziano si era spostato qualche quadro più in là, invece lei, la ragazzina, si attardava poco distante da me e mia madre, continuando a lanciare occhiate verso di noi. Bella pelle: bianca come il latte, e le braccia parevano scolpite nel marmo. Doveva essere un'atleta, anche se era troppo pallida per essere una tennista; forse era una ballerina, oppure una ginnasta, o magari una tuffatrice che si esercitava fino a tardi in qualche piscina al coperto, avvolta nella penombra, con l'eco e i riflessi della luce artificiale sull'acqua, e le piastrelle scure sul fondo. Si tuffava col petto in fuori e le dita dei piedi allungate, uno *splash* silenzioso, il costume nero lucido, bolle che schiumavano e si allargavano intorno alla sagoma protesa del suo corpo.

Perché sviluppavo quel genere di curiosità morbosa nei confronti delle persone? Era normale fissarsi su un'estranea con tanta febbrile intensità? No. Non riuscivo a immaginare che un passante qualunque potesse coltivare un simile interesse nei *miei* confronti. Eppure era quella la vera ragione che mi aveva spinto a entrare di nascosto in quelle case insieme a Tom: ero affascinato dagli sconosciuti, volevo sapere cosa mangiavano e in quali piatti, quali film guardavano e che musica ascoltavano, volevo frugare sotto i letti e nei loro cassetti segreti, nei comodini e dentro le tasche dei cappotti. Spesso, per strada, notavo persone che mi incuriosivano, e passavo giorni interi a fantasticare, a inventare storie sul loro conto mentre viaggiavo nella metro o sull'autobus che attraversava la città. Ad anni di distanza, mi capitava di ripensare ai due bambini – fratello e sorella, coi capelli scuri e indosso l'uniforme di una scuola cattolica – che un giorno avevo visto lottare per trascinare il padre fuori da uno squallido bar dalle parti del Grand Central. Così come non avevo dimenticato la gracile ragazzina dai tratti gitani che, seduta su una sedia a rotelle all'esterno del Carlyle Hotel, bisbigliava in italiano rivolta al soffice cagnolino che teneva in grembo, mentre un tizio elegante con gli occhiali da sole (il padre? una guardia del corpo?) se ne stava in piedi alle sue spalle, apparentemente intento a concludere affari al telefono. Per anni avevo continuato a rigirarmi quegli estranei nella mente, domandandomi chi fossero e che tipo di vite conducessero, e sapevo che, una volta tornato a casa, avrei cominciato a interrogarmi allo stesso modo sulla ragazzina e sul signore che la accompagnava. Il vecchio era ricco; lo si capiva dai vestiti che portava. Perché erano lì loro due, da soli? Da dove venivano? Forse appartenevano a una di quelle grandi, antiche e complicate famiglie di New York – famiglie di musicisti, o di accademici, il genere di artistoidi che incrociavi nei pressi della Columbia o alle matinée del Lincoln Center. O magari il vecchio, con quell'aria schietta e perbene, non era parente della ragazza. Forse era un maestro di musica, e lei un talento che qualcuno aveva scovato in una minuscola cittadina di provincia, di passaggio a New York per un concerto alla Carnegie Hall…

«Theo?» disse mia madre a un tratto. «Mi stai ascoltando?»

La sua voce mi riportò alla realtà. Eravamo giunti all'ultima sala. Oltre c'era solo il negozio dedicato alla mostra – cartoline, cassa, colonne di libri illustrati – e la mamma, purtroppo, non aveva perso la cognizione del tempo.

«Chissà se piove ancora. Ci resta solo qualche minuto…» Guardò l'orologio e lanciò un'occhiata alle mie spalle, verso il cartello che indicava l'uscita. «Sarà meglio che scenda di sotto a cercare il regalo per Mathilde.»

Lo sguardo della ragazzina, notai, indugiava curioso sulla lucida coda di cavallo corvina della mamma, sul suo trench di satin bianco stretto in vita. Per un attimo vidi mia madre attraverso i suoi occhi, come una perfetta estranea, e ne fui elettrizzato. Aveva fatto caso, la ragazzina, alla minuscola gobbetta sul suo naso, nel punto in cui se lo era rotto da piccola cadendo da un albero? O al modo in cui le bordature scure intorno alle iridi azzurre le conferivano un'aria quasi selvaggia, da predatore solitario sull'altopiano?

«Dopotutto…» disse mia madre «se non ti dispiace, farei un salto a rivedere la *Lezione di anatomia* prima di andare. Con tutta quella gente non sono riuscita ad avvicinarmi, e ho paura che non avrò tempo di tornare alla mostra prima che chiuda.» Schizzò via, i tacchi che picchiettavano con urgenza, ma fatto qualche metro si voltò a guardarmi: *Allora, non vieni?*

«Ehm» declinai. «Ci vediamo al negozio?»

«Okay» rispose. «Mi prendi un paio di cartoline? Faccio in fretta.»

E, prima che avessi l'opportunità di dire un'altra parola, corse via. Col cuore che batteva all'impazzata, incapace di credere a quel colpo di fortuna, la osservai allontanarsi da me stretta nel suo trench bianco. Eccola lì, la mia chance di parlare con la ragazzina. *Ma cosa posso dirle*, pensai in preda al panico, *cosa?* Affondai le mani nelle tasche, feci un paio di profondi respiri per calmarmi, e – con l'eccitazione che mi ribolliva in pancia – mi voltai ad affrontarla.

Ma, con una certa costernazione, mi accorsi che se n'era andata. Anzi, no, intravedevo la sua testa fulva che si allontanava riluttante (o così mi parve) verso l'estremità opposta della sala. Suo nonno l'aveva presa sottobraccio, le sussurrava qualcosa all'orecchio con grande entusiasmo, la trascinava a vedere l'ennesimo quadro.

In quel momento avrei potuto ucciderlo. Lanciai un'occhiata nervosa in direzione della porta oltre la quale, pochi attimi prima, era sparita mia madre.

Poi sprofondai le mani ancora più giù nelle tasche e – il viso in fiamme – attraversai la galleria. L'orologio ticchettava, la mamma sarebbe tornata a minuti, e pur cominciando a temere che mi sarebbe mancato il coraggio di farmi avanti e parlarle, volevo almeno guardare la ragazzina un'ultima volta. Qualche sera prima ero rimasto alzato fino a tardi a guardare *Quarto potere*, e mi aveva colpito l'idea che si potesse notare di sfuggita un'affascinante sconosciuta e ricordarla per il resto della vita. Un giorno, forse, anch'io sarei finito come il vecchio protagonista del film, accasciato su una sedia e con lo sguardo perso nel vuoto, a biascicare: «È successo sessant'anni fa e non ho più rivisto quella giovane dai capelli rossi, ma sapete una cosa? In tutto questo tempo, non è passato un giorno senza che io abbia pensato a lei».

Ero giunto a metà della sala quando accadde qualcosa di strano. Un custode del museo varcò di corsa la porta del negozio poco più in là. Tra le braccia reggeva una specie di pacco.

Anche la ragazzina lo vide. I suoi occhi marrone dorato incontrarono i miei: lo sguardo sorpreso, confuso.

Di colpo un altro custode schizzò fuori dal negozio. Aveva le braccia alzate e stava urlando.

Le teste si sollevarono. Qualcuno dietro di me proruppe in un «Oh!» stranamente privo di intonazione. L'istante successivo la sala fu travolta da un'esplosione assordante.

Il signore anziano – gli occhi sbarrati – inciampò e cadde su un fianco. Il suo braccio proteso – le dita nodose allargate – fu l'ultima cosa che vidi. Subito dopo un lampo offuscato, la pioggia di detriti intorno a me, e un ruggito di vento bollente che mi investì scagliandomi in aria. Per un bel pezzo non seppi nient'altro.

V

Non so per quanto tempo restai privo di conoscenza. Quando rinvenni ero convinto di trovarmi a pancia ingiù nella sabbionaia di un parco giochi, al buio, nel mezzo di un quartiere sconosciuto e deserto. Ero circondato da una banda di ragazzini che mi tiravano calci nelle costole e alla nuca. Avevo il collo piegato con un angolo strano ed ero senza fiato, ma non era quella la parte peggiore; avevo della sabbia in bocca, respiravo sabbia.

I ragazzini borbottavano. *Alzati, coglione.*

Ma guardalo.

Non capisce un cazzo.

Rotolai su me stesso e sollevai le braccia sopra la testa, e allora – con un sussulto – mi accorsi di essere solo.

Per un istante restai a terra, troppo intontito per muovermi. Sirene d'allarme risuonavano attutite in lontananza. Per quanto assurdo possa sembrare, credevo ancora di essere nello spiazzo al centro di un quartiere di case popolari dimenticato da Dio.

Qualcuno me le aveva date di santa ragione: avevo male dappertutto, le costole indolenzite e la testa come se qualcuno l'avesse colpita con un tubo di piombo. Mi assicurai di riuscire ancora a muovere la mascella e intanto allungai la mano per cercare la tessera della metro nella tasca dei pantaloni, ma di colpo ricordai che non sapevo dove mi trovavo. Rimasi fermo dov'ero, intorpidito, immerso nella crescente consapevolezza che qualcosa era orribilmente fuori posto. La luce era sbagliata, e anche l'aria: acre e pungente, una nebbia chimica che mi bruciava la gola. La gomma che avevo in bocca sapeva di terra, e quando mi voltai su un fianco per sputarla – la testa che pulsava – mi ritrovai a cercare di mettere a fuoco, attraverso gli strati di fumo, qualcosa di talmente assurdo che rimasi a fissarlo senza capire per parecchi secondi.

Ero all'interno di una caverna dalle pareti bianche e irregolari. Dal soffitto penzolavano brandelli di stoffa e macerie. Il pavimento era imbarcato e irto di cumuli di una sostanza grigia come la superficie lunare, cosparso di vetri rotti, sassi e un uragano di detriti, mattoni, pezzi di metallo e qualcosa di simile a carta, a sua volta coperto da uno strato di cenere lieve come brina. Più su, due faretti balenavano squarciando il pulviscolo come i fanali disassati di un'auto nella nebbia, grotteschi, uno puntato verso alto, l'altro sulla parete, a proiettare ombre deformi.

Mi vibravano le orecchie, vibrava tutto il mio corpo, una sensazione orribile: ossa, cervello e cuore rimbombavano come una campana percossa dal batacchio. Appena udibile, proveniente da qualche punto lontano, lo stridore meccanico di un allarme risuonava persistente e freddo. Non riuscivo neppure a capire se il rumore venisse davvero da fuori oppure da dentro me stesso. Avvertivo forte e chiara la sensazione di essere solo, immerso in un'algida quiete mortale. Ovunque voltassi lo sguardo, nulla pareva aver senso.

Con una cascata di pietrisco, la mano poggiata su una superficie non propriamente verticale, mi alzai, trasalendo per il dolore alla testa. L'inclinazione dello spazio aveva qualcosa di assurdo, di innaturale. Da un lato, fumo e polvere erano sospesi in una coltre immobile. Dall'altro, una massa di materiale da costruzione a brandelli pendeva aggrovigliata nel punto in cui avrebbe dovuto trovarsi il soffitto.

La mascella mi faceva male, avevo tagli in faccia e sulle ginocchia, la bocca era carta vetrata. Strizzai gli occhi per mettere a fuoco quel caos e riconobbi una scarpa da tennis; cumuli di roba granulosa macchiata di scuro; un bastone da passeggio d'alluminio ritorto. Me ne stavo lì imbambolato, senza quasi poter respirare, senza sapere da che parte girarmi o che fare, quando d'un tratto mi sembrò di sentire un telefono che squillava.

Per un momento non ne fui certo, rimasi in ascolto, e il suono ricominciò: monotono e sordo, alieno. Tastai tra le macerie – cestini della merenda e zaini rovesciati e coperti di polvere – ritraendo la mano ogni volta che sfioravo qualcosa di caldo o di tagliente, sempre più spaventato, perché in certi punti i detriti cedevano sotto i miei piedi, e ai margini del mio campo visivo intravedevo delle sagome inerti.

Anche quando mi convinsi che non avevo sentito alcun telefono, che il ronzio nelle mie orecchie doveva avermi giocato un brutto scherzo, continuai a guardarmi intorno, a cercare meccanicamente con la determinazione cieca di un automa. Penne, borse, portafogli, occhiali rotti, chiavi magnetiche di alberghi, portacipria, profumi spray e flaconi di farmaci (Roitman, Andrea, Alprazolam 0,25 mg); finché dissotterrai una torcia portachiavi e un telefono non funzionante (carico a metà, ma non c'era campo), che gettai nella shopper di nylon morbida che avevo trovato in una borsetta da donna.

Boccheggiavo, mezzo strozzato dalla polvere di cemento, e la testa mi faceva così male che ci vedevo a stento. Avrei voluto sedermi, ma non trovavo spazio da nessuna parte.

Poi il mio sguardo scivolò sopra una bottiglia d'acqua. L'istante dopo i miei occhi fecero marcia indietro, fulminei, e vagarono in mezzo a quel caos fino a individuarla a pochi metri da me, semisepolta sotto un cumulo di detriti: appena l'angolo di un'etichetta, una familiare sfumatura di blu.

Senza forze, come se arrancassi nella neve, iniziai a farmi strada nella devastazione mentre non so che cosa mi si frantumava sotto i piedi producendo scricchiolii acuti, un rumore di ghiaccio spaccato. Avevo fatto solo pochi passi quando con la coda dell'occhio intuii un movimento all'altezza del suolo, inequivocabile nell'immobilità assoluta, un guizzo di bianco nel bianco.

Mi bloccai. Poi feci ancora un passo, e un altro, come camminando nell'acqua. Un uomo. Era steso sulla schiena e imbiancato di calcinacci dalla testa ai piedi. Così ben mimetizzato in quello sfacelo di polvere grigia, che mi ci volle un momento prima di capire: gesso su gesso, lottava per mettersi seduto, una statua rotolata giù dal piedistallo. Mentre mi avvicinavo notai che era anziano e gracile, con una specie di gobba sulla schiena; i capelli – o quel che ne restava – erano dritti sulla testa; metà della faccia era spruzzata di brutte bruciature, e sopra l'orecchio la pelle era nera e appiccicosa, raccapricciante.

Lo avevo quasi raggiunto quando lui – con rapidità inaspettata – allungò il braccio imbiancato e mi afferrò la mano. Indietreggiai spaventato, ma il vecchio strinse più forte, tossendo con un gorgoglio umido e malsano.

Dove?, sembrava implorare. *Dove?* Tentava di guardarmi, ma la testa gli ricadeva sul petto, e allora era obbligato a sbirciare da sotto le sopracciglia, come un avvoltoio. Gli occhi sul suo volto devastato erano vigili e disperati.

Oddio, dissi, abbassandomi per aiutarlo. *Aspetti, aspetti...* Ma mi zittii, perché non sapevo come fare. La parte inferiore del suo corpo giaceva a terra aggrovigliata e inerte, come un mucchio di vestiti sporchi.

Coraggiosamente si puntellò sulle braccia, cercando di tirarsi su, muovendo le labbra. Puzzava di capelli bruciati, di lana bruciata. Ma il bacino e le gambe sembravano staccati dal resto; e, dopo un altro colpo di tosse, tornò ad afflosciarsi.

Mi guardai intorno nello sforzo di raccapezzarmi, la mente annebbiata per via della ferita alla testa. Non avevo idea di quanto tempo fosse trascorso, non sapevo nemmeno se fosse giorno o notte. La grandiosità e la desolazione del posto mi confondevano... la sua ampiezza, strati su strati di fumo di varia densità e gradazione che si gonfiavano e si avviluppavano come tende là dove avrebbe dovuto esserci il tetto (o il cielo). E sebbene non sapessi dove mi trovavo, né perché, la catastrofe aveva il sapore di un mezzo ricordo, e sprigionava, nella luce violenta delle lampade di emergenza, una forza quasi cinematografica. Su Internet mi era capitato di vedere il filmato dell'esplosione di un hotel nel deserto, le stanze tutte uguali, come celle di un alveare, congelate nel lampo di luce che precede il collasso.

Poi mi tornò in mente l'acqua. Feci un passo indietro e frugai con gli occhi tra le macerie, finché con un tuffo al cuore scorsi quel vago bagliore d'azzurro.

Ascolti, dissi, arretrando. *Vado un attimo...*

Il vecchio mi fissava con espressione insieme speranzosa e disperata, come un cane affamato troppo stanco per camminare.

No, aspetti... torno subito.

Come un ubriaco avanzai tra i detriti, serpeggiando e affondando, scavalcando ostacoli, tra mattoni e blocchi di cemento, scarpe, borse, e resti carbonizzati di cose che mi rifiutavo di osservare troppo da vicino.

La bottiglia era piena per tre quarti e calda al tatto. Fu sufficiente un sorso perché la mia gola riarsa si facesse valere e ne buttasse giù avidamente più della metà – sapeva di plastica ed era tiepida come sciacquatura di piatti –, ma poi il cervello realizzò cosa stavo facendo e mi impose di chiuderla, metterla nella borsa e portarla al vecchio.

M'inginocchiai accanto a lui. Calcinacci acuminati mi bucavano le ginocchia. Tremava, il respiro un sibilo irregolare; il suo sguardo non incontrò il mio, ma continuò a vagare febbrile, per poi fermarsi su qualcosa alle mie spalle.

Stavo armeggiando con la bottiglia d'acqua quando mi sfiorò il viso con la mano. Le vecchie dita ossute dai polpastrelli piatti mi scostarono con cautela i capelli dal volto, mi tolsero una scheggia di vetro dal sopracciglio, e infine mi accarezzarono affettuosamente la testa.

«Su, su.» La voce era flebile, molto roca, molto gentile, e dai polmoni usciva un fischio spaventoso. Per uno strano, interminabile istante che non potrò mai dimenticare, ci scrutammo come due animali che s'incrociano al calar del sole, e una scintilla limpida e seducente gli attraversò lo sguardo. In quell'attimo io lo vidi per la creatura che era, e lui – credo – vide me. Vibravamo alla stessa frequenza, due dispositivi collegati elettricamente allo stesso circuito.

Poi lui ricadde all'indietro, così mollemente da farmi temere per un istante che fosse morto. «Ecco» dissi, infilandogli goffamente una mano sotto la spalla. «Così va bene.» Gli tenni la testa dritta meglio che potevo, e lo aiutai a bere. Quasi tutta l'acqua gli scivolò lungo il mento.

Di nuovo si lasciò andare all'indietro. Troppo sforzo.

«Pippa» mormorò.

Abbassai lo sguardo sul suo viso rosso e ustionato, e nei suoi occhi, che erano marroni e chiari, colsi qualcosa di familiare. Lo avevo già visto. E avevo visto anche la ragazzina, un'istantanea, lucida come le foglie in autunno: sopracciglia ramate, occhi color miele. Il viso di lei riflesso in quello di lui. Dov'era finita?

Stava provando a dirmi qualcosa. Muoveva le labbra martoriate dai tagli. Voleva sapere dov'era Pippa.

Sibilava, annaspava in cerca d'aria. «Coraggio» dissi in fretta. «Cerchi di non agitarsi.»

«Lei dovrebbe prendere la metropolitana, è più veloce. A meno che non la portino in macchina.»

«Non si preoccupi.» Mi avvicinai. Non avevo paura. D'un tratto ero sicuro che qualcuno ci avrebbe soccorsi da un momento all'altro. «Resterò qui finché non arrivano.»

«Sei molto gentile.» La sua mano (fredda e asciutta come polvere) si strinse sulla mia. «Era da tanto che non ti vedevo così piccolo. Eri un uomo fatto l'ultima volta che ci siamo parlati.»

«Ma io sono Theo» dissi dopo un istante.

«Certo, certo.» Il suo sguardo, come la sua stretta, era fermo e dolce. «E hai fatto la scelta migliore, non ho dubbi. La Mozart è molto più accogliente della Gluck, non sei d'accordo?»

Non sapevo cosa rispondere.

«Sarà più facile per voi due. Sono così severi coi ragazzi durante le audizioni…» Tossì. Le labbra sporche di sangue, rosso e denso. «Non concedono seconde possibilità.»

«Ascolti…» Lasciare che mi credesse un'altra persona non mi sembrava giusto.

«Oh, ma voi suonate entrambi così bene, caro. Il Sol maggiore. Continua a risuonarmi nella mente. Lieve, lieve, un tocco e via…»

Mormorò qualche nota. Una canzone. Era una canzone.

«… e ti ho raccontato, vero, di quando prendevo lezioni di piano da quell'anziana signora armena? C'era una lucertola verde che viveva sulla palma, verde come una gelatina alla menta, mi piaceva tenerla d'occhio… schizzava sul davanzale… le lanternine nel giardino… *du pays saint…* ci volevano venti minuti per attraversarlo, ma a me sembravano chilometri…»

La sua mente si offuscò per un attimo. Riuscivo a percepire la sua intelligenza che mulinava via, sempre più distante, come una foglia risucchiata dalla corrente. Poi di colpo la corrente lo riportò a me.

«E tu? Quanti anni hai adesso?»

«Tredici.»

«Frequenti il Lycée Français?»

«No, la mia scuola è nel West Side.»

«Immagino sia altrettanto buona. Tutte quelle ore di francese! Troppe parole straniere per un bambino. *Nom et pronom*, specie e phylum. Nient'altro che un'inutile collezione d'insetti.»

«Scusi?»

«Parlano sempre francese da Groppi. Ricordi Groppi? Gli ombrelloni a righe e il gelato al pistacchio?»

Ombrelloni a righe. Era difficile pensare con quel mal di testa. Lo sguardo mi cadde sul lungo squarcio che gli attraversava lo scalpo, grumoso e profondo come la ferita provocata da un'ascia. Via via cominciavo a percepire con sempre maggiore chiarezza la presenza di forme umane accasciate tra le macerie intorno a noi, sagome terrificanti a malapena visibili che ci accerchiavano in silenzio, buio dappertutto e corpi come bambole di pezza; e quello era un buio al quale avrei anche potuto decidere di affidarmi, invitava al sonno come la breve, ribollente scia di un'elica su un oceano nero e freddo.

D'improvviso, qualcosa non andava. Si era svegliato e mi scuoteva. Le mani frenetiche. Cosa voleva? Tentò di sollevarsi, e gli uscì un sibilo.

«Che c'è?» domandai, tornando in me. Ansimava, mi strattonava il braccio. Mi trassi a sedere, spaventato, guardandomi intorno: ero in pericolo? Era scoppiato un incendio? Il tetto stava per crollare?

Mi afferrò la mano. Strinse forte. «Non qui» riuscì a dire.

«Cosa?»

«Non puoi lasciarlo qui. No.» Aveva gli occhi fissi su un punto alle mie spalle. «Portalo via.»

Per favore, stia giù...

«No! Non devono vederlo.» Delirava, si era aggrappato di nuovo al mio braccio e cercava di rizzarsi a sedere. «Hanno rubato gli arazzi, li porteranno al deposito della dogana...»

Mi accorsi che stava indicando un pezzo di legno ricoperto di calcinacci, visibile a malapena tra i detriti e i monconi di travi, più piccolo del portatile che avevo a casa.

«Quello?» chiesi, guardando meglio. Sul legno c'erano delle gocce di cera e vecchie etichette adesive appiccicate qua e là. «Vuole quello?»

«Per favore.» Gli occhi erano due fessure. Si stava agitando, e la tosse quasi gli impediva di parlare.

Allungai il braccio e strinsi le dita intorno al bordo. Mi parve sorprendentemente pesante, viste le piccole dimensioni. Da un angolo si staccava una lunga scheggia di cornice.

Passai la manica sulla superficie sudicia. Un uccellino giallo, i colori opachi sotto il velo di polvere. *La Lezione di anatomia era nello stesso volume, e mi terrorizzava a morte.*

Me lo hai già detto, biascicai in risposta. Mi girai, il quadro in mano, per mostrarglielo meglio, però lei non c'era.

Anzi... c'era e non c'era. Una parte di lei era lì, solo invisibile. La parte invisibile era quella importante. Era una cosa che fino a quel momento non avevo mai compreso. Ma quando provai a dirlo a voce alta le parole uscirono impastate, e come uno schiaffo mi resi conto che sbagliavo. Le due parti dovevano stare insieme. Una senza l'altra non poteva esistere.

Mi strofinai il braccio sulla fronte e strizzai gli occhi per liberarli dalla polvere, poi, con uno sforzo enorme, come se stessi sollevando un macigno, provai a spostare i pensieri nel punto in cui avrebbero dovuto trovarsi. Dov'era mia madre? Per un momento eravamo stati in tre e uno di noi – ne ero quasi certo – era lei. Ma adesso eravamo solo in due.

Dietro di me il vecchio aveva ricominciato a tossire e a tremare, in preda a un impellente bisogno di parlarmi. Allungai il braccio e gli porsi il quadro. «Ecco» dissi, e poi, a mia madre, nel punto in cui avevo creduto di vederla: «Torno tra un attimo».

Ma non era il dipinto che il vecchio voleva. Con un gesto risentito lo spinse verso di me, farfugliando qualcosa. Il lato destro della testa era impregnato di sangue viscoso, tanto che a stento si distingueva l'orecchio.

«Come?» domandai, la mente rivolta ancora a lei... dov'era finita? «Mi scusi?»

«Prendilo.»

«Senta, vado un attimo via. Devo…» Non riuscivo a dirlo, non del tutto, ma mia madre voleva che tornassi a casa, subito, ci saremmo visti là, su questo punto era stata chiarissima.

«Tienilo.» Spinse ancora il quadro verso di me. «Vai!» Cercò di alzarsi. Il suo sguardo era acceso e folle; la sua agitazione mi spaventava. «Hanno preso tutte le lampadine, hanno distrutto metà delle case sulla strada…»

Una goccia di sangue gli colò sul mento.

«La prego» dissi, le mani nervose all'idea di toccarlo. «La prego, stia giù.»

Lui scosse il capo e tentò di parlare, ma lo sforzo lo fece tossire ancora, un rantolo umido e doloroso. Quando si asciugò la bocca, una lucida striscia di sangue si allungò sul dorso della sua mano.

«Stanno arrivando.» Non ero sicuro di crederci, ma non sapevo cos'altro dire.

Mi guardò dritto in faccia in cerca di un lampo di comprensione e, non trovandolo, artigliò il suolo per tirarsi su.

«Il fuoco» mormorò, la voce un gorgoglio. «La villa di Ma'adi. *On a tout perdu.*»

Un altro accesso di tosse. Una schiuma sporca di rosso gli usciva dalle narici. In mezzo a tutta quell'irrealtà, ai cumuli di pietre e ai monoliti decapitati, ebbi la vaga sensazione di averlo deluso, come se per goffaggine e ignoranza avessi fallito una qualche prova simile a quelle che l'eroe incontra nelle favole. Nonostante non ci fossero segni visibili di un incendio incombente, avanzai carponi e infilai il quadro nella borsa di nylon per evitare che si agitasse di più.

«Non si preoccupi» dissi. «Io…»

Si calmò. Mi mise una mano sul polso, gli occhi fermi e brillanti, e un vento freddo di follia soffiò su di me. Avevo fatto quello che dovevo. Sarebbe andato tutto bene.

Mentre mi crogiolavo in questa improvvisa e irragionevole certezza, lui mi strinse la mano, come se quel pensiero l'avessi appena pronunciato a voce alta. *Usciremo di qui*, disse.

«Lo so.»

«Avvolgilo nella carta di giornale e sistemalo sul fondo del baule, caro. Insieme agli altri oggetti rari.»

Sollevato nel vederlo più tranquillo, intontito dal mal di testa, col ricordo di mia madre quasi impercettibile come il colpo d'ali d'una falena, mi misi a sedere e chiusi gli occhi, stranamente calmo e a mio agio. Assente, trasognato. Lui farfugliava a fior di labbra: nomi stranieri, addizioni e numeri, qualche parola in francese ma la maggior parte in inglese. Stava arrivando un uomo per dare un'occhiata ai mobili. Abdou era nei guai perché aveva tirato dei sassi. Eppure, in qualche modo, tutto aveva un senso, e io vidi il giardino con le palme, il pianoforte e la lucertola verde sul tronco dell'albero come se fossero le fotografie di un album.

Ce la fai a tornare a casa da solo, caro?, ricordo di avergli sentito dire a un certo punto.

«Sicuro.» Ero sdraiato a terra accanto a lui, la testa all'altezza del suo sterno da vecchio che sussultava, e percepivo ogni interruzione e ogni sibilo del suo respiro. «Prendo la metropolitana da solo tutti i giorni.»

«E dove hai detto che vivi adesso?» La sua mano, benevola, sulla mia testa, come si fa con un cane che ti sta simpatico.

«Sulla Cinquantasettesima Strada Est.»

«Oh, sì! Vicino al Veau d'Or?»

«A qualche isolato da lì.» Le Veau d'Or era un ristorante dove a mia madre piaceva andare quando ancora avevamo un po' di soldi. Ci avevo mangiato le mie prime lumache e assaggiato il mio primo sorso di Marc de Bourgogne dal suo bicchiere.

«Dalle parti di Park Avenue, hai detto?»

«No, più vicino al fiume.»

«Abbastanza vicino, caro. Meringhe e caviale. Come ho amato questa città la prima volta che l'ho vista! Ma non è più la stessa, vero? Mi manca così tanto, a te no? Il balcone, e il...»

«Giardino.» Mi voltai a guardarlo. Profumi e melodie. Nella palude di confusione in cui vagavo, il vecchio era diventato un caro amico o un familiare di cui fino a quel momento avevo perso memoria, qualche lontano parente di mia madre...

«Oh, tua madre! Quel tesoro! Non dimenticherò mai la prima volta che è venuta a suonare. Era la ragazza più carina che avessi mai visto.»

Come faceva a sapere che stavo pensando a lei? Gli chiesi se sapeva dove fosse, ma si era addormentato. Aveva gli occhi chiusi e il suo respiro si era fatto pesante e accelerato, come se stesse scappando da qualcosa.

Mi stavo assopendo anch'io – le orecchie che fischiavano, un ronzio fastidioso e un sapore metallico in bocca, come dal dentista – e sarei potuto ripiombare nell'incoscienza, forse per sempre, se a un certo punto lui non mi avesse scosso con forza, facendomi ridestare in un soprassalto di panico. Mormorava delle parole, strattonandosi l'indice. Si era sfilato l'anello, che era d'oro con una pietra lavorata; voleva darmelo.

«No, non lo voglio» dissi, scostandomi. «Perché fa così?»

Ma lui me lo premette sul palmo. Il respiro era schiumoso e brutto. «Hobart e Blackwell» disse, con la voce di chi affoga dentro. «Suona il campanello verde.»

«Il campanello verde» ripetei senza capire.

Ciondolò la testa avanti, indietro, inebetito, le labbra tremule. Gli occhi vuoti. Quando scivolarono su di me senza vedermi, mi strapparono un brivido.

«Di' a Hobie di uscire dal negozio.»

Fissavo il sangue che gli colava da un angolo della bocca. Si era allentato la cravatta a forza di strattoni. «Lasci fare a me» dissi, allungando le mani per aiutarlo. Ma lui me le allontanò.

«Deve chiudere la cassa e uscire!» gracchiò. «Suo padre sta mandando dei tizi a picchiarlo…»

Gli occhi si rovesciarono all'indietro; le palpebre fremettero. Poi il vecchio si afflosciò, piatto e collassato, come se nei polmoni non fosse rimasta aria, trenta secondi, quaranta, un cumulo di stracci, ma d'un tratto – così all'improvviso che trasalii – il petto gli si gonfiò in un raspio potente come un muggito, e un grumo di sangue gli esplose dalle labbra e mi investì in pieno. Puntellandosi sui gomiti come meglio poteva ansimò come un cane per mezzo minuto, il petto che pompava febbrile, su e giù, su e giù, gli occhi fissi su qualcosa che non riuscivo a vedere, la mano che tratteneva la mia come se potesse salvarlo.

«Sta bene?» domandai, terrorizzato e sull'orlo delle lacrime. «Mi sente?»

Gli tenevo la testa mentre si dibatteva – un pesce senza più acqua –, o almeno ci provavo, non sapendo come fare e atterrito all'idea di fargli male, e per tutto quel tempo lui mi strinse la mano come se il suo corpo fluttuasse nel vuoto, sul punto di precipitare dal cornicione di un palazzo. Ogni respiro era un'esalazione isolata e crepitante, un masso gigantesco sollevato con sforzo inaudito e lasciato ricadere a terra, ancora e ancora. A un certo punto mi guardò, il sangue nella bocca, e sembrò dire qualcosa, ma le sue parole furono soltanto un rivolo che gli colò giù per il mento. Poi – con mio enorme sollievo – divenne più calmo, più silenzioso, la stretta attorno alla mia mano si sciolse, la sensazione di qualcosa che affondava in un gorgo, come se l'acqua lo stesse portando via da me. *Va meglio?*, chiesi, e poi…

Gli versai qualche goccia d'acqua in bocca, piano… Le labbra si animarono, le vidi muoversi; e poi, in ginocchio, come il giovane servo di una favola, provai a ripulirgli la faccia dal sangue col suo fazzoletto da taschino a motivi cachemire. Mentre lui sfumava – crudelmente, per gradi e latitudini – nell'immobilità, dondolai sui talloni e fissai il suo viso disfatto.

Ehi, mormorai.

Una palpebra sottile, mezza chiusa, si contrasse in uno spasmo venato di blu.

«Mi stringa la mano, se mi sente.»

Ma la sua mano nella mia era inerte. Mi misi a sedere continuando a guardarlo, senza sapere che fare. Dovevo andare, ero in ritardo – mia madre era stata molto chiara su questo punto –, però non vedevo come, e per certi versi era impossibile immaginare di poter essere da qualsiasi altra parte… impossibile immaginare che potesse esistere un mondo diverso da quello. Non avevo mai avuto altra vita che quella.

«Mi sente?» chiesi un'ultima volta, chinandomi e accostando l'orecchio alla sua bocca insanguinata. Mi rispose il nulla.

VI

Non volendo disturbarlo, nell'eventualità che stesse solo riposando, mi alzai il più silenziosamente possibile. Avevo male dappertutto. Per un attimo rimasi a osservarlo mentre mi pulivo le mani sulla giacca dell'uniforme scolastica – avevo il suo sangue addosso, le mani tutte impiastricciate –, poi spostai gli occhi sul paesaggio lunare che mi circondava, per cercare di orientarmi.

Quando – facendomi largo tra i calcinacci – raggiunsi il centro del grande spazio, o quello che sembrava esserne il centro, mi accorsi che l'uscita era sbarrata da cascate di detriti, e mi voltai per controllare la porta sul lato opposto. Lì l'architrave aveva ceduto, riversando a terra una montagna di mattoni alta quasi quanto me, e lasciando libero, in alto, un varco pieno di fumo largo quanto un'automobile. Iniziai ad arrampicarmi – a scavalcare e ad aggirare blocchi di cemento –, ma non mi ci volle molto per capire che non sarei andato lontano. Sottili lingue di fuoco lambivano la parete di quello che fino a poco prima era stato il negozio del museo, crepitando e balenando nella penombra, e c'erano fiamme anche molto più in basso del punto in cui avrebbe dovuto trovarsi il pavimento.

La porta completamente ostruita dai detriti non mi attirava per niente (piastrelle di gomma macchiate di rosso, e la punta di una scarpa da uomo che spuntava da un cumulo di pietrisco), ma perlomeno il materiale che la bloccava non sembrava troppo compatto. Tornai indietro, attento a schivare i fili scoperti che pendevano dal soffitto mandando scintille, mi misi la borsa a tracolla, feci un bel respiro e mi tuffai tra le macerie.

La polvere e l'odore pungente di sostanze chimiche mi soffocarono all'istante. Tossivo, pregavo di non incappare in un cavo elettrico scoperto, e intanto avanzavo a tentoni nel buio mentre dall'alto mi pioveva negli occhi di tutto: polvere d'intonaco, schegge e pezzetti di Dio solo sa cosa. Frammenti di materiale da costruzione, in qualche caso leggeri e impalpabili, in altri duri e pesanti. Più avanti mi spingevo, più il buio e il caldo aumentavano. Ogni tanto il passaggio si restringeva o si chiudeva all'improvviso e nelle orecchie mi risuonava un clamore di voci di cui non riuscivo a capire la provenienza. Scivolavo tra gli ammassi di detriti, un po' camminavo, un po' procedevo carponi e, pur senza vederli, percepivo i corpi sotto di me, una consistenza cedevole, inquietante, che calcavo senza quasi incontrare resistenza; ma la parte peggiore era il tanfo: stoffa bruciata, capelli e carne carbonizzati e il puzzo acre del sangue, rame, latta e sale.

Avevo tagli sulle mani e sulle ginocchia. Passavo sotto le cose, e intorno alle cose, le braccia protese in avanti; il fianco strusciò contro una specie di trave, finché non fui costretto a fermarmi davanti a una massa solida che immaginai essere un muro. Tastai la borsa alla ricerca della pila.

La torcia portachiavi doveva essere sul fondo, sotto il quadro, ma le dita si chiusero intorno al telefono. Lo accesi... e subito mi cadde a terra, perché nel chiarore del display avevo scorto la mano di un uomo che affiorava tra due pezzi di cemento. Pur nel terrore che mi invase, ricordo che ringraziai Dio in silenzio perché dopotutto era solamente una mano, anche se le dita erano tumide, scure, carnose, impossibili da dimenticare; ancora oggi mi sorprendo a trasalire se per strada un barbone allunga verso di me una mano simile a quella, gonfia e con le unghie orlate di nero.

Avrei potuto usare la torcia, ma volevo il cellulare. Diffondeva un debole bagliore nella nicchia in cui mi trovavo, ma non appena fui in grado di chinarmi a raccoglierlo, il display si spense. Nell'oscurità, il fantasma di quella luce verde acido galleggiò brevemente davanti ai miei occhi. Di nuovo in ginocchio avanzai nel buio rovistando tra frammenti di vetro e sassi, deciso a recuperare il telefono.

Credevo di sapere dove fosse, o almeno di avere individuato la zona in cui era caduto, e continuai a cercarlo, probabilmente più a lungo di quanto avrei dovuto; fu quando infine mi diedi per vinto e provai a rialzarmi che mi accorsi di essere scivolato più in basso e di avere sopra la testa qualcosa di solido che m'impediva di rimettermi in piedi. Voltarsi era impossibile, così come indietreggiare; allora decisi di proseguire gattoni, sperando che mi si aprisse di fronte un varco, e ben presto mi ritrovai a procedere più lentamente, un centimetro alla volta, schiacciato dalla disperazione e con la testa bloccata di lato.

Una volta, all'età di quattro anni, quando ancora abitavamo nel vecchio appartamento sulla Settima Avenue, ero rimasto intrappolato in un letto a scomparsa; una situazione che potrebbe sembrare buffa, ma che nella realtà non lo fu affatto. Credo anzi che sarei

morto, se Alameda, la nostra donna di servizio dell'epoca, non avesse sentito le mie urla attutite e non mi avesse tirato fuori. Muoversi
nello spazio privo d'aria in cui mi trovavo adesso era in un certo
senso la stessa cosa, solo peggio: c'erano schegge di vetro, pezzi di
ferro roventi, il puzzo dei vestiti bruciati e di tanto in tanto qualcosa
di morbido sulla cui esatta natura preferivo non soffermarmi. I detriti mi piovevano addosso dall'alto, la mia gola si stava riempiendo
di polvere e avevo cominciato a tossire forte e a cedere al panico
quando mi resi conto che riuscivo a intravedere il profilo irregolare
dei mattoni rotti che mi circondavano. La luce – un bagliore a stento percepibile – filtrava debolmente da sinistra, a una quindicina di
centimetri dal pavimento.

Mi accucciai più che potevo e mi ritrovai a fissare l'impiantito di
marmo scuro della galleria adiacente. Un ammasso disordinato di
quelle che parevano attrezzature da soccorso (corde, asce, piedi di
porco, una bombola di ossigeno con la scritta FDNY) giaceva a terra
a poca distanza da me.

«C'è nessuno?» chiamai e, senza aspettare risposta, mi abbassai
per strisciare più in fretta che potevo verso la luce.

Il varco era angusto, e se avessi avuto addosso appena qualche
chilo o qualche anno di più probabilmente non ci sarei passato. A
metà strada la borsa si impigliò in qualcosa, e per un attimo pensai
che, quadro o non quadro, avrei dovuto abbandonarla lì, come una
lucertola lascia indietro la coda; poi, però, la liberai con un ultimo
strattone, e una frana di frammenti d'intonaco mi piovve in volto.
Davanti a me c'era una trave mezza sepolta da quintali di materiali
da costruzione, e mentre mi contorcevo e mi dimenavo per passarci sotto, fui colto dal terrore che crollasse di colpo, tagliandomi
letteralmente in due, finché non mi accorsi che qualcuno l'aveva
stabilizzata con un massiccio puntello di ferro.

Arrivato in fondo mi rimisi in piedi, tremebondo e stordito dal
sollievo. «C'è qualcuno?» chiamai ancora, chiedendomi perché
ci fosse in giro tanta attrezzatura e nemmeno un pompiere. La
sala era semibuia ma quasi intatta, c'era fumo, nuvole impalpabili
come garza che si facevano più dense man mano che salivano, eppure, dall'angolatura delle videocamere di sicurezza e dei faretti

semidivelti e puntati verso il soffitto, si capiva che in quel luogo si era sprigionata una forza d'urto spaventosa. Ero così felice di essere in uno spazio sgombro di macerie che impiegai qualche secondo per registrare la strana sensazione di essere l'unica persona in piedi in una stanza piena di gente. A parte me, tutti erano stesi a terra.

I corpi disseminati sul pavimento erano almeno una dozzina, e non tutti interi. Davano l'impressione di essere precipitati da un'altezza di parecchi metri. Tre o quattro erano semicoperti da dei giacconi da pompiere, con solo i piedi che spuntavano. Altri erano abbandonati in piena vista, circondati da chiazze esplosive. Le macchie e gli schizzi recavano in sé l'impronta della violenza, come grandi starnuti di sangue; un senso quasi isterico di movimento era congelato nella loro immobilità. Ricordo in particolare una signora di mezza età con una camicia a piccole uova Fabergé inzaccherata di sangue, una camicia che, mi ritrovai a pensare, poteva benissimo aver comprato al negozio del museo. I suoi occhi – orlati di trucco pesante – fissavano il soffitto inespressivi, e la sua abbronzatura doveva essere uscita da una bomboletta spray, perché la pelle del viso aveva un bel colorito albicocca nonostante la parte superiore della sua testa mancasse del tutto.

Tele dai colori spenti, dorature sbiadite. A piccoli passi, ondeggiando per non perdere l'equilibrio, raggiunsi il centro della stanza. Sentivo il respiro graffiarmi la gola, dentro e fuori, dentro e fuori, e c'era in quel suono qualcosa di vuoto, una leggerezza come da incubo. Non volevo guardare, però non avevo scelta. Un piccolo uomo asiatico, patetico nella sua giacca a vento marrone chiaro, raggomitolato in una pozza di sangue che continuava ad allargarsi. Un custode (l'uniforme la cosa più riconoscibile, perché la faccia era orribilmente ustionata) con un braccio dietro la schiena e uno schizzo feroce là dove avrebbero dovuto trovarsi le gambe.

Ma la cosa fondamentale, la cosa importante, era questa: nessuna delle persone stese lì a terra era lei. Mi sforzai di osservarle tutte, una per una – e quando non riuscivo più a guardare i visi, cercavo i piedi di mia madre, ricordavo com'era vestita e le sue scarpe bianche e nere. E persino dopo che mi fui reso conto che non era lì, mi costrinsi a restare dov'ero, circondato dai corpi, ripiegato sul fondo di me stesso come un piccione ferito con gli occhi chiusi.

Nella galleria successiva: altri morti. Tre. Un uomo grasso con un gilet a rombi, una vecchia rattrappita, un pulcino lattiginoso di ragazza con appena un'escoriazione rossa alla tempia. Nessun altro. Percorsi corridoi su corridoi disseminati di attrezzature da soccorso, ma nonostante le macchie di sangue sul pavimento non si vedevano morti. E quando misi piede nella galleria dove avrebbe dovuto essere lei, quella della *Lezione di anatomia* – gli occhi serrati, pregando forte –, trovai altre barelle e altra attrezzatura, e un silenzio assordante, inspiegabile, e gli unici occhi che avevo addosso erano quelli dei due attoniti gentiluomini olandesi che prima avevano fissato mia madre e me da dentro il quadro: che ci fai *tu* lì?

Poi qualcosa scattò dentro di me. Non ricordo neppure come accadde; semplicemente ero da un'altra parte, e attraversavo di corsa saloni pieni soltanto di una cortina di fumo che rendeva irreale, incorporea, la loro imponenza. Fino a poco prima la disposizione delle sale e dei corridoi mi era sembrata seguire una logica, serpeggiante ma rigorosa, secondo cui ogni ramificazione confluiva nel negozio del museo. Ma mentre correvo nella direzione opposta mi resi conto che il percorso era tutt'altro che lineare; e più di una volta mi ritrovai di fronte un muro cieco, o svoltai in stanze senza uscita. Porte e ingressi non erano dove mi aspettavo che fossero; e pilastri inattesi spuntavano come dal nulla. Prendendo una curva troppo stretta per poco non finii addosso a un gruppo di soldati della guardia reale di Frans Hals: possenti, burberi figuri con le guance arrossate e lo sguardo sbavato per la troppa birra, simili a un branco di poliziotti a una festa in maschera. Mi fissarono, gli occhi severi e vagamente divertiti, mentre indietreggiavo e ricominciavo a correre.

Anche in circostanze normali, girovagando senza meta nei padiglioni dedicati all'arte oceanica, tra totem e piroghe, mi era capitato più di una volta di perdere l'orientamento e di dover chiedere ai custodi di indicarmi l'uscita. Nell'ala riservata alla pittura, che veniva riorganizzata in occasione di ogni nuova mostra, era particolarmente facile confondersi, e così, mentre attraversavo le sale deserte, immerse in una penombra spettrale, sentivo la paura montare dentro di me. Credevo di sapere dov'era la scalinata principale, ma le cose cominciavano ad apparire sempre meno familiari, e dopo aver vagato qualche minuto in stato confusionale lungo percorsi dei quali non ero affatto sicuro, capii che mi ero perso. Chissà come avevo oltrepassato i capolavori italiani (Cristi in croce e santi stupefatti, serpenti e angeli in battaglia) per finire nell'Inghilterra del diciottesimo secolo, una parte del museo che avevo visitato di rado e che non conoscevo. A ogni passo, nuove ed eleganti linee prospettiche si aprivano davanti ai miei occhi, labirinti di corridoi che richiamavano alla mente un maniero stregato: gentiluomini imparruccati e fredde bellezze alla Gainsborough osservavano la mia angoscia dall'alto in basso, con indifferenza. Scorci pieni di sfarzo e nobiltà che mi esasperavano, dal momento che conducevano sempre e soltanto ad altri scorci esattamente identici, e non alla scalinata né a uno dei corridoi principali. Ero sull'orlo del pianto quando scorsi una piccola porta.

Bisognava farci caso per notarla: era dello stesso colore della parete, il tipo di porta che, di norma, era sempre chiusa. Aveva catturato la mia attenzione solo perché non lo era perfettamente: la parte sinistra non aderiva al muro, forse la serratura non era scattata, o magari il meccanismo non funzionava in assenza di elettricità. Nonostante ciò, non fu facile aprirla: era di acciaio pesante e dovetti tirare con forza. Alla fine, con un singulto pneumatico, cedette, tanto all'improvviso che rischiai di finire a terra.

Mi infilai nel varco e mi ritrovai in una buia zona di uffici, sotto un soffitto molto più basso. Le luci d'emergenza qui erano più deboli e mi ci volle qualche istante per abituarmi alla semioscurità.

Il corridoio sembrava estendersi per chilometri. Avanzai con timore, sbirciando all'interno dei locali che avevano le porte spalancate. *Cameron Geisler, Direttore amministrativo. Miyako Fujita, Assistente del Direttore amministrativo.* I cassetti erano aperti, le sedie sospinte lontano dalle scrivanie. Sulla soglia di uno degli uffici una scarpa a tacco alto giaceva rovesciata su un fianco.

L'aria di abbandono era inquietante. In lontananza mi pareva di udire le sirene della polizia, forse persino dei walkie-talkie e dei

cani, ma le orecchie mi fischiavano ancora per via dell'esplosione, e
non potevo esserne certo. Il fatto di non aver incontrato né pompieri né poliziotti – nemmeno l'ombra di un'anima viva – cominciava
a spaventarmi sul serio.

L'area in cui mi trovavo non era abbastanza buia perché la piccola torcia attaccata al portachiavi potesse essere d'aiuto, ma neanche
sufficientemente illuminata da consentirmi di vederci bene. Ero finito in una specie di archivio, o di magazzino. Gli uffici erano stipati
di schedari dal pavimento al soffitto, scaffali di metallo con cassette
di plastica per la posta e scatoloni di cartone. Lo spazio angusto del
corridoio mi dava un senso di pericolo, di claustrofobia, e i miei passi echeggiavano talmente forte che una o due volte dovetti fermarmi
a controllare che non ci fosse qualcuno che mi seguiva.

«Ehi?» chiamavo mentre passavo davanti agli uffici, di tanto in
tanto guardando all'interno. Alcuni erano essenziali e moderni, altri pieni di roba e piuttosto sporchi, con pile disordinate di carte e
libri.

*Florens Klauner, Dipartimento strumenti musicali. Maurice Orabi-
Roussel, Arte islamica. Vittoria Gabetti, Settore tessili.* Superai un
locale cavernoso e scuro, con un lungo tavolo da lavoro sul quale,
come tessere di un puzzle, erano sparsi dei campioni di stoffa. In
fondo alla stanza c'erano alcune rastrelliere porta-vestiti con appese
delle custodie plastificate simili a quelle che si vedono davanti agli
ascensori di servizio da Bendel o da Bergdorf.

Alla fine del corridoio guardai a destra e a sinistra, cercando di
capire da che parte andare. Sentivo odore di cera per pavimenti,
trementina e altre sostanze chimiche, il puzzo acre del fumo. File
interminabili di uffici e laboratori si susseguivano in entrambe le
direzioni: una rete geometrica statica e senza vita.

Sulla mia sinistra, una lampada a soffitto guizzava lampi di luce.
Borbottava e tossiva in una convulsione elettrostatica, e nel bagliore
tremolante, in fondo a quel corridoio, intravidi una fontanella.

Mi misi a correre – così in fretta che per poco non scivolai –, e
bevvi a grandi sorsate con la bocca attaccata al rubinetto, tanta di
quell'acqua gelata che una fitta di dolore mi trapassò la tempia. Mi
venne il singhiozzo mentre mi lavavo via il sangue dalle mani, spruz-

zavo acqua sugli occhi infiammati e ficcavo la testa sotto il getto. Piccole schegge di vetro – quasi invisibili – tintinnarono nella vaschetta, aghi di ghiaccio luccicanti sull'acciaio.

Mi accasciai contro il muro. I neon sopra di me sfarfallavano, acceso-spento, mi davano la nausea. Mi imposi di rimettermi in piedi e ricominciai a camminare, malfermo in quella luce instabile. Adesso l'ambiente aveva un'aria decisamente industriale, tavole di legno, carrelli, merce imballata da spostare e immagazzinare. Giunsi a un altro incrocio, dove un corridoio male illuminato si perdeva nell'oscurità. Stavo per proseguire, quando vidi la scritta USCITA balenare rossa sul fondo.

Inciampai e caddi; mi alzai, e, ancora col singhiozzo, mi fiondai lungo quell'ennesimo interminabile corridoio. All'estremità c'era una porta con un maniglione di metallo come quello delle uscite di sicurezza della mia scuola.

Si spalancò con un grugnito. Corsi giù per una scala buia, dodici gradini, una svolta sul ballatoio, altri dodici gradini, le dita che slittavano sul corrimano di metallo, le scarpe che picchiavano talmente forte che era come se a correre fossimo in dieci. In fondo alla scala c'era un corridoio grigio, un'altra porta col maniglione antipanico. Mi ci gettai contro con tutto il peso, spalancandola... e fui investito in pieno volto dalla pioggia gelida e dall'urlo assordante delle sirene.

Giurerei di aver cacciato un grido, tanto ero felice di essere fuori, ma in ogni caso nessuno poteva sentirmi: era un po' come gridare sopra il rombo dei jet sulla pista del LaGuardia durante un temporale. Era come se ogni camion dei pompieri, ogni singola macchina della polizia, ogni ambulanza e ogni veicolo di emergenza nel raggio dei cinque distretti, più il New Jersey, stessero urlando a pieni polmoni lungo la Quinta Avenue, un frastuono delirante e festoso: Capodanno e Natale e i fuochi del Quattro luglio tutto in una volta.

L'uscita, una porta di servizio tra le piattaforme di carico e il parcheggio, mi aveva risputato dentro Central Park. In lontananza intravedevo sentieri vuoti immersi nel grigio-verde; le chiome imbiancate degli alberi si scuotevano e schiumavano nel vento. Più avanti la Quinta, battuta dalla pioggia, era stata chiusa al traffico.

Dal punto in cui mi trovavo, e attraverso la cortina d'acqua, riuscivo a malapena a scorgere il bombardamento di attività: gru e mezzi
pesanti, poliziotti che tenevano a bada la folla, luci rosse, luci gialle
e blu, bagliori vorticanti e intermittenti che lampeggiavano convul-
samente nel caos.

Portai le braccia sopra la testa e mi tuffai sotto il diluvio e nel
parco deserto. La pioggia mi finiva negli occhi scivolandomi giù
dalla fronte, e le luci sulla strada erano una macchia lontana sempre
più annacquata e pulsante.

Il Dipartimento di polizia di New York, i vigili del fuoco, e altri
furgoni parcheggiati coi tergicristalli in funzione: squadre speciali
di soccorso, unità cinofile, Divisione sostanze pericolose. Impermeabili di gomma nera gonfiati dal vento. Avevano chiuso l'uscita
del parco col nastro giallo, all'altezza del Miners' Gate. Senza pensarci due volte sollevai il nastro, ci passai sotto e corsi tra la folla.

Nessuno fece caso a me, in quella confusione. Feci inutilmente
avanti e indietro per la strada, le gocce di pioggia che mi picchiettavano la pelle simili a tanti granelli di pepe. Ovunque mi girassi,
tutto ciò che vedevo era il riflesso del mio stesso panico. La gente
sfrecciava e mi si accalcava intorno: agenti, vigili del fuoco, uomini
con l'elmetto, un vecchio che si teneva il gomito e una signora che
perdeva sangue dal naso, sospinta verso la Settantanovesima da un
poliziotto.

Non avevo mai visto tanti camion dei pompieri in un unico posto: Squad 18, Fighting 44, New York Ladder 7, Rescue One, Truck
4 Pride of Midtown. Mi feci largo in quel mare di veicoli parcheggiati e di impermeabili neri, finché scorsi un'ambulanza Hatzolah:
caratteri ebraici sul retro, una piccola sala ospedaliera illuminata
visibile attraverso gli sportelli aperti. Paramedici chini su una donna per farla stare giù, mentre lei insisteva per mettersi a sedere. Una
mano rugosa con dello smalto rosso sulle unghie artigliò l'aria.

Picchiai un pugno sulla portiera. «Dovete tornare dentro» urlai.
«C'è ancora gente...»

«C'è un'altra bomba» gridò il paramedico senza degnarmi di uno
sguardo. «Siamo dovuti uscire.»

Prima che avessi il tempo di registrare quelle parole, un poliziotto gigantesco mi piombò addosso come una furia: aveva una faccia da bulldog e braccia pompate da sollevatore di pesi. Mi afferrò bruscamente per l'avambraccio e prese a strattonarmi e a spingermi verso il lato opposto della strada.

«Cosa cazzo stai facendo qui?» tuonò, ignorando le mie proteste mentre tentavo di liberarmi.

«Signore...» Una donna con del sangue sul viso cercava di attirare la sua attenzione. «Signore, credo di avere una mano rotta...»

«Si allontani subito dall'edificio!» le urlò lui scansandola e poi, rivolto a me: «Fuori dai piedi!».

«Ma...»

Mi spintonò talmente forte che per poco non persi l'equilibrio. «Via dall'edificio!» gridò, alzando le braccia e facendo sventolare l'impermeabile. «Subito!» Non mi guardava neppure; i suoi minuscoli occhi da orso erano fissi su qualcosa che stava accadendo alle mie spalle, in fondo alla strada, e l'espressione che gli vidi in faccia mi terrorizzò.

Mi tuffai di nuovo tra la massa di addetti ai soccorsi, verso il marciapiede opposto, proprio sopra la Settantanovesima; con lo sguardo cercavo mia madre, ma lei non c'era. Il numero di ambulanze era impressionante: c'erano quelle del Beth Israel Emergency, del Lenox Hill, del New York Presbyterian, e c'erano i paramedici del Cabrini. Un uomo con addosso un completo coperto di sangue giaceva sulla schiena dietro una siepe di tasso nel piccolo cortile recintato di un palazzo della Quinta. Anche qui del nastro giallo delimitava la zona, schioccando nel vento, ma i poliziotti fradici di pioggia, i pompieri e gli uomini con gli elmetti lo sollevavano e ci passavano sotto, avanti e indietro, come se non esistesse.

Gli occhi di tutti erano puntati in direzione Uptown, e solo in seguito avrei capito perché: sulla Ottantaquattresima (troppo distante perché potessi vedere qualcosa) i poliziotti della Divisione sostanze pericolose erano impegnati a «neutralizzare» una bomba inesplosa sparandole contro acqua con un idrante. Dovevo parlare con qualcuno per capire cos'era successo; tentai di raggiungere un camion dei pompieri, ma i poliziotti stavano caricando la folla agitando le braccia, battendo le mani, costringendo la gente a disperdersi.

Riuscii ad afferrare l'impermeabile di un pompiere, un ragazzo che masticava una gomma. «C'è ancora gente là dentro!» strillai.

«Sì, sì, lo sappiamo» urlò lui senza guardarmi. «Abbiamo ricevuto l'ordine di uscire. Hanno detto che ci vorranno cinque minuti, poi ci fanno tornare dentro.»

Un improvviso spintone alla schiena. «Muoviti, muoviti!» sentii gridare.

Una voce roca, dall'accento marcato: «Levami le mani di dosso!».

«Subito! Toglietevi tutti di mezzo!»

Qualcun altro mi urtò. I vigili del fuoco si sporgevano dalle scale dei camion, guardando su verso il Tempio di Dendur; i poliziotti stavano spalla contro spalla, tesi, incuranti della pioggia. Mentre li superavo continuando a inciampare, trascinato dalla corrente umana, il mio sguardo incontrò occhi vitrei, teste che annuivano, piedi che battevano inconsciamente il conto alla rovescia.

Quando udii il sibilo della bomba disinnescata, e il roco urlo da stadio che si levò dalla Quinta, ero già stato sospinto fin quasi alla Madison. Altri agenti – questa volta vigili urbani – roteavano le braccia, ricacciando indietro l'attonita fiumana di persone. «Coraggio, muoversi, muoversi.» Piombavano sulla folla battendo le mani. «Di qua, di qua!» Un poliziotto – un ragazzone col pizzetto e un orecchino da lottatore di wrestling – diede una spinta a un fattorino con una felpa col cappuccio che stava scattando una foto col cellulare, scaraventandomelo addosso.

«E stai attento!» strillò quello con una voce acuta e brutta; il poliziotto lo spintonò di nuovo, stavolta abbastanza forte da farlo finire culo a terra nel canaletto di scolo.

«Sei sordo o cosa, amico?» sbraitò. «Fuori dai piedi!»

«Non mi toccare!»

«E se invece ti apro la testa in due?»

Tra la Quinta e la Madison era il delirio. Il rombo dei rotori degli elicotteri sulle nostre teste, parole distorte al megafono. Avevano chiuso al traffico la Settantanovesima, che però era stipata di macchine della polizia, camion dei pompieri, transenne in cemento e un fiume di gente vociante in preda al panico e bagnata fradicia. C'era chi arrivava di corsa dalla Quinta, altri cercavano di farsi largo a forza verso il museo, una selva di cellulari tenuti in alto per scattare foto, e c'erano persone ferme immobili con la bocca spalancata mentre tutt'intorno la folla si gonfiava, gli occhi fissi sul fumo nero che si levava nel cielo umido della Quinta, come in attesa dello sbarco dei marziani.

Sirene; vapore bianco che usciva a ondate dalle grate della metropolitana. Un senzatetto avvolto in una coperta sporca vagava avanti e indietro, ansia e confusione dipinte in faccia. Mi guardai attorno in cerca di mia madre, convinto di trovarla tra la folla; per un po' tentai di avanzare controcorrente nel flusso guidato dagli agenti (sulle punte dei piedi e col collo allungato), poi capii che era assurdo continuare a sgomitare sotto quella pioggia torrenziale, dentro quel caos. *Ci vedremo a casa*, pensai. Casa era il posto stabilito, il luogo d'incontro in caso di emergenza; doveva essersi resa conto che era inutile sperare di recuperarmi in mezzo al caos. Eppure provai una meschina, irrazionale fitta di delusione nell'incamminarmi da solo, e lungo tutto il tragitto (con un mal di testa infernale e la vista sdoppiata) continuai a sperare di vederla, a passare in rassegna facce sconosciute e angosciate. Ne era uscita viva, contava solo questo. Al momento dell'esplosione si trovava a parecchie gallerie di distanza. Nessuno dei cadaveri che avevo visto era il suo. Ma per quanto sapessi che quelli erano gli accordi, per quanto andare a casa fosse la cosa più logica da fare, per qualche ragione mi era impossibile rassegnarmi al fatto che davvero si fosse allontanata senza di me.

Capitolo 2
Lezione di anatomia

Quand'ero piccolo, quattro o cinque anni, la mia paura più grande era che un giorno o l'altro mia madre non tornasse dal lavoro. Addizioni e sottrazioni erano utili nella misura in cui mi aiutavano a tenere i suoi spostamenti sotto controllo (tra quanti minuti lascerà l'ufficio? E quanti ne impiegherà da lì alla metropolitana?), e già prima di saper contare ero ossessionato dall'idea di imparare a leggere l'orologio: studiavo fino alla disperazione l'arcano cerchio tracciato con i pastelli su un piatto di carta, che, una volta decifrato, mi avrebbe rivelato lo schema dei suoi andirivieni. Di solito rientrava in orario, perciò, se per caso tardava dieci minuti, cominciavo ad agitarmi, e se l'attesa si protraeva mi sedevo sul pavimento vicino alla porta come un cucciolo lasciato solo troppo a lungo e tendevo l'orecchio per intercettare il borbottio dell'ascensore che saliva al nostro piano.

Ai tempi della scuola elementare, quasi ogni giorno sentivo su Channel 7 notizie che mi preoccupavano. E se un barbone imbacuccato in un giaccone lercio l'avesse spinta sulle rotaie mentre aspettava il treno della linea 6? O se l'avesse costretta spalle al muro in un androne buio e poi accoltellata per rubarle il portafoglio? E se le fosse scivolato il phon nella vasca da bagno, o se una bicicletta l'avesse investita proprio nel momento in cui passava una macchina, o se dal dentista le avessero somministrato un medicinale sbagliato e fosse morta, com'era successo alla madre di uno dei miei compagni di classe?

Il pensiero che potesse capitarle qualcosa era ancora più spaventoso perché mio padre era del tutto inaffidabile. E *inaffidabile* è un un eufemismo. Persino quando era di buon umore, papà riusciva a combinare guai come perdere la busta paga o addormentarsi con la porta di casa aperta, perché beveva. E quando invece era di cattivo umore – ossia la maggior parte del tempo – aveva gli occhi sempre rossi e quell'aspetto appicciaticcio, la giacca talmente sgualcita che sembrava ci si fosse rotolato per terra, e trasudava una staticità innaturale, come un contenitore pressurizzato sul punto di esplodere.

Non capivo perché fosse infelice, però era chiaro che lo era per colpa nostra. Mia madre e io gli davamo sui nervi. Era a causa nostra se aveva un lavoro che non sopportava. Qualunque cosa facessimo lo irritava. In particolare non gli piaceva avermi attorno, anche se per la verità non accadeva spesso: la mattina, mentre mi preparavo per la scuola, se ne stava seduto in silenzio, con gli occhi gonfi davanti al caffè e al «Wall Street Journal», l'accappatoio aperto, i capelli dritti sulla testa, e la mano gli tremava così tanto che il caffè traboccava ogni volta che portava la tazza alle labbra. Quando entravo in cucina mi lanciava un'occhiata piena di diffidenza, le narici che fremevano d'irritazione se facevo troppo rumore con le posate o con la tazza dei cereali.

A parte questo imbarazzante rituale, ci vedevamo poco. Non cenava con noi né si presentava agli appuntamenti scolastici; non giocava con me né mi parlava molto quando era a casa; a dire il vero capitava di rado che rientrasse che ero ancora sveglio, e certi giorni – specialmente quelli di paga, un venerdì sì e uno no – tornava tardi, attorno alle tre o alle quattro del mattino, facendo un gran baccano: sbatteva la porta, lasciava cadere a terra la ventiquattrore, inciampava e andava a sbattere ovunque, tanto che a volte mi svegliavo di soprassalto, gli occhi fissi sulle stelle luminose proiettate sul soffitto dal planetario, col terrore che in casa fosse entrato un assassino. Per fortuna, quando era ubriaco, i suoi passi rallentavano, un'andatura irregolare e inconfondibile – alla Frankenstein, passi ponderati e pesanti, separati da pause troppo lunghe –, e non appena mi rendevo conto che era soltanto lui che incespicava nel buio, e non uno psicopatico o un serial killer, mi lasciavo di nuovo scivolare in un torpore irrequieto. Il giorno seguente, sabato, mia madre e io facevamo in modo di essere già fuori casa quando lui si svegliava sul divano da un sonno madido e attorcigliato. Altrimenti dovevamo trascorrere la giornata ad aggirarci per l'appartamento in punta di piedi, con la paura di fare troppo rumore o comunque di disturbarlo, mentre lui sedeva impassibile davanti alla TV con in mano una birra cinese del take-away e gli occhi vitrei, a guardare lo sport o il TG senza audio.

Perciò, né io né la mamma ci eravamo allarmati più di tanto quando, uno di quei sabati mattina, avevamo scoperto che non era rientrato. Avevamo iniziato a preoccuparci la domenica, e anche allora non ci eravamo davvero agitati come sarebbe stato normale accadesse. Era l'inizio della stagione del football universitario; era probabile che il papà avesse scommesso su qualche partita; magari aveva preso un autobus per Atlantic City senza avvertire. Solo il giorno dopo, quando la sua segretaria, Loretta, aveva chiamato per comunicarci che non si era presentato al lavoro, avevamo cominciato a intuire la gravità della situazione. Mia madre temeva che potessero averlo aggredito o addirittura ucciso mentre ciondolava ubriaco fuori da un bar e così aveva chiamato la polizia; avevamo trascorso alcuni giorni di ansia, in attesa dello squillo del telefono o del campanello. Poi, verso la fine della settimana, era arrivato un suo scarno messaggio (spedito da Newark, New Jersey) nel quale, in una grafia approssimativa e febbrile, ci informava che se n'era andato per «iniziare una nuova vita» in un luogo imprecisato. Ricordo di aver riflettuto sull'espressione «nuova vita» come se potesse contenere un indizio sul posto in cui si trovava. Infatti, dopo aver insistito e incalzato e tormentato mia madre per un'intera settimana, finalmente lei aveva ceduto e acconsentito a lasciarmi vedere il biglietto («d'accordo» aveva detto, rassegnata, aprendo il cassetto della scrivania e tirandolo fuori, «non ho idea di cosa si aspetta che ti racconti, tanto vale che tu lo sappia direttamente da lui»). Era scritto su carta intestata del Doubletree Inn vicino all'aeroporto. Avevo sperato che potesse fornire dettagli utili a ricostruire i suoi spostamenti, invece rimasi colpito dalla brevità (quattro o cinque righe) dello scarabocchio, vergato da una mano veloce e incurante che sembrava dire «andate al diavolo», come se l'avesse buttato giù prima di correre al supermercato.

Sotto molti aspetti l'uscita di scena di mio padre fu un sollievo. Di sicuro non mi mancava, e lo stesso sembrava valere per mia madre. Ci rattristava, invece, dover rinunciare a Cinzia, la donna delle pulizie, perché non potevamo più permetterci di pagarla (Cinzia aveva pianto e si era offerta di restare a lavorare gratis, ma la mamma le aveva trovato un impiego part time nel nostro palazzo presso una coppia con un bambino; così, una volta la settimana, Cinzia veniva da noi per una tazza di caffè, con ancora il grembiule sopra i vestiti). Senza troppo clamore, la foto di una versione più giovane e abbronzata di papà scattata su una pista da sci fu staccata dalla parete e rimpiazzata da una di me e mia madre sulla pista di pattinaggio di Central Park. Di notte, calcolatrice alla mano, la mamma restava sveglia fino a tardi a rivedere i conti. Anche se l'affitto dell'appartamento era bloccato, tirare avanti senza lo stipendio di mio padre era un'avventura ogni mese, perché qualunque vita lui avesse costruito per sé lontano da noi non prevedeva l'invio di denaro per il mio mantenimento. Tutto sommato eravamo abbastanza felici, anche se ci facevamo il bucato da soli nella lavanderia condominiale, andavamo al cinema di mattina invece che agli spettacoli serali a prezzo pieno, mangiavamo pane del giorno prima e cibo cinese da due soldi (noodles e uova alla *fu yung*), e mettevamo da parte nichelini e monete da dieci centesimi per l'autobus. Ma quel giorno, mentre mi trascinavo verso casa di ritorno dal museo – bagnato, infreddolito e con un mal di testa da spaccare i denti – mi colpì il pensiero che nessuno al mondo si sarebbe preoccupato per me e mia madre; non c'era nessuno che in quel momento si stesse chiedendo dove eravamo, perché non avevamo telefonato. Ovunque si trovasse alle prese con la sua Nuova Vita (ai tropici o nelle praterie, in una piccola località sciistica o in una metropoli), di sicuro papà era incollato al televisore; ed era facile immaginarlo preda dell'eccitazione un po' morbosa che lo coglieva di fronte ai drammi che non lo riguardavano, tipo un uragano o un ponte crollato in qualche Stato remoto. Ma l'ansia sarebbe stata abbastanza forte da spingerlo a chiamarci per assicurarsi che non ci fosse accaduto nulla di male? Probabilmente no, come era assai poco probabile che si mettesse in contatto col suo vecchio ufficio per avere notizie, anche se di certo in quel momento stava pensando ai suoi ex colleghi a Midtown, e si chiedeva come se la passassero i contatori di fagioli e gli scribacchini (così li chiamava) al 101 di Park Avenue. Le segretarie erano spaventate? Stavano recuperando le foto dalle scrivanie in fretta e furia, pronte a infilarsi le scarpe da ginnastica e correre a casa? O invece l'atmosfera lassù al quattordicesimo era quella di una festa un po' sottotono, con la gente che ordinava panini e si raccoglieva nella sala riunioni di fronte alla TV?

Anche se il tragitto verso il nostro appartamento mi parve interminabile, non ricordo molto, eccetto l'umore grigio, freddo e piovoso che avvolgeva Madison Avenue: gli ombrelli che ballonzolavano, la folla che sciamava in silenzio verso Downtown, il senso di una moltitudine anonima come nelle foto in bianco e nero degli anni Trenta, con la gente assiepata davanti alle banche chiuse per fallimento o costretta a far la fila per il pane. Il mal di testa e la pioggia riducevano il mondo a un minuscolo cerchio malato attraverso il quale riuscivo a scorgere solo le spalle curve di quelli che camminavano davanti a me. In effetti, il dolore era così martellante che a malapena mi rendevo conto di quel che facevo, tanto che due o tre volte rischiai di farmi investire buttandomi sulle strisce senza far caso al semaforo. Nessuno sembrava sapere con esattezza cosa fosse successo, anche se avevo udito le parole «Corea del Nord» uscire dalla radio di un taxi, e più di un passante bofonchiare «Iran» e «al-Qaeda». Uno scheletrico uomo di colore coi dreadlock – inzuppato fino al midollo – camminava avanti e indietro di fronte al Whitney Museum, agitando i pugni in aria e urlando a tutti e a nessuno in particolare: «Allaccia le cinture di sicurezza, Manhattan! Osama bin Laden ci fa *ballare* un'altra volta!».

Benché temessi di essere sul punto di svenire e avessi bisogno di sedermi, continuai ad arrancare col passo strascicato e meccanico di un giocattolo rotto. Poliziotti che gesticolavano; poliziotti che fischiavano e facevano cenno di camminare più in fretta. L'acqua che mi sgocciolava dalla punta del naso. E mentre sbattevo le palpebre nella pioggia, un pensiero mi attraversava ossessivo la mente: dovevo raggiungere mia madre al più presto. Di sicuro era a casa che mi aspettava in preda all'agitazione; che si strappava i capelli maledicendosi per avermi sequestrato il cellulare. Tutti avevano difficoltà a ricevere e fare chiamate, e davanti ai rari telefoni pubblici decine di persone attendevano il loro turno. *Mamma*, pensavo, *mamma*, cercando di inviarle per via telepatica il messaggio che ero vivo. Volevo che sapesse al più presto che stavo bene, ma allo stesso tempo mi ripetevo che era più saggio evitare di correre; non potevo rischiare di crollare svenuto sulla strada di casa. Che fortuna era stata che lei si fosse allontanata qualche istante prima dello scoppio! Mi aveva spedito dritto nel cuore dell'esplosione, e di certo mi credeva morto.

E il pensiero della ragazzina che mi aveva salvato la vita mi faceva salire un pizzicore agli occhi. Pippa! Un nome stravagante e conciso per quella rossa rugginosa ed esile: le calzava a pennello. Se ripensavo ai suoi occhi fissi nei miei, mi coglieva un senso di vertigine all'idea che una perfetta sconosciuta avesse ritardato la mia uscita dalla mostra, impedendomi di entrare nell'oscuro bagliore del negozio di souvenir – *nada*, tutto finito. Avrei mai avuto occasione di dirle che mi aveva salvato? E quanto all'anziano signore: i pompieri e i soccorritori si erano precipitati nell'edificio pochi minuti dopo che io ne ero uscito, perciò potevo sperare che qualcuno l'avesse trovato in tempo. La porta era aperta, sapevano che era lì. Avrei mai rivisto l'uno o l'altra?

Quando finalmente giunsi a destinazione avevo le ossa gelate, ero stordito e quasi non mi reggevo in piedi. L'acqua grondava dai miei vestiti fradici e serpeggiava in una scia zigzagante sul pavimento dietro di me.

Dopo la calca della strada, la desolazione dell'androne mi inquietò. Anche se nel locale-deposito la TV portatile era accesa e sentivo dei walkie-talkie gracchiare da qualche parte, non c'era traccia di Goldie, Carlos o Jose, né degli altri che lavoravano nel palazzo.

In fondo alla stanza, la scatola illuminata dell'ascensore attendeva vuota, come la cassa di un illusionista prima dello spettacolo. Gli ingranaggi entrarono in azione con un sussulto; uno dopo l'altro i vecchi numeri déco perlacei s'illuminarono mentre cigolando salivo fino al sesto piano. Mettere piede sul mio pianerottolo, con la sua aria triste, le pareti grigio topo, l'odore soffocante di detergente per moquette e tutto il resto, mi riempì di sollievo.

La chiave girò rumorosamente nella toppa. «Ehi?» dissi, entrando nella penombra dell'appartamento: le veneziane erano abbassate, tutto taceva.

Nel silenzio, il frigorifero ronzava sommesso. *Oddio*, pensai, con una scarica di terrore, *non è ancora arrivata?*

«Mamma?» chiamai. Con un tuffo al cuore, attraversai di corsa l'ingresso per fermarmi, confuso, in mezzo al soggiorno.

Il suo mazzo di chiavi non era appeso al gancio accanto alla porta; la borsa non era sul tavolo. Con le scarpe fradice che schioccavano a ogni passo nella quiete dell'appartamento, raggiunsi la cucina, che in realtà non era una cucina vera e propria, ma solo una nicchia con due fornelli e una finestra affacciata su uno stretto cavedio. Lì vidi la tazza da caffè di vetro verde che la mamma aveva comprato al mercato delle pulci, uno sbaffo di rossetto sul bordo.

Restai a fissare la tazza con un dito di caffè freddo sul fondo, interrogandomi sul da farsi. Mi ronzavano le orecchie e la testa mi faceva così male che a stento riuscivo a pensare, ondate di oscurità si infrangevano ai margini del mio campo visivo. Fino a quel momento ero stato così concentrato sulla preoccupazione di mia madre, sulla necessità di correre a casa a dirle che stavo bene, che non mi aveva nemmeno sfiorato l'ipotesi che *lei* potesse non essere lì.

Stringendo i denti a ogni passo, percorsi il corridoio fino alla camera dei miei genitori: era rimasta sostanzialmente uguale dopo che mio padre se n'era andato, eppure sembrava più piena e più femminile adesso che apparteneva soltanto a lei. Sul tavolino, accanto al letto sfatto, la segreteria non dava segni di vita: nessun messaggio.

Immobile sulla soglia – col dolore alla testa che quasi mi toglieva il fiato – mi sforzai di pensare. La sensazione dello scorrere del tempo – la giornata che inesorabile continuava la sua marcia – mi attraversò di colpo, come succede a volte nel bel mezzo di un viaggio in macchina troppo lungo.

Prima di ogni altra cosa: dovevo trovare il mio telefonino e controllare se avevo ricevuto messaggi. Purtroppo non avevo idea di dove fosse. La mamma me lo aveva sequestrato la sera precedente, per via della sospensione, e benché avessi provato a chiamare il mio numero mentre lei era sotto la doccia, non ero venuto a capo di nulla perché doveva averlo spento.

Ricordo di aver affondato le mani nel primo cassetto del suo comò e scavato in uno stupefacente groviglio di sciarpe: sete e velluti, ricami indiani.

Poi, con sforzo enorme (sebbene non fosse particolarmente pesante) sollevai la panca ai piedi del letto e la sistemai di fronte all'armadio in modo da potermici arrampicare sopra e controllare il ripiano più alto. Dopodiché, in preda a un profondo intontimento, mi sedetti sul tappeto, la guancia poggiata alla panca e un improvviso fragore nei timpani.

C'era qualcosa che non andava. Ricordo di aver alzato la testa, convinto, a un tratto, che una fuga di gas in cucina mi avesse causato un principio d'intossicazione. Ma non sentivo odore di gas.

Forse andai nel bagno annesso alla sua stanza per frugare nell'armadietto delle medicine in cerca di un'aspirina, qualcosa per il mal di testa, non so. So solo che a un certo punto, senza sapere come, mi ritrovai nella mia camera, in piedi accanto al letto, con una mano poggiata alla parete e la sensazione di essere lì lì per vomitare. Poi tutto divenne talmente confuso che non so dare conto di cosa accadde fino al momento in cui mi rizzai a sedere sul divano del soggiorno al suono come di una porta che si apriva.

Ma non era la porta di casa, solo qualcuno sul pianerottolo. La stanza era buia e sentivo il traffico pomeridiano, i suoni tipici dell'ora di punta, giungere dalla strada. Immerso nell'oscurità, rimasi immobile per un paio di agghiaccianti secondi mentre i rumori si definivano e il familiare profilo della lampada da tavolo e delle sedie dalle spalliere a forma di lira si precisava contro il crepuscolo fuori dalla finestra. «Mamma?» dissi, un crepitio di panico nella voce.

Mi ero addormentato coi vestiti fradici e sporchi ancora addosso; anche il divano era bagnato, l'impronta umida del mio corpo ben visibile nel punto in cui ero stato sdraiato. Dalla finestra che quella mattina mia madre aveva lasciato socchiusa entrava una brezza gelida che faceva sbattere le veneziane.

L'orologio segnava le 6:47 del pomeriggio. Con addosso un terrore crescente, feci il giro dell'appartamento, accendendo tutte le luci, persino quelle sul soffitto della sala da pranzo, che non usavamo mai perché erano troppo forti.

Di nuovo fermo sulla soglia della camera di mia madre, vidi una spia rossa lampeggiare nel buio. Una deliziosa ondata di sollievo mi travolse: sfrecciando feci il giro del letto, a tastoni trovai il pulsante della segreteria telefonica, e trascorsero alcuni secondi prima che mi rendessi conto che la voce non era la sua, ma quella di una collega dal tono incomprensibilmente allegro. «Ciao, Audrey, sono Pru, volevo solo sentirti. Giornata pazzesca, eh? Ascolta, sono arrivate le bozze di Pareja e dobbiamo discuterne, ma la scadenza è stata rimandata, quindi non c'è problema, non per il momento, almeno. Spero tu stia tenendo duro, tesoro. Chiamami appena puoi.»

Rimasi a lungo dov'ero, a fissare la segreteria anche dopo il segnale acustico di fine messaggio. Poi sollevai un angolo della veneziana e guardai il traffico.

Era quell'ora del giorno: l'ora in cui la gente torna a casa. Il suono dei clacson arrivava smorzato alle mie orecchie. Avevo ancora un mal di testa infernale e la sensazione (allora nuova, oggi fin troppo familiare) di essere reduce da una brutta sbornia, cose importanti dimenticate e lasciate a metà.

Tornai nella sua camera e digitai il numero del suo cellulare con mani tremanti, talmente in fretta che sbagliai e dovetti riprovare. Ma lei non rispose, ed entrò in funzione la segreteria. Lasciai un messaggio (*Mamma, sono io, sono preoccupato, dove sei?*) e mi sedetti sul bordo del letto con la testa tra le mani.

Dai piani inferiori cominciava a salire odore di cibo. Voci confuse filtravano dagli appartamenti vicini: tonfi indistinti, qualcuno che apriva e chiudeva le ante di una credenza. Era tardi: la gente rientrava dal lavoro, lasciava cadere la ventiquattrore vicino alla porta, salutava il gatto, il cane e i figli, si sintonizzava sul TG, si preparava a uscire per cena. Lei dov'era? Provai a pensare a una causa plausibile del suo ritardo, ma non me ne venne in mente nessuna… anche se, chissà? Magari avevano chiuso una strada da qualche parte e lei non poteva raggiungermi. Ma allora perché non telefonava?

Forse aveva perso il telefono. Forse si era rotto. O magari lo aveva dato a qualcuno che ne aveva più bisogno di lei.

La calma che regnava nell'appartamento mi esasperava. L'acqua cantava nelle tubature e una brezza insidiosa stropicciava le veneziane. Poiché, inutilmente seduto sul bordo del letto com'ero, sentivo il bisogno di fare qualcosa, la richiamai e lasciai un altro messaggio, incapace, questa volta, di reprimere il tremito nella voce. *Mamma, ho dimenticato di dirti che sono a casa. Per favore, chiama appena puoi, okay?* Poi, per sicurezza, lasciai un messaggio anche sulla segreteria dell'ufficio.

Con un gelo mortale che si allargava al centro del petto, tornai in soggiorno. Dopo qualche secondo di esitazione andai alla bacheca di sughero appesa in cucina per vedere se mi avesse lasciato un biglietto, pur sapendo perfettamente che non era così. Di nuovo in soggiorno, mi accostai alla finestra e sbirciai la strada affollata. Forse aveva fatto un salto in farmacia o al negozio di alimentari, e aveva preferito non svegliarmi? Una parte di me voleva uscire immediatamente a cercarla, ma era da pazzi pensare di trovarla nel caos dell'ora di punta, e poi temevo di perdermi la sua telefonata.

L'ora in cui il portiere del turno serale prendeva servizio era passata da un po'. Chiamai la portineria sperando di trovare Carlos (il più anziano e il più distinto degli addetti) o meglio ancora Jose: un allegro ragazzone dominicano, il mio preferito. Invece per un sacco di tempo non rispose nessuno, finché una vocina tremula dal forte accento straniero disse: «Sì?».

«C'è Jose?»

«No» rispose la voce. «No, tu prova dopo.»

Capii che doveva trattarsi del giovane asiatico dall'aria spaurita che si aggirava per il palazzo con gli occhiali protettivi e i guanti di gomma, i cui compiti erano passare la cera, svuotare i bidoni della spazzatura e provvedere a mille altri piccoli lavoretti. I portieri (sembrava che anche loro, come il sottoscritto, ne ignorassero il nome) lo chiamavano «il nuovo arrivato» e si lamentavano del fatto che la direzione lo avesse assunto, dal momento che non conosceva una parola d'inglese né di spagnolo. Lo incolpavano di tutto quello che non funzionava: il nuovo arrivato non aveva spalato la neve dal marciapiede, il nuovo arrivato non aveva messo la corrispondenza nel posto giusto, non sapeva tenere il cortile pulito.

«Tu chiama dopo» tentò ancora.

«No, aspetta!» strillai un attimo prima che riagganciasse. «Devo parlare con qualcuno.»

Nel silenzio che seguì percepii la sua confusione.

«Per favore, non c'è nessun altro lì?» domandai. «È un'emergenza.»

«Okay» rispose con cautela, in un tono possibilista che mi ridiede speranza. Lo sentivo respirare forte.

«Sono Theo Decker» spiegai. «Appartamento 7C. Ci siamo incrociati spesso da quando lavori qui. Mia madre non è tornata a casa e non so cosa fare.»

Una lunga pausa stupefatta. «Sette» ripeté, come se fosse l'unica parte della frase che aveva capito.

«Mia madre» dissi di nuovo. «Dov'è Carlos? Non c'è nessuno lì con te?»

«Scusi, grazie» rispose con una nota di panico nella voce, e mise giù.

Riagganciai a mia volta, in uno stato di forte agitazione, e dopo alcuni secondi di paralisi nel bel mezzo del soggiorno, andai ad accendere il televisore. La città era nel caos; i ponti che conducevano ai distretti esterni erano chiusi, il che spiegava come mai Carlos e Jose non fossero al lavoro, ma non la ragione del protrarsi dell'assenza di mia madre. C'era un numero da chiamare per avere informazioni sulle persone scomparse. Lo copiai su un pezzo di giornale, e mi dissi che se non fosse tornata nel giro di mezz'ora esatta avrei telefonato.

Scrivere il numero mi calmò. Come se quella semplice azione avesse il potere di farla apparire magicamente sulla soglia. Ma quando furono passati quarantacinque minuti e poi un'ora, e ancora lei non si vedeva, non ressi più e feci il numero (camminando avanti e indietro e lanciando occhiate nervose alla TV per tutto il tempo in cui rimasi in attesa: pubblicità di materassi, pubblicità di impianti stereo, acquisto rateale e consegna gratuita inclusa nel prezzo). Finalmente rispose una voce femminile dal tono spiccio ed efficiente. Si fece dare il nome di mia madre, il mio numero di telefono, disse che lei non era «sulla lista», ma che mi avrebbero richiamato nel caso in cui il suo nome fosse saltato fuori. Solo quando ebbi messo giù mi venne in mente che avrei dovuto chiedere di quale lista parlava; e dopo che ebbi trascorso un tempo indefinito in preda a brutti presentimenti, a camminare per le quattro stanze dell'appartamento tracciando percorsi tortuosi, ad aprire cassetti, a prendere in mano libri e rimetterli a posto, ad accendere il computer di mia madre per vedere cosa riuscivo a trovare su Google (niente), richiamai il numero verde.

«Non risulta nella lista dei morti» spiegò un'altra voce di donna in tono sorprendentemente rilassato. «Né in quella dei feriti.»

Il mio cuore si fece di colpo più leggero. «Allora sta bene?»

«Intendo dire che non abbiamo nessuna informazione. Ha già lasciato il suo numero? La ricontatteremo in caso di novità.»

Sì, risposi, non facevano che ripetermi quella frase.

«Consegna e montaggio gratis» suggeriva intanto la TV. «Non esitate a chiedere informazioni sul nostro piano di finanziamento semestrale a interessi zero.»

«Buona fortuna, allora» disse la donna, e riagganciò.

La quiete all'interno dell'appartamento aveva un che di innaturale; nemmeno le voci squillanti della televisione riuscivano a intaccarla. Erano morte ventuno persone, «decine e decine» i feriti. Tentai invano di trovare in quei numeri una qualche fonte di rassicurazione: ventuno vittime non erano tante, giusto? Ventuno persone erano un cinema vuoto, un autobus mezzo pieno. Tre persone in meno rispetto al numero degli studenti nel mio corso di Letteratura. Ma nuovi dubbi e nuove paure cominciavano già ad assalirmi, e a stento repressi l'impulso di uscire di corsa dall'appartamento urlando il suo nome.

Per quanto il mio istinto fosse quello di scendere in strada a cercarla, sapevo che dovevo restare dov'ero. Il punto di ritrovo era casa; quello era il patto, l'inviolabile accordo in vigore fin dai tempi delle elementari, quando a scuola mi avevano consegnato una copia di *In caso di catastrofe*, un libro di esercizi e attività su delle minuscole formiche con indosso le mascherine antipolvere che radunavano provviste e si preparavano per una non meglio specificata emergenza. Avevo completato i cruciverba e un paio di stupidi questionari («Qual è l'indumento migliore da includere in un kit di sopravvivenza? A. Costume da bagno B. Abbigliamento a strati C. Gonnellino di paglia D. Carta stagnola»), e poi con la mamma avevamo compilato il *Piano Gestione Catastrofi di Famiglia*. Il nostro era semplice: ci saremmo incontrati a casa. E se uno di noi non fosse riuscito a tornare, avrebbe chiamato. Ma i minuti continuavano lentamente a passare, e il telefono non squillava e il conto dei morti al telegiornale saliva a ventidue e poi a venticinque, e alla fine mi ritrovai a chiamare ancora una volta il numero d'emergenza.

«Sì» rispose l'ennesima operatrice, con la solita voce calma e insopportabile, «qui risulta che lei ha già telefonato, abbiamo inserito il nome di sua madre nella lista.»

«Ma... potrebbe trovarsi in ospedale o qualcosa del genere?»

«Potrebbe. Temo di non essere in grado di confermarglielo. Come ha detto che si chiama? Desidera forse parlare con uno dei nostri psicologi?»

«Dove stanno portando i feriti?»

«Mi dispiace, non so proprio...»

«Al Beth Israel? Al Lenox Hill?»

«Guardi, dipende dal genere di ferita riportata. Ci sono traumi a carico degli occhi, ustioni, lesioni di ogni tipo. I chirurghi sono al lavoro in ogni angolo della città...»

«E le nuove vittime annunciate pochi minuti fa?»

«Ascolti, mi dispiace per la sua situazione e vorrei poterla aiutare, ma le ripeto che non c'è nessuna Audrey Decker sulla mia lista.»

I miei occhi saettarono nervosi per tutto il soggiorno. Il libro di mia madre (*Jane e Prudence*, di Barbara Pym) a faccia ingiù sullo schienale del divano; uno dei suoi cardigan di cachemire sul bracciolo di una sedia. Ne aveva di tutti i colori, quello era azzurro chiaro.

«Perché non va all'Armory? C'è un punto d'assistenza per le famiglie... troverà cibo, caffè caldo e qualcuno con cui parlare.»

«Ma io voglio sapere se ci sono morti ancora non identificati. O feriti.»

«Senta, comprendo la sua preoccupazione. E vorrei davvero aiutarla, ma non mi è possibile. La richiameremo non appena avremo informazioni più precise.»

«Devo trovare mia madre! La prego! Probabilmente è in ospedale. Mi dica almeno dove posso cercarla!»

«Ma lei quanti anni ha?» chiese la donna, insospettita.

Qualche secondo di shock, e riattaccai. Per alcuni, confusi istanti restai a fissare il telefono sentendomi sollevato e insieme colpevole, come se avessi urtato qualcosa mandandolo in frantumi. Quando abbassai lo sguardo e vidi le mie mani tremare, mi resi conto – con uno strano distacco, come se mi fossi accorto che la batteria dell'iPod era scarica – che non mangiavo da un pezzo. Influenze a parte, mai in vita mia ero rimasto tanto a lungo a stomaco vuoto. Aprii il frigorifero, trovai un cartone coi noodles avanzati dalla sera prima e li divorai al bancone della cucina, esposto e vulnerabile nella luce violenta della lampadina sopra la mia testa. C'erano anche delle uova alla *fu yung* e del riso, ma li lasciai per lei, nel caso al rientro fosse stata affamata. Era quasi mezzanotte: presto sarebbe stato troppo tardi per farsi portare su qualcosa dal deli. Finito di ingozzarmi, lavai la forchetta e le cose della colazione della mattina e pulii il bancone così che lei non fosse costretta a pensarci una volta tornata: sarebbe stata contenta di vedere che avevo sistemato la cucina al posto suo. Sarebbe stata ancor più contenta (almeno così credevo) di vedere che avevo salvato il suo quadro. O forse si sarebbe arrabbiata. Ma avrei potuto spiegarle.

Stando a quanto diceva la televisione, i responsabili dell'esplosione erano già stati identificati. Gli annunciatori del TG li definivano alternativamente «estremisti di destra» e «terroristi locali»; lavoravano per una ditta di traslochi e stoccaggio, e avevano agito di concerto con alcuni impiegati del museo, nascondendo l'esplosivo all'interno degli espositori in legno del negozio del museo, tra le cartoline e i libri d'arte. Qualcuno era morto, altri erano stati arrestati, altri ancora erano a piede libero. Nello stato in cui versavo non ero in grado di assimilare ulteriori dettagli.

Così mi misi a combattere col cassetto difettoso del mobiletto in cucina, che non si apriva più da molto prima che mio padre se ne andasse; all'interno c'erano solo delle formine per biscotti, qualche vecchio stecchino da fonduta e uno spremilimoni mai utilizzato. Da più di un anno la mamma si riprometteva di chiedere a uno dei tuttofare del palazzo di sistemarlo (insieme a una maniglia rotta, un rubinetto che perdeva e un'altra mezza dozzina di piccole seccature). Servendomi di un coltello da burro, feci leva contro il bordo del cassetto, attento a non scheggiare la vernice più di quanto non lo fosse già. La forza dell'esplosione mi riverberava ancora dentro le ossa, un'eco interna del ronzio nelle mie orecchie; e, quel che era peggio, sentivo ancora l'odore del sangue, il suo gusto salato e ferroso nella bocca. (Ancora non lo sapevo, ma avrei continuato a sentirlo per giorni.)

Mentre armeggiavo col cassetto, mi chiedevo se dovessi chiamare qualcuno, e se sì, chi. La mamma era figlia unica. E anche se tecnicamente avevo una coppia di nonni ancora in vita – il papà e la matrigna di mio padre, nel Maryland –, non ero in grado di contattarli. I rapporti tra mio padre e la sua matrigna, Dorothy, un'immigrata dalla Germania dell'Est che prima di sposare mio nonno aveva lavorato per un'impresa di pulizie, si potevano a stento definire civili. (Da fine scimmiottatore qual era, mio padre faceva di lei un'imitazione spassosa e crudele: una specie di *Hausfrau* caricata a molla, tutta labbra serrate e movimenti a scatti, con un accento uguale a quello di Curd Jürgens nei *Lunghi giorni delle aquile*.) Ma per quanto mio padre trovasse decisamente antipatica Dorothy, riservava il grosso della sua ostilità per nonno Decker: un uomo alto e grasso dall'aspetto spaventoso, con le guance rubizze e i capelli neri (tinti, credo), che indossava panciotti e fantasie scozzesi dai colori sgargianti e credeva nelle cinghiate come strumento per educare i bambini. «Non era una passeggiata» era la frase che associavo a nonno Decker. Mio padre ripeteva spesso che: «Vivere con quel bastardo non era una passeggiata» e che: «Credimi, cenare in famiglia ogni sera non era certo una passeggiata». Avevo visto nonno Decker e Dorothy solo due volte, occasioni cariche di tensione in cui mia madre era rimasta seduta sul divano col cappotto indosso, la borsetta in grembo e il busto inclinato in avanti, e i suoi valenti sforzi per avviare una conversazione erano caduti miseramente nel vuoto. La cosa che ricordavo con maggiore chiarezza erano i sorrisi forzati, l'intenso odore di tabacco da pipa alla ciliegia di nonno Decker e i suoi non proprio amichevoli inviti a tenere le mie manine appiccico-

se lontane dal suo trenino elettrico (un villaggio alpino tanto grande
da occupare un'intera stanza, che, a suo dire, valeva svariate decine
di migliaia di dollari).

Nel frattempo ero riuscito a piegare la lama del coltello da burro
– uno dei pochi coltelli buoni di mia madre, avanzo di un servizio
d'argento appartenuto alla nonna – piantandola con troppa forza
nella fessura del cassetto bloccato. Mi misi di buzzo buono per rad-
drizzarla, mordendomi il labbro e concentrandomi completamente sull'obiettivo, mentre un flash dopo l'altro di quella terrificante
giornata riaffiorava colpendomi dritto in faccia. Provare a scrol-
larsela di dosso era come decidere di smettere di immaginare una
mucca viola. La mucca viola era l'unica cosa a cui riuscivi a pensare.

Quando ormai avevo perso le speranze, il cassetto si aprì. Rimasi
a fissare il disordine all'interno: batterie arrugginite, una grattugia
rotta, gli stampini per biscotti a forma di fiocco di neve che mia madre non usava dai tempi della mia prima elementare, e fasci di vecchi menu stropicciati del Viand, del Shun Lee Palace e di Delmonico. Lo lasciai spalancato – di modo che, entrando, lo notasse come
prima cosa – poi vagai fino al divano e mi avvolsi in una coperta,
sdraiandomi solo a metà per tenere d'occhio la porta d'ingresso.

La testa mi ribolliva di pensieri concentrici. Rimasi a lungo così,
scosso da brividi e con gli occhi arrossati, immerso nel bagliore della TV mentre incerte ombre bluastre sfarfallavano fuori e dentro lo
schermo. Di fatto non c'era alcuna novità, e le immagini del notiziario riproponevano sempre gli stessi scorci notturni del museo (che
adesso, a parte il nastro giallo sul marciapiede, gli agenti schierati
davanti all'entrata e il fumo che saliva in rivoli dal tetto sotto la luce
dei riflettori, appariva del tutto normale).

Dov'era finita? Perché non era ancora rientrata? Esisteva senz'altro una spiegazione valida; e tra poco lei me l'avrebbe fornita ridu-
cendo l'intera faccenda a una bazzecola, e io mi sarei sentito molto
stupido per essermi preoccupato tanto.

Per togliermela dalla mente, mi concentrai su un'intervista di
qualche ora prima che adesso stavano trasmettendo per l'ennesima
volta. Un occhialuto curatore in giacca di tweed e papillon – visibilmente scosso – sosteneva che era una vergogna che non lasciassero

entrare degli specialisti per occuparsi delle opere d'arte. «Certo» ammetteva, «capisco che si tratta di una scena del crimine, ma questi dipinti sono molto sensibili ai cambiamenti di temperatura e di qualità dell'aria. Potrebbero aver riportato seri danni a causa dell'esposizione all'acqua, alle sostanze chimiche, al fumo. È probabile che in questo momento, mentre noi ce ne stiamo qui a parlare, le loro condizioni si stiano deteriorando. È di vitale importanza che a sovrintendenti e curatori sia concesso di accedere alle aree più rilevanti per constatare l'entità dei danni e...»

All'improvviso il telefono squillò: un suono troppo forte, come una sveglia che giungesse a strapparmi al peggior incubo della mia vita. L'ondata di sollievo che mi investì è indescrivibile. Nella fretta di afferrare la cornetta inciampai e quasi caddi faccia a terra. Ero sicuro che fosse mia madre, ma la sigla che apparve sul display mi gelò il sangue: NYDOCFS, il Dipartimento dello Stato di New York per... *per cosa?* Dopo un attimo di smarrimento, sollevai il ricevitore. «Pronto?»

«Salve» esordì una voce sommessa, quasi inquietante nella sua soavità. «Con chi parlo?»

«Theodore Decker» risposi, spiazzato. «Lei chi è?»

«Ciao, Theodore. Mi chiamo Marjorie Beth Weinberg e sono un'assistente sociale del Dipartimento di assistenza ai minori e alle famiglie.»

«Di che si tratta? Chiamate per via di mia madre?»

«Sei il figlio di Audrey Decker, giusto?»

«Mia madre! Dov'è? Sta bene?»

Una lunga pausa, una pausa terribile.

«Cos'è successo?» urlai. «Dov'è?»

«Tuo padre è in casa? Posso parlargli?»

«Non può venire al telefono. Cos'è capitato alla mamma?»

«Mi spiace, ma si tratta di un'emergenza. Devo parlare con tuo padre immediatamente.»

«Voglio sapere dov'è mia madre!» strillai rimettendomi in piedi. «La prego! Mi dica dove si trova! Cos'è successo?»

«Non sei solo, vero, Theodore? C'è un adulto lì con te?»

«No, sono usciti per un caffè» risposi, guardandomi intorno in preda al panico. Un paio di ballerine abbandonate sotto una sedia. Giacinti viola in un vaso foderato di stagnola.

«Anche tuo padre?»

«No, lui sta dormendo. Dov'è mia madre? È ferita? Cos'è successo?»

«Devo chiederti di svegliarlo, Theodore.»

«No! Non posso!»

«Temo sia molto importante.»

«Non può venire al telefono! Perché non mi racconta cos'è successo?»

«Be', se tuo padre non può rispondere in questo momento, la cosa migliore è che io ti lasci un recapito e che tu gli chieda di richiamarmi appena possibile.»

Per quanto il tono fosse dolce e comprensivo, la voce ricordava quella di Hal, il computer di *2001: Odissea nello spazio*. «Per favore, fai in modo che si metta in contatto con me al più presto. È estremamente importante.»

Dopo aver riattaccato, restai seduto immobile per parecchio tempo. Secondo l'orologio della cucina a gas erano le 2:45 del mattino. Non mi ero mai ritrovato sveglio e tutto solo a un'ora così tarda. Il soggiorno – di solito arioso e vivace, illuminato dalla presenza di mia madre – pareva rattrappito, ridotto a un luogo freddo e inospitale come una casa delle vacanze in pieno inverno: i tessuti delicati, il ruvido tappeto di corda, i paralumi di carta comprati a Chinatown e le sedie troppo piccole e leggere. Tutti i mobili sembravano gracili, sulle spine, colti nel momento di massima tensione. Sentivo il battito del mio cuore, gli scricchiolii, i ticchettii e i sibili del vecchio palazzo assopito intorno a me. Tutti dormivano. Persino i rari colpi di clacson e lo sporadico rumore dei camion sulla Cinquantasettesima suonavano deboli e incerti, solitari come suoni provenienti da un altro pianeta.

Presto, lo sapevo, il cielo nero della notte avrebbe virato al blu scuro e il primo tenue bagliore della fredda alba d'aprile sarebbe entrato di soppiatto nella stanza. Giù in strada i camion della spazzatura avrebbero cominciato a ruggire, gli uccellini nel parco avrebbero attaccato a cantare; e infine le sveglie nelle camere da letto di tutta New York si sarebbero messe a suonare. Ragazzi abbarbicati sul retro dei furgoni avrebbero lanciato pesanti pacchi di «New York Times» e «Daily News» sui marciapiedi vicino alle edicole. Mamme e papà di tutta la città avrebbero ciabattato per casa in pigiama e accappatoio, i capelli in disordine; messo su il caffè, inserito la spina del tostapane e poi svegliato i ragazzi, avanti che è ora.

Io cosa avrei fatto? Parte di me era paralizzata, tramortita dalla disperazione, come quei topi da laboratorio che rinunciano alla speranza e si lasciano morire di fame nel bel mezzo del labirinto.

Mi sforzai di raccogliere i pensieri. Per un po' mi ero quasi illuso che se fossi rimasto lì ad aspettare abbastanza a lungo le cose in qualche modo si sarebbero sistemate da sole. Gli oggetti dell'appartamento barcollavano con la mia stanchezza: aloni di luce sfavillavano intorno alla lampada da tavolo, le righe della carta da parati parevano vibrare.

Presi l'elenco telefonico; lo rimisi giù. L'idea di chiamare la polizia mi atterriva. E poi, cosa potevano fare? Dalle serie TV sapevo fin troppo bene che una persona deve essere scomparsa da più di ventiquattr'ore perché le forze dell'ordine possano intervenire. Ero quasi riuscito a convincermi che dovevo andare io stesso a cercarla – pazienza se fuori era ancora notte, e al diavolo il Piano Gestione Catastrofi di Famiglia –, quando un suono assordante (il campanello della porta) infranse il silenzio e il mio cuore sussultò di gioia.

Arrancando e scivolando mi precipitai ad aprire, armeggiai con la serratura per qualche secondo. «Mamma?» chiamai, facendo scivolare il chiavistello in alto e spalancando la porta di botto… e poi il mio cuore precipitò, una caduta libera lunga sei piani. Davanti a me, in piedi sullo zerbino, c'erano due persone che non avevo mai visto prima: una paffuta donna coreana con un taglio di capelli a spazzola e un ispanico in camicia e cravatta che somigliava molto a Luis del *Muppet Show*. Non avevano nulla di minaccioso, al contrario; erano tipi dall'aspetto rassicurante, rotondi e di mezza età, vestiti come due supplenti. Ma nonostante l'espressione gentile dei loro visi, capii nell'istante in cui li vidi che la mia vita così come la conoscevo era finita.

Capitolo 3

Park Avenue

I

Gli assistenti sociali mi fecero salire sul sedile posteriore della loro utilitaria e mi accompagnarono a una tavola calda nei pressi del loro ufficio, un edificio finto-elegante che risplendeva di specchi dai bordi molati e lampadari da due dollari comprati a Chinatown. Una volta seduti al tavolo (loro due da una parte, io di fronte), dalle valigette tirarono fuori dei bloc-notes e delle penne e tentarono di convincermi a fare colazione mentre sorseggiavano caffè e mi facevano qualche domanda. Fuori era ancora buio; la città stava appena cominciando a svegliarsi. Non ricordo di aver pianto, né mangiato, anche se dopo tutti questi anni riesco ancora a sentire l'odore delle uova strapazzate che avevano ordinato; l'immagine di quel piatto pieno e fumante mi provoca ancora un groppo allo stomaco.

La tavola calda era quasi vuota. Dietro il bancone, aiuto camerieri assonnati spacchettavano scatole di ciambelle e muffin. Uno sparuto gruppo di nottambuli con l'eye-liner colato, senza dubbio reduci da qualche discoteca, si era raccolto intorno a un tavolo poco distante. Io li fissavo con un'intensità disperata e ossessiva – il ragazzo sudaticcio con una giacca alla coreana e la tipa stropicciata con delle ciocche rosa tra i capelli – e lo stesso facevo con un'anziana signora truccata di tutto punto e avvolta in una pelliccia troppo calda per il periodo che sedeva al bancone da sola, mangiando una fetta di torta di mele.

Gli assistenti sociali – che fecero di tutto tranne scuotermi e schioccarmi le dita davanti agli occhi per far sì che li guardassi – sem bravano cogliere perfettamente la mia riluttanza ad assorbire quello che avevano da dirmi. A turno si protesero sul tavolo per ripetermi ciò che io non volevo sentire. Mia madre era morta. Dei non meglio specificati detriti l'avevano colpita alla testa. Era morta sul colpo. Erano dispiaciuti di dovermi comunicare la notizia, si trattava della parte peggiore del loro lavoro, ma avevano assoluto bisogno che io mi sforzassi di comprendere l'accaduto. Mia madre era morta e il suo corpo si trovava al New York Hospital. Riuscivo a capire?

«Sì» mormorai dopo una lunga pausa, quando mi resi conto che si aspettavano una risposta. Il brutale, insistente utilizzo delle parole *morta* e *morte* contrastava col tono ragionevole delle loro voci, coi loro vestiti in poliestere, con la canzoncina latinoamericana che usciva dalla radio e i cartelli sgargianti dietro il bancone (*Frappè di frutta fresca, Diet Delite, Provate il nostro hamburger di tacchino!*).

«*¿Fritas?*» domandò il cameriere, materializzandosi al nostro tavolo con un enorme piatto di patate fritte in mano.

I due si guardarono perplessi; poi l'uomo (di cui conoscevo solo il nome: Enrique) disse qualcosa in spagnolo e indicò alcuni tavoli più in là, dove il gruppo di nottambuli si sbracciava per attirare l'attenzione.

Seduto, gli occhi arrossati, in stato di shock davanti al mio piatto di uova strapazzate che si raffreddava rapidamente, non riuscivo ad afferrare gli aspetti pratici della mia situazione. Alla luce di ciò che era successo, le domande su mio padre apparivano così fuori luogo che facevo fatica a comprendere per quale motivo continuassero a chiedermi con tanta insistenza di lui.

«Allora, quando l'hai visto l'ultima volta?» tornò alla carica la donna coreana, che mi aveva ripetutamente invitato a chiamarla col suo nome di battesimo (ho provato e riprovato a ricordarlo, senza successo). In compenso riesco ancora a vedere le sue mani paffute intrecciate sul tavolo e la fastidiosa sfumatura del suo smalto: un argento cinereo, a metà tra il blu e il lavanda.

«Una stima approssimativa?» suggerì l'uomo, Enrique. «Riguardo a tuo padre...»

«A occhio e croce va benissimo» aggiunse la donna coreana. «Quando credi di averlo visto l'ultima volta?»

«Uhm.» Pensare era faticoso. «Un giorno dello scorso autunno, credo.» La morte di mia madre sembrava un errore correggibile, a patto che mi facessi forza e collaborassi con quella gente.

«Ottobre? Settembre?» incalzò lei con gentilezza, quando capì che non avrei risposto.

La testa mi faceva così male che ogni volta che la giravo mi veniva da piangere, anche se l'emicrania era l'ultima delle mie preoccupazioni. «Non so» dissi. «Dopo l'inizio della scuola.»

«Settembre, quindi?» intervenne Enrique, sollevando lo sguardo mentre prendeva un appunto sul bloc-notes. Aveva l'aspetto da duro – a disagio in completo e cravatta, come un allenatore ingrassato – ma il tono evocava il rassicurante mondo delle otto ore lavorative: sistemi per l'archiviazione dei dati, moquette da ufficio, la solita vita dei grattacieli di Manhattan. «Nessun contatto o comunicazione da allora?»

«C'è un confidente, o un amico intimo, che saprebbe come contattarlo?» si informò la coreana, protendendosi verso di me con fare materno.

La domanda mi prese in contropiede. Non mi veniva in mente nessuno. La sola idea che mio padre potesse avere amici intimi (o addirittura «confidenti») cozzava a tal punto con la sua personalità che non sapevo cosa rispondere.

Solo dopo che i piatti furono portati via, nei minuti nervosi che trascorsero senza che nessuno accennasse ad alzarsi, compresi improvvisamente dove quelle domande in apparenza irrilevanti su mio padre e i nonni Decker (vivevano nel Maryland, non ricordavo la città, in una zona semirurale alle spalle di un Home Depot) e i miei inesistenti zii e zie volevano andare a parare. Ero un minorenne privo di tutore legale. Dovevo essere allontanato da casa (o dal mio «ambiente» come continuavano a chiamarlo) senza perdere un istante. Finché qualcuno non fosse riuscito a mettersi in contatto coi genitori di mio padre, a occuparsi di me avrebbe pensato l'amministrazione cittadina.

«Ma cosa mi accadrà?» chiesi per la seconda volta, ritraendomi sulla sedia, una nota di panico nella voce. Era sembrato tutto molto informale quando avevo spento il televisore e lasciato l'appartamento coi due assistenti per andare a mangiare un boccone, come avevano detto. Nessuno aveva parlato di allontanarmi da casa.

Enrique diede un'occhiata al bloc-notes. «Be', Teo…» Continuava a storpiare il mio nome in Teo, lo facevano entrambi, e non andava bene. «Sei un minore che ha bisogno di assistenza immediata. Bisogna pensare a un affidamento d'emergenza.»

«Affidamento?» La parola mi diede una stretta allo stomaco; mi sfilarono in testa aule di tribunale, dormitori chiusi a chiave, campi da basket recintati col filo spinato.

«Be', allora diciamo che dovremo affidarti alle *cure* di qualcuno. Solo finché tua nonna e tuo nonno…»

«Aspettate…» dissi, sopraffatto dalla vertiginosa velocità con cui la situazione stava precipitando, dal calore con cui aveva pronunciato le parole *nonno* e *nonna*, che presupponeva tra me e loro una familiarità inesistente.

«Una sistemazione temporanea, soltanto finché non li rintracciamo» intervenne la donna facendosi più vicina. L'alito sapeva di menta, con un leggero sottofondo di aglio. «Sappiamo quanto devi essere addolorato, ma non hai nulla di cui preoccuparti. Il nostro lavoro è tenerti al sicuro fin quando non avremo contattato le persone che ti vogliono bene e che si prenderanno cura di te, okay?»

Era troppo crudele per essere vero. Fissai i due volti estranei dall'altra parte del tavolo, giallastri nella luce artificiale. Anche solo l'idea che nonno Decker e Dorothy tenessero a me era assurda.

«Ma cosa mi succederà?» chiesi.

«L'obiettivo principale» disse Enrique «è trovare un soggetto idoneo al quale affidarti provvisoriamente. Qualcuno disposto a collaborare coi servizi sociali nella fase di messa a punto del tuo piano di assistenza.»

I loro tentativi combinati di tranquillizzarmi – le voci calme e le espressioni comprensive e ragionevoli – mi agitavano ogni secondo di più. «Smettetela!» dissi, allontanandomi di scatto dalla donna, che aveva allungato la mano sopra il tavolo per cercare la mia.

«Senti, Teo, lasciami spiegare una cosa. Non vogliamo rinchiuderti in una specie di carcere minorile.»

«E allora cosa volete fare?»

«Stiamo parlando di affido temporaneo. Significa che ti porteremo in un posto sicuro con persone che faranno da tutori per conto dello Stato...»

«E se io non ci volessi andare?» proruppi, attirando su di me gli sguardi dei presenti.

«Ascolta» disse Enrique, poggiandosi all'indietro e facendo segno al cameriere di portare altro caffè. «La città dispone di strutture apposite per i ragazzi in difficoltà. Posti sicuri. E al momento, questa è una delle soluzioni a cui stiamo pensando. Perché in un sacco di casi come il tuo...»

«Non voglio finire in una casa famiglia!»

«Ovvio che no, ragazzo» commentò a voce alta la giovane coi ciuffi rosa dal tavolo poco distante. Negli ultimi tempi il «New York Post» non aveva fatto che parlare di Johntay e Keshawn Divens, i gemelli undicenni violentati dal padre adottivo che per poco non erano morti di fame dalle parti di Morningside Heights.

Enrique fece finta di non averla sentita. «Noi siamo qui per aiutarti» disse, rimettendo le mani sul tavolo. «E prenderemo in considerazione anche delle alternative, purché rispondano ai tuoi bisogni e purché tu sia al sicuro.»

«Non avete mai detto che non potevo tornare a casa!»

«Be', gli enti cittadini sono oberati... *sí, gracias*» disse al cameriere che gli aveva riempito la tazza. «Tuttavia a volte è possibile trovare soluzioni alternative, soprattutto in situazioni come la tua.»

«Cosa significa?»

La coreana tamburellò le dita sul ripiano di formica per attirare la mia attenzione. «Che non dobbiamo per forza seguire l'iter standard se qualcuno può venire a stare da te per un po'. O viceversa.»

«Per un po'?» ripetei. Era l'unica parte della frase che avevo afferrato.

«Magari c'è qualcuno che potremmo contattare, un adulto con cui ti sentiresti tranquillo a restare per uno o due giorni. Un insegnante, per esempio? O un amico di famiglia?»

Ricordo solo che diedi loro il numero di telefono del mio vecchio amico Andy Barbour, il primo che mi venne in mente, forse perché era stato il primo numero oltre al mio che avevo imparato a memoria. Anche se io e Andy eravamo stati buoni amici alle elementari (film, notti passate l'uno a casa dell'altro, campi estivi a Central Park per imparare a orientarci con mappe e bussola), non sono sicuro del motivo per cui il suo nome fu il primo ad affiorarmi alle labbra, visto che non eravamo più tanto intimi. Ci eravamo allontanati all'inizio delle medie e non lo vedevo da mesi.

«Barbour con la U» disse Enrique, prendendo nota. «Chi sono queste persone? Amici?»

Sì, risposi, li conoscevo da sempre. I Barbour vivevano su Park Avenue. Andy era il mio migliore amico dalla terza elementare. «Suo padre fa un lavoro importante a Wall Street» spiegai... e mi zittii. Avevo appena ricordato che il papà di Andy aveva trascorso un periodo in un ospedale psichiatrico del Connecticut a causa di un «esaurimento».

«E che mi dici di sua madre?»

«Lei e la mamma sono amiche.» (Solo parzialmente vero; per quanto fossero in ottimi rapporti, mia madre non possedeva neanche lontanamente la ricchezza e le conoscenze giuste per una donna da cronache mondane come la signora Barbour.)

«No, intendevo cosa fa per vivere?»

«Organizza eventi di beneficenza» risposi dopo un attimo di esitazione. «Ha presente la mostra di antiquariato all'Armory?»

«Quindi è una casalinga?»

Annuii, sollevato che fosse stata lei a suggerire con prontezza il termine, che – benché tecnicamente adeguato – non corrispondeva a quello che chi conosceva la signora Barbour avrebbe usato per descriverla.

Enrique scarabocchiò una firma arzigogolata sulla ricevuta della tavola calda. «Faremo dei controlli. Non posso prometterti niente» disse, facendo scattare la penna e riponendola nel taschino. «Se è da loro che vuoi stare, però, possiamo senz'altro lasciarti lì per le prossime ore.»

Si alzò e uscì dal locale. Attraverso la vetrina riuscivo a vederlo camminare avanti e indietro sul marciapiede, mentre parlava al telefono con un dito nell'altro orecchio. Poi digitò un secondo numero, per una chiamata più breve. Facemmo una rapida sosta all'appartamento – meno di cinque minuti, appena il tempo di recuperare il mio zaino e qualche vestito che scelsi senza riflettere e in tutta fretta –, e quando risalii in macchina con loro («Hai allacciato le cinture, là dietro?») appoggiai la guancia al finestrino freddo e guardai i semafori che scattavano sul verde lungo il canyon sgombro di Park Avenue all'alba.

Andy viveva all'altezza della Settantesima, in uno degli storici edifici affacciati su Park Avenue, con un atrio che sembrava uscito da un film di Dick Powell e i portieri ancora quasi tutti di origine irlandese. Lavoravano lì da sempre, e infatti quando arrivammo riconobbi l'uomo che ci accolse alla porta: Kenneth, il custode di mezzanotte. Era più giovane della maggior parte dei suoi colleghi: pallido come un cadavere e mal rasato, spesso un po' imbambolato per via del lavoro notturno. Nonostante fosse un tipo gentile – più di una volta aveva riparato dei palloni per me e Andy, e dispensato consigli amichevoli su come tenere a bada i bulli a scuola –, tutti nel palazzo erano al corrente dei suoi problemi con l'alcol; e mentre si faceva da parte per scortarci oltre le monumentali porte dell'ingresso, e mi rivolgeva il primo degli innumerevoli sguardi alla *Oddio, ragazzo, come mi dispiace* che avrei ricevuto nei mesi successivi, inspirai il suo odore acre di birra e sonno.

«Vi stanno aspettando» disse agli assistenti sociali. «Salite pure.»

II

Fu il signor Barbour ad aprire la porta: prima una fessura, poi completamente. «Buongiorno, buongiorno» disse, arretrando. Aveva un aspetto un tantino strano, tra il pallido e l'argenteo, come se i trattamenti ricevuti nella «casa dei matti» (così la chiamava) del Connecticut lo avessero reso incandescente; aveva gli occhi di un curioso grigio cangiante e i capelli di un bianco purissimo che lo facevano sembrare più vecchio di quanto non fosse, finché non notavi il viso giovane e roseo, quasi infantile. Le guance rubizze e il naso lungo dal profilo all'antica, combinati coi capelli imbiancati anzitempo, gli davano l'aspetto affabile di un padre fondatore di secondo piano, un membro minore del Congresso Continentale teletrasportato nel ventunesimo secolo. Indossava quello che a prima vista si sarebbe detto il completo da lavoro del giorno precedente: camicia spiegazzata e pantaloni di buon taglio che avevano l'aria di essere stati appena agguantati dal pavimento della camera da letto.

«Accomodatevi» disse in tono secco, stropicciandosi gli occhi. «Ciao, caro» aggiunse rivolto a me; un *caro* che, pronunciato da lui, mi suonò alieno anche nel mio stato confusionale.

Ci precedette a piedi nudi sul pavimento di marmo dell'ingresso. Più avanti, nel salotto riccamente decorato (stoffe scintillanti a fiori e vasi cinesi), sembrava più notte fonda che mattina: lampade con paralumi di seta che diffondevano una luce fioca, grandi e scuri dipinti di battaglie navali e tende tirate per non far entrare il sole. Lì – tra il pianoforte a mezza coda e una composizione floreale delle dimensioni di una cassa da imballaggio – c'era la signora Barbour che, in una vestaglia da camera lunga fino ai piedi, versava caffè in delle tazze allineate su un vassoio d'argento.

Mentre si voltava per salutarci, sentivo che gli assistenti sociali stavano studiando l'appartamento, e lei. La signora Barbour proveniva da una facoltosa famiglia di antiche origini olandesi, ed era talmente glaciale, bionda e incolore da sembrare dissanguata. Era l'immagine stessa del contegno, niente la scuoteva e niente la turbava, e anche se non era bella, la sua calma possedeva il magnetismo della bellezza, una staticità così potente che quando entrava in una stanza le molecole si riallineavano tutte intorno a lei. Come il bozzetto di uno stilista nel quale fosse stata insufflata la vita, attirava gli sguardi ovunque andasse, apparentemente ignara della turbolenza che destava al suo passaggio; gli occhi erano ben distanziati e le orecchie piccole, alte, aderenti alla testa, il corpo era lungo e longilineo, elegante come quello di una donnola. (Andy le somigliava, ma era mal proporzionato, e privo della grazia da ermellino della madre.)

In passato il suo riserbo (o la sua freddezza, secondo i punti di vista) mi aveva messo a disagio, ma quella mattina ringraziai il cielo per il suo sangue freddo. «Eccoti. Ti sistemeremo in camera con

Andy» mi disse, andando dritta al punto. «Temo non si sia ancora alzato per la scuola, però. Se hai voglia di sdraiarti un po', accomodati pure in camera di Platt.» Platt era il fratello maggiore di Andy, ed era via per il college. «Sai dov'è, vero?»

Risposi di sì.

«Hai fame?»

«No.»

«D'accordo, allora. Dicci cosa possiamo fare per te.»

Sapevo di avere gli occhi di tutti puntati addosso. Il mio mal di testa era più imponente di qualunque altra cosa si trovasse nella stanza.

Nello specchio tondo sopra la nuca della signora Barbour vedevo l'intera scena riprodotta in scala minore: i vasi cinesi, il vassoio da caffè, gli assistenti sociali imbarazzati e tutto il resto.

Fu il signor Barbour a spezzare l'incantesimo. «Seguimi, allora, così puoi sistemarti» disse, battendomi una mano sulla spalla e guidandomi con fermezza fuori dalla stanza. «No... torna indietro, da questa parte... a poppa, a poppa. Quaggiù.»

L'unica volta che avevo messo piede in camera di Platt, diversi anni prima, lui – che era un campione di lacrosse e vagamente psicopatico – aveva minacciato di darle di santa ragione a me e ad Andy. Quand'era a casa stava sempre rintanato là dentro con la porta chiusa (e, diceva Andy, fumava erba). Ora che si era stabilito a Groton, tutti i suoi poster erano spariti e la stanza era pulita e desolata. C'erano dei pesi, cataste di vecchi «National Geographic» e un acquario vuoto. Il signor Barbour apriva e chiudeva cassetti bofonchiando. «Vediamo cosa c'è qui, d'accordo? Lenzuola. E... altre lenzuola. È che non ci vengo mai, spero mi perdonerai... Ah. Costumi da bagno! Non ci serviranno stamattina, giusto?» Frugando in un terzo cassetto, finalmente tirò fuori un pigiama nuovo col cartellino ancora attaccato, orribile, flanella blu elettrico con un motivo a renne: non era difficile capire per quale motivo non fosse mai stato usato.

«Bene, allora» disse, passandosi una mano tra i capelli e lanciando occhiate nervose in direzione della porta. «Ti lascio solo, adesso. Quello che è capitato è assurdo, Dio santo. Devi sentirti piuttosto scombussolato. Un bel sonno è quel che ti ci vuole. Sei stanco?» domandò, scrutandomi.

Lo ero? Mi sentivo sveglissimo, eppure una parte di me era assente e intorpidita, comatosa.

«Preferisci un po' di compagnia? Posso accendere il fuoco nella stanza accanto… Dimmi cosa desideri.»

Avvertii, a quel punto, un'acuta fitta di disperazione, perché per quanto stessi male non c'era niente che potesse fare per me, e guardandolo in faccia capii che lo sapeva anche lui.

«Se avessi bisogno di noi, siamo di là… O meglio, io uscirò tra poco per andare al lavoro, ma *qualcuno* resterà qui per…» Il suo sguardo pallido guizzò per la camera, poi tornò a posarsi su di me. «Immagino non sia appropriato da parte mia, ma considerate le circostanze non vedrei nulla di male nel versarti quello che mio padre chiamava un goccetto. *Se* lo volessi. Ma tu non lo vuoi» si affrettò ad aggiungere, notando la mia confusione. «Davvero inappropriato. Non farci caso.»

Si avvicinò, e per un momento insopportabile pensai che stesse per toccarmi, o abbracciarmi. Invece batté le mani e le sfregò una contro l'altra. «Ad ogni modo, siamo davvero felici di averti qui e spero tu possa sentirti il più possibile a tuo agio. Se hai bisogno di qualcosa, non esitare a chiederla, intesi?»

Era appena uscito, quanto sentii bisbigliare alla porta. «C'è qualcuno che vuole vederti» disse la signora Barbour prima di ritirarsi.

Andy entrò, mezzo addormentato: sbatteva le palpebre e trafficava con gli occhiali. Era evidente che lo avevano tirato giù dal letto. Con un fragoroso cigolio delle molle del materasso si accomodò accanto a me, sul bordo del letto di Platt, senza guardarmi, gli occhi fissi sul muro di fronte.

Si schiarì la voce, spinse gli occhiali sul dorso del naso. Seguì un lungo silenzio. Il termosifone sibilava insistenti rumori metallici. I signori Barbour si erano volatilizzati in un baleno, neanche fosse scattato l'allarme antincendio.

«Wow» disse Andy dopo alcuni istanti nella sua voce sepolcrale e piatta. «Inquietante.»

«Già» risposi. E restammo seduti così, zitti, fianco a fianco, a scrutare la parete verde scuro della stanza di Platt e i riquadri bordati di scotch di poster che non esistevano più. Cos'altro potevo aggiungere?

III

Anche adesso, ricordare quel periodo mi dà un disperato senso di soffocamento. Fu terribile. La gente mi offriva bibite fresche, maglioni, cibo che non riuscivo a mangiare: banane, muffin, sandwich, gelati. Rispondevo di sì e di no quando mi facevano una domanda, e passavo un sacco di tempo a fissare il tappeto, in modo che non si accorgessero che stavo piangendo.

Nonostante l'appartamento dei Barbour fosse enorme per gli standard newyorkesi, era a un piano basso e perciò era poco luminoso, anche sul lato che dava su Park Avenue. E nonostante lì non fosse mai notte e neppure del tutto giorno, il riflesso delle lampade sul legno di quercia conferiva all'insieme un'aria di convivialità e comfort, da club privato. Gli amici di Platt lo chiamavano «la cripta», e mio padre, che era venuto lì a prendermi un paio di volte, lo aveva definito «un'agenzia di pompe funebri alla Frank E. Campbell». Ma a me quella penombra solenne e opulenta da prebellica dava conforto, perché era facile trovarvi riparo se non avevi voglia di parlare o di essere al centro dell'attenzione.

La gente passava a trovarmi: gli assistenti sociali, ovviamente, e uno psichiatra che lavorava *pro bono* assegnatomi dall'amministrazione cittadina, ma anche qualche collega di mia madre (ce n'erano alcuni, come Mathilde, che ero bravissimo a imitare, quando volevo farla ridere) e una marea di suoi amici dei tempi dell'università e del suo periodo da modella. Un attore semifamoso di nome Jed, che qualche volta aveva trascorso con noi il giorno del Ringraziamento («Per me, tua madre era la regina dell'universo»), e una donna con un che di trasandato e un cappotto arancione, di nome Kika, che mi raccontò che lei e mia madre – completamente al verde nell'East Village – una volta avevano organizzato una favolosa cena per dodici persone con meno di venti dollari (usando, tra le altre cose, le confezioni di panna e lo zucchero che avevano rubato in un bar e gli odori che avevano sottratto dalle fioriere sul davanzale dirimpetto). Annette – la vedova settantenne di un vigile del fuoco, ex vicina di casa di mia madre nel Lower East Side – si era presentata con una scatola degli stessi biscotti al burro coi pinoli che ci portava sempre quando veniva a trovarci a Sutton Place. Poi c'era Cinzia, la nostra vecchia donna di servizio, che non appena mi aveva visto era scoppiata in lacrime e aveva chiesto una foto di mia madre da tenere nel portafoglio.

Se si trattenevano più a lungo del dovuto, la signora Barbour metteva fine alla visita con la scusa che mi stancavo facilmente, ma la verità – sospetto – era che non tollerava che persone come Cinzia e Kika monopolizzassero il suo salotto per più di pochi minuti. Dopo più o meno mezz'ora entrava nella stanza e si piazzava in silenzio vicino alla porta. E se gli ospiti non capivano il messaggio, prendeva la parola e li ringraziava di essere venuti – con molta educazione, ma in modo che fosse chiaro che il tempo era scaduto ed era ora di andare. (La sua voce, come quella di Andy, era cavernosa e suonava incredibilmente distante; se anche si trovava a un passo da te, sembrava stesse trasmettendo da Alfa Centauri.)

Intorno a me, sopra la mia testa, la vita della casa andava avanti. Ogni giorno il campanello suonava e risuonava: donne di servizio, tate, ristoratori, insegnanti, il maestro di pianoforte, signore dell'alta società e uomini d'affari con scarpe con le nappe che avevano a che fare con gli enti benefici per i quali la signora Barbour si dava da fare. I fratelli minori di Andy, Toddy e Kitsey, schizzavano per i corridoi bui coi loro compagni di scuola. Spesso, durante il pomeriggio, signore profumate di colonia e cariche di pacchetti si fermavano per un tè o un caffè; e dopo cena coppie vestite da sera si riunivano, con vino e acqua effervescente, nel salotto di casa, dove ogni settimana un fiorista sciccoso di Madison Avenue sistemava ad arte le composizioni floreali e dove gli ultimi numeri di «Architectural Digest» e del «New Yorker» giacevano disposti a ventaglio sul tavolino da caffè.

Se i signori Barbour erano infastiditi dal fatto che un bambino supplementare fosse stato scaricato a casa loro con pochissimo preavviso, avevano la grazia di non darlo a vedere. La madre di Andy, con i suoi gioielli discreti e il sorriso appena interessato – il genere di donna che telefonava al sindaco, se aveva bisogno di un favore –, sembrava operare al di fuori dei confini stabiliti dalla burocrazia di New York. Persino nello stato di dolore e confusione in cui versavo avevo l'impressione che lei agisse nell'ombra, rendendomi tutto più semplice, proteggendomi dagli aspetti più sgradevoli della macchina dei servizi sociali, e – adesso ne sono abbastanza sicuro – dalla curiosità della stampa. Le chiamate che facevano squillare insistentemente il telefono venivano tutte trasferite sul suo cellulare. Sentivo le conversazioni sottovoce e le istruzioni per gli uscieri. Una volta, durante uno dei miei lunghi colloqui con Enrique, che voleva sapere dove si trovasse mio padre – colloqui che spesso mi lasciavano sull'orlo delle lacrime, neanche mi stesse torchiando perché gli rivelassi l'esatta ubicazione dei siti missilistici in Pakistan –, lei mi aveva allontanato dalla stanza e, in tono monocorde, aveva posto fine alla questione («Be', mi pare *ovvio* che il ragazzo non sappia dove sia, nemmeno la madre lo sapeva... sì, capisco che le preme trovarlo, ma è chiaro che il signore non *vuole* essere trovato, ha preso *ogni precauzione* al fine di non essere trovato... non stava pagando gli alimenti, ha lasciato un mucchio di debiti, ha abbandonato la città quasi senza una parola, quindi, in tutta onestà, non capisco cosa speri di ottenere mettendosi in contatto con questo genitore eccezionale e cittadino modello e... sì, sì, sono certa che lei ha le migliori intenzioni, ma se non sono riusciti a scovarlo né i creditori né il vostro ufficio, non vedo cosa possa sperare di ottenere continuando a tormentare il ragazzo, no? Non crede che sia giunta l'ora di lasciarlo in pace?»).

Alcuni aspetti della legge marziale imposta dal mio arrivo avevano turbato l'equilibrio domestico: per esempio, al personale di servizio non era più permesso di ascoltare Ten Ten WINS, il canale delle notizie, durante l'orario di lavoro («No, no» aveva detto Etta, la cuoca, con uno sguardo eloquente nella mia direzione, quando una delle cameriere aveva provato ad accendere la radio), e la mattina il «Times» veniva portato difilato al signor Barbour e mai lasciato in giro a disposizione del resto della famiglia. «Qualcuno ha *di nuovo* fatto sparire il giornale» si lamentava Kitsey, la sorellina di Andy, prima di piombare in un silenzio colpevole in seguito a un'occhiataccia della madre –, e così avevo capito in fretta che se i giornali scomparivano nell'ufficio del signor Barbour era perché contenevano informazioni che non dovevo conoscere.

Per fortuna Andy, che anche in passato era stato mio alleato nelle avversità, comprendeva che l'ultima cosa di cui avevo bisogno era parlare. Quei primi giorni ebbe il permesso di rimanere a casa con me. Ce ne stavamo seduti davanti alla scacchiera nella sua camera con la tappezzeria scozzese e il letto a castello in cui avevo passato centinaia di sabati sera alle elementari, con lui che di fatto giocava per entrambi, dato che nel mio torpore ricordavo a malapena come si muovevano i pezzi. «Okay» disse, sistemandosi gli occhiali. «D'accordo. Sei assolutamente sicuro di volerlo fare?»

«Fare cosa?»

«Certo, capisco» continuò Andy nella vocina sottile e irritante che, nel corso degli anni, aveva spinto parecchi bulli a sbatterlo sul marciapiede di fronte alla scuola. «La torre è in pericolo, questo è vero, ma ti suggerirei di tenere d'occhio la regina... no, no, la *regina*. D5.»

Doveva chiamarmi per nome per avere la mia attenzione. Non facevo che pensare al momento in cui io e mia madre eravamo corsi su per i gradini del museo. Il suo ombrello a righe. La pioggia che ci picchiava in faccia. Quello che era accaduto, lo sapevo, era irreversibile, eppure doveva esistere un modo per tornare su quella strada piovosa e far sì che tutto quanto andasse diversamente!

«L'altro giorno qualcuno» disse Andy, «credo fosse Malcolm come-cavolo-si-chiama o non so che altro luminare... comunque, l'altro giorno questo tipo si è preso la briga di scrivere sulle pagine di scienza del "Times" che al mondo esistono più potenziali partite di scacchi che granelli di sabbia. È incredibile che un giornalista di un quotidiano così importante abbia sentito la necessità di soffermarsi su una questione tanto ovvia.»

«Già» mormorai, riemergendo a fatica dai miei pensieri.

«Lo sanno tutti che i granelli di sabbia del nostro pianeta sono presenti in quantità finita. È assurdo trattare questa evidenza come

se fosse una notizia da prima pagina! Hai presente? Buttartela lì
come se avesse svelato chissà quale arcano.»

Alle elementari, io e Andy eravamo diventati amici in circostanze vagamente traumatiche: dopo essere stati assegnati a una classe
più avanzata per via dei punteggi elevati ottenuti nei test d'ingresso. Adesso tutti convenivano che era stato un errore per entrambi,
anche se per ragioni diverse. Quell'anno – mentre ci aggiravamo
impacciati tra bambini più grandi di noi, tipi che ci facevano lo
sgambetto, ci spintonavano e ci chiudevano le porte in faccia: che
facevano a pezzi i nostri compiti e ci sputavano nel latte, che ci chiamavano *pidocchi*, *finocchi* e *teste di cazzo* (una cosa triste e naturale,
per me, con un cognome come Decker)[1] –, per tutto quell'anno (il
nostro Esilio Babilonese, lo chiamava Andy), avevamo combattuto
uno a fianco dell'altro come una coppia di pavide formiche sotto
una lente d'ingrandimento: presi a calci negli stinchi, colpiti alle
spalle, ostracizzati, costretti a pranzare rannicchiati nell'angolo più
remoto che riuscivamo a trovare per evitare che ci lanciassero addosso bustine di ketchup e crocchette di pollo. Per quasi due anni
lui era stato il mio unico amico, e viceversa. Ripensare a quei giorni
mi deprimeva e m'imbarazzava: le battaglie con gli Autobot e le
navicelle di Lego, le identità segrete che avevamo assunto ispirandoci a *Star Trek* (io ero Kirk, lui Spock) nel tentativo di trasformare
la nostra sofferenza in un gioco. *Capitano, pare che questi alieni ci
abbiano rinchiuso in una sorta di simulacro delle scuole per bambini
che avete voi umani sulla Terra.*

Prima di essere cacciato a forza nell'ambiente ristretto e competitivo di quella classe di ragazzini più grandi, per di più con l'etichetta
di «dotato» appesa al collo, a scuola io non ero mai stato oggetto di insulti o umiliazioni. Il povero Andy, invece, era un bersaglio
da sempre: mingherlino, irrequieto, intollerante al lattosio, con una
pelle talmente chiara da sembrare trasparente e una naturale inclinazione a cacciar fuori parole come *nocivo* e *ultraterreno* nel bel mezzo
di una normale conversazione. Era tanto intelligente quanto goffo;
e quella sua voce piatta e l'abitudine di respirare con la bocca, dato

---

[1] Gioco di assonanze tra il cognome e *dick*, «cazzo». (*N.d.T.*)

che aveva il naso sempre chiuso, lo facevano apparire un po' tonto. In mezzo ai suoi esuberanti, atletici e pimpanti fratelli – che facevano la spola tra amici, compagni di squadra e gratificanti attività extrascolastiche –, lui spiccava come un rammollito avventuratosi per sbaglio su un campo da lacrosse.

Se io, in qualche modo, ero riuscito a riprendermi dalla catastrofe che era stata la quinta elementare, Andy non aveva avuto la stessa fortuna. I venerdì e i sabati sera rimaneva a casa; nessuno lo invitava alle feste o al parco. Per quanto ne sapevo, ero ancora il suo unico amico. E anche se, grazie a sua madre, indossava gli abiti giusti e si vestiva come i ragazzi più fighi – a volte portava persino le lenti a contatto –, non ingannava nessuno: i tipi muscolosi e ostili che si ricordavano di quand'era uno sfigato continuavano a spintonarlo e a chiamarlo C-3PO, memori della volta in cui aveva commesso l'errore di venire a scuola con una maglietta di *Guerre stellari*.

Andy non era mai stato un chiacchierone, nemmeno da piccolo, eccetto che in qualche raro momento di tensione (la nostra amicizia consisteva perlopiù nello scambiarci fumetti senza dire una parola). E gli anni di soprusi a scuola lo avevano reso ancora più silenzioso: meno incline a utilizzare un vocabolario lovecraftiano e più propenso a seppellirsi in corsi avanzati di Matematica e Scienze. A me la Matematica non era mai interessata granché – possedevo quella che veniva definita un'intelligenza verbale –, e se io avevo finito col disattendere, in ogni ambito, le aspettative dei miei insegnanti, perché dei voti alti non me ne fregava niente se per ottenerli dovevo fare fatica, Andy al contrario frequentava corsi avanzati in tutte le materie ed era ancora indisputabilmente il primo della classe. (Di sicuro sarebbe stato spedito a Groton come Platt – una prospettiva che lo terrorizzava a morte fin dalla terza elementare –, a meno che i suoi genitori non ritornassero sulla azzardata decisione di mandare a studiare lontano da casa un figlio che una volta, a ricreazione, era stato quasi soffocato dai compagni di classe con un sacchetto di plastica. E le preoccupazioni non si esaurivano lì: la ragione per cui ero informato del periodo trascorso dal signor Barbour alla «fattoria per suonati» era che Andy mi aveva detto, senza troppi giri di parole, che i suoi genitori temevano che lui potesse aver ereditato in qualche modo quella vulnerabilità, così l'aveva definita.)

Durante la sua assenza da scuola per restare a casa con me, Andy si scusava perché doveva studiare, «purtroppo è necessario» diceva, tirando su col naso e asciugandoselo con la manica. I corsi che frequentava erano molto impegnativi («Gli esami avanzati sono un inferno»), e non poteva permettersi di restare indietro neanche di un giorno. Mentre lui sgobbava su una quantità di compiti apparentemente infinita (Chimica e Analisi matematica, Storia americana, Lettere, Astronomia, Giapponese), io me ne stavo seduto sul pavimento, la schiena appoggiata al cassettone della sua stanza, contando in silenzio tra me e me: a quell'ora, solo tre giorni prima, lei era ancora viva, a quell'ora quattro giorni prima, una settimana prima. Rivivevo nella mente tutte le occasioni in cui avevamo mangiato insieme nel periodo precedente la sua morte: la nostra ultima volta alla tavola calda greca, la nostra ultima visita allo Shun Lee Palace, l'ultima cena che aveva cucinato per me (spaghetti alla carbonara) e la cena prima di quella (un piatto chiamato pollo Indienne, che aveva imparato a fare da sua madre nel Kansas). Ogni tanto, per sembrare occupato, sfogliavo un vecchio numero di «Fullmetal Alchemist», o un romanzo illustrato di H.G. Wells che avevo trovato nella camera di Andy, ma non riuscivo a concentrarmi nemmeno sulle figure. Perlopiù osservavo i piccioni che zampettavano sul davanzale mentre Andy riempiva infinite griglie di esercizi sul suo libro di *hiragana*, le ginocchia che sobbalzavano inquiete sotto la scrivania mentre lavorava.

La camera di Andy – in origine una grande stanza da letto che col mio arrivo i Barbour avevano fatto dividere a metà – affacciava su Park Avenue. All'ora di punta i clacson strombazzavano all'incrocio e la luce risplendeva di riflessi d'oro sulle finestre dall'altra parte della strada, spegnendosi solo quando anche il traffico cominciava a diradarsi. Durante le notti (prepotenti seminotti urbane che rifiutavano di arrendersi all'oscurità, fluorescenti nel chiarore dei lampioni) io mi giravo e rigiravo sul mio letto a pochi centimetri dal soffitto e a volte mi svegliavo convinto di essere sdraiato sotto il materasso, invece che sopra.

Com'era possibile sentire la mancanza di qualcuno come io sentivo quella di mia madre? Avrei voluto morire, da quanto mi mancava:
era un bisogno terribile e fisico, come quello d'ossigeno sott'acqua.
Sdraiato senza riuscire a prendere sonno, cercavo di ritrovare i ricordi più belli che avevo di lei – di imprimermela nella memoria,
per non dimenticarla –, ma al posto dei compleanni e dei momenti
felici continuavano a tornarmi in mente scene banali come quella
in cui, pochi giorni prima che morisse, mi aveva fermato appena
fuori dalla porta di casa per togliermi un filo dalla giacca della divisa della scuola. Per qualche motivo, quello era uno dei ricordi più
chiari che mi restavano di lei: le sue sopracciglia aggrottate, il gesto
risoluto con cui aveva allungato la mano verso di me, ogni dettaglio.
Spesso – nella deriva inquieta tra sonno e veglia – mi capitava di riz-
zarmi a sedere sul letto al suono della sua voce che sentivo limpida
nella mia testa, frasi che, probabilmente, doveva avermi detto, ma
che non riuscivo a ricordare davvero, tipo: *Mi passeresti una mela?*
e *Chissà se questo si abbottona davanti o dietro?* e *Questo divano è
in uno stato indecente.*

La luce della strada disegnava strisce scure sul pavimento. Io pensavo, disperato, alla mia stanza vuota a pochi isolati da lì: il mio letto
stretto col copriletto rosso e sciupato. Le stelle luminose proiettate dal planetario, una cartolina con l'immagine del *Frankenstein*
di James Whale. Gli uccelli erano tornati e i narcisi erano fioriti; in
quel periodo dell'anno, quando il tempo diventava bello, a volte ci
svegliavamo la mattina presto e camminavamo insieme nel parco,
invece di prendere l'autobus per il West Side. Se solo fossi potuto
tornare indietro e cambiare quello che era successo, o impedirlo,
non so come. Perché non avevo insistito per fare colazione invece
di andare al museo? Perché il signor Beeman non ci aveva chiesto
di andare da lui martedì o giovedì?

La seconda o la terza notte dopo la sua morte – in ogni caso
dopo che la signora Barbour mi aveva portato dal dottore per i
miei mal di testa –, in casa era stata organizzata una festa e ormai
era troppo tardi per poterla cancellare. C'erano bisbigli ovunque,
e un fermento insopportabile. «Credo che tu e Theo fareste meglio
a restare qui» disse la signora Barbour affacciandosi in camera di

Andy. A dispetto della leggerezza del tono, il suo non era un consiglio, ma un ordine. «Sarà una tale noia, sono certa che non vi divertireste affatto. Chiederò a Etta di portarvi un paio di piatti dalla cucina.»

Io e Andy ci sedemmo vicini sul letto a castello, a mangiare cocktail di gamberi e canapè coi carciofi da piatti di plastica... o meglio, lui mangiò, io invece rimasi lì, col piatto intatto sulle ginocchia. Andy aveva messo su un DVD, un film d'azione con robot che esplodevano in una pioggia di metallo e fiamme. Dal soggiorno arrivavano il tintinnio dei bicchieri, l'odore delle candele e delle essenze profumate, e di quando in quando una voce che subito si trasformava in una risata. L'arrangiamento frizzante e ritmato di *It's All Over Now, Baby Blue* che il pianista stava suonando sembrava fluttuare fino a noi da un universo parallelo. Tutto era perduto, non avevo più un posto nel mondo: il disorientamento dato dal fatto di trovarmi nell'appartamento sbagliato, con la famiglia sbagliata, mi indeboliva sempre di più e mi sentivo intontito, confuso, quasi sempre sul punto di piangere, come un prigioniero sotto tortura che non dormisse da giorni. *Devo tornare a casa*, continuavo a pensare, e poi, per la milionesima volta, *ma non posso*.

IV

Dopo quattro giorni, o forse cinque, Andy caricò i libri nel suo zaino espandibile e tornò a scuola. Per tutto il giorno, e per quello seguente, restai seduto nella sua stanza col televisore sintonizzato su Turner Classic Movies, il canale che mia madre guardava quando non andava al lavoro. Davano una serie di adattamenti da Graham Greene: *Il prigioniero del terrore, Il fattore umano, Idolo infranto, Il fuorilegge*. Il secondo pomeriggio, mentre aspettavo che cominciasse *Il terzo uomo*, la signora Barbour (vestita Valentino da capo a piedi e in procinto di uscire per partecipare a un evento alla Frick) entrò nella stanza e annunciò che il giorno successivo sarei andato a scuola. «*Chiunque* si deprimerebbe, a starsene chiuso qui dentro da solo» disse. «Non ti fa bene.»

Non sapevo cosa replicare. Dalla morte di mia madre, stare per conto mio a guardare film tutto il giorno era l'unica attività in grado di darmi un vago senso di normalità.

«È tempo che tu riprenda le vecchie abitudini. Domani. So che è difficile, Theo» aggiunse quando non risposi, «ma tenerti occupato è la sola cosa che ti aiuterà a stare meglio.»

Continuai a fissare la TV con ostinazione. Non andavo a scuola dal giorno prima che mia madre morisse, e finché me ne fossi tenuto alla larga la sua morte non sarebbe stata del tutto ufficiale. Se fossi tornato, sì. Peggio ancora: il pensiero di riprendere una qualsivoglia routine sembrava sleale, sbagliato. Era un trauma ogni volta che mi tornava in mente, uno schiaffo a tradimento: lei se n'era andata. Ogni novità – qualsiasi cosa, per il resto della mia vita – non avrebbe fatto altro che aumentare la distanza tra noi. Ogni singolo giorno, per il resto della mia esistenza, la nostra separazione sarebbe stata più definitiva.

«Theo.»

Trasalii e sollevai lo sguardo sulla signora Barbour.

«Un passo dopo l'altro. Non c'è altro modo per superare questa situazione.»

Il giorno seguente avrebbero trasmesso una maratona di film di spionaggio ambientati durante la Seconda guerra mondiale (*Cairo, Ora x: Gibilterra o morte!, Nome in codice: Smeraldo*). Ma non appena la signora Barbour fece capolino dalla porta per svegliarci («Forza, opliti!»), mi trascinai fuori dal letto e io e Andy andammo a piedi alla fermata dell'autobus. Pioveva, e la signora Barbour mi aveva obbligato a indossare un vecchio cappotto di lana di Platt. La sorella minore di Andy, Kitsey, piroettava davanti a noi nel suo impermeabile rosa, saltando le pozzanghere e fingendo di non conoscerci.

Sapevo che sarebbe stato atroce e lo fu, dall'istante in cui varcai la soglia dell'atrio e riconobbi l'odore della scuola: disinfettante al limone e un vago sentore di calzini sporchi. Cartelloni scritti a mano nei corridoi: moduli d'iscrizione per il corso di tennis e i laboratori di cucina, audizioni per *La strana coppia*, gite a Ellis Island e offerte di biglietti per l'annuale concerto *Danzando verso la primavera*. Difficile credere che mentre il mondo era crollato quelle ridicole attività andavano avanti come se nulla fosse.

La cosa più strana: l'ultima volta che ero stato lì, lei era ancora viva. Non riuscivo a smettere di pensarci: lei c'era l'ultima volta che avevo aperto il mio armadietto, l'ultima volta che avevo aperto *Introduzione alla biologia*, l'ultima volta che avevo visto Lindy Maisel mettere il lucidalabbra.

«Mi dispiace.» A dirlo era gente che conoscevo, e persone che non ricordavo di avere mai visto in vita mia. Altri – che ridevano e chiacchieravano nei corridoi – quando mi incrociavano si zittivano, lanciandomi occhiate serie e incuriosite. Altri ancora continuavano a ignorarmi, come i cani che hanno voglia di giocare fanno con un loro simile malato o ferito all'interno del branco: rifiutavano di guardarmi, scorrazzandomi intorno come se non esistessi.

Tom Cable, soprattutto, mi evitava con la stessa determinazione con cui avrebbe evitato una ragazza che aveva depennato dall'agenda. A pranzo non si fece vedere. Durante Spagnolo (era entrato con aria baldanzosa a lezione iniziata, risparmiandosi la scena imbarazzante durante la quale tutti, con fare solenne, si erano raccolti attorno al mio banco per dirmi quanto fossero dispiaciuti) non si sedette accanto a me come al solito, ma davanti, accasciato sulla sedia con le gambe allungate di lato. La pioggia tamburellava sui vetri mentre traducevamo una sequela di frasi strambe che sarebbero state l'orgoglio di Salvador Dalí: c'erano delle aragoste e degli ombrelloni da spiaggia, e Marisol dalle lunghe ciglia che prendeva un taxi verde lime per andare a scuola.

A lezione finita m'imposi di andare a salutarlo mentre raccoglieva i libri.

«Oh, ehi, come va?» disse, ritraendosi, il sopracciglio alzato in una curva, strafottente. «Ho saputo, sai com'è.»

«Già.» Era quello il nostro modo di interagire: troppo sgamati per il resto del mondo, sempre sulla stessa lunghezza d'onda.

«Che sfiga. Un vero schifo.»

«Grazie.»

«Ehi... avresti dovuto far finta di essere malato. Te l'avevo detto! Anche mia madre è esplosa per quella stronzata. Per poco non ci restava secca! Be', ehm...» disse, e scrollò le spalle nel momento d'imbarazzo che seguì, guardandosi attorno con un'espressione da *chi, io?*, come se avesse appena tirato una palla di neve con dentro un sasso.

«Comunque» continuò, cambiando discorso, «bel costume.»

«Scusa?»

«Be'...» Indietreggiò di un passo, guardando il cappotto a quadri con ostentata ironia. «*Senza dubbio* meriti il primo posto al concorso Miglior Sosia di Platt Barbour.»

E mio malgrado – fu uno shock, dopo giorni di orrore e apatia, uno spasmo da sindrome di Tourette – risi.

«Buona questa, Cable» commentai, imitando l'odioso timbro strascicato di Platt. Eravamo tutt'e due bravi a fare le imitazioni, e spesso conversavamo a quella maniera, con la voce di un qualche mezzobusto soporifero o di una compagna di classe particolarmente petulante o di un qualche professore imbecille e viscido. «Magari domani vengo vestito come te.»

Ma Tom non replicò a tono né portò avanti la messinscena. Pareva già annoiato. «Ehm... anche no» disse, con una mezza alzata di spalle e un sorrisetto. «A dopo.»

«Okay, a dopo.» Ero scocciato... che razza di problema aveva? Insultarci e prenderci in giro faceva parte della nostra solita commediola cinica, che divertiva soltanto noi due; per questo ero sicuro che dopo Lettere sarebbe ricomparso per corrermi dietro mentre andavo a casa e darmi il libro di Algebra. Ma non lo fece. La mattina seguente, prima delle lezioni, quando lo salutai non mi guardò neanche, e la sua espressione indifferente mentre mi superava con una spallata mi lasciò di sale. Lindy Maisel e Mandy Quaife si voltarono verso gli armadietti per scambiarsi un'occhiata, ridacchiando incredule: *Oh, mio Dio!* Accanto a me, il mio compagno di laboratorio, Sam Weingarten, scuoteva la testa. «Che coglione» commentò a voce così alta che nel corridoio si girarono tutti. «Lo sai, Cable, che sei un coglione?»

Ma a me non importava... o, almeno, non mi feriva né niente del genere. Mi mandava in bestia. La mia amicizia con Tom aveva sempre avuto qualcosa di strano e di crudele, qualcosa di perverso ed eccessivo, forse di pericoloso, e anche se la vecchia tensione tra noi non era svanita, adesso la corrente era cambiata, l'elettricità ronzava in senso opposto, quindi invece di fare il buffone con lui nella sala di lettura avrei voluto ficcargli la testa nel cesso, strattonarlo fino a lussargli una spalla, sbattergli la faccia per terra, costringerlo a mangiare merda di cane e tutte le altre schifezze che c'erano sul marciapiede. Più ci pensavo, più la rabbia montava, tanto che a volte mi ritrovavo a camminare avanti e indietro nei bagni, imprecando sottovoce. Se Cable non avesse fatto la spia col signor Beeman («Theo, ora so che quelle sigarette non erano tue»)... se Cable non mi avesse fatto sospendere... se mia madre non fosse stata costretta a prendere un giorno libero... se non ci fossimo trovati al museo nel momento sbagliato... Persino il signor Beeman mi aveva fatto le sue scuse, in un certo senso. Perché, è vero, c'era qualche problema coi miei voti (e con un sacco di altre cose che il signor Beeman ignorava), ma l'evento scatenante, quello per cui ero stato convocato, l'intera faccenda delle sigarette in cortile... di chi era la colpa? Di Cable. Non che mi aspettassi delle scuse da lui. Anzi, se fosse stato per me non avrei mai sfiorato l'argomento. Ma mi chiedevo: ero diventato un paria? Una persona non gradita? Non mi rivolgeva neppure la parola? Ero più piccolo di lui, anche se non di molto, e ogni volta che faceva qualche battutina in classe, abitudine dalla quale non riusciva ad astenersi, o che mi passava accanto nei corridoi coi suoi nuovi amici Billy Wagner e Thad Randolph (proprio come eravamo abituati ad andarcene in giro noi, sempre sovreccitati, con quella smania incosciente di sfidare il pericolo), tutto ciò che riuscivo a pensare era che avrei voluto pestarlo a sangue, con le ragazze che ridevano, mentre lui indietreggiava di fronte a me in lacrime: *Oooh, Tom! Buuu, stai piangendo?* (Con l'obiettivo di scatenare una rissa gli avevo sbattuto «accidentalmente» in faccia la porta del bagno, e in un'altra occasione lo avevo spinto contro il distributore delle bibite facendo cadere a terra le sue disgustose patatine al formaggio, ma invece di reagire – come avevo sperato – Tom si era limitato a sogghignare e ad allontanarsi senza aprire bocca.)

Non tutti mi evitavano. Un sacco di gente mi lasciava biglietti e regalini nell'armadietto (comprese Isabella Cushing e Martina Lichtblau, le ragazze più popolari del mio anno) e il mio vecchio nemico della quinta elementare, Win Temple, mi aveva colto alla sprovvista con un abbraccio. Ma la maggior parte dei ragazzi mi trattava con una cauta formalità che nasceva dalla paura. Non che me ne andassi in giro singhiozzando o che mi comportassi in maniera strana, ma se decidevo di sedermi con loro in mensa interrompevano i discorsi a metà.

Gli adulti, al contrario, mi dedicavano un'imbarazzante quantità di attenzione. Mi consigliavano di tenere un diario, di parlare con gli amici, di fare un «collage di ricordi» (idee assurde, a mio parere; anche se mi sforzavo di comportarmi normalmente, suscitavo disagio negli altri ragazzi, e l'ultima cosa che volevo era attirare la loro attenzione condividendo i miei sentimenti o dandomi all'artigianato terapeutico durante l'ora di arte). Avevo l'impressione di passare un'infinità di tempo dentro classi o uffici vuoti (a fissare il pavimento, facendo stupidamente su e giù con la testa), con insegnanti preoccupati che mi chiedevano di trattenermi a fine lezione o mi chiamavano da parte per fare due chiacchiere. Il mio professore di Lettere, il signor Neuspeil, dopo essere rimasto seduto dal suo lato della scrivania e aver fornito un resoconto straziante della terribile morte di sua madre per mano di un chirurgo incompetente, mi aveva dato una pacca sulla spalla e un quaderno bianco per scriverci sopra i miei pensieri; la signora Swanson, la consulente didattica, mi aveva mostrato un paio di esercizi di respirazione e suggerito di lanciare cubetti di ghiaccio contro un albero per imparare a gestire il dolore; e persino il signor Borowsky (che insegnava Matematica ed era molto meno sensibile della maggior parte dei docenti) mi aveva preso in disparte nell'atrio e – in tono pacato, il viso a cinque centimetri dal mio – mi aveva confidato di sentirsi responsabile per l'incidente d'auto che aveva causato la morte del fratello. (Il senso di colpa saltava fuori in molte di quelle conversazioni. Forse i miei insegnanti, come me, mi credevano responsabile della morte della mamma? Pareva proprio di sì.) Il signor Borowsky si era sentito talmente responsabile per non aver impedito al fratello di mettersi al volante ubriaco in quella fatidica notte, che per un po' aveva meditato di uccidersi. Forse capitava anche a me di pensare al suicidio. Ma il suicidio non era la soluzione.

Io accettavo di buon grado tutti i consigli, con un sorriso spento e un palpabile senso d'irrealtà. Molti adulti sembravano cogliere nella mia remissività un segno positivo. In particolare ricordo il signor Beeman (un inglese oltremodo affettato con un ridicolo berretto di tweed che, a dispetto della sua sollecitudine, avevo irrazionalmente finito con l'odiare, ritenendolo uno degli artefici della morte di mia madre) che si complimentava con me per la maturità che stavo dimostrando e dichiarava che avevo «l'aria di cavarmela alla grande». E magari era anche vero, non saprei. Di sicuro non urlavo di dolore né prendevo a pugni le finestre, né facevo alcuna delle cose che uno che si sentiva come me avrebbe potuto fare. Eppure a volte, senza preavviso, il dolore m'investiva a ondate, lasciandomi boccheggiante; e quando la marea si ritirava restavo a fissare un relitto coperto di salsedine, illuminato da una luce così chiara, triste e vuota, che mi pareva impossibile che al mondo fosse mai esistito qualcosa di diverso dalla morte.

V

A essere sinceri, i nonni Decker erano l'ultimo dei miei pensieri, il che era un bene, visto che sulla base delle scarse informazioni che avevo fornito i servizi sociali non erano stati in grado di rintracciarli. Poi, un giorno, la signora Barbour aveva bussato alla porta della stanza di Andy e aveva detto: «Theo, posso parlarti un attimo, per favore?».

Benché nella mia situazione fosse difficile immaginare che le cose potessero peggiorare, qualcosa nella sua voce lasciava presagire cattive notizie. Ci accomodammo in salotto – vicino a una composizione alta un metro di salice americano e rami di melo appena consegnata dal fiorista –, lei accavallò le gambe e annunciò: «Ho ricevuto una telefonata dai servizi sociali. Si sono messi in contatto coi tuoi nonni. Sfortunatamente, pare che la nonna non stia bene».

Per un istante restai interdetto. «Dorothy?»

«Se è così che la chiami, sì.»

«Oh, lei non è davvero mia nonna.»

«Capisco» disse la signora Barbour, con l'aria di chi non capiva affatto e neppure aveva intenzione di provarci. «Ad ogni modo, sembra che non stia bene – problemi alla schiena, credo –, e tuo nonno si sta prendendo cura di lei. Quindi, so che puoi capirlo, sono molto dispiaciuti, ma ritengono non sia il caso che tu vada laggiù. E anche se» aggiunse di fronte al mio silenzio «si sono offerti di pagarti una stanza di un Holiday Inn vicino a casa loro per un breve periodo, non mi pare la soluzione ideale, non sei d'accordo?»

Avvertivo un fastidioso ronzio nelle orecchie. Seduto lì, sotto il suo indifferente sguardo grigio ghiaccio, d'un tratto mi vergognavo di me stesso. La possibilità che mi spedissero da nonno Decker e Dorothy mi atterriva al punto che li avevo quasi completamente rimossi dai pensieri, ma sapere che erano loro a non volermi era tutta un'altra storia.

Un barlume di compassione le si accese sul volto. «Non devi restarci male» disse. «E in ogni caso non hai ragione di preoccuparti. Siamo già d'accordo che rimarrai con noi almeno per le prossime settimane, finirai qui l'anno scolastico. Sono tutti convinti che sia la soluzione migliore. Comunque» proseguì, avvicinandosi, «che bell'anello. È un oggetto di famiglia?»

«Uhm, sì» risposi. Per ragioni che avrei trovato complicato spiegare avevo preso l'abitudine di portare l'anello dell'anziano signore ovunque andassi. Il più delle volte lo tenevo nella tasca della giacca per giochicchiarci, ma di tanto in tanto, nonostante fosse troppo grande e mi ballasse un po', lo infilavo al dito medio.

«Interessante. La famiglia di tua madre o di tuo padre?»

«Di mia madre» risposi dopo una breve pausa, disturbato dalla piega che stava prendendo la conversazione.

«Posso vederlo?»

Lo tolsi e glielo lasciai cadere sul palmo. Lei lo scrutò sotto la lampada. «Incantevole» commentò. «Corniola. E questo intaglio. È in stile greco-romano? O si tratta di uno stemma di famiglia?»

«Uhm, uno stemma. Credo.»

Lei esaminò la creatura mitologica munita di artigli. «Sembra un grifone. O un leone alato.» Inclinò l'anello sotto la luce e guardò all'interno. «E questa scritta?»

La mia espressione sorpresa la fece accigliare. «Non dirmi che non l'avevi notata. Aspetta.» Si alzò e andò alla scrivania, che era munita di un intricato sistema di nicchie e cassetti, per fare ritorno con una lente d'ingrandimento.

«Questa andrà meglio dei miei occhiali da lettura» spiegò, sbirciandoci attraverso. «Ma non è facile decifrarla.» Avvicinò la lente, poi la allontanò. «Blackwell. Ti dice qualcosa?»

«Ah…» A dire il vero sì, qualcosa che andava oltre le parole, ma il pensiero fu spazzato via e scomparve prima ancora di materializzarsi per intero.

«Vedo anche alcune lettere greche. Molto interessante…» Mi restituì l'anello. «È un oggetto antico. Si capisce dalla patina sulla pietra e dal grado di usura, vedi qui? All'epoca di Henry James, gli americani acquistavano questo tipo di gemme in Europa e le utilizzavano per farci degli anelli. Souvenir del Grand Tour.»

«Se loro non mi vogliono, dove andrò?»

Per una frazione di secondo la signora Barbour restò interdetta. Ma si ricompose all'istante. «Be', non me ne preoccuperei, adesso. In ogni caso, ritengo sia meglio che tu resti qui un altro po' e finisca l'anno scolastico in tranquillità, non credi? Mi raccomando» mi ammonì poi con un cenno del capo, «fa' attenzione all'anello, non perderlo. Ti sta un po' largo. Ti suggerisco di conservarlo in un posto sicuro, invece di indossarlo.»

VI

Invece continuai a indossarlo. O meglio, ignorai il consiglio di riporlo in un posto sicuro e continuai a portarlo in tasca. Quando lo soppesavo sul palmo lo sentivo pesante; se lo stringevo tra le dita, l'oro assorbiva il calore della mia mano mentre la pietra intagliata rimaneva fredda.

La sua consistenza e il fatto che fosse così vecchio, quel misto di rigore e lucentezza, erano insolitamente confortanti; se mi ci concentravo con sufficiente intensità aveva lo strano potere di strapparmi alla mia deriva e di farmi sentire al sicuro, tagliando fuori il resto del mondo, e nonostante ciò rifiutavo di pensare alla sua provenienza.

Allo stesso modo rifiutavo di pensare al futuro, perché per quanto non fossi mai stato particolarmente ansioso di cominciare una nuova vita nelle campagne del Maryland, sottoposto alla gelida misericordia dei nonni Decker, iniziavo a chiedermi sul serio cosa ne sarebbe stato di me. L'idea dell'Holiday Inn sembrava aver sconvolto tutti, come se nonno Decker e Dorothy mi avessero messo a disposizione il capanno nel giardino, ma dal mio punto di vista non era poi tanto male. Da bambino fantasticavo di vivere in albergo, e anche se l'Holiday Inn non era esattamente il posto dei miei sogni, di sicuro me la sarei cavata: hamburger in camera, TV via cavo, la piscina in estate, che c'era di così terribile?

Tutti (gli assistenti sociali, Dave lo strizzacervelli, la signora Barbour) continuavano a ripetere che non potevo vivere da solo in un hotel nel Maryland suburbano e che, comunque fossero andate le cose, non si sarebbe mai arrivati a tanto, apparentemente ignari del fatto che, con l'intenzione di confortarmi, in realtà centuplicavano la mia ansia. «Quello che devi ricordare» diceva il dottor Dave, lo psichiatra assegnatomi dall'amministrazione, «è che, in ogni caso, qualcuno si prenderà cura di te.» Era un giovane sulla trentina con degli occhiali alla moda che aveva sempre l'aria di essere appena uscito da un reading di poesia organizzato nel seminterrato di una chiesa. «Perché un mucchio di gente ha a cuore la tua sorte e vuole solo il meglio per te.»

Ero diventato sospettoso nei confronti degli estranei che discutevano di cosa fosse meglio per me. «Ma... io non penso che l'idea dei nonni sia poi tanto male» dissi.

«Quale idea?»

«L'Holiday Inn. Potrei starci bene.»

«Stai dicendo che vuoi andare a casa dei tuoi nonni?» replicò prontamente Dave.

«No!» risposi. Odiavo quel suo modo di fare, quel suo continuo mettermi le parole in bocca.

«D'accordo, allora. Capovolgiamo la questione.» Intrecciò le mani e si soffermò a riflettere. «Perché preferiresti vivere in un hotel, piuttosto che coi tuoi nonni?»

«Non ho detto questo.»

Piegò la testa di lato. «No, ma dal modo in cui continui a parlare dell'Holiday Inn, come se fosse una soluzione praticabile, ho l'impressione che tu la preferisca.»

«È meglio che finire in una casa famiglia.»

«Sì...» Si protese verso di me. «Ma ti prego di ascoltarmi. Hai soltanto tredici anni. E hai appena perso tua madre. Vivere per conto tuo, in questo momento, non è una possibilità. Quello che sto cercando di dire è che è una sfortuna che i tuoi nonni abbiano dei problemi di salute ma, credimi, sono sicuro che riusciremo a pensare a qualcosa di meglio una volta che tua nonna si sarà rimessa.»

Non dissi nulla. Era evidente che non aveva mai incontrato nonno Decker e Dorothy. Nonostante io stesso non li avessi frequentati molto, la prima cosa che mi veniva in mente era la totale assenza di un reale legame tra noi, la maniera distaccata con cui mi guardavano, come se fossi un ragazzino qualunque incrociato al centro commerciale. La prospettiva di andare a vivere laggiù era letteralmente inimmaginabile, e anche se mi ero lambiccato il cervello per cercare di ricordare il più possibile dell'ultima volta che ero stato da loro... ne avevo ricavato ben poco, visto che all'epoca avevo appena sette o otto anni. C'erano proverbi ricamati a mano incorniciati e appesi alle pareti, e un marchingegno di plastica che Dorothy usava per disidratare il cibo. A un certo punto – dopo che nonno Decker mi aveva detto di tenere le mie piccole dita appiccicose lontane dal suo trenino elettrico – mio padre era uscito a fumare una sigaretta (era inverno) e non era più rientrato. «Gesù» aveva detto mia madre quando eravamo risaliti in macchina (era stata lei a volere che conoscessi la famiglia di papà), e da allora non eravamo più tornati.

Parecchi giorni dopo l'offerta dell'Holiday Inn, ricevetti un biglietto a casa dei Barbour. (*A latere*: è sbagliato pensare che Bob e Dorothy, come si erano firmati, avrebbero piuttosto dovuto alzare il telefono e chiamarmi? O montare in macchina e venire a New York per vedermi di persona? Non fecero niente del genere; non che mi fossi davvero aspettato di vederli arrivare di corsa colti da un impeto di compassione, però sarebbe stato bello se mi avessero sorpreso con un piccolo, e decisamente insolito, gesto d'affetto.)

Per la precisione, il biglietto arrivava da Dorothy (il «Bob», chiaramente vergato da lei, era stato strizzato accanto alla sua firma in extremis). La busta, fatto curioso, sembrava fosse stata aperta col vapore e poi risigillata – dalla signora Barbour? Dagli assistenti sociali? –, comunque il messaggio era scritto nel corsivo aspro e aguzzo che compariva una volta all'anno sulle nostre cartoline natalizie, una grafia che – come mio padre aveva commentato una volta – ricordava quella della lista delle specialità di pesce sulla lavagna del La Goulue.

Sul davanti c'era un tulipano reclinato e sotto una frase stampata: LA FINE NON ESISTE.

Da quel poco che ricordavo, Dorothy non era una persona di molte parole e il biglietto lo confermava. Dopo le prime gentili righe – era dispiaciuta per me e mi era vicina nel dolore –, si offriva d'inviarmi un biglietto dell'autobus per Woodbriar, Maryland, alludendo al contempo a imprecisate condizioni di salute che rendevano loro difficile «soddisfare le richieste» e occuparsi di me.

«Richieste?» disse Andy. «Neanche avessi preteso dieci milioni in contanti.»

Non commentai. Stranamente, era stato il tulipano a turbarmi. Era il genere di biglietto che vendevano al supermercato, niente di speciale, ma la foto di un fiore appassito – a prescindere da quanto fosse elegante – non sembrava la cosa più adatta da spedire a qualcuno che era appena rimasto orfano di madre.

«Pensavo fosse malata. Come mai ha scritto lei il biglietto?»

«Non ne ho idea.» Mi ero fatto la stessa domanda; era strano che il mio vero nonno non avesse allegato un messaggio, e che non si fosse preso la briga di firmare.

«Magari ha l'Alzheimer e lei lo tiene prigioniero» suggerì Andy, tetro. «Per mettere le mani sui soldi. Succede, sai, quando la moglie è più giovane.»

«Non credo proprio sia ricco.»

«Forse no» concesse Andy schiarendosi la gola. «Ma l'avidità fa parte della natura umana. "Rossa di zanne e d'artigli." Forse non vuole rischiare che tu avanzi pretese sull'eredità.»

«Figliolo» intervenne il signor Barbour, sollevando di scatto gli occhi dal «Financial Times», «non mi sembra che questa conversazione sia molto produttiva.»

«Però non capisco perché Theo non possa restare con noi» ribatté Andy, dando voce ai miei pensieri. «Io sto bene con lui e nella mia stanza c'è un sacco di spazio.»

«Certo, saremmo tutti lieti di tenerlo qui con noi» disse suo padre, con uno slancio che non suonò convinto né convincente come avrei sperato. «Ma i suoi familiari cosa direbbero? L'ultima volta che ho controllato, il rapimento era ancora un reato.»

«Be', papà, direi che non è questo il caso» replicò Andy, col suo tono irritante e fastidioso.

Di colpo, il signor Barbour balzò in piedi col club soda stretto in mano. Non poteva bere alcolici per via delle medicine. «Theo, avevo dimenticato di chiedertelo: sai andare a vela?»

Mi occorse un momento per capire la domanda. «No.»

«Oh, peccato. Andy si è divertito *moltissimo* al corso di vela nel Maine, lo scorso anno, non è vero?»

Andy rimase in silenzio. Mi aveva detto, in più di un'occasione, che erano state le due settimane peggiori della sua vita.

«Sai leggere le bandiere nautiche?» domandò il signor Barbour.

«Prego?» dissi.

«Nel mio studio c'è una mappa fantastica che mi piacerebbe mostrarti. Non fare quella faccia, Andy. È una competenza che può tornare utile a qualsiasi ragazzo.»

«Certo, se mai avessi bisogno di salutare un rimorchiatore di passaggio.»

«Queste tue osservazioni caustiche sono insopportabili» disse il signor Barbour, nonostante la sua espressione fosse più assente che irritata. «E poi» continuò, rivolgendosi a me, «non immagini la frequenza con cui le bandiere nautiche saltano fuori nelle parate, e nei film, e... insomma, un po' dovunque.»

Andy fece una smorfia. «*Un po' dovunque*» gli fece eco, canzonatorio.

Il signor Barbour si voltò a guardarlo. «Sì, *in scena*. Trovi l'espressione divertente?»

«Pomposa, più che altro.»

«Be', temo di non riuscire a comprendere cosa ci sia di tanto pomposo. Di sicuro la tua bisnonna avrebbe detto così.» (Il nonno del signor Barbour era stato ostracizzato dall'élite cittadina per aver sposato Olga Osgood, un'attricetta cinematografica.)

«Appunto.»

«Quindi qual è l'espressione appropriata secondo te?»

«A dire il vero, papà, sarei più interessato a sapere quand'è stata l'ultima volta che hai visto delle bandiere nautiche in una *qualsiasi* produzione teatrale.»

«*South Pacific.*»

«A parte *South Pacific.*»

«Non ho niente da aggiungere.»

«Nemmeno ci credo che tu e la mamma abbiate visto *South Pacific.*»

«Per l'amor del cielo, Andy.»

«Be', anche se fosse, un solo caso non dimostra la tua tesi.»

«Mi rifiuto di continuare quest'assurda discussione. Vieni con me, Theo.»

VII

Da quel momento cominciai a fare del mio meglio per essere un ospite ineccepibile: la mattina rifacevo il letto, dicevo sempre grazie e per favore, e mi comportavo come avrebbe voluto mia madre. Purtroppo, i Barbour non avevano il tipo di gestione domestica che permetteva di dimostrare gratitudine facendo da baby-sitter ai fratelli più piccoli oppure offrendosi di lavare i piatti. Tra la donna che badava alle piante – un lavoro deprimente, dato che nell'appartamento c'era così poca luce che di solito morivano in fretta – e l'assistente della signora Barbour, il cui compito principale sembrava essere quello di riordinare gli stanzini e la collezione di porcellane, avevano a servizio qualcosa come otto persone. (Quando le chiesi dove fosse la lavatrice, la signora Barbour mi fissò come se le avessi chiesto soda e lardo per fare il sapone.)

Ma nonostante da me non pretendessero nulla, il tentativo di integrarmi nel loro aristocratico e complesso ménage familiare richiedeva uno sforzo immenso. Cercavo in tutti i modi di appiattirmi sullo sfondo – di scivolare non visto nel labirinto di cineserie come un pesce nella barriera corallina –, eppure non potevo fare a meno di attirare attenzioni non richieste decine di volte al giorno: dato che ero costretto a chiedere anche le cose più insignificanti come un asciugamano, un cerotto o un temperamatite; e che dovevo avvertire ogni volta che entravo o uscivo perché non avevo le chiavi; e che, quanto alla mia ostinazione di farmi il letto da solo, «sarebbe stato meglio lasciare che se ne occupassero Irenka o Esperanza, che ci sono abituate e sanno rimboccare meglio gli angoli». Senza contare la volta in cui danneggiai la decorazione di un appendiabito antico aprendo una porta e quella in cui per errore feci scattare l'allarme. O la notte in cui, cercando il bagno, feci irruzione nella camera dei signori Barbour.

Per fortuna, i genitori di Andy erano in casa così di rado che la mia presenza non sembrava infastidirli troppo. Quando non riceveva ospiti, la signora Barbour lasciava l'appartamento intorno alle undici del mattino, ricomparendo un paio d'ore prima di cena per un gin e lime e per quello che definiva «un bagno rilassante», poi usciva di nuovo per rientrare quando noi eravamo già a letto. Il signor Barbour lo vedevo anche meno, tranne che durante i weekend e quando se ne stava seduto da qualche parte dopo il lavoro col suo bicchiere di club soda avvolto in un tovagliolo, in attesa che la signora Barbour finisse di prepararsi.

Il mio problema principale erano senza dubbio i fratelli di Andy. Nonostante Platt, fortunatamente, fosse via, occupato a terrorizzare le matricole di Groton, Kitsey e il piccolo di casa, Toddy, che aveva solo sette anni, non facevano mistero della loro avversione nei miei confronti, probabilmente dovuta al fatto che sottraevo loro le già scarse attenzioni che ricevevano dai genitori. C'erano stati capricci e musi lunghi a non finire e un mucchio di occhiatacce e risatine ostili da parte di Kitsey, senza contare un (per me) incomprensibile sfogo – mai approfondito sul serio –, durante il quale lei si era lamentata coi suoi amici, col personale di servizio e con chiunque fosse disposto ad ascoltare, dicendo che io ero entrato nella sua stanza e avevo messo mano alla collezione di salvadanai sullo scaffale sopra la scrivania.

Toddy, invece, diventava sempre più inquieto man mano che le settimane passavano e io non accennavo a togliere il disturbo: a colazione
mi fissava malevolo senza il minimo pudore e spesso mi faceva domande che costringevano sua madre a mollargli dei pizzicotti sotto
il tavolo. Dove vivevo prima? Per quanto ancora sarei rimasto con
loro? Ce l'avevo un padre? E allora dov'era?

«Bella domanda» dissi, suscitando la risata sconcertata di Kitsey,
che a scuola era una delle ragazzine più popolari e che – a nove
anni, coi suoi capelli biondo platino – di sicuro era un tipino coi
fiocchi, l'esatto contrario di Andy.

                              VIII

Di lì a poco sarebbero venuti dei traslocatori per imballare le
cose di mia madre e portarle in un magazzino. Prima che arrivassero sarei dovuto tornare nel nostro appartamento a prendere ciò
che volevo tenere o che mi serviva. Ero conscio della presenza del
quadro in una maniera vaga e opprimente, del tutto sproporzionata rispetto alla sua reale importanza, come se fosse un compito di
scuola per il quale non mi ero preparato. A un certo punto avrei
dovuto riportarlo al museo, anche se ancora non avevo idea di come
farlo senza sollevare un polverone.

Avevo già perso una volta l'occasione di restituirlo, quando la
signora Barbour aveva allontanato gli agenti che si erano presentati alla porta di casa chiedendo di me. Avevo intuito che dovevano
essere investigatori, o comunque poliziotti, da quello che mi aveva
detto Kellyn, la ragazza gallese che badava ai bambini. Stava riac-
compagnando a casa Toddy dall'asilo, quando erano arrivati degli
sconosciuti e avevano fatto il mio nome. «Sai, il modo in cui erano
vestiti...» aveva detto, inarcando un sopracciglio esplicativo. Era
una ragazza pienotta dalla parlata veloce, con le guance perennemente arrossate, come se vivesse nei pressi di un camino acceso.
«Avevano quell'aspetto lì.»

Ero troppo spaventato per domandare cosa intendesse con
quell'aspetto lì; e quando, con cautela, ero andato a sondare il ter-

reno dalla signora Barbour l'avevo trovata occupata. «Perdonami» aveva detto, senza neanche guardarmi, «ma non potremmo parlarne più tardi?» A casa Barbour erano attesi degli ospiti nel giro di mezz'ora, tra cui un noto architetto e un'étoile del New York City Ballet, e lei stava trafficando con la chiusura difettosa della collana ed era nervosa perché l'aria condizionata non funzionava a dovere.

«Sono nei guai?»

Le parole mi erano sfuggite di bocca senza che me ne accorgessi. La signora Barbour aveva lasciato perdere la collana. «Theo, non essere ridicolo» aveva risposto. «Sono stati molto gentili, perfettamente rispettosi, però non avevo tempo. Presentarsi così, senza una telefonata. Ad ogni modo, ho detto loro che, come potevano facilmente immaginare, questo non era il momento più opportuno.» Aveva fatto un cenno in direzione dei responsabili del catering che sfrecciavano da una parte all'altra e del tuttofare del palazzo che dall'alto di una scala stava esaminando l'interno del condizionatore con una torcia. «Ora fila via. Dov'è Andy?»

«Arriva tra un'ora. È andato al planetario con la classe di astronomia.»

«Be', c'è del cibo in cucina. Le crostatine sono appena sufficienti, ma potete prendere tutti i mini sandwich che volete. E una volta che la torta sarà stata tagliata, potrete averne una fetta.»

Non sembrava affatto preoccupata, così avevo finito col dimenticarmi dei visitatori, finché non si erano presentati a scuola tre giorni dopo, durante l'ora di geometria, uno più giovane, l'altro più anziano, vestiti allo stesso modo, bussando con cortesia alla porta aperta della classe. «C'è Theodore Decker?» chiese il più giovane, che sembrava italiano, al signor Borowsky, mentre anche il collega faceva capolino nell'aula.

«Vogliamo solo parlarti, va bene?» mi disse il più vecchio mentre ci avviavamo verso la famigerata sala riunioni dove avrebbe dovuto tenersi l'incontro tra mia madre e il signor Beeman il giorno in cui lei era morta. «Non preoccuparti.» Era un afroamericano con un pizzetto brizzolato che spiccava sulla pelle scura, sembrava gentile e severo allo stesso tempo, come i poliziotti dei telefilm. «Stiamo cercando di capire cos'è successo quel giorno e speriamo tu possa aiutarci.»

All'inizio ero terrorizzato, ma quando aveva detto *non preoccu-parti* mi ero fidato... finché non varcammo la porta della sala riunioni. Dentro erano seduti: la mia nemesi, il signor Beeman, con un berretto di tweed in testa, sopra le righe come sempre col solito gilet e l'orologio a cipolla; l'uomo dei servizi sociali, Enrique; la consulente didattica, signora Swanson (quella che mi aveva suggerito di tirare cubetti di ghiaccio contro gli alberi); Dave lo psichiatra, coi suoi Levi's neri e il dolcevita d'ordinanza; e, inaspettatamente, la signora Barbour, in tacchi alti e con un vestito grigio perla che aveva l'aria di costare più dello stipendio mensile di tutti i presenti messi insieme.

Dovevo avere il panico dipinto in faccia. Forse non sarei stato così agitato se avessi compreso meglio quello che allora mi sfuggiva: che ero un minore, e che, durante un interrogatorio ufficiale, era necessaria la presenza di un familiare o di un tutore, ragion per cui chiunque poteva essere considerato anche solo lontanamente un mio garante sotto il profilo legale era stato convocato. Ma l'unico pensiero che mi sfiorò la mente alla vista di tutte quelle facce e di un registratore al centro del tavolo fu che le parti interessate si erano riunite per sancire il mio destino e disporre di me come meglio credevano.

Mi misi a sedere, teso come una corda di violino, e sopportai le loro domande di riscaldamento (avevo degli hobby? Praticavo qualche sport?), fin quando non fu chiaro a tutti che le chiacchiere preliminari non erano servite a rilassarmi.

Suonò la campanella che segnalava la fine dell'ora. Rumore di armadietti e brusio di voci fuori dalla porta, in corridoio. «Sei *morto*, Thaleheim» gridò un ragazzo allegramente.

L'italiano – aveva detto di chiamarsi Ray – sistemò una sedia di fronte alla mia, ginocchia contro ginocchia. Era giovane ma corpulento, con l'aria gaia dell'autista di limousine, e gli occhi all'ingiù avevano un che di umido, languido e acquoso, come se avesse bevuto.

«Vogliamo solo sapere cosa ricordi» disse. «Scavare nella tua memoria, farci un'idea generale di quella mattina, capisci? Perché, chissà, potrebbe saltar fuori un dettaglio per noi utile.»

Era così vicino che sentivo il profumo del suo deodorante. «Che tipo di particolare?»

«Cos'hai mangiato quella mattina a colazione, per esempio. Mi pare un buon punto di partenza, no?»

«Mmm...» Rimasi a fissare il braccialetto d'oro col nome che aveva al polso. Non mi aspettavo quella domanda. In verità quella mattina non avevamo fatto colazione perché mi ero messo nei guai a scuola e la mamma era arrabbiata con me, ma ero troppo imbarazzato per confessarlo.

«Non te lo ricordi?»

«Pancake» sputai, angosciato.

«Ah, sì?» Ray mi lanciò uno sguardo penetrante. «Preparati da tua madre?»

«Sì.»

«E cosa c'era dentro? Mirtilli? Gocce di cioccolato?»

Annuii.

«Entrambi?»

Sentivo addosso gli occhi di tutti. Poi, col tono saccente che avrebbe potuto usare in una delle sue lezioni di moralità pubblica, il signor Beeman disse: «Non c'è motivo d'inventare una risposta, se non ricordi».

L'uomo di colore – nell'angolo, un bloc-notes in mano – gli rivolse un'occhiata di avvertimento.

«In effetti, sembra avere dei problemi di memoria» intervenne la signora Swanson a bassa voce, giocando con gli occhiali appesi alla catenella che scendeva sul petto. Era una nonna che portava ampie camicie bianche e una lunga treccia grigia sulla schiena. I ragazzi che venivano spediti nel suo ufficio la chiamavano «la Swami». Nel corso delle sedute che avevamo fatto a scuola, oltre a dispensare i suoi consigli sui cubetti di ghiaccio, mi aveva insegnato una tecnica di respirazione in tre fasi per aiutarmi a gestire le emozioni e mi aveva fatto disegnare un mandala che rappresentava il mio cuore infranto. «Ha battuto la testa. Non è così, Theo?»

«È vero?» domandò Ray, guardandomi serio.

«Sì.»

«Ti sei fatto visitare da un medico?»

«Non subito» rispose per me la signora Swanson.

La signora Barbour incrociò le caviglie. «L'ho portato al pronto soccorso del New York Presbyterian» disse impassibile. «Quando è arrivato a casa mia lamentava forti mal di testa. È passato poco più di un giorno prima che lo facessimo visitare. Pare che nessuno avesse pensato di chiedergli se fosse ferito.»

Enrique, l'uomo dei servizi sociali, a quel punto fece per intervenire, ma dopo un'occhiata del poliziotto nero (del quale adesso mi torna in mente il nome: Morris) tacque.

«Ascolta, Theo» ricominciò Ray, dandomi un colpetto sul ginocchio. «So che vuoi aiutarci. È così, vero?»

Annuii.

«Fantastico. Ma se ti chiediamo qualcosa che non ricordi, puoi dirlo.»

«Vogliamo solo farti un po' di domande e vedere se viene fuori qualcosa» aggiunse Morris. «Okay?»

«Magari vuoi un po' d'acqua?» domandò Ray, scrutandomi con attenzione. «Una bibita?»

Scossi la testa – le bibite non erano ammesse all'interno degli spazi scolastici – proprio nel momento in cui il signor Beeman apriva la bocca per dire: «Mi dispiace, le bibite non sono ammesse all'interno degli spazi scolastici».

Ray fece una faccia da *dammi un attimo di tregua*, che non so se il signor Beeman vide oppure no. «Spiacente, ragazzo, ci ho provato» disse, girandosi verso di me. «Magari più tardi faccio un salto fuori a prenderti qualcosa da bere, d'accordo? Ora.» Batté le mani. «Da quanto tempo vi trovavate nell'edificio, tu e tua madre, quando c'è stata l'esplosione?»

«Più o meno un'ora, credo.»

«Credi o sei sicuro?»

«Credo.»

«Più di un'ora, oppure meno, secondo te?»

«Non credo più di un'ora» risposi dopo una lunga pausa.

«Dicci cosa ricordi dell'incidente.»

«Non ho visto cos'è successo» risposi. «Andava tutto bene, e poi c'è stato un lampo assordante e un boato…»

«Un lampo assordante?»

«No. Intendevo che il boato è stato assordante.»

«Hai detto boato» intervenne Morris, facendo un passo avanti. «Pensi di poterci fornire una descrizione più accurata del suono che hai sentito?»

«Non lo so. È stato... assordante» ripetei, mentre continuavano a fissarmi come se si aspettassero qualcosa di più.

Nel silenzio che seguì, avvertii un ticchettare furtivo: la signora Barbour, la testa abbassata, controllava con discrezione i messaggi sul BlackBerry.

Morris si schiarì la gola. «E che mi dici dell'odore?»

«Scusi?»

«Hai avvertito un odore particolare nei momenti precedenti l'esplosione?»

«Non credo.»

«Assolutamente nulla? Ne sei sicuro?»

Mentre l'interrogatorio proseguiva – la stessa solfa all'infinito, modificata appena in modo da confondermi, buttando lì ogni tanto qualcosa di nuovo –, mi feci coraggio e restai ad aspettare che arrivassero al quadro. Avrei semplicemente dovuto confessare e affrontare le conseguenze (con ogni probabilità disastrose, considerato che stavo per finire sotto la tutela dello Stato). In un paio di occasioni fui sul punto di sputare fuori tutto, dalla paura che avevo. Ma poi, domanda dopo domanda (dove mi trovavo quando avevo battuto la testa? Chi avevo visto o con chi avevo parlato mentre scendevo al piano inferiore?), capii che non avevano la più pallida idea di cosa mi fosse successo: ignoravano in quale sala ero al momento dell'esplosione, e persino l'uscita attraverso la quale avevo abbandonato l'edificio.

Avevano portato una piantina dell'area del museo dove si era verificata l'esplosione, con le sale contrassegnate da numeri al posto dei nomi: Galleria 19A e Galleria 19B, numeri e lettere disposti in uno schema caotico che arrivava al 27. «Eri qui quando hai sentito il boato?» chiese Ray indicando un punto. «O qui?»

«Non lo so.»

«Pensaci con calma.»

«Non lo so» ripetei, un po' esasperato. La planimetria delle sale era una stampata sfocata che non riuscivo a decifrare – sembrava la schermata di un videogame, o la ricostruzione del bunker di Hitler che avevo visto su History Channel – e non somigliava affatto allo spazio che ricordavo.

Ray indicò un punto diverso. «Vedi questo riquadro?» disse. «È un alto basamento con sopra due dipinti. Anche se questi locali ti sembrano tutti uguali, puoi utilizzare questo riferimento per cercare di ricordare dove ti trovavi.»

Fissai disperato la piantina senza rispondere. (Non mi raccapezzavo anche perché quella che mi stavano mostrando era l'area dove avevano trovato il corpo di mia madre: ovvero, parecchie sale più in là rispetto a dov'ero io al momento della deflagrazione, cosa che però avrei realizzato solo in seguito.)

«Non hai visto nessuno mentre lasciavi il palazzo» disse Morris, incoraggiante, ribadendo un'informazione che avevo già fornito.

Scossi la testa.

«Non ricordi proprio niente?»

«Be'… i cadaveri coperti. E le cose sparse dappertutto.»

«Nessuno che entrava o usciva dall'area dell'esplosione?»

«Non ho visto nessuno» ripetei ostinato. Avevamo già affrontato l'argomento.

«Nemmeno un vigile del fuoco o qualcuno delle squadre di soccorso.»

«No.»

«Allora immagino si debba concludere che, quando sei arrivato lì, i soccorritori avessero già ricevuto l'ordine di evacuare il palazzo. Quindi parliamo di un intervallo di tempo che va dai quaranta minuti a un'ora e mezza dopo la prima esplosione. Ti pare un'ipotesi corretta?»

Scrollai debolmente le spalle.

«È un sì o un no?»

Puntai lo sguardo sul pavimento. «Non lo so.»

«Cos'è che non sai?»

«Non lo so» dissi di nuovo, e il silenzio che seguì fu così lungo e teso che sarebbe bastato un niente perché scoppiassi a piangere.

«Ricordi di aver sentito la seconda esplosione?»

«Scusi se mi permetto» intervenne il signor Beeman, «ma è proprio necessario?»

Ray, il mio interlocutore, si voltò verso di lui. «Prego?»

«Non sono sicuro di capire quale sia lo scopo di tutto questo.»

Con misurato distacco, Morris rispose: «Stiamo indagando sulla scena di un crimine. Il nostro lavoro è capire cos'è accaduto là dentro».

«Sì, ma suppongo esistano altre procedure per appurarlo. Pensavo che il museo fosse dotato di videocamere di sicurezza.»

«Certo» ribatté Ray, brusco. «Purtroppo le videocamere non riescono a vedere attraverso il fumo e la polvere. Soprattutto se l'onda d'urto dell'esplosione le ha mezze divelte e orientate verso il soffitto. Tornando a noi.» Si riaccomodò sulla sedia con un sospiro. «A proposito del fumo. L'hai visto o hai sentito l'odore?»

Feci sì con la testa.

«Cioè? L'hai visto o l'hai sentito?»

«Tutte e due.»

«Secondo te da che parte veniva?»

Stavo per rispondere ancora una volta che non lo sapevo, ma il signor Beeman non aveva ancora finito. «Perdonatemi, non riesco proprio a comprendere lo scopo delle videocamere se non sono operative nelle situazioni d'emergenza» disse senza rivolgersi a nessuno in particolare. «Con la tecnologia moderna, e con tutti quei capolavori…»

Ray girò la testa bellicoso, ma Morris, fermo nel suo angolo, sollevò una mano e rispose al posto suo.

«Il ragazzo è un testimone importante. Il sistema di sorveglianza non è progettato per far fronte a eventi del genere. Ora, sono spiacente, ma se non riesce ad astenersi dal commentare, dovremo chiederle di allontanarsi, signore.»

«Sono qui a tutela del ragazzo. Fare delle domande è un mio diritto.»

«Non se le sue domande hanno poco o nulla a che fare col benessere del ragazzo.»

«A me sembrano perfettamente attinenti.»

Al che Ray, seduto sulla sedia di fronte a me, si voltò. «Signore, se continua a ostacolare il procedimento *sarà allontanato* dalla stanza.»

«Non ho alcuna intenzione di ostacolarvi» disse il signor Beeman nel silenzio teso che seguì. «Le assicuro che non c'è nulla di più estraneo alle mie intenzioni. La prego, vada avanti» aggiunse con uno scatto irritato della mano. «Non la interromperò.»

Le domande ricominciarono. Da quale direzione proveniva il fumo? Di che colore era il lampo dell'esplosione? Chi era entrato o uscito dall'area in questione nei momenti precedenti? Avevo notato qualcosa di strano, qualsiasi cosa, prima o dopo? Guardai le immagini che mi mostrarono: facce innocenti di gente in vacanza, nessuno che ricordassi. Fototessere dai passaporti di turisti asiatici e di cittadini americani probabilmente in pensione, foto di madri e di adolescenti divorati dall'acne che sorridevano davanti allo sfondo blu di uno studio fotografico, facce normali, anonime, che però trasudavano un senso di tragedia. Poi tornammo alla piantina. Potevo magari provare, un'ultima volta, a individuare la mia posizione? Qui, o qui? O forse qui?

«Non lo so.» Continuavo a ripetere la stessa cosa: un po' perché non ero sicuro di niente, un po' perché ero spaventato e non vedevo l'ora che il colloquio terminasse, ma anche perché nella stanza il nervosismo e l'impazienza erano diventati palpabili; gli altri adulti sembravano avere già tacitamente stabilito che davvero non sapevo nulla, e quindi dovevo essere lasciato in pace.

Poi, prima che me ne rendessi conto, era tutto finito. «Theo» disse Ray, alzandosi e appoggiandomi una mano grassoccia sulla spalla, «voglio ringraziarti, ragazzo, per averci aiutato per quel che potevi.»

«Non c'è problema» risposi, spiazzato dal modo repentino in cui si era chiusa la faccenda.

«So bene quanto sia stato difficile per te. Nessuno vorrebbe rivivere un'esperienza del genere. È come...» tracciò la sagoma di una cornice con le mani «se stessimo mettendo insieme le tessere di un puzzle, cercando di capire cos'è accaduto lì dentro, e forse tu possiedi dei pezzi che nessun altro ha. Ci hai dato un grosso aiuto permettendoci di parlare con te.»

«Se dovesse tornarti in mente qualcosa» intervenne Morris, avvicinandosi con un biglietto da visita in mano (che la signora Barbour si affrettò a intercettare e a far sparire nella borsetta), «ci chiamerai, non è vero? Penserà lei a ricordarglielo, signora?» disse rivolto alla madre di Andy. «Il numero dell'ufficio è sul biglietto, ma…» Prese una penna dal taschino. «Le dispiacerebbe ridarmelo un attimo, per favore?»

Senza una parola, la signora Barbour aprì la borsetta e glielo porse.

«Bene, bene.» Morris scribacchiò un numero sul retro. «Questo è il mio cellulare. Puoi chiamare in ufficio, ma in caso non fossi lì, chiamami al cellulare, d'accordo?»

Mentre tutti si affrettavano all'uscita, la signora Swanson si avvicinò vaporosa e mi passò un braccio attorno alle spalle con la solita affabilità. «Ehilà» disse in tono cordiale, neanche fosse la mia migliore amica. «Come te la passi?»

Abbassai lo sguardo e misi su un'espressione da *bene, credo*.

Lei mi accarezzò la mano come se fossi il suo gatto preferito. «Ottimo. Dev'essere stata dura. Ti va di venire un momento nel mio ufficio?»

Alle sue spalle, con un certo orrore, intravidi Dave lo psichiatra, e più in là Enrique, le mani sui fianchi e sulle labbra un mezzo sorriso d'attesa.

«Per favore» mormorai, la voce sufficientemente disperata, «vorrei tornare in classe.»

Lei mi strinse il braccio e – notai – lanciò un'occhiata agli altri due. «Certo» disse. «Che lezione hai, ora? Ti accompagno.»

IX

Avevo lezione di Lettere, l'ultima della giornata. Stavamo studiando la poetica di Walt Whitman:

Giove riemergerà, sii paziente, guarda ancora un'altra notte, le Pleiadi
emergeranno,
Sono immortali, tutte quelle stelle dorate e inargentate
Brilleranno ancora,

Facce spente. La classe era calda e intorpidita nel tardo pomeriggio, le finestre erano aperte, il rumore del traffico saliva da West
End Avenue. I ragazzi si puntellavano sui gomiti e scarabocchiava-
no i margini dei quaderni a spirale.

Guardai fuori, la lurida cisterna dell'acqua sopra il tetto del palazzo di fronte. L'interrogatorio (perché di questo si era trattato) mi
aveva turbato parecchio, innalzando attorno a me il muro di sensazioni contrastanti che mi aggrediva quando meno me lo aspettavo:
il bruciore soffocante delle sostanze chimiche e del fumo, le scintille
e i cavi elettrici, il pallore slavato delle luci d'emergenza, tutto così
vivido da farmi perdere il contatto con la realtà. Succedeva all'improvviso, a scuola o per strada, e nell'attimo in cui mi travolgeva io
mi bloccavo, gli occhi della ragazzina incatenati ai miei nel bizzarro
istante distorto prima che il mondo andasse in pezzi. Quando tornavo in me non sapevo ricostruire cosa mi avessero appena detto,
e allora vedevo il mio compagno di laboratorio che mi fissava, o il
ragazzo in fila dietro di me al frigorifero dell'alimentari con una
faccia da *senti, amico, datti una mossa, non ho mica tutto il giorno.*

> *Allora, mia cara, piangerai tu sola per Giove?*
> *consideri tu sola la sepoltura delle stelle?*

In nessuna delle foto che mi avevano mostrato avevo riconosciuto la ragazzina, né tantomeno l'anziano signore. Con un movimento
impercettibile feci scivolare la mano nella tasca della giacca per toccare l'anello. Pochi giorni prima, nell'elenco delle parole da cercare
sul vocabolario di un compito in classe, mi ero imbattuto in *consan-
guineità*: un legame dato dal sangue. Nella mia memoria il viso del
vecchio era così pesto e malridotto che non avrei saputo ricostruir-
ne l'aspetto, però ricordavo benissimo la consistenza calda e viscosa
del suo sangue sulle mani, soprattutto perché, in un certo senso, il
sangue era ancora lì, potevo sentirne l'odore e il sapore in bocca.
E questo mi aveva fatto capire il significato dell'espressione fratelli
di sangue e del sangue inteso come legame. In autunno, durante il
corso di Lettere, avevamo letto *Macbeth*, ma io cominciavo a comprendere soltanto adesso come mai Lady Macbeth non riuscisse a

togliersi il sangue dalle mani, perché, dopo averlo lavato, il sangue fosse ancora lì.

X

Dato che a volte, a quanto pareva, avevo fatto svegliare Andy agitandomi e urlando nel sonno, la signora Barbour aveva preso l'abitudine di darmi delle piccole pillole verdi chiamate Elavil che, spiegò, avrebbero scacciato i brutti sogni. Una cosa imbarazzante, visto che i miei non erano nemmeno veri e propri incubi, ma solamente strazianti interludi nei quali mia madre lavorava fino a tardi e poi si ritrovava sola, senza un passaggio per tornare a casa, a volte nel Nord dello Stato, in qualche area rasa al suolo da un incendio, carcasse d'auto dappertutto e cani alla catena che abbaiavano da dietro le reti. Oppure la cercavo negli ascensori di servizio e negli edifici abbandonati, la aspettavo nel buio di sperdute fermate d'autobus, intravedevo donne che le somigliavano ai finestrini di un treno di passaggio e per un pelo non riuscivo a raggiungere il telefono quando chiamava a casa dei Barbour: delusioni e incontri mancati che facevano sì che mi svegliassi col respiro corto, sudato, e con un senso di nausea reso più acuto dalla luce del mattino. La parte peggiore non era cercarla, ma svegliarmi e ricordare che era morta.

Con le pillole verdi, anche quei sogni si stemperarono in un'oscurità asfissiante. (Adesso, al contrario di allora, mi rendo conto che la signora Barbour aveva commesso una leggerezza, dandomi delle medicine senza ricetta in aggiunta alle capsule gialle e alle piccole pasticche arancioni che mi erano state prescritte da Dave, lo strizzacervelli.) Il sonno, quando arrivava, era come sprofondare in una buca, e spesso al mattino faticavo ad alzarmi.

«Tè nero, è questo il segreto» mi disse il signor Barbour un giorno che mi ero appisolato a colazione, versandomene una tazza dalla sua teiera dove era rimasto in infusione per un pezzo. «Assam Supreme, forte al punto giusto. Ti depura l'organismo dalle scorie e dalle medicine. Hai presente Judy Garland? Be', mia nonna raccontava che prima degli spettacoli Sid Luft chiamava sempre il ristorante cinese per una bella tazza di tè che la aiutasse a smaltire i barbiturici. Era a Londra, al Palladium, credo, e il tè nero era l'unico rimedio capace di fare il miracolo. Capitava che avessero addirittura dei problemi a svegliarla, insomma dovevano costringerla a uscire dal letto e a vestirsi...»

«Non la berrà mai, quella roba, sembra l'acido della batteria» lo interruppe la signora Barbour aggiungendo alla tazza due cucchiaini di zucchero e una corposa quantità di panna prima di passarmela. «Theo, detesto essere insistente, ma dovresti mangiare qualcosa.»

«Okay» risposi con voce assonnata, senza accennare a toccare il mio muffin ai mirtilli. Il cibo sapeva di cartone ed erano settimane che non sentivo fame.

«Preferisci un toast alla cannella? O dei fiocchi d'avena?»

«È assurdo che non ci lasciate bere caffè» commentò Andy. Sulla strada di scuola e al ritorno, nel pomeriggio, aveva preso l'abitudine di comprarsene un bicchierone da Starbucks. «Siete così anacronistici da questo punto di vista.»

«Può darsi» ribatté fredda la signora Barbour.

«Basterebbe anche solo mezza tazza. È irragionevole da parte vostra pretendere che io affronti un test di chimica avanzata alle 8:45 del mattino senza una goccia di caffeina nelle vene.»

«Sob, sob» scherzò il signor Barbour senza alzare gli occhi dal giornale.

«Questo atteggiamento non è di nessun aiuto. Tutti quelli che conosco possono berlo.»

«So che non è vero» replicò la signora Barbour. «Betsy Ingersoll mi ha detto...»

«È possibile che la signora Ingersoll non permetta a Sabine di bere caffè, ma in ogni caso a quella ragazza servirebbe ben altro per riuscire a farsi ammettere in un corso avanzato.»

«Questo è un commento gratuito, Andy, e davvero poco carino.»

«Be', è la pura verità» ribatté Andy come se nulla fosse. «Sabine è un'oca. Immagino faccia bene a preoccuparsi della propria salute, visto che è la sua unica risorsa.»

«Il cervello non è tutto, tesoro. Vuoi un uovo in camicia? Chiediamo a Etta di prepararlo?» domandò la signora Barbour ritornando a me. «O lo preferisci fritto? Strapazzato? Di' tu.»

«A me piacciono le uova strapazzate!» esclamò Toddy. «Riesco a mangiarne anche quattro!»

«No, che non riesci» intervenne il signor Barbour.

«*Sì*, invece! Anche sei! Anche un'intera confezione!»

«Non vi sto mica chiedendo della dexedrina» ricominciò Andy. «Che comunque sarei in grado di procurarmi a scuola, se m'interessasse.»

«Theo?» lo ignorò la signora Barbour. Sulla porta notai Etta, la cuoca. «Che ne dici di quell'uovo?»

«Nessuno ha mai chiesto a *noi* cosa vogliamo per colazione» commentò Kitsey; nonostante lo avesse detto a voce alta, fecero tutti finta di niente.

XI

Una domenica mattina riemersi da un sogno pesante e complesso di cui non mi restava niente se non un ronzio leggero nelle orecchie e un'afflizione per qualcosa che mi era sfuggito di mano precipitando in un crepaccio, invisibile per sempre. Eppure dentro quel lento affondare, tra fili recisi e frammenti perduti e impossibili da recuperare, c'era una frase che – non so come – ricordavo, che affiorava dal buio come i sottopancia scorrono sullo schermo durante il TG: *Hobart e Blackwell. Suona il campanello verde.*

Rimasi sdraiato a fissare il soffitto, rifiutando di muovermi. Le parole erano chiare e precise come se qualcuno me le avesse consegnate scritte su un biglietto. Ed il fatto ancora più sorprendente era che, insieme a quelle parole, una distesa di ricordi rimossi si era dischiusa salendo in superficie, simile a una di quelle palline di carta che si comprano a Chinatown e che se le metti in un bicchiere d'acqua sbocciano e diventano un fiore.

Ancora disorientato da quel sogno carico di significati, fui colto da un dubbio: si trattava di un ricordo reale? Il vecchio mi aveva davvero detto quelle parole, o erano il prodotto del mio inconscio? Poco prima che mia madre morisse mi ero svegliato convinto che un'(inesistente) insegnante, di nome signora Malt, mi avesse messo del vetro frantumato nel cibo perché non mi comportavo bene – nel mio universo onirico il fatto aveva una sua logica –, e mi ci erano voluti un paio di minuti per riprendermi e dimenticare lo spavento.

«Andy?» chiamai, sporgendomi per dare un'occhiata al letto di sotto, che era vuoto.

Indugiai a letto un altro po', gli occhi spalancati sul soffitto, do-podiché scesi, recuperai l'anello dalla tasca della giacca della divisa e lo avvicinai alla luce per guardare la scritta. Poi lo misi via in fretta e mi vestii. Andy stava già facendo colazione col resto dei Barbour. La colazione della domenica era una faccenda importante, sentivo le voci di tutti dalla sala da pranzo col signor Barbour che sprolo-quiava come spesso gli capitava di fare. Temporeggiai un attimo in corridoio prima d'incamminarmi nella direzione opposta, verso il salotto, e recuperare le Pagine Bianche nella loro custodia ricamata dal mobiletto sotto il telefono.

Hobart e Blackwell. Eccolo: si trattava di un'attività commercia-le, anche se l'elenco non specificava di che tipo. Provai una lieve vertigine. Vedere quel nome nero su bianco mi diede uno strano brivido, come se delle carte da gioco invisibili si fossero appena disposte al posto giusto.

Era un indirizzo del Village, Decima Strada Ovest. Dopo qual-che esitazione, e con un bel carico d'ansia, digitai il numero.

Mentre il telefono squillava mi misi a giocherellare con la sve-glia da viaggio in ottone appoggiata sul tavolo del salotto, mordic-chiandomi il labbro e guardando le litografie di uccelli acquatici incorniciate in bella mostra sul mobiletto: sterne, cormorani, falchi pescatori, porciglioni. Non avevo idea di come avrei spiegato chi ero o cosa volevo.

«Theo?»

Sussultai, l'aria colpevole. La signora Barbour – in un delicato abito di cachemire grigio – era entrata nella stanza, la tazza di caffè in mano.

«Che stai facendo?»

All'altro capo del filo, il telefono stava ancora squillando. «Niente» risposi.

«Be', sbrigati. La colazione si sta freddando. Etta ha preparato i french toast.»

«Grazie, arrivo subito» dissi, proprio mentre la voce registrata della compagnia telefonica mi suggeriva di provare a richiamare in un altro momento.

Li raggiunsi di là, irrequieto – avevo sperato di trovare almeno una segreteria –, ed ebbi la sorpresa di vedere Platt Barbour (molto più grosso e più rosso in faccia dell'ultima volta che l'avevo visto) seduto al posto dove di solito sedevo io.

«Ah» fece il signor Barbour, lasciando a metà una frase, asciugandosi la bocca con un tovagliolo e scattando in piedi. «Eccoti, eccoti. Buongiorno. Ti ricordi di Platt, vero? Platt, questo è Theodore Decker... l'amico di Andy, hai presente?» Mentre parlava si era allontanato ed era tornato con un'altra sedia, che sistemò maldestramente all'angolo del tavolo.

Quando mi accomodai ai margini del gruppo – setto o otto centimetri più in basso del resto dei commensali, su una seggiolina di bambù apparentemente fragile, diversa dalle altre –, lo sguardo di Platt incrociò il mio senza troppo interesse e passò oltre. Era in città per una festa, e sembrava ancora ubriaco dalla sera prima.

Il signor Barbour era tornato al suo posto e aveva ricominciato a parlare del suo argomento preferito: la vela. «Come dicevo, dipende tutto dalla fiducia in se stessi. Tu in barca sei poco sicuro di te, Andy, ma non ne hai motivo. Hai semplicemente poca esperienza nella navigazione in solitaria.»

«No» ribatté Andy. «Il problema è che detesto le barche.»

«Sciocchezze!» esclamò il signor Barbour, strizzandomi l'occhio come se fossi suo complice, cosa che a me non risultava. «Non me la dai a bere con le tue arie di eterna superiorità! Guarda le foto sulla parete laggiù. Sanibel, due primavere fa! Quel ragazzino non ha affatto l'aria di pensare che il mare, il cielo e le stelle siano noiosi. Nossignore.»

Andy se ne stava seduto a contemplare il paesaggio innevato sull'etichetta della bottiglia dello sciroppo d'acero mentre suo padre blaterava che la vela educava l'autocontrollo e i riflessi nei giovani, e temprava il carattere negli adulti. Andy mi aveva confidato che per lui andare in barca non era mai stato un grosso problema, fintanto che poteva starsene sottocoperta a leggere e giocare a carte coi fratelli più piccoli. Ma adesso era abbastanza grande da aiutare l'equipaggio, il che significava lunghe giornate stressanti passate a sgobbare sul ponte accecato dal sole, in compagnia di quel prepotente di Platt: gli toccava ammainare le vele da sotto il boma, senza avere la più pallida idea di cosa stesse facendo, stando attento a non aggrovigliare le cime e a non finire fuoribordo mentre suo padre urlava ordini e gongolava circonfuso di schizzi salati.

«Dio, te la ricordi la luce quella volta a Sanibel?» Il padre di Andy si abbandonò sullo schienale e sollevò lo sguardo. «Non è stato *magnifico*? I tramonti rossi e arancio? Fuoco e cenere? Non avevano qualcosa di atomico? Autentiche fiamme che *divampavano* e si *riversavano* dal cielo... E quella luna vivace, gigantesca, e la nebbia bluastra che la velava... Al largo di Capo Hatteras... È a Maxfield Parrish che sto pensando, Samantha?»

«Come?»

«Maxfield Parrish. Quell'artista che mi piace. Dipinge quei cieli sconfinati... hai presente?» Fece un gesto ampio con le braccia. «Con quelle nuvole incombenti... Scusa, Theo, non intendevo colpirti sul naso.»

«Constable dipinge nuvole.»

«No, no, non è di lui che parlo. Questo qui è molto più in gamba. Ad ogni modo, credimi, il cielo che abbiamo visto quella notte dal mare... Magico. *Arcadico.*»

«Di che notte parli?»

«Non dirmi che l'hai dimenticata! È stata la cosa migliore del viaggio.»

Platt, stravaccato sulla sedia, commentò maligno: «La parte migliore del viaggio di Andy è stata la sosta per il pranzo al bar».

«Nemmeno alla mamma piace andare in barca» mormorò Andy con un filo di voce.

«Non alla follia, no» convenne la signora Barbour prendendo un'altra fragola. «Theo, vorrei proprio che mangiassi qualcosa.

Non puoi continuare a lasciarti morire di fame. Cominci ad avere l'aria smunta.»

A dispetto della lezione estemporanea sulle bandiere nautiche tenuta dal signor Barbour nel suo studio, nemmeno io avevo maturato un grande interesse per la navigazione. «Il dono migliore che mio padre mi abbia mai fatto?» stava dicendo il signor Barbour con trasporto. «È stato il mare. L'amore che nutro... il *sentimento*. Papà *mi ha dato l'oceano*. E sarebbe una terribile perdita per te, Andy... Andy, guardami, sto parlando con te... sarebbe una terribile perdita se tu decidessi di voltare le spalle alla sola cosa che mi abbia mai fatto sentire *libero*, che...»

«Ho provato a farmelo piacere, ma il mio è un odio innato.»

«*Odio?*» Stupore, sgomento. «Odio per cosa? Per le stelle e il vento? Per il cielo e il sole? Per la *libertà?*»

«Nella misura in cui ciascuna di queste cose ha a che fare con le barche, sì.»

«Be'» disse il signor Barbour passando in rassegna i commensali, me compreso, «ora sta semplicemente facendo il testone. Il mare» continuò rivolgendosi ad Andy «puoi negarlo quanto vuoi ma è il tuo *retaggio*, lo porti nel sangue sin dai fenici, dagli antichi *greci*...»

Ma mentre lui tirava in ballo Magellano, l'astronavigazione e *Billy Budd* («Ricordo Taff il gallese quando affondò / E la sua guancia era un bocciolo rosa»), i miei pensieri tornarono a Hobart e Blackwell: mi chiedevo chi fossero e di cosa si occupassero di preciso. I nomi facevano pensare a una coppia di vecchi avvocati ammuffiti, o magari di illusionisti, due soci in affari che strascicavano i piedi su un palco immerso nella penombra.

Era un buon segno che il numero fosse ancora attivo. Il mio telefono di casa era già stato staccato. Non appena riuscii ad allontanarmi da tavola e dal mio piatto intonso senza dare nell'occhio tornai all'apparecchio sul mobiletto del salotto con Irenka che mi girava intorno passando l'aspirapolvere e Kitsey al computer, sul lato opposto della stanza, determinata a ignorarmi.

«Chi chiami?» chiese Andy; com'era tipico di tutti i membri della famiglia, era spuntato silenziosamente alle mie spalle.

Avrei potuto non dirgli nulla, ma sapevo di poter contare sul fatto che avrebbe tenuto la bocca chiusa. Andy non parlava mai con nessuno, e di certo non coi suoi.

«Questa gente» sussurrai, allontanandomi dal vano della porta. «So che sembra strano, ma hai presente l'anello che porto sempre con me?»

Gli raccontai dell'anziano signore, e avrei voluto trovare il modo per dirgli anche della ragazzina, dell'affinità che avevo sentito con lei e di quanto desiderassi rivederla. Ma Andy – com'era prevedibile – aveva già fatto un salto avanti, allontanandosi dagli aspetti personali della vicenda per concentrarsi su quelli logistici. Lanciò un'occhiata alle Pagine Bianche, aperte sul mobile del telefono. «Sono in città?»

«Sulla Decima Strada Ovest.»

Andy starnutì e si soffiò il naso; le allergie primaverili lo tormentavano come da copione. «Se non riesci a contattarli» disse, ripiegando il fazzoletto e mettendoselo in tasca, «perché non ci vai direttamente?»

«Sul serio?» domandai. Non era sospetto presentarsi senza prima chiamare? «Pensi sia il caso?»

«Io farei così.»

«Non lo so» mormorai. «Magari non si ricorda neppure di me.»

«Potrebbe ricordarsi vedendoti di persona» mi fece notare ragionevolmente. «Al telefono potresti essere un tipo strano che si spaccia per qualcun altro. Non preoccuparti» aggiunse, guardandosi alle spalle, «non lo dirò a nessuno se non vuoi.»

«Un tipo strano?» dissi. «Che si spaccia per un altro?»

«Be', c'è un sacco di gente svitata che ti telefona e chiede di te» rispose Andy con noncuranza.

Rimasi in silenzio, incerto su come prendere la notizia.

«E poi se non ci vai adesso dovrai aspettare fino al prossimo weekend. Senza contare che questa è una conversazione che preferiresti avere in privato…» Spostò gli occhi sul fondo del corridoio, dove Toddy stava saltando con delle strane scarpe a molla mentre la signora Barbour faceva il terzo grado a Platt sulla festa di Molly Walterbeek.

Aveva ragione. «Okay.»

Andy si spinse gli occhiali in cima al naso. «Posso venire con te, se vuoi.»

«No, tranquillo» risposi. Sapevo che quel pomeriggio doveva partecipare all'Esperienza Giapponese – un gruppo di studio che si riuniva nella sala da tè Toraya – per ottenere dei crediti extra, e poi andare a vedere l'ultimo film di Miyazaki al Lincoln Center; non che avesse bisogno di crediti extra, ma le uscite con la classe erano l'unica forma di vita sociale che aveva.

«Tieni» disse, frugandosi in tasca e tirando fuori il cellulare. «Per sicurezza. Aspetta un attimo…» Digitò qualcosa sullo schermo. «Ecco. Ho disattivato il PIN. Adesso puoi usarlo.»

«Ma non mi serve» replicai, guardando il piccolo telefono lucido con l'immagine di un *anime* – Virtual Girl Aki (nuda, con degli stivali alla coscia vagamente pornografici) – sul salvaschermo.

«Invece potrebbe. Non si sa mai. E dai» insistette, vedendomi esitare. «Prendilo.»

XII

E fu così che alle undici e mezza mi ritrovai sulla Quinta Avenue, a bordo dell'autobus diretto al Village, con l'indirizzo di Hobart e Blackwell in tasca, annotato su una pagina del taccuino monogrammato che il signor Barbour teneva accanto al telefono.

Scesi a Washington Square e vagai per tre quarti d'ora in cerca dell'edificio. Perdersi nello schema inaffidabile del Village (isolati triangolari, strade senza uscita che svoltavano ad angolazioni assurde) non era difficile, e per tre volte fui costretto a fermarmi per chiedere indicazioni: da un giornalaio che vendeva pipe per l'erba e riviste gay, in una panetteria affollata con della musica lirica sparata a tutto volume, a una ragazza in canottiera e salopette bianche armata di secchio e lavavetri che si dava da fare sulla vetrina di una libreria.

Quando finalmente scovai la Decima Strada Ovest, deserta, la percorsi seguendo la numerazione dei civici. Mi trovavo in una parte della strada dall'aspetto un po' trascurato e in linea di massima residenziale. Un gruppetto di piccioni mi camminava davanti sul marciapiede bagnato, in fila per tre, come piccoli pedoni molesti. Non tutti i numeri erano ben visibili, e cominciavo a domandarmi se non avessi sbagliato indirizzo e non fosse il caso di tornare indietro quando mi sorpresi a fissare le parole *Hobart e Blackwell* dipinte in un armonico arco rétro sulla vetrina di un negozio. Oltre i vetri sporchi c'erano staffordshire terrier e gatti di maiolica, cristalli impolverati, argenti ossidati, sedie passate di moda e vecchi divanetti tappezzati di broccato giallastro, un'elaborata gabbietta per uccellini blu cobalto, obelischi in miniatura in cima a un tavolo con un'unica gamba centrale e il ripiano di marmo, e un paio di cacatua di alabastro. Il genere di posto che sarebbe piaciuto a mia madre: stipato di roba, un po' fatiscente e con cataste di vecchi libri sul pavimento. Ma la saracinesca era abbassata e il negozio era chiuso.

In quella zona, la maggior parte degli esercizi commerciali non apriva prima di mezzogiorno o dell'una. Per passare il tempo camminai fino a Greenwich Street diretto all'Elephant and Castle, un ristorante dove di tanto in tanto io e la mamma andavamo a mangiare se eravamo nel Village. Ma nell'istante in cui vi misi piede, compresi l'errore. Gli elefanti di porcellana scompagnati, persino la cameriera con la coda di cavallo e la T-shirt nera che mi venne incontro sorridendo: tutto mi riusciva insopportabile, sul fondo intravedevo l'angolo del tavolo al quale avevamo pranzato l'ultima volta che eravamo stati lì. Fui costretto a mormorare una scusa e a tornare sui miei passi.

Rimasi fermo sul marciapiede, il cuore che mi martellava. I piccioni volavano bassi nel cielo fuligginoso. Greenwich Avenue era più o meno vuota: c'erano due uomini che avevano l'aria di essere stati alzati tutta la notte intenti a discutere, una donna spettinata con un dolcevita troppo grande che portava a spasso un bassotto. Mi dava una sensazione strana essere al Village per i fatti miei, perché non era un luogo in cui capitava d'incontrare molti ragazzini per strada in un mattino del weekend; sembrava una cosa da adulti, innaturale, che avesse a che fare con l'alcol. Era come se nei dintorni tutti soffrissero i postumi di una sbornia, o si fossero appena alzati dal letto.

Dato che di aperto non c'era quasi niente e io non avevo idea di cos'altro fare, mi avviai in direzione dell'Hobart e Blackwell. A me, che venivo dalla parte nord della città, ogni cosa nel Village sembrava piccola e antica, i muri dei palazzi ricoperti dall'edera e dalla vite, le piantine di erbe aromatiche e pomodoro coltivate per strada, dentro i barili. Erano dipinte a mano anche le insegne dei bar, come succede in campagna: cavalli e grossi gatti, galli, oche e maiali. Ma quell'atmosfera di intimità, quelle dimensioni raccolte, avevano l'effetto di farmi sentire tagliato fuori; per questo, davanti agli ingressi più accoglienti mi ritrovai ad abbassare la testa e ad affrettare il passo, ferito dalla consapevolezza delle dolci attività domenicali che si svolgevano dietro quelle mura.

La saracinesca di Hobart e Blackwell era ancora abbassata. Mi venne da pensare che il negozio fosse chiuso da un po'; troppo freddo, troppo tetro; non c'erano segni di vita, in contrasto col resto della strada.

Stavo sbirciando attraverso la vetrina chiedendomi che fare, quando all'improvviso intravidi uno spostamento, una grossa sagoma che scivolava sul retro. Mi bloccai, incantato. Incedeva leggera, come si dice facciano i fantasmi, lo sguardo fisso, e passò in fretta davanti a una porta immersa nell'oscurità.

Poi scomparve. Mi schermai gli occhi con la mano e scrutai nelle tenebrose profondità del negozio, stipate di oggetti, infine bussai sul vetro.

Hobart e Blackwell. Suona il campanello verde.

Un campanello? Non c'era alcun campanello; l'ingresso era protetto da un cancello di ferro. Raggiunsi il portone successivo – il numero 12, un palazzo modesto –, e poi tornai indietro all'8, un fabbricato di arenaria rossa. C'era una scala che saliva al primo piano, ma stavolta vidi qualcosa che prima non avevo notato: una minuscola porta stretta tra il civico 8 e il 10, mezza nascosta da una fila di vecchi cassonetti della spazzatura. Quattro o cinque gradini conducevano a un uscio anonimo, più o meno un metro sotto il livello della strada. Non c'erano targhette col nome; a catturare il mio sguardo fu un lampo verde prato, un pezzo di nastro isolante verde appiccicato al muro, e sotto un pulsante.

Scesi le scale; suonai il campanello, suonai ancora, sussultando al ronzio isterico (che mi faceva venir voglia di scappare) e facendo profondi respiri per darmi coraggio. Poi – così improvvisamente che balzai all'indietro – la porta si aprì, e mi ritrovai a sollevare lo sguardo su un tizio bello grosso e del tutto inaspettato.

Doveva essere alto come minimo un metro e novantacinque, se non novantotto: viso affilato, mascella aristocratica, pesante, e con qualcosa che mi ricordava le vecchie fotografie dei poeti e dei pugili irlandesi appese alle pareti del pub dove andava a bere mio padre. I capelli erano perlopiù grigi e avevano bisogno di un taglio, la pelle era di un biancore malsano con pronunciati cerchi viola intorno agli occhi; mi domandai se il naso non fosse rotto. Sopra i vestiti, un'ampia vestaglia di cachemire bordata di raso, simile a quella che avrebbe potuto indossare il primo attore in un film degli anni Trenta, gli scendeva fin sulle caviglie in un drappeggio solenne: lisa, però d'effetto.

Ero così stupefatto che non aprii bocca. Non c'era traccia d'impazienza nel suo atteggiamento, anzi, l'esatto opposto. Mi fissò senza espressione, le palpebre pesanti, aspettando che dicessi qualcosa.

«Mi scusi…» Deglutii, la gola secca. «Non vorrei disturbarla…»

Nel silenzio che seguì lui sbatté appena le palpebre, come per dire che sì, lo comprendeva perfettamente, e non gli sarebbe mai passato per la testa di pensare una cosa del genere.

Frugai in tasca; tirai fuori l'anello e glielo porsi. La sua faccia larga e pallida si rilassò. Guardò l'anello, poi me.

«Dove l'hai preso?» chiese.

«Me l'ha dato lui. Mi ha chiesto di portarlo qui.»

Non si mosse e mi fissò, con intensità. Per un istante pensai stesse per dirmi che non sapeva di cosa diavolo stavo parlando. Poi in silenzio si scostò da un lato e aprì la porta.

«Sono Hobie» disse, cogliendo la mia esitazione. «Entra.»

Capitolo 4
Lecca-lecca alla morfina

1

Una giungla di dorature risplendeva nell'ambiente rischiarato dalla luce che filtrava dai vetri sporchi della finestra: putti dorati, cassettoni e candelabri in oro, e – a coprire l'odore del legno antico – un tanfo di trementina, pittura a olio e vernice. Lo seguii attraverso il laboratorio lungo un sentiero tracciato nella segatura, superando pannelli forati e attrezzi vari, sedie smembrate e tavoli ribaltati. Nonostante fosse corpulento, l'uomo era aggraziato, un «fluttuatore» l'avrebbe definito mia madre, c'era qualcosa di disinvolto e armonioso nel modo in cui si muoveva. M'inerpicai dietro di lui per una scala stretta, gli occhi incollati ai talloni delle sue pantofole, fino a una stanza scarsamente illuminata con la moquette spessa, urne nere disposte su piedistalli e tendaggi con le nappe chiusi contro il sole.

Il silenzio mi gelò il cuore. C'erano fiori appassiti che marcivano dentro enormi vasi cinesi e sulla stanza gravava una quiete opprimente: un'aria quasi irrespirabile che mi dava la stessa sensazione di soffocamento che avevo provato quando la signora Barbour mi aveva accompagnato nel nostro appartamento di Sutton Place per recuperare le cose che mi servivano. Conoscevo quell'immobilità; era così che le case si ripiegavano su se stesse alla morte di qualcuno.

All'improvviso avrei voluto non essere lì. Ma l'uomo – Hobie – sembrò percepire la mia apprensione, perché si voltò di scatto. Non era più giovane, ma il viso conservava qualcosa di infantile; gli occhi, di un blu fanciullesco, erano chiari e stupiti.

«Che c'è?» domandò, e poi: «Stai bene?».

Il suo interessamento mi mise a disagio. Rimasi fermo nella penombra stagnante e affollata di oggetti antichi, senza sapere cosa dire.

Anche lui sembrava a corto di parole; aprì la bocca, la chiuse; poi scosse la testa come per schiarirsi le idee. Dimostrava tra i cinquanta e i sessant'anni, mal rasato, la grossa faccia timida, gradevole, né bella né ordinaria, un uomo che in qualsiasi stanza avrebbe sempre spiccato sugli altri, malgrado avesse un che di malato e sudaticcio, occhi cerchiati e un pallore che mi fece venire in mente i martiri gesuiti rappresentati negli affreschi delle chiese che avevo visto durante la gita a Montréal: europei robusti e valenti, bianchi come la morte, torturati e bruciati nei territori degli Uroni.

«Perdonami, sono un po'...» Si guardava intorno con una premura svagata e confusa, come faceva mia madre quando perdeva qualcosa. La voce era aspra ma cortese, somigliava a quella del signor O'Shea, il mio insegnante di Storia, cresciuto in un quartiere difficile di Boston e finito a studiare a Harvard.

«Posso tornare in un altro momento, se preferisce.»

Mi osservò con una punta d'inquietudine. «No, no...» Non portava gemelli, e i polsini pendevano aperti e sudici. «Dammi solo un momento per ricompormi, scusa... ecco» disse distrattamente, scostando un ciuffo di capelli grigi dal volto, «andiamo.»

Mi stava accompagnando verso uno stretto divano dall'aria scomoda, con i braccioli imbottiti e lo schienale intagliato. Ma era ingombro di coperte e cuscini, e a quanto parve notammo nello stesso istante che quel groviglio di biancheria avrebbe reso difficile accomodarsi.

«Oh, scusa» mormorò, arretrando talmente in fretta che per poco non ci scontrammo, «mi sono accampato qui, come puoi vedere. Non è la sistemazione ideale, ma ho dovuto fare di necessità virtù, considerati gli ultimi avvenimenti...»

Voltandosi (così che non riuscii a capire il resto della frase), schivò un libro aperto a faccia ingiù sul tappeto e una tazza da tè con macchie scure all'interno, e mi indicò un altro divanetto imbottito, rivestito di un tessuto plissettato, ornato di frange e dall'elaborata seduta con bottoni – un'ottomana, come avrei imparato più tardi; era uno dei pochi specialisti a New York in grado di rimetterle a nuovo.

Bronzi alati, ninnoli d'argento. Piume di struzzo grigio polvere in un vaso argentato. Incerto, mi appollaiai sul bordo del divanetto e mi guardai intorno. Avrei preferito restare in piedi, per facilitarmi la fuga.

Lui si chinò verso di me, le mani strette fra le ginocchia. Ma invece di dire qualcosa, rimase a guardarmi, in attesa.

«Sono Theo» dissi d'un fiato, dopo un silenzio troppo lungo. Avevo la faccia così calda che sembrava sul punto di prendere fuoco. «Theodore Decker. Tutti mi chiamano Theo. Vivo Uptown» aggiunsi con scarsa convinzione.

«Be', io sono James Hobart, ma tutti mi chiamano Hobie.» I suoi erano occhi tristi e disarmanti. «E vivo Downtown.»

Distolsi lo sguardo, un po' confuso, non capivo se mi stesse prendendo in giro.

«Scusa.» Chiuse gli occhi per un momento, poi li riaprì. «Non fare caso a me. Welty…» lanciò un'occhiata all'anello che teneva sul palmo «era il mio socio.»

Era? L'orologio con le fasi lunari – stridulo e zeppo d'ingranaggi, catenelle e cariche, un marchingegno degno del capitano Nemo – ronzò potente nel silenzio prima di battere il quarto d'ora.

«Oh» dissi. «Io ho solo… Pensavo…»

«Mi spiace. Non lo sapevi?» aggiunse, osservandomi con attenzione.

Evitai ancora il suo sguardo. Fino a quel momento, non mi ero reso conto di aver sperato davvero di incontrare l'anziano signore. Nonostante quello che avevo visto – che sapevo – avevo nutrito l'ingenua speranza che se la fosse cavata, per miracolo, come una di quelle vittime nei telefilm che dopo la pubblicità ricompaiono vive in ospedale.

«Come mai questo ce l'hai tu?»

«Che cosa?» domandai, colto alla sprovvista. L'orologio, notai, non funzionava: segnava le dieci del mattino, o di sera, in ogni caso un orario molto distante dalla realtà.

«Hai detto che te l'ha dato lui?»

A disagio, cambiai posizione sull'ottomana. «Sì. Io...» Il trauma per la sua morte mi ripiombò addosso di nuovo, come se lo avessi deluso per la seconda volta e stessi rivivendo tutto da capo, da un punto di vista completamente diverso.

«Era cosciente? Ti ha parlato?»

«Sì» cominciai, per poi restarmene zitto. Mi sentivo malissimo. Essere nel mondo del vecchio signore, tra le sue cose, aveva prepotentemente riacceso il suo ricordo: l'atmosfera onirica e ovattata della stanza, i suoi velluti color ruggine, lo sfarzo e quella quiete.

«Sono contento che non fosse solo» disse Hobie. «Lo avrebbe detestato.» Teneva l'anello stretto nel pugno, lo portò alla bocca e mi fissò. «Santo cielo. Sei appena un bambino.»

Sorrisi imbarazzato, senza sapere bene cosa dire.

«Mi dispiace» continuò lui in tono più distaccato, di sicuro per tranquillizzarmi. «È solo... So che è stato tremendo. L'ho visto. Il suo corpo...» cercò le parole, «prima di chiamarti li sistemano come possono e ti avvertono che non sarà piacevole, anche se tu lo sai già ma... be'. Non c'è modo di prepararsi a una cosa del genere. Qualche anno fa, capitarono in negozio delle foto di Mathew Brady... roba della Guerra civile, talmente raccapriccianti che faticammo a venderle.»

Non dissi nulla. Non ero abituato a partecipare alle conversazioni degli adulti, se non con dei «sì» o «no» quando non potevo farne a meno, ma in quel momento pendevo dalle sue labbra. Era stato Mark, l'amico medico della mamma, a identificarne il corpo, e nessuno mi aveva detto nulla al riguardo.

«Ricordo una storia che ho letto tempo fa, di un soldato... era a Shiloh?» Stava parlando con me, ma senza prestarmi troppa attenzione. «O era a Gettysburg? Comunque... questo soldato era impazzito e aveva cominciato a seppellire gli uccelli e gli scoiattoli sul campo di battaglia. Sotto il fuoco incrociato muoiono molte piccole creature, molti animaletti. Un mare di minuscole tombe.»

«In due giorni persero la vita ventiquattromila uomini a Shiloh» farfugliai.

I suoi occhi tornarono a posarsi su di me, allarmati.

«Cinquantamila a Gettysburg. Colpa dei nuovi armamenti. Pallottole Minié e fucili a ripetizione» proseguii, «ecco perché il numero delle vittime fu così alto. In America si sono combattute guerre di trincea molto prima della Grande guerra. Tanta gente non lo sa.»

Constatai che l'informazione lo lasciava interdetto.

«T'interessa la Guerra civile?» chiese, dopo una pausa accorta.

«Ehm… sì» risposi di getto. «Abbastanza.» Sapevo un bel po' sull'artiglieria da campo dell'Unione, perché ci avevo scritto una ricerca così tecnica e piena di dettagli che l'insegnante mi aveva invitato a rifarla, e avevo anche visto gli scatti dei morti ad Antietam di Brady: li avevo trovati online, ragazzi con pupille come spilli e sangue nero rappreso sulla bocca e sul naso. «Siamo stati su Lincoln per sei settimane con l'insegnante di Storia.»

«Brady aveva uno studio fotografico non lontano da qui. L'hai mai visto?»

«No.» Un pensiero latente era stato sul punto di affiorare, qualcosa di fondamentale e indicibile, sollecitato dall'accenno a quei soldati senza più un volto. L'istante dopo si era dissolto, lasciando solo quell'immagine: ragazzi morti che fissavano il cielo, in pose assurde e scomposte.

Il silenzio che seguì fu penoso. Sembrava che nessuno dei due sapesse come andare avanti. Alla fine Hobie incrociò le gambe. «Volevo dire… Mi dispiace, farti pressione» farfugliò.

Mi agitai sul divanetto. Ero andato laggiù talmente pieno di curiosità che non avevo pensato di potermi ritrovare ancora una volta a rispondere a delle domande.

«Capisco che deve essere difficile parlarne. È solo… non credevo che…»

Le mie scarpe. Strano che non mi fossi mai soffermato a osservarle. Il segno dell'alluce. I lacci sfrangiati. *Sabato andiamo da Bloomingdale e ne compriamo un paio nuovo.* Non lo avevamo mai fatto.

«Non voglio metterti in difficoltà, ma… era cosciente?»

«Sì. Più o meno. Cioè…» La sua espressione attenta e impaziente spingeva una remota parte di me a uscirsene con tutta una serie d'informazioni che non aveva bisogno di conoscere a proposito di viscere sanguinanti, flash atroci e ripetuti che mi travolgevano i pensieri anche mentre ero sveglio.

Ritratti nebulosi, cocker spaniel di porcellana sulla mensola del caminetto, pendoli placcati che oscillavano, *tic-toc*, *tic-toc*.

«L'ho sentito che mi chiamava». Mi sfregai gli occhi. «Quando sono rinvenuto.» Era come tentare di spiegare un sogno. Impossibile. «Sono andato da lui e gli sono rimasto accanto e… non è stato tanto brutto. O almeno, non tanto brutto quanto si potrebbe pensare» aggiunsi, dato che le mie parole erano suonate come la bugia che erano in realtà.

«Ti ha parlato?»

Deglutendo a fatica, annuii. Mogano scuro, palme nei vasi.

«Era cosciente?»

Annuii ancora. Sapore cattivo in bocca. Era una cosa che non si poteva riassumere, senza un senso né una storia, c'erano la polvere, le sirene degli allarmi, il modo in cui mi aveva tenuto la mano, un'intera vita trascorsa lì, noi due insieme, frasi confuse e nomi di posti e di persone mai sentiti prima. Sfolgoranti cavi recisi.

I suoi occhi erano ancora su di me. Avevo la gola secca e mi veniva da vomitare. Il tempo non scorreva come avrebbe dovuto, secondo una successione di momenti che confluivano l'uno nell'altro, e continuai ad aspettare che mi ponesse nuove domande, qualunque cosa, ma non lo fece.

Infine scosse la testa come per schiarirsi le idee. «È tutto così…» Sembrava confuso quanto me; la vestaglia e i lunghi capelli grigi gli davano l'aria di un re senza corona in una recita scolastica. «Perdonami» disse, scuotendo ancora il capo. «È tutto così nuovo.»

«Scusi?»

«Be', vedi, è che…» Si piegò in avanti e sbatté le palpebre, rapido e nervoso. «È tutto molto diverso da come mi è stato raccontato. Dicevano che era morto sul colpo. Hanno insistito parecchio al riguardo.»

«Ma…» Lo fissai, alquanto stupito. Credeva forse che avessi inventato tutto?

«No, no» si affrettò a dire, alzando una mano per rassicurarmi. «Sono… immagino sia quello che dicono sempre. "Morto sul colpo"…» bisbigliò cupo, mentre io continuavo a fissarlo. «"Non ha sofferto. Non si è accorto di niente"…»

E poi – d'un tratto – compresi; implicazioni che mi strisciarono dentro, agghiaccianti. Anche mia madre era «morta sul colpo» e «non aveva sofferto». Gli assistenti sociali l'avevano ripetuto talmente tante volte che non mi ero mai soffermato a chiedermi come facessero a esserne così sicuri.

«Sebbene, devo ammettere, mi era difficile credere che fosse andata davvero così» disse Hobie, nel silenzio calato improvviso. «Il lampo di luce. Lui che cade privo di conoscenza. Avevo la sensazione, a volte capita, che non stessero raccontando la verità, capisci?»

«Scusi?» mormorai sollevando lo sguardo, disorientato dalla nuova, brutale verità in cui ero inciampato.

«Un saluto sulla porta» continuò Hobie. Sembrava parlasse a se stesso. «Ecco cosa avrebbe voluto. Uno sguardo d'addio, un haiku di commiato… non gli sarebbe piaciuto andarsene senza fermarsi a fare due chiacchiere con qualcuno. "Una sala da tè tra i ciliegi in fiore, sulla strada verso la fine."»

Non ero più lì con lui. Nella penombra, un'unica lama di luce s'insinuò tra le tende abbattendosi sulla stanza, dove rimase impigliata e sfavillò su un vassoio di caraffe di vetro intagliato, proiettando prismi che tremolarono e si frantumarono in mille direzioni, balenando in alto sulle pareti, come parameci sotto la lente di un microscopio.

Nonostante il forte odore di legna bruciata, il camino era spento e scuro e il focolare soffocato dalla cenere, come se il fuoco non venisse acceso da un pezzo.

«La ragazza» dissi timidamente.

Il suo sguardo tornò su di me.

«C'era anche una ragazza.»

Per un attimo parve non capire. Poi si ritrasse sulla sua sedia e sbatté più volte le palpebre, come se gli avessero schizzato dell'acqua sul volto.

«Che c'è?» domandai, spiazzato. «Dov'è? Sta bene?»

«No…» Si massaggiò il dorso del naso. «No.»

«Ma è viva?» Non potevo crederci.

Inarcò le sopracciglia, e io lo presi per un sì. «È stata fortunata» disse. Ma la voce e l'atteggiamento suggerivano il contrario.

«È qui?»

«Be'...»

«Dov'è? Posso vederla?»

Lui sospirò, d'un tratto in preda a qualcosa di simile all'esasperazione. «Deve stare a riposo e non può ricevere visite» spiegò, frugandosi in tasca. «Non è in sé... Non so come potrebbe reagire.»

«Ma si riprenderà?»

«Be', speriamo di sì. Ma "non è ancora fuori pericolo", per usare l'ambigua espressione che i medici si ostinano a ripeterci.» Dalla tasca della vestaglia aveva tirato fuori delle sigarette. Ne accese una con mani malsicure, poi con un gesto ostentato lanciò il pacchetto sul tavolino giapponese dipinto che ci separava.

«Che c'è?» chiese, scacciando il fumo, quando mi sorprese a osservare il pacchetto accartocciato, sigarette francesi, come quelle che fumavano nei vecchi film. «Non dirmi che ne vuoi una anche tu.»

«No, grazie» risposi, dopo un po'. Ero quasi sicuro che stesse scherzando, ma non al cento per cento.

Lui, intanto, tra un battito di ciglia e l'altro mi scrutava con attenzione attraverso il fumo, apparentemente preoccupato, come se avesse appena capito qualcosa di fondamentale su di me. «Sei tu, vero?» chiese di punto in bianco.

«Come?»

«Sei tu il ragazzino che ha perso la madre là dentro.»

Per un attimo, lo shock m'impedì di rispondere.

«Cosa?» domandai, intendendo dire *come lo sa*, ma incapace di articolare le parole.

Con evidente disagio si stropicciò l'occhio e fece uno scatto all'indietro, come qualcuno che abbia appena rovesciato il drink sul tavolo. «Scusa. Non... voglio dire... non mi sono espresso bene. Dio, sono...» Fece un gesto vago, come per dire: *Sono esausto, non riesco a pensare con lucidità.*

Per tutta risposta io distolsi lo sguardo – colto alla sprovvista da una sgradita, nauseante ondata di emozione. Dalla morte di mia madre, non avevo praticamente pianto, e di sicuro mai in presenza di qualcuno – neanche al funerale, dove svariate persone che la conoscevano a malapena (e almeno un paio che le avevano reso la vita un inferno, come Mathilde) continuavano a singhiozzare e a soffiarsi il naso.

Vide che ero sconvolto; fece per dire qualcosa: ci ripensò.

«Hai mangiato?» chiese inaspettatamente.

Ero troppo sorpreso per rispondere. Il cibo era l'ultimo dei miei pensieri.

«Oh, ci avrei scommesso» disse, e le ossa delle sue ginocchia scricchiolarono mentre balzava in piedi. «Andiamo a preparare qualcosa.»

«Non ho fame» replicai, in tono così scortese che subito mi sentii in colpa. Da quando lei era morta, l'unica preoccupazione di tutti sembrava quella di costringermi a mangiare.

«Certo, certo.» Agitò la mano per scacciare una nuvola di fumo. «Ma accompagnami, per favore. Fammi contento. Non sei vegetariano, vero?»

«No!» esclamai, offeso. «Cosa glielo fa pensare?»

Lui fece una risata – breve, limpida. «Calmo! Un sacco di suoi amici lo sono, e lo è anche lei.»

«Oh» mormorai piano, e Hobie mi rivolse uno sguardo lungo e divertito.

«Be', giusto perché tu lo sappia, nemmeno io sono vegetariano» confessò. «Mangio le cose più strane, perciò ce la caveremo a meraviglia.»

Aprì una porta e lo seguii lungo un corridoio ingombro, con le pareti tappezzate di specchi ossidati e vecchie foto. Malgrado mi camminasse davanti a passo svelto, mi rendeva nervoso soffermarmi a guardare: raduni familiari, colonne bianche, verande e palme. Un campo da tennis; un tappeto persiano disteso su un prato all'inglese. Domestici in divisa bianca solennemente schierati. Il mio sguardo si posò sul signor Blackwell – profilo aquilino, aspetto gradevole, elegante in abito bianco, la schiena già ricurva in gioventù. Era appoggiato a un muro di contenimento sulla costa, in un posto pieno di palme; accanto a lui – in cima al muretto, le mani sulle sue

spalle, la testa che spuntava – sorrideva una Pippa bambina. Anche
così piccola, la somiglianza era evidente: i colori, gli occhi, la testa
inclinata allo stesso modo, i capelli del medesimo rosso.

«Questa è lei, vero?» domandai, nell'istante in cui realizzavo che
era impossibile. La fotografia, con quei colori sbiaditi e gli abiti
fuori moda, era stata scattata molto prima della mia nascita.

Hobie si voltò e tornò indietro a dare un'occhiata. «No» disse
piano, le mani dietro la schiena. «Quella è Juliet. La mamma di
Pippa.»

«Dov'è?»

«Juliet…? È morta. Cancro. Sei anni il maggio scorso.» E poi,
rendendosi conto di essere stato un po' brusco: «Welty era il fratello maggiore di Juliet. Fratellastro, per la precisione. Stesso padre
– mogli diverse – trent'anni di differenza. Ma lui l'ha cresciuta come
se fosse sua figlia».

Mi avvicinai per guardare meglio. Era appoggiata a lui, la guancia contro la manica della sua giacca.

Hobie si schiarì la voce. «Quando è nata, il padre aveva sessant'anni» disse piano. «Troppo vecchio per occuparsi di lei, soprattutto perché non nutriva una gran passione per i bambini in
generale.»

In fondo al corridoio c'era una porta socchiusa; l'aprì e rimase a
fissare l'oscurità. Allungai il collo, in punta di piedi, per sbirciare,
ma lui indietreggiò subito e la richiuse.

«È lei?» Anche se era troppo buio per vedere qualcosa, avevo
scorto il bagliore ostile di un paio di occhi, un inquietante luccichio
verdastro in fondo alla stanza.

«Non ora.» La voce talmente bassa che lo udii appena.

«Cosa c'è là dentro con lei?» bisbigliai – indugiando vicino alla
porta, riluttante all'idea di muovermi. «Un gatto?»

«Un cane. L'infermiera non approva, ma lei lo vuole accanto a sé
sul letto, e a dire il vero non riesco a tenerlo fuori… graffia la porta,
piange… Vieni, da questa parte.»

Con movimenti lenti e scricchiolamento di ossa, il busto inclinato in avanti nella postura tipica degli anziani, aprì la porta su una
cucina in disordine con un lucernario sul soffitto e un'imponente

cucina a gas: rosso pomodoro e le linee affusolate di una navicella spaziale anni Cinquanta. C'erano libri ammucchiati sul pavimento – ricettari, dizionari, vecchi romanzi, enciclopedie – e scaffali ingombri di porcellane antiche di tutte le fogge. Vicino alla finestra che dava sulla scala antincendio, uno scolorito santo di legno sollevava la mano in segno di benedizione; sulla credenza, accanto a un servizio da tè d'argento, animali dipinti avanzavano a coppie verso un'Arca di Noè. Il lavandino, invece, traboccava di piatti, e ripiani e davanzali erano disseminati di boccette di medicinali, tazze sporche, minacciosi mucchi di posta ancora da aprire e piantine rinsecchite e cadaveriche nei loro vasi.

Mi fece accomodare al tavolo, scansando bollette della luce e vecchi numeri di «Antiques». «Tè» disse, come se avesse ricordato una voce dall'elenco della spesa.

Mentre trafficava ai fornelli, io restai a fissare le macchie di caffè sulla tovaglia. Incapace di stare fermo, spinsi indietro la sedia e mi guardai intorno.

«Ehm...» feci.

«Sì?»

«Più tardi posso vederla?»

«Forse» rispose, dandomi le spalle. Lo sbattere di una frusta da cucina contro una ciotola di porcellana: *tap tap tap*. «Se è sveglia. Soffre molto, e le medicine le danno sonnolenza.»

«Cosa le è successo?»

«Be'...» Il tono era insieme sommesso e sbrigativo, e lo riconobbi all'istante perché era lo stesso che usavo anch'io quando la gente chiedeva di mia madre. «Ha subito un brutto trauma alla testa, una frattura del cranio, a dirla tutta è stata in coma per un po' e ha rischiato di perdere la gamba destra, che si era rotta in più punti. "Tante biglie in un calzino"» aggiunse con una risata senza allegria. «Ha detto così il medico quando ha visto la radiografia. Dodici fratture. Cinque interventi. Le hanno tolto i punti la settimana scorsa» spiegò, voltandosi di profilo. «Ha scongiurato i dottori di lasciarla tornare a casa, e loro hanno ceduto a patto che prendessimo un'infermiera part time.»

«Ha ripreso a camminare?»

«Santo cielo, no» disse, portandosi la sigaretta alle labbra per
un tiro; riusciva a cucinare con una mano e a fumare con l'altra,
come il capitano di un rimorchiatore o il cuoco di un accampamento di taglialegna di un vecchio film. «È già tanto se sta seduta
per mezz'ora.»

«Ma si riprenderà.»

«Speriamo» disse, ma nella voce non c'era traccia di ottimismo.
«Lo sai» proseguì, lanciandomi un'occhiata, «se anche tu sei uscito
da quell'inferno, è incredibile che stia bene.»

«Già.» Non sapevo proprio cosa rispondere quando la gente faceva commenti, e succedeva spesso, sul mio «star bene».

Hobie tossì e spense la sigaretta. «Già.» Dalla sua espressione
vidi che aveva intuito di avermi turbato, e ne era dispiaciuto. «Immagino abbiano parlato anche con te. Gli investigatori.»

Spostai lo sguardo sulla tovaglia. «Sì.» Sentivo che meno parlavo
di quella storia, meglio era.

«Be', non so cosa ne pensi tu, ma a me sono sembrati molto rispettosi... molto competenti. Quello irlandese... gli è già capitato di imbattersi in paradossi del genere, bombe nascoste in valigie
negli aeroporti inglesi e in quello di Parigi, un ordigno piazzato
all'esterno di un locale a Tangeri, e be', decine di morti e la persona più vicina alla bomba che ne esce illesa. Ha detto che spesso
gli effetti sono imprevedibili, soprattutto negli edifici più vecchi.
Spazi chiusi, superfici irregolari, materiali riflettenti: tutto influenza
la dinamica dell'esplosione. Stesso discorso dell'acustica, ha detto.
Le onde d'urto si comportano come le onde sonore: rimbalzano e
deviano. A volte vanno in pezzi le vetrine di negozi a chilometri di
distanza, e altre volte» scostò i capelli dagli occhi col polso, «quelle
vicinissime. L'ha chiamato effetto schermante. Gli oggetti in prossimità della deflagrazione restano intatti – come le tazze da tè nel
cottage fatto saltare in aria dall'IRA, per esempio. Sono i frammenti
di vetro e i detriti vaganti che uccidono gran parte della gente, sai?
Spesso a notevole distanza. Un sasso o una scheggia di vetro che
viaggiano a quella velocità sono come proiettili.»

Seguivo col pollice il disegno floreale della tovaglia. «Io...»

«Scusa. Forse non è l'argomento più adatto.»

«No, no» mi affrettai a ribattere; a dire il vero era un sollievo sentire qualcuno che parlava con competenza e senza giri di parole di quello che la maggior parte delle persone cercava a tutti i costi di evitare. «È solo che...».

«Sì?»

«Mi domandavo... lei come ha fatto a uscire?»

«Be', è stato un colpo di fortuna. Era intrappolata sotto un cumulo di macerie – i vigili del fuoco non l'avrebbero mai trovata se uno dei cani non li avesse allertati. Hanno scavato fra i detriti, hanno sollevato la trave... e il fatto straordinario è che era sveglia, ha parlato con loro per tutto il tempo, anche se adesso non ricorda nulla. Il vero miracolo è che sono riusciti a tirarla fuori prima dell'ordine di evacuazione... Per quanto hai detto che sei rimasto svenuto?»

«Non mi ricordo.»

«Be', siete stati fortunati entrambi. Se fossero usciti lasciandola intrappolata lì sotto, come è *successo* ad altri... Ah, è pronto» dichiarò, mentre il bollitore cominciava a fischiare.

Il piatto, quando me lo piazzò davanti, non era per niente invitante: una poltiglia giallastra su una fetta di pane tostato. Però l'odore era buono. L'assaggiai con cautela. C'era formaggio fuso con pezzi di pomodoro, peperoncino di Cayenna e qualcos'altro che non riuscii a riconoscere, ma era squisito.

«Mi scusi, cos'è?» indagai, dandogli un altro morso.

Sembrò un po' in difficoltà. «Be', in realtà non ha un nome.»

«È buono» commentai, sorpreso di scoprirmi affamato. Mia madre preparava toast al formaggio molto simili, che mangiavamo d'inverno, la domenica sera.

«Ti piace il formaggio? Avrei dovuto chiedertelo.»

Annuii, la bocca troppo piena per rispondere. Nonostante la signora Barbour non facesse che ingozzarmi di dolci e gelati, mi pareva di non aver fatto un pasto vero e proprio dalla morte di mia madre – almeno non il tipo di pasto al quale eravamo abituati noi: uova strapazzate o saltate in padella, oppure pasta al formaggio confezionata, mentre io le raccontavo la mia giornata seduto sulla scaletta della cucina.

Mentre mangiavo, Hobie si sedette dall'altra parte del tavolo col mento tra le grosse mani bianche. «Per cosa sei portato?» chiese all'improvviso. «Lo sport?»

«Scusi?»

«Cos'è che t'interessa? Quale tipo di giochi e roba del genere?»

«Be'... mi piacciono i videogiochi. *Age of Conquest* o *Yakuza Freakout*, ha presente?»

Si limitò a cambiare discorso. «E che mi dici della scuola? Materie preferite?»

«Storia, forse. E Lettere» risposi. «Ma Lettere sarà una pizza nelle prossime sei settimane... abbiamo smesso con la letteratura e abbiamo ripreso la grammatica, stiamo facendo i diagrammi ad albero.»

«Hai detto letteratura? Inglese o americana?»

«Americana, per ora. Cioè, fino a poco tempo fa. Facciamo anche Storia americana, quest'anno. Anche se ultimamente è piuttosto noiosa. Abbiamo finito la Grande depressione, ma tornerà interessante quando arriveremo alla Seconda guerra mondiale.»

Era la conversazione più piacevole che avessi avuto da un pezzo. Mi fece moltissime domande, su cosa avevo letto durante il corso di Letteratura e sulla differenza tra le medie e le elementari; mi chiese qual era la materia in cui zoppicavo di più (Spagnolo) e anche qual era il mio periodo storico preferito (non ne ero sicuro, tutto tranne Eugene Debs e la storia dei sindacati, su cui ci eravamo soffermati decisamente troppo), e poi mi chiese cos'avrei voluto fare da grande (non ne avevo idea). Niente di speciale, però era bello conversare con un adulto che sembrava interessato a me a prescindere dalla mia disgrazia, che non era a caccia di informazioni e non dava l'impressione di seguire una lista di Cose da Dire a un Ragazzo Turbato.

Cominciammo a parlare di scrittori – da T.H. White e Tolkien a Edgar Allan Poe, un altro dei miei preferiti. «Secondo mio padre Poe è un autore di serie B» dissi. «Il Vincent Price della letteratura americana. Secondo me no.»

«Infatti» ribatté lui serio, versandosi una tazza di tè. «A conti fatti, il romanzo poliziesco l'ha inventato lui. E la fantascienza. In pratica ha inventato buona parte del ventesimo secolo. Voglio dire, onestamente non mi considero più un appassionato della sua opera come lo ero da ragazzo, ma in ogni caso non lo si può certo liquidare come un eccentrico.»

«Mio padre lo riteneva tale. Girava per casa declamando *Annabel Lee* con una vocetta stupida per farmi arrabbiare. Perché sapeva che mi piaceva.»

«Quindi tuo padre è uno scrittore.»

«No.» Non capivo da dove gli fosse venuta quell'idea. «È un attore. Cioè, lo era. Prima che nascessi ha recitato in molti telefilm, ma mai come protagonista, di solito faceva il playboy vizioso amico dell'attore principale, o il socio d'affari corrotto che finiva ammazzato.»

«Dici che potrei conoscerlo?»

«No. Adesso lavora in un ufficio. O ci lavorava.»

«Quindi cosa fa in questo momento?» domandò. Si era infilato l'anello al mignolo, e di tanto in tanto lo rigirava tra il pollice e l'indice dell'altra mano, come per assicurarsi che fosse ancora lì.

«Chi lo sa? Ci ha mollati.»

Con mia grande sorpresa, rise. «Che liberazione, eh?»

«Be'…» alzai le spalle, «a volte non era male. Guardavamo lo sport e i telefilm polizieschi e mi spiegava come funzionavano gli effetti speciali per il sangue e il resto. Però è… non lo so. Per esempio, ogni tanto quando veniva a prendermi a scuola era ubriaco, capisce?» Non avevo mai davvero affrontato quell'argomento con Dave lo strizzacervelli, o con la signora Swanson, né con nessun altro. «Avevo paura di raccontarlo a mia madre, ma poi è venuta a saperlo da un'altra mamma. E poi…» Era una storia lunga, mi sentivo in imbarazzo e decisi di tagliar corto. «Si è rotto la mano in un bar, litigando con qualcuno, in quel locale ci andava tutte le sere, solo che noi non lo sapevamo, perché diceva di fermarsi al lavoro fino a tardi, e aveva tutta una cerchia di amici di cui noi ignoravamo l'esistenza che gli mandavano cartoline quando andavano in vacanza in posti come le Isole Vergini. All'indirizzo di casa. È stato così che abbiamo scoperto dove trascorreva le serate. E allora mia madre ha cercato di convincerlo ad andare dagli Alcolisti Anonimi, ma lui non voleva. A volte i custodi del palazzo si piazzavano nel corridoio fuori dal nostro appartamento e facevano un sacco di rumore per farsi sentire, così lui sapeva che erano là, capisce? E non si lasciava prendere troppo la mano.»

«Prendere la mano?»

«Un sacco di urla e cose così. Era quasi sempre lui a perdere la calma.» Ero fastidiosamente consapevole di aver detto più di quanto avrei voluto. «Si lamentava sempre. Come quando... be', non lo so, come quando doveva stare con me mentre lei era al lavoro. Era sempre di cattivo umore. Non dovevo parlargli se stava guardando il telegiornale o lo sport: era la regola. Voglio dire...» Mi zittii, scoraggiato, con l'impressione di essermi messo all'angolo da solo. «Comunque, è stato molto tempo fa.»

Lui si appoggiò allo schienale della sedia e mi guardò: un uomo imponente, riservato, schivo, anche se gli occhi avevano il blu irrequieto della giovinezza. «E adesso? Ti piacciono le persone con cui stai?»

«Uhm...» Esitai con la bocca piena, incapace di trovare una definizione per i Barbour. «Sono gentili, credo.»

«Mi fa piacere. Cioè, non posso dire di conoscere Samantha Barbour, malgrado abbia fatto dei lavori per la sua famiglia in passato. Ha un buon occhio.»

A quel punto smisi di masticare. «Conosce i Barbour?»

«Lui no. Lei. Anche se la madre di lui era una grande collezionista... Mi pare sia andato tutto al fratello, dopo una disputa familiare. Welty avrebbe saputo dirti qualcosa di più al riguardo. Non che fosse un pettegolo» si affrettò a specificare. «Era molto discreto, abbottonato, ma la gente si fidava... era quel tipo di persona, sai? Gli estranei con lui si aprivano: clienti, tizi che conosceva a malapena, era il genere di uomo al quale la gente confessa le proprie pene. Comunque, sì» giunse le mani, «non c'è commerciante d'arte o *antiquario*[2] di New York che non conosca Samantha Barbour. Era una Van der Pleyn prima di sposarsi. Non una grande acquirente, anche se Welty la incontrava alle aste di quando in quando e senza dubbio possiede oggetti di pregio.»

«Chi le ha detto che vivo dai Barbour?»

---

[2] In italiano nel testo. (*N.d.T.*)

Sbatté le palpebre. «Era sul giornale» rispose. «Non l'hai visto?»

«Il giornale?»

«Il "Times", non lo hai letto? No?»

«Parlavano di me sul giornale?»

«No, no» si affrettò a precisare. «Non di *te*. Dei ragazzi che avevano perso i genitori al museo. In gran parte turisti. C'era una ragazzina, una bambina, in realtà... figlia di un diplomatico sud-americano...»

«Che cosa diceva il giornale sul mio conto, intendo.»

Fece una smorfia. «Oh, un orfano in difficoltà... benefattori che si fanno avanti... cose del genere. Puoi immaginarlo.»

Rimasi a fissare il piatto, impacciato. Orfano? Benefattori?

«Era davvero un bell'articolo. Se non ho capito male, hai difeso uno dei figli da una banda di bulli?» domandò, abbassando la grossa testa grigia per incontrare il mio sguardo. «A scuola. L'altro ragazzo dotato che ha saltato una classe.»

Scossi il capo. «Come?»

«Il figlio di Samantha. Quello che hai difeso da un gruppo di ragazzi più grandi a scuola... Quello per cui ti sei fatto picchiare...»

Scossi di nuovo la testa, esterrefatto.

Lui rise. «Quanta modestia! Non dovresti vergognartene!»

«Ma... non è andata così» replicai, sconcertato. «Ci prendevano in giro e ci picchiavano tutti i giorni. Tutt'e due.»

«È quello che diceva l'articolo. Il che rende ancora più degno di nota il fatto che tu lo abbia difeso. Una bottiglia rotta?» m'incalzò quando non dissi niente. «Qualcuno voleva fare del male al figlio di Samantha Barbour con una bottiglia rotta, e tu...»

«Oh, quello» mormorai, a disagio. «Sciocchezze.»

«Però ti sei fatto male, quando hai cercato di aiutarlo.»

«Non è andata così! Cavanaugh è saltato addosso a entrambi. C'era un pezzo di vetro sul marciapiede.»

Rise di nuovo... la risata di un omone, forte, spontanea, in netto contrasto con la sua voce calma e attentamente modulata. «Be', comunque sia andata» disse, «ti sei imbattuto in una famiglia assai interessante». Si alzò e raggiunse la credenza, dove recuperò una bottiglia di whisky per versarne due dita in un bicchiere non molto pulito. «Samantha Barbour non dà proprio l'idea di essere affettuosa e ospitale» commentò. «Eppure a quanto pare fa tanto bene al prossimo con tutte quelle associazioni e le raccolte fondi, non trovi?»

Restai in silenzio mentre riponeva la bottiglia nella credenza. Dal lucernario sopra di noi, la luce filtrava grigia e opalescente attraverso il vetro punteggiato di piccole gocce di pioggia.

«Ha intenzione di riaprire il negozio?» chiesi.

«Be'...» Sospirò. «Era Welty che si occupava di quella parte... i clienti, le vendite. Io costruisco mobili, non sono un uomo d'affari. *Brocanteur, bricoleur.* Raramente mettevo piede lassù, sto sempre nel sottoscala, a carteggiare e lucidare. Ora lui non c'è più... è tutto ancora così nuovo per me. Gente che chiama per cose che aveva venduto, consegne di oggetti che non sapevo nemmeno che avesse comprato, non so dove siano le carte, non so per chi siano gli articoli... Avrei un milione di domande da fargli, darei qualunque cosa per potergli parlare cinque minuti. Specialmente... be', specialmente per dirgli di Pippa, delle sue condizioni e...»

«Già» dissi, senza convinzione. Stavamo per addentrarci sullo stesso terreno accidentato del funerale di mia madre, un luogo di silenzi dilatati, falsi sorrisi, in cui le parole non funzionavano.

«Era un brav'uomo. Non ce ne sono tanti così. Gentile, affascinante. La gente lo compativa per via della schiena, ma io non ho mai conosciuto nessuno più ottimista di lui, e ovviamente i clienti lo adoravano... era un uomo estroverso, socievole... "Il mondo non mi verrà incontro" diceva sempre, "perciò devo andargli incontro io."»

D'un tratto l'iPhone di Andy trillò: un messaggio.

Hobie, il bicchiere alle labbra, sussultò violentemente. «Cos'è stato?»

«Scusi un attimo» dissi, frugandomi in tasca. Il messaggio era di Phil Lefkow, uno dei ragazzi della classe di Giapponese di Andy: Ciao Theo, sono Andy, tutto okay? Bloccai al volo il cellulare e lo rificcai in tasca. «Mi perdoni, cosa stava dicendo?»

«L'ho scordato.» Restò con lo sguardo perso nel vuoto per un paio di secondi, poi scosse la testa. «Non credevo che l'avrei rivisto» mormorò, abbassando gli occhi sull'anello. «È tipico di lui averti chiesto di portarlo qui... di affidarmelo. Io, ecco... non ho detto nulla, ma ero sicuro che qualcuno all'obitorio lo avesse rubato...»

Il telefono emise un altro trillo acuto e fastidioso. «Oh, mi dispiace!» esclamai, rovistando per recuperarlo. Il messaggio di Andy diceva: Volevo solo esser certo che non ti avessero ucciso!!!

«Mi scusi» ripetei, tenendo il tasto premuto per sicurezza. «Stavolta l'ho proprio spento.»

Ma lui si limitò a sorridere e a guardare nel suo bicchiere. La pioggia picchiettava e gocciolava sul lucernario, proiettando ombre liquide che scivolavano sui muri. Non avevo molta voglia di parlare, aspettai che fosse lui a riprendere il filo del discorso, però non lo fece, e rimanemmo seduti lì, in silenzio, mentre sorseggiavo il tè che ormai si stava raffreddando (Lapsang Souchong, dal gusto esotico e affumicato) e prendevo coscienza della stranezza della vita e della mia presenza in quella cucina.

Scansai il piatto. «Grazie» dissi da ragazzino educato, lo sguardo che vagava per la stanza. «Era molto buono» aggiunsi (come ormai facevo sempre) a beneficio di mia madre, nel caso fosse stata in ascolto.

«Quanta educazione!» esclamò lui prendendomi in giro ma con gentilezza, in modo amichevole. «Ti piace?»

«Cosa?»

«La mia Arca di Noè.» Accennò alla credenza. «Pensavo la stessi guardando». Gli animali di legno, tutti rovinati, aspettavano in fila, pazienti, di salire a bordo. Elefanti, tigri, buoi, zebre, giù fino a una coppia di topolini.

«È di Pippa?» chiesi, incantato, dopo una pausa, perché gli animali erano stati sistemati così accuratamente (i grandi felini che s'ignoravano a vicenda; il pavone maschio che dava le spalle alla compagna per ammirare il proprio riflesso nel tostapane) che mi pareva di vederla mentre passava ore a spostarli per trovare la posizione più giusta.

«No.» Giunse le mani sopra il tavolo. «È uno dei primi pezzi d'antiquariato che ho comprato, trent'anni fa. A una svendita di arte popolare americana. Non sono un grande appassionato, mai stato... questo pezzo non è eccezionale, non ha nulla a che vedere col resto delle mie cose, ma dopotutto non è sempre l'elemento fuori posto, quello che non funziona alla perfezione, che stranamente finiamo per amare di più?»

Mi spinsi indietro sulla sedia, incapace di tenere fermi i piedi. «Adesso posso vederla?» domandai.

«Be', se è sveglia...» Arricciò le labbra. «Non vedo che male potrebbe farle. Ma bada, solo per un minuto.» Quando si alzò, la sua statura imponente, le spalle curve mi sorpresero ancora. «Ti avverto, però... è un po' confusa. Oh...» Si voltò, già sulla soglia. «E sarebbe meglio non tirare in ballo Welty, se puoi.»

«Non lo sa?»

«Oh, sì...» Il suo tono era brusco. «Lo sa, ma certe volte, se ne sente parlare, si agita. Comincia a chiedere quando è successo e perché nessuno le ha detto niente.»

II

Quando aprì la porta, gli avvolgibili erano abbassati e mi ci volle un momento per abituarmi all'oscurità, che era fragrante e profumata, con una traccia di farmaci e malattia. Sopra il letto era appeso un poster incorniciato del *Mago di Oz*. Una candela si scioglieva in un bicchiere rosso tra ciondoli e rosari, spartiti musicali, fiori di carta velina e vecchi biglietti di San Valentino, e c'erano tantissimi messaggi di auguri per una pronta guarigione attaccati a dei fiocchi, e un fascio di palloncini argentati che incombeva dal soffitto, i fili argentei che danzavano come i tentacoli di una medusa.

«Qualcuno è venuto a trovarti, Pip» annunciò Hobie, il tono allegro e squillante.

Vidi il copriletto muoversi. Spuntò un gomito. «Uhm?» mugugnò una voce assonnata.

«È così buio, tesoro. Posso aprire le tende?»

«No, per favore. La luce mi fa male agli occhi.»

Era più minuta di quanto ricordassi, e il suo viso – una macchia indistinta nella penombra – era molto pallido. La testa rasata, eccetto che per un ciuffo solitario sul davanti. Mentre mi avvicinavo, un po' spaurito, qualcosa di metallico baluginò all'altezza della tempia... una molletta o un fermacapelli, pensai, prima di riconoscere la tremenda spirale dei punti d'acciaio sopra l'orecchio.

«Ti ho sentito in corridoio» disse con una vocetta fievole, roca, spostando lo sguardo da me a Hobie.

«Sentito cosa, colombina?»

«Ti ho sentito parlare. E anche Cosmo.»

Il cane non l'avevo ancora visto, e invece eccolo lì: un terrier grigio accoccolato accanto a lei, tra i cuscini e gli animali di peluche. Quando sollevò la testa, il musetto striato di bianco e gli occhi velati dalla cataratta mi dissero che era molto anziano.

«Pensavo stessi dormendo, colombina» ribatté Hobie, allungando la mano per grattare il mento del cane.

«Dici sempre così, e ogni volta sono sveglia. Ciao» disse Pippa, guardando me.

«Ciao.»

«Chi sei?»

«Mi chiamo Theo.»

«Qual è la tua musica preferita?»

«Non saprei» risposi, e poi, per non fare la figura dello stupido: «Beethoven».

«Fantastico. Hai proprio l'aria di uno che adora Beethoven.»

«Davvero?» dissi, totalmente spaesato.

«Intendevo in senso buono. Io non posso ascoltare musica. Per colpa della mia testa. È una sofferenza. No...» disse a Hobie, che stava togliendo dalla sedia accanto al letto i libri, il rotolo di garza e i pacchetti di fazzolettini. «Lascialo sedere sul letto. Puoi sederti qui» aggiunse rivolta a me, spostandosi un po' per farmi posto.

Cercai Hobie con gli occhi per capire se potevo, e poi mi sedetti piano, sul bordo del letto, attento a non disturbare il cane, che alzò la testa per lanciarmi un'occhiataccia.

«Non preoccuparti, non morde. Be', a volte sì.» Mi studiò, insonnolita. «Io ti conosco.»

«Ti ricordi di me?»

«Siamo amici?»

«Sì» risposi d'impulso, e poi mi girai verso Hobie perché avevo detto una bugia.

«Ho dimenticato il tuo nome, mi dispiace. Però mi ricordo la tua faccia». Accarezzò il cane sulla testa e disse: «Quando sono tornata a casa non riconoscevo la mia stanza. Ricordavo il letto e tutta la mia roba, ma la stanza era diversa».

Adesso che mi ero abituato al buio vidi la sedia a rotelle nell'angolo, i flaconi delle medicine sul tavolino vicino al letto.

«Cosa ti piace di Beethoven?»

«Uh...» Le fissavo il braccio appoggiato sul copriletto, la pelle morbida, il cerotto nell'incavo del gomito.

Lei cercò di trarsi a sedere, guardando dietro di me, verso Hobie, una sagoma in controluce nel vano illuminato della porta. «Non devo parlare troppo a lungo, vero?» chiese.

«Infatti, colombina.»

«Non mi pare di essere stanca. Però non ne sono sicura. Tu ti senti mai stanco durante il giorno?» domandò a me.

«A volte.» Dopo la morte di mia madre mi capitava di assopirmi in classe o di crollare in camera di Andy nel mezzo del pomeriggio. «È una cosa recente.»

«Anche per me. Adesso mi addormento di continuo. Chissà perché. È una gran rottura.»

Hobie – notai, vedendo la luce proveniente dalla porta alle mie spalle – ci aveva lasciati soli. Anche se non era da me, per qualche strana ragione morivo dalla voglia di prenderle la mano, e ora che eravamo soli lo feci.

«Non ti dà fastidio, vero?» chiesi. Tutto parve rallentare, come se mi stessi muovendo sott'acqua. Stringere la mano di qualcuno – di una ragazza – era molto strano e allo stesso tempo stranamente normale. Non avevo mai fatto niente del genere.

«No. Credo sia dolce.» Poi, dopo un attimo di silenzio – durante il quale sentii il piccolo terrier russare – aggiunse: «Ti dispiace se chiudo gli occhi per qualche istante?».

«No» risposi, passandole il pollice sulle nocche.

«So che non è gentile, ma devo proprio.»

Abbassai lo sguardo sulle sue palpebre, sulle labbra screpolate, sul pallore e sui lividi, sull'odioso ghirigoro metallico sopra l'orecchio. La strana combinazione tra quello che in lei mi faceva sentire vivo ed eccitato e quello che avrebbe dovuto turbarmi mi dava una confusa sensazione di vertigine.

Lanciai un'occhiata verso l'uscio in preda al senso di colpa e vidi che Hobie era lì. Uscii in punta di piedi e chiusi piano la porta, ringraziando il cielo del fatto che il corridoio era buio.

Tornammo in salotto insieme. «Come l'hai trovata?» sussurrò.

Cosa dovevo rispondere? «Bene, credo.»

«Non è in sé.» Fece una pausa, afflitto, le mani tuffate in fondo alle tasche della vestaglia. «È che... c'è, e non c'è. Non riconosce molte persone a cui voleva bene, le tratta con distacco, mentre a volte è espansiva con gli estranei, affettuosa, loquace. Persone che non ha mai visto in vita sua, e lei ci parla come se fossero vecchi amici. È frequente, così mi hanno detto.»

«Perché non può ascoltare musica?»

Inarcò un sopracciglio. «Oh, ogni tanto lo fa. Ma a volte, soprattutto verso sera, la mette di cattivo umore... Pensa che dovrebbe esercitarsi, che dovrebbe preparare un pezzo per la scuola, e si demoralizza. È difficile. È possibile che un giorno possa ricominciare a suonare a livello amatoriale, o almeno così dicono...»

Trasalimmo entrambi al suono improvviso del campanello

«Oh» fece Hobie, dando uno sguardo al suo orologio da polso, un magnifico pezzo antico, notai. «Dev'essere l'infermiera.»

Ci scambiammo un'occhiata. Non avevamo finito il discorso e restava tanto da dire.

Il campanello suonò di nuovo. In fondo al corridoio il cane abbaiava. «È in anticipo» notò Hobie, allungando il passo, l'espressione prostrata.

«Posso tornare? Per vederla?»

Lui si fermò. Sembrava sconcertato dalla domanda. «Ma *certo* che puoi tornare» rispose. «Ti *prego* di farlo...»

Di nuovo il campanello.

«Ogni volta che ti va» aggiunse. «Davvero. Ci farà sempre piacere averti qui.»

III

«Allora, com'è andata laggiù?» mi chiese Andy mentre ci vesti-
vamo per la cena. «È stato strano?» Platt era andato a prendere il
treno per tornare a scuola, la signora Barbour aveva un incontro col
comitato di un'organizzazione benefica e il signor Barbour ci stava
portando a mangiare allo Yacht Club (dove andavamo solo le sere
in cui la signora Barbour aveva altro da fare).

«Quel tipo conosce tua madre.»

Andy fece una smorfia sistemandosi la cravatta: tutti conoscevano sua madre.

«È stato strano» risposi. «Ma ho fatto bene ad andarci. Tieni»
dissi, frugando nella giacca, «grazie per il telefono.»

Lui controllò che non ci fossero messaggi, lo spense e se lo ficcò in tasca. Alzò la testa ma senza guardarmi. «So che è tutto uno
schifo» disse inaspettatamente. «Mi dispiace che le cose per te siano
così incasinate in questo momento.»

La voce – piatta e meccanica come quella di una segreteria telefonica – m'impedì per un istante di comprendere le sue parole.

«Era così gentile» disse, sempre senza guardarmi. «Insomma…»

«Sì, be'» farfugliai, per nulla ansioso di proseguire la conversazione.

«Insomma, *mi manca*.» Andy mi fissò, con un'espressione se-
miterrorizzata. «Non avevo mai conosciuto qualcuno che poi è
morto. Be', a parte nonno Van der Pleyn. Ma mai nessuno che mi
piacesse.»

Restai in silenzio. Mia madre aveva sempre avuto un debole per
Andy, lo incoraggiava con pazienza a raccontare della sua stazione
meteo fai-da-te, lo prendeva in giro per i suoi punteggi a *Galactic
Battlegrounds* finché lui non diventava rosso. Giovane, divertente, spiritosa, affettuosa, mia madre era l'esatto opposto della sua:
giocava a frisbee nel parco con noi, parlava dei film di zombi, e
la domenica mattina lasciava che ci accampassimo nel suo letto, a
mangiare cereali e guardare i cartoni alla TV. Eppure certe volte mi
dava fastidio vederlo fare lo scemo o l'esaltato se c'era lei, e trotte-
rellarle dietro blaterando del quarto livello di questo o quel gioco,

incapace di staccarle gli occhi dal didietro ogni volta che si chinava per prendere qualcosa dal frigorifero.

«Era davvero forte» disse Andy, col suo tono distante. «Te lo ricordi quando ci ha accompagnato in autobus nel New Jersey, a quella convention di fan dell'horror? E quel tipo strano di nome Rip che voleva convincerla a partecipare al suo film di vampiri?»

Le sue intenzioni erano buone, lo sapevo. Ma non sopportavo di parlare di qualsiasi cosa avesse a che fare con lei, o col Prima, e abbassai la testa.

«Non credo neppure fosse un vero appassionato di horror» lo sentii dire con la sua solita vocina flebile. «Secondo me era una specie di feticista. Tutta quella storia dei sotterranei con le ragazze legate ai tavoli, praticamente era porno con sfumature sadomaso. E quando le ha chiesto di provare i denti da vampiro?»

«Già. E lei ha chiamato la sicurezza.»

«Pantaloni di pelle. E piercing. Voglio dire, chi lo sa, magari stava davvero girando un film di vampiri, ma di sicuro era un pervertito, sei d'accordo? Quel sorrisetto viscido... E come insisteva a sbirciarle dentro la maglietta...»

Gli mostrai il dito medio. «Dai, andiamo» dissi. «Ho fame.»

«Ah, sì?»

Avevo perso più di quattro chili da quando lei era morta, abbastanza perché la signora Swanson mi costringesse a pesarmi nel suo ufficio (cosa piuttosto imbarazzante) sulla bilancia riservata alle ragazze che soffrivano di disturbi alimentari.

«Tu non hai fame?»

«Io sì, ma pensavo che ultimamente stessi attento alla linea. Per entrare nel vestito del ballo di fine anno.»

«Fottiti» replicai con un sorriso, aprendo la porta... e finendo addosso al signor Barbour, che era lì, fermo, non so se a origliare o sul punto di bussare.

Balbettai qualcosa, mortificato – dire parolacce era assolutamente proibito in casa Barbour –, ma lui non parve dar peso alla faccenda.

«Be', Theo» disse asciutto, «sono felice di vedere che stai meglio. E adesso andiamo a procurarci un tavolo.»

IV

Nella settimana successiva tutti si accorsero che il mio appetito era aumentato, persino Toddy. «Hai finito lo sciopero della fame?» mi chiese una mattina, incuriosito.

«Toddy, mangia la colazione.»

«Ma pensavo si dicesse così, quando la gente non mangia.»

«No, lo sciopero della fame è una cosa da detenuti» replicò Kitsey con freddezza.

«*Micetta*» la riprese il signor Barbour in tono d'avvertimento.

«Sì, ma ieri ha mangiato tre waffle» fece notare Toddy, lanciando occhiate impazienti ai suoi distratti genitori nel tentativo di portarli dalla sua parte. «Io ne ho mangiati solo due. E stamattina ha preso una tazza piena di cereali e sei fette di bacon, e voi dicevate che anche cinque erano troppe. Perché io non posso mangiarne cinque?»

V

«Ehi, ciao, benvenuto» mi accolse Dave lo strizzacervelli, chiudendo la porta e prendendo posto di fronte a me nel suo ufficio: tappeti kilim, scaffali pieni di vecchi libri di testo (*Droghe e società*; *Psicologia infantile: un approccio alternativo*) e tende beige che si aprivano con un ronzio alla pressione di un pulsante.

Sorrisi, a disagio, gli occhi che vagavano per tutta la stanza – piante in vaso, una statua di bronzo di Buddha – posandosi ovunque tranne che su di lui.

«Allora.» Il rumore smorzato del traffico che saliva dalla Quinta Avenue rendeva il silenzio tra noi sterminato, intergalattico. «Come va oggi?»

«Be'…» Attendevo con terrore le sessioni di terapia con Dave, una tortura bisettimanale che non sarebbe eccessivo paragonare a una seduta dal dentista; mi sentivo in colpa di non trovarlo più simpatico, visto l'impegno che ci metteva nel domandarmi sempre che film e che libri mi piacevano, nel masterizzarmi CD, nel ritagliare articoli da «Game Pro» che secondo lui potevano interessarmi. A volte mi portava pure all'EJ Luncheonette per un hamburger, ma nonostante tutti i suoi sforzi bastava che attaccasse con le domande e m'irrigidivo, come se fossi stato spinto a forza su un palcoscenico per prendere parte a una commedia di cui ignoravo le battute.

«Sembri un po' distratto, oggi.»

«Mmm...» Non mi era sfuggito che molti dei libri sugli scaffali avevano nel titolo la parola *sesso*: *La sessualità degli adolescenti, Sesso e cognizione, Schemi della devianza sessuale* e il mio preferito, *Fuori dall'ombra: comprendere la dipendenza sessuale.* «Sto bene, credo.»

«Credi?»

«No, sto bene. Le cose vanno bene.»

«Ah, sì?» Dave si appoggiò allo schienale, la punta della scarpa da ginnastica che faceva su e giù. «Grandioso.» Poi: «Perché non mi fai un veloce resoconto di cosa sta succedendo nella tua vita?».

«Oh...» Mi grattai il gomito e distolsi lo sguardo. «Ho ancora qualche difficoltà in Spagnolo, ho un altro compito di recupero, probabilmente lo farò lunedì. Ma ho preso A nel compito su Stalingrado, e la B meno in Storia dovrebbe diventare B.»

Mi scrutò in silenzio per così tanto tempo che cominciai a scervellarmi per aggiungere qualcosa. Finché: «Nient'altro?».

«Be'...» Mi fissai i pollici.

«Come va con l'ansia?»

«Non troppo male» risposi, pensando che non sapere niente di lui mi metteva a disagio. Era uno di quei tipi che portano una fede nuziale che non sembra affatto una fede nuziale – o magari non lo era davvero e lui era semplicemente fiero delle proprie origini celtiche. Se avessi dovuto tirare a indovinare avrei detto che era sposato da poco, con un bebè: emanava una vibrazione di sfinimento da paternità recente, come se gli toccasse alzarsi di notte per cambiare pannolini. Ma chi poteva dirlo?

«E le medicine? Gli effetti collaterali?»

«Uh...» Mi grattai il naso. «Va meglio, mi sembra.» Nemmeno le stavo prendendo, le pillole; mi davano il mal di testa, e mi spossavano al punto che avevo cominciato a sputarle nello scarico del lavandino.

Dave non disse niente per un attimo. «Allora... non è sbagliato affermare che nel complesso stai meglio?»

«Credo di sì» risposi dopo un po', fissando la decorazione sulla parete alle sue spalle. Somigliava a un abaco sbilenco fatto di sfere d'argilla e cordini annodati, e negli ultimi tempi avevo trascorso parecchie ore della mia vita a osservarlo.

Dave sorrise. «Lo dici come se fosse qualcosa di cui vergognarsi. Ma stare meglio non significa che hai dimenticato tua madre. Né che la ami meno.»

Contrariato da quella osservazione, distolsi lo sguardo dal suo e lo puntai fuori dalla finestra, sull'avvilente palazzo di mattoni bianchi al lato opposto della strada.

«Hai idea del perché forse stai meglio?»

«No, non saprei» risposi brusco. *Meglio* non era la parola più appropriata per descrivere come mi sentivo. Non esisteva una parola adeguata. Era come se cose di nessuna importanza – le risate nei corridoi della scuola, un geco che si muoveva frenetico in una teca del laboratorio – mi facessero sentire felice per un istante e sulla soglia delle lacrime quello successivo. A volte, nel tardo pomeriggio, un vento umido e sferzante soffiava contro le finestre che davano su Park Avenue mentre il traffico dell'ora di punta scemava e la città si svuotava in previsione della sera; pioveva, gli alberi germogliavano, la primavera virava all'estate; e il desolato lamento dei clacson per la strada, l'odore pungente del marciapiede bagnato, avevano un che di elettrico, un sentore di gente ed energia statica, segretarie sole e uomini grassi con le buste dei take-away, e dappertutto la malinconia sgraziata delle creature in perenne lotta per la sopravvivenza. Per settimane mi ero sentito congelato, sigillato; ora, sotto la doccia, aprivo l'acqua al massimo e gridavo, in silenzio. Era tutto così vivido e doloroso e confuso e sbagliato, come se mi avessero tirato fuori dall'acqua gelida attraverso un buco nel ghiaccio e piazzato sotto il sole, nel freddo rovente.

«Dove sei adesso?» domandò Dave, cercando di intercettare il mio sguardo.

«Scusi?»

«A cosa pensavi?»

«A niente.»

«Davvero? È difficile non pensare assolutamente a niente.»

Alzai le spalle. Tolto Andy, non avevo detto a nessuno del mio viaggio in autobus fino alla casa di Pippa, e il segreto rendeva più bella ogni cosa, come l'alone lasciato dai sogni: i papaveri di carta velina, la luce fioca di una candela che si scioglieva, il calore appiccicoso della sua mano nella mia. Ma nonostante si trattasse dell'esperienza più autentica e importante che mi era capitata da tempo, non volevo rovinarla condividendola con qualcuno, tantomeno con lui.

Restammo seduti e nient'altro. Poi Dave si chinò verso di me con l'espressione preoccupata e disse: «Sai, quando chiedo dove sei durante i tuoi silenzi, Theo, non sto facendo lo stronzo né cercando di metterti in difficoltà».

«Oh, lo so! Lo so» replicai, tormentando con la punta dell'unghia la tappezzeria di tweed sul bracciolo del divano.

«Sono qui per parlare di quello che vuoi. Oppure...» Il legno scricchiolò mentre si spostava sulla sedia. «Possiamo anche non parlare! Mi chiedo solo se c'è qualcosa che ti preoccupa.»

«Be'» dissi dopo un'altra pausa interminabile, resistendo alla tentazione di sbirciare l'orologio. «Io...» Quanti minuti mancavano? *Quaranta?*

«Perché, da alcuni adulti che fanno parte della tua vita, ho sentito che hai avuto una netta ripresa nell'ultimo periodo. Partecipi di più alle lezioni» aggiunse, quando non commentai. «Sei socialmente più attivo. Mangi normalmente.» Nella quiete, il suono della sirena di un'ambulanza giunse ovattato dalla strada. «Quindi mi stavo chiedendo se puoi aiutarmi a capire cos'è cambiato.»

Mi grattai la guancia. Com'era possibile spiegare una cosa così? Non si poteva. Anche il ricordo cominciava a sbiadire e a rilucere d'irrealtà, come i dettagli di un sogno che se ti sforzi di trattenerli perdono consistenza. Quello che contava di più era la sensazione, una corrente dolce, intensa, talmente impetuosa che in classe, sul pulmino della scuola, sdraiato sul letto a sforzarmi di pensare a qualcosa di sicuro e piacevole, un posto o una situazione che non mi gonfiasse il petto d'ansia, tutto quello che dovevo fare era immergermi nel suo flusso caldo come sangue e lasciarmi trasportare in un luogo segreto dove tutto andava bene. Muri color cannella, pioggia sulle finestre, una tranquillità sconfinata e un senso di profondità e distanza, come nello sfondo di un quadro del diciannovesimo secolo. Tappeti sfilacciati, ventagli giapponesi dipinti e vecchi biglietti di San Valentino nella luce tremolante di una candela, Pierrot, colombe e ghirlande di fiori a forma di cuore. Il pallido viso di Pippa nell'oscurità.

VI

«Ascolta» dissi ad Andy parecchi giorni piu tardi, mentre uscivamo da Starbucks dopo la scuola, «questo pomeriggio puoi coprirmi?»

«Certo» rispose lui, trangugiando il suo caffè. «Per quanto?»

«Non lo so.» Dipendeva da quanto mi ci sarebbe voluto per prendere la coincidenza sulla Quattordicesima; potevano volerci quarantacinque minuti per arrivare Downtown; con l'autobus anche di più, in un giorno infrasettimanale. «Tre ore?»

Fece una smorfia; se sua madre fosse stata in casa, avrebbe fatto domande.

«Cosa dovrei dirle?»

«Che sono dovuto restare a scuola per studiare o qualcosa del genere.»

«Penserà che ti sei cacciato in qualche guaio.»

«E allora?»

«Non vorrei che telefonasse a scuola per verificare.»

«Dille che sono andato al cinema.»

«Ma poi chiederebbe perché non sono venuto anch'io. Posso dirle che sei in biblioteca.»

«Non ci crederà mai.»

«Okay. Allora potremmo dire che avevi un'udienza per la libertà vigilata. O che ti sei fermato al Four Seasons per un paio di old fashioned.»

Stava imitando suo padre; un'interpretazione talmente perfetta che scoppiai a ridere. «*Fabelhaft*»[3] dissi, con un tono alla signor Barbour. «Molto divertente.»

Si strinse nelle spalle. «La sede centrale della New York Public Library resta aperta fino alle sette» mi comunicò con la sua voce incolore. «Ma non sono tenuto a sapere che andrai proprio lì, visto che ti sei dimenticato di dirmelo.»

VII

La porta si aprì più velocemente di quanto mi fossi aspettato, mentre fissavo la strada e pensavo ad altro. Stavolta era sbarbato, profumava di sapone, i lunghi capelli grigi pettinati con cura all'indietro; ed era vestito a modo, proprio come il signor Blackwell quando lo avevo visto per la prima e unica volta.

Era sorpreso di vedermi. «Ciao!»

«È per caso un momento sbagliato?» chiesi, adocchiando il polsino candido della sua camicia, che aveva un minuscolo ricamo rosso Cina con delle lettere in stampatello così stilizzate da risultare illeggibili.

«No di certo. In realtà speravo che passassi.» Indossava una cravatta rossa con motivi panna, scarpe nere coi lacci e un completo blu scuro di sartoria. «Entra! Vieni.»

«Sta andando da qualche parte?» domandai, guardandolo timidamente. Sembrava un'altra persona, vestito così, meno triste e meno assente, più in gamba – non come il primo Hobie che avevo visto, col suo aspetto malmesso da orso elegante caduto in disgrazia.

«Be'... sì. Ma non subito. In tutta onestà, quasi. Ma non importa.»

Cosa voleva dire? Lo seguii all'interno – attraversando la foresta del negozio, gambe di tavoli e sedie sfondate – fino al salotto buio e poi in cucina, dove Cosmo il terrier vagava nervosamente gemendo, le unghie che ticchettavano sulle scale. Quando entrammo indietreggiò, e ci puntò addosso uno sguardo aggressivo.

[3] «Magnifico» in tedesco. (*N.d.T.*)

«Perché è qui?» domandai, chinandomi per accarezzargli la testa, senza riuscirci.

«Hmm?» Hobie sembrava assorto.

«Cosmo. Credevo stesse sempre con lei.»

«Oh. È sua zia. Non vuole che stia lì.» Intanto riempiva il bollitore nel lavello; notai che gli tremavano le mani.

«Zia?»

«Sì» rispose, mentre metteva il bollitore sul fuoco prima di chinarsi a grattare il cane sotto il muso. «Povero rospetto, non riesci proprio ad accettarlo, vero? Margaret ha idee precise in materia di cani nella stanza dell'ammalata. E ha sicuramente ragione. Ma *eccoti* qui» disse, lanciandomi un'occhiata piuttosto entusiasta da sopra la spalla. «Sei rispuntato. Da quando sei venuto, Pippa non fa che parlare di te.»

«Davvero?» chiesi, felice.

«"Dov'è quel ragazzo?" "C'era un ragazzo qui." Ieri mi ha detto che saresti tornato *presto*.»[4] Rise, una risata calda, non da vecchio. «E infatti eccoti.» Si raddrizzò, le ginocchia schioccarono, e strofinò il polso sulla sua fronte pallida e ossuta. «Se aspetti un po', puoi entrare a vederla.»

«Come sta?»

«*Molto* meglio» rispose deciso, senza guardarmi. «Stanno succedendo un sacco di cose. Sua zia sta per portarla nel Texas.»

«Texas?» ripetei dopo un attimo.

«Temo di sì.»

«Quando?»

«Dopodomani.»

«No!»

Lui fece una smorfia – una fitta di dolore che svanì nel momento stesso in cui si palesò. «Sì, le ho preparato i bagagli» disse, con una voce allegra che non si addiceva al lampo di tristezza di un istante prima. «È venuta tanta gente. Soprattutto i suoi compagni di scuola... in effetti questo è il primo attimo tranquillo che abbiamo da giorni. È stata una settimana intensa.»

---

[4] In italiano nel testo. (*N.d.T.*)

«Quando tornerà?»

«Be'... non certo a breve. Margaret la porta a vivere lì.»

«Per sempre?»

«Oh, no! Non *per sempre*» rispose, ma il tono confermava invece che *per sempre* era esattamente quello che intendeva. «Non è che stia lasciando il pianeta Terra» aggiunse, di fronte alla mia espressione costernata. «Di certo andrò a trovarla. E sicuramente tornerà a farmi visita.»

«Ma...» Mi sentivo come se il soffitto mi fosse crollato addosso. «Credevo vivesse qui. Con lei.»

«Infatti. Finora. Per quanto è indubbio che se la passerà molto meglio laggiù» aggiunse, senza nessuna convinzione. «È un grande cambiamento, ma in fin dei conti so che andrà tutto per il meglio.»

Non ci credeva nemmeno lui, lo sentivo. «Ma perché non può restare qui?»

Sospirò. «Margaret è la sorellastra di Welty» disse. «L'*altra* sorellastra. La parente più prossima di Pippa. Consanguinea, in ogni caso, al contrario di me. E lei ritiene che Pippa starà meglio nel Texas, ora che è abbastanza in forze da affrontare il viaggio.»

«Io non ci vorrei vivere nel Texas» dissi, spiazzato. «Fa troppo caldo.»

«Io non credo che i dottori di lì siano bravi come i nostri» disse lui pulendosi le mani. «Sebbene al riguardo io e Margaret non siamo per nulla d'accordo.»

Si sedette e mi guardò. «I tuoi occhiali» fece. «Mi piacciono.»

«Grazie.» Non avevo nessuna voglia di parlare dei miei occhiali, una novità a me tutt'altro che gradita, anche se in effetti mi aiutavano a vederci meglio. Li aveva scelti la signora Barbour da E.B. Meyrowitz dopo un controllo della vista nell'infermeria della scuola. Erano tondi e tartarugati, un po' troppo seri per un ragazzino, e si capiva che costavano molto, tanto che tutti si sentivano in dovere di insistere che, davvero, mi donavano un sacco.

«Come vanno le cose nei quartieri alti?» chiese Hobie. «Non puoi nemmeno immaginare le conseguenze della tua visita qui. Se vuoi sapere la verità, stavo pensando di venire a trovarti. Non l'ho fatto soltanto perché non volevo allontanarmi da Pippa, considerato che presto se ne andrà. È successo tutto così in fretta. La storia di Margaret. Lei è come suo padre, il vecchio Blackwell. Se si mette in testa qualcosa, è fatta. Niente può farle cambiare idea.»

«Anche lui va nel Texas? Cosmo?»

«Oh, no, lui qui starà bene. Vive in questa casa da quando aveva dodici settimane.»

«Non sarà infelice senza di lei?»

«Spero di no. Anche se Pippa gli mancherà. Io e Cosmo andiamo piuttosto d'accordo... benché da quando è morto Welty sia abbastanza depresso. Era il cane di Welty e aveva accettato Pippa da poco. È che questi piccoli terrier che a lui piacevano così tanto non vanno matti per i bambini... La mamma di Cosmo, Chessie, era una furia.»

«Ma perché Pippa deve trasferirsi laggiù?»

«Perché...» rispose lui sfregandosi gli occhi «è l'unica cosa che ha senso. Margaret è tecnicamente il parente più prossimo. Anche se lei e Welty si rivolgevano a malapena la parola quando lui era vivo... o comunque negli ultimi anni.»

«Perché?»

«Be'...» Capii che non voleva dirmelo. «È tutto quanto un po' complicato. Margaret non apprezzava molto la madre di Pippa, sai.»

Mentre parlava, una donna alta, dal profilo affilato e dall'aria efficiente entrò nella stanza. Sembrava una di quelle nonne giovani, con un viso sottile da megera aristocratica e i capelli color ruggine che davano sul grigio. L'abito e le scarpe mi ricordarono la signora Barbour, tranne per il colore, perché la signora Barbour non avrebbe mai messo niente color verde acido.

Mi guardò; poi guardò Hobie. «Cosa succede?» disse gelida.

Hobie espirò con forza, spazientito. «Niente di che, Margaret. Lui è il ragazzo che era con Welty quando è morto.»

Lei mi scrutò da sopra gli occhiali da lettura e poi rise, all'improvviso, una risata acuta e forzata.

«Ma ciao» disse, tutta moine, tendendo verso di me due piccole mani arrossate ricoperte di diamanti. «Sono Margaret Blackwell Pierce. La sorella di Welty. *Sorellastra*» si corresse, rivolgendo uno sguardo di sottecchi a Hobie quando vide la faccia che avevo fatto. «Welty e io avevamo lo stesso padre. Mia madre era Susie Delafield.»

Pronunciò quel nome dando per scontato che lo riconoscessi. Guardai Hobie per vedere che ne pensava. Lei se ne accorse e lo fulminò severa prima di tornare – tutta pimpante – a me.

«E che ragazzino adorabile sei» continuò. Il lungo naso tendeva al rosa sulla punta. «Sono davvero felice di conoscerti. James e Pippa mi hanno raccontato tutto della tua visita, *la* cosa più straordinaria. Ha creato un bel po' di scompiglio. Inoltre...» mi strinse la mano «devo ringraziarti dal profondo del cuore per avermi riportato l'anello di mio nonno. Significa molto per me.»

Il *suo* anello? Cercai ancora lo sguardo di Hobie, confuso.

«Avrebbe significato molto anche per mio padre.» C'era un che di deliberato, di calcolato nella sua cordialità («fascino a secchiate» avrebbe detto il signor Barbour); eppure quella sfumatura ramata nei capelli, che la faceva somigliare al signor Blackwell e a Pippa, mi catturò mio malgrado. «Sai la storia di come andò perduto, vero?»

Il bollitore fischiò. «Vuoi del tè, Margaret?» chiese Hobie.

«Sì, grazie» rispose. «Limone e miele. Con un goccio di scotch». Poi riprese con me, più affabile: «Sono davvero spiacente, ma temo che dovremo sbrigare alcune questioni da adulti. Stiamo per ricevere un avvocato. Non appena arriverà l'infermiera di Pippa».

Hobie si schiarì la voce. «Non vedo perché...»

«Posso vederla?» saltai su, troppo impaziente per lasciarlo finire.

«Certo» disse lui in fretta, prima che la zia Margaret avesse modo di intromettersi, e voltandosi per evitare la sua espressione infastidita. «Ricordi la strada, vero? Per di qua.»

VIII

La prima cosa che mi disse fu: «Puoi spegnere la luce?». Era sprofondata nel letto con gli auricolari dell'iPod nelle orecchie, e la luce sembrava averle ferito gli occhi, disorientandola.

La spensi. La stanza era stata svuotata, c'erano scatoloni addos-

sati alle pareti. Sui vetri batteva una sottile pioggia primaverile; fuori, nel cortile buio, i boccioli schiumosi e chiari di un pero in fiore
sbiadivano contro i mattoni umidi.

«Ciao» disse, serrando le mani una nell'altra sopra le coperte.

«Ciao» risposi, sperando di non sembrarle impacciato.

«Sapevo che eri tu! Ti ho sentito parlare in cucina.»

«Davvero? E come hai fatto a capirlo?»

«Sono una musicista! Ho l'orecchio fino.»

Adesso che i miei occhi si erano abituati alla penombra, vidi che
aveva un aspetto meno vulnerabile rispetto all'altra volta. I capelli
erano ricresciuti un po' e i punti non c'erano più, restava solo la
cicatrice.

«Come stai?» le chiesi.

Lei sorrise. «Ho sonno.» La sua voce sapeva di sonno, grave e
dolce a un tempo. «Ti va di fare a metà?»

«Metà di cosa?»

Piegò la testa, si tolse un auricolare e me lo porse. «Ascolta.»

Mi misi vicino a lei, sul letto, e lo infilai nell'orecchio: armonie
evanescenti, anonime, penetranti, come un segnale radio dal paradiso.

Ci guardammo. «Cos'è?» domandai.

«Mmm...» Guardò l'iPod. «Palestrina.»

«Ah.» Ma non m'importava cosa fosse. Se stavo ad ascoltare era
soltanto per la luce piovosa, l'albero bianco alla finestra, i tuoni in
lontananza, lei.

Il silenzio tra noi era bello e misterioso, tenuto insieme dal filo
e dalle voci che echeggiavano sottili e gelide nelle nostre orecchie.
«Non devi parlare» disse. «Se non ti va.» Aveva le palpebre pesanti
e la voce era un sussurro, quasi un segreto. «Le persone vogliono
sempre parlare, ma a me piace stare zitta.»

«Hai pianto?» le chiesi, guardandola più da vicino.

«No. Be'... un po'.»

Rimanemmo lì, senza parlare, e non era strano né imbarazzante.

«Vado via» disse lei. «Lo sapevi?»

«Sì. Me l'ha detto.»

«Io non voglio.» Odorava di sale, medicine e qualcos'altro, simile all'infuso di camomilla che mia madre comprava da Grace, un odore erboso e buono.

«Lei è gentile» dissi, cauto. «Mi sembra.»

«Anche a me» mormorò, facendo scivolare un dito sul copriletto. «Ha parlato di una piscina. E di cavalli.»

«Sarà divertente.»

Sbatté le palpebre. «Chi lo sa.»

«Tu vai a cavallo?»

«No.»

«Nemmeno io. Ma mia madre sì. Lei amava i cavalli. Si fermava a parlare con i cavalli delle carrozze di Central Park South. Tipo...» non sapevo bene come dirlo «era come se *loro* le parlassero. Cioè giravano sempre la testa, anche con i paraocchi, verso di lei.»

«Anche tua madre è morta?»

«Sì.»

«Mia madre è morta da...» Si zittì, ci pensò. «Non me lo ricordo. È morta qualche anno fa, appena dopo le vacanze di Pasqua, così sono stata a casa per Pasqua e anche la settimana successiva. Dovevamo fare una gita all'orto botanico, ma non l'abbiamo fatta. Mi manca.»

«Di cosa è morta?»

«Si è ammalata. Anche tua madre era malata?»

«No. È stato un incidente.» Ma non volevo continuare il discorso. «Comunque i cavalli le piacevano tantissimo. Quando era piccola ne aveva uno, e lei raccontava che a volte si sentiva solo e allora infilava la testa nella finestra di casa per vedere che succedeva.»

«Come si chiamava?»

«Arlecchino.» Mi piaceva quando mia madre mi raccontava delle stalle giù nel Kansas: gufi e pipistrelli sulle travi, cavalli che nitrivano e soffiavano. Conoscevo i nomi di tutti i cavalli e di tutti i cani della sua infanzia.

«Arlecchino! Era colorato?»

«Era pezzato, una cosa del genere. Ho visto le foto. Ogni tanto, in estate, Arlecchino andava a guardarla mentre dormiva, di pomeriggio. Lei lo sentiva respirare, sai? Proprio dietro le tende.»

«Che bello! Mi piacciono i cavalli. È solo che...»

«Cosa?»

«Preferisco restare qui!» All'improvviso sembrava che stesse per piangere. «Non so perché devo andare via.»

«Dovresti dirglielo che vuoi restare.» Quand'era che le nostre mani avevano iniziato a toccarsi? Perché la sua era così calda?

«Gliel'ho detto! Ma dicono tutti che starò meglio laggiù.»

«Perché?»

«Non lo so» rispose irritata. «Dicono che è più tranquillo. Ma a me piacciono i posti dove ci sono tante cose da ascoltare.»

«Manderanno via anche me.»

Si sollevò sui gomiti. «No!» disse, allarmata. «Quando?»

«Non lo so. Presto, credo. Devo andare a vivere coi miei nonni.»

«Oh» sospirò, ricadendo sul cuscino. «Io non li ho, i nonni.»

Intrecciai le dita alle sue. «I miei non sono molto simpatici.»

«Mi dispiace.»

«Non importa» dissi, cercando di fare il disinvolto, anche se il cuore mi batteva così forte che sentivo il sangue pulsare fin nella punta delle dita. La sua mano, nella mia, era morbida e calda di febbre, sudata, ma solo un po'.

«Non hai altri parenti?» Nella luce debole che veniva dalla finestra, gli occhi erano scuri, sembravano neri.

«No. Be'…» E mio padre? «No.»

Eravamo ancora legati dagli auricolari: uno nel suo orecchio, l'altro nel mio. Canti di conchiglie. Cori di angeli e perle. Le cose erano diventate d'improvviso troppo lente; era come se avessi dimenticato come si faceva a respirare; mi accorgevo che trattenevo il fiato, e poi lo buttavo fuori facendo troppo rumore.

«Cos'hai detto che era questa musica?» domandai tanto per dire qualcosa.

Sorrise, assonnata, e prese un lecca-lecca appuntito da un foglio di stagnola sul comodino. Non aveva per nulla un aspetto goloso.

«Palestrina» rispose, col bastoncino in bocca. «Messa solenne. O qualcosa del genere. Si somigliano un po' tutte.»

«Lei ti piace?» domandai. «Tua zia?»

Mi guardò a lungo, per un bel po' di battiti. Poi riappoggiò il lecca-lecca sulla stagnola e disse: «Sembra carina. Credo. Ma io non la conosco affatto. È strano».

«E perché devi partire?»

«C'entrano i soldi. Hobie non può farci niente... lui non è il mio vero zio. È il mio zio finto, come lo chiama lei.»

«Vorrei che fosse quello vero» dissi. «Io voglio che resti.»

Si alzò di scatto, mi abbracciò e mi baciò; e tutto il sangue mi refluì dalla testa, come se stessi precipitando da una scogliera.

«Io...» Fui sopraffatto dal terrore. Per reazione cercai di pulir via quel bacio – anche se non era stato umido percepivo come una traccia brillante lungo il dorso della mia mano.

«Non voglio che vai via.»

«Nemmeno io.»

«Ti ricordi di avermi visto?»

«Quando?»

«Prima.»

«No.»

«Io mi ricordo di te» dissi. Non so come ma la mia mano si era avvicinata alla sua guancia, e quando me ne accorsi mi fermai, chiusi il pugno e abbassai il braccio, e in pratica mi ci sedetti sopra. «Io ero lì.» A quel punto mi resi conto che sulla porta c'era Hobie.

«Ciao, tesoro mio.» Nonostante il calore nella sua voce fosse soprattutto per lei, una piccola parte sembrava rivolta anche a me. «Te l'avevo detto che sarebbe tornato.»

«È vero!» esclamò lei, mettendosi a sedere. «È venuto.»

«Bene, allora la prossima volta mi ascolterai?»

«Io ti *ascoltavo*. Però non ti *credevo*.»

L'orlo impalpabile della tenda sfiorò il davanzale. Il canto del traffico saliva flebile dalla strada. Stare seduto lì sul bordo del suo letto era come stare nell'attimo del risveglio, dal sogno alla luce del giorno, quando tutto si mescola e si ricongiunge proprio mentre sta per cambiare; tutto confluiva in un'unica, euforica diapositiva: la luce piovosa, Pippa, Hobie alla porta e il bacio (al gusto di quello che adesso credo fosse un lecca-lecca alla morfina) ancora tiepido sulle mie labbra. Ma non sono sicuro che la morfina fosse tra le cause del mio stordimento, di quella sensazione di felicità

avvolgente e di bellezza che mi costringeva a sorridere. Mezzo
frastornati ci salutammo (non c'erano promesse da scambiarsi; lei
sembrava ancora troppo malata per quel genere di cose) e io mi
ritrovai nel corridoio con l'infermiera e zia Margaret che parlava a
voce troppo alta e la mano di Hobie rassicurante sulla mia spalla,
una pressione forte e consolatoria, un'ancora che mi diceva che era
tutto a posto. Nessuno mi toccava così da quando mia madre era
morta – con affetto, per darmi conforto nella confusione – e, come
un cane randagio affamato d'amore, io sentii un moto di fedeltà,
un istinto del sangue, un'improvvisa, umiliante, disperata certezza:
*questo è un posto sicuro, posso fidarmi di quest'uomo, qui nessuno
mi farà del male.*

    «Ah» urlò la zia Margaret. «Stai piangendo? Lo vedi?» disse ri-
volta all'infermiera (che era giovane e annuiva e sorrideva, ansiosa
di compiacerla, chiaramente in soggezione). «Com'è dolce! Ti mancherà, vero?» Il sorriso largo e sicuro di sé, delle proprie ragioni.
«Devi venire a trovarci, *assolutamente*. Sono sempre lieta di avere
ospiti. I miei genitori… avevano una delle più grandi ville in stile
Tudor di tutto il Texas…»

    Continuò a blaterare, cordiale quanto un pappagallo. Ma la mia
fedeltà era impegnata altrove. E il sapore del bacio di Pippa – agro-
dolce e nuovo – mi accompagnò fino a casa dei Barbour, mentre
dondolando assonnato veleggiavo a bordo dell'autobus, avvolto in
uno strano misto di dolore e di grazia, una scintillante sofferenza
che mi sollevava sopra la città spazzata dal vento come un aquilone:
con la testa tra le nuvole gonfie di pioggia e il cuore nel cielo.

IX

    Detestavo l'idea che se ne andasse. Non sopportavo quel pensie-
ro. Quando il giorno arrivò, mi svegliai afflitto. Osservando il cielo
sopra Park Avenue, di un nero-blu minaccioso, torbido da sembrare spuntato da un dipinto del Calvario, la immaginai che guardava
fuori, verso lo stesso cielo scuro, dal finestrino di un aereo; e mentre
andavo con Andy alla fermata dell'autobus, gli occhi bassi e l'umo-

re dimesso dei passanti sembravano riflettere e ingigantire il mio sconforto perché lei era partita.

«Be', il Texas è noioso» disse Andy tra gli starnuti; aveva gli occhi arrossati e lucidi per via dei pollini, e assomigliava più del solito a un topo da laboratorio.

«Ci sei stato?»

«Sì, a Dallas. Zio Harry e zia Tess ci hanno vissuto per un po'. Non c'è niente da fare a parte il cinema e non si può andare in giro a piedi, ti devono portare ovunque in macchina. E poi ci sono i serpenti a sonagli e la pena di morte, che secondo me è primitiva e immorale nel novantotto per cento dei casi. Ma probabilmente lì starà meglio.»

«Perché?»

«Soprattutto per il clima» rispose, pulendosi il naso con uno di quei fazzoletti di cotone ben stirati che tirava fuori ogni mattina dal suo cassetto. «I malati stanno meglio dove fa caldo. Ecco perché nonno Van der Pleyn si era trasferito a Palm Beach.»

Io stavo zitto. Andy, lo sapevo, era un amico; mi fidavo di lui, tenevo in considerazione il suo parere, però certe volte quando parlavo con lui avevo l'impressione di conversare con uno di quei programmi informatici che simulano le reazioni umane.

«Se va a Dallas deve assolutamente visitare il Nature and Science Museum. Anche se immagino lo troverà piccolo e in un certo senso obsoleto. L'IMAX che ho visto lì non era nemmeno in 3D. E vogliono pure dei soldi extra per il planetario, il che è ridicolo, considerato quant'è inferiore all'Hayden.»

«Mmm.» A volte mi chiedevo cosa ci sarebbe voluto per strapparlo alla sua torre d'avorio da nerd matematico: un'alluvione? Un'invasione di Decepticon? Godzilla in marcia sulla Quinta Avenue? Andy era un pianeta privo di atmosfera.

X

Chissà se qualcun altro si era mai sentito così solo. Di nuovo tra i Barbour, in mezzo agli schiamazzi e all'abbondanza di una famiglia che non era la mia, il mio senso di solitudine si era acuito, in particolare perché, con l'imminente fine dell'anno scolastico, ancora non mi era chiaro (né lo era ad Andy, se è per questo) se li avrei seguiti nella loro residenza estiva nel Maine. La signora Barbour, col suo tipico *savoir faire*, era riuscita a sorvolare sull'argomento anche tra gli scatoloni e le valigie aperte che erano spuntati per tutta la casa; il signor Barbour e i figli più piccoli sembravano entusiasti, Andy invece considerava la prospettiva della partenza con sincero orrore. «Sole e divertimento» disse con disprezzo, spingendo gli occhiali (uguali ai miei, ma più spessi) in cima al naso. «Almeno coi tuoi nonni te ne starai sulla terraferma. Con l'acqua calda. E la connessione Internet.»

«Io non sono preoccupato per te.»

«Be', se ti toccherà venire con noi, mi saprai dire. Hai presente *Il ragazzo rapito*? La parte in cui lo vendono come schiavo sulla nave?»

«E che mi dici della parte in cui lo costringono a trasferirsi da un certo losco parente che neanche conosce in un posto sperduto nel nulla?»

«Già, ci stavo giusto pensando» rispose Andy serio, guardandomi dalla sedia girevole della scrivania. «Anche se, perlomeno, non stanno tramando per ucciderti... non c'è nessuna eredità in gioco.»

«No, infatti.»

«Sai cosa mi sento di consigliarti?»

«Spara.»

«Il mio consiglio» disse Andy, grattandosi il naso con la gomma della matita «è di darci dentro più che puoi quando sarai in quella scuola del Maryland. Hai un vantaggio, sei avanti di un anno. Significa che prenderai il diploma a diciassette anni. Se ti metti sotto puoi finire in quattro anni, o magari in tre, e con una borsa di studio per andare dove vuoi.»

«I miei voti non sono granché.»

«Infatti» confermò lui, serio, «ma solo perché batti la fiacca. E possiamo supporre che la tua nuova scuola non sarà altrettanto impegnativa.»

«Dio, ti prego, fa' che sia così.»

«Voglio dire... una scuola pubblica» mise in chiaro Andy, «nel Maryland. Con tutto il rispetto per il Maryland. Del resto hanno il Laboratorio di Fisica applicata e lo Space Telescope Science Institute alla Johns Hopkins, per non parlare del Goddard Space Flight Center di Greenbelt. Si tratta senza dubbio di uno Stato con profondi legami con la NASA. Con che punteggio hai passato il test della prima media?»

«Non mi ricordo.»

«Be', se non vuoi dirmelo non fa niente. Quello che intendo è che se vuoi puoi finire con dei buoni voti a diciassette anni, o anche sedici, e poi te ne vai al college dove ti pare.»

«Tre anni sono lunghi.»

«Per noi sì. Ma nel quadro generale... assolutamente no. Insomma» continuò a ragionare, «prendi quei poveri cretinetti come Sabine Ingersoll o James Villiers. O quella sega di Forrest Longstreet.»

«Quelli non sono poveri manco per niente. Ho visto il padre di Villiers sulla copertina dell'"Economist".»

«Però sono tonti come i cuscini del divano. Sabine riesce a malapena a mettere un piede davanti all'altro. Se la sua famiglia non avesse i soldi e dovesse cavarsela da sola, dovrebbe fare tipo... la prostituta. E Longstreet... lui si limiterebbe a strisciare in un angolo e morire di fame. Come un criceto rimasto senza mangime.»

«Mi deprimi.»

«Sto solo dicendo che... tu sei sveglio. E piaci agli adulti.»

«Scusa?» chiesi dubbioso.

«È così» confermò Andy con la sua vocetta irritante. «Ti ricordi i nomi, fai quella cosa di guardare negli occhi, stringi la mano quando serve. A scuola vanno tutti pazzi per te.»

«Sì, ma...» Non volevo dire che dipendeva dalla morte di mia madre.

«Non fare lo scemo. La passi sempre liscia. Sei abbastanza sveglio per uscirne da solo.»

«E allora perché tu non riesci a uscire da questa storia della vela?»

«Oh, ci riesco eccome» rispose Andy, cupo, tornando al suo eserciziario di *hiragana*. «Ho calcolato che mi restano quattro estati d'inferno, nel peggiore dei casi. Tre se il paparino mi lascia andare prima al college, quando avrò sedici anni. Due se ce la metto tutta al terzo anno ed entro nel programma estivo alla Mountain School per l'agricoltura biologica. Dopodiché non metterò più piede su una barca in vita mia.»

XI

«Purtroppo è difficile parlarle al telefono» disse Hobie. «Non me lo aspettavo. Non sta affatto bene.»

«Non sta bene?» dissi. Non era passata nemmeno una settimana, e anche se tornare da Hobie non faceva parte dei miei piani, in un modo o nell'altro mi trovavo proprio lì: al tavolo della cucina a mangiare il mio secondo piatto di una cosa che, a una prima occhiata, sembrava un grumo di terriccio per i fiori, e che invece era una specie di delizioso intruglio di zenzero e fichi, con la panna e dei pezzetti amarognoli di scorza d'arancia.

Hobie si stropicciò gli occhi. Stava riparando una sedia nel seminterrato quand'ero arrivato. «È tutto così deprimente» disse. Aveva i capelli pettinati all'indietro, gli occhiali appesi al collo con la catenella. Sotto il camice nero da lavoro, che si era tolto e aveva appeso a un gancio, indossava dei vecchi pantaloni di velluto a coste macchiati di acquaragia e cera d'api, e una camicia sottile di cotone lavato con le maniche rigirate fin sopra il gomito. «Margaret ha detto che ha pianto per tre ore dopo che ci siamo sentiti al telefono domenica sera.»

«Ma allora perché non torna e basta?»

«Sinceramente, vorrei poter fare qualcosa per farla star meglio» disse Hobie. La mano bianca e nodosa aperta sul tavolo, l'espressione scura e determinata, e un qualcosa nelle spalle che ricordava un mite cavallo da tiro, o un operaio al pub a fine turno. «Avevo pensato di prendere l'aereo e andare laggiù, ma Margaret dice di no. Dice che se le sto intorno non riuscirà ad ambientarsi.»

«Secondo me deve andarci lo stesso.»

Lui inarcò le sopracciglia. «Margaret ha contattato un terapeuta, uno famoso, pare, che usa i cavalli per lavorare con i bambini vittime di incidenti. Ed è vero che Pippa ama gli animali, ma anche se fosse nel pieno delle forze, non le andrebbe di stare sempre fuori casa a cavalcare. La sua vita è fatta di lezioni di musica e sale prove. Margaret è entusiasta del corso di musica della chiesa, ma non credo che un coro amatoriale possa interessarla granché.»

Scostai il piatto di vetro, che avevo ripulito di tutto punto. «Come mai Pippa non conosceva bene la zia?» chiesi timidamente, e poi, quando non rispose: «C'entrano i soldi?».

«Non del tutto. Cioè... sì. Sì. I soldi c'entrano sempre. Vedi» disse, premendo le manone espressive sul ripiano del tavolo, «il padre di Welty aveva tre figli. Welty, Margaret e la madre di Pippa, Juliet. Tutti da donne diverse.»

«Oh.»

«Welty è il maggiore. Insomma... il maschio più grande, con tutte le aspettative che questo comporta, soprattutto all'epoca. Ma a sei anni contrasse la tubercolosi della colonna vertebrale mentre i suoi genitori erano ad Assuan, e la tata non si rese conto di quant'era grave, e lo portarono all'ospedale troppo tardi... Era un ragazzo brillante, da quanto ho capito, anche di bell'aspetto, ma il vecchio Blackwell non era un tipo da tollerare debolezze o infermità. Lo spedì in America da alcuni parenti, e in pratica non ci pensò più.»

«È terribile» mormorai, sconcertato da quell'ingiustizia.

«Già. Margaret probabilmente la racconterebbe in un altro modo, ma non c'è dubbio che il padre di Welty fosse un uomo duro. In ogni caso, dopo che i Blackwell furono espulsi dal Cairo... anche se forse *espulsi* non è il termine più adatto... Vedi, quando arrivò Nasser tutti gli stranieri furono costretti a lasciare l'Egitto... e, insomma, il padre di Welty era nel petrolio, e per sua fortuna aveva soldi e proprietà altrove. Agli stranieri non fu permesso di portare via denaro o cose di valore dal Paese.

«Comunque.» Si prese un'altra sigaretta. «Sto divagando. Il fatto è che Welty conosceva a malapena Margaret, che aveva circa dodici anni in meno di lui. La madre di Margaret era texana, un'ereditiera con un sacco di soldi. Quello fu l'ultimo matrimonio del vecchio Blackwell e anche il più duraturo – il grande amore, stando a come

lo racconta Margaret. Erano una coppia in vista, a Houston, alcol a
fiumi e aeroplani privati, safari... Il padre di Welty era innamorato
dell'Africa, e anche dopo che l'avevano cacciato dal Cairo non riusciva a starci lontano.

«Comunque.» Il fiammifero si accese, lui tossì e buttò fuori una
nuvola di fumo. «Margaret era la principessina del suo papà, la luce
dei suoi occhi e via dicendo. Ma questo non impediva al vecchio di
divertirsi un po' con le guardarobiere, le cameriere, le figlie degli
amici... e alla soglia dei sessant'anni fece una figlia con la ragazza
che gli tagliava i capelli. E quella bambina è la madre di Pippa.»

Restai in silenzio. Facevo la seconda quando era scoppiato un
mezzo scandalo (quotidianamente documentato dalle pagine di gossip del «New York Post») dopo che il padre di una delle mie compagne di classe aveva avuto un figlio con una donna che non era la
madre di Eli, il che aveva spinto parecchie mamme a schierarsi con
l'una o con l'altra donna e di conseguenza a smettere di chiacchierare tra loro quando venivano a prenderci a scuola nel pomeriggio.

«Margaret era al college, a Vassar» proseguì Hobie agitandosi
un po'. Sebbene si rivolgesse a me come se fossi un adulto (cosa
che mi piaceva), non sembrava particolarmente a suo agio. «Per un
paio d'anni Margaret non rivolse la parola a suo padre. Il vecchio
Blackwell ci provò, a comprare il silenzio della parrucchiera, ma
non era certo di manica larga, non coi suoi dipendenti, almeno.
Perciò, vedi. Margaret... Margaret e la madre di Pippa, Juliet, non
s'incontrarono mai, se non in tribunale, quando Juliet era ancora
in fasce. A quel punto il padre di Welty non voleva già più saperne
della parrucchiera, e mise in chiaro che né lei né Juliet avrebbero
mai visto un centesimo, tolto il misero contributo per gli alimenti
che era obbligato a corrisponderle per legge. Solo che Welty...»
Hobie spense la sigaretta. «Il vecchio Blackwell aveva avuto un ri-
pensamento, per quanto riguardava il suo figlio più grande, e nel
testamento fece la cosa giusta. E durante tutta questa diatriba legale, che andò avanti per anni, nel cuore di Welty maturò un profondo senso di ingiustizia, per come la bambina era stata allontanata e abbandonata. La madre di Juliet non la voleva; nessuno dei
suoi parenti la voleva; il vecchio Blackwell non l'aveva mai voluta,

e Margaret e sua madre, per dirla tutta, sarebbero state felici di vederla in mezzo a una strada. In tutto questo c'era la parrucchiera, che quando andava a lavorare la lasciava da sola... una gran brutta situazione da ogni punto di vista.

«Welty non aveva nessun obbligo nei suoi confronti, ma era un uomo affettuoso, senza famiglia, e gli piacevano i bambini. Così un giorno invitò Juliet qui, lei aveva appena sei anni, "JuleeAnn", come poi...»

«Qui? In questa casa?»

«Sì. E alla fine dell'estate, quando giunse il momento di rimandarla a casa, lei piangeva e sua madre nemmeno rispondeva al telefono. Così lui annullò i biglietti del volo e fece qualche chiamata per iscriverla in prima. Di ufficiale non venne mai fatto niente – Welty preferiva non agitare troppo le acque, come si suol dire – ma la gente prese a dare per scontato che fosse sua figlia, senza fare domande. Lui aveva circa trentacinque anni, era abbastanza grande per poter essere suo padre. E sul piano pratico lo fu.

«Ma non importa» tagliò corto, guardandomi in faccia. «Hai detto che ti piacerebbe dare un'occhiata al laboratorio. Ti va di scendere?»

«Grazie» risposi. «Sarebbe fantastico.» Quand'ero arrivato e lo avevo trovato che lavorava a una sedia con le gambe all'aria, Hobie si era stiracchiato e aveva detto che era giusto il momento per una pausa, ma io avrei voluto restare dov'ero perché il laboratorio era un posto magico e bellissimo: una grotta delle meraviglie, più grande di quanto non sembrasse da fuori, con la luce che filtrava dalle finestre in alto, pezzi intagliati e lavorazioni in filigrana dappertutto, arnesi misteriosi dei quali non conoscevo il nome, e l'odore pungente della vernice e della cera d'api che m'inebriava. Anche la sedia alla quale stava lavorando – con le gambe a zampa di capra, gli zoccoli fessi – mi era sembrata una creatura fiabesca, più che un semplice pezzo d'arredamento, e quasi mi ero aspettato di vederla balzare giù dal bancone e trottarsene via.

Hobie prese il grembiule e se lo rimise addosso. Nonostante i modi gentili, la corporatura era quella di un uomo che per mestiere trasporta frigoriferi.

«Allora» disse, mentre scendevamo di sotto. «La bottega-dietro-la-bottega.»

«Scusi?»

Rise. «*L'arrière-boutique*. Quello che vedono i clienti è solo il palcoscenico, la facciata per il pubblico, ma è quaggiù che si fa il lavoro vero.»

«Giusto» dissi, guardando in basso verso il labirinto ai piedi delle scale, legno chiaro come il miele, legno scuro come la melassa, bagliori d'oro, d'argento e d'ottone nella luce pallida. Come nell'Arca di Noè, ogni specie, ogni pezzo, se ne stava vicino ai suoi simili: le sedie con le sedie, i divani con i divani, gli orologi con gli orologi, le scrivanie, gli armadietti e i comò perfettamente allineati in file parallele. Nel mezzo, i tavoli da pranzo formavano stretti dedali di sentieri da percorrere con cautela. In fondo al locale un muro di vecchi specchi ossidati, appesi cornice contro cornice, splendeva della luce inargentata dei saloni da ballo di un tempo, quando a rischiararli erano le candele.

Hobie si voltò a guardarmi. «Ti piacciono le antichità?»

Annuii. Sì, le cose antiche mi piacevano, anche se fino a quel momento non lo sapevo.

«Dev'essere interessante stare dai Barbour, allora. Immagino che alcuni dei loro pezzi Queen Anne o Chippendale siano delle vere e proprie chicche da museo.»

«Sì» risposi. «Ma qui è diverso. È più bello» aggiunsi, in caso non avesse capito.

«Perché?»

«Be'...» Chiusi forte gli occhi, cercando di concentrarmi. «Quaggiù è fantastico, tutte queste sedie con tante altre sedie diverse... è come vedere le varie personalità, no? Cioè, quella per esempio è una specie di...» non sapevo come dirlo, «è un po' ridicola, ma in senso buono, confortevole, ecco. Questa invece è un tipo più nervoso perché ha le gambe lunghe e sottili...»

«Hai occhio per l'arredamento.»

«Be'...» I complimenti mi confondevano, non sapevo mai bene come reagire, a parte fingere di non aver sentito. «Quando sono tutte in fila si vede come sono costruite. Dai Barbour... sembra più una di quelle scene dipinte con gli animali impagliati come al Natural History Museum.»

Quando rideva, tutta la sua tristezza e l'ansia svanivano; emergeva la sua natura buona illuminandolo tutto.

«Dico sul serio» esclamai, deciso a insistere e a farmi capire. «Il modo in cui la signora Barbour ha disposto le cose, un solo tavolo con una luce sopra, e tutta l'altra roba messa in modo che non ti sfiori l'idea di toccarla... dà proprio l'idea di una di quelle scenografie con dentro uno yak, fatte apposta per insegnarti qual è il suo habitat. È bello, però...» Indicai gli schienali delle sedie allineati contro il muro. «Quella è un'arpa, quella somiglia a un cucchiaio, quella a...» Tracciai un arco con le mani.

«All'interno di uno scudo. Anche se per me il dettaglio più bello di quella sedia è l'intaglio dello schienale. Magari non ci fai caso» aggiunse, prima che potessi interromperlo, «ma potresti imparare molto guardando ogni giorno i mobili della casa dove vivi. Osservandoli sotto la luce che cambia, e anche toccandoli.» Appannò gli occhiali col fiato e li pulì con un angolo del grembiule. «Devi tornare Uptown?»

«Non subito» risposi, anche se si stava facendo tardi.

«Allora vieni» disse lui. «Mettiamoci al lavoro. Potrebbe servirmi il tuo aiuto per quella piccola sedia laggiù.»

«Quella coi piedi di capra?»

«Esatto. C'è un altro grembiule sul gancio. Mi sa che è un po' grande, ma le ho appena dato una mano di olio di lino e non voglio che ti sporchi i vestiti.»

XII

Dave, lo strizzacervelli, aveva ripetuto più volte che avrei fatto bene a trovarmi un hobby, un consiglio che m'infastidiva perché gli hobby che mi suggeriva (racquetball, ping-pong, bowling) erano di una noia mortale. Se pensava che un paio di partite a ping-pong mi avrebbero aiutato a superare il trauma per la morte di mia madre, si sbagliava di grosso. Ma – come evinsi dal quaderno intonso che mi aveva dato il signor Neuspeil, il mio insegnante di Lettere, dal suggerimento della Swanson di seguire le lezioni di Arte dopo la scuola, dalla proposta di Enrique di portarmi a guardare il basket sui campi della Sesta Avenue, e persino dagli sporadici tentativi del signor Barbour affinché mi appassionassi alla lettura delle carte batimetriche e alle bandiere nautiche – un sacco di adulti la pensavano allo stesso modo.

«Cosa ti piacerebbe *fare* nel tempo libero?» mi aveva chiesto la signora Swanson nel suo sinistro ufficio grigio sporco che odorava di infuso alle erbe e di artemisia, con i numeri di «Seventeen» e «Teen People» impilati sul tavolo da lettura e un tintinnio argentino di campanelle a vento in sottofondo.

«Non saprei. Mi piace leggere. Guardare i film. Giocare a *Age of Conquest ii* e *Age of Conquest: Platinum Edition*. Non so» avevo bofonchiato, mentre lei continuava a guardarmi.

«Be', tutte queste cose vanno bene, Theo» aveva commentato, all'apparenza preoccupata. «Ma sarebbe bello se ti trovassimo qualche attività di gruppo. Un lavoro di squadra, qualcosa che puoi fare con gli altri ragazzi. Hai mai pensato di fare sport?»

«No.»

«Io pratico un'arte marziale che si chiama *aikido*. Non so se ne hai sentito parlare. Si utilizzano le mosse dell'avversario come forma di autodifesa.»

Spostai lo sguardo da lei al pannello consunto con l'immagine di Nostra Signora di Guadalupe appeso dietro la sua testa.

«O magari la fotografia.» Incrociò le mani inanellate sopra la scrivania. «Dal momento che non sei interessato alle lezioni di Arte. Anche se devo dire che la signora Sheinkopf mi ha mostrato alcuni disegni che hai fatto l'anno scorso... quella serie di tetti, sai, i serbatoi idrici a torre, i panorami dalla finestra dell'aula... un ottimo spirito d'osservazione. Conosco quel panorama, e tu hai colto delle linee e delle energie interessanti, mi pare che la professoressa abbia usato la parola *cinetico*, un bel dinamismo, tutti quei piani che si intersecano e la prospettiva delle scale antincendio. Quello che sto cercando di dire è che non è tanto *ciò* che fai... Sarei felice se tu trovassi un modo per essere più in relazione.»

«In relazione con cosa?» chiesi in tono un po' troppo sgarbato.

Mi guardò incredula. «Con le altre persone! E...» indicò la finestra «col mondo intorno a te! Ascolta» continuò, col tono più gentile e ipnoticamente rassicurante del suo repertorio, «so che tu e tua madre avevate un legame *fortissimo*. Le ho parlato. Vi ho visti assieme. E so perfettamente quanto ti manca.»

No, non lo sai, pensai, fissandola negli occhi con insolenza.

«Devi capire, Theo» si era poggiata all'indietro sulla sedia ricoperta con lo scialle, «che le piccole cose quotidiane sono in grado di lenire il dolore. Ma ti ci devi impegnare in prima persona. Sei tu quello che deve cercare la via d'uscita.»

Sapevo che aveva ragione, ma me ne andai dall'ufficio a testa bassa, con lacrime di rabbia che mi pungevano gli occhi. Che diavolo ne sapeva, quella vecchia rimbambita? La signora Swanson aveva una famiglia spropositata, una decina di figli e una trentina di nipoti, a giudicare dalle foto appese alla parete; aveva anche un gigantesco appartamento su Central Park West e una casa nel Connecticut, e nessuna idea di che effetto facesse una voragine che ti si apriva sotto i piedi ingoiando tutto in un istante. Facile starsene seduti su una comoda poltrona hippy e sproloquiare di attività extra-curricolari e vie d'uscita.

Eppure, all'improvviso, *eccola* una via d'uscita, e nel posto più impensabile: il laboratorio di Hobie. L'«aiuto per la piccola sedia» (si era trattato più che altro di starlo a guardare mentre strappava la seduta per mostrarmi i danni provocati dai tarli, le riparazioni fatte alla buona e altri piccoli orrori nascosti dalla tappezzeria) si era rapidamente trasformato in tre pomeriggi la settimana, dopo la scuola, inaspettatamente coinvolgenti: etichettavo barattoli, miscelavo la colla di coniglio, selezionavo i componenti per i cassetti («i pezzi più delicati»), e a volte rimanevo semplicemente a osservare mentre tornìva le gambe delle sedie. Il negozio al piano di sopra restava al buio, con le serrande abbassate, ma nella bottega-dietro-la-bottega risuonava il ticchettìo degli orologi a pendolo, il mogano brillava, la luce si spandeva in una pozza dorata sulla superficie dei tavoli, la vita nel serraglio del sottoscala andava avanti.

Hobie era richiesto dalle case d'asta di tutta la città e aveva anche una clientela di privati; restaurava mobili per Sotheby's, per Christie's, per Tepper e per Doyle. Dopo la scuola, tra il sonnecchiante *tic tac* degli orologi a pendolo, mi insegnò a riconoscere la porosità e la lucentezza dei vari tipi di legno, i colori, le linee sinuose e la luminosità della fiammatura dell'acero, le venature spumose della radica di noce; a saggiare il peso e a distinguere l'odore – «se ti capita di non essere sicuro di cos'hai tra le mani, dagli un'annusata» –, il profumo speziato del mogano, quello di polvere della quercia, il caratteristico sentore del ciliegio nero, la fragranza floreale, di ambra, del palissandro. Seghe e svasatori, raspe e spatole, coltelli a lama ricurva e sgorbie, girabacchini e giunti a quartabuono. Imparai cos'era un'impiallacciatura e una doratura, una mortasa e un tenone, la differenza tra il legno ebanizzato e l'ebano vero, tra gli intarsi Newport, Connecticut e Philadelphia; come le linee squadrate e l'intaglio fitto sul piano di uno scrittoio Chippendale ne diminuissero il valore rispetto a uno della stessa epoca con piedini bassi, bordi a colonne scanalate e cassetti di dimensioni «grandiose», come piaceva dire a lui.

Lì sotto – nella luce bassa, coi trucioli sul pavimento – l'atmosfera era un po' quella di una stalla, grosse bestie che se ne stavano in paziente attesa nella penombra.

Hobie mi rivelò l'essenza «creaturale» dei mobili di buona fattura, chiamandoli «lui» o «lei» quando indicava i pezzi, mostrandomi il carattere robusto, quasi animalesco che distingueva i pezzi di pregio da quelli più dozzinali, squadrati e grossolani, facendo scorrere con affetto la mano lungo i fianchi scuri e lucidi delle credenze e degli scrittoi, come se fossero animali domestici. Era un ottimo maestro, e non ci mise molto a insegnarmi, attraverso il metodo dell'esame e del confronto, a distinguere una copia dall'originale: dall'uniformità del grado di usura (i pezzi di antiquariato si usuravano sempre in maniera asimmetrica); dai bordi tagliati a macchina piuttosto che levigati a mano (un polpastrello sensibile era in grado di distinguere un intervento di tipo industriale, anche con poca luce); ma soprattutto dalla qualità del legno, che doveva risplendere ed essere vigoroso, vivo: che doveva possedere la magia di un oggetto che veniva toccato, utilizzato e tramandato da secoli.

Contemplare la vita di quei nobili cassettoni e secrétaire – ben più lunga e insigne della vita degli uomini – m'immergeva nella stessa calma di un sasso nella profondità delle acque. Perciò, quando era ora di andare, m'incamminavo stordito, sbattendo le palpebre nel frastuono della Sesta Avenue, quasi senza capire dove mi trovavo.

Più che il laboratorio (o l'«ospedale», come lo chiamava Hobie) mi piaceva Hobie: il suo sorriso stanco, la sua postura rilassata ma elegante, le sue maniche rimboccate e i suoi modi scherzosi, l'abitudine che aveva di sfregarsi la fronte con l'interno del polso, il suo paziente buonumore e il suo affidabile buonsenso. E malgrado le nostre chiacchierate fossero casuali e sporadiche, non erano mai banali. Anche un semplice «Come stai?» era colmo di sfumature; e la mia solita risposta («Bene») lui la decifrava in fretta, senza che dovessi aggiungere altro. E nonostante non fosse un ficcanaso, e non mi sommergesse di domande, io sentivo che mi comprendeva meglio dei vari adulti il cui lavoro consisteva nell'«entrare nella mia testa» come amava dire Enrique.

Però – soprattutto – Hobie mi piaceva perché mi trattava come un compagno e un buon conversatore. Non importava se a volte voleva parlare del suo vicino al quale era stata impiantata una protesi al ginocchio o di un concerto di musica antica che era andato a sentire in città. Se gli raccontavo qualcosa di divertente che era successo a scuola, mi ascoltava con curiosità e attenzione; al contrario della signora Swanson (che si irrigidiva e strabuzzava gli occhi ogni volta che facevo una battuta) o di Dave (che sogghignava, ma senza entusiasmo, e sempre un po' in ritardo), a lui piaceva ridere, e a me piaceva quando mi raccontava della sua vita: zii scalmanati che si erano sposati tardi, suore impiccione di quand'era bambino, il collegio di terz'ordine al confine col Canada dove tutti gli insegnanti erano alcolizzati; la grande casa a nord dello Stato che suo padre lasciava così fredda che sui vetri, all'interno, si formava un velo di ghiaccio; i pallidi pomeriggi di dicembre passati a leggere Tacito e *Rise of the Dutch Republic* di Motley. («Ho *sempre* amato la storia. La strada che non presi! La mia più grande ambizione da ragazzo era di diventare professore di Storia alla Notre Dame. Anche se in un certo senso quello che faccio è un altro modo di lavorare con

la storia.») Mi raccontò del canarino cieco da un occhio che aveva
salvato in un Woolworth, che ogni mattina quand'era giovane lo
svegliava cantando; dell'attacco di febbre reumatica che lo aveva
tenuto a letto per sei mesi; e della piccola libreria antiquaria nel
quartiere con i soffitti affrescati («ormai demolita, ahimè») dove
si rifugiava quando scappava di casa. Della signora De Peyster, la
vecchia ereditiera solitaria che andava a trovare dopo la scuola, ex
reginetta di Albany e storica del luogo, che lo coccolava e gli offriva
la torta Dundee fatta arrivare dall'Inghilterra in una scatola di latta, e che passava ore a illustrargli ogni singolo pezzo di porcellana
custodito nella sua credenza e, tra l'altro, era stata la proprietaria
del divano di mogano – si diceva fosse appartenuto al generale Herkimer – che aveva risvegliato in lui l'interesse per l'arredamento.
(«Sebbene fatichi a immaginare il generale Herkimer disteso su
quel decadente pezzo in stile greco antico.») Di sua madre, morta
poco dopo la sua sorellina di tre giorni; e del giovane padre gesuita,
un allenatore di football, che – ricevendo la telefonata di una cameriera irlandese terrorizzata dalle cinghiate che Hobie stava prendendo dal padre, «praticamente mi stava facendo a pezzi» – era
corso a casa sua, si era rimboccato le maniche e aveva steso l'uomo
con un pugno. («Padre Keegan! Fu lui che venne quando avevo la
febbre reumatica, per darmi la comunione. Ero il suo chierichetto
e sapeva come stavano le cose, aveva visto i segni sulla mia schiena.
C'erano molti preti cattivi coi ragazzi, ma lui era buono con me e
mi chiedo sempre che fine abbia fatto, ho provato a cercarlo ma
senza successo. Mio padre telefonò all'arcivescovo, e in quattro e
quattr'otto lo imbarcarono per l'Uruguay.») Era tutto molto diverso rispetto a quello che succedeva dai Barbour, dove – malgrado la
generale atmosfera di cortesia – o mi confondevo nella mischia, o
finivo per essere oggetto di qualche interrogatorio. Mi faceva stare
meglio pensare che Hobie e io eravamo divisi soltanto da una corsa
con l'autobus, niente cambi fino alla Quinta Avenue; e le notti in
cui mi svegliavo sudato e in preda al panico, con l'esplosione che mi
sconquassava ancora, a volte riuscivo a riaddormentarmi pensando
a casa sua, dove quasi senza accorgertene scivolavi nel 1850; in un
mondo di orologi ticchettanti e pavimenti che scricchiolavano, di

cucine con pentole di rame e cesti di rape e cipolle, di candele con la fiammella inclinata verso sinistra dallo spiffero di una porta aperta, di salotti con alte finestre a bovindo gonfie e fruscianti come le sottane di un abito da ballo, di stanze fresche e silenziose dove le cose riposavano.

Però diventava sempre più difficile giustificare le mie assenze a casa Barbour (spesso non mi presentavo all'ora di cena), e ormai stavo mettendo a dura prova la fantasia di Andy. «Vuoi che venga lassù con te e parli con lei?» si offrì Hobie un pomeriggio mentre eravamo in cucina a mangiare una crostata di ciliegie che aveva comprato al mercato. «Lo farei volentieri. Oppure potresti chiederle di venire qui.»

«Potrei» risposi, dopo averci pensato.

«Potrebbe interessarle quella cassettiera Chippendale... sai, la Philadelphia con la parte superiore scorrevole. Non per comprarla, solo per darle un'occhiata. O vuoi che la invitiamo a pranzo alla Grenouille...» rise, «o magari direttamente qui, se le va?»

«Ci penso su» dissi; e tornai a casa presto con l'autobus, rimuginando.

Anche lasciando da parte la mia persistente disonestà nei confronti della signora Barbour – ero sempre costretto a fare tardi in biblioteca per colpa di un'inesistente ricerca di Storia –, sarebbe stato imbarazzante confessare a Hobie che avevo dichiarato che l'anello del signor Blackwell era un cimelio di famiglia. E se la signora Barbour e Hobie si fossero incontrati, prima o poi quella bugia sarebbe venuta fuori. Non vedevo vie di scampo.

«Dove sei stato?» mi chiese aggressivamente la signora Barbour, vestita per cena ma senza le scarpe, mentre emergeva dai meandri dell'appartamento col suo gin e lime in mano.

Qualcosa nei suoi modi mi fece fiutare una trappola. «Al Village» risposi, «a trovare un amico di mia madre.»

Andy si voltò e mi fissò perplesso.

«Ma davvero?» fece lei sospettosa, guardando Andy di traverso. «Andy mi stava appunto dicendo che avevi da fare in biblioteca.»

«Non stasera» replicai, con una prontezza che mi sorprese.

«Be', devo dire che mi sento sollevata» replicò la signora Barbour senza battere ciglio. «Perché la sede principale della biblioteca di lunedì è chiusa.»

«Non ho mai detto che frequenta la sede principale, mamma.»

«E forse lei lo conosce» continuai, ansioso di togliere le castagne dal fuoco ad Andy. «O comunque ne avrà sentito parlare.»

«Di chi?» domandò lei, tornando con gli occhi su di me.

«Dell'amico di mia madre. Si chiama James Hobart. Ha un negozio di arredamento nel Village. Be', non è proprio suo. Lui si occupa dei restauri.»

Abbassò le sopracciglia. «Hobart?»

«Lavora per un sacco di gente in città. Anche per Sotheby's.»

«Non ti dispiace se gli telefono, allora?»

«No» dissi sulla difensiva. «Dice che uno di questi giorni dovremmo andare tutti insieme fuori a pranzo. O che magari lei potrebbe fare un salto giù al negozio.»

«Oh» fece la signora Barbour dopo un attimo. Adesso la confusione era tutta sua. Non sapevo nemmeno se fosse mai stata a sud della Quattordicesima. «Bene. Si vedrà.»

«Non per comprare qualcosa. Solo per dare un'occhiata. Ha dei bei mobili.»

Lei sbatté le palpebre. «Ma certo» disse. Sembrava stranamente disorientata, lo sguardo fisso e assorto. «Splendido. Sono sicura che mi farà piacere conoscerlo. Per caso l'ho già incontrato?»

«No, non credo.»

«Ad ogni modo. Andy, mi spiace. Ti devo delle scuse. E anche a te, Theo.»

A me? Non sapevo cosa dire. Andy – succhiandosi di nascosto il lato del pollice – alzò una spalla mentre lei filava fuori dalla porta.

«Che succede?» gli chiesi con calma.

«È arrabbiata. Niente che abbia a che fare con te. Platt è tornato» aggiunse.

Ora che lo nominava, mi accorsi della musica che proveniva dall'altra parte dell'appartamento, un ritmo basso, subliminale. «Perché?» domandai. «Qualche problema?»

«È successo qualcosa a scuola.»

«Qualcosa di brutto?»

«Lo sa Dio» rispose inespressivo.

«È nei guai?»

«Credo di sì. Ma nessuno ce lo dirà.»

«Ti spiace spiegarti un po' meglio?»

Andy fece una smorfia: *potessi!* «Era qui quando siamo rincasati da scuola, abbiamo sentito la musica. Kitsey era entusiasta ed è corsa a salutarlo, ma lui si è messo a gridare e le ha sbattuto la porta in faccia.»

Sussultai. Per Kitsey, Platt era un idolo.

«Poi è tornata la mamma. È andata in camera di Platt. Dopodiché è stata al telefono per un po'. Ho la *sensazione* che anche papà stia tornando. Stasera dovevano cenare con i Ticknor, ma credo abbiano disdetto.»

«E la cena?» chiesi dopo una breve pausa. Di solito la sera, nei giorni di scuola, Andy e io mangiavamo davanti al televisore mentre finivamo di fare i compiti. Ma con Platt a casa, il signor Barbour in arrivo e i progetti per la serata abbandonati, si profilava all'orizzonte una cena di famiglia in sala da pranzo.

Andy raddrizzò gli occhiali col suo fare da vecchietta pignola. Nonostante i miei capelli fossero scuri e i suoi chiari, dovevo proprio ammettere che gli occhiali identici che la signora Barbour ci aveva comprato mi facevano sembrare il gemello intellettualoide del mio amico – una sensazione che avevo cominciato ad avere quando avevo sentito alcune ragazze a scuola darci dei «Goofus Brothers» (o forse «Doofus Brothers», ma in ogni caso non era un complimento).[5]

«Andiamo da Serendipity a farci un hamburger» propose. «Preferirei non esserci quando torna mio padre.»

«Portate anche me?» disse Kitsey, entrando di corsa e fermandosi davanti a noi, rossa in faccia e senza fiato.

Andy e io ci guardammo. Kitsey non sopportava nemmeno di starci vicina alla fermata del bus.

«Vi prego» insistette. «Toddy ha gli allenamenti di pallone, ho i soldi, non voglio restare da sola con loro, *vi prego.*»

---

[5] Gioco di assonanze tra *goof*, «babbeo», e *doo*, «popò». (*N.d.T.*)

«E dai» dissi ad Andy, e lei mi lanciò uno sguardo di riconoscenza.

Lui si ficcò le mani in tasca. «Okay» le disse impassibile. Erano come due topi bianchi, pensai; solo che Kitsey era un topo-principessa di zucchero filato, Andy invece era più il genere di sorcio anemico e sfigato che nei negozi di animali danno in pasto al boa constrictor.

«Prendi le tue cose, *in fretta*» disse, mentre lei continuava a fissarci. «Non ho intenzione di aspettare molto. E non dimenticare i soldi perché non pagherò *anche per te*.»

XIII

Nei giorni successivi, per un senso di lealtà nei confronti di Andy non andai da Hobie, nonostante fossi molto tentato di farlo vista l'aria pesante che si respirava in casa. Andy aveva ragione: era impossibile capire cos'avesse fatto Platt, perché i Barbour si comportavano come se non ci fosse alcun problema (ma era chiaro che non era così) e Platt non diceva una parola, limitandosi a sedere a tavola con fare indisponente e i capelli davanti alla faccia.

«Credimi» disse Andy, «è molto meglio quando ci sei anche tu. Parlano e si sforzano di comportarsi normalmente.»

«Secondo te cos'ha combinato?»

«Non lo so, e non *voglio* saperlo.»

«Invece sì.»

«Ebbene, sì» disse lui, arrendevole. «Ma non ne ho la più pallida idea.»

«Una truffa? Un furto? Masticava chewing gum in chiesa?»

Andy alzò le spalle. «L'ultima volta si è messo nei guai per aver colpito un tizio in faccia con la racchetta da lacrosse. Ma non era la stessa cosa.» E poi, di punto in bianco: «Platt è il preferito della mamma».

«Dici?» ribattei, evasivo, malgrado sapessi bene che era vero.

«Kitsey è la cocca del papà. E Platt quello della mamma.»

«Lei vuole molto bene anche a Toddy» dissi, prima di rendermi conto delle implicazioni.

Andy fece una smorfia. «Sarei portato a pensare che mi abbiano scambiato alla nascita» commentò. «Se non somigliassi tanto a mia madre.»

XIV

Per qualche ragione, durante questo problematico interludio (forse perché il misterioso problema di Platt mi ricordava il mio) mi venne in mente che magari avrei dovuto dire a Hobie del quadro o, almeno, introdurre il discorso in maniera indiretta, giusto per vedere la sua reazione. La difficoltà era *come* farlo. Il quadro era ancora nell'appartamento, esattamente dove lo avevo lasciato, dentro la borsa che avevo preso al museo. Quando lo avevo visto appoggiato al divano del soggiorno, quell'orribile pomeriggio in cui ero tornato per recuperare delle cose di scuola, ero passato oltre, schivandolo come avrei schivato un mendicante sul marciapiede, percependo per tutto il tempo lo sguardo gelido della signora Barbour – ferma sulla porta a braccia incrociate – sulla mia schiena, sul nostro appartamento, sulle cose di mia madre.

Era complicato. Ogni volta che ci riflettevo mi si attorcigliava lo stomaco, e il primo istinto che avevo era quello di chiudere forte gli occhi e pensare a qualcos'altro. Purtroppo, avevo taciuto talmente a lungo da cominciare a pensare che ormai fosse troppo tardi per parlare. E più tempo passavo con Hobie – con i suoi Hepplewhite e Chippendale zoppi, i vecchi pezzi di cui si prendeva diligentemente cura – più mi sentivo in colpa per il mio segreto. Cosa sarebbe successo se qualcuno avesse trovato il quadro? Cosa sarebbe successo a me? Per quanto ne sapevo, il proprietario dell'appartamento poteva essere entrato – aveva la chiave –, ma anche in quel caso, magari, non si era accorto di niente. Eppure sapevo di sfidare la sorte lasciandolo lì, mentre rimandavo qualunque decisione in proposito.

Non che mi dispiacesse l'idea di restituirlo; se avessi potuto farlo come per magia, semplicemente desiderandolo, lo avrei fatto all'istante. Però non riuscivo a pensare a un modo che non comportasse rischi per me o per il quadro. Dopo l'attentato al museo, la città era stata tappezzata di cartelli in cui si diceva che i pacchi incustoditi sarebbero stati distrutti, il che mi precludeva qualunque ingegnoso tentativo di riconsegnarlo in forma anonima. Ogni valigia o pacchetto sospetto sarebbe stato fatto brillare, punto e basta.

Tra tutti gli adulti che conoscevo, ce n'erano solo due che consideravo dei potenziali confidenti: Hobie e la signora Barbour. E Hobie mi sembrava di gran lunga la prospettiva meno spaventosa. Sarebbe stato più facile spiegare a lui come aveva fatto il quadro a finire nelle mie mani. Che era stato un errore, o qualcosa del genere. Che avevo seguito le indicazioni di Welty, che ero sotto shock. Che non avevo pienamente capito quello che stavo facendo. Che non era stato nelle mie intenzioni lasciarlo in giro per tutto quel tempo. Però, nella mia precarietà di senzatetto, mi pareva una follia farmi avanti e confessare una cosa che la maggior parte della gente avrebbe considerato un crimine. Poi per caso – proprio mentre comprendevo che non potevo tergiversare oltre – m'imbattei in una piccola foto in bianco e nero del quadro sulle pagine economiche del «Times».

Probabilmente a causa dell'agitazione che regnava in casa dopo la faccenda di Platt, il giornale adesso compariva fuori dallo studio del signor Barbour in fogli sparsi che poi venivano rimessi insieme, una o due pagine alla volta. Le pagine in questione si trovavano, malamente piegate, vicino a un bicchiere di club soda avvolto in un tovagliolo (il biglietto da visita del signor Barbour) sul tavolino da caffè del salotto. Era un lungo articolo noioso, verso la fine della sezione, che aveva a che fare con le assicurazioni: parlava della difficoltà di organizzare grandi eventi artistici in un momento di crisi economica, e in particolare della difficoltà di assicurare le opere d'arte itineranti. Ma ad attirare la mia attenzione fu la didascalia sotto la foto: *Il cardellino, capolavoro del 1654 di Carel Fabritius, distrutto.*

Senza pensarci, mi sedetti sulla sedia del signor Barbour e cominciai a scorrere il testo in cerca di qualche altra notizia sul mio quadro (avevo già cominciato a considerarlo *mio*; il pensiero mi si era insinuato in testa come se mi appartenesse da sempre).

Quando ci si trova di fronte ad atti di terrorismo culturale come questo, che ha raggelato la comunità finanziaria e tutto il mondo artistico, entrano in gioco questioni di legislazione internazionale. «La perdita di uno solo di questi pezzi è un danno impossibile da quantificare» ha dichiarato Murray Twitchell, analista del rischio assicurativo di Londra. «Oltre ai dodici pezzi smarriti e presumibilmente andati distrutti, altre 27 opere sono state gravemente danneggiate, malgrado alcune di esse potranno essere restaurate.» In quello che ai più potrà sembrare un atto inutile, il Database delle Opere d'Arte Perdute...

L'articolo proseguiva nella pagina successiva; ma proprio in quel momento la signora Barbour entrò nella stanza e misi giù il giornale.

«Theo» disse, «ho una proposta per te.»

«Davvero?» risposi cauto.

«Vuoi venire con noi nel Maine quest'anno?»

Fu tale la gioia che per un attimo non capii più nulla. «Sì!» esclamai. «Wow. Sarebbe fantastico!»

Anche lei non poté fare a meno di sorridere, un po'. «Bene» disse, «Chance sarà lieto di metterti al lavoro in barca. Pare che partiremo un po' prima quest'anno... be', Chance e i bambini lasceranno New York a breve. Io mi tratterrò in città per sbrigare alcune faccende, ma dovrei farcela nel giro di una settimana o due.»

Ero talmente felice che non mi veniva in mente niente da dire.

«Vedrai come ti piacerà. Più di quanto non piaccia ad Andy, magari. O almeno speriamo.»

«Tu credi che sarà divertente» mi disse Andy cupo quando corsi in camera (corsi, non camminai) per dargli la notizia. «Ma ti sbagli. Ti farà schifo.»

Però io sapevo che era contento. E quella notte – prima di dormire – si sedette con me sul letto di sotto per parlare dei libri e dei giochi che ci saremmo portati, e per illustrarmi i sintomi del mal di mare, in modo da evitarmi un po' di lavoro sul ponte, se volevo.

XV

Le due notizie – entrambe buone – mi fecero sentire molto sollevato. Se il mio quadro era andato distrutto – se questa era la versione ufficiale – c'era tempo per decidere cosa fare. Altrettanto magicamente, l'invito della signora Barbour prometteva di estendere la
mia permanenza a casa sua oltre l'estate, allontanandomi da nonno
Decker quasi come se ci fosse un intero oceano a dividerci; fui colto
da un senso di vertigine, e non mi restò che esultare per il sollievo.
Sapevo che avrei dovuto consegnare il quadro a Hobie o alla signora Barbour, implorare la loro clemenza, raccontare tutto, pregarli di
aiutarmi – in qualche oscuro, lucido meandro del mio cervello sentivo che, se non l'avessi fatto, presto o tardi me ne sarei pentito –, ma
nella mia mente c'era posto solo per il Maine e la vacanza in barca;
e cominciai a valutare l'opportunità di una mossa astuta: tenere il
quadro ancora per un po', come una specie di assicurazione per
i successivi tre anni, per non essere costretto ad andare a vivere
con nonno Decker e Dorothy. È sintomatico della mia straordinaria
ingenuità il fatto che pensai che avrei potuto persino venderlo, se
necessario. Così me ne restai tranquillo, studiai le mappe e le carte
nautiche col signor Barbour e lasciai che la signora Barbour mi portasse da Brooks Brothers per comprare scarpe da vela e maglioni di
cotone leggero da indossare in mare quando la sera rinfrescava. E
non dissi nulla.

XVI

«Troppa istruzione, era questo il mio problema» disse Hobie.
«O almeno così la pensava mio padre.» Mi trovavo nel laboratorio
per aiutarlo a smistare una miriade di pezzi di legno di ciliegio, alcuni sul rosso, altri sul marrone, tutti recuperati da vecchi mobili,
alla ricerca dell'esatta tonalità che serviva per restaurare la cassa del
pendolo al quale stava lavorando. «Mio padre aveva una ditta di
autotrasporti» (questo lo sapevo; il nome era talmente famoso che
lo conoscevo persino io), «e d'estate e durante le vacanze di Natale

mi faceva caricare i camion, diceva che dovevo prepararmi per guidarne uno. Non volava una mosca, quando mettevo piede nell'area di carico. Il figlio del capo, sai com'è. Ma gli operai non c'entravano niente, è che mio padre era davvero un bastardo come datore di lavoro. Comunque, cominciò a farmelo fare quando compii quattordici anni, dopo la scuola e nei fine settimana, caricavo scatoloni sotto la pioggia. Lavoravo anche in ufficio a volte, un posto squallido e buio. Gelido d'inverno e rovente d'estate. Grida che sovrastavano il rumore delle ventole di aspirazione. All'inizio era solo per l'estate e per Natale. Ma poi, dopo il secondo anno di college, disse che non mi avrebbe più pagato la retta.»

Avevo trovato un pezzetto di legno che secondo me andava bene, e glielo porsi. «Perché aveva dei brutti voti?»

«No, ero bravo» rispose lui prendendo il pezzo di legno. Lo esaminò alla luce e lo gettò nel mucchio dei papabili. «Il punto era che lui non aveva fatto il college eppure aveva avuto successo, no? Mi credevo forse più in gamba? Ma a parte questo... be', era il tipo di uomo che faceva il prepotente con tutti, conosci il genere, e probabilmente pensava che fosse il modo migliore per tenermi in pugno e avere qualcuno che lavorasse per lui gratis. Inizialmente...» Valutò per un po' un altro pezzo d'impiallacciato prima di buttarlo nel mucchio dei *forse*. «Inizialmente disse che dovevo prendermi un anno di pausa – o quattro, o cinque, tutto il tempo che ci voleva – e sudarmi il resto dei soldi per il college. Non ho mai visto un centesimo di quello che guadagnavo. Vivevo a casa e lui metteva tutto su un conto speciale, hai presente, per il mio bene. Brutale ma giusto, pensavo. Poi però – quando ormai lavoravo a tempo pieno da circa tre anni – cambiò le carte in tavola. Improvvisamente...» rise «be', compresi che mi aveva ingannato. Lo stavo ripagando dei primi due anni di college. Non aveva messo da parte proprio niente.»

«Non è possibile!» esclamai. Come faceva a ridere di un'ingiustizia così?

«In effetti...» Alzò gli occhi al cielo. «Ero ancora un po' ingenuo, ma mi resi conto che di quel passo sarei morto di vecchiaia prima di andarmene da lì. Però ero senza soldi e non avevo un posto dove vivere, che potevo fare? Mi sforzavo di cercare una soluzione, ed ecco che un giorno Welty arriva in ufficio mentre mio padre mi stava facendo una ramanzina. Gli piaceva rimproverarmi davanti ai suoi uomini... faceva lo spaccone come una specie di boss mafioso, sostenendo che gli dovevo dei soldi per questo o quello e che li avrebbe scalati dal mio cosiddetto "salario". Poi si inventava una qualche infrazione e tratteneva il mio presunto stipendio. Insomma, cose così.

«Non era la prima volta che vedevo Welty. Era già venuto in ufficio per organizzare delle spedizioni dopo alcune liquidazioni di beni... diceva sempre che per via della sua schiena doveva impegnarsi il doppio per fare buona impressione, altrimenti la gente si sarebbe lasciata condizionare dalla sua deformità, cose di questo tipo, ma a me piacque da subito. Piaceva quasi a tutti; persino a mio padre, che non era propriamente un uomo cortese. In ogni caso, il giorno dopo, avendo assistito al suo scoppio d'ira, Welty gli telefonò chiedendo che mi mandasse ad aiutarlo a impacchettare dei mobili. Ero un ragazzo grande e grosso, un buon lavoratore, la persona giusta. Be'...» Hobie si zittì e stirò le braccia sopra la testa. «Welty era un ottimo cliente, e non so ancora perché, ma mio padre acconsentì. I mobili si trovavano nella vecchia residenza dei De Peyster, e io conoscevo bene l'anziana proprietaria, andavo a farle visita da quand'ero ragazzino – una vecchietta divertente, con una parrucca giallo acceso, una vera miniera di informazioni, aveva giornali sparsi ovunque, sapeva tutto della storia locale ed era bravissima a raccontare le storie. Comunque, una gran casa, quella, piena di vetri Tiffany e di magnifici mobili dell'Ottocento, e io collaborai a identificare la provenienza dei vari pezzi, molto meglio della figlia della signora, che non aveva nessun interesse per la sedia sulla quale si era seduto il presidente McKinley né per nient'altro lì dentro. Il giorno che finimmo – erano circa le sei del pomeriggio, ed ero ricoperto di polvere dalla testa ai piedi –, Welty stappò una bottiglia di vino e ci sedemmo a berlo sugli scatoloni imballati, hai presente... pavimenti spogli e l'eco che c'è in una casa vuota. Ero stanchissimo. Lui mi pagava sempre sull'unghia, in contanti, senza passare da mio padre, e quando lo ringraziai e gli chiesi se sapesse di altri lavori, disse: "Ho appena aperto un negozio a New York; se è un lavoro che cerchi, l'hai trovato". Così brindammo e io me ne andai a casa, feci la valigia, la riempii di libri più che altro, salutai la domestica e il giorno dopo trovai un passaggio su un camion diretto a New York. Non me ne sono mai pentito.»

Seguì un momento di silenzio. Stavamo ancora smistando l'impiallacciato: legno che schioccava, in frammenti sottili come carta, o come gettoni di un qualche vecchio gioco cinese, un suono di una leggerezza inquietante che ti faceva sentire sperduto in un silenzio più grande.

«Ehi» dissi, notando un pezzo e agguantandolo, per poi passarglielo trionfante: il colore perfetto, più simile a quello che ci serviva di tutti quelli che lui aveva smistato fino a quel momento.

Lo prese, lo osservò sotto la luce della lampada. «Può andare.»

«Non è perfetto?»

«Vedi...» Appoggiò il pezzo sulla cassa dell'orologio. «In questo tipo di lavoro, è la venatura del legno che bisogna abbinare. È questo il trucco. Le variazioni di tonalità sono facili da mascherare. Guarda.» Prese un altro pezzo, visibilmente diverso. «Con un po' di cera d'api e di tintura giusta, potrebbe funzionare anche questo. Bicromato di potassio, una goccia di bruno Van Dyck... qualche volta con le venature complesse, soprattutto con certi tipi di noce, per scurire un pezzetto di legno nuovo ho usato l'ammoniaca. Ma solo nei casi disperati. È sempre meglio utilizzare un legno della stessa annata del pezzo che devi riparare, se ce l'hai.»

«Come ha imparato a fare tutte queste cose?»

Hobie rise. «Proprio come te ora! Gironzolando e guardando. Rendendomi utile.»

«Gliele ha insegnate Welty?»

«Oh, no. Lui ne capiva... sapeva come si fa. Non può essere altrimenti, se fai un'attività del genere. Aveva un buon occhio, e spesso andavo di sopra a chiamarlo se mi serviva un parere. Ma prima che arrivassi io non trattava pezzi che necessitavano di restauro. È un lavoro che richiede molto tempo e una certa predisposizione... lui non aveva il temperamento giusto né l'energia fisica per farlo. Preferiva dedicarsi gli acquisti – sai, andare alle aste – oppure stare in negozio a chiacchierare coi clienti. Ogni pomeriggio verso le cinque

gli portavo su una tazza di tè. "Emergevo dalle segrete." Ai tempi
qui sotto era davvero poco piacevole, tra l'umido e la muffa. Quando venni a lavorare per Welty...» rise, «lui impiegava un vecchio
che si chiamava Abner Mossbank. Soffriva di una brutta artrite alle
dita e ci vedeva poco. A volte passava un anno prima che finisse un
pezzo. Ma io mi mettevo dietro di lui e lo guardavo lavorare. Era un
chirurgo. Non potevi fare domande, silenzio assoluto! Però sapeva
tutto, cose che altri non sapevano o non volevano più imparare...
È appeso a un filo, questo mestiere, e passa di generazione in generazione.»

«Suo padre non glieli ha mai dati i soldi che aveva guadagnato?»

Fece un'altra risata, squillante. «Neanche un centesimo! E non
mi rivolse più la parola. Era un vecchio stronzo. Gli è venuto un
infarto mentre licenziava uno dei suoi dipendenti più anziani. Uno
dei funerali meno affollati della storia. Tre ombrelli neri sotto il nevischio. Difficile non pensare a Ebenezer Scrooge.»

«Non è più tornato al college?»

«No. Non mi andava. Avevo trovato quello che mi piaceva fare.
E così...» Mise le mani dietro la schiena e si sgranchì; nella sua giacca lisa, larga e un po' sporca sembrava un amabile stalliere diretto
alle scuderie. «La morale della favola è: chissà dove ti porterà tutto
questo?»

«Tutto cosa?»

Rise ancora. «La tua vacanza in barca» rispose, avvicinandosi allo
scaffale con sopra allineati i barattoli di pigmento come le boccette
nella bottega di un farmacista; terre ocra, verdi velenosi, polveri di
carbone e nero d'ossa. «Potrebbe essere un'esperienza decisiva. A
qualcuno il mare fa quest'effetto.»

«Andy soffre di mal di mare. Deve portarsi dietro una busta per
vomitarci dentro.»

«Be'...» fece lui, prendendo un barattolo di nerofumo, «devo
ammettere che *su di me* il mare non ha mai esercitato grande attrazione. Da ragazzo... *La ballata del vecchio marinaio*, e quelle illustrazioni di Doré... no, l'oceano mi mette i brividi, ma forse è
perché non ho mai vissuto un'avventura come quella che ti aspetta.
Chi lo sa. Perché...» La fronte corrucciata, mentre lasciava cadere

un po' di delicata polvere nera sulla spatola. «Non avrei mai immaginato che la vecchia mobilia della signora De Peyster potesse
decidere così del mio futuro. Magari resterai affascinato dai paguri
e studierai biologia marina. O forse ti verrà voglia di costruire navi
o di fare il pittore di paesaggi marini. Oppure di scrivere il libro
definitivo sulla *Lusitania*.»

«Magari» risposi, con le mani dietro la schiena. Però quello che
davvero speravo non osavo dirlo. Il solo pensiero mi faceva tremare. Perché il fatto era questo: Kitsey e Toddy avevano cominciato a
essere molto, molto più gentili con me, come se qualcuno li avesse
presi da parte; avevo colto degli sguardi, piccoli segnali tra la signora e il signor Barbour che mi facevano sperare, ben sperare. Era stato Andy a ficcarmi quell'idea in testa. «Pensano che starti vicino mi
faccia bene» aveva detto mentre andavamo a scuola. «Che mi stai
facendo uscire dal guscio e che mi rendi più socievole. Credo che
faranno un annuncio a tutta la famiglia riunita quando arriveremo
nel Maine.»

«Annuncio?»

«Non fare l'allocco. Si stanno affezionando a te, soprattutto la
mamma. Ma anche papà. Potrebbero decidere di tenerti.»

XVII

Sull'autobus per tornare dai Barbour ero leggermente intontito,
e mi lasciai sballottare piacevolmente avanti e indietro mentre guardavo le strade bagnate del sabato che lucide mi scivolavano accanto.
Quando misi piede nell'appartamento – intirizzito per aver camminato sotto la pioggia – Kitsey corse nell'atrio per fissarmi affascina-
ta, con gli occhi spalancati, come se fossi uno struzzo arrivato fin lì
chissà come. Poi, dopo pochi secondi, sfrecciò in soggiorno coi sandali che picchiavano sul parquet, gridando: «Mamma? È arrivato!».

La signora Barbour apparve. «Ciao, Theo» disse. Era calma, ma
nei modi c'era qualcosa di forzato, che non sapevo come interpretare. «Vieni qui. Ho una sorpresa per te.»

La seguii nello studio del signor Barbour, semibuio nel pomeriggio nuvoloso, con le carte nautiche incorniciate e la pioggia che scorreva grigia sui vetri, la cabina di una nave nel mare in tempesta. Da una poltrona in pelle, sul lato opposto della stanza, si alzò una figura. «Ciao, vecchio mio» disse. «È un po' che non ci si vede.»

Mi bloccai. Quella voce era inconfondibile: mio padre.

Mi venne incontro nella luce bassa che filtrava dalla finestra. Era lui, sì, però era cambiato rispetto all'ultima volta che lo avevo visto: era più robusto, abbronzato, con la faccia gonfia, un abito nuovo e un taglio di capelli da barista. Nel mio sgomento, mi girai a guardare la signora Barbour, e lei mi rivolse un sorriso impotente, come a dire: *Lo so, ma che posso farci?*

Ero ancora senza parole per lo shock quando un'altra sagoma si alzò e si piazzò tra me e mio padre. «Ciao, io sono Xandra» disse con la voce strozzata.

Quella che mi trovavo di fronte era una donna dall'aspetto singolare, abbronzata e all'apparenza piuttosto in forma: occhi opachi, pelle color rame, rugosa, i denti rientranti con una fessura nel mezzo. Sebbene fosse più vecchia di mia madre, o almeno lo sembrasse, era vestita come una ragazza: sandali rossi con la zeppa, jeans attillati, una cintura alta, un profluvio di bigiotteria. I capelli color paglia erano lisci e sfibrati sulle punte; masticava una gomma e profumava di Juicy Fruit.

«Xandra con la x» aggiunse in un bisbiglio rasposo. Occhi chiari e incolori, appesantiti dal mascara nero, e uno sguardo energico, sicuro di sé, risoluto. «Non Sandra. E, *mio Dio*, non Sandy. Spesso mi chiamano così, e mi dà un fastidio tremendo.»

Lei parlava, il mio stupore cresceva. Tutto in lei mi confondeva: la voce da whisky, le braccia muscolose, l'ideogramma tatuato sull'alluce, le lunghe unghie squadrate con le lunette dipinte di bianco; gli orecchini a forma di stella marina.

«Mmm, siamo arrivati al LaGuardia solo due ore fa» disse mio padre schiarendosi la voce, come se quel dettaglio spiegasse ogni cosa.

Era quella la donna per cui se n'era andato? Mi girai di nuovo verso la signora Barbour, solo per accorgermi che non c'era più.

«Theo, sto a Las Vegas adesso.» Mio padre spostò lo sguardo sul muro sopra la mia testa. Aveva ancora il tono compassato e deciso retaggio degli studi di recitazione, e anche se la sua voce suonava più autorevole che mai, era evidente che fosse a disagio quanto me. «Forse avrei dovuto chiamare, ma ho pensato che sarebbe stato più semplice venire direttamente a prenderti.»

«Prendermi?» mormorai dopo una lunga pausa.

«Diglielo, Larry» intervenne Xandra, e poi, rivolta a me: «Dovresti essere fiero del tuo paparino. Non beve più. Quanti giorni sono che sei sobrio? Cinquantuno? E ha fatto tutto da solo, niente cliniche, si è disintossicato sul divano con un cestino di ovetti di cioccolata e un flacone di Valium».

Troppo imbarazzato per guardare uno dei due, mi voltai ancora verso la porta e vidi Kitsey Barbour in corridoio, in ascolto e con gli occhi sgranati.

«Perché, insomma, io non riuscivo proprio a sopportarlo» continuò Xandra, in un tono che sottintendeva che invece mia madre aveva legittimato e incoraggiato l'alcolismo di mio padre.

«Voglio dire, mia madre era il tipo di ubriacona che dopo aver vomitato nel suo bicchiere di Canadian Club se lo beveva lo stesso. Così una notte gli ho detto: Larry, non ti dirò di non bere più, e francamente credo che gli Alcolisti Anonimi siano un po' troppo per il tuo problema...»

Mio padre si schiarì la voce e mi guardò con l'espressione amichevole che di solito riservava agli sconosciuti. Forse aveva smesso di bere; ma era ancora gonfio, lucido e vagamente esterrefatto, come se avesse passato gli ultimi otto mesi a nutrirsi di rum e vassoi di specialità hawaiane.

«Ehm, figliolo» ricominciò, «siamo appena scesi dall'aereo e siamo venuti perché... volevamo vederti subito, naturalmente...»

Attesi.

«... ci serve la chiave dell'appartamento.»

Stava succedendo tutto troppo in fretta. «La chiave?»

«Non riusciamo a entrare» disse secca Xandra. «Ci abbiamo già provato.»

«Il fatto è, Theo» disse mio padre in tono cordiale, la voce chiara, passandosi una mano tra i capelli, «che ho bisogno di entrare a Sutton Place per dare un'occhiata. Sono sicuro che c'è un gran casino e qualcuno dovrà pur occuparsene.»

Se tu non lasciassi le cose in questo fottuto casino… Erano le parole che gli avevo sentito urlare a mia madre quando – più o meno due settimane prima che sparisse – avevano avuto il peggior litigio che ricordassi, il giorno in cui gli orecchini di diamanti e smeraldi erano spariti dal piattino sul comodino della mamma. Mio padre (rosso in volto, imitando la voce di lei con fare cattivo) aveva detto che era colpa *sua*, che di sicuro li aveva presi Cinzia o chissà chi, che non era una mossa intelligente lasciare i gioielli in giro, e chissà mai che la cosa le servisse da lezione. Ma mia madre – pallida di rabbia – gli aveva fatto notare, la voce fredda e ferma, che si era tolta gli orecchini venerdì notte e che da allora Cinzia non era venuta a lavorare.

Che diavolo stai cercando di insinuare?, aveva urlato mio padre.

Silenzio.

Così ora sarei anche un ladro, vero? Stai accusando tuo marito di rubarti i gioielli? Che razza di idea assurda e disgustosa sarebbe questa? Tu hai bisogno di aiuto, lo sai? Ti serve uno specialista.

Ma non erano solo gli orecchini a essere svaniti. E quando lui se ne andò scoprimmo che erano spariti anche dei soldi e le monete antiche del nonno; poi la mamma aveva cambiato la serratura e avvisato Cinzia e il portiere di non farlo entrare, se si fosse presentato mentre lei era al lavoro. Ma ovviamente adesso era diverso, niente poteva impedirgli di tornare nell'appartamento, tra le cose che le appartenevano, e farne quello che voleva; ma mentre lo fissavo cercando di pensare a cosa dire, in testa avevo soprattutto il quadro. Ogni giorno, per settimane, mi ero ripetuto che dovevo occuparmene, che bisognava trovare una soluzione, ma continuavo a rimandare e ora era arrivato mio padre.

Mi stava ancora sorridendo. «Okay, bello? Credi di poterci aiutare?» Forse non beveva più, ma il piglio teso e lo stile da muoio-dalla-voglia-di-un-drink ce l'aveva ancora, ruvido come carta vetrata.

«Non ho la chiave» risposi.

«Va bene» ribatté subito lui. «Possiamo chiamare un fabbro. Xandra, dammi il telefono.»

Dovevo pensare alla svelta. Non volevo che entrassero in casa senza di me. «Jose o Goldie ci faranno entrare» dissi. «Se vengo con voi.»

«Bene, allora» concluse. «Andiamo.» Dal tono mi venne il dubbio che sospettasse che avessi mentito a proposito della chiave (nascosta per precauzione nella camera di Andy). Di sicuro avrebbe preferito non coinvolgere i portieri, perché la maggior parte di loro non lo vedeva di buon occhio, avendolo beccato sbronzo un po' troppe volte. Ma sostenni il suo sguardo nella maniera più inespressiva possibile finché non scrollò le spalle e si voltò.

XVIII

«¡*Hola, Jose!*»

«¡*Bomba!*» gridò Jose, venendomi incontro con passo leggero sul marciapiede; era il più giovane e il più esuberante dei portieri, e provava sempre a svignarsela prima della fine del turno per andare a giocare a pallone nel parco. «*Theo! ¿Qué lo que, manito?*»

Il suo sorriso semplice mi scaraventò prepotentemente nel passato. Era tutto identico: il tendone verde dalla sfumatura giallognola, la stessa lurida pozza che si formava sempre nello stesso punto, dove l'asfalto era danneggiato. Davanti all'ingresso art déco – nichel lucido striato di raggi di sole, il tipo di porta che avrebbe potuto spingere un indaffarato cronista col cappello di feltro in un film degli anni Trenta – mi ricordai di tutte le volte che entrando avevo trovato mia madre che controllava la posta mentre aspettava l'ascensore. Appena rincasata dal lavoro, in tacchi e borsa portadocumenti, con i fiori che le avevo mandato per il compleanno. *Be', indovina un po'? Il mio ammiratore segreto ha colpito ancora.*

Jose, con un'occhiata alle mie spalle, aveva visto mio padre e Xandra a qualche passo di distanza. «Salve, signor Decker» disse formale, girandomi intorno per stringergli la mano: educatamente, ma senza sforzarsi troppo. «Lieto di rivederla.»

Mio padre, col suo Sorriso Gradevole, cominciò a dire qualcosa, ma io ero troppo nervoso e lo interruppi: «Jose...». Durante il tragitto mi ero scervellato per prepararmi la frase in spagnolo, esercitandomi a pronunciarla mentalmente. «*Mi papá quiere entrar*

en el apartamento, le necesitamos abrir la puerta.» Poi, rapidamente:
«*¿Usted puede subir con nosotros?*».

Gli occhi di Jose si posarono veloci su mio padre e Xandra. Era
un ragazzo dominicano belloccio, con qualcosa del giovane Muham-
mad Ali; carattere dolce, sempre allegro, ma con lui c'era poco da
scherzare. Una volta, in un momento di confidenza, si era sollevato
la giacca dell'uniforme e mi aveva mostrato una cicatrice da coltello
sull'addome che si era procurato in una rissa per le strade di Miami.

«Lieto di accontentarvi» disse in inglese, affabile. Guardava loro,
ma sapevo che si stava rivolgendo a me. «Vi accompagno di sopra.
Tutto okay?»

«Sì, stiamo benone» rispose brusco mio padre. Era stato lui a insistere che studiassi lo spagnolo al posto del tedesco («così almeno
uno della famiglia sarà in grado di comunicare con questi fottuti
portieri»).

Xandra, che cominciava già a sembrarmi un'oca senza troppo cervello, fece una risatina nervosa e disse in fretta: «Sì, stiamo benone,
ma il volo ci ha proprio sfiancati. È un bel viaggio da Vegas, e siamo
ancora un po'…». Roteò gli occhi e agitò le dita per dire *sfasati*.

«Ah, davvero?» fece Jose. «Oggi? Siete arrivati al LaGuardia?»
Come tutti i portieri era un asso della chiacchiera, specie in tema di
traffico o di previsioni del tempo, o sul percorso migliore per raggiungere l'aeroporto all'ora di punta. «Ho sentito che oggi ci sono
stati ritardi laggiù, problemi con gli addetti ai bagagli, il sindacato,
è vero?»

In ascensore, Xandra non smise un attimo di parlare, concitata:
New York era sporca in confronto a Las Vegas («Sì, bisogna dirlo, a
ovest è tutto più pulito, mi sa che sono abituata bene»), il sandwich
al tacchino sull'aereo era pessimo, la hostess aveva «dimenticato»
(mimando le virgolette con le dita) di portarle i cinque dollari di
resto per il vino.

«Oh, signora!» esclamò Jose sul pianerottolo, scuotendo la testa
in quel suo modo finto serio. «Mangiare sull'aereo, non c'è niente
di peggio. Al giorno d'oggi è una fortuna se ti servono qualcosa. Sa
però? A New York troverà dell'ottimo cibo. Vietnamita, cubano,
indiano…»

«Non mi piace quella roba speziata.»

«Quello che preferisce, allora. Qui abbiamo tutto. *Un segundito*» disse, alzando l'indice mentre cercava il passe-partout nel grosso mazzo di chiavi.

La serratura scattò con un *clic* robusto, istintivo, profondamente familiare. Nonostante l'odore di chiuso, fui comunque investito dal violento profumo di casa: libri e tappeti vecchi, il detersivo per pavimenti al limone e le candele alla mirra che lei aveva comprato da Barney's.

La borsa del museo era per terra vicino al divano, esattamente dove l'avevo lasciata quante settimane prima? Subito m'infilai dentro per afferrarla, con la testa che mi girava un po', mentre Jose – sbarrando il passo nervoso di mio padre senza darlo a vedere – restava fuori dalla porta ad ascoltare Xandra, le braccia incrociate. L'espressione educata ma vagamente distratta sul suo viso mi ricordò la notte polare in cui aveva dovuto portare di sopra a braccia mio padre, talmente ubriaco da aver perso il soprabito. «Succede anche nelle migliori famiglie» aveva detto con un sorriso distante, rifiutando il biglietto da venti che mio padre – completamente incapace di connettere, con la giacca incrostata di vomito, pieno di graffi e sporco come se si fosse rotolato sul marciapiede – insisteva a mettergli in mano.

«Del resto, non sono forse della East Coast?» stava dicendo Xandra. «Della Florida?» Di nuovo quella risata nevrotica e sputacchiante. «West Palm, per la precisione.»

«Florida, dice?» sentii che ribatteva Jose. «È bello laggiù.»

«Fantastico. Ma anche a Las Vegas abbiamo il sole. Non so se sopporterei gli inverni di qui, diventerei un ghiacciolo...»

Nel momento in cui afferrai la borsa mi accorsi che era troppo leggera, praticamente vuota. Dove diavolo era finito il quadro? Mi prese il panico ma non mi fermai, andai in corridoio, col pilota automatico inserito, tornai indietro verso la mia camera da letto, la mente che macinava e ronzava...

Poi, all'improvviso, tra i ricordi sconnessi di quella sera, ne riemerse uno nuovo. La borsa era bagnata. Avevo tolto il quadro per non farlo ammuffire o squagliare o che ne so. E – come avevo fatto a dimenticarlo? – lo avevo messo sulla scrivania di mia madre, così lo avrebbe visto subito non appena fosse rientrata. Veloce, senza fermarmi, posai la borsa nel corridoio fuori dalla porta della mia stanza e filai in quella di mia madre, intontito dalla fifa, sperando che mio padre non mi stesse seguendo, ma troppo impaurito per voltarmi a controllare.

In soggiorno, Xandra diceva: «Scommetto che si vede un sacco di gente famosa qui intorno, eh?».

«Eh, già. LeBron, Dan Aykroyd, Tara Reid, Jay-Z, Madonna...»

La stanza di mia madre era buia e fresca, e la fragranza lievissima, appena percettibile, del suo profumo era insopportabile. Il quadro era lì, tra le foto nelle cornici d'argento – i suoi genitori, lei, io a diverse età, cavalli e cani a profusione: la cavalla di suo padre, Lavagna, Bruno l'alano, Poppy il bassotto che era morto quando io ero ancora all'asilo. Mi feci forza, affrontai i suoi occhiali da lettura sulla scrivania, i collant neri ormai induriti appesi ad asciugare sulla sedia, la sua grafia sul calendario da tavolo e un milione di altri dettagli che mi trafissero il cuore, poi presi il quadro, me lo infilai sotto il braccio e corsi dritto in camera mia.

La mia stanza – come la cucina – si affacciava sul cavedio, e con le luci spente era buia. Un asciugamano ammuffito giaceva appallottolato nel punto in cui lo avevo lanciato dopo la doccia dell'ultima mattina. Lo raccolsi – puzzava – con l'idea di avvolgerci il quadro mentre pensavo a un posto migliore dove nasconderlo, magari nel...

«Che stai facendo?»

Sulla porta c'era mio padre, una sagoma scura in controluce.

«Niente.»

Si chinò e raccattò la borsa che avevo lasciato nel corridoio. «Questa cos'è?»

«Per i miei libri» risposi dopo un istante, anche se era chiaramente una borsa morbida da donna, per la spesa, niente che io né nessun altro ragazzo che conoscevo avremmo mai portato a scuola.

La lanciò oltre la porta aperta e storse il naso. «Bleah» disse, sventolandosi la mano davanti alla faccia, «qui c'è puzza di calzini sporchi.» Mentre entrava e premeva l'interruttore, riuscii, con un movimento complesso e convulso, a sistemare l'asciugamano sul quadro per (speravo) nasconderlo.

«Cos'hai lì sotto?»

«Un poster.»

«Okay. Senti, spero tu non stia pensando di portarti un mucchio di robaccia fino a Vegas. Non c'è bisogno di impacchettare i vestiti invernali; non ti serviranno, tranne forse qualcosa per sciare. Non hai idea di come si scii a Tahoe, non è mica come sulle montagnette ghiacciate a nord di qui.»

Mi sentii in dovere di rispondere, semplicemente perché quella era una delle frasi più lunghe e cordiali che mi avesse rivolto da quand'era ricomparso, ma non riuscivo a mettere insieme i pensieri.

All'improvviso lui disse: «Neanche con tua madre era facile vivere, sai». Prese qualcosa dalla mia scrivania, forse un vecchio compito di Matematica, ci diede un'occhiata e poi lo rimise giù. «Era sempre sul chi va là. Tu lo sai come faceva. Si chiudeva a riccio. Mi escludeva. Doveva sempre ostentare la sua superiorità. Era prepotente, manipolatrice. Mi dispiace dirlo, ma ero arrivato al punto che non sopportavo nemmeno più di stare nella stessa stanza con lei. Insomma, non che fosse una persona cattiva, però era come se l'attimo prima fosse tutto a posto, e l'attimo dopo *bam*. Ma io cos'avevo fatto? E mi puniva con i suoi silenzi…»

Non fiatai. Restai lì, con l'asciugamano ammuffito sul quadro, gli occhi lucidi e la voglia di essere da un'altra parte (in Tibet, al lago Tahoe, sulla luna), senza fidarmi abbastanza di me per rispondere. Quello che aveva detto di mia madre era vero: spesso si rintanava in se stessa e quando si arrabbiava era difficile capire cosa stesse pensando, ma non volevo parlare delle colpe di mia madre, che comunque erano niente in confronto alle sue.

Mio padre stava dicendo: «… perché non ho niente da dimostrare, capisci? C'è sempre un rovescio della medaglia. Il problema non è chi ha ragione e chi ha torto. E okay, lo ammetto, è anche un po' colpa mia, però lei, e sono sicuro che lo sai anche tu, aveva l'abitudine di rigirare la frittata». Era strano trovarsi di nuovo in camera con lui, specialmente perché era così diverso: aveva un odore diverso e un peso diverso e una consistenza diversa, era liscio, come foderato di uno strato di grasso supplementare. «Immagino che i nostri problemi siano comuni a molti matrimoni... era diventata così irritante, sai? E circospetta. Onestamente, non mi andava più di vivere con lei, però, Cristo, di sicuro non meritava *questo*...»

Di sicuro, pensai.

«Perché tu lo sai com'è andata veramente, no?» disse, poggiandosi allo stipite della porta e fissandomi. «Quando me ne sono andato. Avevo dovuto prelevare del denaro dal nostro conto per pagare le tasse e lei si è imbestialita, come se lo avessi rubato.» Mi scrutava, cercando una mia reazione. «Il nostro conto *comune*. In pratica, nei momenti cruciali non si fidava di me. Di suo marito.»

Non sapevo che dire. Era la prima volta che sentivo delle tasse, anche se non era un segreto che mia madre non si fidava di lui quando si trattava di soldi.

«Gesù, se era permalosa» riprese, passandosi una mano sul mezzo sorriso che aveva in faccia. «Occhio per occhio. Sempre a cercare di pareggiare i conti. Perché, dico sul serio, non dimenticava niente. Potevano pure passare vent'anni, ma prima o poi si vendicava. E sì, il cattivo della situazione sembro *io*, e forse lo *sono* davvero...»

Anche se era piccolo, il quadro iniziava a pesare, e dietro l'espressione imperturbabile faticavo a nascondere lo sforzo. Cominciai a contare mentalmente in spagnolo per non essere costretto a starlo a sentire. *Uno dos tres, cuatro cinco seis...*

Al ventinove comparve Xandra.

«Larry» disse, «tu e tua moglie avevate proprio una bella casa.» E lo disse in un modo che mi fece un po' tenerezza, senza che per questo lei mi piacesse di più.

Mio padre le mise un braccio attorno alla vita e la tirò a sé con un piglio che mi disgustò. «Be'» disse con modestia, «in realtà è più sua che mia.»

Puoi dirlo forte, pensai.

«Vieni qui» le disse, prendendola per mano e portandola verso la camera da letto di mia madre, senza più far caso a me. «Voglio mostrarti una cosa.» Li guardai allontanarsi, turbato al pensiero di loro che ficcavano le zampe tra le cose di mia madre, ma felice perché si erano levati di torno.

Tenendo d'occhio la porta, girai intorno al letto e nascosi il quadro. Sul pavimento c'era un vecchio numero del «New York Post», quello che mi aveva lanciato, affannata, durante il nostro ultimo sabato insieme. *Tieni, piccolo*, aveva detto, infilando la testa nella stanza, *scegli tu il film*. Nonostante ci fossero un sacco di film che sarebbero piaciuti a entrambi, avevo scelto uno spettacolo pomeridiano del Boris Karloff Film Festival: *La iena – L'uomo di mezzanotte*. Lei aveva accettato senza protestare; eravamo andati al Film Forum, avevamo visto il film, e quand'era finito avevamo raggiunto a piedi il Moondance Diner per un hamburger. Un sabato perfetto, a parte il fatto che era stato il suo ultimo sabato sulla Terra, e adesso ogni volta che ci pensavo mi sentivo uno schifo perché (per colpa mia) l'ultimo film che aveva visto era stata una vecchia e stupida pellicola piena di cadaveri e di gente che trafugava corpi dai cimiteri. (Se avessi scelto il film che interessava a lei – quello sui bambini di Parigi durante la Prima guerra mondiale, ottimamente recensito – forse non sarebbe morta? I miei pensieri si perdevano spesso sul fondo di queste oscure faglie di superstizione.)

Anche se il giornale era un oggetto sacro, un documento storico, lo aprii a metà e lo strappai. Avvolsi il quadro in fretta, foglio dopo foglio, e lo impacchettai con lo stesso nastro adesivo che avevo usato pochi mesi prima per il regalo di Natale di mia madre. *Perfetto!*, aveva esclamato in una tempesta di carta luccicante, chinandosi a baciarmi avvolta nel suo accappatoio: un set di colori ad acqua che non avrebbe mai portato con sé al parco nei sabati mattina dell'estate che non avrebbe vissuto.

Il mio letto – un lettino da campo in ottone preso al mercatino delle pulci, militaresco e confortante – mi era sempre sembrato il posto più sicuro al mondo per nascondere qualcosa. Ma adesso, guardandomi intorno (la scrivania sgangherata, il poster giapponese di Godzilla, la tazza dei pinguini presa allo zoo che usavo come portapenne), percepivo la natura precaria ed effimera di quelle cose; e non sopportavo l'idea che uscissero dall'appartamento, i mobili e l'argenteria e i vestiti di mia madre: abiti da vendite speciali con ancora i cartellini, tutte quelle ballerine colorate e le camicie su misura con le iniziali sui polsini. Sedie e lampade cinesi, i vecchi vinili di jazz che aveva comprato al Village, i barattoli di marmellata e di olive e di senape tedesca piccante che c'erano nel frigorifero. Nel bagno, una stupefacente collezione di oli profumati e lozioni idratanti, bagnoschiuma colorati, flaconi mezzi vuoti di shampoo troppo costosi ammucchiati vicino alla vasca (Kiehl's, Klorane, Kérastase, mia madre ne teneva sempre di cinque o sei tipi). Come aveva fatto il nostro appartamento a sembrare così solido e reale, quando invece era soltanto una scenografia in attesa di essere smontata e portata via?

Quando tornai in soggiorno mi trovai davanti una maglia di mia madre sulla sedia dove l'aveva lasciata, un fantasma azzurro cielo di lei. Le conchiglie che avevamo raccolto sulla spiaggia a Wellfleet. I giacinti in vaso che aveva comprato al mercato coreano pochi giorni prima dell'esplosione, con gli steli che pendevano su un lato, marciti e neri di morte. Nel cestino della spazzatura: cataloghi di Dover Books e Belgian Shoes e la carta di una confezione di Necco Wafers, le sue caramelle preferite. La tirai fuori e l'annusai. Anche sulla maglia – lo sapevo – avrei sentito il suo odore, se l'avessi avvicinata al viso. Ma era già tanto se riuscivo a sopportare di guardarla.

Tornai nella mia camera, montai sulla sedia, tirai giù la valigia – morbida e non troppo grande – e la riempii di biancheria pulita, vestiti per la scuola e camicie piegate dalla lavanderia. Poi ci misi il quadro, e sopra altri vestiti.

Chiusi la cerniera – niente lucchetto, era fatta di tela – e rimasi immobile per qualche istante. Andai in corridoio. Da lì sentivo i cassetti che si aprivano e si chiudevano nella stanza di mia madre. Poi una risatina.

«Papà» dissi ad alta voce, «vado di sotto a parlare con Jose.»

Si zittirono.

«Certo» disse mio padre attraverso la porta chiusa, il tono esageratamente cordiale.

Presi la valigia e uscii, lasciando la porta accostata per poter rientrare. Scesi con l'ascensore fissando lo specchio che avevo di fronte, cercando di non pensare a Xandra che frugava tra i vestiti di mia madre. Mio padre aveva iniziato a frequentarla già prima di andarsene di casa? Possibile che permetterle di rovistare tra le cose della mamma non gli procurasse il minimo disagio?

Stavo andando a cercare Jose quando qualcuno gridò: «Ehi, aspetta un attimo!».

Mi voltai, e vidi Goldie che camminava veloce verso di me.

«Theo, mio Dio, quanto mi dispiace» disse. Ci guardammo un istante senza sapere cosa fare, e poi lui – con un gesto improvviso alla ma-che-diavolo, talmente goffo da far quasi ridere, si avvicinò e mi abbracciò.

«Mi spiace sul serio» ripeté, scuotendo la testa. «Mio Dio, che roba.» Dopo il divorzio, Goldie faceva spesso i turni di notte e i festivi, standosene all'entrata senza i guanti e con una sigaretta spenta in mano, a fissare la strada. Qualche volta la mamma mi aveva mandato giù con caffè e qualche ciambella per lui, perché, mentre smistava i giornali alle cinque di mattina del giorno di Natale, a fargli compagnia aveva solo l'albero illuminato e la *menorah* elettrica, e sul viso un'espressione che mi ricordava certe mattine vuote delle vacanze, uno sguardo assente, perso, incerto, prima di accorgersi che ero lì e mettere su il suo miglior sorriso da *ciao, ragazzo*.

«Ho pensato moltissimo a te e a tua madre» disse. «*Ay bendito*. Non so… non riesco neanche a immaginare cosa stai passando.»

«Sì» ribattei, «è stato difficile», che era la frase su cui ripiegavo sempre se qualcuno mi diceva che era dispiaciuto per me. L'avevo detta tante di quelle volte che cominciava a sembrarmi finta e superficiale.

«Sono felice che tu sia passato» disse. «Quella mattina… ero di servizio, te lo ricordi? Proprio qui fuori?»

«Sì che me lo ricordo» risposi, sbigottito. Pensava che potessi *non* ricordare?

«Oh, mio Dio.» Si passò la mano sulla fronte con l'espressione stravolta, come se pure lui l'avesse scampata bella. «Ci penso ogni giorno. Sai che la vedo ancora mentre sale su quel taxi? Che mi saluta, così felice.»

Mi si avvicinò. «Quando ho saputo che era morta» disse a voce bassa, come se stesse per rivelarmi un segreto, «ho chiamato la mia ex moglie, da quanto ero sconvolto.» Raddrizzò la schiena e mi scrutò guardingo, come se si aspettasse che mettessi in dubbio le sue parole. Le sue battaglie con la ex moglie erano leggendarie.

«Be', ci rivolgiamo a malapena la parola» continuò, «ma a chi altri potevo raccontarlo? Dovevo pur dirlo a qualcuno, no? E allora l'ho chiamata e le ho detto: "Rosa, non ci crederai. Abbiamo perso una così bella signora nel palazzo".»

Jose mi aveva visto e stava arrivando dall'ingresso col suo tipico passo molleggiato per unirsi alla nostra conversazione. «La signora Decker» disse, scuotendo affettuosamente la testa, come se fosse stata un essere speciale. «Salutava sempre, sempre con quel sorriso. Premuroso.»

«Non come certa gente che abita qui» intervenne Goldie lanciando un'occhiata alle proprie spalle. «Sai...» Si chinò di nuovo e sussurrò: «Snob. Quelli che anche se non hanno le mani occupate, né pacchi né niente, se ne stanno lì e aspettano che tu gli apra la porta, ecco cosa intendo».

«Lei non era così» ribadì Jose continuando a scuotere la testa, un movimento ampio, come un bambino triste che dice di no. «La signora Decker era una donna di classe.»

«Senti, puoi aspettare qui un secondo?» mi chiese Goldie sollevando la mano. «Torno subito, non te ne andare. Non farlo andar via» raccomandò a Jose.

«Vuoi che ti chiami un taxi, *manito*?» domandò quest'ultimo notando la valigia.

«No» risposi. Lanciai un'occhiata in direzione dell'ascensore. «Jose» continuai, «me la tieni finché non torno a prenderla?»

«Certo.» La prese e la sollevò. «Come no.»

«Vengo a prenderla io, okay? Non devi darla a nessun altro.»

«Sì, ho capito» ribatté lui. Lo seguii nel locale-deposito, dove ci appiccicò sopra un'etichetta prima di issare la valigia su uno scaffale in alto.

«Vedi?» disse. «Fuori portata, baby. Lassù teniamo solo i pacchi che necessitano di una firma per essere ritirati, e le nostre cose personali. Nessuno potrà prendersi la valigia senza la tua firma, capisci? Né tuo zio, né tuo cugino, nessuno. E dirò a Carlos e Goldie e agli altri ragazzi di non darla ad anima viva all'infuori di te. Okay?»

Annuii, e stavo per ringraziarlo, quando lui si schiarì la voce.

«Ascolta» disse piano. «Non voglio che ti preoccupi, ma ultimamente sono passati dei tizi a chiedere di tuo padre.»

«Dei tizi?» ripetei. «Tizi» detto da Jose poteva significare solo una cosa: gente a cui mio padre doveva dei soldi.

«Non devi preoccuparti. Non gli abbiamo detto nulla. Cioè... tuo padre se n'è andato da quanto, un anno? Carlos gli ha detto che qui non viveva più nessuno di voi e che non sareste più tornati. Però...» guardò verso l'ascensore, «forse tuo padre non dovrebbe passare troppo tempo nel palazzo proprio ora, capisci cosa intendo?»

Un attimo dopo Goldie riapparve con in mano quello che mi sembrava un bel mucchio di contanti. «Per te» disse enfatico.

Per un attimo pensai di aver capito male. Jose tossì e guardò altrove. Sul piccolo televisore in bianco e nero del locale-deposito (lo schermo non più grande della custodia di un CD) una donna vestita in maniera elegante con un paio di orecchini lunghi e tintinnanti imprecava in spagnolo, il pugno per aria, all'indirizzo di un prete spaventato.

«Che significa?» dissi.

«Tua madre non te l'ha detto?» rispose Goldie.

«Detto cosa?»

A quanto pareva, qualche giorno prima di Natale Goldie aveva ordinato un computer e se l'era fatto consegnare al lavoro. Era per il figlio, gli serviva per la scuola, ma (su questo fu un po' vago) lui in pratica non lo aveva pagato, o solamente in parte, o era l'ex moglie che avrebbe dovuto pagarlo al posto suo. In ogni caso, mentre il fattorino si stava riportando via il computer e si preparava a caricarlo sul furgone, mia madre era scesa e aveva assistito alla scena.

«E così l'ha pagato lei, quella bellissima signora» concluse Goldie. «Aveva capito la situazione, ha aperto la borsa e ha tirato fuori il libretto degli assegni. Mi ha detto: "Goldie, so che tuo figlio ha bisogno di questo computer per la scuola. Per favore, amico mio, lascia che io faccia questa cosa per te, mi restituirai i soldi quando potrai".»

«Ti rendi conto?» sbottò Jose con improvvisa ferocia, staccando gli occhi dal televisore e dalla donna che ora si trovava in un cimitero, a discutere con un tipo in occhiali da sole con l'aria di essere un pezzo grosso. «È stata tua madre a fare un gesto del genere.» Indicò i soldi, quasi con rabbia. «*Sí, es verdad*, era una donna di prima classe. Aveva a cuore il prossimo, sai? La maggior parte delle donne spende i soldi per comprare orecchini d'oro o profumi o roba del genere, per sé.»

Mi sentii a disagio nel prendere il denaro, per diverse ragioni. Non tutto quadrava in quella storia (quale negozio avrebbe consegnato un computer non pagato?). In seguito mi chiesi: ero messo così male che quei due si erano sentiti in dovere di aiutarmi? Ancora oggi non so da dove venissero quei soldi; e avrei dovuto fare altre domande, ma ero talmente sottosopra per gli eventi della giornata (uno su tutti, l'arrivo improvviso di mio padre e Xandra) che se Goldie mi avesse messo in mano un chewing gum raschiato via dal pavimento lo avrei accettato senza obiezioni.

«Non sono affari miei» disse Jose, un occhio all'ascensore, «ma se fossi in te non direi a nessuno dei soldi. Capisci cosa intendo?»

«Sì, e mettiteli in tasca» intervenne Goldie. «C'è gente per strada che ammazzerebbe per molto meno.»

«E pure nel palazzo!» rincarò Jose, sopraffatto da una risata improvvisa.

«Ah-ah!» fece Goldie, scoppiando a ridere anche lui, poi aggiunse qualcosa in spagnolo che non compresi.

«*Cuidado*» lo ammonì Jose, scuotendo la testa nel suo solito modo finto serio. «Ecco perché non vogliono che io e Goldie lavoriamo allo stesso piano. Devono tenerci divisi. *Insieme ci divertiamo troppo.*»

XIX

Dopo l'arrivo del papà e di Xandra, le cose iniziarono a muoversi in fretta. Quella sera, a cena (mi sorprese la sua scelta di un ristorante turistico), mio padre ricevette una telefonata dalla compagnia di assicurazioni di mia madre – una telefonata il cui contenuto, ancora oggi, dopo tutti questi anni, mi rammarico di non essere riuscito ad afferrare meglio. Ma il ristorante era rumoroso e Xandra (tra una sorsata e l'altra di vino bianco – forse *lui* aveva smesso di bere, ma lei no di certo) alternava le lagnanze sul divieto di fumare al confuso racconto di come, quando frequentava le superiori dalle parti di Fort Lauderdale, avesse imparato a praticare la stregoneria da un libro preso in prestito in biblioteca. («In realtà si dice Wicca. È una religione della terra.») Con chiunque altro avrei approfondito la questione su cosa comportasse essere una strega (incantesimi e sacrifici? patti col diavolo?), ma in ogni caso lei era già passata oltre e stava blaterando di aver avuto l'opportunità di andare al college e di essersi pentita di non averlo fatto («Ecco cosa mi interessava. Storia inglese e roba del genere. Enrico VIII, la regina Maria di Scozia»). Alla fine aveva rinunciato al college perché era ossessionata da un tizio. «*Ossessionata*» ripeté, fissandomi con i suoi occhi acuti e senza colore.

Perché l'ossessione di Xandra per quel tizio le avesse impedito di andare al college non lo seppi mai, dato che mio padre chiuse la telefonata e ordinò (il che mi fece una strana impressione) una bottiglia di champagne.

«Non posso scolarmelo tutto» disse Xandra, che era al secondo bicchiere di vino. «Mi verrà il mal di testa.»

«Be', se io non posso berlo, dovrete pensarci voi due» fece mio padre appoggiandosi allo schienale della sedia.

Xandra annuì guardando me. «Sì, versane un po' a lui» disse. «Cameriere, un altro bicchiere.»

«Mi dispiace» replicò il cameriere, un italiano dai modi spigolosi che sembrava avvezzo a trattare coi turisti fuori controllo. «Niente alcol sotto i diciotto anni.»

Lei si mise a rovistare nella borsetta. Indossava un vestito marrone smanicato e aveva del fard, o del bronzer, o un qualche altro tipo di polvere marroncina spennellato in una linea talmente netta sotto gli zigomi da farmi venire voglia di sfumarglielo con le dita.

«Usciamo a fumare» annunciò a mio padre. E si scambiarono uno sguardo compiaciuto che mi fece rabbrividire. Poi Xandra spinse indietro la sedia – il tovagliolo le scivolò dalle ginocchia – e si guardò intorno in cerca del cameriere. «Oh, bene, se n'è andato» disse, afferrando il mio bicchiere da acqua (quasi) vuoto e versandoci dentro lo champagne.

Il cibo era arrivato, e prima che tornassero mi ero versato di nascosto un altro bel bicchiere di champagne. «Mmm!» disse Xandra, che aveva lo sguardo vitreo e un po' lucido, tirandosi giù la minigonna e infilandosi tra il tavolo e la sedia senza spostarla. Si sistemò il tovagliolo in grembo e avvicinò il gigantesco piatto di cannelloni rosso acceso. «Sembra favoloso!»

«Vero» disse mio padre, che aveva sempre fatto lo schizzinoso con la cucina italiana, e che un sacco di volte si era lamentato della pasta con troppo pomodoro e troppo olio, esattamente come quella che adesso si accingeva a mangiare.

Mentre si buttavano sul cibo (che doveva essersi freddato, visto il tempo che erano stati fuori) ripresero la conversazione lasciata a metà.

«Be', in ogni caso, non ha funzionato» disse mio padre cambiando posizione sulla sedia, e giocherellando con una sigaretta che non poteva accendere. «Così va il mondo.»

«Scommetto che eri fantastico.»

Lui alzò le spalle. «Anche quando sei giovane» disse «è dura. Non è solo questione di talento. C'entrano molto l'aspetto e la fortuna.»

«Eppure» disse Xandra, tamponandosi l'angolo della bocca col tovagliolo avvolto intorno al dito. «Come attore. Ti ci vedo proprio.» La sua abortita carriera di attore era uno degli argomenti preferiti di mio padre, ma nonostante lei sembrasse interessata, qualcosa mi diceva che non era la prima volta che ne sentiva parlare.

«Be', se rimpiango di non aver insistito?» Mio padre contemplò la sua birra analcolica (o conteneva il tre per cento di alcol? Non riuscivo a capirlo da dove ero seduto). «Devo ammettere di sì. È uno di quei rimpianti che ti porti dietro tutta la vita. Mi sarebbe piaciuto farne qualcosa, del mio dono, ma questo lusso non mi è stato concesso. La vita ha uno strano modo di interferire.»

Erano sprofondati nel loro mondo; per l'attenzione che mi dedicavano avrei potuto tranquillamente trovarmi nell'Idaho, ma a me andava bene così; conoscevo la storia. Mio padre era stato una stella del teatro al college, e per un breve periodo si era guadagnato da vivere come attore: voci fuori campo negli spot pubblicitari, qualche ruolo minore (un playboy assassinato, il figlio viziato di un boss della mala) al cinema e per la TV. Poi – dopo aver sposato mia madre – la sua cosiddetta carriera era implosa. Aveva una lunga lista di motivi per i quali non ce l'aveva fatta, anche se più di una volta gli avevo sentito dire che se mia madre avesse avuto più successo come modella o ci avesse messo più impegno, ci sarebbero stati abbastanza soldi perché lui potesse concentrarsi sulla recitazione senza doversi preoccupare di sbarcare il lunario.

Scansò il piatto e notai che aveva mangiato poco, il che, con lui, significava spesso che stava bevendo o che era sul punto di cominciare.

«A un certo punto sono stato costretto a limitare le perdite e a uscirne» disse, appallottolando il tovagliolo e gettandolo sul tavolo. Mi domandavo se avesse raccontato a Xandra di Mickey Rourke, che tolti me e la mamma considerava il principale responsabile del proprio fallimento.

Xandra buttò giù un sorso di vino. «Non hai mai pensato di ricominciare?»

«Ci *penso*, certo. Ma…» Scosse la testa, come se fosse un'idea del tutto folle. «No. Fondamentalmente la risposta è no.»

Lo champagne mi pungeva il palato – un pizzicore lontano, polveroso, proveniente da un'annata più felice, imbottigliata quando mia madre era ancora viva.

«In pratica, *non appena* mi guardò mi resi conto che non gli andavo a genio» le stava dicendo pacato mio padre. E così era arrivato a Mickey Rourke.

Lei scosse la testa e scolò il resto del vino. «Quelli come lui non sopportano la competizione.»

«Era tutto un Mickey qua, Mickey là, Mickey vuole incontrarti, ma nell'attimo esatto in cui sono entrato ho capito che era finita.»

«Certo che lui è uno strano.»

«Non all'epoca. Perché, sinceramente, c'era sul serio una somiglianza a quei tempi, non solamente fisica, avevamo anche uno stile di recitazione simile. O meglio, c'è da dire… io avevo fatto studi tradizionali, ero più eclettico, però riuscivo a rendere lo stesso tipo di calma di Mickey, sai, quella tranquillità sussurrata…»

«Oooh, mi hai fatto venire i brividi. *Sussurrata*. Proprio il modo in cui l'hai *detto*.»

«Già, ma Mickey era la star. Non c'era spazio per entrambi.»

Mentre li guardavo dividere una fetta di cheesecake come due piccioncini in uno spot pubblicitario sprofondai in un rovente e strano flusso di coscienza, con le luci del locale troppo forti e la faccia in fiamme per via dello champagne, e iniziai a pensare in maniera confusa ma vivida a mia madre, a quando era andata a vivere dalla zia Bess dopo che i suoi genitori erano morti, in una casa vicina ai binari con la carta da parati marrone e i mobili coperti con dei teli di plastica. Zia Bess – che friggeva tutto col Crisco e aveva tagliato uno dei vestiti di mia madre con le forbici perché il disegno psichedelico le dava fastidio – era una corpulenta zitella inacidita di origini irlandesi che aveva abbandonato la Chiesa cattolica per una piccola setta di matti che credevano fosse peccato anche bere tè o prendere un'aspirina. I suoi occhi – nell'unica foto che avevo visto – erano dello stesso sorprendente blu argentato di quelli di mia madre, ma orlati di rosa e spiritati, su una faccia insignificante da patata. Mia madre parlava di quei diciotto mesi con lei come dei più tristi della sua vita… i cavalli che erano stati venduti, i cani dati via, i lunghi addii in lacrime sul ciglio della strada con le braccia gettate al collo di Trifoglio, di Lavagna, di Arlecchino e di Bruno. Quando rientrava in casa, zia Bess le diceva che era viziata, e che le persone che non temono il Signore ricevono sempre ciò che si meritano.

«E il produttore, ecco, insomma, sapevano tutti com'era fatto Mickey, si era già fatto la reputazione di soggetto difficile…»

«Lei non lo meritava» dissi forte, interrompendo la loro conversazione.

Mio padre e Xandra si zittirono e mi guardarono come se di colpo mi fossi trasformato in una lucertola.

«Perché dicono tutti questa cosa?» Non era giusto parlare ad alta voce, però le parole mi rotolavano fuori di bocca come se qualcuno avesse premuto un pulsante. «Lei era meravigliosa, e allora perché erano tutti così cattivi con lei? Non si meritava niente di quello che le è successo.»

Mio padre e Xandra si scambiarono un'occhiata. Poi lui chiese il conto.

XX

Quando ce ne andammo dal ristorante avevo la faccia calda e un rombo nelle orecchie, e anche se quando rientrai nell'appartamento dei Barbour non era poi tanto tardi, riuscii a inciampare nel portaombrelli con grande fragore. Non appena i Barbour mi videro, capii (dalla loro espressione) di essere ubriaco.

Il signor Barbour spense il televisore col telecomando. «Dove sei stato?» disse, la voce ferma ma benevola.

Mi appoggiai allo schienale del divano. «Fuori con papà e...» Non mi ricordavo il nome, solo la x iniziale.

La signora Barbour inarcò le sopracciglia rivolta al marito: *che ti avevo detto?*

«Bene, è meglio se vai a letto, ragazzo» fece il signor Barbour con brio, la voce che cercava, malgrado tutto, di farmi sentire meglio a proposito della vita in generale. «Ma cerca di non svegliare Andy.»

«Non ti senti male, vero?» chiese la signora Barbour.

«No» risposi, mentendo; e per gran parte della notte restai sveglio sul letto di sopra a rosolarmi nella tristezza mentre la stanza girava, e un paio di volte il cuore mi balzò in gola perché avevo creduto che fosse entrata Xandra e che mi stesse parlando: non capivo le parole, ma la cadenza aspra e farfugliata della voce era inconfondibile.

XXI

«Allora» disse il signor Barbour a colazione il mattino dopo, dandomi una pacca sulla spalla mentre tirava fuori la sedia vicino alla mia, «un'allegra cena con papà, eh?»

«Sì, signore.» Avevo un mal di testa che mi spaccava in due e l'odore dei french toast mi rivoltava lo stomaco. Con discrezione, Etta mi aveva portato una tazza di caffè con un paio di aspirine sul piattino.

«A Las Vegas, giusto?»

«Sì.»

«E come campa?»

«Scusi?»

«Cosa fa di bello da quelle parti?»

«*Chance!*» lo ammonì la signora Barbour con voce piatta.

«Intendo… nel senso…» insistette lui. «Che lavoro fa?»

«Mmm…» dissi, e basta. Cosa *faceva* mio padre? Non ne avevo idea.

La signora Barbour – che sembrava preoccupata dalla piega presa dalla conversazione – stava per dire qualcosa; ma Platt, seduto vicino a me, la anticipò rabbioso. «Allora, a chi devo fare un pompino per avere una tazza di caffè?» abbaiò spingendo indietro la sedia, una mano piantata sul tavolo.

Calò un silenzio spaventoso.

«*Lui* ce l'ha il caffè» disse Platt, indicandomi. «*Lui* torna a casa ubriaco e si becca il fottuto caffè?»

Dopo un altro spaventoso silenzio il signor Barbour parlò in tono tanto gelido da far impallidire persino sua moglie. «Basta così.»

Le sopracciglia slavate della signora Barbour fremettero. «Chance…»

«No, stavolta non prenderai le sue difese. Va' in camera tua» disse il signor Barbour rivolto a suo figlio. «Subito.»

Restammo tutti seduti a fissare i piatti, ascoltando il pestare rabbioso dei passi di Platt, il fracasso della porta che sbatteva e poi – pochi secondi dopo – la musica che riattaccava a martellare. Per il resto della colazione non parlammo granché.

XXII

Mio padre – che amava fare tutto di corsa, sempre impaziente di «dare il via allo spettacolo», come gli piaceva dire – mi comunicò che nel giro di una settimana avrebbe sbrigato tutto quanto gli restava da fare a New York e poi saremmo partiti tutti e tre per Las Vegas. E fu di parola. Alle otto di quel lunedì mattina i traslocatori si presentarono a Sutton Place e si misero a smantellare l'appartamento e a inscatolare roba. Un tizio che vendeva libri usati venne a vedere i volumi di arte della mamma e un altro tizio venne per i mobili, e, prima che me ne rendessi conto, la mia casa si stava dissolvendo davanti ai miei occhi a una velocità che mi dava la nausea. Mentre le tende venivano tolte e le fotografie sparivano e i tappeti venivano arrotolati e portati via, mi venne in mente un cartone animato che avevo visto una volta, con un personaggio che con la gomma cancellava la scrivania, la lampada, la sedia, la finestra, il panorama e tutto il suo ufficio dotato di ogni comfort, finché alla fine restava solo la gomma sospesa in un inquietante oceano bianco.

Angosciato per quello che stava accadendo, e incapace di fermarlo, vagavo osservando l'appartamento svanire pezzo dopo pezzo, come un'ape di fronte al proprio alveare distrutto. Sul muro sopra la scrivania di mia madre (tra ricordi delle vacanze e vecchie foto di scuola) era appesa una fotografia in bianco e nero scattata a Central Park che risaliva ai tempi in cui faceva la modella. Era una stampa molto nitida e ogni dettaglio spiccava in maniera dolorosa: le sue lentiggini, il tessuto ruvido del cappotto, la cicatrice sopra il sopracciglio sinistro lasciata dalla varicella. Lei fissava allegra il caos del soggiorno, mio padre che buttava via i suoi giornali e le sue dispense di arte e impacchettava i suoi libri per darli in beneficenza, una scena che probabilmente lei non aveva mai nemmeno lontanamente immaginato possibile, o almeno così speravo.

XXIII

I miei ultimi giorni con i Barbour volarono, infatti li ricordo appena, tranne che per le corse dell'ultimo minuto in lavanderia e per qualche veloce puntata alla vineria sulla Lexington per prendere degli scatoloni. Scrivevo l'indirizzo – vagamente esotico – della mia nuova casa, col pennarello nero:

Theodore Decker c/o Xandra Terrell
6219 Desert End Road
Las Vegas, NV

Io e Andy contemplavamo malinconici le scatole etichettate nella sua camera da letto. «È come se ti stessi trasferendo su un altro pianeta» disse.

«Più o meno.»

«Non sto scherzando. Quell'indirizzo. Dà l'idea di una colonia mineraria su Giove. Chissà come sarà la tua scuola.»

«Lo sa Dio.»

«Potrebbe essere uno di quei posti di cui si legge. Con le gang e i metal detector all'ingresso.» Andy era stato talmente maltrattato nella nostra scuola (teoricamente) illuminata e progressista, che dal suo punto di vista la scuola pubblica equivaleva al carcere. «Che farai?»

«Mi raserò la testa, credo. E mi farò un tatuaggio.» Mi piaceva che non cercasse di fare l'ottimista per forza, a differenza della signora Swanson e di Dave (palesemente sollevato dal fatto di non dover più trattare coi miei nonni). Nessun altro a Park Avenue aggiunse molto sulla mia partenza, anche se dall'espressione nervosa che aveva la signora Barbour quando qualcuno citava mio padre o la sua «amica» capivo che avevo motivo di preoccuparmi. Ma d'altra parte, non è che il futuro con papà e Xandra apparisse necessariamente peggiore o spaventoso; era, semmai, incomprensibile, un grumo d'inchiostro nero all'orizzonte.

XXIV

«Be', un cambiamento di scenario potrebbe farti bene» disse Hobie quando passai a salutarlo prima di andarmene. «Anche se non è lo scenario che hai scelto.» Stavamo cenando in sala da pranzo, tanto per cambiare, seduti vicini a un'estremità del tavolo lungo, da dodici, con i contorni delle brocche d'argento e dei vari ninnoli intorno a noi che si dissolvevano nella fastosa semioscurità. Eppure qualcosa mi riportava all'ultima sera nel nostro vecchio appartamento sulla Settima, con la mamma e il papà seduti sulle scatole a mangiare cibo cinese del take-away.

Non dissi niente. Ero triste; e la mia ostinazione a tenermi tutto dentro mi rendeva taciturno. Durante il trambusto della settimana precedente, mentre l'appartamento veniva svuotato e le cose di mia madre venivano piegate e inscatolate per essere vendute, avevo desiderato intensamente la penombra e la quiete della casa di Hobie, le stanze piene di roba e l'odore di legno vecchio, le foglie di tè, il fumo del tabacco, i piatti con le arance sulla credenza, i candelabri striati dalle gocce di cera d'api.

«Voglio dire, dopo tua madre…» S'interruppe, riguardoso. «Sarà un nuovo inizio.»

Studiai il mio piatto. Aveva fatto l'agnello al curry, con una salsa color limone che sapeva più di Francia che di India.

«Non hai paura, vero?»

Lo guardai. «Paura di cosa?»

«Di andare a vivere con lui.»

Ci pensai, fissando le ombre oltre la sua testa. «No» dissi, «non proprio.» Per qualche ragione, da quand'era ricomparso, mio padre sembrava più sciolto, più rilassato. Non credevo dipendesse dal fatto che aveva smesso di bere, perché di solito quando ci provava diventava silenzioso, visibilmente gonfio di sofferenza e pronto a scattare, tanto che per precauzione mi tenevo a una certa distanza.

«Hai raccontato a qualcuno quello che hai detto a me?»

«Riguardo…?»

Abbassai la testa e assaggiai un po' di curry. In effetti era buono, se tralasciavi il fatto che non era curry.

«Non credo beva, adesso» dissi, dopo il silenzio che seguì. «Se è quello che intende. Pare stia meglio. Perciò…» Glissai goffamente. «È così.»

«Ti piace la sua fidanzata?»

Anche stavolta dovetti pensarci su. «Non lo so» ammisi.

Hobie restò zitto, tranquillo, col bicchiere di vino in mano e gli occhi piantati su di me.

«È che non la conosco. È a posto, credo. Solo non capisco cosa gli piaccia di lei.»

«Perché?»

«Be'…» Non sapevo da dove cominciare. Mio padre era bravo a sedurre le «signore», come le chiamava lui, apriva le porte per farle passare per prime, sfiorava loro il polso per sottolineare un concetto; avevo visto diverse donne cadere ai suoi piedi, uno spettacolo che osservavo con freddezza, chiedendomi come potessero farsi raggirare così facilmente. Era come guardare dei bambini piccoli assistere a uno spettacolino di magia. «Non lo so. Mi sarei aspettato fosse più bella o qualcosa del genere.»

«Non importa che sia bella se è un tipo perbene» obiettò Hobie.

«Ma lei non è neanche troppo simpatica.»

«Ah.» Poi: «Ti sembrano felici insieme?».

«Non lo so. Boh… sì» ammisi. «Lui non è più sempre così scontento.» E avvertendo il peso della domanda che Hobie evitava di fare: «Comunque è venuto a prendermi. E non era tenuto a farlo. Se non mi volevano, avrebbero potuto restarsene laggiù».

Non aggiungemmo una parola sull'argomento e finimmo di cenare chiacchierando d'altro. Ma un attimo prima di salutarci, mentre ero nel corridoio pieno di fotografie – dopo la stanza di Pippa con dentro una candela accesa, e Cosmo che dormiva ai piedi del letto – lui aprì la porta d'ingresso e disse: «Theo».

«Sì?»

«Hai il mio indirizzo e il mio numero di telefono.»

«Certo.»

«Bene, allora». Sembrava a disagio quanto me. «Spero tu faccia un buon viaggio. Abbi cura di te.»

«Anche lei» dissi. Ci guardammo.

«Bene.»

«Buona notte, allora.»

Spalancò del tutto la porta e io uscii dalla casa – per l'ultima volta, pensai. Credevo che non l'avrei più rivisto, invece mi sbagliavo.

II

Quando noi siamo molto forti – chi indietreggia?
Molto gai – chi cade nel ridicolo?
Quando siamo molto cattivi, che cosa potrebbero fare di noi?
ARTHUR RIMBAUD

Capitolo 5
Badr al-Dine

I

Avevo deciso di lasciare la valigia nel locale-deposito del mio vecchio palazzo, dov'ero sicuro che Jose e Goldie l'avrebbero tenuta
d'occhio, ma più si avvicinava il momento della partenza e più mi
sentivo nervoso, finché, all'ultimo minuto, mi ritrovai a tornare sui
miei passi per un motivo che a ripensarci adesso sembra davvero
stupido: nella fretta di non farmi scoprire avevo buttato nella borsa,
insieme col quadro, un mucchio di roba a caso, tra cui molti vestiti
estivi. Perciò, il giorno prima che mio padre venisse a prendermi
dai Barbour andai di corsa sulla Cinquantasettesima con l'idea di
recuperare al volo un paio di magliette decenti.

Jose non c'era, ma al suo posto mi si parò davanti un tizio nuovo
con le spalle larghe (MARCO V, diceva il cartellino) che mi bloccò la
strada risoluto, con piglio da vigilante. «Prego, posso aiutarti?»

Gli spiegai della valigia. Solo che lui, dopo aver esaminato accuratamente il registro – il grosso indice che scorreva sulla colonna
dei giorni –, non sembrava affatto propenso a entrare nel locale per
tirarla giù dal ripiano e consegnarmela. «E perché l'avresti lasciata
qui?» chiese, diffidente, grattandosi il naso.

«Jose mi ha detto che potevo.»

«Hai la ricevuta?»

«No» risposi, dopo un attimo di smarrimento.

«Be', non posso aiutarti. Non c'è la registrazione. E comunque
teniamo solo le cose degli inquilini.»

Avevo vissuto nel palazzo abbastanza a lungo per sapere che non era vero, ma non era il caso di discutere. «Senta» dissi, «io vivevo qui. Conosco Goldie, Carlos e tutti gli altri. Voglio dire... E dai...» feci, dopo una pausa glaciale e indefinita durante la quale colsi un cedimento nella sua attenzione. «Se mi fa entrare, le mostro qual è.»

«Mi spiace. Possono accedere solo i membri dello staff e gli inquilini.»

«È di tela, con un nastro sul manico. E c'è scritto sopra il mio nome. Decker.» Gli stavo indicando la targhetta ancora appiccicata alla nostra cassetta della posta, quando Goldie rientrò dalla pausa.

«Ehi! Ma guarda chi c'è!» disse; poi rivolto a Marco V: «Lo conosco da quand'era alto così. Che succede, Theo, amico mio?»

«Niente. Cioè... be', sto per partire.»

«Davvero? Las Vegas? Di già?» fece Goldie. Sentire la sua voce, e la sua mano sulla spalla, rendeva tutto più facile e rassicurante. «Dev'essere pazzesco viverci, no?»

«Credo di sì» risposi, incerto. Tutti continuavano a ripetermi che a Las Vegas sarebbe stato pazzesco, ma io non capivo perché, considerato che non avrei trascorso molto tempo nei casinò e nelle discoteche.

«*Credi* di sì?» Goldie levò gli occhi al cielo e scosse la testa, nel modo buffo che mia madre, quand'era in vena, imitava benissimo. «Oh, mio Dio, fidati di me. Quella città... hanno certi sindacati... voglio dire... ristoranti, hotel... hai *un sacco* di opportunità di lavoro. E il clima? Sole, tutti i giorni. Ti piacerà da matti, amico. Quando hai detto che parti?»

«Ehm, oggi. Cioè, domani. È per questo che volevo...»

«Ah, sei passato per la valigia? Subito.» Goldie disse qualcosa in spagnolo a Marco V, che si limitò a scrollare le spalle e sparì nello stanzino.

«Marco è a posto» mi disse sottovoce. «Ma non sapeva della tua borsa, perché io e Jose non l'abbiamo segnata sul registro, capisci?»

Capivo. Qualsiasi pacco o bagaglio entrasse o uscisse dal palazzo doveva essere registrato. Con la mia valigia non l'avevano fatto, però; per evitare che qualcun altro potesse presentarsi e reclamarla.

«Ehi» dissi, in imbarazzo, «grazie per avermi aiutato...»

«*No problemo*» rispose Goldie. «Ehi, grazie, amico» aggiunse rivolto a Marco che gli porgeva la valigia. «Come ti dicevo» continuò a bassa voce, tanto che fui costretto ad avvicinarmi, «è un bravo ragazzo, ma un sacco di inquilini si sono lamentati perché non c'era abbastanza personale il giorno in cui... hai capito...» Mi lanciò un'occhiata carica di significato. «Voglio dire, il giorno dell'attentato Carlos era di turno e non è potuto venire al lavoro, non è stata colpa sua, ma l'hanno licenziato.»

«Carlos?» Era il portiere più vecchio e il più schivo di tutti; sembrava uno di quegli attori messicani che fanno impazzire le donne, coi suoi baffetti sottili e i capelli ingrigiti sulle tempie, le scarpe nere lucide come specchi e i guanti immacolati. «Hanno licenziato Carlos?»

«Lo so... è incredibile. Dopo trentaquattro anni...» Goldie alzò il pollice e lo puntò all'indietro, oltre la spalla. «*Pfff*. E adesso... la direzione è tutta concentrata sulla sicurezza, nuova gente, nuove regole, bisogna segnare chi entra e chi esce e tutto quanto...»

«Ad ogni modo» continuò, tornando verso la porta d'ingresso e aprendola. «Lascia che ti chiami un taxi, amico. Vai direttamente all'aeroporto?»

«No...» risposi, allungando una mano per fermarlo. Ero così agitato che non avevo capito cosa stava per fare, ma lui mi tenne a distanza con un gesto, come a dire: *e che vuoi che sia!*

«No, no» disse, poggiando a terra la valigia, «tranquillo, amico, è tutto a posto», e io mi resi conto, costernato, che credeva volessi impedirgli di portarla fuori perché non avevo i soldi per la mancia.

«Ehi, aspetta» tentai, ma nello stesso istante Goldie fece un fischio e uscì in strada col braccio alzato. «Taxi! Qui!» gridò.

Restai fermo sulla porta, senza sapere che fare, mentre il taxi accostava. «Bingo!» disse Goldie, aprendo la portiera posteriore. «Tempismo perfetto, no?» Prima che mi venisse in mente un modo per fermarlo senza passare per un cretino, mi aveva già fatto salire dietro, col tassista che sistemava la valigia nel portabagagli, e assestato un paio di manate sul tettuccio col suo fare amichevole.

«Buon viaggio, *amigo*.» Guardò me, poi il cielo. «Goditi il sole anche per me, laggiù. Sai cos'è il sole per me... io sono un uccello tropicale, lo sai, no? Non vedo l'ora di tornare a Porto Rico a parlare con le api. *Hmmn…*» canticchiò, gli occhi chiusi, la testa piegata di lato. «Mia sorella ha un alveare di api addomesticate, e se io canto si addormentano. Ci sono le api a Las Vegas?»

«Non lo so» risposi, tastandomi le tasche per capire quanti soldi avevo.

«Be', se le vedi di' loro che Goldie le saluta. E che sto arrivando.»

«*¡Ehi! ¡Espera!*» Era Jose, in pantaloncini e maglietta, la mano alzata, che arrivava al lavoro direttamente dalla partita di pallone nel parco, il passo atletico e la testa che faceva su e giù.

«Ehi, *manito*, te ne vai?» domandò affacciandosi al finestrino. «Guarda che devi mandarci una foto!» Nel seminterrato, dove i portieri si cambiavano prima di iniziare il turno, c'era una parete tappezzata di cartoline e polaroid di Miami e di Cancún, di Porto Rico e del Portogallo, che negli anni inquilini e portieri avevano spedito a casa, sulla Cinquantasettesima.

«Giusto!» disse Goldie. «La foto! Ricordatelo!»

«Io…» Mi sarebbero mancati, ma se fossi sceso per dirglielo avrei fatto la figura della checca. Quindi dissi solo: «Okay. Statemi bene».

«Anche tu» fece Jose, indietreggiando con la mano alzata. «Sta' alla larga dai tavoli del blackjack.»

«Oh, ragazzino» disse il tassista, «ti devo portare da qualche parte o no?»

«Ehi, ehi, tranquillo, aspetta un momento» lo rabbonì Goldie. E a me: «Andrà tutto bene, Theo». Un'ultima pacca al taxi. «Buona fortuna, bello. Ci si vede. E che Dio ti benedica.»

II

«Non dirmi che hai intenzione di imbarcare *tutta questa roba*» fece mio padre il mattino dopo, quando arrivò dai Barbour in taxi. A parte la valigia con dentro il quadro, me n'ero portata un'altra, quella che avevo pensato di usare fin dall'inizio.

«Io credo che superino il peso massimo consentito» si intromise Xandra, vagamente isterica. Nel caldo perfido che saliva dal marciapiede, avvertivo l'odore della sua lacca anche da dove mi trovavo. «Si può imbarcare fino a un certo peso.»

La signora Barbour, che era scesa in strada con me, ribatté senza scomporsi: «Non c'è ragione di allarmarsi. Io supero sempre il limite».

«Sì, ma bisogna pagare.»

«Non sarà molto oneroso» lo rassicurò la signora Barbour. Anche se era presto, e non indossava gioielli né si era messa il rossetto, riusciva a risultare perfetta persino coi sandali e un normalissimo abito di cotone. «Si tratterà di venti dollari in più, ma non dovrebbe essere un problema, giusto?»

Lei e mio padre si fissarono come due gatti. Lui distolse lo sguardo per primo. Mi vergognavo un po' della sua giacca sportiva, che mi ricordava quelle dei malavitosi nelle foto del «Daily News».

«Avresti dovuto avvertirmi che avevi due borse» disse ancora, imbronciato, dopo il (gradito) silenzio che seguì l'osservazione della signora Barbour. «Non so se in macchina c'è spazio per tutto.»

In quel momento, per strada, col portabagagli del taxi aperto, mi chiesi per un istante se fosse il caso di lasciare la valigia alla signora Barbour per poi telefonarle e spiegarle cosa conteneva. Ma prima che potessi decidermi, il nerboruto tassista russo aveva tolto dal bagagliaio la borsa di Xandra e, trafficando un po', era riuscito a farci entrare la mia seconda valigia.

«Visto, non tanto pesante!» disse, chiudendo lo sportello di botto e asciugandosi la fronte. «Non rigida!»

«Ma il mio bagaglio a mano!» fece Xandra, sull'orlo del panico.

«Non è problema, madame. Può mettere davanti, vicino a me. O tenerlo lei dietro, se preferisce.»

«Tutto risolto, allora» conclude la signora Barbour, e si chinò per darmi un bacio veloce, il primo da quando mi ero trasferito da lei, un bacio senza neanche sfiorarmi, come usa tra le gran dame, al profumo di menta e gardenia. «Arrivederci a tutti, vi auguro buon viaggio.» Andy e io ci eravamo salutati il giorno prima; anche se sapevo che era triste per la mia partenza, ci ero rimasto male che non fosse rimasto fino all'ultimo e che avesse seguito il resto della famiglia nella casa nel Maine che, in teoria, detestava. Quanto alla signora Barbour: non sembrava particolarmente scossa dal fatto di dovermi dire addio, mentre a me la sola idea faceva stare male.

I suoi occhi grigi, fissi nei miei, erano freddi e limpidi. «Grazie mille, signora Barbour» dissi. «Per tutto. Saluti Andy da parte mia.»

«Lo farò di certo» rispose. «Sei stato un ospite fantastico, Theo.» Nella calda foschia mattutina di Park Avenue indugiai con la mano nella sua ancora un attimo, con la vaga speranza che mi raccomandasse di contattarla per qualsiasi cosa, ma lei aggiunse solamente: «Buona fortuna, allora» e mi sfiorò con un altro piccolo bacio indifferente prima di staccarsi.

III

Non riuscivo a credere di stare lasciando New York. In vita mia non mi ero mai allontanato dalla città per più di otto giorni. Nel tragitto verso l'aeroporto, mentre fissavo i cartelloni di strip club e di avvocati specializzati in risarcimento danni che scorrevano fuori dal finestrino e che non avrei rivisto per un bel po', mi assalì un agghiacciante pensiero. E i controlli? Avevo preso l'aereo poche volte (due, per l'esattezza, di cui una quand'ero ancora all'asilo) e non sapevo bene cosa aspettarmi: raggi x? Perquisizione dei bagagli?

«In aeroporto aprono tutte le valigie?» chiesi, titubante – e subito rifeci la domanda perché nessuno sembrava aver sentito. Mi ero seduto davanti, per non violare l'intimità di papà e Xandra.

«Oh, certo» ribatté il nerboruto tassista sovietico, spalle larghe e lineamenti grossolani, le guance rosse, paffute e sudate di un sollevatore di pesi fuori forma. «E se non le aprono, le passano ai raggi x.»

«Anche quelle che lasci al check-in?»

«Oh, sì» fece lui, rassicurante. «Cercano esplosivi, dappertutto. Massima sicurezza.»

«Ma…» Cercai la formula giusta per chiedere quello che avevo bisogno di sapere senza tradirmi, ma non mi venne in mente.

«C'è da stare sicuri» aggiunse il tassista. «C'è un sacco di polizia all'aeroporto. E tre o quattro giorni fa? *Blocco stradale.*»

«Be', io so solo che non vedo l'ora di essere in volo, cazzo» disse

Xandra con la sua voce bassa e grave. Per un momento pensai che stesse parlando con me, ma quando mi voltai vidi che guardava mio padre.

Lui le mise la mano sulla gamba e disse qualcosa, troppo piano perché potessi sentire. Indossava i suoi occhiali fumé e aveva la testa poggiata sul sedile, e un tono piatto che suonava disinvolto, da ragazzino, mentre le stringeva il ginocchio con complicità. Mi girai dall'altra parte e puntai lo sguardo fuori, sulla terra di nessuno oltre il finestrino: lunghi edifici bassi, negozietti e carrozzerie, parcheggi arroventati nella calura del mattino.

«Non ho nessun problema se c'è un sette nel numero del volo» stava dicendo Xandra, tranquilla. «È l'otto che mi manda fuori di testa.»

«Okay, ma l'otto in Cina è un numero fortunato. Prova a dare un'occhiata agli imbarchi internazionali, quando arriviamo al McCarran. Tutti i voli in arrivo da Pechino? Otto, otto, otto.»

«Tu e la tua saggezza cinese.»

«È la forma del numero. Una questione di energia. Il paradiso che incontra la Terra.»

«Paradiso e Terra. Sembra una cosa magica.»

«Lo è.»

«Ah, sì?»

Bisbigliavano. Nello specchietto laterale le loro facce apparivano ridicole e troppo vicine; quando capii che stavano per baciarsi (la cosa ancora mi scioccava, nonostante li avessi visti farlo spesso) mi voltai e fissai dritto davanti a me. Pensai che se non avessi saputo per certo com'era morta mia madre, nulla al mondo avrebbe potuto convincermi che non erano stati loro a ucciderla.

IV

Mentre aspettavamo le carte d'imbarco, mi convinsi che la hostess avrebbe aperto la mia valigia e che il quadro sarebbe saltato fuori proprio lì, in fila al check-in. Ma la donna stizzita coi capelli sfrangiati di cui ricordo ancora il viso (avevo pregato che non ci capitasse lei) fece passare la borsa sul nastro senza quasi guardarla.

La osservai scivolare via, diretta verso mani e procedure sconosciute, sentendomi in trappola e terrorizzato nella vivace calca degli sconosciuti – oltre che appariscente, come se tutti stessero fissando proprio me. Non vedevo così tanta gente e così tanti poliziotti dal giorno in cui era morta mia madre. Di fianco ai metal detector c'erano gli agenti della Guardia nazionale armati di fucile, immobili dentro l'uniforme, gli occhi impassibili che sondavano la folla.

Zaini, valigette, sporte e passeggini, e poi teste e nuche a perdita d'occhio. Mentre avanzavo verso i controlli strascicando i piedi, sentii un grido. Il mio nome, come temevo. Rimasi di sasso.

«Forza, *forza*» mi incitò mio padre. Saltellava dietro di me su un piede solo nel tentativo di togliersi un mocassino, e mi diede una gomitata nella schiena. «Non startene lì impalato, blocchi tutta la fila, cazzo...»

Passai sotto il metal detector con gli occhi piantati sulla moquette – paralizzato dalla paura, aspettandomi di sentire da un momento all'altro una mano che si posava sulla mia spalla. Intorno a me, bambini che piangevano a dirotto, vecchi che gironzolavano sulle carrozzine elettriche. Cosa mi avrebbero fatto? Avrei saputo spiegare che non era come sembrava? Immaginavo una stanza con le pareti grezze, come nei film, porte che sbattevano e poliziotti arrabbiati in maniche di camicia, *lascia perdere, tu non vai proprio da nessuna parte, ragazzino.*

Una volta superati i controlli, nel vocio del corridoio sentii dei passi decisi dietro di me. Mi fermai di nuovo.

«Adesso non dirmi che hai dimenticato qualcosa» fece mio padre, voltandosi e alzando gli occhi al cielo, esasperato.

«No» risposi. Mi guardai intorno. «Io...» Dietro di me non c'era nessuno. La gente mi passava di fianco aggirandomi come fossi un ostacolo.

«Gesù, è bianco come un cazzo di lenzuolo» disse Xandra. E a mio padre: «Sta bene?».

«Oh, starà benone» fece lui rimettendosi in marcia. «Non appena salirà sull'aereo. È stata una settimana pesante per tutti.»

«Cacchio, se fossi in lui me la farei sotto anch'io all'idea dell'aereo» disse Xandra senza girarci troppo intorno. «Dopo tutto quello che ha passato.»

Mio padre – si trascinava dietro il trolley che gli aveva regalato la mamma per un compleanno – si bloccò un istante.

«Poverino» disse, con uno sguardo comprensivo che mi sorprese. «Non hai mica paura, vero?»

«No» risposi, troppo in fretta. L'ultima cosa che volevo era attirare l'attenzione, o sembrare agitato anche solo la metà di quanto in effetti ero.

Mi lanciò un'occhiata dubbiosa e si girò dall'altra parte. «Xandra?» chiamò, sollevando il mento. «Perché non gli dai una… una di quelle?»

«Subito» rispose lei, sollecita, fermandosi per rovistare nella borsa ed estrarne due grosse pillole bianche a forma di proiettile. Ne posò una sul palmo aperto di mio padre, l'altra la diede a me.

«Grazie» fece lui, lasciandola scivolare nella tasca della giacca. «Andiamo a prendere qualcosa per buttarle giù, va bene? Per adesso mettila via» mi disse, vedendo che tenevo la pillola tra l'indice e il pollice e la osservavo stupefatto dalle sue dimensioni.

«Non gliene serve una intera» disse Xandra, aggrappandosi al braccio di mio padre e piegandosi a sistemare il cinturino del sandalo con la zeppa.

«Giusto» convenne lui. Mi prese la pillola di mano, la spezzò in due con gesto esperto e ne lasciò cadere metà nella tasca della sua giacca sportiva, mentre si rimettevano in cammino davanti a me, tirandosi dietro le valigie.

V

La pillola non era abbastanza potente da mettermi KO, ma mi rese sufficientemente sballato ed euforico, gettandomi in un dormiveglia fatto di sogni all'aria condizionata. Attorno a me, gli altri passeggeri sussurravano mentre una hostess incorporea annunciava i risultati della lotteria di bordo: cena con bevande incluse per due al Treasure Island. Con quella promessa nelle orecchie, sprofondai

in un sogno strano: nuotavo immerso in un'acqua neroverdastra;
era in corso una qualche gara a lume di torcia, bambini giapponesi
che si tuffavano alla ricerca di una federa di perline rosa. Per tutto
il tempo del volo l'aereo rombò forte, bianco e costante come il
mare, anche se a un certo punto – avvolto stretto nella mia coperta
blu, sognando di essere da qualche parte sopra il deserto – mi parve
che i motori si fossero zittiti e mi ritrovai a fluttuare a pancia insù in
assenza di gravità, ancora allacciato al sedile che però si era staccato
e galleggiava per la cabina.

Tornai in me con un sussulto quando l'aereo impattò con la pista
e sobbalzò, stridendo prima di fermarsi.

«E... benvenuti a Lost Wages,[6] Nevada» annunciò il pilota all'in-
terfono. «A Sin City sono le 11:47.»

Mezzo accecato dal luccichio dei pannelli di vetro e dalle superfici riflettenti, seguii il papà e Xandra attraverso il terminal, stordito
dal ronzio e dalle luci delle slot, e dalla musica a tutto volume insolita per quell'ora. L'aeroporto sembrava Times Square in formato
centro commerciale: palme svettanti, schermi grandi come al cinema che mandavano immagini di fuochi d'artificio, gondole, show-
girl, cantanti e acrobati.

La seconda valigia ci mise un'eternità a comparire sul nastro. Io
mi mangiavo le unghie, guardando fisso il cartellone con un drago
di Komodo che sorridendo pubblicizzava l'attrazione di un casinò:
PIÙ DI DUEMILA RETTILI TUTTI PER TE. La gente ammassata in attesa
dei bagagli sembrava una folla di sbandati fuori da un night club di
terz'ordine: facce iperabbronzate, sgargianti camicie da discoteca,
minute signore asiatiche ingioiellate nascoste dietro enormi occhiali
da sole griffati. Sul nastro non c'era quasi più niente e mio padre
(che, si vedeva, moriva dalla voglia di una sigaretta) aveva cominciato a stiracchiarsi, a fare su e giù e a sfregarsi le nocche sulle guance
come quando voleva un drink; finché arrivò. L'ultima, di tela color
cachi, con l'etichetta rossa e il nastrino arcobaleno che mia madre
aveva legato intorno al manico.

---

[6] Letteralmente «stipendi persi». Soprannome di Las Vegas, giocato sull'assonanza,
vista la naturale tendenza di chi la visita a sperperare i soldi al gioco. (*N.d.T.*)

Mio padre si lanciò in avanti con un unica, lunga falcata e l'afferrò, prima che riuscissi a farlo io. «Era ora» disse, buttandola sul carrello. «Forza, usciamo da questo maledetto posto.»

Uscimmo di corsa attraverso le porte scorrevoli, e andammo a sbattere contro un asfissiante muro di calore. In tutte le direzioni, chilometri di macchine parcheggiate, ferme e coperte da teli protettivi. Immobile, fissavo dritto davanti a me – luccichio di cartelli cromati, orizzonti tremolanti come vetro smerigliato –, in preda all'assurdo timore che se avessi esitato o avessi accennato a voltarmi sarei stato prontamente accerchiato da una squadra di agenti in divisa. Ma nessuno mi abbrancò, né mi intimò l'alt. Né mi degnò di uno sguardo.

Ero talmente disorientato per via dell'intensità della luce che quando mio padre si fermò davanti a una Lexus nuova color argento e disse: «Eccoci», inciampai e per poco non caddi.

«È la vostra?» chiesi, guardando lui, poi lei.

«Perché?» fece Xandra civettuola, tacchettando sulle zeppe fino al lato passeggero mentre mio padre sbloccava le portiere con un *bip*. «Non ti piace?»

Una Lexus? Ogni giorno venivo colpito da tutta una serie di fatti e novità piccoli e grandi che dovevo assolutamente raccontare a mia madre, e mentre me ne stavo lì impalato a guardarlo sistemare le borse nel portabagagli il mio pensiero fu: *Wow, aspetta che senta questa*. Non c'era da meravigliarsi se il papà non aveva mandato soldi a casa.

Con un gesto ampio e teatrale, mio padre buttò la Viceroy fumata a metà. «Okay» disse, «salta su.» L'aria del deserto l'aveva rinvigorito. A New York mi era sembrato un po' stanco e trasandato, invece lì fuori, in quel bollore fluttuante, la sua giacca bianca e gli occhiali scuri lo facevano sembrare un divo.

L'auto, che si accendeva premendo un pulsante, era così silenziosa che ci misi un po' a capire che ci stavamo muovendo. Scivolavamo, in uno spazio apparentemente privo di profondità. Abituato com'ero a sobbalzare sul sedile posteriore dei taxi, quel modo di viaggiare morbido, calmo, mi dava una sensazione di isolamento, di inquietudine: la sabbia marrone, il baluginio feroce, lo stato di trance e il silenzio, l'immondizia portata dal vento ammucchiata contro le reti metalliche. Mi sentivo ancora intorpidito e leggero per via della pillola, e le costruzioni gigantesche della Strip con le loro facciate assurde, assieme al violento tremolio luminoso del punto d'incontro tra le dune e il cielo, mi facevano sentire come se fossimo atterrati su un altro pianeta.

Davanti, Xandra e mio padre parlavano piano. Poi lei si girò verso di me masticando una gomma, energica e solare, coi gioielli che sfolgoravano sotto la luce forte. «Be', che te ne pare?» disse, l'alito che sapeva decisamente di Juicy Fruit.

«È pazzesco» risposi, fissando una finta piramide che mi veleggiava accanto, poi la Tour Eiffel, troppo sopraffatto per registrare tutto.

«Ti sembra pazzesco adesso?» fece mio padre. Tamburellava le dita sul volante come faceva quand'era nervoso, nella maniera che associavo al ricordo di litigate a notte fonda, dopo che lui era rincasato dall'*ufficio*. «Aspetta di vederlo di sera, allora, tutto illuminato.»

«Guarda lì, dai un'occhiata.» Xandra si allungò per indicare un punto fuori dal finestrino, dalla parte di mio padre. «Lì c'è il vulcano. Funziona, sai?»

«A dir la verità mi pare lo stiano ristrutturando. Comunque, sì. Lava bollente. Allo scoccare dell'ora.»

«Uscire a sinistra tra trecento metri» suggerì una voce femminile computerizzata.

Colori carnevaleschi, teste di clown ciclopiche e scritte XXX: tutta quella roba stravagante mi rendeva euforico, e mi spaventava anche un po'. A New York ogni cosa mi ricordava la mamma – ogni taxi, ogni angolo di strada, ogni nuvola che copriva il sole –, ma lì fuori, in quel rovente vuoto minerale, era come se lei non fosse mai esistita; non riuscivo nemmeno a immaginare che il suo spirito potesse osservarmi dall'alto. Era come se ogni traccia di lei fosse stata bruciata dal nulla del deserto.

Man mano che procedevamo, il profilo improbabile disegnato dagli edifici del centro digradava in una giungla di parcheggi e centri commerciali, tutti uguali, uno dopo l'altro, Circuit City, ToysЯUs, supermercati e drugstore, negozi aperti ventiquattr'ore su ventiquattro, senza soluzione di continuità. Il cielo era vasto e senza scie come quello sopra il mare. Mentre cercavo di restare sveglio – le palpebre che si chiudevano nella luce abbagliante – indugiavo, stonato, sugli interni in pelle della Lexus che odoravano di roba da ricchi, e intanto pensavo a una storia che mia madre mi aveva raccontato: all'epoca in cui lei e papà uscivano insieme, un giorno lui si era presentato a bordo di una Porsche che aveva chiesto in prestito a un amico per far colpo. La mamma aveva scoperto solo dopo il matrimonio che la macchina non gli apparteneva. A quanto pareva lei la considerava una storiella divertente, ma io non potevo fare a meno di chiedermi, specie alla luce di altri episodi meno piacevoli che erano venuti fuori nel corso degli anni (come il fatto che da ragazzo mio padre era stato arrestato, per cause rimaste ignote), cosa ci trovasse di tanto buffo.

«Uhm, da quant'è che hai questa macchina?» chiesi, interrompendo la loro conversazione.

«Oddio, poco più di un anno, giusto, Xan?»

Un anno? Stavo ancora assimilando l'informazione – mio padre aveva l'auto (e Xandra) da prima di lasciare casa – quando guardai fuori e vidi che i centri commerciali avevano lasciato il posto a un reticolo apparentemente infinito di piccole costruzioni: una sfilza di scatole identiche e sbiadite, tutte in fila, come lapidi di un cimitero. Però alcune erano pitturate con festosi colori pastello (verde menta, rosa confetto, azzurro cielo), e c'era qualcosa di esotico ed eccitante nelle ombre taglienti e nella rada vegetazione spinosa di quel luogo. Ero cresciuto in città, dove lo spazio non era mai abbastanza, e perciò ne rimasi piacevolmente sorpreso. Sarebbe stata un'esperienza nuova vivere in una casa col giardino, anche se il giardino era solo rocce e cactus.

«Siamo ancora a Las Vegas?» Giocavo a cercare le differenze tra una casa e l'altra: qui un'entrata ad arco, là una piscina o una palma.

«Questa è una zona completamente diversa» disse mio padre; espirò forte mentre estraeva la sua terza Viceroy. «Qui i turisti non vengono mai.»

Eravamo in macchina da un po', ma in quel paesaggio privo di punti di riferimento, non riuscivo a capire dove stessimo andando né in che direzione. Gli edifici erano ancora tutti uguali e temevo che di colpo ci saremmo lasciati alle spalle le case color pastello per approdare tra cumuli di scorie chimiche, o in uno di quei parcheggi per roulotte battuti dal sole che si vedono nei film. Invece, con mia grande sorpresa, le case iniziarono a farsi più grandi: due piani, giardini di cactus, recinzioni, piscine e garage a più posti.

«Okay, siamo arrivati» disse mio padre, svoltando in una strada con un'imponente insegna di granito e la scritta in lettere di rame: *I ranch di Canyon Shadows.*

«Vivete *qui*?» chiesi, colpito. «C'è un canyon?»

«No, si chiama solo così» rispose Xandra.

«Vedi, in questa zona ci sono svariati quartieri residenziali» disse mio padre massaggiandosi il naso. Si capiva dal tono – la sua vecchia voce stridula alla voglio-un-drink – che era stanco e non particolarmente di buon umore.

«Le chiamano "ranch community"» specificò Xandra.

«Giusto. Vabbè. Oh, taci, cazzo» sbottò mio padre, abbassando il volume del navigatore che non la smetteva di impartire istruzioni.

«Ciascuna ha il suo tema» disse Xandra tamponandosi il gloss sulle labbra col polpastrello del mignolo. «Ci sono Pueblo Breeze, Ghost Ridge, Dancing Deer Villas. A Spirit Flag c'è la comunità del golf, giusto? Encantada è la più di moda, un sacco di investimenti immobiliari. Ehi, gira qui, pisellino» suggerì afferrandogli il braccio.

Mio padre tirò dritto senza rispondere.

«Merda!» Xandra si voltò sul sedile a guardare la strada che avevamo appena superato. «Perché devi sempre prendere quella più lunga?»

«Non ricominciare con le scorciatoie. Sei peggio del navigatore.»

«Eh, però è più veloce. Si risparmia un quarto d'ora. Adesso dobbiamo fare tutto il giro di Dancing Deer.»

Mio padre sospirò esasperato. «Senti…»

«Che c'è di tanto difficile a tagliare per Gitana Trails e prendere due volte a sinistra e una a destra? Perché di questo si tratta. Se esci a Desatoya…»

«Vuoi guidare tu? O mi lasci portare questa cazzo di macchina?»

Sapevo che non bisognava insistere quando assumeva quel tono, e lo sapeva anche Xandra. Si agitò sul sedile – apposta per innervosirlo –, alzò il volume della radio e si mise a trafficare tra interferenze e pubblicità.

Lo stereo era così potente che sentivo le vibrazioni attraverso il sedile di pelle bianca. *Vacation, all I ever wanted...* La luce si arrampicava ed esplodeva tra le nuvole selvagge del deserto – un cielo sconfinato, blu acido come in un videogame o come l'allucinazione di un collaudatore di aerei.

«Vegas 99, solo musica anni Ottanta e Novanta» disse una voce eccitata e veloce alla radio. «E ora, per lo spazio dedicato alle Ladies of the Eighties, in arrivo per voi, Pat Benatar.»

Nel complesso di Desatoya Ranch, al 6219 di Desert End Road, dove c'erano giardini con la legna accatastata e per le strade volava la sabbia, svoltammo nel vialetto di una grande casa in stile spagnolo, o forse era moresco: facciate beige con le imposte, le arcate e il tetto spiovente rivestito di tegole color argilla. A colpirmi fu la gratuità dei dettagli e l'enorme estensione dell'insieme: i cornicioni, le colonne, l'elaborato portone in ferro battuto comunicavano l'impressione di trovarsi su un set cinematografico; avrebbe tranquillamente potuto trattarsi della villa nella soap di Telemundo che i portieri guardavano sempre alla TV.

Scendemmo dall'auto, e mentre facevamo il giro per raggiungere l'entrata del garage con le valigie, sentii un rumore angosciante: qualcuno, da dentro, gridava, o piangeva.

«Oddio, cos'è?» chiesi, agitato, e mollai le borse.

Xandra, instabile sulle scarpe alte, rovistava in cerca delle chiavi. «Oh, sta' zitto, zitto, cazzo» bofonchiò tra i denti. Ma prima che riuscisse ad aprire del tutto la porta un'isterica palla di pelo schizzò fuori, strillando, e poi prese a saltellare e rimbalzare e farci capriole intorno ai piedi.

«Giù!» urlò Xandra. Dall'altra parte della porta socchiusa giungeva fino a noi un caotico concerto di barriti d'elefante e voci di scimmia, a un volume talmente alto che arrivava fino al garage.

«Wow» dissi, sbirciando dentro. L'aria all'interno era calda e stantia: odore di sigarette, di moquette nuova, e senza dubbio di merda di cane.

«Per il custode dello zoo, i grandi felini costituiscono una sfida unica» tuonava una voce alla TV. «Perché non seguiamo Andrea e il suo staff nel loro giro mattutino?»

«Ehi» dissi, fermandomi sulla porta con le valigie in mano, «avete lasciato il televisore acceso.»

«Sì» rispose Xandra, sorpassandomi di corsa, «è Animal Planet, l'ho lasciato per lui. Per Popper. Ho detto giù!» sbottò rivolta al cane, che le graffiava le ginocchia mentre lei arrancava sulle zeppe per andare a spegnere la TV.

«È rimasto qui da solo?» chiesi, urlando sopra gli uggiolii della bestia. Era uno di quei cani da donna a pelo lungo, che sarebbe stato bianco e morbido se fosse stato pulito.

«Oh, ha un dispenser di acqua della Petco» rispose lei, asciugandosi la fronte col dorso della mano mentre scavalcava il cane. «E anche una di quelle ciotole giganti...»

«Che cane è?»

«Maltese. Puro. L'ho vinto a una riffa. Cioè, lo so che ha bisogno di un bagno, è una lotta tenerli pettinati. Ecco. Guarda cosa mi hai fatto ai pantaloni» disse al cane. «Jeans bianchi.»

Eravamo in uno stanzone col soffitto alto e una scala che portava a una specie di soppalco circondato da una ringhiera, un locale grande più o meno quanto l'appartamento dov'ero cresciuto. Ma quando i miei occhi si abituarono alla luce intensa, mi accorsi con stupore che era praticamente vuoto. Pareti bianchissime. Caminetto di pietra in stile da casino di caccia. Il divano sembrava sottratto alla sala d'attesa di un ospedale. Il muro di fronte alle vetrate che davano sul patio era un'infilata di nicchie vuote.

Mio padre entrò e mollò le valigie sulla moquette. «Gesù, Xan, che puzza di merda.»

Xandra – chinata a poggiare la borsetta – fece una smorfia quando il cane prese a saltarle addosso per salirle in braccio, artigliandola. «Be', in teoria doveva venire Janet a portarlo fuori» disse sopra i suoi lancinanti latrati. «Aveva le chiavi e tutto. Dio, Popper...» storse il naso e si girò dall'altra parte, «se puzzi.»

Il vuoto della casa era stupefacente. Fino a quel momento non avevo mai messo in discussione la necessità di vendere i libri di mia madre e i tappeti e gli oggetti d'antiquariato, né quella di dare quasi tutto il resto in beneficenza o di buttarlo via. Ero cresciuto in un appartamento di quattro stanze dove gli armadi erano stracolmi, dove sotto ogni letto c'erano scatoloni e dove pentole e padelle pendevano dalle pareti perché la credenza era stipata. Ma certo non sarebbe stato un grosso problema portare qui qualcuna delle sue cose, come per esempio la scatola d'argento che era stata di sua madre, o il quadro della puledra saura che sembrava uno Stubbs, o almeno la copia di *Black Beauty* di quand'era piccola! Il punto non era che lui non *poteva* far spazio a un paio di belle foto o a uno dei mobili che lei aveva ereditato dai genitori. Non voleva le sue cose perché la odiava.

«Gesù Cristo» stava dicendo, la voce alta per sovrastare il cane che abbaiava, «questo ha distrutto la casa, te lo dico io.»

«Be', non lo so... cioè, è un disastro, però Janet...»

«*Te l'avevo detto*, dovevi portarlo al canile. O che ne so, in una pensione. Non voglio averlo in casa. Deve stare fuori. Ti avevo detto che sarebbe stato un problema. Janet è inaffidabile, cazzo...»

«E allora? L'ha fatta sul tappeto un paio di volte. E quindi? E... che cacchio hai *tu* da guardare?» ringhiò Xandra, furiosa, scavalcando il cane che continuava a strepitare. E io, con un sobbalzo, mi resi conto che ce l'aveva con me.

VI

La mia nuova camera era talmente spoglia e desolante che dopo aver disfatto i bagagli lasciai aperta l'anta scorrevole dell'armadio, così almeno avrei potuto vedere i vestiti appesi all'interno. Dal piano di sotto sentivo ancora papà che gridava per via del tappeto. Purtroppo gridava anche Xandra, facendolo incazzare ancora di più; il che (gliel'avrei detto, se me l'avesse chiesto) era in assoluto l'approccio peggiore con papà. A casa, mia madre aveva imparato a soffocare la rabbia di lui col silenzio, una bassa, salda fiamma di disprezzo che risucchiava l'ossigeno della stanza e rendeva ridicolo tutto quello che lui faceva o diceva. Alla fine mio padre se ne andava sbattendo la porta e quando tornava, ore dopo, si metteva a girellare per l'appartamento come se nulla fosse successo: prendeva una birra dal frigo e poi domandava, in tono perfettamente normale, dove fosse la sua posta.

Delle tre stanze vuote al piano di sopra avevo scelto la più grande, che, come quella di un albergo, aveva il suo piccolo bagno privato. Sul pavimento ricoperto da una soffice moquette blu acciaio, c'erano solamente il materasso e una confezione di plastica con dentro la biancheria (Legends Percale, venti per cento di sconto). Nient'altro. Le pareti sprigionavano un sommesso brusio meccanico, come il ronzio del filtro di un acquario. Era la tipica camera in cui, fosse stato un film, la squillo o la hostess sarebbero morte ammazzate.

Con l'orecchio teso per sentire il papà e Xandra, me ne stavo seduto sul materasso col quadro impacchettato sulle ginocchia. Anche con la porta chiusa a chiave, non osavo aprirlo: potevano sempre salire da un momento all'altro; e però io avevo una voglia matta di guardarlo. Facendo molta, molta attenzione grattai il nastro adesivo con l'unghia del pollice e tirai.

Il quadro scivolò fuori più facilmente di quanto mi aspettassi, e dovetti soffocare un'esclamazione di piacere. Era la prima volta che lo vedevo di giorno. In quella stanza sterile, tutta biancore e cartongesso, i suoi colori pallidi sbocciavano di vita; e anche se la superficie era velata da uno strato sottilissimo di polvere, trasudava la stessa impalpabilità impregnata di luce di una parete di fronte a una finestra spalancata. Era per questo che la gente, per esempio la signora Swanson, non faceva che parlare della luce del deserto? A lei piaceva un mondo raccontare, tutta cinguettante, del suo «sojourn», così lo chiamava, in New Mexico: vasti orizzonti, cieli tersi, trasparenza spirituale. E in effetti il piccolo quadro appariva trasfigurato, come succedeva ogni tanto, per pochi strani istanti, al profilo scuro delle cisterne dell'acqua che si vedevano dalla finestra della camera di mia madre, che nella luce tempestosa del tardo pomeriggio s'indoravano di un alone elettrico l'attimo prima di un acquazzone estivo.

«Theo?» Mio padre bussò in maniera brusca. «Hai fame?»

Mi trassi in piedi, sperando che non provasse ad aprire la porta solo per scoprire che l'avevo chiusa a chiave. La mia nuova stanza era vuota come una cella, ma l'armadio aveva dei ripiani in alto, molto più in alto di dove arrivavano gli occhi di mio padre, e molto profondi.

«Vado al cinese. Vuoi qualcosa?»

Avrebbe capito cos'era il quadro, se l'avesse visto? Credevo di
no – eppure, guardandolo alla luce, col sottile bagliore che emanava, mi resi conto che qualunque idiota l'avrebbe riconosciuto.
«Ecco, arrivo» urlai, la voce tesa e roca, facendo scivolare il dipinto
in una federa presa dal pacco della biancheria e nascondendolo sotto il letto prima di correre fuori dalla stanza.

VII

Nelle settimane che passai a Las Vegas prima dell'inizio della
scuola, gironzolando al piano di sotto con gli auricolari dell'iPod
nelle orecchie ma col volume a zero, imparai una serie di cose interessanti. Per cominciare: il precedente lavoro di mio padre non
aveva mai richiesto tutte le trasferte a Chicago e a Phoenix di cui
ci diceva. Piuttosto, per mesi e a nostra insaputa era volato a Las
Vegas, dove, in un bar in stile orientale all'interno del Bellagio, aveva conosciuto Xandra.

Si vedevano già da un po' quando lui era sparito; da più di un
anno, calcolai. Avevano celebrato il loro «anniversario» poco prima
della morte di mia madre, con una cena alla Delmonico Steakhouse
e un concerto di Bon Jovi all'MGM Grand. (Bon Jovi! Le cose che
morivo dalla voglia di raccontarle erano migliaia ormai, se non
milioni, ma era intollerabile non poter condividere con lei questo
aneddoto esilarante.)

E un'altra cosa compresi dopo pochi giorni di permanenza a
Desert End Road: ciò che Xandra e mio padre intendevano con
«smesso di bere» era il passaggio dallo scotch (il drink preferito di
papà) alle Corona Light e al Vicodin. Ero rimasto basito dalla frequenza con cui si scambiavano il segno «peace», o la v di vittoria,
nei contesti più inappropriati, e quell'abitudine sarebbe rimasta un
mistero ancora a lungo se mio padre, sicuro che non stessi ascoltando, non se ne fosse uscito chiedendo a Xandra di dargli un Vicodin.

Del Vicodin, in realtà, non sapevo nulla, se non che era la causa
della presenza sui tabloid di una scalmanata attrice cinematografica

che mi piaceva, fotografata mentre incespicava nell'atto di scendere dalla sua Mercedes, coi lampeggianti della polizia sullo sfondo. Giorni dopo mi imbattei in una busta di plastica con dentro qualcosa come trecento pillole – era sul bancone della cucina, di fianco a un flacone del Propecia di mio padre e a una pila di bollette da pagare. Xandra la agguantò e la gettò in borsa.

«Cosa sono?» chiesi.

«Uhm, vitamine.»

«In una busta?»

«Le prendo dal mio collega che fa body-building.»

La cosa strana era che quel nuovo padre strafatto si stava rivelando una compagnia molto più piacevole e gestibile del vecchio (un altro fatto di cui avrei volentieri discusso con mia madre). Quando beveva papà era un fascio di nervi, aggressivo e sopra le righe fino all'attimo in cui non collassava, ma quando smetteva di bere era anche peggio. Sul marciapiede, dieci passi davanti a me e mia madre, dava di matto all'improvviso, mettendosi a parlare da solo mentre si tastava le tasche come se stesse cercando una pistola. Portava a casa roba che non volevamo e che non potevamo permetterci, come le Manolo in coccodrillo per mia madre (che odiava i tacchi alti), fra l'altro del numero sbagliato. Rincasava dal lavoro con fasci di carte e stava in piedi oltre la mezzanotte a bere caffè freddo e pestare cifre sulla calcolatrice, zuppo di sudore come se avesse appena fatto quaranta minuti sulla StairMaster. Oppure si impuntava per andare a qualche festa sperduta chissà dove giù a Brooklyn («In che senso, scusa, "sei sicuro che sia una buona idea"? Secondo te dovrei fare l'eremita, eh?»), e poi nel giro di dieci minuti – dopo averci trascinato anche mia madre – se ne andava incazzato nero, lanciando insulti e sfottendo chiunque gli capitava a tiro.

Le pillole gli davano un'energia diversa, più affabile: un misto incoerente di indolenza e vivacità, goffaggine e divertita vaghezza. La camminata era più rilassata. Si appisolava spesso, annuiva bonario, perdeva il filo del discorso, ciondolava in giro scalzo e con l'accappatoio mezzo aperto. Le imprecazioni scherzose, la barba sfatta, il modo di parlare pacifico e la sigaretta all'angolo della bocca lo facevano sembrare il personaggio di un film: un bel tipo da noir anni Cinquanta o anche da *Ocean's Eleven*, sul genere gangster navigato e pigro senza più molto da perdere. Eppure, a dispetto della sua nuova flemma, mio padre conservava uno sguardo febbrile e vagamente intrepido da ragazzino insolente, ancora più seducente adesso che cominciava a invecchiare e appariva sciupato e incurante della propria decadenza.

A Desert End Road, dove avevano un pacchetto per la TV via cavo supercostoso (un lusso che mia madre non ci avrebbe mai permesso), chiudeva le veneziane per il riverbero e si sedeva davanti al televisore a fumare, inespressivo come un oppiomane, fisso sul canale ESPN col volume a zero, senza soffermarsi su nessuno sport in particolare ma guardando un po' di tutto: cricket, jai alai, badminton, croquet. In casa faceva troppo freddo, e l'aria pesantemente condizionata sapeva di stantio e di refrigeratore; seduto immobile per ore, col fumo dell'eterna Viceroy che serpeggiava verso il soffitto come un filo di incenso, avrebbe potuto star meditando sul Buddha, sul Dharma, sul Sangha, sulla classifica della PGA o su chissà cos'altro.

A lasciarmi perplesso era la questione del suo lavoro: ce l'aveva? E se ce l'aveva, in cosa consisteva? Il telefono squillava a tutte le ore del giorno e della notte. Mio padre percorreva il corridoio col ricevitore in mano, dandomi le spalle, appoggiandosi con l'altra mano alla parete, fissando la moquette mentre parlava, in una posizione che ricordava quella di un coach alla fine di una partita sofferta. Di solito teneva la voce bassa, ma anche quando la alzava era difficile capire qualcosa: interessi, quote, favoriti, quote normali e con handicap. La maggior parte del tempo era fuori, per commissioni non meglio specificate, e spesso lui e Xandra non tornavano a casa per niente. «Abbiamo una caterva di biglietti omaggio per l'MGM Grand» spiegava, strofinandosi gli occhi mentre affondava tra i cuscini del divano con un sospiro esausto – e a me, di nuovo, sembrava tutta una messinscena: stavolta faceva il playboy annoiato e bizzoso sopravvissuto agli anni Ottanta. «Spero che per te non sia un problema. È che quando lei fa l'ultimo turno, per noi è più comodo fermarci direttamente in un hotel sulla Strip.»

VIII

«Cosa sono tutti questi foglietti in giro per casa?» chiesi a Xandra un giorno, in cucina, mentre stava preparando il suo beverone dietetico. Li trovavo dappertutto e non ci capivo niente: cartoncini prestampati con sopra delle specie di tabelle compilate a matita, righe su righe di cifre. Avevano una certa qual aria scientifica e le guardavo inquieto come se fossero sequenze di DNA, o messaggi criptati in codice binario. Lei spense il frullatore e si scostò i capelli dagli occhi. «Scusa?»

«Questi appunti di lavoro, o quel che è.»

«Bacca-*rà*!» rispose Xandra, arrotando la erre e con un piccolo schiocco delle dita.

«Oh» dissi, dopo una pausa inespressiva, anche se la parola mi giungeva nuova.

Ficcò un dito nel beverone e se lo leccò. «Andiamo spesso alla sala baccarà dell'MGM Grand» disse. «A tuo padre piace annotarsi le partite che ha giocato.»

«Posso venirci qualche volta?»

«No. Cioè, sì... *potresti*» replicò lei, come se avessi espresso il desiderio di trascorrere le vacanze in un Paese islamico di quelli a rischio. «Ma a parte il fatto che nei casinò non stravedono per i bambini, non è permesso stare lì a guardare quelli che giocano.»

Chi se ne frega, pensai. Starmene lì a guardare mio padre e Xandra che giocavano non era esattamente la mia idea di divertimento. «Ma io credevo che ci fossero tigri e navi dei pirati e cose così» dissi a voce alta.

«Sì, be'. Direi di sì.» Si allungò per prendere un bicchiere sulla mensola, e l'angolo di un ideogramma tatuato in blu comparve tra l'orlo della T-shirt e i jeans a vita bassa. «Qualche anno fa hanno provato a offrire un pacchetto famiglia, ma non ha funzionato.»

IX

In un'altra situazione, Xandra mi sarebbe potuta piacere: come dire che il ragazzino che mi picchiava mi sarebbe potuto piacere, se solo non mi avesse picchiato. Grazie a lei capii che le donne oltre i quaranta – magari non bellissime di per sé – potevano essere sexy. Anche se non aveva un bel viso (occhi come due proiettili, nasino schiacciato, denti troppo piccoli) era in forma, faceva sport e aveva gambe e braccia talmente lucide e abbronzate che sembravano perennemente spruzzate di qualcosa tipo olio o crema spray. Camminava in fretta, instabile sui tacchi alti, sistemandosi in continuazione la gonna troppo corta, il busto inclinato in avanti, in una postura insolita e stranamente seducente. Per certi versi la trovavo ripugnante: il tono strascicato della voce, il lucidalabbra denso e scintillante che applicava dal tubetto con la scritta LIP GLASS, gli innumerevoli fori alle orecchie e lo spazio tra gli incisivi che le piaceva stuzzicare con la lingua... e tuttavia avvertivo in lei anche qualcosa di sensuale, eccitante, temerario: un'energia animalesca, quando toglieva i tacchi e si aggirava per casa scalza quasi facendo le fusa.

Cola alla vaniglia, burrocacao alla vaniglia, beverone dietetico alla vaniglia, vodka alla vaniglia. Quando non lavorava sembrava una specie di mamma rapper in tenuta da tennis, con le sue minigonne bianche e le cascate di gioielli d'oro. Anche le scarpe da tennis erano nuove di zecca e di un bianco splendente. In piscina prendeva il sole con un bikini bianco fatto all'uncinetto; quando si metteva a pancia ingiù slacciava il top e scopriva tutta la schiena, ampia e muscolosa come quella di un uomo. «Oh-oh, problemino costume» diceva quando si metteva a sedere sul lettino scordando di allacciarsi il pezzo sopra, e io vedevo che il seno era abbronzato come tutto il resto.

Le piacevano i reality: *Survivor, American Idol*. Le piaceva fare shopping da Intermix e Juicy Couture. Le piaceva chiamare la sua amica Courtney per «sfogarsi» e molti dei suoi sfoghi, purtroppo, riguardavano me. «Non è assurdo?» la sentii dire al telefono un giorno in cui mio padre era fuori. «Non era certo questo che avevo in mente. Un ragazzino? Per chi mi hai preso?»

«Già, una vera rottura» continuò, aspirando pigra dalla sua Marlboro Light, ferma davanti alle porte a vetri che davano sulla piscina, in contemplazione delle unghie dei piedi appena smaltate di verde chiaro. «No» disse dopo una breve pausa. «Non lo so per quanto tempo. Cioè, secondo lui cosa dovrei fare? Non sono mica una casalinga del cazzo.»

Quelle lagne mi sembravano fatte tanto per dire, niente di particolarmente rancoroso o personale. Ma era difficile capire come fare a piacerle. In passato avevo sempre pensato che le donne in età da figli apprezzassero i ragazzini educati sempre pronti a scambiare due chiacchiere, ma con Xandra imparai in fretta che, se rincasava di malumore, era meglio lasciarla in pace, evitando persino di chiederle com'era andata la sua giornata. A volte, quando eravamo solo noi due, ce ne stavamo seduti tranquilli a mangiare una macedonia e a guardare un film su Lifetime. Ma se ce l'aveva con me, rispondeva invariabilmente con un gelido «Così pare» a quasi tutto quello che dicevo, facendomi sentire a disagio.

«Mmm... non trovo l'apriscatole.»

«Così pare.»

«Stanotte c'è l'eclissi di luna.»

«Così pare.»

«Hai visto? Escono scintille dalla presa di corrente.»

«Così pare.»

Xandra lavorava di sera. Di solito si dileguava verso le tre e mezzo del pomeriggio, tutta fasciata di nero: giacca e pantaloni, elasticizzati e aderenti, e camicia sbottonata fino allo sterno lentigginoso. La targhetta appuntata sulla giacca diceva XANDRA a grandi lettere, e sotto: FLORIDA. A New York, la sera che eravamo stati a cena fuori, mi aveva detto che stava cercando di entrare nel mercato immobiliare; ma al momento, come scoprii di lì a poco, lavorava al Nickels, un bar all'interno di un casinò sulla Strip. Certe volte riportava a casa qualche spuntino tipo polpette e bocconcini di pollo teriyaki in vassoi di plastica avvolti nella pellicola, e lei e mio padre li mangiavano davanti al televisore senza sonoro.

Vivere con loro era come avere due coinquilini non particolarmente socievoli. Quando erano a casa, io me ne stavo in camera mia con la porta chiusa. E quando non c'erano – cioè la maggior parte del tempo – mi aggiravo furtivo per la casa cercando di abituarmi a tutto quello spazio. Molte stanze non avevano mobili o quasi, né tende; e gli ambienti aperti, inondati di luce – ovunque moquette e superfici parallele – mi facevano sentire vagamente alla deriva.

Tuttavia era un sollievo non essere costantemente osservato, o «in scena», come dai Barbour. Il cielo era di un blu pieno, incurante, infinito; il miraggio di una gloria ridicola e illusoria. Che non mi cambiassi mai e che non fossi più in terapia non importava a nessuno. Non avevo obblighi, e se ne avevo voglia potevo stare a letto tutta la mattina a guardare cinque film con Robert Mitchum di fila.

Il papà e Xandra lasciavano la loro camera sempre chiusa a chiave. Un peccato, poiché era lì che Xan teneva il portatile, che mi era interdetto a meno che non fosse lei stessa a portarlo giù in soggiorno per farmelo usare. Curiosando in giro mentre erano fuori, trovai dei dépliant su una proprietà in vendita, bicchieri da vino nuovi ancora dentro la scatola, una pila di vecchie guide TV, uno scatolone pieno di libracci malconci: *Your Moon Signs*, *The South Beach Diet*, *Caro's Book of Poker Tells*, *Giocatori e amanti* di Jackie Collins.

Le abitazioni attorno alla nostra erano vuote: nessun vicino. Cinque o sei case più in là, dall'altra parte della strada, c'era sempre parcheggiata una vecchia Pontiac. Apparteneva a una donna dalle tette grandi con l'aspetto stanco e i capelli rovinati che a volte, nel tardo pomeriggio, sorprendevo a piedi nudi fuori casa, un pacchetto di sigarette in una mano e nell'altra il telefono. Per me lei era «la Playa», perché la prima volta che l'avevo vista indossava una T-shirt con la scritta DON'T HATE THE PLAYA, HATE THE GAME. A parte lei, la Playa, l'unica altra persona in carne e ossa che avevo visto nella nostra via era un panzone che indossava magliette sportive nere e viveva in fondo alla strada chiusa dove spesso lo vedevo trascinare un bidone della spazzatura (anche se avrei potuto dirglielo: nella nostra via nessuno veniva a raccogliere l'immondizia. Quando era ora di disfarsene, Xandra mi faceva sgusciare fuori col sacco per buttarlo nel cassonetto della casa in costruzione qualche civico più giù). La notte, a parte casa nostra e quella della Playa, la strada era immersa nell'oscurità. Eravamo completamente isolati, come in quel libro che avevamo letto in terza elementare sui figli dei pionieri nella prateria del Nebraska; solo senza fratelli o sorelle, o simpatici animali domestici, o Ma' e Pa'.

La cosa di gran lunga più insostenibile era essere bloccati lì in mezzo al nulla: niente cinema o librerie, e nemmeno un negozio qualunque. «Non c'è un bus o roba del genere?» chiesi a Xandra una sera che era in cucina intenta a scartare i vassoi delle Alette Atomiche con salsa al gorgonzola.

«Un bus?» fece, leccandosi uno sbaffo di salsa barbecue dal dito.

«Non esiste il trasporto pubblico qui?»

«No.»

«E la gente come fa?»

Xandra piegò la testa di lato. «Va in macchina?» disse, come se fossi un ritardato che non aveva mai sentito parlare delle automobili.

Una cosa buona c'era: la piscina. Il primo giorno mi ero scottato per via del sole e del riverbero, e nel giro di un'ora ero diventato color mattone. Avevo passato la notte in bianco, a stringere i denti ogni volta che le lenzuola ruvide mi sfioravano la pelle. Da allora, cominciai a usarla solo al calare del sole. I tramonti laggiù erano vivaci e melodrammatici, grandi pennellate arancioni, cremisi e vermiglie alla deserto-di-Lawrence-d'Arabia; poi scendeva la notte, buia e pesante come una porta sbattuta. Il cane di Xandra, Popper – che passava la maggior parte del tempo in un igloo di gomma marrone nella zona in ombra del recinto –, correva su e giù lungo la piscina, guaendo mentre io facevo il morto e intanto cercavo le costellazioni nascoste tra quelle caotiche spruzzate di stelle: la Lira, la regina Cassiopea, la frusta dello Scorpione con la doppia stella della coda, e tutte le figure amiche della mia infanzia, che la sera prima di dormire guardavo risplendere sul soffitto della mia stanza a New York. Ora, trasfigurate – fredde e altere come divinità, spogliate di ogni inganno – sembravano volate dal soffitto al cielo per prendere posto nelle loro effettive dimore celesti.

X

La scuola cominciò la seconda settimana di agosto. Da lontano, il complesso cintato, composto da lunghi e bassi edifici color sabbia collegati da passaggi coperti, ricordava un carcere. Ma una volta varcato l'ingresso, i poster vivaci e i corridoi vocianti mi catapultarono indietro nel tempo, in un'atmosfera da sogno ricorrente: le scale affollate, il ronzio dei neon, le aule di biologia con l'iguana in una vasca grossa come un pianoforte. I corridoi stipati di armadietti mi erano familiari come il set di una serie TV che seguivo da anni – e anche se la somiglianza con la mia vecchia scuola era solo superficiale, per qualche ragione la percepivo come confortante e reale.

Gli studenti dell'altro corso avanzato di Letteratura stavano leggendo *Grandi speranze*. Noi invece *Walden* di Thoreau, e io mi rifugiavo nel freddo e nel silenzio del libro, al riparo dal metallico bagliore del deserto. Durante la ricreazione del mattino (ci raggruppavano e ci facevano uscire in un cortile recintato da catene accanto ai distributori automatici) me ne restavo nell'angolo più in ombra col mio tascabile e, con una matita rossa, sottolineavo le frasi che mi colpivano di più: «La maggior parte della gente conduce una vita di mite disperazione». «Un'angoscia stereotipata ma inconscia giace nascosta persino sotto quelli che sono considerati i giochi e i passatempi dell'umanità.» Chissà come avrebbe raccontato Las Vegas Thoreau: le luci e il frastuono, l'immondizia e i sogni a occhi aperti, le proiezioni e le facciate di cartapesta.

Nella mia scuola aleggiava un senso inquietante di provvisorietà. C'erano un mucchio di bamboccioni figli di gente dell'esercito e un sacco di stranieri, molti dei quali figli di manager, a Las Vegas per importanti incarichi dirigenziali, oppure impegnati in ambito edilizio. Alcuni avevano abitato in nove o dieci Stati diversi in altrettanti anni, e molti avevano vissuto all'estero: Sydney, Caracas, Pechino, Dubai, Taipei. C'era anche un buon numero di ragazzi timidi, praticamente invisibili, i cui genitori erano fuggiti da difficili realtà rurali per lavorare come aiuto camerieri o donne delle pulizie in qualche hotel. In questo nuovo ecosistema, non erano più i soldi, e nemmeno l'aspetto fisico, a determinare la popolarità; la cosa più importante, compresi quasi subito, era l'aver vissuto a Las Vegas sufficientemente a lungo; motivo per cui le irresistibili bellezze messicane e i figli dei costruttori sedevano da soli a pranzo, mentre gli anonimi, mediocri figli di agenti immobiliari e venditori di auto erano le cheerleader e i rappresentanti degli studenti, l'indiscussa élite della scuola.

Le giornate di settembre furono limpide e bellissime e, man mano che il mese avanzava, l'odioso bagliore delle prime settimane lasciava il posto a una luminescenza polverosa e dorata. A volte pranzavo al tavolo degli studenti di Spagnolo, per esercitarmi con la lingua; altre a quello degli studenti di Tedesco, anche se questi ultimi, figli di dirigenti della Deutsche Bank o della Lufthansa, erano cresciuti a New York e a pranzo parlavano inglese. Tra i corsi che seguivo, Letteratura era l'unico che attendevo con gioia, sebbene mi infastidissero i numerosi studenti che se la prendevano con Thoreau, come se lui (che affermava di non aver mai imparato nulla di importante da un vecchio) fosse un nemico, e non un alleato. Il suo disprezzo del commercio – che per me era esaltante – pareva irritare non pochi dei miei compagni. «Sì, vabbè» aveva commentato un tizio odioso coi capelli pieni di gel scolpiti come un personaggio di Dragon Ball Z, «che mondo sarebbe, se *tutti* si rintanassero nei boschi a far niente...»

«È antisociale» sentenziò una tipa interrompendo la risata che era seguita – e si spostò sulla sedia, rivolgendosi all'insegnante (una donna claudicante dalle ossa lunghe che si chiamava signora Spear, indossava sempre sandali marroni e colori sulle tonalità della terra e sembrava soffrire di depressione). «Thoreau se ne sta sempre seduto sul suo culo a dirci quanto è bello...»

«... *Perché*» riattaccò Dragon Ball Z, la voce che si alzava allegramente di tonalità, «se tutti si rintanassero, come dice lui, che comunità avremmo? Se ci fosse solo gente come lui? Non avremmo gli ospedali né niente. Non avremmo le strade.»

«Coglione» borbottò una voce, con mia lieta sorpresa e in modo che tutti sentissero.

Mi girai per vedere chi aveva parlato: il ragazzo trasandato seduto nella fila di banchi accanto alla mia, quello che sembrava uno scoppiato, picchiettava le dita sul banco come fosse una batteria. Quando vide che lo fissavo, sollevò un sopracciglio singolarmente espressivo, come a dire: *ti rendi conto che idioti del cazzo?*

«Là in fondo qualcuno ha qualcosa da dire?» chiese la signora Spear.

«Come se a Thoreau fottesse qualcosa delle strade» disse il tipo schizzato. Il suo accento mi sorprese: straniero, ma non avrei saputo dire di dove.

«Thoreau fu il primo ambientalista» commentò la signora Spear.

«Fu anche il primo vegetariano» aggiunse una ragazza alle mie spalle.

«Ti pareva» fece qualcun altro. «Un fottuto sgranocchia-carote...»

«Non capite quello che intendo» disse Dragon Ball z tutto eccitato. «Qualcuno deve costruire strade, non si può solo star seduti nei boschi a guardare formiche e zanzare tutto il giorno. Si chiama civilizzazione.»

Il ragazzo vicino a me emise un acuto, sdegnoso latrato simile a una risata. Era pallido e magro, non molto pulito, con i capelli neri che gli cadevano sugli occhi e l'aspetto malsano di uno che vive per strada, mani callose e unghie sporche tutte rosicchiate; l'esatto opposto di quei bambocci ben pettinati e abbronzati e sempre con lo skate sottobraccio della mia scuola nell'Upper East Side, finti teppistelli, figli di amministratori delegati e chirurghi di Park Avenue: questo era il genere di ragazzo che avresti potuto incontrare sul marciapiede con un cane randagio in braccio.

«Bene. Per rispondere ad alcune di queste domande, vorrei che tornassimo tutti a pagina quindici» disse la signora Spear. «Dove Thoreau parla dei suoi esperimenti di vita.»

«Che esperimenti?» disse Dragon Ball z. «Perché uno come lui che vive nel bosco dovrebbe essere diverso da un cavernicolo?»

Il ragazzo dai capelli neri aggrottò le sopracciglia e sprofondò ancora di più nella sedia.

Mi ricordava quegli adolescenti che trafficavano di continuo con le sigarette a St. Mark's Place, mostrandosi le cicatrici l'un l'altro ed elemosinando spiccioli. Lui aveva gli stessi vestiti sdruciti e le braccia scarne, gli stessi bracciali in pelle nera ai polsi. La loro stratificata complessità era un codice che non riuscivo a interpretare, anche se il succo era abbastanza chiaro: *apparteniamo a un'altra tribù, non pensarci nemmeno, siamo troppo fichi per te, non rivolgerci la parola.* Questa fu la prima impressione, sbagliata, dell'unico amico che mi feci a Las Vegas, e – come si rivelò in seguito – di uno dei miei migliori amici di sempre.

Si chiamava Boris, e quel giorno ci ritrovammo ad aspettare insieme il bus dopo la scuola.

«Ah. Harry Potter» disse lui quando mi vide.

«Fottiti» risposi svogliato. Non era la prima volta, a Las Vegas, che mi chiamavano così. I miei vestiti da newyorkese – pantaloni beige, camicie Oxford bianche, gli occhiali di tartaruga senza i quali purtroppo non vedevo un accidente – mi rendevano una specie di freak, in una scuola in cui quasi tutti indossavano canotta e infradito.

«Dov'è hai messo il manico di scopa?»

«L'ho lasciato a Hogwarts» risposi. «E tu? Dov'è la tua tavola?»

«Eh?» disse lui, chinandosi verso di me e mettendo la mano a cucchiaio dietro l'orecchio alla maniera di un vecchio sordo. Mi superava in altezza di mezza testa; insieme agli anfibi e agli strani pantaloni in stile militare tagliati all'altezza delle ginocchia, indossava una maglietta nera strappata col logo 𝔑𝔢𝔳𝔢𝔯 𝔖𝔲𝔪𝔪𝔢𝔯, in bianche lettere gotiche.

«La maglia» dissi, con un cenno secco. «Vai in snowboard nel deserto?»

«No» fece, spostandosi i capelli scuri e rovinati dagli occhi. «Non sono un fan dello snowboard. È solo che odio il sole.»

Sedemmo vicini sullo scuolabus, nei posti accanto alle porte (evidentemente impopolari, a giudicare dall'urgenza con cui gli altri sgomitavano per farsi strada verso il fondo; ma io non ero abituato a prendere lo scuolabus, e a occhio e croce nemmeno lui, vista la naturalezza con la quale si accasciò sul primo sedile libero). Per un po' restammo in silenzio, ma il tragitto era lungo e alla fine cominciammo a parlare. Venne fuori che anche lui viveva a Canyon Shadows, ma più lontano, nella zona al confine col deserto, dove molte delle case erano ancora in costruzione e la sabbia ricopriva le strade.

«Da quanto sei qui?» gli chiesi. Era la domanda che si facevano tutti in quella scuola, quasi fossimo davvero in prigione.

«Boh. Due mesi, forse?» Anche se il suo inglese era ottimo, con un marcato accento australiano, avvertivo nella sua parlata un sottofondo lugubre e melmoso: un sentore di Conte Dracula, o forse di agente del KGB. «Da dove vieni?»

«New York» risposi, e la sua reazione silenziosa, quelle sopracciglia che dicevano *che figata*, mi inorgoglirono. «E tu?»

Fece una smorfia. «Be', vediamo» disse, appoggiandosi allo schienale e contando sulle dita. «Ho vissuto in Russia, Scozia, che magari era pure bella ma non me la ricordo, Australia, Polonia, Nuova Zelanda, Texas per due mesi, Alaska, Nuova Guinea, Canada, Arabia Saudita, Svezia, Ucraina…»

«Gesù.»

Scrollò le spalle. «Soprattutto in Australia, Russia e Ucraina, però. Questi tre.»

«Parli russo?»

Fece un gesto che interpretai come *più o meno*. «Anche ucraino e polacco. Ma ho dimenticato parecchio. L'altro giorno cercavo di ricordarmi come si dice "libellula", ma non mi è venuto in mente.»

«Di' qualcosa.»

Lui obbedì, pronunciando qualcosa di gutturale e sputacchiato.

«Che significa?»

Ridacchiò. «Vuol dire: "Prenditelo in culo".»

«Davvero? In russo?»

Rise, scoprendo dei denti grigiastri molto poco americani. «Ucraino.»

«Pensavo che in Ucraina parlassero russo.»

«Anche. Dipende dalla zona. Non sono lingue molto diverse tra loro. Be'…» schioccò la lingua, alzò gli occhi al cielo, «non troppo almeno. I numeri sono differenti, i giorni della settimana, alcuni vocaboli. Il mio nome in ucraino ha un'altra grafia, ma in Nord America la forma russa è più facile ed è Boris, non B-o-r-y-s. A Ovest tutti conoscono Boris El'cin» piegò la testa di lato, «Boris Becker…»

«Boris Badenov…»

«Eh?» disse lui piccato, voltandosi verso di me come se l'avessi insultato.

«Bullwinkle? Boris e Nataša?»

«Oh sì. Principe Boris! *Guerra e pace*. Mi ci hanno chiamato per lui. Anche se è Boris *Drubeckoj*, non Bodenov o come hai detto tu.»

«Quindi qual è la tua lingua madre? L'ucraino?»

Scrollò le spalle. «Forse il polacco» disse, spostando i capelli di lato con un movimento della testa. Aveva occhi duri e divertiti, molto scuri. «Mia madre era polacca, di Rzeszów, vicino al confine ucraino. Russo, ucraino... l'Ucraina come sai era satellite dell'URSS, per questo parlo entrambe le lingue. Forse il russo non così bene, anche se per bestemmiare e dire parolacce è il meglio che ci sia. Con le lingue slave – russo, ucraino, polacco, anche ceco – se ne sai una, puoi cavartela con tutte. Ma per me l'inglese è la lingua più facile ora. Prima era tutto il contrario.»

«Cosa ne pensi dell'America?»

«Che fanno tutti questi gran sorrisi! Be', quasi tutti. Magari non tu. A me sembra una cosa stupida.»

Era, come me, figlio unico. Suo padre (nato in Siberia, cittadino ucraino di Novoagansk) lavorava nel settore minerario. «Un bel lavoro importante, lui gira il mondo.» La madre di Boris, la seconda moglie di suo padre, era morta.

«Anche la mia» dissi.

Scrollò le spalle. «È morta da una vita» fece. «Era alcolizzata. Una notte era ubriaca, è caduta dalla finestra ed è morta.»

«Mio Dio» dissi, stupito dalla leggerezza con cui l'aveva raccontato.

«Già, è una merda» commentò noncurante, guardando fuori dal finestrino.

«Quindi di che nazionalità sei?» chiesi ancora dopo un attimo di silenzio.

«Eh...?»

«Be', se tua madre è polacca e tuo padre ucraino, e tu sei nato in Australia, vuol dire che sei...»

«Indonesiano» disse con un ghigno sinistro. Aveva le sopracciglia scure, diaboliche, molto espressive, che non stavano mai ferme quando parlava.

«E cioè?»

«Be', il mio passaporto dice Ucraina. Ma l'Indonesia è il posto dove voglio tornare» dichiarò Boris tornando a scostarsi i capelli dagli occhi. «Be'... PNG.»

«Cosa?»

«Papua Nuova Guinea. È il mio posto preferito tra quelli dove ho vissuto.»

«Nuova Guinea? Pensavo che ci fossero i mangiatori di teste.»

«Non più. Non tanti. Questo braccialetto viene da lì» disse, indicando uno degli svariati lacci di pelle che aveva al polso. «Me l'ha fatto il mio amico Bami. Era il nostro cuoco.»

«Com'è?»

«Non male» disse lui, guardandomi di sbieco tra il pensieroso e il divertito. «Avevo un pappagallo. E un'oca come animale domestico. E stavo imparando a fare surf. Ma poi, sei mesi fa, mio padre mi ha trascinato in una strana cittadina in Alaska. Seward, nella penisola di Kenai, proprio sotto il circolo artico. E dopo, a metà maggio, siamo volati fino a Fairbanks su un elicottero e poi ci siamo trasferiti qui.»

«Wow» dissi.

«Una noia *mortale*, lassù» disse Boris. «Mucchi di pesce morto e una pessima connessione Internet. Sarei dovuto scappare; vorrei averlo fatto» disse amaro.

«Per fare cosa?»

«Tornare in Nuova Guinea. Vivevo sulla spiaggia. Ma almeno non siamo stati a Seward tutto l'inverno. Qualche anno fa eravamo in Canada, su, nell'Alberta, in una cittadina con una strada sola, sul Pouce Coupe River. Sempre buio, da ottobre a marzo, e senza un cazzo da fare, a parte ascoltare la CBC. Bisognava fare ottanta chilometri per fare il bucato. Ma comunque...» rise «molto meglio dell'Ucraina. Miami Beach, in confronto.»

«Cos'hai detto che fa tuo padre?»

«Beve, soprattutto» disse Boris con asprezza.

«Allora dovrebbe conoscere il mio.»

Di colpo scoppiò in una risata. «Sì. Fantastico. E zoccole?»

«Non mi stupirebbe» risposi dopo una breve pausa sbalordita. Anche se erano poche le cose che mio padre faceva in grado di scioccarmi, non me l'ero mai immaginato a frequentare i Live Girls o i Gentlemen's Club che vedevamo passando sull'autostrada.

Lo scuolabus si stava svuotando, eravamo vicini a casa mia.

«Ehi, la mia fermata» dissi.

«Vuoi venire da me a guardare la TV?» propose all'improvviso.

«Be'…»

«Eddai. Non c'è nessuno. E ho il DVD di *S.O.S. Iceberg.*»

XI

Lo scuolabus non arrivava alla fine di Canyon Shadows, dove viveva Boris. Dall'ultima fermata bisognava camminare venti minuti
nel caldo soffocante, lungo strade inondate di sabbia. Nonostante
sulla mia via ci fossero parecchi cartelli che recitavano PIGNORATA e
VENDESI (se di notte c'era una radio accesa si sentiva nel raggio di
chilometri), non mi ero ancora reso conto di quanto fosse inquietante la periferia di Canyon Shadows: una città giocattolo, che sfumava nel deserto sotto cieli minacciosi. La maggior parte delle case
sembrava non essere mai stata abitata. Altre, in fase di costruzione,
avevano finestre non rifinite e senza vetri; facciate coperte di impalcature e ingrigite dalla sabbia, circondate da mucchi di calcestruzzo
e materiale da costruzione ingiallito. Le finestre sprangate le facevano apparire cieche, decadenti e sghembe, come volti tumefatti e
coperti di bende. Mentre procedevamo, quell'atmosfera desolata si
faceva sempre più angosciante; pareva di vagabondare su un pianeta spopolato dalle radiazioni o da un'epidemia.

«Si sono spinti decisamente troppo in là, con questa merda» disse Boris. «Ora il deserto se la sta riprendendo. E lo stesso stanno
facendo le banche.» Rise. «E fanculo a Thoreau.»

«Questo posto è un enorme fanculo a Thoreau, sì.»

«Ma te lo dico io chi è nella merda fino al collo, adesso. I proprietari di queste case. Molte non hanno nemmeno l'acqua. Le banche
se le riprendono perché la gente non riesce a pagare il mutuo; per
questo mio padre non spende praticamente niente d'affitto, qui.»

«Ah» esclamai, dopo un attimo di esitazione. Non avevo mai
pensato come facesse papà a permettersi una casa grande come
quella in cui vivevamo.

«Mio padre scava miniere» disse Boris all'improvviso.

«Scusa?»

Si scostò i capelli scuri e sudati dal viso. «La gente ci odia, ovunque andiamo. Perché gli esperti promettono che la miniera non danneggerà l'ambiente, e invece poi lo danneggia. Ma qui...» scrollò le spalle con un moto di rassegnazione russa, «mio Dio, di questo cazzo di buco sabbioso, a chi vuoi che freghi?»

«Uh» dissi, colpito dal modo in cui le nostre voci rimbombavano per le strade deserte, «non c'è *veramente niente* quaggiù, eh?»

«Sì. Un cimitero. Ci vive solo un'altra famiglia, là in fondo. Il cancello con quel grande camion davanti, vedi? Immigrati clandestini, credo.»

«Tu e tuo padre siete in regola, vero?» A scuola, questo era un problema molto sentito. Qualche studente non lo era, e i corridoi erano tappezzati di poster sull'argomento.

Fece un verso come a dire: *pfff, ridicolo.* «Certo. Ci pensano quelli della compagnia mineraria. O qualcun altro, insomma. Ma quella gente laggiù? Saranno venti, trenta, tutti uomini, tutti nella stessa casa. Magari spacciatori.»

«Dici?»

«C'è sotto qualcosa» disse Boris cupo. «So solo questo.»

La sua casa – affiancata da due cumuli di immondizia – era simile alla nostra: moquette dappertutto, elettrodomestici nuovi di zecca, stessa disposizione degli ambienti, pochissimi mobili. Ma all'interno era troppo calda per essere confortevole. La piscina era vuota, con due dita di sabbia sul fondo, senza nemmeno un giardinetto o un cactus. Tutte le superfici – elettrodomestici, banconi, pavimento della cucina – erano coperte da un sottile strato di sabbia.

«Vuoi qualcosa da bere?» chiese Boris, aprendo il frigo e mostrando una scintillante varietà di bottiglie di birra tedesca.

«Oh, wow, grazie.»

«In Nuova Guinea» disse, asciugandosi la fronte col dorso della mano, «quando vivevo lì, no? Ci fu una brutta inondazione. Serpenti pericolosi... bombe inesplose della Seconda guerra mondiale che galleggiavano in giardino... morirono un sacco di oche. Comunque...» fece, aprendo con foga una birra, «tutta l'acqua divenne inutilizzabile. Tifo. C'era solo birra... pure la Pepsi era finita, stessa cosa il Lucozade, e niente pasticche di iodio. Per tre settimane intere mio padre e io, e persino i musulmani, non bevemmo nient'altro che birra! Pranzo, colazione, tutto.»

«Mica male.»

Fece una smorfia. «Avevo sempre il mal di testa. La birra locale, in Nuova Guinea, è cattivissima. Questa è roba buona! C'è anche della vodka, in freezer.»

Stavo per accettare, per far bella figura, ma poi pensai al caldo e alla camminata per tornare a casa e rifiutai.

Boris fece tintinnare la sua bottiglia contro la mia. «Hai ragione. Troppo caldo. Mio padre ne beve così tanta che gli stanno partendo i nervi dei piedi.»

«Sul serio?»

«Si chiama...» fece una smorfia nello sforzo di pronunciare correttamente «neuropatia periferica» (che lui pronunciò «neuropàtia periferica»). «In Canada, in ospedale, hanno dovuto rinsegnargli a camminare. Si alzava in piedi e cadeva per terra, il naso che sanguinava... uno spasso, guarda.»

«Sembra divertente» dissi io, pensando a mio padre che gattonava fino al frigo per prendere il ghiaccio.

«Molto. Il tuo cosa beve? Tuo padre?»

«Scotch. Quando beve. Teoricamente ha smesso.»

«Ah» fece Boris, come se l'avesse già sentita. «Mio padre dovrebbe provarci... lo scotch buono costa poco, qui. Senti, vuoi vedere la mia stanza?»

Mi aspettavo un camera simile alla mia, perciò rimasi stupito quando aprì la porta su una specie di accampamento di fortuna che puzzava di Marlboro, con libri impilati ovunque, vecchie bottiglie di birra, portacenere, mucchi di asciugamani sporchi e vestiti da lavare seminati su tutto il tappeto. Ogni centimetro delle pareti era ricoperto di stoffe stampate – gialle, verdi, indaco e viola – e una bandiera rossa con falce e martello era appesa sopra il materasso coperto da un telo batik. Sembrava il rifugio di un cosmonauta russo precipitato nella giungla, decorato con parei e pezzi di stoffa trovati in giro.

«L'hai appesa tu questa roba?» dissi.

«Si può piegare e ficcare in valigia» annuì Boris, lanciandosi sul materasso. «Ogni volta che trasloco ci metto solo dieci minuti per rimontarla. Vuoi vedere *S.O.S. Iceberg*?»

«Certo.»

«Grandissimo film. Io l'ho visto sei volte. E quando lei sale sul suo aereo per salvarli dal ghiaccio?»

Ma finì che non guardammo *S.O.S. Iceberg*, forse perché quel primo pomeriggio insieme non riuscimmo a smettere di parlare nemmeno il tempo necessario a scendere di sotto e accendere il televisore. Tra i coetanei che avevo conosciuto, Boris era senza dubbio quello dal passato più interessante. A sentir lui, era andato a scuola solo saltuariamente, e aveva frequentato i peggiori istituti; nei posti desolati dove lavorava suo padre spesso le scuole non c'erano neppure. «Ma esistono dei video didattici» disse, trangugiando la sua birra. «Dei test che puoi fare. Però devi essere in posti dove c'è Internet, e a volte, tipo in certi paesini del Canada o dell'Ucraina, non c'è nemmeno quello.»

«E allora che fai?»

Scrollò le spalle.

«Leggo molto.» Un insegnante in Texas, mi disse, gli aveva scaricato un programma di studi da Internet.

«Ci sarà stata una scuola ad Alice Springs.»

Boris rise. «Sicuro» disse, soffiando via un ciuffo di capelli sudati dal viso. «Ma dopo che è morta mia madre, per un po' siamo stati nel Territorio del Nord – Terra di Arnhem –, una città chiamata Karmeywallag. Città è una parola grossa. Chilometri e chilometri di nulla: vedevi solo le roulotte dei minatori e un distributore di benzina con un bar sul retro, birra, whisky e panini. Comunque, la moglie di Mick, che lo gestiva, si chiamava Judy. Non facevo altro» buttò giù un sorso di birra e si sbrodolò, «non facevo altro che guardare tutto il giorno le soap insieme a Judy, e di notte stavo al bar con lei, mentre mio padre e la sua cricca si abbruttivano a suon di bicchieri. E durante i monsoni non funzionava nemmeno la televisione. Judy teneva le videocassette in frigo perché non si rovinassero.»

«Come, rovinassero?»

«Per la muffa che portava l'umidità. Muffa sulle scarpe, sui libri.» Scrollò le spalle. «Non parlavo molto, allora, perché non sapevo bene l'inglese. Ero molto timido, me ne stavo seduto per conto mio ed ero sempre solo. Ma Judy… lei ci parlava con me, ed era gentile, anche se non capivo quello che diceva. Tutte le mattine andavo lì e lei mi preparava la stessa bella frittura. E poi, pioggia pioggia pioggia. Spazzare per terra, lavare i piatti, dare una mano a pulire il bar. La seguivo dappertutto, come un anatroccolo. Questa è una tazza, questa è una scopa, questo è uno sgabello, questa una matita. Ecco la mia scuola. In TV – video dei Duran Duran e di Boy George – era tutto in inglese. Il suo programma preferito era *Le sorelle McLeod*. Lo guardavamo sempre e quando non sapevo qualcosa lei me lo spiegava. Parlavamo delle sorelle, e quando Claire morì nell'incidente in auto piangemmo, e lei disse che se avesse avuto una casa come quella di Drover, sai cosa?, mi ci avrebbe portato a vivere, saremmo stati felici, con un sacco di donne che lavoravano per noi, come le McLeod. Era giovane e molto carina. Capelli biondi ricci e ombretto blu sugli occhi. Suo marito la chiamava puttana e faccia da culo, ma secondo me assomigliava a Jodi della serie. Mi parlava tutto il giorno e cantava – m'insegnò le parole di tutte le canzoni del juke-box. *Dark in the city, the night is alive…* Raggiunsi presto un buon livello. Avevo imparato un po' di inglese nella scuola in Polonia, *hello excuse me thank you very much*, ma dopo due mesi con lei non stavo zitto un attimo! Da allora non ho più smesso! Lei era buona e sempre gentile con me. Anche se tutti i giorni andava a piangere in cucina perché odiava Karmeywallag.»

Si stava facendo tardi, ma fuori era ancora caldo e c'era luce. «Resta, io sto morendo di fame» disse Boris. Si alzò in piedi e si stiracchiò; la sua maglietta sbrindellata si sollevò scoprendo la pancia, concava e di un bianco mortale, come quella di un santo denutrito.

«Che c'è da mangiare?»

«Pane e zucchero.»

«Scherzi?»

Boris sbadigliò, gli occhi rossi e lucidi. «Non hai mai mangiato pane con lo zucchero sopra?»

«Non c'è nient'altro?»

Alzò le spalle, rassegnato. «Ho un buono per una pizza. Buonissima. Ma quaggiù non consegnano.»

«Pensavo che aveste un cuoco.»

«Sì, ce l'avevamo. In Indonesia. E anche in Arabia Saudita.» Stava fumando una sigaretta, mentre io avevo rifiutato quella che mi aveva offerto; sembrava sbronzo, girava e saltellava per la stanza come se avesse la musica in testa. «Un tipo molto figo che si chiamava Abdul Fataah. Vuol dire "Servitore di Colui che apre i Cancelli del Nutrimento".»

«Be', senti. Andiamo a casa mia, allora.»

Si sedette sul letto, le mani tra le ginocchia.

«Non dirmi che la troia cucina pure.»

«No, ma lavora in un locale col buffet. A volte porta a casa qualcosa da mangiare.»

«Fantastico» disse Boris, e si alzò barcollando un po'. Aveva bevuto tre birre e stava per attaccare la quarta. Sulla porta, prese un ombrello e me ne passò uno.

«Uhm, e questo a cosa serve?»

Lo aprì e uscì fuori. «Fa più fresco se ci cammini sotto» disse, il viso quasi blu nel cono d'ombra dell'ombrello. «E non ti scotti.»

XII

Prima di Boris, avevo sopportato la solitudine in modo abbastanza stoico, senza rendermi conto di quanto fosse assoluta. E credo che se uno solo di noi due avesse avuto una famiglia quasi normale, se avessimo dovuto ubbidire a orari e regole e fare i compiti, se fossimo stati oggetto di controllo da parte degli adulti, non saremmo diventati così inseparabili.

In effetti, da quel giorno iniziammo a trascorrere tutto il tempo insieme, procurandoci da mangiare in un modo o nell'altro e dividendo i soldi che avevamo.

A New York ero cresciuto circondato da ragazzini che avevano girato il mondo, gente che aveva vissuto all'estero e parlava tre o quattro lingue, che frequentava corsi estivi a Heidelberg e trascorreva le vacanze in posti come Rio, Innsbruck o Cap d'Antibes. Eppure Boris, col suo bagaglio di esperienze esotiche degno di un vecchio lupo di mare, li batteva tutti. Era andato su un cammello; aveva mangiato larve, giocato a cricket, si era beccato la malaria, aveva vissuto per strada in Ucraina («ma solo per due settimane»), disinnescato una bomba con le proprie mani, nuotato in fiumi australiani pieni di coccodrilli. Aveva letto Čechov in russo, e autori che non avevo mai sentito in ucraino e polacco. Aveva resistito ai quaranta sotto zero e all'oscurità degli inverni russi, ed era sopravvissuto alle interminabili bufere, alla neve, al ghiaccio che copriva le strade come una patina di vetro, quando l'unica fonte di conforto all'orizzonte era una palma al neon che bruciava ventiquattr'ore al giorno fuori dal bar, dove suo padre andava a bere. Anche se con i suoi quindici anni ne aveva solo uno più di me, aveva fatto sesso vero con una ragazza, in Alaska, una tipa a cui aveva scroccato una sigaretta nel parcheggio di un minimarket. Lei gli aveva chiesto se aveva voglia di farle compagnia in macchina, e lo avevano fatto. («Ma sai cosa?» fece, soffiando il fumo dagli angoli della bocca. «Non penso che le sia piaciuto molto.»

«E a te?»

«Dio, a me sì. Ma non sono stato molto bravo. Probabilmente ero troppo scomodo, in macchina.»)

Ogni giorno rientravamo da scuola insieme, con lo scuolabus. Al centro ricreativo mai terminato alla fine di Desatoya Estates, dove le porte erano lucchettate e nei vasi c'erano palme morte, c'era un piccolo parco giochi abbandonato dove compravamo bevande e dolcetti sfusi dai distributori mezzi vuoti, per poi sederci sulle altalene a fumare e a chiacchierare. Il suo caratteraccio e i suoi malumori, piuttosto frequenti, si alternavano a folli scoppi d'ilarità: era tetro e selvaggio, ma a volte mi faceva ridere finché non mi facevano male i fianchi, e avevamo sempre tante cose da dirci che perdevamo la cognizione del tempo e rimanevamo fuori fino a tardi. In Ucraina, per puro caso, aveva visto un politico colpito da un proiettile in pancia mentre saliva in macchina. Non aveva visto chi aveva sparato, solo quell'uomo con le spalle larghe e un cappotto troppo piccolo che cadeva in ginocchio nell'oscurità e nella neve. Mi raccontava della scuola dal tetto di latta vicino alla riserva di Chippewa nell'Alberta, cantava canzoncine in polacco

(«Come compito a casa, in Polonia, ti fanno imparare a memoria una poesia o una canzone, magari una preghiera, roba del genere») e m'insegnò a bestemmiare in russo («Il vero *mat*[7], quello dei gulag»). Mi raccontò anche di come, in Indonesia, il suo amico Bami, il cuoco, l'avesse convertito all'Islam: la rinuncia al maiale, il digiuno durante il Ramadan, le preghiere rivolto alla Mecca cinque volte al giorno. «Ma adesso non sono più musulmano» spiegò, trascinando la punta della scarpa nella sabbia. Eravamo sdraiati di schiena sulla giostra, intontiti da tutti quei giri. «Ho smesso da un bel pezzo.»

«Perché?»

«Perché bevo.» (Era un eufemismo niente male: Boris beveva birra come gli altri ragazzi bevevano Pepsi, e cominciava nell'istante in cui mettevamo piede a casa dopo scuola.)

«Ma chi se ne frega, scusa?» dissi io. «Chi verrebbe a saperlo?»

Boris gemette, insofferente. «Perché è sbagliato professare una fede se non osservi i precetti. È mancanza di rispetto verso l'Islam.»

«"Boris d'Arabia." Suona bene.»

«Fanculo.»

«No, seriamente» dissi, ridendo e sollevandomi sui gomiti. «Ci credevi davvero a tutte quelle storie?»

«Quali storie?»

«Lo sai. Allah e Maometto. "Non c'è altro Dio all'infuori di Dio"...»

«No» disse, con un filo di rabbia, «il mio Islam era un fatto politico.»

«Cioè, intendi come Shoe Bomber?[8]»

Boris grugnì, ridacchiando. «No, cazzo. E poi, l'Islam non insegna la violenza.»

«E quindi?»

Si alzò e abbandonò la giostra, lo sguardo fermo: «Cosa intendi, con "e quindi"? Cosa cazzo stai cercando di farmi dire?».

---

[7] Termine russo che indica un linguaggio osceno e blasfemo. (*N.d.T.*)

[8] Richard Reid, terrorista inglese che nel 2002 tentò di far saltare in aria il volo 63 della American Airlines diretto da Parigi a Miami con dell'esplosivo nascosto nel tacco della scarpa. (*N.d.T.*)

«Calmati! È solo una domanda.»

«Che sarebbe...?»

«Se ti sei convertito e tutto il resto, in cosa credevi?»

Si lasciò ricadere sulla giostra sogghignando, come se gli avessi involontariamente suggerito la risposta. «Credere? Ah! Io non credo in *niente*.»

«Cosa? Intendi adesso?»

«Intendo sempre. Be'... un po' nella Vergine Maria. Ma Allah e Dio... no, non tanto.»

«E allora perché diavolo volevi essere musulmano?»

«Perché...» agitò le mani davanti al viso, come faceva quando era disorientato, «era gente così bella, erano tutti così gentili con me!»

«È già qualcosa.»

«Be', è vero. Mi hanno persino dato un nome arabo: Badr al-Dine. *Badr* è la luna, significa qualcosa come luna della fedeltà, ma loro dicevano: "Boris, sei *badr* perché illumini tutto, ora che sei musulmano, illumini il mondo con la tua religione, risplendi ovunque vai". Mi piaceva essere Badr. Anche la moschea era fichissima. Un edificio mezzo diroccato. Di notte era illuminata dalla luce delle stelle, e gli uccelli ci entravano dentro. Un vecchio giavanese ci insegnava il *Corano*. Mi davano anche da mangiare, erano gentili e ci tenevano che fossi pulito e indossassi vestiti lavati. Qualche volta mi addormentavo sul mio tappetino per le preghiere. E durante la *Ṣalāt*, verso l'alba, quando gli uccelli si svegliavano, si sentiva il rumore delle ali che frullavano!»

Nonostante il bizzarro accento australiano-ucraino, il suo inglese era sciolto quasi come il mio; e, considerato il poco tempo che aveva trascorso in America, era piuttosto disinvolto nell'usare le tipiche espressioni *amerikanskij*.

Studiava tutto il tempo il suo malandato dizionario tascabile (il suo nome scarabocchiato in cirillico sulla copertina, con la trascrizione inglese riportata con cura subito sotto: BORYS VOLODYMYROVYCH PAVLIKOVSKY), e trovavo dappertutto vecchi tovaglioli del 7-Eleven e pezzi di carta con su scritte liste di parole e termini compilate da lui:

imbrigliare e addomesticare
celerità
trattoria[9]
saputello = круо̆й пацан
prossimità
omissione di soccorso

Quando il dizionario non lo soddisfaceva, consultava me. «Cosa significa "sophomore"[10]?», mi chiese, dopo aver letto con attenzione la bacheca nell'atrio della scuola.

«Econ. Domestica? Sci. Polit.?» Non aveva mai sentito nominare la maggior parte del cibo che ci servivano a mensa all'ora di pranzo: *fajitas*, *falafel*, *tetrazzini* al tacchino. Sebbene fosse un esperto di musica e film, era indietro di decenni; non sapeva nulla di sport, videogiochi o televisione e – eccetto poche grandi marche europee come Mercedes e BMW – non distingueva una macchina dall'altra. I soldi americani lo confondevano, e a volte anche la geografia: in quale provincia si trovava la California? Qual era la capitale del New England?

Ma era abituato a fare tutto da sé. Ogni mattina, di buon umore, si alzava da solo per andare a scuola, faceva l'autostop, si firmava le pagelle, rubava il cibo che mangiava e il materiale di cancelleria per la scuola. Più o meno una volta a settimana percorrevamo chilometri a piedi, nel caldo soffocante, al riparo degli ombrelli come membri di una tribù indonesiana, per prendere la scomoda corriera che, per quanto ne sapevo, non prendeva nessuno a parte gli ubriaconi, quelli troppo poveri per avere una macchina e i ragazzini. Passava di rado, e se la perdevamo ci toccava aspettare un bel po', ma una delle fermate era un centro commerciale con un supermercato fresco, lustro e con poco personale, dove Boris rubava bistecche, burro, tè, cetrioli (una leccornia, per lui), confezioni di bacon – una volta persino uno sciroppo per il mio raffreddore – facendo scivolare la refurtiva nella fodera interna del

---

[9] In italiano nel testo. (*N.d.T.*)
[10] Studente del secondo anno nel sistema scolastico americano. (*N.d.T.*)

suo orrendo impermeabile grigio (un capo da uomo fatto, troppo grande per lui, con le spalle cadenti e un'aria deprimente da ex Paese comunista, che faceva pensare al razionamento del cibo e alle fabbriche dell'epoca sovietica, ai complessi industriali a Leopoli o a Odessa). Mentre gironzolava, io stavo di guardia in fondo alla corsia, tremando così forte che a volte temevo di svenire. Ma non ci volle molto perché iniziassi anch'io a riempirmi le tasche di mele e cioccolata (un'altra delle cose che amava), prima di passare sfacciatamente alla cassa a pagare pane, latte e altra roba troppo ingombrante per essere rubata.

A New York, avevo all'incirca undici anni, la mamma mi aveva iscritto a un corso di cucina per bambini al campo estivo che frequentavo, dove avevo imparato a preparare qualche semplice piatto: hamburger, formaggio grigliato (che ogni tanto le cucinavo quando tornava tardi dal lavoro), e quello che Boris chiamava «uova e pane tostato».

Boris, seduto al bancone con gli anfibi ai piedi, sferrava calci agli armadietti della cucina e intanto mi parlava mentre io armeggiavo ai fornelli, poi lavava i piatti. In Ucraina, mi diceva, gli era capitato di scippare per comprarsi da mangiare. «Una o due volte mi hanno inseguito» disse. «Mai preso, però.»

«Una volta o l'altra dovremmo andare giù alla Strip» proposi un giorno. Eravamo in piedi davanti al bancone, con coltelli e forchette in pugno, a mangiare le nostre bistecche direttamente dalla padella. «Se un giorno volessimo derubare qualcuno, quello sarebbe un posto perfetto. Non ho mai visto così tanti ubriachi, e vengono tutti da fuori.»

Smise di masticare, sembrava scioccato. «E perché dovremmo fare una cosa del genere? Qui è così facile rubare, in quei negozi così grandi!»

«Era tanto per dire.» I soldi che mi aveva lasciato il portiere – Boris e io spendevamo un paio di dollari alla volta nei distributori e al 7-Eleven vicino a scuola, che lui chiamava «il magazzino» – sarebbero bastati ancora per un po', ma non per sempre.

«Ah! E che faccio se ti arrestano, Potter?» disse, allungando un boccone di carne grassa al cane, a cui aveva insegnato a ballare sulle zampe posteriori. «Chi preparerà la cena? E chi si prenderà cura di questo Snaps?» Aveva iniziato a chiamare Popper, il cane di Xandra, «Amyl», «Nytrate», «Popchik» e «Snaps», tutto tranne che il suo vero nome. Avevo lasciato che entrasse in casa anche se non avrei dovuto, perché ero stufo di sentirlo tirare la catena mentre cercava di guardare attraverso la porta a vetri e abbaiava come un pazzo. Una volta dentro, poi, era sorprendentemente tranquillo; aveva un bisogno spasmodico di attenzioni, e ci stava alle calcagna sempre, ovunque andassimo, trottando ansioso senza mai perderci di vista, e poi si addormentava sul divano, tutto raggomitolato, mentre Boris e io leggevamo, discutevamo o ascoltavamo musica in camera mia.

«Sul serio, Boris» dissi, scostandomi i capelli dagli occhi (avevo un disperato bisogno di un taglio, ma non volevo spendere i soldi), «non vedo nessuna differenza tra rubare portafogli e rubare bistecche.»

«C'è una *gran* differenza, Potter.» Agitò le mani. «Un conto è rubare a una persona che lavora, e un altro è rubare a un'azienda enorme e piena di soldi che frega la gente.»

«Costco non deruba nessuno. È un discount.»

«Okay, allora. Rubare il necessario per vivere a dei comuni cittadini, allora. Questo è il tuo piano geniale. Taci» disse al cane, che abbaiava forte per avere un altro pezzo di bistecca.

«Non ruberei mai a un povero lavoratore» dissi, passando a Popper un boccone di carne. «C'è un sacco di gente losca che va in giro per Las Vegas piena di soldi.»

«Losca?»

«Sospetta. Disonesta.»

«Ah.» Il sopracciglio scuro e appuntito si sollevò. «Bene, allora, Ma se rubi soldi a gente losca poi finisce che ti uccidono, *ne*?»

«E tu? In Ucraina non avevi paura che ti facessero qualcosa di male?»

«Che mi picchiassero, magari, non che mi sparassero.»

«Sparare?»

«Sì, *sparare*. Non fare quella faccia stupita. In questo Paese di cowboy, chi lo sa. Tutti hanno una pistola.»

«Non parlo della polizia. Intendo i turisti ubriachi. Qui è strapieno, il sabato sera.»

«Ah!» Posò la padella sul pavimento per farla leccare al cane. «Probabilmente finirai in prigione, Potter. Zero principi, schiavo dei soldi. Pessimo cittadino, tu.»

XIII

In quel periodo, ottobre o giù di lì, mangiavamo insieme quasi ogni sera. Boris, che spesso si faceva tre o quattro birre prima di cena, a tavola passava al tè caldo. Poi, dopo uno shot di vodka per chiudere il pasto, abitudine che presto mi trasmise («Ti aiuta a digerire» mi aveva spiegato), oziavamo leggendo, facendo i compiti, a volte discutendo, e spesso ci ubriacavamo fino ad addormentarci davanti al televisore.

«Non andare!» disse Boris una sera quando scattai in piedi verso la fine dei *Magnifici sette*, durante la sparatoria risolutiva, quando Yul Brynner raduna i suoi uomini. «Ti perdi la parte migliore.»

«Sì, ma sono quasi le undici.»

Lui, sdraiato per terra, si sollevò su un gomito. Con i capelli lunghi e il petto scavato, Boris era l'opposto di Yul Brynner, ma tra i due c'era lo stesso una strana somiglianza: scaltri e guardinghi allo stesso modo, divertiti e un po' spietati, avevano entrambi qualcosa di mongolo o tartaro nel taglio degli occhi.

«Chiama Xandra e dille di venirti a prendere» disse sbadigliando. «A che ora stacca dal lavoro?»

«Xandra? Escluso.»

Boris sbadigliò di nuovo, le palpebre appesantite dalla vodka. «Dormi qui, allora» disse, girandosi su un fianco e grattandosi il viso. «Gli mancherai?»

In fondo, come potevo essere sicuro che sarebbero rincasati? A volte non tornavano per due giorni di fila. «Ne dubito» dissi.

«Silenzio» disse Boris, allungandosi verso le sigarette e mettendosi a sedere. «Adesso guarda. Arrivano i cattivi.»

«L'hai già visto?»

«Doppiato in russo, ci credi? Russo pessimo. Femminucce. È *femminucce* la parola giusta? Mah… Più insegnanti che pistoleri, è questo che intendo, ecco.»

XIV

Sebbene dai Barbour fossi dilaniato dal dolore, adesso ripensavo all'appartamento di Park Avenue con nostalgia, come a un paradiso perduto. E nonostante avessi accesso all'email tramite il computer della scuola, Andy non era un grande scrittore, e i messaggi con cui mi rispondeva erano terribilmente impersonali. *(Ciao, Theo. Spero che tu ti sia divertito quest'estate. Papà e io abbiamo preso una nuova barca [l'Absalom]. Mamma non ci metterà piede, ma io purtroppo sono stato obbligato. Giapponese 2 mi sta facendo impazzire, ma per il resto tutto bene).* La signora Barbour rispondeva diligentemente alle lettere che spedivo – un paio di righe sulla sua carta da lettera con sopra le iniziali – ma non si spingeva mai oltre le solite formule di rito. Chiedeva sempre *come stai?* e concludeva con *sei nei nostri pensieri*, ma non c'era mai un *ci manchi* o *ci piacerebbe rivederti*.

Scrivevo a Pippa, in Texas, anche se stava troppo male per rispondermi… ma non importava, poiché la maggior parte delle lettere non le spedii mai.

Cara Pippa,
come stai? Ti piace il Texas? Ti ho pensato molto. Hai montato quel cavallo che ti piace? Le cose qui vanno benone. Mi chiedo se lì faccia caldo, dato che qui è caldissimo.

Questa era noiosa; la strappai e ricominciai.

Cara Pippa,
come stai? Ti ho pensato molto e spero che tu stia bene. Spero che le cose in Texas vadano ~~bene~~ alla grande. Devo dire che qui è un po' un inferno, ma mi sono fatto degli amici e forse mi ci sto un po' abituando.

Tu senti nostalgia di casa? Io sì. New York mi manca molto. Vorrei che vivessimo più vicini. Come va la testa? Spero meglio. Mi spiace che

«È la tua ragazza?» disse Boris, mordendo una mela mentre leggeva alle mie spalle.

«Levati di torno.»

«Cosa le è successo?» disse, e poi, visto che non rispondevo: «L'hai picchiata?».

«Cosa?» dissi, senza prestargli attenzione.

«La sua testa. È per questo che le chiedi scusa? L'hai picchiata, o cose del genere?»

«Sì, come no» sbuffai. Ma poi, notando la sua espressione seria e concentrata, capii che non stava affatto scherzando.

«Credi che io sia il tipo che picchia le ragazze?» domandai.

Scrollò le spalle. «Magari se lo meritava.»

«Uhm, in America non picchiamo le donne.»

Aggrottò le sopracciglia e sputò un seme di mela. «No. Gli americani preferiscono perseguitare Paesi più piccoli che la pensano in modo diverso da loro.»

«Boris, chiudi la bocca e lasciami in pace.»

Ma il suo commento mi aveva innervosito, e invece di iniziare un'altra lettera a Pippa ne cominciai una per Hobie.

Caro signor Hobart,
salve, come sta? Spero bene. Non le ho mai scritto per ringraziarla della sua gentilezza durante il mio ultimo periodo a New York. Spero che lei e Cosmo stiate bene, anche se so che entrambi sentite la mancanza di Pippa. Come sta? Spero che sia riuscita a riprendere con la musica. Spero anche

Ma non spedii neanche quella. Perciò rimasi felicemente sorpreso quando arrivò una lettera, lunga e su carta, proprio da parte di Hobie.

«Cos'hai lì?» si insospettì mio padre. Gli era caduto l'occhio sul francobollo di New York, e me l'aveva sfilata dalle mani.

«Cosa?»

Ma aveva già aperto la busta. La scorse in fretta e perse subito interesse. «Ecco» disse, restituendomela. «Scusa, giovanotto. Mi sono sbagliato.»

La lettera era bellissima, anche nell'aspetto: carta di qualità e calligrafia elegante, un sentore di stanze silenziose e di ricchezza.

Caro Theo,

sono curioso di sapere come stai, ma allo stesso tempo sono contento di non aver ancora ricevuto tue notizie. Vuol dire che sei felice e che hai molto da fare. Qui, le foglie sono cadute, Washington Square è gialla e fradicia, e il freddo si avvicina. Il sabato mattina Cosmo e io passeggiamo nel Village: lo prendo in braccio e lo porto nel negozio di formaggi, dove, non so se sia troppo igienico, ma le ragazze dietro al bancone gliene danno qualche pezzetto. Anche a lui manca Pippa, come a me, ma, come a me, gli piace ancora mangiare. A volte ceniamo accanto al camino, ora che Padre Inverno è con noi. Spero tanto che tu ti stia ambientando e ti sia fatto degli amici. Quando parlo con Pippa per telefono non mi sembra contenta di stare lì, ma la sua salute è decisamente migliorata. Per il Ringraziamento volerò laggiù. Non so quanto farà piacere a Margaret vedermi, ma Pippa vuole che vada, e ci andrò. Se mi permetteranno di portare Cosmo sull'aereo verrà anche lui.

Ti mando anche una foto che spero ti piacerà; è una scrivania Chippendale appena arrivata, messa molto male: mi hanno detto che l'hanno tenuta per anni in un capanno non riscaldato su verso Watervliet.

È assai rovinata e intaccata, e il ripiano è spaccato in due, ma osserva quegli artigli uncinati che sostengono tutto il peso! I piedi non si vedono bene, ma sembra di avvertire la pressione degli artigli che scavano. È un capolavoro, vorrei solo che l'avessero conservata meglio. La venatura sul ripiano è eccezionale.

Riguardo al negozio: lo apro un paio di volte a settimana su appuntamento, ma sto quasi sempre di sotto a lavorare su cose che mi mandano privati. La signora Skolnik e altri nel quartiere hanno chiesto di te; qui è tutto più o meno uguale, a parte il fatto che la signora Cho del negozio coreano ha avuto un piccolo infarto (molto piccolo, è già tornata al lavoro). E poi, la caffetteria sulla Hudson che mi piaceva è fallita, che tristezza. Ci sono passato davanti questa mattina e sembra che la stiano trasformando in un... be', non so come lo chiameresti tu. Una specie di negozio di articoli giapponesi. Vedo che come al solito mi sono dilungato troppo, e che sto terminando lo spazio, ma spero che tu sia felice e che stia bene, e che laggiù sia un po' meno sperduto di quello che forse temevi. Se c'è qualcosa che posso fare per te da qui, o se posso aiutarti in qualsiasi modo, sappi che lo farò.

XV

Quella sera, da Boris, mentre giacevo ubriaco sulla mia metà del materasso coperto di teli batik, cercavo di ricordare che aspetto avesse Pippa. Ma la luna era così grande e luminosa, fuori dalla finestra senza tende, che invece mi venne in mente un episodio che mi aveva raccontato mia madre. Era una storia di quando, da piccola, andava coi genitori ai concorsi ippici, sul sedile posteriore della vecchia Buick. «Era stato un viaggio molto lungo. Dieci ore di macchina attraverso la campagna desolata. Giostre, piste da rodeo coperte di segatura, e ovunque quell'odore di pop-corn e letame di cavallo. Quella sera eravamo a San Antonio e io ero abbastanza sfasata – volevo la mia stanza, sai, il mio letto, il mio cane – e papà mi prese in braccio in mezzo alla fiera e mi disse di guardare la luna. "Se hai nostalgia di casa" disse, "basta che guardi insù. Perché la luna è la stessa dappertutto." Perciò, quando morì e io dovetti andare da zia Bess, e anche adesso, in città, quando vedo la luna piena, è come se lui mi stesse dicendo di non rattristarmi, perché casa è dove mi trovo *io*.» Mi baciò il naso. «O dove sei *tu*, cucciolo. Sei tu il mio focolare.»

Un fruscio. «Potter?» disse Boris. «Sei sveglio?»

«Posso farti una domanda?» dissi. «Com'è la luna in Indonesia?»

«Di che stai parlando?»

«O, non lo so, in Russia. È uguale a qui?»

Mi colpì appena la testa con le nocche, in un gesto che, avevo imparato, significava *idiota*. «Uguale dappertutto» disse con uno sbadiglio, abbassando il braccio scheletrico coperto di braccialetti. «Perché?»

«Non so» risposi, e poi, dopo una breve pausa: «L'hai sentito anche tu?».

Una porta che sbatteva. «Cos'è stato?» Ci scambiammo uno sguardo. Voci, al piano di sotto, risate, rumore di passi, un tonfo, come se fosse caduto qualcosa.

«È tuo padre?» domandai, mettendomi a sedere, e poi udii la voce di una donna, stridula e ubriaca.

Anche Boris si mise a sedere, innaturalmente pallido sotto la luce che entrava dalla finestra. Di sotto, sembrava che stessero tirando oggetti e spostando i mobili.

«Cosa dicono?» sussurrai.

Boris in silenzio. «Cazzate» disse. «Sono ubriachi.»

Restammo in ascolto.

«Chi c'è con lui?» dissi.

«Qualche puttana.» Tese l'orecchio, il sopracciglio inarcato, il profilo aguzzo alla luce della luna, poi si sdraiò di nuovo. «Due.»

Mi girai a controllare il mio iPod: 3:17.

«Cazzo» si lamentò Boris, grattandosi la pancia. «Perché non stanno un po' zitti?»

«Ho sete» dissi dopo un attimo di esitazione.

Grugnì. «Ah! Fossi in te non scenderei adesso, credimi.»

«Cosa stanno facendo?» chiesi. Una delle donne aveva appena gridato, non so se di gioia o di paura.

Rimanemmo lì distesi, rigidi come scope, gli sguardi fissi sul soffitto, concentrati su quel sinistro sbatacchiare.

«Ucraine?» dissi dopo un po'. Anche se non capivo una parola di quello che stavano dicendo, avevo frequentato Boris abbastanza da iniziare a saper distinguere l'intonazione dell'ucraino da quella del russo.

«Dieci e lode, Potter.» E poi: «Accendimi una sigaretta».

Ce la passammo, nell'oscurità, finché da qualche parte un'altra porta sbatté e le voci si spensero. Alla fine, Boris emise un ultimo sospiro fumoso e rotolò fino al portacenere traboccante accanto al letto per spegnere il mozzicone. «Buonanotte» bisbigliò.

«Buonanotte.»

Si addormentò quasi subito – lo intuii dal respiro – mentre io restai sveglio a lungo, la gola secca, stordito e nauseato dalla sigaretta. Com'ero finito in questa nuova, strana vita in cui nottetempo degli ubriachi sconosciuti mi urlavano attorno, avevo sempre i vestiti sporchi e nessuno mi amava? Boris russava indifferente accanto a me. Verso l'alba, quando alla fine mi addormentai, sognai mia madre: seduta di fronte a me sul treno della linea 6, ondeggiava leggermente, il viso calmo nella tremolante luce artificiale.

Cosa ci fai qui?, mi diceva. *Vai a casa! Subito! Ci vediamo là.* Ma c'era qualcosa di strano nella sua voce; e quando la guardai più da vicino mi accorsi che non era lei, ma solo qualcuno che fingeva di essere lei. Con un rantolo, sussultando, mi svegliai.

XVI

Il padre di Boris era un personaggio misterioso. Come mi aveva spiegato il mio amico, spesso lavorava in posti sperduti nel nulla, nelle miniere, dove rimaneva con la sua squadra di lavoro per qualche settimana. «Non si lava» diceva Boris severo. «Resta sporco lercio.» La radio a bassa frequenza tutta ammaccata in cucina era sua («Dei tempi di Brežnev» diceva. «Non la vuole buttare.»), così come i giornali in russo e le copie di «USA Today» che ogni tanto trovavo in giro. Un giorno ero entrato in uno dei bagni (piuttosto lugubri: niente tendina per la doccia, né asse del gabinetto, né in quello di sopra né in quello di sotto, e della roba nera che cresceva nella vasca) e sobbalzai alla vista di uno dei completi di suo padre, fradicio e puzzolente, che pendeva come un cadavere dal box doccia: ruvido, sformato, di grumosa lana marrone del colore delle radici, gocciolava sul pavimento, come una specie di golem dal respiro umido di qualche antico Paese, o un indumento dragato da acque melmose di un canale.

«Cosa c'è?» disse Boris, quando tornai fuori.

«Tuo padre si lava i vestiti da solo?» chiesi. «Lì, nel lavandino?»

Boris, poggiato alla porta e intento a mordicchiarsi l'unghia del pollice, scrollò le spalle.

«Stai scherzando» dissi, e poi, poiché continuava a guardarmi: «Non esistono le tintorie in Russia?».

«Ha un sacco di gioielli e roba elegante» ringhiò Boris, senza togliersi il dito di bocca. «Orologio Rolex, scarpe Ferragamo. Può lavarsi i vestiti come diavolo preferisce.»

«Okay» dissi, e cambiai discorso. Passò qualche settimana, e a suo padre non pensai più. Finché un giorno Boris arrivò in ritardo all'ora di Lettere, con un occhio nero.

«Una pallonata» disse scherzoso quando la signora Spear ("Spirsetskaja", come la chiamava lui) gli chiese in tono sospettoso cos'era successo.

Era una bugia, lo sapevo. Lo osservai per tutta la durata di una noiosissima discussione su Ralph Waldo Emerson, chiedendomi com'era riuscito a farsi un occhio nero dopo che, la notte precedente, l'avevo salutato per tornare a casa e portare fuori Popper: Xandra lo lasciava legato in giardino così spesso che cominciavo a sentirmene responsabile.

«Che hai fatto?» dissi quando ci incontrammo dopo la lezione.

«Eh?»

«Come te lo sei fatto?»

Sbatté le palpebre. «Oh, eddai» disse, dandomi una spallata.

«Cosa? Eri ubriaco?»

«È tornato mio padre» disse, e poi, quando vide che tacevo: «Che c'è, Potter? Cosa pensi che sia successo?».

«Gesù, ma perché?»

Scrollò le spalle. «Meno male che te n'eri già andato.» Si strofinò l'occhio indenne. «Quando l'ho visto non ci potevo credere. Stava dormendo sul divano di sotto. Per un momento ho pensato che fossi tu.»

«Cos'è successo?»

«Ah» emise un sospiro esagerato; prima di entrare a scuola aveva fumato, si capiva dal suo alito. «Ha visto le bottiglie di birra sul pavimento.»

«Ti ha picchiato perché hai bevuto?»

«Perché era completamente sbronzo, ecco. Ubriaco come una spugna, non credo si sia reso conto che stava picchiando me. Questa mattina... mi ha visto in faccia e ha pianto, era dispiaciuto. Comunque, starà via per un bel po'.»

«Perché?»

«Dice che ha un sacco di lavoro. Starà via tre settimane. La miniera è vicina a uno di quei bordelli statali.»

«Non sono statali» dissi io, e subito dopo mi domandai se invece lo fossero.

«Be', hai capito. Una cosa buona, però, c'è: mi ha lasciato dei soldi.»

«Quanti?»

«Quattromila.»

«Palle.»

«No, hai ragione...» si colpì la fronte, «scusa, stavo pensando in rubli! Duecento dollari, più o meno. Non male, dai. Avrei dovuto chiedere di più, ma non ho avuto il coraggio.» Eravamo arrivati all'altezza dell'aula di Algebra, dove ero diretto io, mentre lui a quell'ora aveva lezione di Storia del governo americano: il suo tormento. Era un corso obbligatorio – facile anche per gli standard della nostra scuola, che erano piuttosto bassi – ma far studiare a Boris la Carta dei Diritti e i poteri espliciti e impliciti del Parlamento degli Stati Uniti era frustante come tentare di spiegare alla signora Barbour cos'era un server.

«Be', ci vediamo dopo» fece lui. «Rispiegami, prima che vada, che differenza c'è fra la Federal Bank e la Federal Reserve.»

«L'hai detto a qualcuno?»

«Cosa?»

«Lo sai.»

«Cos'è, vuoi denunciarmi?» chiese ridendo.

«Non *te*. Lui.»

«E perché? Sarebbe una buona idea, secondo te? Così mi cacciano?»

«Okay» dissi, dopo un imbarazzante momento di silenzio.

«Sai cosa ti dico... dovremmo mangiare fuori stasera!» propose

Boris. «In un ristorante! Magari messicano.» Dopo i sospetti e le lamentele iniziali, Boris aveva iniziato ad apprezzare il cibo messicano, che, diceva, in Russia era sconosciuto; ma quand'era troppo piccante non lo toccava. «Possiamo prendere l'autobus.»

«Il cinese è più vicino. E il cibo è migliore.»

«Sì, ma... ti ricordi?»

«Ah, già, giusto» dissi. L'ultima volta che ci avevamo mangiato eravamo scappati senza pagare. «Lasciamo stare.»

XVII

A Boris Xandra piaceva molto più che a me: si precipitava per aprirle la porta, le faceva i complimenti per il suo nuovo taglio di capelli, si offriva di portarle i sacchetti. Per questo l'avevo preso in giro quando l'avevo beccato a sbirciarle la scollatura una volta che si era chinata a raccogliere il cellulare.

«Dio, se è sexy» disse una volta, in camera mia. «Pensi che a tuo padre darebbe fastidio?»

«Probabilmente non se ne accorgerebbe.»

«No, sul serio, cosa pensi che mi farebbe?»

«Se cosa.»

«Se io e Xandra.»

«Non so, probabilmente chiamerebbe la polizia.»

Grugnì, beffardo. «Per cosa?»

«Non per te. Per lei. Abuso di minore.»

«Magari.»

«Scopatela, se ti va» dissi. «Non mi interessa se finisce in prigione.»

Boris rotolò sulla pancia e mi guardò con espressione furba. «Si fa di coca, sai?»

«Cosa?»

«Cocaina.» Mimò una sniffata.

«Stai scherzando» dissi, e poi, di fronte a quel suo sorrisetto: «Come fai a dirlo?».

«Lo so e basta. Da come parla. E poi digrigna i denti. Osservala.»

Non avrei saputo quali indizi cercare. Ma poi, un pomeriggio, tornammo a casa; mio padre non c'era, e lei era al tavolino da caffè che sniffava, tenendosi i capelli con una mano. Quando gettò indietro la testa e i suoi occhi si posarono su di noi, nessuno parlò; dopodiché, si voltò come se non esistessimo.

Proseguimmo su per le scale verso camera mia. Anche se non avevo mai visto nessuno tirare prima di allora, la scena a cui avevo appena assistito non lasciava spazio a dubbi.

«Dio, quant'è sexy» mormorò Boris, appena chiusi la porta. «Chissà dove la tiene.»

«Che ne so» feci, accasciandomi sul letto. Fuori, Xandra mise in moto la macchina e si avviò lungo il vialetto.

«Dici che ce ne darebbe un po'?»

«A *te* sì, potrebbe.»

Boris si lasciò cadere sul pavimento, sedendosi accanto al letto con un ginocchio sollevato e con la schiena poggiata alla parete. «Pensi che la venda?»

«Escluso» dissi dopo una breve pausa incredula. «Tu credi?»

«Ah! Buon per te, se lo fa.»

«Come sarebbe?»

«Soldi in giro per casa!»

«A me non risulta.»

Mi osservò col suo sguardo scafato e scrutatore. «Chi paga i conti qui, Potter?» disse.

«Uhm...» Era la prima volta che prendevo in considerazione la questione, di cui riconobbi immediatamente l'enorme importanza pratica. «Non lo so. Mio padre, penso. Ma anche Xandra contribuisce.»

«E dove li prende? I soldi?»

«Non ne ho idea» dissi. «Parla al telefono con della gente e poi esce.»

«Ci sono libretti degli assegni in giro? Contanti?»

«No. Mai. Fiches, a volte.»

«Vanno bene quanto i soldi» disse Boris, sputando sul pavimento il pezzetto di unghia che si era staccato a morsi.

«Sì. Ma non puoi cambiarli al casinò, se sei minorenne.»

Boris ridacchiò. «Eddai. Ci inventeremo qualcosa, se serve. Ti vestiamo con quella giacca da pappone della scuola, con lo stemma, ti mandiamo allo sportello, *Mi scusi, signorina…*»

Mi girai e gli tirai un pugno sul braccio. «Vaffanculo» dissi, infastidito dalla sua imitazione in chiave snob e affettata della mia voce.

«Non puoi parlare così, Potter» disse Boris divertito, strofinandosi il braccio. «Nessuno ti darebbe un centesimo. Sto solo dicendo che, per ogni emergenza, io so dov'è il libretto degli assegni di mio padre…» e aprì le mani. «Okay?»

«Okay.»

«Voglio dire, se io devo compilare un assegno scoperto, compilo un assegno scoperto» disse Boris saggiamente. «Almeno so che posso farlo. Non ti sto dicendo: "Forza la serratura della loro stanza e fruga fra le loro cose", ma è comunque bene tenere gli occhi aperti. O no?»

XVIII

Il padre di Boris non festeggiava il giorno del Ringraziamento, e Xandra e mio padre avevano prenotato una «Romantic Holiday Extravaganza» in un ristorante francese all'MGM Grand. «Vuoi venire?» mi chiese papà quando mi sorprese a osservare il volantino sul bancone della cucina: cuori, fuochi d'artificio e bandierine tricolori su un piatto di tacchino arrostito. «O hai qualcosa da fare per conto tuo?»

«No, grazie.» Cercava di essere gentile, ma il pensiero di stare con lui e Xandra durante la loro Romantic Holiday Eccetera mi metteva a disagio. «Ho da fare.»

«Cosa fai, allora?»

«Festeggerò il Ringraziamento con qualcun altro.»

«Con chi?» domandò, in un accesso di apprensione paterna. «Un amico?»

«Fammi indovinare» disse Xandra, scalza, con la maglietta dei Miami Dolphins che usava per dormire, lo sguardo fisso sul frigo. «La stessa persona che continua a mangiare le arance e le mele che porto a casa.»

«Oh, dai» fece mio padre con voce assonnata, scivolando dietro di lei e cingendola con le braccia, «il piccolo *russki* ti piace, come si chiama? Boris.»

«Certo che mi piace. Il che è una buona cosa, direi, visto che praticamente è sempre qui. Merda» disse, scostandosi da lui e colpendosi la coscia nuda, «chi ha fatto entrare le zanzare? Theo, com'è possibile che non ti ricordi mai di chiudere la porta che dà sulla piscina? Te l'ho ripetuto duemila volte.»

«Be', posso sempre passare il Ringraziamento con voi, se preferite» dissi senza entusiasmo, appoggiandomi al bancone. «Perché no?»

L'avevo detto per dare fastidio a Xandra, e con piacere constatai che c'ero riuscito. «Ma la prenotazione è per due» fece lei, tirandosi indietro i capelli e fissando mio padre.

«Be', di sicuro possiamo cambiarla.»

«Dobbiamo chiamare in anticipo.»

«Bene, chiamali, allora» disse lui, dandole un colpetto sulla schiena e avviandosi in soggiorno a controllare i risultati delle partite di football.

Io e Xandra restammo a guardarci per un attimo, poi lei distolse lo sguardo, come sopraffatta da una qualche sconfortante e insostenibile visione del futuro. «Ho bisogno di caffè» disse debolmente.

«Non ho lasciato io la porta aperta.»

«Non so chi continui a farlo. Quello che so è che quei tipi strani della Amway laggiù non hanno svuotato la fontana prima di trasferirsi e ora ci sono un miliardo di zanzare dappertutto... cioè, eccone un'altra, merda.»

«Senti, non ti arrabbiare. Non devo per forza venire con voi.»

Posò la scatola di filtri per la macchinetta del caffè. «Cosa vuoi fare, quindi?» disse. «Devo cambiare la prenotazione o no?»

«Cosa diavolo confabulate voi due?» urlò svogliatamente mio padre dalla stanza accanto, dal suo nido di sottobicchieri usati, vecchi pacchetti di sigarette e i fogli scarabocchiati del baccarà.

«Niente» gridò Xandra. Qualche minuto dopo, quando la macchinetta del caffè cominciò a fischiare e a gorgogliare, si stropicciò l'occhio e disse con la voce roca per il sonno: «Non ho mai detto che non volevo che tu venissi».

«Lo so. Non ho mai detto che l'avevi detto.» Poi: «Comunque, giusto perché tu lo sappia, non sono io che lascio la porta aperta. È papà, quando esce per parlare al telefono».

Allungandosi per prendere la sua tazza da caffè di Planet Hollywood dall'armadietto, Xandra girò la testa a guardarmi. «Non cenerete sul serio a casa sua?» disse. «Del piccolo *russki* o come si chiama, dico.»

«No. Guarderemo solo la TV.»

«Vuoi che ti prenda qualcosa?»

«A Boris piacciono quelle salsiccette che porti a casa. E a me le alette. Quelle piccanti.»

«Nient'altro? Quelle specie di piccoli tacos? Ti piacciono anche quelli, no?»

«Magari.»

«Bene. Penserò io a voi. Però state alla larga dalle mie sigarette, ti chiedo solo questo. Non mi importa se fumi» disse, alzando una mano per zittirmi, «non voglio dare la colpa a te, ma qualcuno sta rubando i pacchetti dalla mia stecca e ci sto rimettendo qualcosa come venticinque dollari a settimana.»

XIX

Da quando Boris era arrivato a scuola con l'occhio pesto, nella mia testa suo padre era diventato uno di quei russi dal collo taurino, gli occhi porcini e i capelli a spazzola. Invece – constatai con sorpresa quando finalmente lo conobbi – era magro e pallido come un poeta morto di fame. Giallognolo, col petto concavo, fumava senza sosta, indossava camicie scadenti ingrigite dai lavaggi e beveva enormi tazze di tè zuccherato. Ma quando lo guardavi negli occhi, ti accorgevi che la sua fragilità era solo apparente. Era asciutto ma forte, e sprizzava malevolenza: le ossa sottili e il viso appuntito, come Boris, ma con uno sguardo diabolico cerchiato di rosso e piccoli denti che davano sul marrone. Ricordava una volpe rabbiosa.

Anche se l'avevo visto di sfuggita e in qualche occasione udito (lui o qualcuno che avevo scambiato per lui) girare per le stanze, di notte, lo incontrai faccia a faccia solo pochi giorni prima del Ringraziamento. Arrivando a casa di Boris dopo la scuola lo trovammo curvo sul tavolo della cucina con davanti una bottiglia e un bicchiere. Nonostante gli abiti logori, indossava scarpe costose e un sacco di gioielli d'oro; e quando sollevò su di noi gli occhi arrossati, smettemmo immediatamente di parlare. Anche se era un uomo piccolo, dalla corporatura minuta, c'era qualcosa nel suo viso che ti invitava a restare alla larga.

«Salve» dissi esitante.

«Ciao» rispose, il viso di pietra, l'accento più marcato di quello di Boris; poi si girò verso di lui e gli disse qualcosa in ucraino. Seguì una breve conversazione, che osservai interessato. Era singolare il cambiamento che avveniva in Boris quando parlava un'altra lingua, come se una sorta di vitalità e di prontezza, appartenenti a una persona diversa e più efficiente, s'impadronissero del suo corpo.

Poi, all'improvviso, il signor Pavlikovsky allungò le mani verso di me. «Grazie!» fece con la voce impastata.

Anche se avevo paura ad avvicinarmi, quasi mi trovassi di fronte a un animale selvatico, feci comunque un passo avanti e allungai le mani, a disagio. Le prese fra le sue, la pelle spessa e fredda.

«Sei una brava persona» disse. Aveva gli occhi iniettati di sangue e uno sguardo fin troppo intenso. Cedetti all'impulso di guardare da un'altra parte, e me ne vergognai.

«Che Dio sia con te e ti protegga sempre» disse. «Sei come un figlio. Per aver fatto entrare Boris nella tua famiglia.»

La mia famiglia? Confuso, mi voltai verso il mio amico.

Anche lo sguardo del signor Pavlikovsky si spostò su di lui. «Gli hai riferito quello che ti ho detto?»

«Ha detto che anche tu fai parte della nostra famiglia» disse Boris, annoiato, «e che se c'è qualsiasi cosa che può fare per te…»

Con mia enorme sorpresa, il signor Pavlikovsky mi strinse a sé e mi abbracciò forte, mentre io chiudevo gli occhi cercando con tutte le forze di ignorare il suo odore: crema per capelli, afrori corporei, alcol e una colonia sgradevole e pungente.

«Che succede?» sussurrai a Boris quando fummo in camera sua, con la porta chiusa.

«Credimi. Non vale la pena parlarne.»

«È sempre così sbronzo? Come fa a tenersi il lavoro?»

Boris scoppiò a ridere. «È un alto dirigente della compagnia» disse. «O roba del genere.»

Restammo nella stanza piena di fumo e ricoperta di stoffe finché non sentimmo il furgone di suo padre avviarsi lungo il vialetto. «Starà via per un po'» disse Boris, quando mi allontanai dalla finestra. «Gli dispiace lasciarmi solo tutto questo tempo. Sa che fra poco sarà vacanza, e ha chiesto se potevo stare da te.»

«Be', ci stai sempre.»

«Lo sa» disse Boris, togliendosi i capelli dagli occhi. «Per questo ti ha ringraziato. Ma, spero che non sia un problema, gli ho dato il tuo indirizzo sbagliato.»

«Perché?»

«Perché…» Spostò le gambe per farmi spazio sul letto di fianco a lui senza che avessi accennato a sedermi. «Non voglio rischiare che si presenti ubriaco a casa tua nel bel mezzo della notte. Buttando giù dal letto tuo padre e Xandra. E poi, se mai te lo chiedesse, sappi che il tuo cognome è Potter.»

«Perché?»

«Meglio così» disse lui, calmo. «Fidati.»

XX

Davanti al televisore di casa mia, tra patatine e bottiglie di vodka, Boris e io eravamo stravaccati a guardare la parata del Ringraziamento di Macy's. A New York nevicava. Erano appena sfilati diversi palloni aerostatici – Snoopy, Ronald McDonald, SpongeBob, Mr Peanut – e un gruppo di ballerine hawaiane in perizoma e gonnelline di paglia si stava esibendo a Herald Square.

«Sono contento di non essere lì» disse Boris. «Si staranno gelando il culo.»

«Già» dissi, anche se non riuscivo a guardare né i palloni, né le ballerine né altro. Vedere Herald Square in TV mi faceva sentire come se mi trovassi alla deriva nello spazio, a un milione di anni

luce dalla Terra, a captare da una vecchia radio la voce del presentatore e gli applausi del pubblico di una civiltà ormai scomparsa.

«Idioti. Non riesco a credere che si vestano così. Finiranno in
ospedale, quelle ragazze.» Benché si lamentasse continuamente del
caldo di Las Vegas, Boris era convinto che qualsiasi cosa «fredda»
avesse il potere di far ammalare la gente: le piscine non riscaldate,
l'aria condizionata e persino il ghiaccio nelle bibite.

Si girò sulla schiena e mi passò la bottiglia. «Tu e tua madre ci
andavate, alla parata?»

«No.»

«Perché no?» chiese, allungando una patatina a Popper.

«*Nekulturnyj.*» Risposi con una parola imparata da lui. «E troppi
turisti.»

Si accese una sigaretta e me ne offrì una. «Sei triste?»

«Un po'» dissi, chinandomi per accenderla dal suo fiammifero.
Non riuscivo a smettere di pensare al Ringraziamento dell'anno
precedente; le immagini continuavano a scorrermi in testa come
in loop: mia madre che gironzolava scalza con indosso vecchi jeans
strappati sulle ginocchia, apriva una bottiglia di vino, mi versava del
ginger ale in un bicchiere da champagne, preparava le olive, alzava
il volume dello stereo, si metteva il buffo grembiule dei giorni di
festa, e quando scartava i petti di tacchino che aveva comprato a
Chinatown storceva il naso ritraendosi per l'odore: «Oddio, Theo,
questa roba è andata a male, aprimi la porta»; poi, lacrimando e
tenendoli il più possibile lontano da sé come una granata pronta a
esplodere, correva giù per le scale antincendio fino al bidone della
spazzatura, mentre io, affacciato alla finestra, mimavo conati di vomito e ridevo di gusto per prenderla in giro. Avevamo consumato
un morigerato pasto a base di fagioli verdi, salsa di mirtilli rossi in
lattina e riso integrale con mandorle tostate: «Un Ringraziamento
in versione vegetariana e socialista» l'aveva chiamato. Non avevamo fatto grandi progetti perché lei era occupata col lavoro; l'anno
successivo, aveva promesso (eravamo entrambi sfiniti dalle risate
scatenate chissà perché dal tacchino marcio), avremmo affittato una
macchina e saremmo andati dal suo amico Jed in Vermont, oppure
avremmo prenotato in qualche posto favoloso tipo il Gramercy Ta-

vern. Ma quel futuro non si era materializzato, e ora io stavo celebrando il mio Ringraziamento alcolico alle patatine fritte con Boris, davanti alla TV.

«Che cosa mangiamo, Potter?» chiese lui, grattandosi la pancia.

«Come? Hai fame?»

Fece oscillare una mano: *comme ci, comme ça*. «Tu?»

«Non particolarmente.» Mi pizzicava il palato per via di tutte quelle patatine, e le sigarette iniziavano a darmi la nausea.

Improvvisamente Boris scoppiò a ridere. Si mise a sedere. «Ehi» disse, dandomi un calcio e indicando il televisore. «L'hai sentito?»

«Cosa?»

«Il tipo del telegiornale. Ha appena augurato buone feste ai suoi figli. "Bastard e Casey."»

«Oh, dai.» A Boris capitava spesso di fraintendere le parole inglesi: malapropismo uditivo. A volte era divertente, più spesso irritante.

«"Bastard e Casey!" Forte, eh? Casey, okay, ma chiamare il figlio "Bastard" in TV?»

«Te lo sei sognato.»

«Va bene, allora, tu che sai tutto, cos'ha detto?»

«Come cazzo faccio a saperlo?»

«Allora perché devi discutere? Perché pensi sempre di saperne più degli altri? Che fottutissimo problema ha questo Paese? Come ha fatto una nazione così stupida a diventare tanto ricca e arrogante? Americani... star del cinema... personaggi TV... chiamano i loro figli Apple e Blanket e Bear e Bastard o... tutte minchiate!»

«E quindi tu sostieni che...?»

«Io sostengo che, tipo, la democrazia è la scusa per tutto, cazzo. Violenza... avidità... stupidità... va tutto bene, se lo fanno gli americani. Giusto? Ho ragione?»

«Non ce la fai proprio a stare zitto, vero?»

«So quello che ho sentito, ah! Bastard! Sai che ti dico? Se io penso che mio figlio è un bastardo, di sicuro gli do un altro nome, che cazzo.»

Nel frigo c'erano le alette, dei piccoli tacos e le salsiccette che Xandra aveva portato, e anche dei ravioli del cinese sulla Strip, che papà adorava, ma quando fummo pronti per mangiare, la bottiglia di vodka (il contributo di Boris al pranzo del Ringraziamento) era già a metà, e noi ben avviati verso una crisi di vomito. Boris – che a volte quand'era ubriaco aveva momenti di serietà, una propensione tipicamente russa per gli argomenti profondi e le domande impossibili – era seduto sopra il bancone di marmo e faceva ondeggiare una forchetta con una salsiccetta infilzata e sproloquiava di povertà, capitalismo, cambiamento climatico e di quanto il mondo fosse nella merda.

«Boris, chiudi la bocca!» sbottai a un certo punto. «Non ho voglia di sentire queste cose.» Poco prima era salito in camera mia a prendere la copia di *Walden* e adesso stava leggendo ad alta voce un lungo passaggio che a sentir lui confermava in pieno le sue teorie.

Il libro, per fortuna un tascabile, fendette l'aria e mi colpì graffiandomi all'altezza dello zigomo. «*Isčezni!* Vattene!»

«È casa mia, ignorante del cazzo!»

La piccola salsiccia, ancora impalata sulla forchetta, volò oltre la mia testa, mancandomi di poco. Ma stavamo ridendo. A metà pomeriggio eravamo completamente sbronzi: ci rotolavamo sul divano, inciampavamo l'uno sull'altro, ridevamo e bestemmiavamo gattonando in giro per casa. In TV c'era una partita di football, e nonostante non piacesse a nessuno dei due, trovare il telecomando per cambiare canale avrebbe richiesto uno sforzo impossibile. Boris era talmente fuori che continuava a parlarmi in russo.

«O parli inglese o stai zitto» lo minacciai. Mi aggrappai al corrimano e schivai il suo colpo in modo così goffo che persi l'equilibrio e finii sul tavolino da caffè.

«*Ty menja dostal!! Pošel ty!*»

«*Bla bla bla*» replicai con una piagnucolosa vocina da femmina, il viso contro il tappeto. Il pavimento roteava e ondeggiava come il ponte di una nave. «Tortino balalaika.»

«Fottuto *telik*» disse Boris, crollando a terra di fianco a me e tirando ridicoli calci per aria in direzione del televisore. «Non voglio guardare questa merda.»

«Be', cioè, cazzo. Neanch'io.» Non riuscivo a mettere bene a fuoco, gli oggetti erano circondati da bizzarri aloni brillanti.

«Guardiamo le previsioni meteo» fece lui, avanzando in ginocchio per attraversare il soggiorno. «Voglio vedere com'è il tempo in Nuova Guinea.»

«Devi trovarle, non so su che canale siano.»

«Dubai!» esclamò Boris, e giù una tirata in russo di cui colsi solo un paio di parolacce.

«*Anglijskij!* Parla inglese.»

«Nevica lì?» Mi scrollò per la spalla. «Il tipo dice che nevica, è pazzo, *ty videš?!* Nevica a Dubai! Un miracolo, Potter! Guarda!»

«È Dublino, coglione. Non Dubai.»

«*Vali otsjuda!* Fanculo.»

Poi dovetti perdere conoscenza (evento fin troppo ricorrente, quando Boris portava una bottiglia), perché ciò che ricordo subito dopo è che la luce era del tutto diversa e io ero in ginocchio davanti alla porta-finestra, la fronte contro il vetro e una pozzanghera di vomito sul tappeto accanto a me. Boris s'era addormentato e russava beato a faccia ingiù sul divano con un braccio a penzoloni. Anche Popchik dormiva, la testina appoggiata alla nuca di Boris. Ero schifosamente a pezzi. Farfalle morte galleggiavano sulla superficie della piscina. Nell'aria c'era un ronzio meccanico. Grilli e scarafaggi affogati vorticavano nei filtri di plastica. Più su, il tramonto splendeva, sgargiante e spietato, e le nuvole rosso sangue sembravano l'apocalittica conseguenza di qualche catastrofe, detonazioni su atolli nel Pacifico, e la fauna selvatica che fuggiva su uno sfondo di fiamme.

Probabilmente, se non ci fosse stato Boris avrei pianto. Invece andai in bagno e vomitai di nuovo, poi, dopo aver bevuto dell'acqua di rubinetto, tornai con della carta assorbente e pulii il disastro che avevo fatto, anche se la testa mi faceva così male che a malapena riuscivo a tenere gli occhi aperti. Il vomito era di un disgustoso color arancione per via delle alette piccanti, e difficile da rimuovere. Non riuscivo a far sparire la macchia, e mentre la strofinavo col detersivo per piatti cercavo con tutte le forze di concentrarmi sulle cose confortanti che avevo lasciato a New York: l'appartamento dei Barbour con le porcellane cinesi e i portieri simpatici, lo spazio senza tempo a casa di Hobie, i vecchi libri e il profondo ticchettio degli orologi, i mobili antichi, le tendine di velluto, tracce del passato ovunque, stanze silenziose dove tutto aveva un senso. Spesso, la notte, quand'ero sopraffatto dalla stranezza del posto in cui mi trovavo, mi cullavo fino a prendere sonno nei ricordi del suo laboratorio, l'odore di cera d'api e di trucioli di palissandro, la stretta scalinata che portava in soggiorno dove raggi di sole polverosi splendevano sui tappeti orientali.

Lo chiamo, pensai. Perché no? Ero ancora abbastanza ubriaco da ritenerla una buona idea. Ma il telefono squillò a vuoto. Alla fine – dopo due o tre tentativi e una sconfortante mezz'ora davanti alla TV – nauseato e sudato, lo sguardo fisso sulle previsioni del tempo, le strade ghiacciate e il fronte freddo che si era abbattuto sul Montana – decisi di chiamare Andy, e andai in cucina per non svegliare Boris. Mi rispose Kitsey.

«Non possiamo parlare» disse frettolosa quando capì che ero io. «Siamo in ritardo. Stiamo uscendo per cena.»

«Dove?» chiesi, sbattendo le palpebre. La testa mi faceva ancora così male che riuscivo a malapena a stare in piedi.

«Con i Van Ness, sulla Quinta. Amici della mamma.»

In sottofondo sentivo i lamenti confusi di Toddy e Platt che grugniva: «Sparisci!».

«Posso salutare Andy?» dissi, gli occhi fissi sul pavimento della cucina.

«No, davvero, siamo… mamma! Arrivo!» la sentii urlare. Poi mi disse: «Felice Ringraziamento».

«Anche a te» risposi. «Salutami tutti.» Ma aveva già riattaccato.

XXI

La mia soggezione nei confronti del padre di Boris era andata scemando da quando mi aveva preso le mani tra le sue e mi aveva ringraziato per essermi preso cura del figlio. Sebbene il signor Pavlikovsky («Signor!» ghignava Boris) avesse un aspetto spaventoso – questo sì – avevo cominciato a pensare che non fosse così terribile come sembrava. Dopo il Ringraziamento, ci capitò due volte di tornare a casa da scuola e trovarlo in cucina, dove scambiammo qualche convenevole, mentre lui restava seduto al tavolo a tracannare vodka tamponandosi la fronte umida con un fazzoletto di carta, i capelli chiari scuriti da qualche lozione oleosa, mentre la sua radio ammaccata trasmetteva un notiziario russo a tutto volume. Ma poi, una sera che eravamo di sotto con Popper (a cui avevo fatto fare una passeggiata) e guardavamo un vecchio film con Peter Lorre intitolato *Il mistero delle cinque dita*, la porta d'ingresso sbatté violentemente.

Boris si colpì la fronte con la mano. «Cazzo.» Prima che potessi rendermi conto di cosa stava facendo, mi aveva messo Popper in braccio, preso per il colletto della camicia, tirato su e indicato l'uscita con gesto perentorio.

«Cosa...?»

Allungò una mano: *vai e basta*. «Il cane» sibilò. «Se lo trova qui, mio padre lo uccide. Sbrigati.»

Attraversai di corsa la cucina e – il più silenziosamente possibile – sgattaiolai fuori dalla porta sul retro. Fuori era buio pesto. Per la prima volta in vita sua, Popper era silenzioso. Lo poggiai per terra, sapendo che mi sarebbe rimasto vicino, e girai intorno alle finestre del soggiorno, che non avevano tendine.

Il signor Pavlikovsky camminava aiutandosi con un bastone, cosa che non avevo mai visto prima. Ci si appoggiava con tutto il peso, e zoppicando fece il suo ingresso nel soggiorno illuminato, come il personaggio di uno spettacolo teatrale. Boris si alzò, le braccia strette al petto scheletrico.

Lui e suo padre stavano litigando, o meglio, il padre gli parlava arrabbiato. Boris fissava il pavimento. I capelli gli cadevano sul viso e riuscivo a scorgere solo la punta del naso.

All'improvviso, scrollando la testa, Boris disse qualcosa in tono brusco e fece per andarsene. Poi, in modo così repentino che quasi non ebbi il tempo di registrarlo, suo padre scattò come un serpente e lo colpì sulla schiena col bastone, buttandolo a terra. Prima che riuscisse ad alzarsi – era carponi – il signor Pavlikovsky lo ricacciò giù con un calcio, poi lo prese per la camicia e lo alzò in piedi, traballante. Sbraitando e insultandolo in russo, lo schiaffeggiò con quella mano rossa piena di anelli, col palmo e poi col dorso. E ancora – dopo averlo scaraventato barcollante in mezzo alla stanza – sollevò l'estremità a uncino del bastone e lo colpì con forza sul viso.

Scioccato, mi allontanai dalla finestra, ero talmente confuso che inciampai e caddi su un sacco d'immondizia. Popper correva avanti e indietro allarmato, lanciando guaiti lamentosi e striduli. Proprio mentre – sopraffatto dal panico, con un frastuono di lattine e bottiglie di birra – mi stavo rimettendo in piedi, la porta si spalancò e un fascio di luce gialla si allungò sulla strada. Balzai su più veloce che potei, afferrai Popper e mi misi a correre.

Era solo Boris. Mi raggiunse, mi prese per il braccio e mi trascinò in strada.

«Gesù» dissi, rallentando il passo per cercare di guardare indietro. «Cos'è successo?»

Alle nostre spalle, il portone della casa di Boris si aprì di schianto. La sagoma del signor Pavlikovsky si delineò nella luce dell'ingresso. Sostenendosi con una mano, agitava il pugno e urlava in russo.

Boris mi diede una spinta. «Sbrigati.» Corremmo lungo la strada buia, le scarpe che picchiavano sull'asfalto, finché la voce di suo padre si perse in lontananza.

«Cazzo» dissi quando svoltammo, rallentando fino a un'andatura normale. Il cuore mi batteva a mille e la testa galleggiava leggera. Popper piagnucolava e cercava di divincolarsi; lo posai sull'asfalto e iniziò a girarci attorno in cerchio. «Cos'è successo?»

«Ah, niente» disse Boris, in tono inspiegabilmente allegro, soffiandosi rumorosamente il naso. «In polacco noi diciamo "tempesta in un bicchier d'acqua". Era solo incazzato.»

Mi piegai in avanti, le mani sulle ginocchia, per riprendere fiato. «Incazzato o ubriaco?»

«Tutt'e due le cose. Per fortuna non ha visto Popchik, altrimenti… Secondo lui gli animali devono stare fuori. Ecco» disse, sollevando la bottiglia di vodka, «guarda che cos'ho! L'ho rubata mentre uscivo.»

Sentii l'odore del sangue che aveva addosso. C'era uno spicchio di luna crescente – non molta, ma abbastanza per vederci qualcosa – e quando mi alzai e lo guardai in faccia, mi resi conto che perdeva sangue dal naso e che ne aveva la camicia inzuppata.

«Maledizione» ansimai. «Stai bene?»

«Andiamo al parchetto. Dobbiamo riprendere fiato» fece lui. La sua faccia era conciata male – un occhio pesto e un taglio sanguinante a forma di uncino sulla fronte.

«Boris! Dobbiamo andare a casa.»

Sollevò un sopracciglio. «Casa?»

«Casa *mia*. Sei messo male.»

Lui sorrise, mostrando i denti insanguinati, e mi diede una gomitata nelle costole.

«Nah, ho bisogno di bere, prima di affrontare Xandra. Forza, Potter. Non hai voglia di rilassarti un po', dopo quello che è successo?»

XXII

Nel parchetto del centro ricreativo abbandonato, gli scivoli rilucevano debolmente d'argento sotto i raggi di quello spicchio di luna. Ci sedemmo sul bordo della fontana vuota, i piedi a penzoloni nella vasca, e ci passammo la bottiglia finché non perdemmo la cognizione del tempo.

«Non ho mai visto niente di più assurdo» dissi, asciugandomi la bocca col dorso della mano. Le stelle vorticavano sopra di me.

Boris, reclinato all'indietro, il viso rivolto al cielo, cantava da solo in polacco.

Wszystkie dzieci, nawet złe,
pogrążone są we śnie,
a Ty jedna tylko nie.
A-a-a, a-a-a...

«Fa paura, cazzo» ammisi. «Tuo padre.»

«Già» fece Boris allegro, asciugandosi la bocca sulla spalla della camicia macchiata di sangue. «Ha ammazzato gente. Ha ammazzato uno di botte, in miniera, una volta.»

«Stronzate.»

«No, è vero. È successo in Nuova Guinea. Ha cercato di far credere che fosse stata una frana, a uccidere quel tipo, ma ce ne siamo dovuti andare in fretta e furia.»

Riflettei sulle sue parole. «Tuo padre non è, uhm, molto robusto» dissi. «Cioè, non capisco…»

«Nah, non a pugni. Con una, come dite voi» mimò dei colpi su una superficie, «chiave inglese.»

Restai in silenzio. Il gesto di Boris, quei colpi vibrati con una chiave inglese immaginaria, aveva qualcosa di terribilmente *vero*.

In un modo o nell'altro, era riuscito ad accendersi una sigaretta, ed emise un sospiro fumoso. «Ne vuoi una?» Me la passò e se ne accese un'altra, poi si sfregò la mascella con le nocche. «Ahi» disse, massaggiandola.

«Fa male?»

Fece una risata pigra e mi diede un pugno sulla spalla. «Tu che dici, idiota?»

Poco più tardi, ci stavamo sbellicando dalle risate, a quattro zampe sulla ghiaia. Ero così ubriaco che sentivo la mente leggera, stranamente lucida.

Poi, a un certo punto – coperti di polvere dopo esserci rotolati e azzuffati per terra – ci avvicinammo verso casa in un buio quasi assoluto, tra schiere di villette abbandonate, col crepitio lucente delle stelle e la sterminata notte del deserto intorno a noi. Popchik ci trottava appresso mentre barcollavamo a destra e sinistra, ridendo così forte da soffocare, da strozzarci, sul punto di vomitare sul ciglio della strada.

A pieni polmoni, Boris cantava la stessa canzone di prima:

A-a-a, a-a-a,
były sobie kotki dwa.
A-a-a, kotki dwa,
szarobure…

Gli tirai un calcio. «In inglese!»

«Dai. Ti insegno. *A-a-a, a-a-a…*»

«Dimmi cosa vuol dire.»

«Ah, va bene, allora: "C'erano una volta due gattini"» cantò Boris:

erano entrambi d'un marrone grigiastro.
A-a-a...

«Due *gattini*?»

Cercò di colpirmi e per poco non cadde. «Stai zitto! Non sono ancora arrivato alla parte bella.» Asciugandosi la bocca con la mano, buttò la testa indietro e intonò:

Oh, dormi, piccolo mio,
E ti prenderò una stella dal cielo,
Tutti i bimbi dormono profondamente
Tutti gli altri, anche quelli cattivi,
Tutti i bimbi dormono tranne te.
A-a-a, a-a-a...
C'erano una volta due gattini...

Giunti a casa, entrammo in garage facendo un rumore terribile e intimandoci l'un l'altro di fare silenzio. Il garage era vuoto: papà e Xandra non erano rientrati. «Grazie a Dio» disse Boris sollevato, e si gettò a terra per prostrarsi davanti al Signore.

Lo afferrai per il colletto della camicia. «Alzati!»

Dentro – sotto la luce – vidi che era ridotto malissimo: era tutto sporco di sangue e aveva gli occhi gonfi e semichiusi. «Aspetta» dissi, lasciandolo sul tappeto in soggiorno, e barcollai fino al bagno per cercare qualcosa con cui medicarlo. Ma non trovai nulla a parte lo shampoo e una bottiglia verde di profumo che Xandra aveva avuto in omaggio al Wynn. Mi tornò in mente quel che mi aveva detto mia madre, e cioè che un pizzico di profumo può servire da antisettico, e così afferrai la bottiglia e tornai in soggiorno, dove Boris era steso sul tappeto con Popper che annusava inquieto la sua camicia insanguinata.

«Tieni» dissi, allontanando il cane, e tamponai la ferita sulla sua fronte con uno straccio umido. «Stai fermo.»

Boris si ritrasse di scatto e ringhiò. «Che cazzo fai?»

«Zitto!» dissi, tirandogli indietro i capelli.

Mormorò qualcosa in russo. Cercavo di fare attenzione ma ero ubriaco quanto lui, e quando spruzzai il profumo sul taglio lui urlò e mi colpì sulla bocca.

«Ma che cazzo?» proruppi, toccandomi il labbro e mostrandogli le dita sporche di sangue. «Guarda cosa mi hai fatto.»

«*Bljad'*» disse lui, tossendo e agitando la mano davanti al naso. «Puzza. Cosa mi hai messo addosso, brutta puttana?»

Scoppiai a ridere.

«*Bastardo*» ringhiò lui, spintonandomi fino a farmi cadere. Ma rideva anche lui. Allungò una mano per aiutarmi, ma la scalciai via.

«Levati dalle palle!» Ridevo così forte che quasi non riuscivo a parlare. «Hai lo stesso odore di Xandra.»

«Cristo, sto soffocando. Devo togliermelo di dosso.»

Uscimmo di casa incespicando, saltellando su un piede per toglierci i pantaloni e seminando vestiti in giro. Poi ci tuffammo in piscina: era una pessima idea, e me ne resi conto, troppo tardi, solo quando crollai in acqua, ubriaco marcio, troppo sfatto per reggermi in piedi nell'acqua bassa e fredda che mi colpì come una frustata.

Riaffiorai in superficie, dibattendomi: gli occhi mi pizzicavano, e il cloro mi bruciava il naso. Uno sbuffo d'acqua mi colpì in pieno viso e io sputai di rimando in direzione di Boris. Lui era una macchia bianca nell'oscurità, le guance scavate e i capelli neri appiccicati ai lati della testa. Ci mettemmo a lottare per gioco, anche se stavo battendo i denti e mi sentivo troppo ubriaco e malmesso anche solo per fare lo scemo nell'acqua bassa della piscina.

Boris si immerse. Una mano mi afferrò la caviglia e mi trascinò giù. Mi ritrovai a fissare un muro di bolle.

Mi contorcevo, lottavo. Era come se fossi di nuovo al museo, intrappolato nello spazio buio, senza via d'uscita. Diedi uno strattone e mi contorsi, le bolle formate dal mio respiro terrorizzato mi fluttuavano davanti agli occhi come tanti campanelli d'allarme subacquei. Poi, l'oscurità. All'ultimo secondo, proprio quando stavo per inspirare una boccata d'acqua, mi liberai schizzando in superficie.

Nello sforzo di riprendere fiato, mi aggrappai al bordo della piscina, ansimante. Quando la vista mi si schiarì, vidi Boris – che tossiva e bestemmiava – lanciarsi verso la scaletta. Accecato dalla rabbia lo raggiunsi, un po' a nuoto un po' saltellando nell'acqua bassa, e agganciai un piede attorno alla sua caviglia, facendolo cadere in acqua, di schianto.

«Testa di cazzo!» sputacchiai, quando annaspò in superficie. Cercò di parlare ma io gli schizzai l'acqua in faccia, poi gli affondai le dita nei capelli spingendolo sotto. «Miserabile pezzo di merda» urlai quando riemerse, l'acqua che gli scorreva sul viso. «Non farmi *mai più* una cosa del genere!» Gli tenevo le mani sulle spalle e stavo per salirgli sopra – e spingerlo giù, e tenercelo per un pezzo – quando si allungò e mi afferrò il braccio. Mi accorsi che era pallidissimo, tremava.

«Basta...» disse boccheggiando; e in quel momento mi resi conto di quanto strani e persi nel vuoto fossero i suoi occhi.

«Ehi» dissi, «tutto okay?» Ma lui tossiva troppo forte per rispondere. Il naso aveva ripreso a perdere sangue, che gli zampillava scuro fra le dita. Lo aiutai ad alzarsi e crollammo insieme sui gradini della piscina, fuori dall'acqua solo per metà, troppo esausti per uscirne del tutto.

XXIII

Mi svegliò l'intensa luce del sole. Eravamo nel mio letto, i capelli bagnati, mezzi nudi e tremanti per l'aria condizionata, Popper brontolava in mezzo a noi. Le lenzuola erano umide e puzzavano di cloro; avevo un mal di testa martellante e un orribile sapore metallico in bocca, come se avessi succhiato per ore una manciata di monete.

Restai sdraiato dov'ero, immobile: sentivo che avrei potuto vomitare anche solo se avessi spostato la testa di un centimetro. Poi – molto lentamente – mi trassi a sedere.

«Boris?» chiamai, strofinandomi la guancia col palmo della mano. La federa del cuscino era ricoperta di strisce di sangue rugginoso. «Sei sveglio?»

«Oh, Dio» brontolò. Era di un pallore mortale, madido di sudore, e rotolò sulla pancia per aggrapparsi al materasso. Era nudo, a parte i braccialetti alla Sid Vicious e quello che sembrava un paio di mie mutande. «Sto per vomitare.»

«Non qui.» Gli diedi un calcio. «Su.»

Mugugnò qualcosa e uscì dalla stanza incespicando. Udii i conati provenienti dal bagno. Quel suono mi dava la nausea, e allo stesso tempo una gran voglia di ridere. Mi voltai e soffocai una risata nel cuscino. Quando tornò vacillando con la testa tra le mani, rimasi sconvolto da quello che vidi: l'occhio nero, il sangue raggrumato attorno alle narici e il taglio incrostato sulla fronte.

«Cristo» dissi, «non hai un bell'aspetto. Ti devi far mettere i punti.»

«Sai che ti dico?» fece Boris, buttandosi a pancia ingiù sul materasso.

«Cosa?»

«Siamo in ritardo per la scuola!»

Ci rigirammo supini e scoppiammo a ridere. Debole e nauseato com'ero, pensai che non sarei più riuscito a smettere.

Boris si voltò e iniziò a tastare il pavimento in cerca di qualcosa. Dopo un istante risollevò la testa all'improvviso. «Ah! Cos'è questo?»

Mi sedetti e mi allungai d'istinto verso il bicchiere d'acqua, o almeno di un liquido che le somigliava – ma quando me lo mise sotto al naso l'odore mi tolse il fiato.

Borbottando qualcosa, in un lampo fu sopra di me: tutto ossa appuntite e pelle appiccicosa, puzzava di sudore, vomito e qualcos'altro di indecifrabile, fetido e acre come acqua stagnante. Con un movimento brusco mi pizzicò la guancia, inclinando il bicchiere di vodka sopra la mia faccia. «È ora della medicina! Ecco, bevi, piccino, bevi» disse, mentre io allontanavo con violenza il bicchiere e lo colpivo sulle labbra, un colpo di striscio che lo sfiorò appena. Popper abbaiava eccitato. Boris m'immobilizzò, afferrò la mia camicia del giorno prima e cercò di infilarmela in bocca, ma fui più veloce di lui e lo gettai giù dal letto mandandolo a sbattere di testa contro la parete. «Oh, cazzo» mugolò, sfregandosi lentamente il viso col palmo aperto, ridacchiando.

Esitante, mi alzai in piedi, fradicio di sudore freddo, e mi feci strada verso il bagno, dove in una o due scariche violente mi svuotai lo stomaco nel gabinetto. Dalla stanza accanto giungevano le sue risate.

«Ficcati due dita giù per il tubo!» mi gridò, e poi qualcos'altro che non capii, colto da un nuovo attacco di nausea.

Alla fine, sputai una o due volte e mi asciugai la bocca col dorso della mano. Il bagno era un vero disastro: la doccia perdeva, la porta del box spalancata, gli asciugamani fradici e i vestiti sporchi di sangue ammucchiati sul pavimento. Ancora tremante, bevvi con le mani dal rubinetto e mi schizzai un po' di acqua in faccia. Il mio riflesso a petto nudo era pallido e ricurvo, con un labbro gonfio dove Boris mi aveva colpito la sera prima.

Quando rientrai in camera, lo trovai ancora sul pavimento, sdraiato serenamente con la testa appoggiata al muro. Spalancò l'occhio buono e ridacchiò: «Meglio?».

«Fanculo! E non mi rivolgere la parola, cazzo!»

«Ti sta bene. Non ti avevo detto di non cazzeggiare con quel bicchiere?»

«A me?»

«Non te lo ricordi, vero?» Poggiò la lingua sul labbro superiore per controllare se avesse ripreso a sanguinare. Quando era senza maglietta si vedeva lo spazio tra una costola e l'altra, i segni di vecchie botte e di una bruciatura sul petto. «Quel bicchiere sul pavimento... pessima idea. Porta sfortuna! Ti ho detto di non lasciarlo lì! La sfiga si abbatterà su di noi!»

«Non dovevi versarmela in faccia, e basta» dissi, brancolando in cerca degli occhiali e sporgendomi per prendere il primo paio di pantaloni dalla montagna di roba sul pavimento.

Boris si pizzicò l'attaccatura del naso e rise. «Volevo solo aiutarti. Un po' di alcol ti farebbe sentire meglio.»

«Certo, grazie mille.»

«È vero. Se riesci a trattenerlo. Farà scomparire il mal di testa, come per magia. Mio padre non è mai di grande aiuto, ma questo suo consiglio è davvero prezioso. Non c'è niente di meglio di una bella birra fredda, se ce l'hai.»

«Senti, vieni un po' qua» dissi. Ero accanto alla finestra e guardavo la piscina.

«Eh?»

«Vieni a vedere. Voglio che tu veda una cosa.»

«Dimmela e basta» borbottò Boris, dal pavimento. «Non ho voglia di alzarmi.»

«Faresti meglio.» Là sotto sembrava la scena di un crimine.

Una scia di gocce di sangue si snodava sulle piastrelle che portavano alla piscina. Sparpagliate alla rinfusa c'erano scarpe, jeans e la camicia imbevuta di sangue. Uno degli stivali di Boris giaceva sul fondo della piscina. E infine – la cosa peggiore – un'untuosa chiazza di vomito fluttuava sull'acqua bassa accanto agli scalini.

                                XXIV

Più tardi, dopo un paio di tentativi incerti con l'aspiratore per la piscina, ci sedemmo a chiacchierare al bancone della cucina, fumando le Viceroy di mio padre. Era quasi mezzogiorno: troppo tardi per la scuola. Boris, devastato – aveva la faccia da pazzo, la camicia che gli penzolava dalla spalla mentre apriva e chiudeva con forza armadi e armadietti, lamentandosi che non c'era il tè – aveva preparato del terribile caffè alla russa, facendo bollire i fondi in un tegamino.

«No, no» disse, quando vide che me n'ero versato una tazza intera. «È molto forte, va preso a piccole dosi.»

Lo assaggiai e feci una smorfia.

Ci affondò un dito e se lo leccò. «Ci starebbe bene un cracker.»

«Stai scherzando.»

«Pane e burro?» disse, speranzoso.

Scesi dallo sgabello con la massima cautela, perché avevo ancora mal di testa, e diedi un'occhiata in giro finché trovai un cassetto con delle bustine di zucchero e una confezione di nachos che Xandra aveva recuperato al bar.

«Assurdo» dissi, guardandolo in faccia.

«Cosa?»

«Che tuo padre ti abbia ridotto così.»

«Non è niente» borbottò lui, girando la testa di lato per ficcarsi in bocca una patatina al mais. «Una volta mi ha rotto una costola.»

Dopo un po', dato che non mi veniva in mente niente da dire, commentai: «Una costola rotta non è così grave».

«No, ma mi ha fatto male. Questa qui» disse, tirandosi su la maglietta e facendomela vedere.

«Pensavo che ti avrebbe ucciso.»

Mi diede una spallata. «Ah, l'ho provocato. Gli ho risposto. Per farti portare Popchik fuori di lì. Guarda, non è nulla» disse, con sufficienza, visto che non smettevo di guardarlo. «Ieri sera schiumava di rabbia, ma quando mi vedrà gli dispiacerà.»

«Forse dovresti restare qui per un po'.»

Mi rivolse un sorriso sprezzante. «Non c'è bisogno di preoccuparsi. A volte è depresso, tutto qui.»

«Ah.» Ai vecchi tempi del Johnnie Walker Black – vomito sulle camicie, colleghi arrabbiati che chiamavano a casa, eccetera eccetera – mio padre (spesso in lacrime) giustificava i suoi attacchi d'ira con la «depressione».

Boris rise: divertito. «Che c'è? Tu non sei mai triste?»

«Dovrebbe finire in galera, per una cosa del genere.»

«Oh, ti prego.» Si era stufato del suo pessimo caffè e si era avventurato fino al frigo in cerca di una birra. «Mio padre... ha un brutto carattere, di sicuro, ma mi vuole bene. Avrebbe potuto lasciarmi a un vicino di casa in Ucraina. Ai miei amici Maks e Serëža è successo così: Maks è finito sulla strada. E poi, se la metti così dovrei essere in prigione anch'io.»

«Scusa?»

«Una volta ho cercato di ucciderlo. Sul serio!» disse, quando vide come lo stavo guardando. «Davvero.»

«Non ti credo.»

«No, è vero» insistette in tono rassegnato. «Mi sento in colpa. Durante il nostro ultimo inverno in Ucraina, l'ho fatto uscire fuori di casa con l'inganno. Poi ho chiuso la porta a chiave. Pensavo che con tutta quella neve sarebbe sicuramente morto. Ma sono contento che non sia successo, eh?» aggiunse, con una grossa risata. «Sarei rimasto in Ucraina per sempre, mio Dio. A dormire alla stazione dei treni.»

«Cos'è successo?»

«Boh. Non era abbastanza tardi. Qualcuno l'ha visto e l'ha fatto salire in macchina... una donna, credo, chi lo sa? Comunque, è andato a bere ancora, è tornato a casa un paio di giorni dopo e, fortunatamente, non si ricordava nulla! Anzi, mi ha portato un pallone da calcio e ha detto che da quel giorno avrebbe bevuto solo birra. Ha resistito un mese, all'incirca.»

Mi strofinai l'occhio dietro gli occhiali. «Cosa racconterai a scuola?»

Aprì la birra. «Eh?»

«Be', voglio dire.» Il livido che aveva in faccia era color bistecca cruda. «Te lo chiederanno.»

Sorrise e mi diede una gomitata. «Gli dirò che sei stato *tu*.»

«No, sul serio.»

«Sono serio.»

«Boris, non è divertente.»

«Oh, eddai. Football, skateboard.» I capelli neri gli scivolarono sul viso come un'ombra che subito allontanò. «Non vuoi che mi mandino via, vero?»

«Certo che no» dissi dopo un momento d'imbarazzo.

«In Polonia.» Mi passò la birra. «Penso che sarebbe lì. L'espulsione. Anche se la Polonia...» rise, un verso inquietante «è meglio dell'Ucraina, mio Dio.»

«Non possono rimandarti laggiù, vero?»

Aggrottò la fronte guardandosi le mani, che erano sporche, le unghie incrostate di sangue secco. «No» disse con foga. «Perché mi ucciderei prima.»

«*Sniff, sniff,* non farmi piangere.» Boris non faceva altro che minacciare di uccidersi, per un motivo o per l'altro.

«Sul serio! Morirei piuttosto! Preferirei essere morto.»

«Non è vero.»

«Sì che è vero! In inverno... Non hai idea di come sia. Persino l'aria è cattiva. Cemento dappertutto, e il vento...»

«Be', l'estate dovrà pur arrivare, a un certo punto.»

«Ah, Dio.» Si allungò per prendere la mia sigaretta, fece un tiro secco, soffiò un fiotto di fumo verso il soffitto. «Zanzare. Fango puzzolente. Tutto sa di muffa. Ero così solo e morto di fame, cioè, a volte avevo una fame, davvero, andavo sulla riva del fiume ed ero tentato di buttarmi e farla finita.»

Mi faceva male la testa. I vestiti di Boris (i miei vestiti, in realtà) facevano le capriole in lavatrice. Fuori, il sole splendeva, forte e cattivo.

«Non so tu» dissi, riprendendomi la sigaretta, «ma io avrei voglia di cibo vero.»

«Quindi, che facciamo?»

«Saremmo dovuti andare a scuola.»

«*Pfff.*» Boris diceva sempre che andava a scuola solo perché ci andavo io, e perché non c'era nient'altro da fare.

«No... Sul serio. Saremmo dovuti andare. Oggi c'è la pizza.»

Boris sbatté le palpebre. «Chi se ne fotte.» Quella era un'altra cosa positiva della scuola: almeno ci davano da mangiare. «Ormai è troppo tardi.»

XXV

A volte, di notte, mi svegliavo gemendo. L'aspetto peggiore dell'esplosione erano le sensazioni fisiche che mi aveva lasciato dentro: il calore, l'urto, la vibrazione violenta fin dentro alle ossa. Nei miei sogni, comparivano sempre un'uscita illuminata e una buia. Io dovevo imboccare quella buia, perché in quella illuminata faceva caldissimo e si intravedevano lingue di fuoco. Ma quella buia era piena di corpi.

Per fortuna, Boris non sembrava infastidito e nemmeno sorpreso quando lo svegliavo, come se per lui fosse normale che qualcuno gridasse terrorizzato nel cuore della notte. Qualche volta prendeva Popchik, che russava ai piedi del letto, e me lo adagiava sul petto. E io rimanevo così, circondato dal calore di entrambi, contando in spagnolo fra me e me o cercando di ricordare tutte le parole in russo che conoscevo (parolacce, soprattutto) finché non ripiombavo nel sonno.

All'inizio, appena giunto a Las Vegas, capitava che cercassi di consolarmi immaginando che mia madre fosse ancora viva e stesse continuando con la vita di tutti i giorni a New York: le chiacchierate col portiere, il caffè e il muffin al bar, l'attesa al binario della linea 6, accanto al chiosco dei giornali. Ma non era durato molto. Ora, quando sprofondavo il viso in un cuscino che non aveva mai avuto il suo odore, né quello di casa, pensavo all'appartamento dei Barbour a Park Avenue o, ogni tanto, alla casa di Hobie nel Village.

Mi spiace che tuo padre abbia venduto la roba di tua madre. Se me l'avessi detto, avrei potuto comprare qualcosa e tenerla per te. Quando siamo tristi – a me, almeno, succede così – può darci conforto aggrapparci agli oggetti di famiglia, alle cose che non cambiano mai.
Le tue descrizioni del deserto – quel suo infinito bagliore oceanico – sono terribili ma anche bellissime. Forse tutta quell'asprezza e vacuità contengono un po' di poesia... La luce di molto tempo fa è diversa dalla luce di oggi, e tuttavia, qui, in questa casa, ogni angolo mi ricorda il passato. Ma quando penso a te, ti immagino a bordo di una nave, diretto verso una luce straniera, un posto senza strade, solo stelle e cielo.

La lettera arrivò nascosta in un'edizione rilegata di *Terra degli uomini* di Saint-Exupéry. La conservai nel libro, dove si sgualcì e si sporcò a furia di leggerla.

Boris era l'unica persona, a Las Vegas, a cui avevo raccontato com'era morta mia madre, informazione che, devo riconoscere, aveva registrato quasi con indifferenza; la sua vita era stata così violenta e fuori dall'ordinario che non era sembrato granché scioccato dalla mia storia. Aveva assistito a più di un'esplosione nelle miniere nei dintorni di Batu Hijau e in altri posti che non avevo mai sentito nominare tanto da essere una specie di esperto, in grado di formulare ipotesi e ingerenze riguardo al tipo di esplosivo utilizzato. Nonostante fosse un chiacchierone, aveva rispetto per i segreti, e mi fidavo del fatto che non avrebbe raccontato di mia madre a nessuno. Non c'era neanche bisogno di chiederglielo. Forse perché anche lui era orfano di madre e si era legato a gente come Bami o Evgenij, l'«assistente» del padre, e Judy, la moglie del gestore del bar, non sembrava trovare nulla di strano nel mio attaccamento nei confronti di Hobie. «La gente promette di scrivere, e poi non lo fa» disse. Eravamo in cucina, di fronte all'ultima lettera che mi era arrivata. «Invece, questo tipo continua a scriverti.»

«Sì, è gentile.» Avevo rinunciato a provare a spiegare Hobie a Boris: la casa, il laboratorio, il suo modo di ascoltare, così attento e diverso da quello di mio padre; ma soprattutto quella sorta di piacevole disposizione mentale che lo contraddistingueva: nebbiosa, autunnale, una specie di microclima accogliente che mi faceva sentire al sicuro e a mio agio in sua compagnia.

Boris immerse il dito nel barattolo di burro d'arachidi e se lo succhiò. Aveva iniziato a piacergli molto, era uno di quei cibi (come la crema di marshmallow, un altro dei suoi preferiti) che in Russia non si trovava. «È una vecchia checca?» mi chiese.

Mi colse alla sprovvista. «No» dissi subito; e poi: «Non lo so».

«Non importa» disse Boris, offrendomi il barattolo. «Ho conosciuto delle vecchie checche molto perbene.»

«Non credo che lo sia» dissi esitante.

Boris scrollò le spalle. «Chi se ne frega, se è buono con te? Non ce n'è mai abbastanza di gentilezza nel mondo, no?»

XXVI

Boris iniziava a trovare simpatico mio padre, e viceversa. Capiva, meglio di me, cosa facesse per vivere; e sebbene sapesse, senza che ci fosse bisogno di dirglielo, che doveva stargli lontano quando perdeva, capiva anche che aveva bisogno di qualcosa che io non ero disposto a dargli: vale a dire, un pubblico che sapesse apprezzare i suoi momenti di euforia, quando gironzolava tutto tronfio per la cucina in cerca di qualcuno che ascoltasse le sue storie e gli facesse i complimenti per quanto era stato bravo. Quando dal piano di sopra lo sentivamo saltare di gioia e fare un sacco di baccano, significava che aveva vinto – Boris allora posava il suo libro e andava di sotto, dove restava ad ascoltare il noioso replay, carta dopo carta, puntata dopo puntata, della serata al tavolo del baccarà, che spesso degenerava in strazianti (per me) racconti di trionfi pregressi, indietro nel tempo fino ai tempi del college e alla sua sfortunata carriera di attore.

«Non mi avevi detto che tuo padre ha fatto dei film» disse Boris tornando su con una tazza di tè ormai freddo.

«Non molti. Tipo due.»

«Comunque. Quello lì, quello era un *gran* film... il poliziesco, sai, dello sbirro che prendeva le mazzette. Come si chiamava?»

«Non aveva una parte importante. Si vede forse per un secondo. Era un avvocato a cui sparano per strada.»

Boris scrollò le spalle. «Chi se ne frega, è interessante. Se andasse in Ucraina, la gente lo tratterebbe come una star.»

«Per me, può andarci e portarsi dietro anche Xandra.»

L'entusiasmo di Boris per quelli che lui chiamava «discorsi intellettuali» era condiviso da mio padre. Ero poco interessato alla politica, e ancor meno alle idee di mio padre, e non avevo nessuna voglia di impegnarmi in quelle discussioni senza senso che sapevo gli piacevano tanto. Ma Boris, ubriaco o sobrio che fosse, era felice di farlo al posto mio. Spesso, nel corso di quei dibattiti, mio padre muoveva le mani e imitava l'accento di Boris in un modo che mi faceva venire la pelle d'oca. Ma Boris sembrava non accorgersene, o non esserne infastidito. A volte, quando scendeva per mettere su il bollitore e non tornava, li trovavo a discutere felici, come una coppia di attori sul palco, della disgregazione dell'Unione Sovietica o qualcosa del genere.

«Ah, Potter!» disse, salendo le scale per tornare in camera mia. «Tuo padre. Che tipo simpatico!»

Mi tolsi gli auricolari dell'iPod. «Se lo dici tu.»

«Dico davvero» fece lui, sedendosi per terra. «Così loquace e intelligente! E ti vuole bene.»

«Non so come fai a dirlo.»

«Eddai! Vuole sistemare le cose fra voi, ma non sa come. Vorrebbe che ci fossi tu, di sotto a discutere con lui, non io.»

«Te l'ha detto lui?»

«No. Però è vero! Lo so.»

«Strano, a me non risulta.»

Boris mi fissò col suo sguardo scaltro. «Perché lo odi tanto?»

«Non lo *odio*.»

«Ha spezzato il cuore a tua madre quando l'ha lasciata» disse Boris sicuro di sé. «Ma devi perdonarlo. Ora è tutto passato.»

Lo fissai. Era questo che mio padre raccontava?

«Tutte cazzate» dissi, mettendomi a sedere mentre chiudevo i fumetti. «Mia madre...» come potevo spiegarlo? «... non capisci, con noi era uno stronzo, siamo stati *contenti* quando se n'è andato. Voglio dire, so che pensi che sia un grande e tutto il resto...»

«E perché sarebbe così terribile? Perché si vedeva con altre donne?» Boris allungò le mani in avanti, i palmi all'insù. «Succede. Ha la sua vita. Cosa c'entra con te?»

Scossi la testa, incredulo. «Dio» dissi, «ti ha fatto il lavaggio del cervello.» Non smetteva di stupirmi la sua capacità di conquistare gli sconosciuti e di ingannarli. Gli prestavano soldi, lo raccomandavano per lavori e promozioni, lo presentavano a gente importante, lo invitavano a usare le loro case delle vacanze, cadevano nella sua rete; poi, in un modo o nell'altro, andava tutto in malora e lui iniziava a puntare la prossima vittima.

Boris si abbracciò le ginocchia e poggiò la testa alla parete. «Va bene, Potter» disse conciliante. «Il tuo nemico è il mio nemico. Se lo odi, lo odio anch'io. Ma...» piegò la testa di lato, «sono qua, in casa sua. Cosa dovrei fare? Parlargli, essere amichevole e gentile? O dovrei mancargli di rispetto?»

«Non dico *questo*. Dico solo, non credere a tutto quello che ti racconta.»

Boris ridacchiò. «Questo vale per chiunque» fece, scalciandomi scherzosamente un piede. «Persino per te.»

XXVII

Benché a mio padre piacesse, io cercavo costantemente di sviare la sua attenzione dal fatto che praticamente si era trasferito a casa nostra: cosa niente affatto difficile, dato che fra il gioco d'azzardo e la

droga, papà era così distratto che non si sarebbe accorto nemmeno
se avessi portato a casa una lince rossa e l'avessi sistemata in camera
da letto. La situazione con Xandra era un po' più delicata, poiché lei
tendeva a lamentarsi delle spese, nonostante le provviste di snack rubati con cui Boris contribuiva al mantenimento della famiglia. Quando era a casa se ne stava di sopra, senza disturbare, leggeva *L'idiota* in
russo, tutto concentrato, e ascoltava la musica dalle mie casse portatili. Io gli offrivo birre e cibo che prendevo da sotto, e imparai a fare
il tè come piaceva a lui: bollente, con tre cucchiaini di zucchero.

Ormai era quasi Natale, anche se dal clima non lo avresti mai
detto: fresco di notte, ma caldo e sereno di giorno. Quando soffiava il vento, l'ombrellone in piscina si chiudeva all'improvviso col
rumore di uno sparo. Di notte c'erano i lampi, ma niente pioggia;
e qualche volta la sabbia si alzava fluttuando in piccoli vortici che
vagavano lungo la strada.

Ero depresso per le vacanze, anche se per Boris non cambiava niente. «È roba per bambini» diceva sprezzante, appoggiato ai
gomiti sul mio letto. «L'albero, i giocattoli... Ci faremo il nostro
prazdniki alla vigilia. Che ne dici?»

«*Prazdniki*?»

«Be', una specie di festa di Natale. Non proprio un cenone, ma
una bella cenetta, ecco. Cuciniamo qualcosa di speciale e magari
invitiamo tuo padre e Xandra. Pensi che gli andrebbe di mangiare
con noi?»

Sorprendentemente mio padre, e persino Xandra, sembrarono
accogliere l'idea con entusiasmo (papà, credo, soprattutto perché
gli piaceva la parola *prazdniki*, e si divertiva a farla ripetere a Boris
ogni pochi minuti). Il ventitré, Boris e io andammo a fare la spesa,
con i soldi che ci aveva dato mio padre (per fortuna, perché il nostro supermercato di riferimento era troppo gremito per consentirci di rubare indisturbati) e tornammo a casa con: patate; un pollo;
una serie di ingredienti non molto invitanti (crauti, funghi, piselli,
panna acida) per una qualche pietanza natalizia polacca che Boris
sosteneva di saper preparare; pane di segale (Boris insistette per il
pane nero: quello bianco non stava bene col resto, diceva); un pa-
netto di burro; cetrioli sottaceto e qualche dolcetto natalizio.

Boris aveva detto che avremmo iniziato a mangiare quando fosse apparsa in cielo la prima stella: la stella di Betlemme. Ma non eravamo abituati a cucinare per altre persone, ed eravamo in ritardo sulla tabella di marcia. La sera di Natale, alle otto in punto, il piatto con i crauti era pronto e al pollo (che avevamo capito come cuocere grazie alle istruzioni sulla confezione) mancavano circa dieci minuti, quando mio padre – fischiettando *Deck the Halls* – arrivò e si mise a dare vigorose manate a un armadietto della cucina per attirare la nostra attenzione.

«Forza, ragazzi!» esclamò. Aveva il viso arrossato e lucido e parlava rapidamente, in un modo meccanico e sincopato che conoscevo bene. Indossava uno dei completi eleganti di Dolce & Gabbana comprati a New York, ma senza cravatta, e con la camicia morbida e aperta sul collo. «Andate a pettinarvi e datevi una sistemata. Porto tutti fuori. Non hai nulla di meglio da mettere, Theo? Di sicuro qualcosa ce l'hai.»

«Ma...» lo guardai, frustrato. Tipico di mio padre: compariva dal nulla e cambiava programma all'ultimo momento.

«Oh, dai. Il pollo può aspettare. No? Certo che può aspettare.» Sparava duemila parole al secondo. «Potete rimettere anche il resto in frigo. Lo mangeremo domani per il pranzo di Natale. Sarà ancora *prazdniki*? O *Prazdniki* è la vigilia? Faccio confusione? Be', okay, domani faremo i nostri, il... il giorno di Natale. Una nuova tradizione. E comunque gli avanzi sono più buoni. Sentite, sarà *fantastico*. Boris...» lo stava già scortando fuori dalla cucina, «che taglia di camicia porti, compagno? Non lo sai? Ho delle vecchie Brooks Brothers, dovrei proprio dartele tutte quante. Sono delle camicie eccezionali, non credere, probabilmente ti arriveranno al ginocchio ma a me stringono un po' sul collo e se ti arrotoli le maniche andranno benone...»

XXVIII

Sebbene mi trovassi in città da più di sei mesi, ero stato sulla Strip solo quattro o cinque volte, e Boris (che si accontentava del nostro piccolo universo diviso tra scuola, centro commerciale e casa) praticamente non era mai stato nella vera Las Vegas. Fissavamo sbalorditi e col naso all'insù le cascate di neon e luci che divampavano e pulsavano scorrendo come bolle tumultuose attorno a noi, e il volto di Boris sfavillava di rosso, e poi d'oro, in quel folle oceano di colori.

Al Venetian, i gondolieri procedevano lungo un canale vero, con vera acqua che odorava di chimico, mentre cantanti d'opera in costume gorgheggiavano *Stille Nacht* e *Ave Maria* sotto cieli artificiali. Un po' a disagio nei nostri vestiti inadeguati, Boris e io ci guardavamo intorno sopraffatti. Mio padre aveva prenotato un tavolo in un sofisticato ristorante italiano completamente rivestito in quercia, gemello di un ristorante famoso che si trovava a New York. «Ordinate quello che volete» disse, spostando la sedia per far sedere Xandra. «Offro io. Scatenatevi.»

Lo prendemmo alla lettera. Mangiammo flan di asparagi con vinaigrette all'erba cipollina; salmone affumicato; carpaccio di merluzzo nero; perciatelli con cardi e tartufo nero; spigola nera croccante con zafferano e fave; bistecca alla griglia; costolette brasate; e poi, ancora, panna cotta, torta di zucca e gelato di fichi per dessert. Era senz'ombra di dubbio il miglior cibo che mangiassi da mesi, o addirittura il migliore della mia vita; e Boris, che aveva ingurgitato da solo due porzioni di merluzzo, era estasiato. «Ah, meraviglioso» disse, per la quindicesima volta, quasi facendo le fusa, quando la cameriera ci servì un altro piatto di dolcetti e biscotti col caffè. «Grazie! Grazie, signor Potter, Xandra» disse di nuovo. «È buonissimo.»

Mio padre, che in confronto a noi non aveva mangiato granché (come Xandra), scostò il piatto. Aveva i capelli appiccicati sulle tempie e il viso così lucido e rubizzo che praticamente brillava. «Di' grazie a quel cinesino col cappellino dei Cubs che continuava a giocarsi l'impossibile oggi pomeriggio» disse. «Mio Dio, praticamente *non* potevamo perdere.» Poco prima, in macchina, ci aveva già mostrato la sua vincita inaspettata: uno spesso rotolo di centoni avvolti da un elastico. «Le carte continuavano ad arrivare. Mercurio retrogrado e la luna alta nel cielo! Voglio dire... è stato magico. Sapete, a volte c'è una luce al tavolo, una sorta di alone visibile, e sei tu quell'alone, sapete? Sei tu che hai quella luce. C'è quel tipo fantastico che tiene il banco, il dealer, Diego, io adoro Diego; voglio dire, è assurdo, è uguale a Diego Rivera il pittore, ma con un cazzo di smoking elegantissimo. Vi ho già raccontato di Diego? È quaggiù da quarant'anni, dai tempi del vecchio Flamingo. Un tipo robusto, imponente. Messicano, sapete. Mani veloci e scivolose e anelli enormi...» agitò le dita, «... bac-ca-*rrrà*! Dio, adoro questi messicani vecchio stile nella sala del baccarà, hanno veramente classe, cazzo. Vecchi compagni all'antica, eleganti, si mantengono bene, sapete? Comunque, siamo al tavolo di Diego, io e il cinesino, uno spettacolo anche lui, occhiali con montatura di corno, neanche una parola di inglese, solo: "San Bin! San Bin!", con quell'assurdo tè al ginseng che bevono tutti, che sa di polvere ma ha un odore che adoro, l'odore della fortuna; ed è stato incredibile, una partita che non vi dico, Dio buono, tutte queste donne cinesi in piedi dietro di noi, una mano dopo l'altra... Secondo te» disse a Xandra, «ci starebbe che li portassi nella sala del baccarà a conoscere Diego? Sono sicuro che se la spasserebbero. Chissà se ha già staccato. Che ne dici?»

«Non ci sarà più.» Xandra era bella, gli occhi chiari e luminosi, in un miniabito di velluto e sandali gioiello, e un rossetto più rosso di quello che portava di solito. «Non ora.»

«A volte durante le vacanze fa doppio turno.»

«Oh, non vale la pena. È una scarpinata. Ci vuole mezz'ora per attraversare il casinò e tornare indietro.»

«Già, ma so che a Diego farebbe piacere conoscere i miei ragazzi.»

«Probabile» concordò Xandra, facendo scorrere un dito sul bordo del bicchiere di vino. Il pendente a forma di colomba che aveva sulla collana splendeva alla base del collo. «È un tipo a posto. Ma Larry – lo so, lo so che non mi prendi sul serio –, se cominci a diventare pappa e ciccia con i dealer prima o poi ti ritrovi la security attaccata al culo.»

Mio padre rise. «Dio!» esclamò, colpendo il tavolo così forte che sobbalzai. «Se non lo conoscessi così bene, penserei che oggi mi stava *davvero* aiutando, al tavolo. Cioè, forse è vero. Baccarà telepatico! Metti i tuoi ricercatori sovietici a lavorare su *quello*» disse a Boris. «Rimetterebbe in sesto il vostro sistema economico.»

Boris si schiarì la voce con discrezione e sollevò il suo bicchiere d'acqua. «Scusate, posso dire una cosa?»

«È il momento dei discorsi? Dovevamo prepararne uno?»

«Vi ringrazio tutti per la compagnia. E auguro a tutti salute e felicità, e che possiamo arrivare fino al prossimo Natale.»

Nel silenzio smarrito che seguì, in cucina venne stappata una bottiglia di champagne tra uno scoppio di risate. Era appena passata la mezzanotte: Natale da due minuti. Mio padre si appoggiò allo schienale e rise. «Buon Natale!» ruggì, estraendo dalla tasca un astuccio che porse a Xandra e due pile di banconote da venti (cinquecento dollari! Ciascuno!) che allungò a me e a Boris. E anche se in quell'atmosfera sospesa, nell'ambiente artificiale e senza orologi del casinò, parole come *giorno* e *Natale* erano prive di significato, *felicità*, in mezzo ai bicchieri che tintinnavano sonoramente, non mi parve un augurio tanto assurdo, né così terribile.

Capitolo 6
Terra degli uomini

I

Durante l'anno che seguì, fui talmente occupato a cercare di non pensare a New York e al mio passato che quasi non mi accorsi dello scorrere del tempo. Le giornate fluivano immutabili in quel bagliore senza stagioni: i viaggi mattutini sullo scuolabus ancora mezzi sbronzi, con le schiene graffiate e arrossate per aver dormito ai bordi della piscina, la puzza di vodka e l'odore di cane bagnato e di cloro che avevamo sempre addosso; Boris che m'insegnava a contare, a chiedere indicazioni e a offrire un drink in russo, con la stessa pazienza con cui mi aveva insegnato a bestemmiare. Sì, grazie, volentieri. Grazie, sei molto gentile. *Govorite li vy po anglijski?* Parli inglese? *Ja nemnogo govorju po-russki.* Io parlo un po' di russo.

Inverno o estate che fosse, le giornate erano accecanti: l'aria del deserto bruciava le narici e grattava la gola fino a seccarla. Era tutto divertente; tutto ci faceva ridere. A volte, poco prima del tramonto, quando il blu del cielo iniziava a scurirsi e a virare al viola, facevano la loro comparsa quelle strisce di selvagge nuvole elettriche alla Maxfield Parrish, che fluttuavano sopra il deserto, bianche e dorate, come la rivelazione divina che guidò verso ovest i mormoni. *Govorite medlenno*, dicevo, parla piano, e *Povtorite, požalujsta.* Ripeti, per favore. Ma eravamo così in sintonia che non avevamo bisogno di parlare, se non ne avevamo voglia; bastava un sopracciglio sollevato o un fremito del labbro per scatenare le nostre risate isteriche. Di notte, mangiavamo seduti sul pavimento con le gambe incrociate e lasciavamo impronte di unto sui libri di scuola. Eravamo malnutriti

per via della dieta a base di sole schifezze, e ci eravamo riempiti di
lividi marroncini sulle braccia e sulle gambe – carenza di vitamine, disse l'infermiera a scuola, prima di farci una dolorosa puntu-
ra sul sedere e allungarci un barattolo colorato di integratori per
bambini. («Ho male al culo» fece Boris, grattandosi il posteriore e
prendendosela con i sedili metallici dello scuolabus). Io ero pieno
di lentiggini, dalla testa ai piedi, per tutto il tempo che passavamo
a nuotare; i prodotti chimici della piscina mi avevano schiarito i
capelli (che non ho mai più avuto tanto lunghi come allora) e in
generale stavo bene, anche se avvertivo una pesantezza al petto che
non se ne andava mai e i miei denti stavano andando in malora per
tutti i dolci che ingurgitavamo. A parte quello, non potevo lamentarmi. Il tempo trascorreva piuttosto piacevolmente; ma poi, poco
dopo il mio quindicesimo compleanno, Boris conobbe una ragazza
di nome Kotku. E tutto cambiò.

Il nome Kotku (variante ucraina: *Kotyku*) rischia di farla sembrare più interessante di quanto non fosse in realtà; ma non era il
suo vero nome, era solo un nomignolo («micetta» in polacco) che
le aveva dato Boris. Il cognome era Hutchins, mentre il vero nome
era qualcosa come Kylie o Keiley o Kaylee, e aveva sempre vissuto
a Clark County, Nevada. Anche se veniva alla nostra scuola, ed era
solo una classe avanti, era molto più vecchia – ben tre anni più di
me. Boris doveva averle messo gli occhi addosso da un po', ma io
non mi ero accorto di niente fino a quel pomeriggio, quando si gettò ai piedi del mio letto e confessò: «Sono innamorato».

«Ah, sì? Di chi?»

«Una tipa del corso di educazione civica da cui ho comprato
dell'erba. Cioè, ha diciott'anni, ci credi? Dio, *è bellissima*.»

«Hai dell'erba?»

Per gioco, scattò e mi afferrò per la spalla; sapeva esattamente
qual era il mio punto debole, appena sotto le scapole, dove poteva
affondare le dita e farmi strillare. Ma non ero dell'umore giusto e
lo colpii forte.

«Ahi! Cazzo!» fece, allontanandosi e sfregandosi la mascella con
i polpastrelli. «Ma perché?»

«Spero di averti fatto male» dissi. «Dov'è l'erba?»

Non parlammo più della sua cotta, almeno non in quel momento; ma poi, un paio di giorni dopo, uscii dall'aula di matematica e lo vidi accanto agli armadietti che incombeva sulla tipa. Boris non era particolarmente alto per la sua età, ma la ragazza era minuta, malgrado dimostrasse molti più anni di noi: secca, seno piatto, zigomi alti, fronte lucida e un viso appuntito, triangolare e lucido. Piercing al naso. Canotta nera. Smalto nero scheggiato; capelli a strisce nere e arancioni; occhi scialbi, chiari, blu cloro, sottolineati da un pesante tratto di matita scura. Era piuttosto carina, forse anche sexy; ma l'occhiata che mi fece scivolare addosso mi mise in ansia: c'era qualcosa in lei che mi faceva pensare a una commessa di fast food incazzosa o a una baby-sitter cattiva.

«Quindi, che ne pensi?» disse Boris tutto entusiasta raggiungendomi dopo scuola.

Scrollai le spalle. «È carina. Direi.»

«Diresti?»

«Be', Boris, insomma, sembra che abbia venticinque anni.»

«Lo so! È fantastico!» disse lui, ammaliato. «Diciott'anni! Per legge un'adulta! Può comprare alcol tranquillamente! E poi è qui da sempre e conosce posti in cui non controllano l'età.»

II

Hadley, la chiacchierona col giubbino della squadra sportiva della scuola che sedeva accanto a me a Storia americana, storse il naso quando le chiesi della ragazza di Boris. «*Quella?*» fece. «Una *vera* troia.» La sorella maggiore di Hadley, Jan, era nello stesso anno di Kyla o Kayleigh o come cavolo si chiamava. «E sua madre, ho sentito che è una prostituta. È meglio se il tuo amico fa attenzione a non beccarsi qualche malattia.»

«Bene» dissi, sorpreso dal suo fervore, anche se forse non avrei dovuto esserlo.

Hadley, la figlia viziata di un militare, era nella squadra di nuoto e cantava nel coro della scuola; aveva una famiglia normale con tre fratelli, un weimaraner di nome Gretchen che si era portata dalla

Germania, e un padre che le urlava contro se tornava a casa dopo il coprifuoco.

«Non sto scherzando» mi disse. «È una che non si fa scrupoli a scoparsi i ragazzi delle altre, e pure le ragazze. Chiunque si farebbe, quella. E credo che fumi erba.»

«Ah» commentai. Dal mio punto di vista, nessuna di quelle informazioni costituiva un motivo per diffidare di Kylie o come si chiamava, specialmente considerato che, da qualche mese, io e Boris eravamo accaniti fumatori d'erba. Quello che invece m'infastidiva, e molto, era che Kotku (continuerò a chiamarla come la chiamava lui, dato che non ricordo il suo vero nome) da un giorno all'altro lo aveva monopolizzato.

All'inizio era occupato il venerdì sera. Poi tutto il weekend – non solo la notte, pure di giorno. Presto diventò tutto un Kotku di qua e Kotku di là, e improvvisamente io e Popper ci ritrovammo a cenare e a guardare film da soli.

«Non è fantastica?» mi chiese nuovamente, dopo averla portata a casa mia per la prima volta: un flop assoluto, tre ore in cui ci sballammo tanto che alla fine riuscivamo a malapena a muoverci, dopodiché loro presero a rotolare sul divano mentre io, seduto sul pavimento davo loro la schiena e cercavo di concentrarmi su una replica di *The Outer Limits*. «Che ne dici?»

«Be'. Insomma…» Cosa voleva che dicessi? «Le piaci. Di sicuro.»

Eravamo fuori, in piscina, ma era troppo freddo e ventoso per nuotare. «No, veramente! Cosa pensi *tu* di lei? Di' la verità, Potter» m'incalzò, vedendo che esitavo.

«Non so» dissi dubbioso. E poi, mentre era ancora seduto e mi guardava: «Sinceramente? Non lo so, Boris. Mi sembra un po' estrema.»

«Sì? È una cosa brutta?»

Il suo tono era curioso, non arrabbiato, nemmeno sarcastico. «Be'» dissi, colto di sorpresa, «forse no.»

Boris, le guance arrossate dalla vodka, si mise la mano sul cuore. «La amo, Potter. Sul serio. È la cosa più vera che mi sia mai successa in vita mia.»

Ero così in imbarazzo che fui costretto a distogliere lo sguardo.

«Piccola streghetta tutta ossa!» sospirava. «Fra le mie braccia è talmente leggera! Come l'aria.» Stranamente, Boris sembrava adorare Kotku per le molte ragioni per cui io la trovavo fastidiosa: il corpo sinuoso da gatto randagio, la sua maturità scheletrica e bisognosa di cure e attenzioni. «È così coraggiosa e saggia, ha un gran cuore! Voglio solo prendermi cura di lei e proteggerla da quel Mike. Capisci?»

In silenzio, mi versai un'altra vodka, anche se non ne avevo voglia. La faccenda di Kotku era doppiamente sconcertante perché – come mi aveva informato Boris stesso, con un'inconfondibile nota di orgoglio nella voce – Kotku aveva già un ragazzo: un tipo di ventisei anni che si chiamava Mike McNatt, aveva una moto e lavorava come addetto alla manutenzione delle piscine.

«Perfetto» avevo detto, quando Boris mi aveva comunicato la notizia. «Lo facciamo venire a darci una mano con l'aspiratore.» Ero stufo di occuparmi della piscina (un'incombenza che toccava quasi sempre a me), soprattutto perché Xandra non comprava mai i prodotti giusti.

Boris si stropicciò gli occhi con i polsi. «È una cosa seria, Potter. Credo che abbia paura di lui. Vuole lasciarlo ma ha paura. Sta cercando di convincerlo ad arruolarsi nell'esercito.»

«Spero che questo Mike non se la prenda con te.»

«Con me!» Fece una risata nasale. «Io sono preoccupato per lei! È così piccola! Trentasette chili!»

«Certo, certo.» Kotku si definiva un'«anoressica borderline» e faceva innervosire Boris ogni volta che gli diceva di non aver mangiato niente per tutto il giorno.

Boris mi diede uno scappellotto sulla nuca. «Passi troppo tempo seduto qui da solo» disse, sedendosi accanto a me e immergendo i piedi in piscina. «Vieni da Kotku stasera. Porta qualcuno.»

«Tipo…?»

Boris scrollò le spalle. «Che ne dici di quella biondina con i capelli corti, del tuo corso di Storia? La nuotatrice?»

«Hadley?» Scossi la testa. «Escluso.»

«Sì! Dovresti! È sexy! E verrebbe di sicuro!»

«Credimi, non è una buona idea.»

«Glielo chiedo io per te! Dai. È gentile, ti parla sempre. La chiamiamo?»

«No! Non è che... fermo» dissi, afferrandolo per la manica.

«Non hai le palle!»

«Boris.» Si alzò e si avviò in direzione del telefono. «Non farlo. Sul serio. Non verrà.»

«E perché?»

Il leggero tono di scherno nella sua voce mi irritò. «Sinceramente? Perché...» Ero lì lì per dire *perché Kotku è una puttana*, il che era solo un'evidente verità, e invece dissi: «Senti, Hadley è fra le migliori della classe, non vorrà mai uscire con Kotku».

«Cosa?» disse Boris, voltandosi, indignato. «Quella troia. Cos'ha detto?»

«Niente. È solo che...»

«Sì, invece!» Tornò sui suoi passi. «Ti consiglio di dirmelo.»

«Dai. Non è niente. Calmati, Boris» dissi, quando capii quant'era arrabbiato. «Kotku è molto più grande. Non sono nemmeno dello stesso anno.»

«Quella stronza col naso a patata. Cosa mai può averle fatto Kotku?»

«Calmati.» Il mio sguardo si posò sulla bottiglia di vodka, illuminata da un singolo raggio di sole come una sciabolata di luce. Aveva bevuto davvero troppo, e l'ultima cosa che volevo era litigare. Ma ero anch'io troppo ubriaco per riuscire a pensare a un modo facile e carino per cambiare argomento.

III

Boris piaceva a molte altre ragazze della nostra età, anche più carine di Kotku. In particolare, a Saffi Caspersen, che era danese, parlava inglese con un forte accento britannico, aveva una piccola parte in uno spettacolo del Cirque du Soleil ed era di gran lunga la ragazza più bella del nostro anno. Saffi frequentava il corso di Lettere insieme a noi (e aveva idee interessanti su *Il cuore è un cacciatore solitario*) e, sebbene fosse considerata un tipo un po' scostante, Boris le piaceva. Era evidente. Rideva alle sue battute, si comportava in maniera goffa in sua presenza, e all'ingresso di scuola l'avevo

vista parlargli con entusiasmo, con Boris che le rispondeva con altrettanto entusiasmo, nel suo modo russo-gesticolante. Però – misteriosamente – non sembrava per niente attratto da lei.

«Ma perché no?» gli chiedevo. «È la ragazza più bella della classe.» Avevo sempre immaginato che le ragazze danesi fossero bionde
e robuste, ma Saffi era mora, piccolina e con un che di fiabesco,
accentuato dal trucco di scena luccicante nelle foto professionali
che avevo visto.

«Bella, sì. Ma non è molto sexy.»

«Boris, è *super* sexy. Sei pazzo?»

«Ah, è una secchiona» disse, lasciandosi cadere di fianco a me
con una birra in mano mentre con l'altra prendeva la mia sigaretta.
«Troppo brava. Sta sempre a studiare, a fare le prove o qualcos'altro. Kotku...» emise una nuvola di fumo e mi ripassò la sigaretta,
«lei è come noi.»

Rimasi in silenzio. Com'ero arrivato al punto di essere associato
a un relitto come Kotku, con tutti i bei voti che avevo una volta?

Boris mi diede una gomitata. «Mi sa che piace a te. Saffi.»

«No, davvero.»

«Sì, invece. Chiedile di uscire.»

«Sì, forse» dissi, anche se sapevo che non ne avrei avuto il coraggio. Nella mia vecchia scuola, dove gli stranieri o anche solo gli
studenti che venivano da un'altra città tendevano a restare educatamente ai margini, una come Saffi sarebbe stata più accessibile,
ma a Las Vegas era troppo popolare, aveva troppa gente intorno, e
c'era anche il problema, non trascurabile, che non avrei saputo cosa
proporle. A New York sarebbe stato facile; avrei potuto portarla
a pattinare, al cinema o al planetario. Ma non riuscivo a figurarmi
Saffi Caspersen intenta a sniffare colla o a bere birra al parchetto, o
a fare una qualsiasi delle altre cose che facevamo io e Boris.

IV

Lo vedevo ancora, ma non così di frequente. Sempre più spesso
passava la notte con Kotku e sua madre al Double R Apartments,

un motel degli anni Cinquanta che cadeva a pezzi, sull'autostrada fra l'aeroporto e la Strip, dove tipi poco raccomandabili vagavano per il cortile attorno alla piscina vuota e discutevano di pezzi di ricambio per motociclette. («Double R?» aveva detto Hadley. «Sai per cosa sta, no? Ratti e Ragni»). Per fortuna Kotku non veniva spesso a casa mia con Boris, ma, anche quando non c'era, lui non faceva altro che parlare di lei. Kotku aveva bei gusti in fatto di musica e gli aveva fatto un CD con delle eccezionali canzoni hip-hop che dovevo assolutamente ascoltare. A Kotku piaceva la pizza, ma solo quella con i peperoni verdi e le olive. Kotku desiderava *davvero tanto* una tastiera elettronica; anche un gatto siamese, o magari un furetto, ma al Double R non poteva tenere animali. «Sul serio, Potter, devi passare più tempo con lei» disse, dandomi una spallata. «Ti piacerebbe.»

«Oh, eddai» dissi, pensando a com'era falsa in mia presenza (rideva quando non c'era da ridere, in tono maligno, e non faceva altro che chiedermi di andare al frigo a prenderle delle altre birre).

«No! Le piaci! Davvero! Cioè, ti considera più un fratello minore. Ha detto così.»

«Non mi rivolge la parola.»

«Tu nemmeno.»

«Scopate?»

Boris emise un verso impaziente.

«Porco» disse, scostandosi i capelli dagli occhi, e poi: «Be'? Tu che dici? Vuoi che ti faccio un *disegnino*?».

«*Faccia* un disegnino.»

«Eh?»

«Si dice così. "Vuoi che ti *faccia* un disegnino".»

Boris alzò gli occhi al cielo. Gesticolando, riprese a parlare di quanto fosse intelligente Kotku, quanto fosse «terribilmente sveglia», quanto fosse saggia e quanto avesse vissuto e quanto fosse ingiusto giudicarla e guardarla dall'alto in basso senza nemmeno provare a conoscerla; ma mentre ero lì seduto ad ascoltarlo a metà – l'altra metà seguiva un vecchio noir in televisione (*Un angelo è caduto*, con Dana Andrews) – non riuscivo a non pensare che aveva conosciuto Kotku al corso di recupero di Educazione civica, frequentato dagli studenti non abbastanza svegli (anche per gli standard bassissimi della nostra scuola) per venire ammessi al primo turno. Boris, che era bravissimo in matematica e più dotato nelle lingue straniere di chiunque altro abbia mai conosciuto, era stato costretto a seguire il corso in quanto straniero, cosa che lo faceva imbestialire («E perché? Un giorno forse voterò per il Parlamento?»). Ma Kotku, diciott'anni!, nata e cresciuta a Clark County!, non aveva scuse.

Continuavo a ritrovarmi immerso in pensieri come questo, che facevo di tutto per rimuovere. Che m'importava? Sì, Kotku era una stronza; sì, era troppo scema per passare educazione civica e indossava orribili orecchini a cerchio comprati al supermercato che continuavano a impigliarsi dappertutto; e sì, anche se pesava solo trentasette chili, o quanto diavolo era, mi faceva paura: avrebbe potuto anche uccidermi a forza di calci con i suoi stivali a punta, se solo si fosse arrabbiata. («È una piccola picchiatrice» si era vantato Boris, gesticolando in stile gangster, dopo avermi raccontato di come Kotku aveva strappato una ciocca di capelli a una ragazza con cui aveva litigato; ecco un'altra cosa di Kotku che non mi piaceva: continuava a ficcarsi in terribili zuffe, soprattutto con altre bianche rozze come lei, a volte anche con delle vere *gangsta girls*, latine o nere.) Ma che importava che quella tipa piacesse a Boris? Non eravamo forse ancora amici? Ottimi amici? Praticamente fratelli?

In verità, non c'era una parola che ci definisse con precisione. Fino all'arrivo di Kotku, non ci avevo mai riflettuto. Il nostro rapporto era fatto di pomeriggi sonnolenti passati a bere, palpebre serrate contro il bagliore, aria condizionata a palla, bustine di zucchero vuote e bucce d'arancia rinsecchite sparse ovunque sul tappeto, *Dear Prudence* dal *White Album* (che Boris adorava) o i soliti, vecchi, malinconici Radiohead, a ripetizione:

For a minute there
I lost myself, I lost myself...

La colla che sniffavamo saliva con un rombo tetro, meccanico, come il rumore di un'elica: *motori, accensione!* Nell'oscurità ci ributtavamo sul letto, simili a due paracadutisti che si lasciano cadere nel vuoto, anche se, sballati come eravamo, dovevamo fare attenzione ad allontanare il sacchetto dal viso, altrimenti dopo ci toccava passare ore a toglierci gocce di colla secca dai capelli e dalla punta del naso. Sonni pesanti, schiena contro schiena, su lenzuola sporche che odoravano di sigarette e di cane; Popchik a pancia insù che russava e, se ascoltavi bene, mormorii subliminali nascosti nell'aria smossa dalle ventole del soffitto. Mesi interi durante i quali il vento non cessava mai, la sabbia picchiettava contro le finestre, la superficie della piscina si increspava e assumeva riflessi sinistri. Tè forte al mattino, e cioccolato rubato. Boris che mi tirava i capelli e mi allungava calci nelle costole. *Svegliati, Potter. Sorgi e splendi.*

Mi ripetevo che non mi mancava, ma non era vero. Mi sballavo da solo, guardavo Adult Access e il canale di Playboy, leggevo *Furore* e *La casa dei sette abbaini*, che si contendevano il titolo di libro più noioso mai scritto; per quelle che avrebbero potuto essere migliaia di ore – un tempo sufficiente a imparare il danese o a suonare la chitarra, se solo ci avessi provato – girovagavo con uno skateboard scassato che avevamo trovato in una delle case pignorate in fondo alla strada. Andavo alle feste della squadra di nuoto con Hadley – party non-alcolici, ai quali erano invitati anche i genitori – e, nei weekend, m'imbucavo nelle feste senza-genitori di ragazzi che conoscevo appena, pasticche di Xanax e shot di Jägermeister, e tornavo a casa con la sibilante corriera delle due di notte, così fatto che dovevo tenermi al sedile davanti per non crollare. Dopo scuola, se mi annoiavo, potevo sempre accodarmi a una delle bande di fumati che vagavano tra Del Taco e le sale giochi sulla Strip.

Ma mi sentivo comunque solo. Era Boris che mi mancava, con tutta la sua sregolatezza: la tetraggine, la spericolatezza, l'irascibilità, la sconcertante assenza di pensieri. Boris, pallido e slavato, con le mele rubate e i romanzi in russo, le unghie mangiucchiate e i lacci delle scarpe che strisciavano nella polvere. Boris – alcolizzato in fieri, fluente bestemmiatore in ben quattro lingue – che mi rubava il cibo dal piatto quando ne aveva voglia e si addormentava ubriaco sul pavimento, col viso rosso come se lo avessero schiaffeggiato. Anche quando prendeva le cose senza chiedere, come fin troppo spesso faceva – dal mio armadietto spariva sempre qualcosa, DVD e materiale scolastico, e più di una volta l'avevo beccato con le mani nelle mie tasche in cerca di soldi – il concetto di proprietà significava così poco, per lui, che in qualche modo i suoi non si potevano considerare furti; ogni volta che gli arrivavano dei soldi, faceva a metà con me, e mi cedeva volentieri tutto ciò che gli apparteneva se glielo chiedevo (e qualche volta anche se non lo facevo, come quando l'accendino d'oro del signor Pavlikovsky, che avevo distrattamente ammirato, si era materializzato nella tasca esterna del mio zaino).

La cosa divertente era che mi era sempre sembrato Boris quello un po' troppo affettuoso nei miei confronti, se *affettuoso* è la parola giusta. La prima volta che si era rigirato nel letto e mi aveva poggiato un braccio sul fianco, ero rimasto lì, mezzo addormentato, senza sapere cosa fare, a fissare i miei vecchi calzini sul pavimento, le bottiglie di birra vuote e la mia copia tascabile del *Segno rosso del coraggio*. Alla fine, imbarazzato, avevo finto di sbadigliare e avevo provato a spostarmi, ma lui aveva sospirato e con un movimento sonnolento mi aveva tirato più vicino a sé.

Shh, Potter, mi aveva sussurrato da dietro. *Sono solo io.*

Era strano. Era strano? Lo era; e non lo era. Mi ero riaddormentato subito, cullato da quell'odore amaro, di birra, di sporco, e col suo respiro nell'orecchio. Sapevo che non sarei riuscito a spiegarlo senza farlo sembrare più di quello che era in realtà. Di notte, se capitava che mi svegliassi soffocato dalla paura, lui era lì, pronto ad afferrarmi quando mi alzavo dal letto terrorizzato, a rimettermi giù tra le coperte accanto a sé, borbottando qualcosa in polacco, la voce strana e gutturale per il sonno. Sonnecchiavamo l'uno fra le braccia dell'altro, ascoltando musica dal mio iPod (Thelonious Monk, i Velvet Underground, roba che piaceva a mia madre) e qualche volta ci svegliavamo abbracciati come naufraghi o bambini piccoli.

Non solo (e questa era la parte torbida, quella che mi preoccupava): c'erano anche state altre notti, decisamente più assurde e ambigue, in cui avevamo lottato mezzi nudi, nella poca luce proveniente dal bagno, notti in cui tutto, senza occhiali, mi appariva confuso e instabile: mani addosso, brusche e rapide, birre rovesciate con un calcio che facevano schiuma sul tappeto... era divertente, e in quei momenti non mi facevo domande, poiché niente era importante come l'attimo in cui, ansimando con gli occhi rovesciati all'indietro, riuscivo a dimenticare tutto; ma quando, il mattino dopo, ci svegliavamo a pancia ingiù, sbadigliando ognuno dalla propria parte del letto, tutto svaniva in un incoerente sfarfallio controluce, mosso e male illuminato, come un film sperimentale; il viso contratto di Boris evaporava dai miei ricordi e gli eventi della notte appena trascorsa assumevano la vaga consistenza di un sogno. Non ne parlavamo mai, perché non era del tutto reale; e mentre ci preparavamo per la scuola ci tiravamo le scarpe, ci schizzavamo con l'acqua, ingoiavamo aspirine per attutire i postumi della sbronza, ridendo e scherzando per tutto il tragitto fino alla fermata. Sapevo che la gente avrebbe pensato male, se l'avesse saputo, e non volevo che altri venissero a saperlo, e sentivo che per Boris era lo stesso, ma allo stesso tempo lui sembrava talmente rilassato al riguardo, che ero quasi sicuro che si trattasse di una sciocchezza, niente da prendere troppo sul serio o di cui preoccuparsi. Ciononostante, più di una volta mi ero chiesto se fosse il caso di farmi coraggio e dire qualcosa: tracciare una qualche linea, chiarire le cose, solo per essere sicuro al cento per cento che non si fosse fatto l'idea sbagliata. Ma il momento giusto per tirar fuori l'ergomento non era mai arrivato, e farlo ora non avrebbe più avuto senso, sebbene far finta di niente non fosse facile.

M'infastidiva il fatto che mi mancasse. A casa non facevano altro che bere, in particolare Xandra, e sbattere porte («Be', se non sono stata io, *devi* essere stato tu!» urlava); e senza Boris (quando c'era lui entrambi si sforzavano di controllarsi) era peggio. Parte del problema riguardava il nuovo orario di lavoro di Xandra. Aveva cambiato turni, e al bar un paio di persone se n'erano andate o avevano cambiato mansioni, e insomma: era molto stressata. Il mercoledì e il lunedì, quando mi alzavo per andare a scuola, spesso la incrociavo, appena rientrata dal lavoro, seduta da sola davanti al suo programma mattutino preferito, troppo su di giri per dormire, intenta a ingurgitare Pepto-Bismol direttamente dal flacone.

«Sono proprio ridotta male» fece un giorno, con un accenno di sorriso, quando mi vide sulle scale.

«Dovresti farti una nuotata. Ti concilierebbe il sonno.»

«No, grazie, penso che me ne starò qui col mio Pepto. Che bontà. Ha un fantastico sapore di gomma da masticare.»

Per quanto riguardava mio padre, stava molto di più a casa e passava del tempo con me, cosa che mi piaceva, anche se i suoi sbalzi d'umore mi sfinivano. Eravamo nel pieno del campionato di football; lui camminava a dieci centimetri da terra. Controllava il BlackBerry, poi mi dava il cinque e si metteva a ballare per il soggiorno: «Sono o non sono un genio? Eh?». Consultava statistiche, pronostici e, di tanto in tanto, anche un libro intitolato *Scorpione: previsioni per il tuo anno sportivo*. «Sono sempre un passo avanti» diceva, quando lo trovavo intento a riempire tabelle su tabelle e pigiare numeri sulla calcolatrice. «Devi beccare un cinquantatré, cinquantaquattro per cento, per riuscire a vivere bene di questa roba... vedi, il baccarà è semplice intrattenimento, non richiede alcun talento, io mi pongo dei limiti e non esagero mai; ma con le scommesse puoi fare soldi veri, se sei metodico. Devi avere l'approccio dell'investitore. Non quello del tifoso, e neanche quello del giocatore d'azzardo; perché il segreto è che la squadra migliore di solito vince la partita e il linemaker sa quello che fa. Il linemaker, però, ha un limite: il più delle volte non prevede chi vincerà, ma chi il *pubblico* pensa che vincerà. Quindi, quello scarto tra il favorito, sentimentalmente parlando, e il dato di fatto – cazzo, guarda quel ricevitore nell'area di meta, un altro per Pittsburgh, ci manca che segnino ancora come ci manca un buco in testa – ad ogni modo, come stavo dicendo, se mi metto lì sul serio e faccio il mio lavoro, non come un Joe Polpetta qualunque che sceglie la squadra dopo aver letto le pagine sportive per cinque minuti, chi ha maggiori probabilità di vincere, io o lui? Vedi, non sono uno di quegli sfigati a cui brillano gli occhi per i Giants a prescindere – merda, magari tua madre ti ha detto così. Lo Scorpione è tutto controllo – ecco chi sono. Sono competitivo. Voglio vincere a ogni costo. È per questo che facevo l'attore, quando ancora recitavo. Sole in Scorpione, ascendente in Leone, questo dice il mio tema natale. Ora, tu sei un Cancro, un paguro, riservato e chiuso nel tuo guscio, hai un *modus operandi* completamente diverso. Non va male, non va bene, è così e basta. Comunque, anche se io mi faccio sempre guidare dall'analisi dalle linee d'attacco e di difesa, non fa mai male tenere d'occhio i transiti e la progressione d'arco solare il giorno della partita...»

«È con Xandra che hai iniziato a interessarti all'astrologia?»

«Xandra? Metà degli scommettitori a Las Vegas ha un astrologo in rubrica. Comunque, come stavo dicendo, a parità di ogni altra condizione, i pianeti possono fare la differenza? Sì. Io dico di sì. Sinceramente, è utile tenerlo a mente quando, come dire, hai deciso di rischiare un po' di più, anche se...» mi mostrò uno spesso rotolo di quelli che sembravano centoni, tenuti insieme da un elastico, «è stato un anno grandioso per me. Cinquantatré per cento, un migliaio di partite. È questa la magia.»

La domenica per lui era il giorno più importante. Quando mi alzavo, lo trovavo già sveglio al piano di sotto, irrequieto come se fosse la mattina di Natale, a trafficare in mezzo a montagne di giornali spiegazzati, ad aprire e richiudere cassetti, parlare al BlackBerry con gli allibratori e sgranocchiare patatine al mais dal sacchetto. Se scendevo e mi mettevo a seguire, anche solo per poco, una partita importante, a volte mi dava quello che chiamava «una quota»: venti dollari, cinquanta se vinceva. «Perché devi interessarti anche tu» spiegava, chinandosi in avanti sul divano, sfregandosi le mani agitato. «Vedi... quello che ci serve è che facciano fuori i Colts nella prima metà della partita. Che li devastino. E quanto ai Cowboys e ai Niners ci serve che superino i trenta punti nella seconda metà... Sì!» urlava, saltando esaltato e agitando il pugno. «I Redskins hanno preso la palla. Perfetto!»

Ma qualcosa non mi tornava, perché l'errore era stato dei Cowboys, e io avevo capito che dovevano essere loro a vincere di almeno quindici punti. I suoi cambi di bandiera a metà partita erano troppo repentini perché riuscissi a seguirli, e spesso mi facevo beccare a tifare per la squadra sbagliata; però il suo delirio e le abbuffate di cibo bisunto fra una partita e l'altra mi divertivano, e accettavo i biglietti da venti e da cinquanta che mi passava come fossero caduti dal cielo. Altre volte – dopo che l'onda del suo stesso roco entusiasmo lo aveva innalzato fino al cielo e poi fatto precipitare – veniva colto da un vago disagio, che, per quel che capivo, non aveva niente a che fare con l'andamento delle partite; e allora cominciava a fare avanti e indietro senza motivo, le mani incrociate sulla testa e gli occhi fissi al televisore, con l'aria di uno che ha appena saputo di aver perso tutto, e rivolgendosi ai coach, ai giocatori, chiedeva loro che cazzo di problema avessero. Ogni tanto mi seguiva in cucina con l'espressione da cane bastonato. «Mi stanno ammazzando di là» scherzava, e appoggiato al bancone incurvava le spalle in una posa comica che faceva pensare a un rapinatore di banca piegato in due dalla ferita di un'arma da fuoco.

Linea x. Linea y. Correre, accorciare la distanza. Il giorno in cui si giocavano le partite, più o meno fino alle cinque, la luce chiara del deserto teneva lontana la tipica afflizione domenicale – l'autunno che cedeva il passo all'inverno, lo sconforto del tramonto ottobrino con la scuola il giorno dopo – ma c'era sempre un lungo momento immobile, verso la fine di quei pomeriggi a base di football, in cui l'umore di tutti cambiava e ogni cosa si faceva incerta e desolata, sullo schermo e fuori; il riverbero metallico delle finestre sul patio si faceva dorato e poi grigio, le ombre si allungavano e la notte calava sulla quiete del deserto. Mi assaliva una tristezza che non riuscivo a scuotermi di dosso, un senso come di gente silenziosa all'uscita dagli stadi e pioggia gelida sulle città universitarie dell'Est.

È difficile spiegare il panico che mi sopraffaceva in quei momenti. Quelle giornate si spezzavano in modo così repentino, un senso di emorragia quasi, da farmi tornare in mente l'appartamento di New York quando tutte le nostre cose erano state messe nelle scatole e portate via: inconsistenza e fluidità, niente a cui aggrapparsi. Di sopra, con la porta della mia stanza chiusa, accendevo tutte le luci, se ne avevo fumavo erba, ascoltavo musica – dando la precedenza alla musica che non conoscevo, tipo Šostakovič ed Erik Satie, che avevo caricato sull'iPod per mia madre e che non avevo mai trovato il tempo di cancellare – e guardavo i libri della biblioteca: libri d'arte, soprattutto, perché mi ricordavano lei.

I capolavori della pittura olandese. Delft: l'Età d'Oro. Rembrandt, i suoi allievi anonimi e i suoi discepoli: disegni. Facendo una ricerca col computer della scuola, avevo visto che esisteva un libro su Carel Fabritius (un libretto di un centinaio di pagine), ma nella biblioteca scolastica non era disponibile e non osavo cercarlo on-line per paura di venire scoperto – specialmente dopo che un link sul quale avevo cliccato senza pensarci (*Het Puttertje*, *Il cardellino*, 1654) mi aveva rimandato a un sito dall'aspetto paurosamente ufficiale chiamato Database delle Opere d'Arte Perdute, che per entrare richiedeva nome e indirizzo. Mi ero così spaventato alla vista delle parole *Interpol* e *Perdute* che ero entrato nel panico e avevo spento il computer, cosa che in teoria non ci era permesso fare. «Cosa combini?» mi chiese il signor Ostrow, il bibliotecario, prima che riuscissi a riaccenderlo. Si chinò sopra le mie spalle e digitò la password.

«Io...» Iniziò a scorrere la cronologia, e nonostante tutto mi sentii sollevato per non aver visitato dei siti porno. In effetti avevo avuto intenzione di comprarmi un piccolo portatile con i cinquecento dollari che mio padre mi aveva regalato a Natale, ma quei soldi si erano volatilizzati chissà come. Opere d'Arte Perdute, mi dicevo... non c'è motivo di agitarsi per la parola *Perdute*, anche l'arte distrutta era tecnicamente «perduta» no? Sebbene non avessi inserito il mio nome, mi preoccupava aver consultato il database dall'indirizzo della scuola. Per quanto ne sapevo, gli investigatori che erano venuti da me non avevano perso le mie tracce, sapevano che ero a Las Vegas. Il rischio che risalissero fino a me, benché minimo, esisteva.

Il dipinto era nascosto, in modo piuttosto astuto, pensavo, all'interno di una federa di cotone pulita, attaccata col nastro adesivo dietro la testiera del mio letto. Avevo imparato da Hobie quanta attenzione bisognasse usare nel maneggiare le cose vecchie (qualche volta, per oggetti particolarmente delicati, utilizzava guanti bianchi di cotone) e non lo toccavo mai a mani nude, e sempre solo lungo i bordi. Non lo tiravo mai fuori, a parte quando il papà e Xandra non c'erano e sapevo che sarebbero stati via per un po'. Ma anche se potevo guardarlo solo di rado mi piaceva pensare che fosse lì, per via della profondità e concretezza che infondeva alle cose. Era come se rinforzasse le fondamenta della mia vita, e mi rassicurava, così come mi rassicurava sapere che, lontano da lì, le balene nuotavano indisturbate nelle acque del Mar Baltico e che, in remoti angoli della Terra, schiere di monaci cantavano senza sosta per la salvezza del mondo.

Tirarlo fuori, maneggiarlo, guardarlo, erano cose che non facevo a cuor leggero. Anche solo l'atto di allungare il braccio per prenderlo mi comunicava un senso di espansione come di una brezza che mi sollevava. E a un certo punto, stranamente, dopo averlo guardato a lungo, gli occhi asciutti per via dell'aria del deserto che usciva fredda dal condizionatore, mi sembrava che lo spazio fra me e lui si annullasse, e quando sollevavo lo sguardo era il dipinto, non io, a essere reale.

1622-1654. Figlio di un insegnante. All'incirca mezza dozzina le opere attribuibili a lui con certezza. Secondo van Bleiswijck, storico della città di Delft, Fabritius era nel suo studio intento a ritrarre il sagrestano della Oude Kerk quando, alle dieci e mezzo del mattino, il deposito di polvere da sparo era esploso. Il corpo del pittore era stato estratto dalle rovine dai concittadini, «con grande dolore» diceva il libro, «e notevole sforzo». Quello che mi colpiva in quei brevi resoconti era il ruolo giocato dal caso: tragedie assurde, la mia e la sua, che convergevano verso lo stesso punto invisibile, il *big bang*, come lo chiamava mio padre, senza sarcasmo né ironia, anzi, col rispetto che si deve a qualcosa che trascende e governa le nostre vite. Avrei potuto interrogarmi per anni sulle coincidenze e le connessioni senza mai venirne a capo: cose che si incastravano e cose che si staccavano, mia madre fuori dal museo nel momento in cui il tempo impazziva e la luce diventava strana; incertezze che si accalcavano intorno a una vasta luminosità. L'elemento fortuito in grado di cambiare tutto, oppure no.

Di sopra, l'acqua corrente che usciva dal rubinetto del bagno conteneva troppo cloro per essere bevibile. Di notte, un vento secco trascinava lattine di birra e spazzatura per la strada. Umidità e condensa, Hobie mi aveva detto, erano i peggiori nemici per gli oggetti d'antiquariato; sull'orologio a pendolo che stava restaurando appena prima che partissi mi aveva mostrato il legno marcito alla base per via dell'umidità («qualcuno lavava il pavimento con troppa acqua, vedi quant'è morbido questo legno, com'è consumato?»).

Un cortocircuito nel continuum spazio-temporale: un modo per vedere le cose due volte, o più di due. Proprio come i rituali di papà, i suoi sistemi per prevedere l'esito delle partite si basavano sulla consapevolezza dell'esistenza di schemi invisibili, così anche l'esplosione a Delft faceva parte di una serie di eventi il cui riverbero giungeva fino al presente. La molteplicità degli esiti possibili poteva farti impazzire. «I soldi non sono importanti» diceva mio padre. «Il denaro non rappresenta altro che l'energia delle cose, capisci? È la traccia che la fortuna si lascia dietro al suo passaggio.» Il cardellino mi fissava, gli occhi immutabili e brillanti. Il pannello di legno era piccolo, «poco più grande di un foglio A4» come precisava uno dei miei libri d'arte, anche se tutte quelle date e quelle misure, noiose informazioni da manuale scolastico, erano irrilevanti quanto le statistiche delle pagine sportive nell'attimo in cui, con i Packers in vantaggio di due punti nell'ultimo quarto, all'improvviso cominciava a nevicare. Il dipinto, la sua magica vitalità, somigliava a quell'arioso momento in cui la neve aveva cominciato a cadere, con la luce verdognola e i fiocchi che turbinavano davanti alle telecamere, quando d'un tratto non ti importava più né della partita né di chi vinceva o perdeva, ma avevi solo voglia di goderti quell'istante ammutolito e spazzato dal vento. Quando guardavo il dipinto sentivo la stessa convergenza di tutto in un singolo punto: un tremulo istante investito dal sole, che esisteva in quel momento e per sempre. Solo di rado mi soffermavo sulla catena alla caviglia del cardellino e pensavo a quanto fosse crudele la vita di quella creaturina il cui breve battito d'ali lo riportava sempre nello stesso identico punto, senza speranza.

V

Un aspetto positivo c'era. Ero contento della gentilezza che dimostrava mio padre verso di me. Mi portava a mangiare fuori – ottime cene in ristoranti con le tovaglie bianche sui tavoli, solo noi due – almeno un giorno a settimana. A volte invitava anche Boris, che accettava entusiasta – la prospettiva di un buon pasto rappresenta una tentazione più forte persino dell'attrazione che sentiva per Kotku – ma stranamente mi rendevo conto che mi divertivo di più quando eravamo solo io e papà.

«Sai» disse durante una di quelle cene, mentre mangiavamo il dessert, parlando di scuola e molto altro (questo nuovo padre così interessato! Da dove saltava fuori?), «... sai, sono contento di cominciare finalmente a conoscerti meglio, Theo.»

«Be', ehm, sì, lo stesso vale per me» dissi, imbarazzato ma sincero.

«Voglio dire...» Si passò una mano tra i capelli. «Grazie per avermi dato una seconda possibilità, giovanotto. Perché ho commesso un errore enorme. Non avrei mai dovuto lasciare che la mia relazione con tua madre compromettesse il rapporto con te. No, no» disse, alzando una mano, «non la accuso di niente, lungi da me. È che lei ti amava *così* tanto che mi sentivo sempre di troppo fra voi. Come un estraneo in casa mia. Eravate talmente legati...» rise con tristezza, «non c'era spazio per un terzo incomodo.»

«Be'...» Io e mia madre che camminavamo per l'appartamento in punta di piedi, sussurrando e cercando di evitarlo. Segreti, risate. «Cioè, è solo che...»

«No, no, non ti sto chiedendo di scusarti. Sono io il padre, sono io quello che avrebbe dovuto sapere cosa fare. Era una specie di circolo vizioso, capisci? Mi sentivo isolato, escluso e bevevo sempre di più. Non avrei mai dovuto permettere che succedesse. Mi sono perso anni importanti della tua vita. E ora è troppo tardi per tornare indietro.»

«Mmm...» Mi sentivo così afflitto che non sapevo cosa dire.

«Non sto cercando di farti sentire in colpa, eh. Dico solo che sono contento che ora siamo amici.»

«Be', sì» risposi, fissando il piatto senza più la minima traccia di crème brûlée, «anch'io.»

«Ecco... voglio recuperare. Vedi, quest'anno mi sta andando bene con le scommesse...» bevve un sorso di caffè, «voglio aprirti un conto in banca. Sai, per mettere qualcosina da parte. Perché, davvero, non mi sono comportato bene con te e con tua madre, sai, e poi tutti i mesi in cui sono sparito...»

«Papà» dissi, sconcertato, «non ce n'è bisogno.»

«Oh, ma voglio farlo! Hai un numero di previdenza sociale, no?»

«Certo.»

«Be', io ho già messo diecimila da parte. È un inizio. Se te lo ricordi, quando arriviamo a casa dammi il tuo numero di previdenza sociale e la prossima volta che passo dalla banca apro un conto a nome tuo, okay?»

VI

Fuori da scuola non avevo quasi più visto Boris, tranne per una gita un sabato pomeriggio, quando mio padre ci aveva portato al Carnegie Deli del Mirage, a mangiare merluzzo nero e bialy. Poi, un paio di settimane prima del Ringraziamento, fece irruzione in camera mia senza preavviso e mi annunciò: «Per tuo padre le cose si stanno mettendo male, lo sapevi?».

Poggiai *Silas Marner*, che stavo leggendo per la scuola. «Cosa?»

«Be', gioca ai tavoli da duecento dollari… duecento dollari a botta» disse. «Roba da perderne mille in cinque minuti.»

«Mille dollari non sono niente, per lui» dissi. E poi, quando Boris non commentò: «Quanto ha detto che ha perso?».

«Non lo ha detto» disse Boris. «Tanto, però.»

«Sei sicuro che non ti stesse prendendo per il culo?»

Boris rise. «Può darsi» disse, sedendosi sul letto e appoggiandosi all'indietro sui gomiti. «Non ne sai nulla?»

«Be'…» Per quanto ne sapevo, la settimana prima, con la vittoria dei Bills, mio padre aveva sbancato. «Non vedo come possa essere messo *tanto* male. Mi porta da Bouchon, e posti del genere.»

«Sì, ma forse ha un buon motivo per farlo» disse Boris con fare saggio.

«Motivo? Che motivo?»

Sembrò sul punto di dire qualcosa, poi cambiò idea.

«Be', chissà» fece, accendendosi una sigaretta e tirando forte. «Tuo padre… è un mezzo russo.»

«Giusto» dissi, prendendogli la sigaretta. Avevo sentito spesso Boris e mio padre, durante le loro gesticolanti «discussioni intellettuali», parlare dei tanti celebri giocatori d'azzardo russi: Puškin, Dostoevskij, e altri che non avevo mai sentito nominare.

«Be'… è tipico dei russi, lamentarsi sempre di quanto vanno male le cose! Anche quando la vita è meravigliosa… sempre meglio non farlo sapere in giro. Per evitare che il Diavolo ci metta lo zampino.» Indossava una camicia scartata da mio padre, lisa dai numerosi lavaggi e che gli stava così grande da sembrare una veste araba o indù. «Solo che con tuo padre, a volte è difficile capire se scherza o fa sul serio.» Poi, scrutandomi: «A cosa pensi?».

«Niente.»

«Sa che parliamo. Per questo me l'ha detto. Voleva farlo sapere a *te*.»

«Già.» Ero quasi certo che si sbagliava. Mio padre era il tipo che, se gli girava, era capace di raccontare la sua vita privata al primo che passava per strada.

«Te l'avrebbe detto lui stesso» disse Boris, «se avesse pensato che tu volevi saperlo.»

«Guarda. Come hai detto anche tu…» Mio padre aveva una tendenza al masochismo, ai gesti plateali; durante le domeniche insieme adorava esagerare sulle sue disgrazie, grugniva, borbottava, si lamentava a gran voce di essere «finito» o «rovinato» dopo una partita persa, anche se ne aveva vinte una mezza dozzina e stava facendo i calcoli di quanto aveva guadagnato. «A volte calca un po' troppo la mano.»

«Be', sì, è vero» commentò Boris, riflessivo. Si riprese la sigaretta, aspirò, e me la ripassò. «Puoi finirla.»

«No, grazie.»

Ci fu un attimo di silenzio, durante il quale dal televisore di mio padre si sentì il pubblico esultare per la partita. Poi Boris tornò ad appoggiarsi sui gomiti e chiese: «Che cosa c'è da mangiare di sotto?».

«Un cazzo di niente.»

«Credevo che ci fossero gli avanzi del cinese.»

«Non più. Qualcuno se li è mangiati.»

«Merda. Magari vado da Kotku, sua madre ha delle pizze surgelate. Vieni?»

«No, grazie.»

Boris rise. «*Yo* fratello, fa' come vuoi» disse con la sua voce da *gangsta* (distinguibile da quella normale soltanto per il gesto e lo *yo*), e uscì con passo strascicato. «Un negro deve pur mangiare.»

VII

La cosa curiosa, a proposito di Boris e Kotku, era la rapidità con cui la loro relazione era divenuta litigiosa. Pomiciavano senza sosta, quasi non riuscivano a staccarsi le mani di dosso, ma appena aprivano bocca sembravano una coppia sposata da quindici anni. Battibeccavano per piccole somme di denaro, tipo su chi avesse pagato il pranzo al centro commerciale l'ultima volta. E le loro conversazioni, quando mi capitava di sentirle, suonavano così:

Boris: «Cosa! Volevo solo essere carino!».

Kotku: «Be', non è stato molto carino».

Boris, correndole dietro: «Sul serio, Kotku! Davvero! Stavo solo cercando di essere gentile!».

Kotku: [imbronciata].

Boris, cercando inutilmente di baciarla: «Cos'ho fatto? Qual è il problema? Perché pensi che non sono più carino?».

Kotku: [silenzio].

Il problema di Mike, l'uomo delle piscine – il rivale in amore di Boris – era stato risolto con la saggia decisione di Mike di entrare nella guardia costiera. A quanto pareva, Kotku passava ancora molto tempo al telefono con lui ogni settimana, cosa che per qualche ragione non infastidiva Boris («Sai, sta solo cercando di stargli vicino»). Ma era insopportabile quanto fosse geloso di lei a scuola. Conosceva gli orari delle sue lezioni a memoria e non appena la campanella suonava si precipitava a cercarla, come se temesse che lei potesse tradirlo durante l'ora di Spagnolo commerciale o chissà che. Un giorno, dopo scuola, mentre io e Popper eravamo soli a casa, mi chiamò per chiedermi: «Conosci uno che si chiama Tyler Olowska?».

«No.»

«Fa Storia americana con te.»

«Mi spiace. È un corso molto frequentato.»

«Be', senti, puoi informarti su di lui? Dove vive, magari?»

«Dove *vive*? C'entra Kotku?»

All'improvviso – cogliendomi del tutto alla sprovvista – suonò il campanello di casa: quattro trilli decisi. Da quando ero a Las Vegas, nessuno aveva mai suonato alla nostra porta, neppure una volta. L'aveva sentito pure Boris all'altro capo del telefono. «Cos'è?» chiese. Il cane correva in circolo e abbaiava a più non posso.

«C'è qualcuno alla porta.»

«Alla *porta*?» In quella strada deserta – niente vicini, niente camion della spazzatura, nemmeno un lampione – era un avvenimento. «Chi può essere?»

«Non lo so. Ti richiamo dopo.»

Afferrai Popchik, praticamente isterico, e (mentre si dimenava e guaiva fra le mie braccia per liberarsi) con una mano riuscii ad aprire.

«Ma guarda un po'» disse una voce piacevole con accento del Jersey. «Che bel cagnolino.»

Mi ritrovai a sbattere le palpebre nella luce del tardo pomeriggio di fronte a un uomo alto, molto molto abbronzato, molto magro e di un'età indefinibile. Ricordava un po' un frequentatore di rodei e un po' un cantante di pianobar strafatto. Gli occhiali a goccia con la montatura dorata e le lenti viola fumé, una giacca sportiva bianca sopra una camicia rossa da cowboy con bottoni di finta madreperla e jeans neri; ma la cosa che più mi colpì furono i suoi capelli: per metà un parrucchino e per l'altra trapiantati o spruzzati da una bomboletta, con la consistenza di un isolante in fibre di vetro e un colore castano scuro simile al lucido da scarpe in tubetto.

«Forza, mettilo giù» disse, riferendosi a Popper, che ancora si dimenava per scendere. Aveva una voce profonda e i suoi modi erano tranquilli e amichevoli. A parte l'accento, era un perfetto texano, con gli stivali e tutto il resto. «Lascialo pure libero! Non mi dà fastidio. Amo i cani.»

Quando Popchik fu a terra, si chinò a dargli un buffetto sulla testa, accovacciandosi nella posa di un cowboy accanto a un falò. Non potevo fare a meno di ammirare il suo modo di fare sicuro.

«Già, già» disse. «Eh sì. Davvero un bel cagnolino!» Le sue guance abbronzate facevano pensare a una mela rinsecchita, attraversate com'erano da piccole rughe. «Ne ho tre a casa, io. Mini penny.»

«Come, scusi?»

Si rialzò. Quando mi sorrise scoprì dei denti regolari di un bianco abbagliante. «Mini pinscher» disse. «Tre piccoli isterici. Quando non ci sono distruggono la casa, ma ci sono affezionato. Come ti chiami, ragazzino?»

«Theodore Decker» risposi, domandandomi chi fosse.

Sorrise di nuovo – dietro gli occhiali a goccia gli occhi erano piccoli e ammiccanti. «Ehi! Un altro newyorkese! Si sente dalla parlata, ci ho preso?»

«Ci ha preso.»

«Un ragazzo di Manhattan, oserei dire. Giusto?»

«Giusto» ripetei, chiedendomi da cosa lo avesse dedotto. Nessuno aveva mai capito che ero di Manhattan solo da come parlavo.

«Bene, ehi, io sono di Canarsie. Nato e cresciuto. Sempre bello conoscere qualcuno dell'Est. Mi chiamo Naaman Silver.» Mi porse la mano.

«Piacere di conoscerla, signor Silver.»

«Signor!» Rise di gusto. «Adoro i tipi educati. Non ne fanno più come te. Sei ebreo, Theodore?»

«No, signore» dissi, e poi desiderai aver risposto di sì.

«Be', senti qua. Tutti quelli di New York, per me sono ebrei *ad honorem*. Sei mai stato a Canarsie?»

«No, signore.»

«Oh, una volta era una comunità fantastica, anche se adesso...» Scrollò le spalle. «La mia famiglia ci ha abitato per quattro generazioni. Mio nonno Saul gestiva uno dei primi ristoranti kasher degli Stati Uniti, sai. Un posto grande, famoso. Ha chiuso quando ero bambino, però. E poi mia madre ci ha fatto trasferire nel Jersey, dopo la morte di mio padre, per stare più vicini a zio Harry e alla sua famiglia.» Poggiò la mano sul fianco magro e mi guardò. «Tuo padre c'è, Theo?»

«No.»

«No?» Guardò alle mie spalle, dentro casa. «Che peccato. Sai quando torna?»

«No, signore» dissi.

«*Signore*. Mi piace. Sei un bravo ragazzo. Ti dirò una cosa, mi ricordi me alla tua età. Fresco di Yeshivah...» Sollevò le mani, facendo tintinnare i bracciali d'oro sui polsi abbronzati e pelosi «E queste mani? Bianche, come il latte. Come le tue.»

«Uhm.» Io ero rimasto sulla soglia, imbarazzato. «Vuole entrare?» Non ero sicuro che fosse il caso di invitare uno sconosciuto in casa, ma ero solo e annoiato. «Può aspettarlo, se vuole. Ma non so quando torna.»

Sorrise di nuovo. «No, grazie. Devo fare altri giri. Ma sai una cosa, sarò sincero con te, perché sei un bravo ragazzo. Avanzo cinque punti con tuo padre. Sai cosa significa?»

«No, signore.»

«Be', beato te. Non c'è bisogno che tu lo sappia, e spero che tu non debba mai scoprirlo. Ma lascia che ti dica che non è un buon modo di condurre gli affari.» Mi appoggiò amichevolmente la mano sulla spalla. «Che tu ci creda o no, Theodore, io capisco le persone. Non mi piace dover andare a casa di un uomo e parlare con suo figlio, come sto facendo con te ora. Non è giusto. Normalmente, andrei sul suo posto di lavoro e mi farei una chiacchierata con lui. Peccato però che lui sia difficile da rintracciare, come forse saprai.»

Il telefono squillò: Boris, ne ero quasi certo. «Forse è meglio che tu vada a rispondere» disse il signor Silver, accomodante.

«No, non c'è problema.»

«Vai pure. Penso che dovresti. Ti aspetto qui.»

Sempre più a disagio, rientrai e risposi al telefono. Come previsto, era Boris. «Chi era?» disse. «Non era Kotku, vero?»

«No. Senti...»

«Credo sia andata a casa con quel Tyler Olowska. Ho questo strano presentimento. Be', forse non è andata *a casa* con lui. Ma se ne sono andati da scuola insieme e... lei gli stava parlando nel parcheggio. Sai, ha l'ultima lezione con lui, Lavorazione del legno o una cosa del genere...»

«Boris, scusa, non posso parlare ora, ti richiamo dopo, okay?»

«Non era tuo padre, al telefono, giusto?» disse il signor Silver quando tornai alla porta. Dietro di lui c'era la sua Cadillac bianca accostata al marciapiede. Nell'auto c'erano due uomini: uno alla guida e un altro sul sedile di fianco. «Non era tuo padre?»

«No, signore.»

«Me lo diresti, se fosse stato lui, vero?»

«Sì, signore.»

«Allora perché ho l'impressione che tu stia mentendo?»

Rimasi in silenzio, non sapevo che dire.

«Non importa, Theodore.» Si fermò di nuovo ad accarezzare Popper dietro le orecchie. «Lo rintraccerò, prima o poi. Sicuro che ti ricorderai quello che ti ho detto? E che sono passato?»

«Sì, signore.»

Puntò un lungo dito verso di me. «Come mi chiamo?»

«Signor Silver.»

«Signor Silver. Esatto. Giusto per stare sicuro.»

«Cosa vuole che gli dica?»

«Digli che il gioco d'azzardo è per i turisti» rispose. «Non per la gente del posto.» Mi appoggiò la sottile mano scura sulla testa. «Dio ti benedica.»

VIII

Quando, mezz'ora più tardi, comparve Boris, tentai di raccontargli della visita del signor Silver, ma anche se mi ascoltava, ribolliva di rabbia nei confronti di Kotku, che aveva flirtato con un altro, quel Tyler Olowska o come si chiamava, un tipo ricco e tossico un anno più grande di noi che faceva parte della squadra di golf. «Vaffanculo» diceva con la voce roca, mentre ce ne stavamo seduti sul pavimento del piano di sotto a fumare l'erba di Kotku. «Non mi risponde al telefono. So che è con lui, *lo so*.»

«Eddai.» Preoccupato com'ero per la storia del signor Silver, mi dava ancora più fastidio del solito parlare di Kotku. «Probabilmente gli sta solo vendendo dell'erba.»

«Già, ma c'è dell'altro, *lo so*. Non vuole più che passi la notte da lei adesso, l'hai notato? Ha sempre *roba* da fare. Non porta neanche la collana che le ho regalato.» Mi sistemai gli occhiali sul naso con la punta del dito. Boris non l'aveva nemmeno comprata quella stupida collana, l'aveva rubata al centro commerciale, agguantandola per poi scappare mentre io (cittadino modello, con la divisa della scuola) distraevo la commessa con domande stupide ma educate su cosa io e papà avremmo potuto prendere alla mamma per il suo compleanno. «Già» dissi, in un tono che speravo comprensivo.

Boris aggrottò la fronte. «È una troia. L'altro giorno in classe faceva finta di piangere... cercava di far impietosire quel bastardo di Olowska. Che stronza.»

Scrollai le spalle – non avevo nulla da replicare al riguardo – e gli passai la canna.

«Gli piace solo perché ha i soldi. I suoi hanno due Mercedes. Classe E.»

«È una macchina da vecchiette.»

«Cazzate. In Russia la guidano i gangster. E...» Fece un lungo tiro, trattenendo il fumo mentre muoveva le mani con le lacrime agli occhi, *aspetta, aspetta, la parte migliore, un attimo, senti questa, eh?* «Sai come la chiama?»

«Kotku?» Boris la chiamava così in continuazione, tanto che anche a scuola – persino gli insegnanti – avevano iniziato a usare quel nomignolo.

«Esatto!» rispose lui, scandalizzato, il fumo che gli usciva dalla bocca. «Il *mio* nome! Il *klička* che le ho dato io! E l'altro giorno, in corridoio? L'ho visto che le strofinava i capelli.»

Sul tavolino da caffè, tra ricevute e qualche moneta, c'erano un paio di mentine che mio padre si era tolto dalle tasche, ne scartai una e l'infilai in bocca. Ero sballatissimo e quel sapore dolce mi pizzicava dappertutto, come un fuoco. «Le ha strofinato i capelli?» ripetei, masticando rumorosamente la caramella. «E cioè?»

«Così» disse lui, mimando il gesto di arruffarsi i capelli mentre faceva l'ultimo tiro dalla canna e la spegneva. «Non so la parola.»

«Io non me ne preoccuperei» dissi, affondando la testa nel cuscino. «Sai che ti dico, devi provare una di queste mentine. Sono buonissime.»

Boris si passò una mano sul viso, poi scosse la testa come un cane si scrolla l'acqua di dosso. «Wow» disse, con le mani fra i capelli annodati.

«Già. Anch'io» dissi, dopo una pausa percorsa da strane vibrazioni. I miei pensieri erano lenti e viscidi, e impiegavano molto a risalire in superficie.

«Cosa?»

«Sono fatto.»

«Ah, sì?» Rise. «Fatto quanto?»

«Abbastanza, amico.» La caramella sulla mia lingua sembrava forte e gigante, della dimensione di un macigno, e facevo fatica a parlare.

Seguì un silenzio pacificante. Erano le cinque e mezzo del pomeriggio, ma la luce era ancora pura e potente. Fuori, vicino alla piscina, erano stese alcune mie camicie bianche: accecanti e gonfie, sventolavano come vele. Chiusi gli occhi, che bruciavano attraverso le palpebre, e affondai di nuovo nel divano (d'improvviso molto comodo) come se fosse una nave alla deriva, e pensai alle opere di Hart Crane che avevamo letto nell'ora di Lettere. *Brooklyn Bridge*. Com'era possibile che a New York non avessi mai letto quella poesia? E come avevo fatto a non accorgermi del ponte, quando lo vedevo praticamente tutti i giorni? Gabbiani e gocce impazzite. *E penso ai cinema, finzioni panoramiche...*

«Potrei strangolarla» disse Boris all'improvviso.

«Cosa?» domandai stranito, avendo colto solo *strangolarla* e il tono inequivocabilmente violento della sua voce.

«*Bint* anoressica del cazzo. Mi fa incazzare.» Boris mi diede una spallata. «Eddai, Potter. Non ti piacerebbe cancellarle quel sorrisetto dalla faccia?»

«Be'...» dissi dopo un attimo di esitazione; era chiaramente una domanda trabocchetto. «Cosa vuol dire *bint*?»

«Più o meno lo stesso che troia.»

«Ah.»

«Voglio dire, chi si crede di essere?»

«Giusto.»

Seguì un lungo, strano silenzio, che mi fece venire voglia di mettere della musica, anche se ero indeciso sul genere. Qualcosa di allegro sarebbe sembrato fuori luogo, ma non volevo scegliere musica tetra o angosciante, che lo agitasse ancora di più.

«Uhm» mormorai, dopo quello che speravo fosse un lasso di tempo dignitoso. «Fra un quarto d'ora comincia *La guerra dei mondi.*»

«Gliela do io la guerra dei mondi» commentò Boris cupo. Si alzò.

«Dove vai?» chiesi. «Al Double R?»

Boris scrollò le spalle. «Su, ridi pure» disse amaro, infilandosi il suo impermeabile grigio in stile *sovetskoe.* «Per tuo padre invece arriverà il momento delle tre P, se non dà a quel tipo i soldi che gli deve.»

«Le tre P?»

«Pugni, pistola e portabagagli» disse Boris, con un sinistro ghigno da slavo.

IX

Era un film o cosa?, mi chiedevo. Le tre P? Da dove l'aveva tirato fuori? Anche se ero riuscito ad allontanare dalla mente gli eventi di quel pomeriggio, con quel commento finale Boris mi aveva terrorizzato, e per quasi un'ora sedetti rigido, davanti a *La guerra dei mondi* senza sonoro, le orecchie tese al fracasso della macchina del ghiaccio e al vento che sferzava l'ombrellone del patio. Popper, contagiato dal mio umore nervoso, continuava ad abbaiare aggressivo, saltando giù dal divano. Perciò, quando poco dopo il tramonto, una macchina svoltò nel vialetto, si precipitò alla porta con un baccano che mi spaventò a morte.

Ma era solo mio padre. Sembrava sgualcito e spento, e non dell'umore migliore.

«Papà?» Ero ancora piuttosto fatto, e la mia voce risuonò acuta e strana.

Si fermò ai piedi delle scale e mi guardò.

«È venuto un tipo. Un certo signor Silver.»

«Ah, sì?» disse con sufficiente noncuranza. Ma era rimasto appoggiato al corrimano, rigido.

«Ha detto che ha provato a mettersi in contatto con te.»

«Quando è successo?» domandò, venendomi incontro.

«Oggi pomeriggio verso le quattro, credo.»

«Xandra c'era?»

«Non l'ho ancora vista.»

Mi mise una mano sulla spalla, e sembrò riflettere per un istante.

«Bene» fece, «vorrei che non gliene parlassi.»

Il mozzicone della canna di Boris, mi accorsi, era ancora nel portacenere. Vide che lo guardavo, lo sollevò e lo annusò.

«Mi pareva di aver sentito un certo odore» disse, e se lo mise nella tasca della giacca. «Ce l'hai addosso, Theo. Dove avete preso questa roba?»

«Va tutto bene?»

Gli occhi di mio padre erano arrossati e leggermente velati. «Certo» disse. «Vado di sopra a fare un paio di chiamate.» Sapeva di fumo stantio e del tè al ginseng che beveva sempre, un'abitudine che aveva preso dai cinesi conosciuti nella sala del baccarà e che dava al suo sudore un che di pungente e di straniero. Mentre saliva le scale, lo vidi riprendere il mozzicone della canna dalla tasca e portarselo ancora al naso, meditabondo.

X

Quando fui in camera mia, con la porta chiusa e Popper ancora nervoso che andava in perlustrazione, mi venne in mente il quadro. Ero stato orgoglioso della mia idea della federa-dietro-la testiera, ma ora mi rendevo conto di quanto fosse stupido tenere il dipinto in casa; non che avessi alternative, a meno che non volessi nasconderlo nel cassonetto un paio di civici più giù (non era stato mai svuotato, da quando ero a Las Vegas), oppure in una delle case abbandonate dall'altra parte della strada. La casa di Boris non era più sicura della mia, e non c'era nessun altro che conoscessi abbastanza bene o di cui mi fidassi. L'unico altro posto era la scuola, un'altra pessima idea, ma nonostante mi rendessi conto che doveva pur esserci un'alternativa migliore, non mi veniva in mente nulla.

anto a scuola ispezionavano gli armadietti senza preavviso e
essendo collegato, tramite Boris, a Kotku – era possibile che
iventato anch'io un sorvegliato speciale. Ad ogni modo, se
ino avesse trovato il quadro nel mio armadietto – che fosse il
le, o il signor Detmars, il terribile allenatore di football, o le
ie di sicurezza che ogni tanto chiamavano a scuola per spa-
are gli studenti – sarebbe stato sempre meglio che se l'avesse
rovato mio padre o il signor Silver.

All'interno della federa, il dipinto era protetto da vari strati di
carta da disegno e nastro adesivo – carta di qualità, che avevo preso
nell'aula di Arte a scuola – e più sotto da uno strofinaccio di cotone che aveva lo scopo di proteggere la superficie dagli acidi della
carta (non che ce ne fossero). Ma avevo tirato fuori il dipinto per
guardarlo talmente spesso – aprendo la parte superiore chiusa dal
nastro adesivo per farlo scivolare fuori – che la carta era rovinata
e il nastro non attaccava più bene. Dopo qualche minuto sdraiato
sul letto a fissare il soffitto, mi alzai e recuperai il grosso rotolo di
pesante nastro adesivo avanzato dal trasloco e staccai la federa da
dietro la testiera.

Era troppo – una tentazione troppo forte – averlo fra le mani
senza guardarlo. Lo feci scivolare fuori velocemente e il suo bagliore mi avvolse all'istante, qualcosa di quasi musicale, un'ineffabile dolcezza interiore, una profonda armonia che mi cullava, come
quando sei con qualcuno che ti fa sentire protetto e amato e il tuo
cuore batte più lento e sicuro. Emanava un'energia, uno splendore,
una freschezza, come la luce del mattino nella mia vecchia camera
a New York, serena e allo stesso tempo inebriante, un chiarore che
rendeva tutto affilato ma anche più delicato e bello di quanto fosse
in realtà, e più bello ancora perché era parte del passato, e perciò
irrecuperabile: il riverbero della carta da parati e il vecchio mappa-
mondo Rand McNally in penombra.

Uccellino. Uccello giallo. Mi scrollai di dosso il torpore, lo rinfilai
nel panno avvolto dalla carta e lo avvolsi ancora con due o tre (quattro? cinque?) vecchie pagine del giornale sportivo di mio padre, poi
– istintivamente, come in trance – sigillai il tutto con numerosi giri
di nastro adesivo finché non ebbi finito l'intero rotolo e non si vide

più neppure un brandello di giornale. Nessuno sarebbe riuscito
aprire quel pacchetto facilmente. Anche con un coltello, uno buor
non delle semplici forbici, ci sarebbe voluto un bel po'. Una volt
finito – il pacco sembrava un improbabile bozzolo alieno – infilai il
quadro mummificato, con la federa e tutto il resto, nella borsa dei libri, e lo sistemai sotto le coperte all'altezza dei piedi. Con un ringhio
d'irritazione, Popper si spostò per fargli spazio. Pur essendo un cane
piccolo e dall'aspetto ridicolo, abbaiava in modo violento ed era molto territoriale, e io sapevo che se qualcuno avesse aperto la porta della
stanza mentre dormivo – anche se si fosse trattato di Xandra o di mio
padre, per i quali non andava pazzo – lui avrebbe dato l'allarme.

Ma quello che era nato come un pensiero rassicurante si stava già
trasformando nel suo opposto: l'assillante terrore di effrazioni not-
turne e agguati da parte di estranei malintenzionati. L'aria condizionata era così fredda che tremavo, e quando chiusi le palpebre mi
sentii scivolare fuori dal corpo – fluttuare velocemente verso l'alto,
come un palloncino sfuggito di mano – per poi sussultare con violenza quando aprii gli occhi. Perciò li richiusi e cercai di ricordare
quel poco che riuscivo della poesia di Hart Crane; e anche delle
semplici parole isolate come *gabbiano*, *traffico*, *tumulto* e *alba* basta-
rono per rievocare le sue distanze sospese, le sue traiettorie dall'alto
verso il basso. E proprio un momento prima di addormentarmi,
precipitai nel ricordo opprimente del minuscolo parco ventoso colmo degli effluvi dei gas di scarico vicino al nostro appartamento
sull'East River, col rombo del traffico sciabordante in sottofondo e
il fiume che scorreva così rapido e confuso che a tratti pareva fluire
in direzioni opposte.

XI

Non dormii molto quella notte, e quando il mattino dopo arrivai
a scuola e sistemai il dipinto nell'armadietto ero esausto e non mi
accorsi che Kotku (appiccicata a Boris come se nulla fosse successo)
aveva un labbro gonfio. Solo quando sentii Eddie Riso – un ragazzone dell'ultimo anno – chiederle «Che hai fatto?», notai che qualcuno

doveva averla colpita in pieno viso, e piuttosto forte. Se ne andava in giro ridendo nervosa e raccontando alla gente che era andata a sbattere contro la portiera di un'auto, ma lo diceva con una specie di imbarazzo che (almeno a me) non sembrava del tutto sincero.

«Sei stato tu?» chiesi a Boris, quando più tardi lo vidi da solo (relativamente solo) durante l'ora di Lettere.

Boris scrollò le spalle. «Non volevo.»

«Che significa "non volevo"?»

Sembrava scioccato. «Mi ha costretto!»

«Ti ha costretto» ripetei.

«Senti, solo perché sei geloso di lei...»

«Vaffanculo» dissi. «Non me ne frega un cazzo di te e Kotku, ho altre cose a cui pensare. Puoi spaccarle la testa, per quanto mi riguarda.»

«Oddio, Potter» disse Boris, improvvisamente più calmo. «È tornato? Quel tipo?»

«No» risposi, dopo una breve pausa. «Non ancora. Be', sai che c'è, che si fotta» dissi, vedendo che continuava a fissarmi. «È un *suo* problema, non mio. Dovrà inventarsi qualcosa.»

«Quanto gli deve?»

«Non ne ho idea.»

«Non puoi trovarglieli tu i soldi?»

«*Io?*»

Boris distolse lo sguardo. Lo colpii su un braccio. «No, cosa vuoi dire, Boris? Non posso trovarglieli *io*? Di cosa stai parlando?» ringhiai quando non rispose.

«Lascia stare» rispose in fretta, e dovetti rinunciare a insistere, perché in quel momento entrò Spirsetskaja, pronta a parlare del noioso *Silas Marner*, e la cosa finì lì.

XII

Quella sera, mio padre tornò a casa prima del solito con delle borse di cibo d'asporto del suo cinese preferito, compresa una porzione extra dei ravioli piccanti che mi piacevano tanto – ed era così di buonumore che ebbi l'impressione di aver sognato il signor Silver e tutto quanto era successo la sera prima.

«Allora...» dissi, e mi fermai. Xandra, finiti i suoi involtini primavera, sciacquava bicchieri nel lavello, ma non mi sentivo a mio agio a parlare davanti a lei.

Lui mi fece uno dei suoi sorrisi smaglianti, quelli con cui a volte convinceva le hostess a spostarlo in prima classe.

«Allora, cosa?» disse, scostando la sua porzione di gamberi sale e pepe e allungandosi a prendere un biscotto della fortuna.

«Ehm...» L'acqua nel lavello scorreva rumorosa. «Hai sistemato tutto?»

«Cosa?» fece piano. «Intendi con Bobo Silver?»

«Bobo?»

«Ascolta, spero che non ti sia spaventato. Non è così, vero?»

«Be'...»

«Bobo...» rise, «in realtà è un tipo a posto. Insomma, gli hai parlato anche tu, abbiamo avuto un disguido, tutto qui.»

«Cosa vuol dire "cinque punti"?»

«Senti, è stato solo un equivoco. Cioè» proseguì, «questi tizi sono un po' dei personaggi. Hanno il loro linguaggio, i loro modi di fare le cose. Ma, senti qua...» rise, «questa è fantastica. Quando l'ho incontrato al Caesars, quello che Bobo chiama il suo "ufficio", sai, la piscina del Caesars... Comunque, quando l'ho visto, sai cosa continuava a ripetermi? "Hai un bravo figliolo, Larry", "Un piccolo gentiluomo". Insomma, non so cosa gli hai detto, ma ti devo un favore.»

«Mmm» feci in tono neutro, servendomi dell'altro riso. Ma i suoi cambiamenti d'umore mi facevano girare la testa: la stessa confusione che sentivo da bambino quando i silenzi si spezzavano di colpo, i suoi passi tornavano a essere leggeri e lo sentivo ridere e canticchiare allo specchio mentre si rasava.

Ruppe a metà il suo biscotto della fortuna e sogghignò. «Guarda qui» disse, appallottolando il biglietto che c'era dentro e lanciandomelo. «Mi chiedo chi diamine passi il tempo a pensare a queste cazzate giù a Chinatown.»

Lessi ad alta voce: «Hai avuto un equipaggiamento fuori dal comune nei confronti del destino, usalo con cautela!»

«Equipaggiamento fuori dal comune?» sorrise Xandra, arrivandogli alle spalle e buttandogli le braccia al collo. «Suona un po' sconcio.»

«Ah...» mio padre si girò a baciarla. «Una mente sconcia. La fonte dell'eterna giovinezza.»

«Così pare.»

XIII

«Quella volta ho fatto un labbro gonfio a te» disse Boris, che chiaramente si sentiva in colpa per la faccenda di Kotku, dato che aveva tirato fuori quel discorso dal nulla durante il nostro abituale silenzio mattutino sullo scuolabus.

«Già, e io ti ho sbattuto la testa contro il muro, cazzo.»

«Non l'ho fatto apposta!»

«Non hai fatto apposta, cosa?»

«Colpirti alla bocca!»

«E con lei l'hai fatto apposta?»

«In un certo senso, sì» disse, evasivo.

«In un certo senso.»

Emise un verso di esasperazione. «Le ho chiesto scusa! Va tutto bene fra noi, non c'è alcun problema. E poi, a te che ti frega?»

«*Tu* hai tirato fuori il discorso, non io.»

Mi guardò per uno strano, lungo momento, poi rise. «Posso dirti una cosa?»

«Cosa?»

Avvicinò la testa alla mia. «Kotku e io ci siamo calati un trip ieri sera» disse piano. «Ci siamo fatti un acido insieme. È stato grandioso.»

«Davvero? Dove l'avete preso?» L'ecstasy si trovava abbastanza facilmente a scuola – Boris e io ce l'eravamo calata almeno una dozzina di volte, e avevamo passato magiche nottate nel deserto, delirando rivolti alle stelle – ma nessuno prendeva gli acidi.

Boris si strofinò il naso. «Ah. Be'. Sua madre conosce questo vecchio inquietante che si chiama Jimmy e lavora in un negozio di pistole. Ce ne ha procurati cinque... non so perché ne ho comprati cinque, vorrei averne comprati sei. Comunque ne ho ancora. Dio, è stato fantastico.»

«Ah sì?» A guardarlo più da vicino, mi resi conto, aveva le pupille dilatate e strane. «Sei ancora sotto effetto?»

«Forse un po'. Ho dormito solo due ore. Comunque abbiamo fatto pace di brutto. È stato come se... persino i fiori sul copriletto di sua madre erano nostri amici. E noi eravamo fatti della stessa materia dei fiori, e ci siamo resi conto di quanto ci amiamo e di quanto abbiamo bisogno l'uno dell'altra e di come tutte le cose terribili che ci sono successe fossero dettate solo dall'amore.»

«Wow» esclamai, con più tristezza del previsto, tanto che Boris corrugò la fronte e mi scrutò.

«Be'?» dissi, dato che continuava a fissarmi. «Che c'è?»

Lui sbatté le palpebre e scosse la testa. «No, è che la *vedo*. Questa specie di nebbiolina triste che ti circonda la testa. Sembri un soldato, o qualcosa del genere, un personaggio *storico*, che cammina su un campo di battaglia, pieno di sentimenti profondi...»

«Boris, sei ancora completamente fatto.»

«Nemmeno troppo» disse languido. «Sto tipo entrando e uscendo dall'effetto. Ma, se guardo a destra con la coda dell'occhio, vedo ancora le scintille colorate che sprizzano dalle cose.»

XIV

Passò più o meno una settimana senza che succedesse nulla di nuovo, né con mio padre, né sul fronte Kotku-Boris – un lasso di tempo sufficiente a convincermi che potevo riportare il dipinto a casa. Tirandolo fuori dall'armadietto notai che sembrava più ingombrante (e pesante) del solito, e quando in camera mia finalmente lo sfilai dalla federa capii perché. Evidentemente quando lo avevo impacchettato e sigillato ero del tutto fuori di testa: tutti quegli strati di giornale, avvolti da un intero rotolo di nastro adesivo extralarge, quello rinforzato per imballaggi, mi erano sembrati una buona precauzione, terrorizzato e fatto d'erba com'ero; ma adesso, nella luce tenue del pomeriggio, sembrava il lavoro di un pazzo, o di un barbone: praticamente lo avevo mummificato. Avevo usato talmente tanto nastro adesivo che il pacco non era nemmeno più quadrato; persino gli angoli erano arrotondati. Presi il coltello da cucina più affilato che trovai e tagliai un angolo – all'inizio con cautela, preoccupato che il coltello scivolasse e danneggiasse il dipinto – poi con più energia. Ma avevo inciso a malapena una parte di quel bozzolo spesso almeno sette centimetri, con le mani che già cominciavano a stancarsi, quando sentii Xandra entrare in casa al piano di sotto, perciò lo rimisi nella federa e lo riattaccai dietro la testiera del letto, dove lo avrei lasciato finché non fossi stato sicuro che lei e il papà erano usciti e non sarebbero tornati per un po'.

Boris mi aveva promesso che avremmo preso i due acidi rimasti appena fosse tornato in sé – si sentiva ancora un po' spaesato, mi aveva confidato, vedeva forme in movimento nelle venature del finto legno del suo banco, e non appena aveva ripreso a fumare erba aveva ricominciato a entrare e uscire dal trip.

«Inquietante» fu il mio commento.

«No, è figo. Posso fermarlo quando voglio. Credo che dovremmo prenderlo al parchetto» aggiunse. «Magari durante il ponte del Ringraziamento.» Tutte le volte che ci eravamo calati l'ecstasy, l'avevamo fatto al parchetto abbandonato; con l'unica eccezione della prima volta, quando Xandra era venuta a chiederci di aiutarla a sistemare la lavatrice, cosa che naturalmente non eravamo in grado di fare, ma tre quarti d'ora passati in lavanderia con lei proprio durante la parte migliore del viaggio ci avevano fatto scendere tutto quanto.

«È parecchio più potente dell'ecstasy?»

«No... Be', sì, ma è fantastico, fidati. Io volevo stare fuori all'aria aperta con Kotku, però eravamo *troppo* vicini all'autostrada, le luci, le macchine... Magari nel weekend?»

Non vedevo l'ora. Ma proprio quando stavo ricominciando a stare bene, addirittura ad avere un po' di fiducia nel futuro – la TV non era sintonizzata sul canale ESPN da una settimana, un record – trovai mio padre che mi aspettava al ritorno da scuola.

«Devo parlarti, Theo» disse appena misi piede in casa. «Hai un minuto?»

Esitai. «Okay.» Sembrava che qualcuno avesse svaligiato il soggiorno: carte sparpagliate dappertutto, persino i cuscini del divano erano fuori posto.

Si fermò – si muoveva in maniera un po' rigida, come se gli facesse male un ginocchio. «Vieni qui» disse, in tono amichevole. «Siediti.»

Mi sedetti. Lui sospirò, si accomodò di fronte a me a si passò una mano fra i capelli.

«L'avvocato» disse, chinandosi in avanti con le mani intrecciate tra le ginocchia e guardandomi dritto in faccia.

Restai in attesa.

«L'avvocato di tua madre. Voglio dire… so che è un po' inaspettato, ma ho davvero bisogno che lo chiami per me.»

Il vento soffiava impetuoso. Fuori, la sabbia sferzava le porte di vetro e la tenda del patio sventolava come una bandiera. «Cosa?» dissi, dopo un momento di cauto silenzio. Lei mi aveva detto qualcosa a proposito di un avvocato che aveva contattato dopo che papà se n'era andato di casa – per il divorzio, avevo immaginato – ma non sapevo cosa fosse successo in seguito.

«Vedi…» Mio padre fece un respiro profondo, guardò il soffitto. «Il fatto è questo. Credo che ti sarai accorto che non sto più scommettendo, giusto? Bene» continuò, «voglio smettere. Finché sono in tempo, per così dire. Non è che…» si fermò a pensare, «voglio dire, sinceramente, sono diventato abbastanza bravo in queste cose, applicandomi molto e con disciplina. I numeri li so maneggiare. Non scommetto d'impulso. E, voglio dire, ti ripeto, sono diventato abbastanza bravo. Negli ultimi mesi ho messo via un sacco di soldi. È solo che…»

«Okay» dissi, esitante, nel silenzio che seguì, chiedendomi dove volesse arrivare.

«Voglio dire, perché sfidare il destino? Perché…» mano sul cuore, «io *sono* un alcolizzato. Sono il primo ad ammetterlo. Non posso bere *per niente*. Un bicchiere è troppo e mille non sono abbastanza. Smettere di bere è stata la cosa migliore che io abbia mai fatto. E col gioco d'azzardo, nonostante la mia tendenza a sviluppare dipendenze e tutto quanto, è sempre stato diverso. Certo, ho avuto qualche grattacapo, ma non sono mai stato uno di quei tipi che, non so, ci finiscono così dentro da arrivare a truffare e a rovinare gli affari di famiglia o chissà cosa. Ma...» rise, «se non vuoi che prima o poi ti taglino i capelli è meglio che smetti di bazzicare il negozio del barbiere, no?»

«Quindi?» Attesi che continuasse.

«Quindi... uff.» Aveva un aspetto infantile, confuso, incredulo. «La questione è questa. Adesso voglio davvero fare grandi cambiamenti. Perché ho l'opportunità di cominciare da zero questa grande attività. Un amico ha un ristorante. E credo che sarà una cosa davvero *grandiosa* per tutti noi... un'occasione che capita una volta nella vita, in effetti. Sai, per Xandra è un periodo difficile al lavoro, il suo capo si sta comportando di merda e, non lo so, credo che avrebbe tutto più senso.»

Mio padre? Un ristorante? «Wow... è fantastico» dissi. «Wow.»

«Già.» Annuì. «È *davvero* grandioso. Il fatto è, però, che per aprire un posto del genere...»

«Che tipo di ristorante?»

Mio padre sbadigliò, gli occhi rossi e lucidi. «Oh... semplice cucina americana. Bistecche, hamburger, roba così. Molto semplice e ben fatta. Il problema, però, è che il mio amico, per aprire il posto e pagare le tasse...»

«Tasse?»

«Oh, Dio, sì, non ci si può credere a quante tasse ci sono quaggiù. Quella per la ristorazione, la licenza per la vendita di alcolici, le assicurazioni... Far partire un posto come questo è una spesa enorme.»

«Be'.» Finalmente avevo capito. «Se ti servono i soldi sul mio conto...»

Parve stupito. «Cosa?»

«Sai, il conto che hai aperto per me. Se ti servono i soldi, va bene.»

«Oh, sì.» Per un istante rimase in silenzio. «Grazie. Lo apprezzo molto, socio. Ma in realtà...» si era alzato in piedi e girava per la stanza, «il fatto è che ho avuto un'idea pazzesca su come risolvere la situazione. È una soluzione a breve termine, per cominciare a far funzionare il posto, fare in modo che ingrani. Ci rifaremo in un paio di settimane... voglio dire, un posto del genere, in quella posizione e tutto il resto, è come avere una licenza per stampare soldi. È solo la spesa iniziale. Questa città è terribile per tasse, imposte eccetera. Insomma...» rise, quasi scusandosi, «sai che non te lo chiederei, se non fosse un'emergenza...»

«Chiedermi che cosa?» dissi, dopo un attimo di spaesamento.

«Sì, come stavo dicendo, ho davvero bisogno che tu faccia questa chiamata per me. Qui c'è il numero.» Me l'aveva scritto su un foglio. Il prefisso era 212, notai. «Devi chiamare questo tipo e parlargli tu. Si chiama Bracegirdle.»

Fissai il foglio e poi mio padre. «Non capisco.»

«Non devi capire. Devi solo fare quello che ti dico.»

«Cosa c'entro io?»

«Senti, fallo e basta. Digli chi sei, che hai bisogno di parlargli, questioni di lavoro, *bla bla bla...*»

«Ma...» Chi era quella persona? «Cosa vuoi che gli dica?»

Mio padre prese un profondo respiro. Si stava sforzando di controllare la propria espressione, cosa che gli riusciva piuttosto bene.

«È un avvocato» disse tutto d'un fiato. «L'avvocato di tua madre. Deve dare disposizione per trasferire *questa* somma...» strabuzzai gli occhi quando vidi il numero che indicava, 65.000 dollari, «su *questo* conto» (e fece scorrere il dito lungo la fila di numeri trascritta lì sotto). «Digli che ho deciso di mandarti a una scuola privata. Lui ti chiederà il tuo nome e il numero di previdenza sociale. Tutto qui.»

«Una scuola privata?» dissi, disorientato.

«Be', vedi, è per la questione delle tasse.»

«Io non voglio andare in una scuola privata.»

«Aspetta... aspetta... ascoltami. Finché, ufficialmente, questi fondi vengono usati per procurare un beneficio a te, non c'è nessun problema. E il ristorante è un beneficio per *tutti* noi. Soprattutto per te, in fin dei conti. E, voglio dire, potrei chiamarlo io, è solo che se ce la giochiamo bene possiamo risparmiare qualcosa come trentamila dollari, che altrimenti andrebbero al governo. Cavolo, ti ci manderò a una scuola privata, se vorrai. In collegio. Potrei mandarti ad Andover, coi soldi che avanzano. È solo che non voglio che la metà finisca all'agenzia delle entrate, capisci? E poi… Voglio dire, per come stanno le cose, quando sarà ora che tu vada al college finirà per *costarti* dei soldi, perché con quella somma lì non ti daranno certo una borsa di studio. Chi si occupa dei finanziamenti andrà a guardare dritto su quel conto, ti piazzerà in un'altra fascia di reddito e il primo anno si prenderà il settantacinque per cento, garantito. Almeno, in questo modo, ne potrai disporre completamente, capito? Subito. Ora che può davvero essere una cosa utile.»

«Ma…»

«*Ma…*» voce in falsetto, lingua a penzoloni, sguardo da tonto. «Oh, andiamo, Theo» disse, in tono normale, dato che continuavo a guardarlo. «Giuro su Dio, non ho tempo per le chiacchiere. Ho bisogno che tu faccia questa telefonata il prima possibile, prima che sulla costa Est chiudano gli uffici. Se devi firmare qualcosa, digli di spedirti i documenti con FedEx. O di faxarli. Dobbiamo solo farlo il più in fretta possibile, okay?»

«Ma perché devo farlo io?»

Sospirò e alzò gli occhi al cielo. «Senti, non fare così, Theo» disse. «So che hai contatti con l'avvocato perché ho visto come corri a controllare la posta… Sì» disse quando feci per obbiettare, «sì, ogni giorno ti fiondi alla cassetta della posta come un razzo.»

Quell'uscita mi spiazzò e non seppi cosa rispondere. «Ma…» Abbassai lo sguardo sul foglio e quella somma mi saltò di nuovo agli occhi: 65.000 $.

Senza preavviso, mio padre balzò in avanti e mi colpì il volto, così forte che per un secondo non capii cosa fosse successo. Poi, prima che riuscissi a sbattere le palpebre mi picchiò di nuovo – un colpo da cartone animato, uno schiocco luminoso, come il flash di una macchina fotografica – col pugno, questa volta. Mentre barcollavo – le ginocchia mi cedevano, vedevo tutto bianco – mi prese per la gola tirandomi su con uno strattone, sollevandomi in punta di piedi.

«Sentimi bene!» Mi stava strillando in faccia, il naso a due centimetri dal mio, ma Popper saltava e abbaiava come un pazzo e il rimbombo nelle mie orecchie era talmente forte che a stento riuscivo a sentirlo. «Ora chiami questo tipo…» disse, sbattendomi il foglio in faccia, «e dici esattamente quel che ti dirò io. Non rendere le cose più difficili perché te lo giuro, Theo, sul serio, ti spezzo un braccio, ti ammazzo di botte se non ti metti al telefono adesso. Okay? Okay?» ripeteva nel silenzio vertiginoso che mi ronzava nelle orecchie. Il suo alito acido di sigaretta in piena faccia. Mollò la presa e fece un passo indietro. «Hai capito? Di' qualcosa.»

Mi passai un braccio sul viso. Le lacrime mi colavano lungo le guance, ma erano lacrime automatiche, come acqua da un rubinetto, senza alcuna emozione.

Mio padre strizzò gli occhi e poi li riaprì, scosse la testa. «Senti» disse, con una voce fredda, ancora col fiatone. «Mi dispiace.» Non pareva *dispiaciuto*, notai, in un faticoso momento di lucidità, sembrava anzi che morisse dalla voglia di gonfiarmi di botte. «Ma, lo giuro, Theo. Devi fidarti. Devi fare questa cosa per me.»

Era tutto molto confuso, e mi sistemai gli occhiali con entrambe le mani. Il mio respiro era talmente pesante che sovrastava tutti i rumori della stanza.

Mio padre, le mani sui fianchi, alzò gli occhi al soffitto. «Su, dai» disse. «Smettila.»

Non dissi nulla. Restammo lì per qualche altro istante. Popper aveva smesso di abbaiare e ci guardava con apprensione, come nello sforzo di capire cosa stava accadendo.

«È solo che… be', lo sai, no?» Adesso il suo tono era tornato ragionevole. «Mi dispiace, Theo, giuro che mi dispiace, ma sono costretto, ci servono questi soldi, e subito, in questo momento, davvero.»

Cercava di incrociare il mio sguardo: aveva un'espressione sincera, persuasiva. «Chi è questo tipo?» domandai, fissando la parete oltre la sua testa, con la voce che per qualche ragione suonava strana, riarsa.

«L'avvocato di tua madre. Quante volte te lo devo dire?» Si stava massaggiando le nocche come se si fosse fatto male nel colpirmi.

«Vedi, Theo, il fatto è...» Un altro sospiro. «Voglio dire. Mi dispiace, ma, lo giuro, non sarei così brusco se non fosse davvero importante. Perché sono veramente, veramente nei guai. È solo una situazione temporanea, lo capisci... solo fino a che gli affari non iniziano a ingranare. Perché tutta la faccenda rischia di andare in malora in un secondo» schioccò le dita, «a meno che non trovi il modo di iniziare a ripagare qualcuno di questi creditori. E gli altri soldi... li userò *davvero* per mandarti in una scuola migliore. Privata, magari. Ti piacerebbe?»

Convinto dal suo stesso discorso, stava già digitando il numero. Mi passò il telefono e, prima che rispondessero, schizzò dall'altra parte della stanza per prendere il cordless e mettersi in ascolto.

«Salve» dissi alla donna che rispose.

«Ehm, mi scusi» avevo la voce graffiata e diseguale, non riuscivo ancora a credere a quello che stava succedendo. «Posso parlare col signor, ehm...»

Mio padre si avvicinò e puntò il dito sul foglio: BRACEGIRDLE.

«Il signor, ehm, Bracegirdle» dissi.

«Chi lo cerca, cortesemente?» Sia la mia voce che la sua echeggiavano fastidiosamente, poiché mio padre stava ascoltando all'altro apparecchio.

«Theodore Decker.»

«Eccomi» disse una voce maschile dopo qualche secondo. «Ciao! Theodore! Come stai?»

«Bene.»

«Sembri raffreddato. Dimmi. Hai un po' di raffreddore?»

«Ehm, sì» risposi, incerto. Mio padre mimò con le labbra la parola *laringite*.

«Che peccato» disse la voce. «Non penso mai che la gente si ammali anche al caldo, dove sei tu. In ogni caso, sono contento che tu mi abbia chiamato... Per me non sarebbe stato facile contattarti direttamente. So che probabilmente è ancora molto difficile. Ma spero che vada meglio dell'ultima volta che ti ho visto.»

Rimasi in silenzio. Lo conoscevo?

«Era il momento sbagliato» disse il signor Bracegirdle, interpretando correttamente il mio silenzio.

La sua voce, morbida e calda, all'improvviso mi diceva qualcosa.
«Okay, wow» dissi.

«La tempesta di neve, ricordi?»

«Giusto.» Era comparso circa una settimana dopo la morte di
mia madre: un signore attempato con un testone di capelli bianchi,
molto elegante, con camicia a righe e farfallino. Mi era sembrato
che lui e la signora Barbour si conoscessero, o almeno che lui conoscesse lei. Si era accomodato davanti a me, sulla poltrona accanto al
divano, e aveva parlato senza sosta; cose confuse, ma tra tutte quelle
chiacchiere una cosa mi aveva colpito: la storia del suo incontro con
mia madre. Si erano conosciuti durante una tempesta di neve, il signor Bracegirdle era per strada, quasi nessuno nei paraggi, quando,
preceduto da uno schizzo di neve bagnata, un taxi aveva accostato
all'angolo fra l'Ottantaquattresima e Park Avenue. Il finestrino di
dietro si era abbassato, e mia madre («una visione paradisiaca!»),
aveva chiesto se anche lui fosse diretto in direzione della Cinquantasettesima Est.

«Parlava sempre di quella tempesta» dissi. Mio padre, il telefono
attaccato all'orecchio, mi lanciò un'occhiata tagliente. «Di quando
tutta la città rimase bloccata, quella volta.»

Lui rise. «Che donna adorabile! Ero uscito tardi da una riunione
– all'incrocio fra Park Avenue e la Novantaduesima – una ricca ereditiera nel ramo spedizioni, ahimè, nel frattempo scomparsa. Comunque, quando scesi dall'attico giù in strada – con la mia valigetta, naturalmente – c'erano trenta centimetri di neve. Un silenzio di
tomba. I bambini che giocavano con lo slittino lungo Park Avenue.
Comunque, la metropolitana era chiusa al di sopra della Settanta-
duesima, e io ero lì, sprofondato fino alle ginocchia, che arrancavo,
quando, *ops!*, ecco quel taxi giallo con dentro tua madre! Che si
ferma. Come se fosse stata mandata da una squadra di soccorso.
"Salti su, le do un passaggio!". Midtown totalmente deserta… il
turbinio dei fiocchi di neve e tutte le luci della città accese. E così,
eccoci ad avanzare a due chilometri all'ora – saremmo benissimo
potuti essere su una slitta – veleggiando oltre i semafori rossi, senza
fermarci. Ricordo che parlammo di Fairfield Porter – c'era appena
stata una mostra in città – e poi passammo a Frank O'Hara e Lana

Turner, e a discutere su che anno avevano definitivamente chiuso il vecchio Hold and Hardart e l'Automat. Alla fine scoprimmo che lavoravamo dal lato opposto della stessa strada! Fu l'inizio di una bellissima amicizia, come si dice.»

Lanciai uno sguardo a mio padre. Aveva un'espressione sofferente: le labbra strette, come se stesse per vomitare sul tappeto.

«Quella volta da Barbour abbiamo parlato un po' del patrimonio di tua madre, se ti ricordi» disse la voce all'altro capo del filo. «Non molto. Non era il momento. Ma io speravo che saresti venuto a parlarmi, quando ti fossi sentito pronto. Ti avrei telefonato prima della tua partenza, se avessi saputo che eri in procinto di andartene.»

Guardai ancora mio padre, poi fissai gli occhi sul foglio che tenevo in mano. «Voglio andare in una scuola privata» dissi d'un fiato.

«Davvero?» disse il signor Bracegirdle. «Sarebbe un'idea eccellente. Dove pensavi di andare? Tornare sulla costa orientale? O da qualche parte laggiù?»

A questo non avevamo pensato.

«Ehm... ehm» feci, mentre mio padre faceva smorfie e gesticolava isterico.

«Lì ci saranno senz'altro dei buoni collegi, anche se personalmente non li conosco» stava dicendo il signor Bracegirdle. «Io sono andato al Milton, e per me è stata un'esperienza meravigliosa. E c'è andato anche mio figlio più grande, per un anno, ma non era il posto adatto a lui...»

Mentre continuava a parlare – Milton, Kent, e altri collegi frequentati da figli di amici e conoscenti – mio padre scarabocchiò un appunto e me la lanciò. *Trasferisca i soldi sul mio conto*, diceva. *Anticipo.*

«Ehm» dissi, senza sapere come introdurre l'argomento, «mia madre mi ha lasciato dei soldi?»

«Be', non esattamente» disse il signor Bracegirdle, in tono lievemente più freddo, ma era solo perché lo avevo interrotto. «Verso la fine, aveva un po' di problemi economici, come sono sicuro tu sappia. Ma c'è un fondo a tuo nome, quel che chiamano un fondo 529. E poco prima di morire ti ha anche aperto un UTMA.»

«Cos'è?» Mio padre, lo sguardo fisso su di me, ascoltava attentamente. «Uniform Transfer to Minors. Sono soldi da investire nella tua istruzione. Ma non puoi usarli per nient'altro, e comunque non fintanto che sei minorenne.»

«Perché no?» domandai dopo un attimo.

«Per legge» tagliò corto. «Ma certamente si può pensare a qualcosa, se vuoi cambiare scuola. So di una cliente che ha usato parte del fondo 529 di suo figlio maggiore per un asilo nido di lusso per il figlio più piccolo. Non che io pensi che ventimila dollari all'anno per un asilo siano una spesa ponderata – i pastelli più costosi di Manhattan, certo! – però sì, per farti capire, funziona così.»

Scrutai mio padre. «Quindi è impossibile che lei possa, per esempio, trasferire sul mio conto sessantacinquemila dollari» dissi. «Se ne avessi bisogno subito.»

«Assolutamente no! Toglitelo dalla testa.» Il suo tono era cambiato: era chiaro che la sua opinione su di me era mutata, non mi considerava più il Bravo Ragazzo figlio di mia madre, ma un avido mostriciattolo. «Posso sapere come mai hai pensato a una cosa del genere?»

«Ehm...» Guardai mio padre, che aveva una mano sugli occhi. *Merda*, pensai, e mi accorsi di averlo detto ad alta voce.

«Be', non importa» disse il signor Bracegirdle con dolcezza. «Semplicemente, non è possibile.»

«In nessun modo?»

«In nessunissimo modo.»

«Okay, va bene...» Mi sforzai di pensare, ma ero troppo confuso. «Può mandarmene una parte, allora? Magari la metà?»

«No. Si devono sistemare le cose direttamente col college o con la scuola che sceglierai. In altre parole, ho bisogno di vedere dei conti, per poterli pagare. Ci sono anche un sacco di scartoffie da compilare. E nel caso improbabile in cui tu decida di *non* frequentare il college...»

E mentre continuava a confondermi le idee, coi particolari sui fondi che mia madre aveva istituito per me (tutti regolati da misure alquanto restrittive, così che di fatto né io né mio padre potevamo mettere le mani sul denaro al momento), papà, che aveva allontanato il telefono dall'orecchio, aveva assunto un'espressione molto simile all'orrore.

«Be', buono a sapersi, grazie, signore» dissi, cercando di tagliare corto.

«Naturalmente, ci sono dei vantaggi in termini di tasse. Per come sono state fatte le cose. Ma quello che premeva a tua madre era assicurarsi che tuo padre non potesse toccare quei soldi.»

«Ah» esalai, dopo un lunghissimo momento di silenzio. Qualcosa nel suo tono di voce mi fece sospettare che sapesse che quel respiro alla Dart Fener in sottofondo (e io lo sentivo e forse lo aveva sentito anche lui) apparteneva a mio padre.

«Ci sono anche altre considerazioni da fare. Intendo...» Breve silenzio. «Non so se dovrei dirtelo, ma qualcuno di non autorizzato ha provato in due diverse occasioni a fare un sostanzioso prelievo dal conto.»

«Cosa?» chiesi, in preda a un improvviso attacco di nausea.

«Vedi» disse il signor Bracegirdle, la voce distante come se arrivasse dalle profondità marine, «io sono il custode del conto. E circa due mesi dopo la morte di tua madre, qualcuno è andato alla Manhattan Bank e ha cercato di falsificare la mia firma sui documenti. Bene, alla sede principale mi conoscono, e mi hanno chiamato subito, ma mentre erano ancora al telefono con me, l'uomo è sgattaiolato fuori prima che l'addetto alla sicurezza potesse avvicinarlo e chiedergli un documento. È successo, mah, saranno due anni fa. Ma, a proposito, proprio la settimana scorsa ti ho spedito una lettera per informarti di una cosa, l'hai ricevuta?»

«No» risposi, quando mi resi conto che dovevo dire qualcosa.

«Bene, senza entrare troppo nei dettagli, c'è stata una chiamata singolare. Da qualcuno che pretendeva di essere il tuo legale laggiù e richiedeva un trasferimento di denaro. Abbiamo fatto dei controlli, e abbiamo scoperto che una persona con accesso al tuo numero di previdenza sociale ha richiesto, e ottenuto, un grosso prestito a tuo nome. Ne sai qualcosa, per caso? Comunque, non ti preoccupare» continuò, visto che io rimanevo in silenzio, «ho qui una copia del tuo certificato di nascita, l'ho faxato alla banca e ho immediatamente bloccato la transazione. E ho avvisato Equifax e tutte le agenzie di credito. Anche se sei un minore, e legalmente impossibilitato a stipulare accordi di questo tipo, se venissero contratti dei debiti a tuo nome una volta maggiorenne ne saresti responsabile. Ti raccomando di stare molto attento col tuo numero di previdenza sociale in futuro. È possibile farsene assegnare uno nuovo, in teoria, anche se il procedimento è talmente complicato che te lo sconsiglio...»

Quando riattaccai sudavo freddo, e il grido che emise mio padre mi colse completamente alla sprovvista. Pensavo fosse arrabbiato – arrabbiato con me – ma quando se ne restò lì impalato col telefono in mano, lo guardai più da vicino e mi resi conto che stava piangendo.

Fu orribile. Non sapevo cosa fare. Sembrava che gli avessero versato dell'acqua bollente addosso – come se si stesse trasformando in un licantropo –, che lo stessero torturando. Lo lasciai dov'era e salii in camera mia insieme a Popchik, che mi precedette trottando su per le scale – chiaramente, neanche lui voleva avere nulla a che fare con la fonte di quelle urla selvagge. Chiusi la porta a chiave e mi sedetti sul letto con la testa fra le mani. Desideravo un'aspirina ma non volevo scendere a prenderla, e speravo che Xandra si sbrigasse e tornasse a casa. Mio padre continuava a piangere e strepitare, come se gli si stessero accanendo contro con un lanciafiamme. Presi il mio iPod, in cerca di musica chiassosa ma non troppo inquietante (scelsi la Quarta di Šostakovič, che, sebbene fosse classica, in effetti un po' inquietante lo *era*), e mi sdraiai sul letto con gli occhi al soffitto, mentre Popper, con le orecchie tese, fissava la porta chiusa col pelo rizzato.

XV

«Mi ha detto che hai da parte una fortuna» disse Boris quella sera al parchetto, mentre ce ne stavamo seduti ad aspettare che la droga facesse effetto. Avrei preferito che avessimo scelto un'altra sera per prenderla, ma lui aveva insistito dicendo che mi avrebbe fatto sentire meglio.

«E tu ci hai creduto? Che io avessi tutti quei soldi e non volessi dirtelo?» Eravamo seduti sulle altalene da quella che sembrava un'eternità, in attesa di qualcosa di indefinito.

Boris scrollò le spalle. «Non so. Ci sono molte cose che non mi dici. Io *a te* l'avrei detto. Fa lo stesso, comunque.»

«Non so che fare.» Anche se in modo molto vago, avevo cominciato a intravedere forme caleidoscopiche di un grigio sfavillante muoversi lentamente sulla ghiaia vicino al mio piede – ghiaccio sporco, diamanti, luccichio di vetri rotti. «Le cose si stanno mettendo male.»

Boris mi diede una spallata. «C'è un'altra cosa che non ti ho detto, Potter.»

«Cosa?»

«Mio padre deve andarsene. Per lavoro. Fra un paio di mesi torna in Australia. E poi, credo, di nuovo in Russia.»

Per circa cinque secondi restammo in silenzio, ma a me sembrò un'ora. Boris? Che si trasferiva? Tutto parve congelarsi, come se il pianeta si fosse fermato.

«Be', *io* non vado» disse lui, tranquillo. Alla luce della luna, il suo viso aveva iniziato a tremolare in modo inquietante, come un film muto in bianco e nero. «Col cazzo. Io scappo.»

«Dove?»

«Non so. Vuoi venire?»

«Sì» dissi, senza pensarci. E poi: «Kotku viene?».

Fece una smorfia. «Non so.» La sensazione di essere in un film si era fatta così netta ed estrema che ogni apparenza di vita reale era svanita: eravamo neutralizzati, romanzati, appiattiti. Intorno al mio campo visivo c'era una cornice nera, vedevo scorrere i sottotitoli di quello che Boris stava dicendo. Poi, d'un tratto, sentii una fitta di terrore allo stomaco. *Oh, Dio*, pensai, passandomi le mani fra i capelli, decisamente troppo sconvolto per riuscire a spiegare quello che provavo.

Boris parlava ancora e mi resi conto che se non volevo perdermi in quel mondo granuloso alla Nosferatu, incolore, fitto di ombre appuntite, dovevo assolutamente ascoltarlo e smetterla di farmi risucchiare dalla consistenza artificiosa delle cose.

«… Voglio dire, se capisco bene» disse, mesto, mentre macchioline e puntini di decomposizione gli danzavano intorno. «Con lei non sarebbe nemmeno scappare, è maggiorenne, no? Ma ha già vissuto per strada, e non le è piaciuto.»

«Kotku ha vissuto per strada?» Provai un'inaspettata ondata di compassione, coreografata, con tanto di colonna sonora, sebbene la tristezza in sé fosse perfettamente reale.

«Be', anch'io l'ho fatto, in Ucraina. Ma ero coi miei amici Maks e Serëža, e mai per più di qualche giorno. Ci divertivamo, a volte. Dormivamo nei seminterrati di edifici abbandonati: bevevamo, ci facevamo di butorfanolo, accendevamo pure dei falò. Ma appena mio padre tornava sobrio, rientravo a casa. Per Kotku, invece, è stato diverso. Quel fidanzato di sua madre... le faceva delle cose. Quindi se n'è andata. Dormiva negli androni delle case. Chiedeva l'elemosina per guadagnare qualche monetina... faceva pompini in cambio di soldi. Per un po' non è andata a scuola... è stata coraggiosa a tornare per provare a prendere il diploma, dopo quello che è successo. Perché, voglio dire, la gente parla. Lo sai.»

Restammo in silenzio, contemplando la mostruosità della situazione, e io mi sentivo come se, nell'arco di quelle poche frasi, avessi vissuto tutto il dramma della vita di Kotku, e di Boris.

«Mi dispiace di non andare d'accordo con Kotku!» dissi sinceramente.

«Anche a me» replicò Boris, ragionevole. La sua voce sembrava arrivarmi direttamente al cervello, senza passare dalle orecchie. «Ma neanche tu le piaci. Dice che sei viziato. Che non hai passato nemmeno lontanamente quello che abbiamo passato io e lei.»

Mi parve un argomento fondato. «È vero» dissi.

Un certo intervallo di tempo trascorse pesante, fluttuante, minuti fatti di ombre tremolanti, disturbi elettrici, il ronzio di un proiettore invisibile. Quando sollevai la mano e la guardai, era puntinata di polvere e chiara come il fotogramma di una pellicola semidistrutta.

«Wow, ora lo vedo anch'io» disse Boris, voltandosi verso di me con un movimento al rallentatore, da manovella girata a mano, quattordici fotogrammi al secondo. Il suo viso era bianco come il gesso e le pupille scure ed enormi.

«Cosa?» chiesi, prudente.

«Lo sai.» Fece ondeggiare la mano luminosa, in bianco e nero, nell'aria. «Che è tutto piatto, come in un film.»

«Ma tu...» Non ero solo io? Anche lui lo vedeva?

«Certo» disse Boris, che piano piano perdeva l'aspetto umano, per deformarsi e offuscarsi come un pezzo di pellicola rovinata degli anni Venti, con una fonte di luce ignota a illuminarlo da dietro. «Mi piacerebbe vedere qualcosa a colori, però. Come in *Mary Poppins*, hai presente?»

A quelle parole, cominciai a ridere come un pazzo, tanto che quasi caddi dall'altalena, perché fui certo che Boris vedeva quello che vedevo io. E c'era di più: lo stavamo *creando*. Qualunque cosa la droga ci stesse facendo vedere, la stavamo costruendo insieme. E, con quella consapevolezza, il simulatore di realtà virtuale passò al colore. Successe per entrambi nello stesso istante: *pop!* Ci guardavamo e non riuscivamo a smettere di ridere, era tutto incredibilmente divertente, anche lo scivolo del parchetto ci sorrideva, e a un certo punto, nella profondità della notte, mentre ci dondolavamo e piccole cascate di scintille ci volavano fuori dalla bocca, ebbi una rivelazione: la risata era la luce, la luce era la risata. Ecco il segreto dell'universo. Per ore guardammo le nuvole spostarsi creando forme intelligenti, rotolandoci nella sporcizia, sicuri che fossero alghe (!), sdraiati sulla schiena a cantare *Dear Prudence* alle stelle calorose e riconoscenti. Fu una notte stupenda, una delle notti più grandiose della mia vita, nonostante quello che successe dopo.

XVI

Boris si fermò a casa mia, poiché tra i due io ero quello che abitava più vicino al parchetto, e lui era *v gavno*, vale a dire «sballato» o «nella merda» o qualcosa del genere – comunque troppo sfasciato per tornarsene da solo al buio. E fu una fortuna che non fossi solo in casa alle tre di pomeriggio del giorno successivo, quando passò il signor Silver.

Anche se avevamo dormito pochissimo ed eravamo un po' instabili sulle gambe, tutto era ancora un po' magico e luminescente. Stavamo bevendo del succo d'arancia mentre guardavamo i cartoni (grande idea, visto che sembravano dilatare la spassosa atmosfera in Technicolor della sera prima), e – pessima idea – ci eravamo appena divisi la nostra seconda canna pomeridiana, quando suonò il campanello. Popchik, che avvertiva la nostra stranezza e ci abbaiava contro come fossimo posseduti – scattò immediatamente.

In un attimo, tutto crollò in mille pezzi. «Porca puttana» dissi.

«Vado io» disse subito Boris, prendendo in braccio Popchik. Si avviò ballonzolando, scalzo e senza maglietta, con aria noncurante. Ma dopo quello che sembrò un secondo era già di ritorno, terreo.

Non disse nulla. Non fu necessario. Mi alzai, mi infilai le scarpe, legando bene i lacci (come mi ero abituato a fare prima delle nostre scorribande al supermercato, in vista di una eventuale fuga), e andai alla porta. Era di nuovo il signor Silver – giacca bianca sportiva, capelli color lucido da scarpe, e tutto quanto – ma questa volta in piedi dietro di lui c'era un tizio enorme pieno di tatuaggi blu sugli avambracci, e in mano una mazza da baseball in alluminio.

«Bene, Theodore!» tuonò il signor Silver. Sembrava sinceramente contento di vedermi. «Come va, bello?»

«Tutto okay» dissi, stupito di come, all'improvviso, mi sentissi estremamente lucido. «E lei?»

«Non c'è male. Hai proprio un bel livido, caro.»

D'istinto mi toccai la guancia. «Uh...»

«Farai meglio a metterci sopra del ghiaccio. Il tuo amico mi ha detto che tuo padre non è a casa.»

«Ehm, giusto.»

«State bene voi due? Qualche problema, oggi pomeriggio?»

«No, tutto a posto» dissi. Il tizio non brandiva la mazza, né si sforzava di apparire in alcun modo minaccioso, ma non potevo fare a meno di *sentire* che aveva quell'arnese in mano.

«Perché se mai succedesse...» disse il signor Silver. «Se aveste problemi di qualsiasi tipo, posso sistemare io le cose in men che non si dica.»

Di cosa stava parlando? Guardai dietro di lui, su per la strada, dentro la macchina. Anche se i finestrini erano oscurati, riuscivo comunque a distinguere degli uomini seduti in attesa.

Silver sospirò. «Mi fa piacere sapere che non hai problemi, Theodore. Vorrei solo poter dire lo stesso.»

«Come, scusi?»

«Perché il fatto è questo» continuò, come se non avessi proferito parola. «*Io* ho un problema. Un problema molto grande. Con tuo padre.»

Non sapendo cosa dire, fissai i suoi stivali. Erano di coccodrillo nero, coi tacchi rinforzati, le punte acuminate e lucidati in modo talmente perfetto che mi ricordarono quelli che indossava sempre Lucie Lobo, una tipa bizzarra che lavorava come stylist nell'ufficio di mia madre. «Vedi, il fatto è questo» disse il signor Silver. «Tuo padre mi deve cinquantamila dollari di cambiali. Il che mi sta causando delle grosse grane.»

«Sta mettendo insieme i soldi» dissi, a disagio. «Magari, non so, se potesse dargli ancora un po' di tempo...»

Silver mi guardò. Si aggiustò gli occhiali.

«Ascolta» disse calmo. «A tuo padre piace rischiare la pelle per dei deficienti che si passano una palla del cazzo... insomma, perdona il linguaggio, ma è difficile per me provare simpatia per un tipo come lui. Non rispetta le scadenze, ha tre settimane di ritardo, non risponde al telefono...» Contava i capi d'accusa sulle dita. «Si prende l'impegno di incontrarmi oggi a mezzogiorno e poi non si presenta. Sai quanto sono stato seduto ad aspettare quel buono a nulla? *Un'ora e mezza*. Come se non avessi di meglio da fare.» Piegò la testa di lato. «Sono i tipi come tuo padre che danno da lavorare a gente come me e Yurko. Credi che mi piaccia venire a casa vostra? Guidare fin qui?»

Pensai che fosse una domanda retorica – era ovvio che nessuno sano di mente avrebbe voluto guidare fin lì – ma poiché lui mi fissava come se aspettasse una risposta, e i secondi passavano, alla fine, sconfortato, dissi: «No».

«*No*. Esatto, Theodore. Certo che no. Abbiamo altro da fare, io e Yurko, credimi, che passare tutto il pomeriggio a inseguire uno sfaticato come tuo padre. Quindi fammi un favore, digli che possiamo risolvere la faccenda da gentiluomini, se viene da me a sistemare le cose.»

«Sistemare le cose?»

«Deve portarmi i soldi che mi deve.» Sorrideva, ma la sfumatura grigiastra alla sommità delle sue lenti da aviatore dava ai suoi occhi una gravità minacciosa. «E voglio che tu gli dica che è meglio che si sbrighi, Theodore. Perché la prossima volta che sarò costretto a venire qui, credimi, non sarò così gentile.»

XVII

Quando tornai in soggiorno, Boris era seduto in silenzio e fissava i cartoni senza l'audio, con Popper sulle ginocchia che, nonostante l'iniziale agitazione, si era addormentato.

«Ridicolo» disse secco.

Biascicò, e mi ci volle un po' per capire. «Già» dissi, «te l'avevo detto che era un tipo assurdo.»

Boris scosse la testa e sprofondò nel divano. «Non parlo del vecchio, che sembra Leonard Cohen con la parrucca.»

«Dici che è una parrucca?»

Fece un'espressione tipo *chi se ne frega*. «Intendo il tipo russo enorme con la cosa di metallo, come si chiama?»

«La mazza da baseball.»

«Era solo per fare scena» disse sdegnato. «Cercava solo di spaventarti, il coglione.»

«Come fai a sapere che era russo?»

Fece un'alzata di spalle. «Lo so e basta. Nessuno ha tatuaggi del genere in America. Cittadino russo, senza dubbio. Anche lui ha capito che sono russo appena ho aperto bocca.»

Passò un po' di tempo prima che mi rendessi conto che me ne stavo seduto lì a fissare il vuoto. Boris sollevò Popchik e lo mise giù dal divano, delicatamente, senza svegliarlo. «Ti va di uscire?»

«Dio» dissi, scuotendo la testa – solo in quel momento mi resi conto davvero di quanto era accaduto. «Cazzo, vorrei che mio padre fosse stato a casa. Vorrei che quel tizio lo avesse picchiato per bene. Davvero. Se lo merita.»

Boris mi tirò un calcio sulla caviglia. Aveva i piedi neri e sporchi e anche lo smalto nero, gentile omaggio di Kotku.

«Sai cos'ho mangiato ieri, in tutto il giorno?» disse in tono allegro. «Due barrette Nestlé e una Pepsi.» Tutte le merendine, per

Boris, erano «barrette Nestlé», come tutte le bibite gassate erano «Pepsi». «E sai cos'ho mangiato oggi?» Fece uno zero con l'indice e il pollice. «*Nul'*.»

«Neanch'io. Questa storia mi toglie la fame.»

«Già, ma io ho bisogno di mettere qualcosa sotto i denti. Ho lo stomaco…» Fece una smorfia.

«Vuoi andare a prendere dei pancake?»

«Sì, qualsiasi cosa, non mi interessa. Hai soldi?»

«Do un'occhiata in giro.»

«Bravo. Io forse ho cinque dollari.»

Mentre Boris cercava la maglietta e le scarpe, mi sciacquai la faccia, mi controllai le pupille e il livido sulla mandibola e mi riabbottonai la camicia, che, mi accorsi, era allacciata male. Poi portai fuori Popchik e gli lanciai la sua pallina da tennis per farlo giocare un po', visto che era rimasto chiuso in casa fino a quel momento. Quando rientrammo, Boris, vestito, era al piano di sotto. Facemmo una piccola ispezione in soggiorno, ridendo e scherzando mentre mettevamo insieme le monetine, cercando di capire dove andare e quale fosse la strada più breve, quando d'un tratto ci accorgemmo che Xandra era entrata e se ne stava lì all'ingresso con in faccia un'espressione strana.

Smettemmo immediatamente di parlare e continuammo in silenzio la nostra conta. Normalmente Xandra non tornava a casa a quell'ora, ma a volte i suoi orari cambiavano ed era già capitato che spuntasse così all'improvviso. Ma poi, con voce esitante, pronunciò il mio nome.

Smettemmo di trafficare con le monete. Di solito Xandra mi chiamava *ragazzino* o *ehi tu*, mai Theo. Notai che indossava ancora l'uniforme.

«Tuo padre ha avuto un incidente» disse. Era come se lo stesse dicendo a Boris invece che a me.

«Dove?» chiesi.

«È successo due ore fa. Mi hanno chiamata al lavoro dall'ospedale.»

Io e Boris ci guardammo. «Ah» dissi. «Cos'è successo? Ha distrutto la macchina?»

«Il suo tasso alcolemico era di 3,9.»

Quell'informazione non significava molto per me, ma il fatto che avesse bevuto sì. «Oh, mio Dio» dissi, infilando in tasca le monete. «Quando torna a casa?»

Incrociò il mio sguardo, inespressiva. «A casa?»

«Dall'ospedale.»

Scosse la testa con violenza, cercò con lo sguardo una sedia, poi si sedette. «Non capisci.» Aveva un'espressione vuota e strana. «È morto. È morto.»

XVIII

Le sei o sette ore successive furono molto confuse. Arrivarono diversi amici di Xandra: la sua migliore amica Courtney, la sua collega Janet, e una coppia, Stewart e Lisa, più gentili e decisamente più normali della gente che veniva a trovarla di solito. Boris, generosamente, tirò fuori quello che era rimasto dell'erba di Kotku, nell'apprezzamento generale, e qualcuno (forse Courtney), grazie a Dio ordinò della pizza – non so come fece a convincere Domino's a consegnare a casa nostra, visto che era più di un anno che Boris e io li scongiuravamo e le provavamo tutte per convincerli ad affrontare quel viaggio.

Mentre Janet abbracciava Xandra, Lisa le accarezzava la testa, Stewart preparava il caffè in cucina e Courtney, al tavolino, rollava una canna perfetta quanto quelle di Kotku; Boris e io ce ne stavamo in disparte, scioccati. Era difficile credere che mio padre fosse morto, quando le sue sigarette erano ancora sul bancone in cucina e le sue vecchie scarpe da tennis bianche accanto alla porta sul retro. A quanto pareva – le notizie arrivavano alla rinfusa e dovevo metterle in ordine nella mia testa – aveva avuto un incidente in autostrada con la Lexus, poco prima delle due di pomeriggio, finendo nell'altra corsia e schiantandosi a tutta velocità contro un autoarticolato. Era morto sul colpo (per fortuna il camionista se l'era cavata, e così anche i passeggeri dell'auto dietro al camion, sebbene l'uomo al volante si fosse rotto una gamba). La notizia dell'alcol nel sangue non mi sorprese – avevo sospettato che mio padre stesse bevendo di nuovo, sebbene non l'avessi visto coi miei occhi – ma quello che sembrava turbare Xandra più di ogni altra cosa non era l'ubriachezza estrema (si era messo al volante praticamente incosciente), ma il luogo dell'incidente: fuori Las Vegas, diretto a ovest, verso il deserto. «Me l'avrebbe detto, me l'avrebbe detto» diceva addolorata, rispondendo alle domande di Courtney. Ma come faceva, riflettei, cupo, a pensare che mio padre fosse capace di sincerità?

Boris mi teneva un braccio intorno alle spalle. «Non lo sa, vero?» Sapevo che si riferiva al signor Silver. «Dovrei...»

«Dove stava andando?» chiedeva Xandra aggressiva a Courtney e Janet, come se sospettasse che le stessero nascondendo qualcosa. «Che ci faceva laggiù?» Era strano vederla ancora con la sua uniforme, dato che di solito si cambiava appena varcava la soglia di casa.

«Non è andato all'appuntamento col tipo» sussurrò Boris.

«Lo so.» Era possibile che avesse davvero avuto intenzione di incontrare il signor Silver. Ma molto probabilmente – come mia madre e io sapevamo bene – si era fermato in qualche bar per un paio di bicchieri veloci, per distendere i nervi, come diceva lui. A quel punto, chissà cosa gli era passato per la testa. Non sarebbe stato d'aiuto farlo notare a Xandra, date le circostanze, ma era indubbio che gli fosse già capitato di svignarsela per sottrarsi ai suoi doveri.

Non piansi. Anche se ondate di panico e incredulità continuavano ad abbattersi su di me, tutto pareva molto irreale e non facevo altro che guardarmi intorno aspettandomi di vederlo da un momento all'altro; sempre più scosso dall'assenza della sua voce fra le altre, quella voce impostata, da pubblicità dell'aspirina (*quattro medici su cinque...*). Xandra oscillava tra accessi di efficienza – si asciugava gli occhi, prendeva i piatti per la pizza, versava a tutti un bicchiere di vino da una bottiglia spuntata da chissà dove – e crisi di pianto. Solo Popchik era felice – era insolito che ci fosse così tanta gente a casa, e correva di qua e di là, tutt'altro che scoraggiato dalle reazioni infastidite che suscitava. In un qualche momento confuso, a serata inoltrata – Xandra stava piagnucolando fra le braccia di Courtney per la ventesima volta, *oh, mio Dio, non c'è più, non ci credo* – Boris mi prese da parte e mi disse: «Potter, devo andare».

«No, ti prego.»

«Kotku si starà preoccupando. Dovrei essere da sua madre, adesso! Non mi vede da tipo quarantott'ore.»

«Senti, dille di venire qui, se vuole, raccontale quello che è successo. Sarà uno schifo totale, se te ne vai adesso.»

Boris poteva tranquillamente salire a telefonare in camera di Xandra, che di solito era chiusa a chiave, dal momento che lei era troppo distratta dagli ospiti e dal dolore per farci caso. Così fece, e dopo circa dieci minuti ridiscese le scale di corsa.

«Ha detto di restare» disse, sedendosi al mio fianco. «Mi ha detto di dirti che le dispiace.»

«Wow» commentai quasi commosso, sfregandomi il viso con la mano per non fargli vedere quanto fossi colpito.

«Be', sai, lei sa cosa vuol dire. Anche suo padre è morto.»

«Ah, sì?»

«Sì, qualche anno fa. Anche lui in un incidente. Non erano molto legati…»

«Chi è morto?» disse Janet, passandoci accanto. Aveva i capelli crespi, e una camicetta di seta che profumava di erba e crema per il corpo. «È morto qualcun altro?»

«No» tagliai corto. Janet non mi piaceva, era la svampita che si era offerta di badare a Popper e poi l'aveva chiuso in casa da solo coi croccantini.

«Non dico a te, dico a lui» rispose, facendo un passo indietro e focalizzando il suo sguardo annebbiato su Boris. «È morto qualcuno? Qualcuno a cui eri legato?»

«Diverse persone, già.»

Lei sbatté le palpebre. «Di dove sei?»

«Perché?»

«Parli in modo così buffo. Hai un accento inglese, o roba simile, anzi, no. Una specie di mix tra Gran Bretagna e Transilvania.»

Boris fischiò. «Transilvania?» disse, mostrandole i denti. «Vuoi che ti morda?»

«Ah, che ragazzi divertenti» disse vaga, prima di dare un colpetto in testa a Boris col fondo del suo bicchiere di vino e allontanarsi per salutare Stewart e Lisa che se ne stavano andando.

Xandra, a quanto pareva, aveva preso una pillola («Forse più di una» mi disse Boris all'orecchio), e sembrava sul punto di svenire. Boris – era brutto da parte mia, ma proprio non avevo voglia di farlo – le tolse la sigaretta di bocca e la spense, poi aiutò Courtney a portarla di sopra, in camera sua, dove la sdraiammo sul copriletto a faccia ingiù, con la porta aperta.

Io rimasi sulla soglia mentre lui e Courtney le toglievano le scarpe – interessato a osservare, per la prima volta, la stanza che lei e mio padre avevano sempre tenuto chiusa a chiave. Tazze sporche e portacenere, pile di «Glamour», un morbido copriletto verde, il portatile che io non potevo usare e una cyclette... Chi avrebbe detto che avessero una cyclette là dentro?

Le avevano tolto le scarpe, ma decisero di lasciarle i vestiti. «Vuoi che resti qui stanotte?» chiese Courtney a Boris, sottovoce.

Boris si stiracchiò e sbadigliò senza pudore. La maglietta si sollevò, e i suoi jeans a vita bassa rivelarono l'assenza di biancheria intima. «È gentile da parte tua» disse. «Ma è completamente andata, mi pare.»

«Per me non è un problema.» Forse ero ancora fatto – anzi *ero* fatto – Courtney era così vicina a Boris che pensai ci stesse provando, il che mi sembrò estremamente divertente.

Dovevo aver fatto qualche verso strozzato, una mezza risata, perché Courtney si girò verso di me in tempo per vedere il gesto comico che stavo facendo a Boris, col pollice puntato verso la porta: *mandala via di qui!*

«Tutto a posto?» disse fredda, squadrandomi da capo a piedi. Anche Boris rideva, ma riuscì a contenersi quando lei si voltò di nuovo verso di lui, assumendo un'espressione profonda e preoccupata che mi fece ridere ancora di più.

XIX

Quando tutti se ne furono andati, Xandra era ormai crollata definitivamente – il suo sonno era così profondo che Boris prese uno specchietto dalla sua borsetta (nella quale avevamo frugato per cercare pillole e soldi) e glielo mise sotto al naso per controllare che respirasse. Nel portafoglio aveva duecentoventinove dollari, che non mi sentii in colpa a intascare, visto che aveva anche le carte di credito e un assegno del valore di duemila e venticinque verdoni da incassare.

«Lo sapevo che non era il suo vero nome» dissi, allungando a Boris la patente: faccia arancione, capelli diversi, cotonati, nome Sandra Jaye Terrell, nessuna limitazione. «Chissà a cosa servono queste chiavi.»

Boris, come il medico di un vecchio film, tastava con le dita il polso di Xandra, seduto accanto a lei sul bordo del letto, e teneva lo specchietto inclinato verso la luce. «*Da, da*» borbottò, e poi qualcos'altro che non capii.

«Eh?»

«È andata.» Con un dito le toccò la spalla, e poi si chinò a guardare nel cassetto del comodino, dal quale stavo pescando un mare di chincaglierie: monete, fiches, lucidalabbra, sottobicchieri, ciglia finte, solvente per smalto, tascabili malconci (*Le vostre zone erronee*), campioncini di profumo, vecchie cassette, tessere sanitarie scadute da anni e una manciata di scatolette di fiammiferi omaggio di un ufficio legale di Reno con la scritta DIFENSORE SPECIALIZZATO IN REATI DI DROGA E GUIDA IN STATO DI EBBREZZA.

«Ehi, questi me li prendo» disse Boris, allungando la mano su una confezione di profilattici. «E questo cos'è?» Afferrò qualcosa che a prima vista sembrava una normale lattina di Coca-Cola – ma che fece un rumore strano quando la agitò. Ci accostò l'orecchio. «Ah!» disse, passandomela.

«Bel colpo.» Svitai il coperchio, ovviamente finto, e svuotai il contenuto sopra il comodino.

«Wow» dissi dopo qualche istante. Evidentemente era lì che Xandra teneva i soldi delle mance, tra contanti e fiches. C'era anche un sacco di altra roba – talmente tanta che l'ispezione richiese parecchio tempo – ma lo sguardo mi cadde sugli orecchini di diamanti e smeraldi che mia madre aveva perso, guarda caso poco prima che mio padre sparisse.

«Wow» ripetei, prendendone uno tra pollice e indice. Mia madre era solita indossare quegli orecchini alle feste e per le occasioni eleganti – la trasparenza verde-blu delle pietre, la luce spettacolare che emanavano nel buio della notte, facevano parte di lei quanto il colore dei suoi occhi o l'odore speziato dei suoi capelli.

Boris se la rideva. In mezzo ai soldi, che aveva immediatamente agguantato, c'era un contenitore cilindrico per rullini fotografici, che aprì con mani tremanti. Ci affondò la punta del mignolo. «Bingo» esclamò, passandosi il dito sulle gengive. «Ora sì che Kotku si pentirà di non essere venuta.»

Gli mostrai gli orecchini. «Sì, belli» disse, senza quasi guardarli. Stava preparando una striscia sul comodino. «Ci farai qualche migliaio di dollari, con quelli.»

«Questi erano di mia madre.» A New York mio padre aveva venduto quasi tutti i suoi gioielli, compresa la fede nuziale. Ma a quanto pareva, Xandra aveva tenuto qualcosa per sé, e mi metteva una strana tristezza vedere quello che aveva scelto – non le perle, né la spilla di rubino, ma cose di poco valore di quando mia madre era adolescente, fra cui il braccialetto portafortuna del primo anno del liceo, coi ciondoli a forma di ferro di cavallo, scarpette da ballo e quadrifoglio.

Boris si sollevò dal comodino, si pizzicò le narici e mi passò la banconota arrotolata. «Ne vuoi un po'?»

«No.»

«E dai. Ti farà stare meglio.»

«No, grazie.»

«Ci saranno una quindicina di grammi, qui. Forse di più! Possiamo tenercene uno e vendere il resto.»

«Hai mai preso questa roba, prima?» domandai, dubbioso, lo sguardo sul corpo prono di Xandra. Anche se stava dormendo, non mi andava di parlare di quelle cose in sua presenza.

«Già. A Kotku piace. Costa molto, però.» Per un minuto sembrò assente, poi strizzò forte gli occhi. «Dai» disse, ridendo. «Ecco. Non sai cosa ti perdi.»

«Sono già abbastanza fuori» dissi, trafficando coi soldi.

«Sì, ma questa ti darà una svegliata.»

«Boris, non posso perdere tempo in cretinate» dissi, infilando in tasca gli orecchini e il braccialetto portafortuna. «Se vogliamo andarcene, dobbiamo farlo subito. Prima che inizi ad arrivare gente.»

«Che gente?» chiese Boris, scettico, passandosi il dito sotto il naso.

«Credimi, succederà presto. Arriveranno gli assistenti sociali e così via.» Avevo contato i soldi, milletrecentoventuno dollari, più gli spiccioli; con le fiches sarei arrivato quasi a cinquemila, ma quelle potevo lasciargliele. «Metà a te e metà a me» dissi, cominciando a dividere i soldi in due pile uguali. «Questi bastano per due biglietti. Probabilmente è troppo tardi per prendere l'ultimo volo, ma è meglio arrivarci all'aeroporto.»

«Adesso?»

Smisi di contare e lo guardai. «Io non ho nessuno qui. Nessuno. *Nada.* Mi sbatteranno in qualche comunità talmente in fretta che non me ne renderò neanche conto.»

Boris fece un cenno verso Xandra, che faceva davvero un effetto inquietante, così sdraiata a faccia ingiù, somigliava un po' troppo a un cadavere.

«E lei?»

«Ma che cazzo dici?» esclamai dopo un attimo di silenzio. «Cosa dovremmo fare? Aspettare che si svegli e che scopra che l'abbiamo derubata?»

«Non lo so» disse Boris, guardandola dubbioso. «È che mi dispiace lasciarla così.»

«Be', non dispiacerti. *Lei* non mi vuole. Sarà la prima a chiamarli, appena si renderà conto che è rimasta qui incastrata con me.»

«Chiamerà chi? Non capisco di chi parli.»

«Boris, sono minorenne.» Sentivo il panico crescere in quel modo che conoscevo bene – magari non era una questione di vita o di morte, ma di sicuro mi sembrava tale: la casa che si riempiva di fumo, le uscite bloccate… «Non so come funzionino queste cose nel tuo Paese, ma io non ho *nessun* parente, nessun amico quaggiù…»

«Ma hai me!»

«E cosa pensi di fare? Mi adotterai?» Mi alzai in piedi. «Senti, se vuoi venire, dobbiamo sbrigarci. Hai il passaporto con te? Ne avrai bisogno, per partire.»

Boris alzò le mani nel suo gesto da *okay, ne ho abbastanza.* «Aspetta! Sta succedendo tutto troppo in fretta.»

Mi fermai, già con un piede sulla soglia. «Ma che cazzo di problema hai, Boris?»

«*Io?*»

«Eri tu quello che voleva scappare! Sei tu che mi hai chiesto di venire con te! Ieri sera.»

«Dove pensi di andare? A New York?»

«E dove, se no?»

«Io voglio andare in qualche posto caldo» disse deciso. «California.»

«È da pazzi. Chi conosciamo…»

«California!» gracchiò.

«Be'…» Anche se non sapevo quasi nulla della California (a parte il ritornello di *California Über Alles,* che Boris si era messo a canticchiare), non era irragionevole presupporre che lui ne sapesse anche meno. «Dove in California? Che città?»

«Chi se ne frega.»

«È uno Stato grande.»

«Fantastico! Sarà divertente. Ci sballeremo tutto il tempo, leggeremo e faremo falò. Dormiremo in spiaggia.»

Lo guardai per un lungo, insostenibile momento. Aveva il viso in fiamme e le labbra macchiate per via del vino rosso.

«Va bene» dissi, consapevole di stare oltrepassando il limite per infilarmi nel più grande errore della mia vita – furtarelli, elemosina, vagabondaggio – la caduta da cui non avrei più saputo rialzarmi.

Lui era al settimo cielo. «La spiaggia, allora? Sì?»

Quanto era facile rovinarsi per sempre. «Quando vuoi» dissi, scostandomi i capelli dagli occhi. Ero stanco morto. «Ma dobbiamo andare subito. Per favore.»

«Come, adesso?»

«Sì. Devi passare da casa per prendere qualcosa?»

«*Stasera?*»

«Non sto scherzando, Boris.» Discutere con lui non faceva che accrescere il mio senso di panico. «Non posso starmene seduto ad aspettare…» Il quadro era un problema, e ancora non avevo preso una decisione al riguardo, ma una volta fatto uscire Boris di casa mi sarei inventato qualcosa. «Per favore, forza.»

«I servizi sociali sono tanto terribili in America?» si informò Boris dubbioso. «Ne parli come se fossero poliziotti.»

«Vieni con me? Sì o no?»

«Ho bisogno di un po' di tempo. Voglio dire» disse avvicinandosi a me di qualche passo, «non possiamo andarcene adesso! Davvero… lo giuro. Aspetta un attimo. Dammi un giorno! Un giorno!»

«Perché?»

Sembrava stupefatto. «Be', voglio dire, perché…»

«Perché?»

«Perché… perché devo vedere Kotku! E… tutto il resto! Sul serio, non puoi partire *stasera*» ripeté, quando rimasi in silenzio. «Fidati. Te ne pentirai, davvero. Vieni a casa mia! Aspetta fino a domattina!»

«Non posso» tagliai corto, prendendo la mia parte di denaro e avviandomi verso la mia stanza.

«Potter…» Mi seguì.

«Sì?»

«C'è una cosa importante che devo dirti.»

«Boris.» Mi voltai a guardarlo. «Che cazzo c'è. Cosa c'è?» E stavamo lì impalati a guardarci. «Se devi dire qualcosa, dilla ora.»

«Ho paura che ti farà arrabbiare.»

«Cosa c'è? Cos'hai fatto?»

Boris stava in silenzio, mordicchiandosi il pollice.

«Allora? Cosa?»

Distolse lo sguardo. «Devo restare» disse, confuso. «Stai facendo un errore.»

«Lascia stare» sbottai, voltandomi di nuovo. «Se non vuoi venire con me, non venire, okay? Ma io non posso restarmene qui a perdere tempo tutta la notte.»

Temevo che Boris avrebbe fatto domande sul contenuto della federa, soprattutto perché, dopo il mio furibondo intervento con nastro adesivo e giornali, era grossa e aveva una forma strana. Ma quando la staccai da dietro la testiera e la infilai nel borsone (con l'iPod, un taccuino, il caricabatterie, *Terra di uomini*, alcune foto di mia madre, lo spazzolino da denti e un cambio) si limitò a scrollare le spalle senza dire nulla. Poi, dal fondo dell'armadio, tirai fuori la giacca dell'uniforme scolastica (troppo piccola, sebbene quando mia madre l'aveva comprata mi stesse grande) e lui annuì e disse: «Buona idea, quella».

«Cosa?»

«Almeno non sembrerai un senzatetto.»

«È novembre» dissi. Da New York mi ero portato solo un maglione, lo misi nella borsa e chiusi la cerniera. «Farà freddo.»

Boris si appoggiò al muro in una posa insolente. «E cosa farai? Vivrai per strada, in stazione, dove?»

«Chiamerò l'amico da cui stavo prima.»

«Se quelli ti volevano, ti avrebbero già adottato!»

«Non potevano! Come avrebbero potuto farlo?»

Boris incrociò le braccia. «Quella famiglia non ti vuole. Me l'hai detto tu stesso un sacco di volte. E poi, non ti chiamano mai.»

«Questo non è vero» dissi, dopo un attimo di esitazione. Solo pochi mesi prima, Andy mi aveva mandato un'email piuttosto lunga (per lui) in cui mi raccontava uno scandalo scoppiato a scuola – un allenatore di tennis che aveva palpeggiato delle ragazze della nostra classe – ma quella vita era così lontana che era stato come leggere di persone che non conoscevo.

«Troppi figli?» disse Boris, quasi compiaciuto. «O forse non hanno abbastanza spazio. Ricordi? L'hai detto tu che la madre e il padre erano contenti quando te ne sei andato.»

«Vaffanculo.» Mi stava venendo un terribile mal di testa. Cosa avrei fatto se fossero spuntati gli assistenti sociali e mi avessero obbligato a salire in macchina con loro? Chi avrei potuto chiamare, nel Nevada? La signora Spear? La Playa? Il commesso ciccione del negozio di hobbistica che ci vendeva la colla per modellismo senza modellini?

Boris mi seguì al piano di sotto, dove ci fermammo in soggiorno accanto a Popper, che sembrava angosciato – si era precipitato a sbarrarci la strada, poi si era seduto a fissarci come se sapesse esattamente cosa stava succedendo.

«Oh, merda» dissi, posando la borsa. Ci fu un attimo di silenzio.

«Boris» dissi, «non puoi...»

«No.»

«Kotku non potrebbe...»

«No.»

«Be', chi se ne fotte» dissi, sollevando Popper e tenendolo sotto-braccio. «Non lo lascio qui a morire di fame.»

«E dove vai?» domandò, quando mi avviai verso la porta d'ingresso.

«Eh?»

«A piedi? Fino all'aeroporto?»

«Aspetta» dissi, mettendo giù Popchik. Improvvisamente mi sentivo male, come se fossi sul punto di vomitare il vino rosso sul tappeto. «Faranno salire il cane in aereo?»

«No» disse Boris brutale, sputando un pezzo di unghia del pol lice.

Si stava comportando da stronzo, avrei voluto prenderlo a pugni. «Okay, allora» sbottai. «Magari lo vorrà qualcuno all'aeroporto. Oppure, vaffanculo, prendo il treno.»

Stava per dire qualcosa di sarcastico, le labbra contratte in un modo che conoscevo bene, ma poi, inaspettatamente, la sua espressione si fece incerta, mi girai e vidi Xandra, gli occhi spiritati, il mascara colato, che barcollava sul pianerottolo in cima alle scale.

La guardammo, impietriti. Dopo quella che sembrò una pausa lunga secoli, aprì la bocca, la richiuse, afferrò il corrimano per te-nersi in equilibrio e poi disse, con voce roca: «Larry ha lasciato le chiavi nella cassaforte?».

Restammo lì impalati per un bel po' prima di renderci conto che stava aspettando una risposta. Aveva i capelli come un covone di paglia, sembrava completamente disorientata e così instabile da ri-schiare di precipitare dalle scale da un momento all'altro.

«Ehm, sì» disse Boris ad alta voce. «Cioè, no.» E poi, visto che lei non si muoveva: «È tutto a posto. Torna a letto».

Xandra mugugnò qualcosa e, con passo insicuro, sparì nella sua stanza. Boris e io restammo immobili per qualche istante. Poi, in silenzio, presi la borsa e sgattaiolai fuori dalla porta (fu l'ultima vol-ta che vidi quella casa, e Xandra, ma non provai nemmeno l'impulso di voltarmi per dare un'ultima occhiata in giro), con Boris e Popchik al seguito. Insieme, ci allontanammo in fretta e raggiungemmo la fine della strada – gli artigli di Popchik che ticchettavano sull'asfalto.

«Bene» disse Boris, nel divertente tono sommesso che usava quando al supermercato avevamo rischiato di farci beccare in flagrante. «Okay. Forse non era così andata come pensavo.»

Stavo sudando freddo e l'aria della notte, anche se fresca, era piacevole. Verso ovest, dei muti lampi alla Frankenstein squarciavano l'oscurità.

«Be', almeno non è morta, giusto?» Ridacchiò. «Ero preoccupato per lei. Cristo.»

«Fammi usare il telefono» dissi, infilandomi in fretta la giacca. «Devo chiamare un taxi.»

Rovistò nella tasca e me lo passò. Era un telefono prepagato usa e getta, che aveva comprato per tenere Kotku sotto controllo.

«No, tienilo» disse, sollevando le mani quando cercai di ridarglielo dopo aver fatto la mia chiamata: Lucky Cab, 777-7777, il numero incollato su ogni panchina malmessa di ogni fermata dell'autobus di Las Vegas. Poi tirò fuori il rotolo di banconote, la sua metà di quelli che avevamo rubato a Xandra, e cercò di mettermelo in mano.

«Lascia stare» dissi, guardando indietro con ansia, verso la casa. Avevo paura che Xandra si svegliasse e uscisse in strada a cercarci. «Sono tuoi.»

«Ma potrebbero servirti!»

«Non li voglio» dissi, cacciandomi le mani in tasca per impedirgli di insistere. «Lo stesso vale per te.»

«Dai, Potter! Vorrei che non te ne andassi proprio *adesso*.» Indicò la via, le file di case vuote. «Se non vuoi venire a casa mia, resta qui un paio di giorni! Quella di mattoni laggiù ha persino i mobili. Ti porterò da mangiare, se vuoi.»

«Oppure, ehi, posso chiamare Domino's» dissi, infilando il telefono nella tasca della giacca. «Visto che ora consegnano anche qui.»

Strabuzzò gli occhi. «Non ti arrabbiare.»

«Non sono arrabbiato.» E davvero non lo ero: ma ero così disorientato che non mi sarei stupito se mi fossi svegliato scoprendo di aver sognato con un libro aperto sulla faccia.

Boris, mi accorsi, guardava il cielo e mormorava fra sé il verso di una delle canzoni dei Velvet Underground che piacevano tanto a mia madre: *But if you close the door... the night could last forever...*

«E tu?» dissi, stropicciandomi gli occhi.

«Eh?» fece, guardandomi con un sorriso.

«Cosa succederà? Ti rivedrò?»

«Forse» mi rispose con lo stesso tono allegro che immaginavo avesse usato con Bami e Judy, la moglie del gestore del bar a Karmeywallag, e tutte le altre persone della sua vita a cui aveva dovuto dire addio. «Chissà.»

«Mi raggiungerai fra un paio di giorni?»

«Be'...»

«Vieni più avanti. Prendi un aereo, i soldi ce li hai. Ti chiamo e ti dico dove sono. Non dire di no.»

«Okay, allora» fece lui, con la stessa voce allegra. «Non dirò di no.» Ma era chiaro, dal suo tono, che lo *stava* facendo.

Chiusi gli occhi. «Oddio.» Ero così stanco che barcollavo. Dovetti sforzarmi per non sdraiarmi a terra, sentivo un peso che mi spingeva verso il suolo. Quando aprii gli occhi, Boris mi stava fissando preoccupato.

«Guardati» disse. «Quasi non ti reggi in piedi.» Si cacciò le mani in tasca.

«No, no, no» mi schermii indietreggiando, quando vidi quello che aveva in mano. «Non esiste. Non pensarci nemmeno.»

«Ti farà sentire meglio!»

«È quello che hai detto l'ultima volta.» Non avevo più voglia di alghe e stelle canterine. «Davvero, non voglio prendere niente.»

«Ma è diverso. Completamente diverso. Ti farà *tornare lucido.* Ti schiarirà le idee. Te l'assicuro.»

«Certo.» Una droga che ti faceva tornare lucido e ti schiariva le idee non era una cosa da Boris, che pure in materia di droghe sembrava saperne molto più di me.

«Guardami» disse, con aria ragionevole. «Sì.» Sapeva di avermi convinto. «Sto delirando? Ho la bava alla bocca? No, sto solo cercando di aiutarti! Ecco» disse, spargendosene un po' sul dorso della mano. «Forza. Lasciati nutrire.»

Una parte di me sospettava che fosse un trucco – sarei svenuto all'istante e mi sarei svegliato chissà dove, magari in una delle case vuote dall'altra parte della strada. Ma ero troppo stanco per preoccuparmene davvero, e forse mi sarebbe andata bene comunque. Mi chinai in avanti e lasciai che mi chiudesse una narice col polpastrello. «Ecco!» disse, incoraggiandomi. «Così. Ora, sniffa.»

Quasi all'istante, mi sentii *veramente* meglio. Era una specie di miracolo. «Wow» dissi, strofinandomi il naso per il bruciore piacevole e intenso.

«Che ti avevo detto?» Ne stava già preparando un'altra. «Ecco, l'altra narice. Non espirare. Okay, *ora*.»

Tutto sembrò più chiaro e luminoso, anche Boris.

«Cosa ti avevo detto?» Ne stava prendendo anche lui. «Perché non ascolti?»

«E tu hai intenzione di vendere questa roba, *Dio*» dissi, alzando lo sguardo al cielo. «Perché?»

«Vale un sacco di soldi, ecco perché. Qualche migliaio di dollari.»

«Così poca?»

«Non è poca! Sono parecchi grammi, venti, forse di più. Potrei farci una fortuna se la divido in parti più piccole e la vendo a ragazze come K.T. Bearman.»

«Conosci K.T. Bearman?» Katie Bearman, un anno avanti a noi, aveva una macchina sua – una decappottabile nera – e mi era sempre sembrata così irraggiungibile, per noi, che avrebbe potuto benissimo essere una diva del cinema.

«Certo. Skye, K.T., Jessica, tutte quelle tipe. Comunque...» Mi offrì di nuovo il piccolo contenitore. «Ora posso comprare a Kotku la tastiera che vuole. Niente più problemi di soldi.»

Sniffammo un altro paio di volte, finché non iniziai a sentirmi molto più ottimista riguardo al futuro e alla vita in generale. E mentre ce ne stavamo lì per strada, a strofinarci il naso e farfugliare, con Popper che ci guardava curioso, sentivo tutta la meraviglia di New York sulla punta della lingua, un'evanescenza che sarei riuscito a trasmettergli. «Cioè, è grandiosa» dissi. Le parole rotolavano e spiraleggiavano fuori dalle labbra. «Davvero. *Devi* venire. Possiamo andare a Brighton Beach, dove stanno tutti i russi. Be', io non ci sono mai stato. Ma ci si arriva in treno, è l'ultima fermata della linea. C'è una grande comunità russa, ristoranti di pesce affumicato e uova di storione. Mia madre e io parlavamo sempre di andare lì a mangiare, un giorno; c'era questo gioielliere con cui lavorava, che le consigliava i posti migliori, ma non ci siamo mai andati. Dev'essere un posto incredibile. E poi, insomma, ho i soldi per la scuola, tu potresti venire alla mia scuola. No… devi venirci, assolutamente. Ho una borsa di studio. Be' ce l'avevo. Ma il tipo ha detto che i soldi del fondo devono essere usati per l'istruzione… potrebbe essere l'istruzione di *chiunque*. Non solo la mia. Ce n'è abbastanza per tutt'e due. Anche se, voglio dire, la scuola pubblica, le scuole pubbliche a New York sono buone, conosco gente che ci va, per me la scuola pubblica va benissimo.»

Stavo ancora blaterando, quando Boris mi chiamò: «Potter». Prima che potessi rispondergli, mi prese il viso tra le mani e mi baciò sulle labbra. E mentre sbattevo le palpebre – era già tutto finito prima ancora che potessi rendermene conto – sollevò Popper da sotto le zampe anteriori e baciò anche lui, con uno schiocco sulla punta del naso.

Poi me lo passò. «Il tuo taxi» disse, scompigliandogli per l'ultima volta il pelo. E, in effetti, quando mi girai, vidi un'auto che si avvicinava sul lato opposto della strada, controllando i civici.

Ci guardammo. Avevo il fiatone, ero incredulo.

«Buona fortuna» disse Boris. «Non ti dimenticherò.» Poi diede a Popper un buffetto sulla testa. «Ciao, Popchik. Abbi cura di lui, va bene?» mi disse.

In seguito, in macchina e anche dopo, avrei ripensato a quel momento, meravigliandomi di averlo salutato con la mano e di essermene andato con tanta disinvoltura. Perché non l'avevo preso per un braccio pregandolo ancora una volta di partire con me, *eddai, cazzo Boris, è come marinare la scuola, faremo colazione sui campi di grano all'alba?* Lo conoscevo abbastanza bene da sapere che, se glielo chiedevi nel modo giusto, al momento giusto, avrebbe fatto quasi qualunque cosa – e sapevo che, nell'atto stesso di voltarmi le spalle si sarebbe bloccato per rincorrermi e saltare in macchina ridendo, se solo gliel'avessi domandato un'ultima volta.

Ma non lo feci. E, in verità, forse fu meglio così. Lo dico ora, sebbene per parecchio tempo ebbi molti rimpianti. Più di tutto, ero sollevato perché in quell'insolito stato di entusiasmo e loquacità, mi ero fermato un secondo prima di sputare fuori quello che avevo sulla punta della lingua, la cosa che non gli avevo mai detto, anche se era qualcosa che sapevamo entrambi benissimo, e non c'era bisogno che glielo dicessi ad alta voce in mezzo a una strada – che era, naturalmente, *ti amo*.

XX

Ero talmente stanco, che l'effetto della droga non durò molto, almeno, non la parte piacevole.

Il tassista – che dall'accento doveva essere newyorkese – intuì immediatamente che c'era qualcosa che non andava e cercò di darmi un biglietto col telefono del Centro per minori scappati di casa, che rifiutai di prendere. Quando gli chiesi di portarmi alla stazione dei treni (senza nemmeno sapere se a Las Vegas ce ne fosse una – di certo ci doveva essere), scosse la testa e disse: «Lo sai, vero, Quattrocchi, che l'Amtrak non ammette cani a bordo dei treni?».

«No?» dissi, con un tuffo al cuore.

«L'aereo, forse. Non lo so.» Era un tipo abbastanza giovane, con un viso da bambino, parlava veloce, era leggermente sovrappeso e indossava una T-shirt con la scritta PENN E TELLER: LIVE AT THE RIO. «Ti servirà una cesta, o qualcosa del genere. Forse l'autobus è la cosa migliore. Ma i ragazzi sotto una certa età non possono prenderlo senza il permesso dei genitori.»

«Te l'ho detto! Mio padre è morto! La sua ragazza mi rispedisce dalla mia famiglia, sulla costa orientale.»

«Be', allora non hai nulla di cui preoccuparti, giusto?»

Tenni la bocca chiusa per il resto del viaggio. Non avevo ancora elaborato la morte di mio padre, e ogni tanto le luci che schizzavano sull'autostrada me lo facevano tornare in mente insieme a un'ondata

di nausea. Un incidente. Almeno a New York non dovevamo preoccuparci che guidasse ubriaco: la nostra paura era che finisse sotto
una macchina o che lo accoltellassero per rubargli il portafoglio
mentre usciva barcollando da qualche bar alle tre di notte. Che ne
sarebbe stato del suo corpo? Avevo disperso le ceneri di mia madre
a Central Park, nonostante non fosse permesso. Una sera, all'imbrunire, Andy mi aveva accompagnato fino a una zona deserta sul
lato occidentale del laghetto e, mentre lui faceva la guardia, avevo
svuotato l'urna. La cosa che mi aveva turbato, più della dispersione
delle ceneri in sé, era il fatto che quelli delle pompe funebri l'avessero avvolta in fogli strappati dalla sezione annunci di qualche rivista pornografica: GIOVANI ASIATICHE INSAPONATE e BOLLENTI ORGASMI
BAGNATI erano due delle frasi su cui mi era caduto l'occhio mentre
la polvere grigia, del colore della pietra lunare, cadeva volteggiando
nel crepuscolo di maggio.

    Poi comparvero delle luci, e il taxi si fermò. «Okay, Quattrocchi»
disse il mio autista, girandosi a guardarmi sul sedile posteriore. Eravamo nel parcheggio della stazione della Greyhound. «Come mi hai
detto che ti chiami?»

    «Theo» risposi, senza pensarci, pentendomene immediatamente.

    «Va bene, Theo. J.P.» Si allungò per stringermi la mano. «Posso
darti un consiglio?»

    «Certo» dissi, un po' spaventato. Nonostante tutto quello che sta-
va succedendo, e non era poco, mi metteva terribilmente a disagio
il fatto che quasi certamente quel tipo mi avesse visto baciare Boris
per strada.

    «Non sono affari miei, ma avrai bisogno di qualcosa in cui infi-
lare Fluffy.»

    «Come?»

    Fece un cenno in direzione della mia borsa. «Ci sta lì dentro?»

    «Mmm…»

    «Probabilmente controlleranno la borsa. Può darsi che sia trop-
po grande perché tu possa portartela a bordo, la metteranno nel
vano di sotto. Non è come in aereo.»

    «Io…» Era troppo complicato. «Io non ho nulla.»

    «Aspetta. Lascia che guardi nel mio ufficio qua dietro.» Uscì,

raggiunse il bagagliaio e tornò con un'enorme borsa di tela di un
negozio di cibi biologici con la scritta THE GREENING OF AMERICA.

«Se fossi in te» disse, «entrerei a comprare il biglietto senza
Fluffy Boy. Lascialo qui fuori con me, per sicurezza, okay?»

Il mio nuovo amico aveva ragione sul fatto che la Greyhound
non permetteva ai minori di viaggiare senza un permesso firmato
da un genitore; e c'erano anche altre regole e restrizioni applicabili
alla mia situazione. L'impiegata allo sportello, una messicana pallida coi capelli lerci, cominciò a snocciolare in tono monotono la
lunga lista. Niente cambi. Niente viaggi più lunghi di cinque ore.
Se giunto a destinazione la persona menzionata sul permesso non
fosse venuta a prendermi, munita di un documento d'identità valido, sarei stato affidato alla custodia dei servizi sociali o alla polizia
locale.

«Ma...»

«Vale per tutti i minori di quindici anni. Niente eccezioni.»

«Ma io non ho *meno* di quindici anni» dissi, annaspando per
sfoderare il mio documento d'identità valido in tutto e per tutto e
rilasciato dallo Stato di New York. «Io *ho* quindici anni. Guardi.»
Poco dopo la morte di mia madre, Enrique – immaginando forse
che prima o poi mi sarei imbattuto in ciò che lui chiamava Il Sistema – mi aveva accompagnato a fare la carta d'identità, e anche se
all'epoca finire sotto le grinfie del Grande Fratello mi aveva infastidito («Wow, il tuo codice a barre personale» aveva esclamato Andy,
esaminando curioso la tesserina), adesso ero grato che Enrique
avesse avuto il buonsenso di portarmi Downtown per registrarmi
come un veicolo di seconda mano. Passivo, impotente come un ri-
fugiato, attesi sotto le squallide luci fluorescenti mentre l'impiegata
ispezionava il documento da varie angolazioni e sotto luci diverse,
riconoscendolo alla fine come autentico.

«Quindici» annunciò sospettosa e mi restituì la carta.

«Esatto.» Sapevo di non dimostrare la mia età. Mi resi conto che
non potevo sperare di farla franca con Popper, dato che una grossa
insegna accanto alla scrivania diceva in caratteri rossi CANI, GATTI,
UCCELLI, RODITORI, RETTILI O ALTRI ANIMALI NON POSSONO SALIRE A
BORDO.

Per quanto riguardava l'autobus in sé, ebbi fortuna: ce n'era uno all'1:45 con cui, con alcuni cambi, sarei arrivato fino a New York; mancavano quindici minuti alla partenza. Quando la macchinetta sputò fuori il mio biglietto con uno schiocco meccanico, rimasi impalato a pensare cosa diavolo fare del cane. Quando uscii, speravo in parte che il mio autista se ne fosse andato – magari portando Popper con sé per affidarlo a una famiglia più affettuosa e responsabile – e invece lo trovai che beveva una lattina di Red Bull e parlava al cellulare. Di Popper neanche l'ombra. Quando mi vide riattaccò. «Che ne pensi?»

«Dov'è?» Intontito, guardai sul sedile posteriore. «Cosa ne hai fatto?»

Rise. «Ora non c'è e... ora c'è!» Con un fruscio, rimosse la copia spiegazzata di «Usa Today» dalla borsa di tela sul sedile anteriore, e lì, intento a sgranocchiare patatine fritte dentro una scatola di cartone, vidi Popper.

«Distogliere l'attenzione» disse. «La scatola riempie la borsa, che così non ha la forma di un cane, e dà a lui un po' più di spazio per muoversi. E il giornale... un trucco perfetto. Lo copre, fa sembrare piena la borsa e non aggiunge peso.»

«Pensi che funzionerà?»

«Be', voglio dire, è un tale piccoletto, cos'è, due chili? Due e mezzo? È tranquillo?»

Lo guardai dubbioso, accoccolato sul fondo della scatola. «Non sempre.»

J.P. si pulì la bocca col dorso della mano e mi diede il pacchetto di patatine. «Dagli un paio di questi lecca-lecca se si agita. Vi fermerete ogni due, tre ore. Siediti più indietro che puoi e ricordati di fargli fare le sue cose lontano dalla stazione, quando scendete.»

Presi la borsa in spalla e la circondai col braccio. «Lo vedi?»

«No. Se non lo sapessi, no. Ma posso darti un consiglio? Un trucco magico?»

«Certo.»

«*Non* continuare ad abbassare lo sguardo sulla borsa in quel modo. Guarda quello che vuoi, ma non la borsa. Il paesaggio, i lacci delle tue scarpe... Okay, così... esatto. Sicuro di te e sciolto, è questo il segreto. E se la gente ti guarda storto, tu fingiti maldestro, abbassati a cercare una lente a contatto. Rovescia le patatine, batti i piedi, tossisci… qualsiasi cosa.»

Wow, pensai. Evidentemente non lo chiamavano Lucky Cab per niente.

Rise di nuovo, come se avessi pensato a voce alta. «Ehi, è una regola stupida, niente cani sugli autobus» disse, bevendo un altro lungo sorso di Red Bull. «Voglio dire, uno cosa dovrebbe fare? Mollarlo per strada?»

«Sei un mago, o roba del genere?»

«Come hai fatto a indovinare? Faccio uno spettacolo di giochi con le carte all'Orleans. Se avessi l'età giusta, ti direi di venire a darci un'occhiata, qualche volta. Comunque il segreto è distogliere sempre l'attenzione dal punto in cui avviene il trucchetto. È la prima regola della magia, Quattrocchi. Sposta l'attenzione. Non dimenticarlo mai.»

XXI

Utah. All'alba, San Rafael Swell si snodava in vedute marziane: scisto, arenaria, la desolazione delle gole e gli altopiani color ruggine. Dormire non era stato facile, per via della droga e della paura che Popper potesse agitarsi o guaire, invece non fiatò mentre avanzavamo per le strade di Swell, seduto immobile nella sua borsa sul sedile di fianco al mio, lato finestrino. Alla fine, la mia valigia risultò sufficientemente piccola per portarla a bordo, cosa di cui fui contento per svariate ragioni: il mio maglione, la copia di *Terra di uomini* e soprattutto il mio quadro, che, persino avvolto in tutto quel nastro isolante, mi faceva sentire protetto come un'icona sacra portata in battaglia da un crociato. In fondo al pullman non c'erano altri passeggeri, eccetto una coppia ispanica dall'aspetto timido che teneva in grembo delle vaschette per il cibo, e un vecchio ubriaco che parlava da solo. Filò tutto liscio su quelle strade ventose, attraverso tutto lo Utah e fino a Grand Junction, in Colorado, dove ci fermammo per una sosta di cinquanta minuti. Dopo aver chiuso la valigia in un armadietto a gettoni, portai fuori Popper – dietro la stazione, ben lontano dall'autista – comprai un paio di panini da Burger King e gli diedi dell'acqua da una vaschetta di plastica presa dalla spazzatura. Da Grand Junction dormii fino a Denver – un'ora e ventisei minuti – dove arrivammo proprio al calar del sole: lì io e Popper corremmo a più non posso, per il puro e semplice sollievo di essere scesi dall'autobus. Corremmo così tanto, lungo strade ombrose e sconosciute, che ebbi quasi paura di perdermi, ma fui felice quando trovai una caffetteria hippy con commessi giovani e simpatici («Fallo entrare!» disse la ragazza coi capelli viola al bancone quando vide Popper legato fuori. «Qui adoriamo i cani!»), dove comprai due sandwich al tacchino (uno per me e uno per Popper), un brownie vegano e un sacchetto pieno di biscotti vegetariani per cani.

Lessi fino a tardi, sotto la luce fioca che colorava di giallo le pagine bianche del mio libro, mentre viaggiavamo nell'oscurità ignota, oltre il Continental Divide e le Montagne Rocciose; con Popper che sonnecchiava beato nella borsa, soddisfatto per i giochi e le corse di Denver.

A un certo punto mi addormentai, poi mi svegliai e lessi ancora. Alle due di notte, nel punto in cui Saint-Exupéry racconta la storia del suo incidente aereo nel deserto, entrammo a Salina, in Kansas («Crocevia d'America»), e facemmo venti minuti di sosta sotto una lampada al sodio presa d'assalto dalle falene. Anche qui corremmo attorno al parcheggio deserto e buio di un benzinaio, io con la testa ancora piena del libro, ma anche raggiante per quell'assurda prima visita nello Stato di mia madre – chissà se durante uno dei suoi giri con suo padre era mai passata per quella città e aveva visto le automobili correre lungo l'Interstatale e i silos illuminati come navicelle spaziali che si stagliavano per chilometri nella oscurità vuota. Di nuovo sull'autobus – assonnati, sporchi, esausti, infreddoliti – io e Popchik dormimmo da Salina fino a Topeka, e da lì fino a Kansas City, nel Missouri, dove arrivammo che albeggiava.

Mia madre mi aveva raccontato spesso quanto fosse piatto il luogo dov'era cresciuta – talmente piatto che si vedevano i cicloni vorticare nelle praterie per chilometri e chilometri – ma non riuscivo lo stesso a capacitarmi di quella vastità né di quel cielo, talmente sconfinato da risultare opprimente. A St. Louis, verso mezzogiorno, ci fermammo per un'ora e mezzo (una lunga pausa che sfruttai per la passeggiata di Popper e per mangiare un orribile sandwich al roast beef, ma l'area era troppo pericolosa per avventurarsi oltre) e, tornati alla stazione, ci spostammo su un altro pullman. Poi, dopo un'ora o due, mi svegliai. Il bus era fermo, e trovai Popper seduto tranquillamente con la punta del muso che spuntava dalla borsa e una donna nera di mezza età con un rossetto rosa acceso in piedi accanto a me, che tuonava: «Non puoi tenere a bordo quel cane!».

La fissai disorientato. Poi, col cuore a mille, realizzai che non era una passeggera qualsiasi, ma l'autista in persona, con tanto di cappello e uniforme.

«Hai sentito quello che ho detto?» ripeté, girando la testa da un lato all'altro come se avesse un tic. Sembrava un pugile professionista – il cartellino col nome, su un seno impressionante, diceva DENESE. «Non puoi *tenere* a *bordo* quel cane.» Quindi, impaziente, sventolò la mano come per dire: *rimettilo nella borsa, subito!*

Gli coprii la testa – a lui parve non importare – e mi sedetti rabbrividendo. C'eravamo fermati in Illinois, in una cittadina chiamata Effingham: case alla Edward Hopper, tribunale che sembrava uscito da un film, uno striscione scritto a mano che annunciava: CROCEVIA DELLE OPPORTUNITÀ!

L'autista fece un movimento circolare col dito. «Qualcuno di voi qui dietro ha qualche obiezione su quest'animale?»

Gli altri passeggeri in fondo (un tipo trasandato coi baffi a manubrio, una donna con l'apparecchio ai denti, un'ansiosa mamma nera con una bambina, un vegliardo uguale a W.C. Fields, coi tubi nel naso e una bomboletta d'ossigeno) sembravano tutti troppo sorpresi per parlare; anche se la bambina, gli occhi tondi, scosse la testa in maniera quasi impercettibile: *no.*

Denese aspettò. Si guardò intorno. Si voltò di nuovo verso di me. «Okay. Buone notizie per te e il cagnetto, tesoro. Ma se anche *uno solo...*» puntò il dito contro di me, «se *uno solo* di questi passeggeri si lamenta per l'animale, in *qualsiasi* momento, dovrò farvi scendere. Capito?»

Non mi stava buttando fuori? Sbattei le palpebre, avevo troppa paura per muovermi o dire qualcosa.

«*Capito*?» ripeté, più minacciosa.

«Grazie…»

Scosse la testa, bellicosa. «*Oh*, no. Non ringraziarmi, tesoro. Perché ti faccio scendere alla prima lamentela. Alla prima.»

Rimasi seduto, scosso da tremori, mentre lei percorreva il corridoio a grandi falcate e rimetteva in moto il pullman. Mentre uscivamo dal parcheggio, tenevo gli occhi bassi per non guardare gli altri passeggeri, di cui avvertivo addosso tutti gli sguardi.

Contro il mio ginocchio, Popper emise un lieve sbuffo e si risistemò. Per quanto gli volessi bene e mi dispiacesse per lui, non l'avevo mai ritenuto particolarmente interessante o intelligente. Spesso, anzi, avevo desiderato che fosse un cane più bello, un border collie o un labrador, o un cane da soccorso, magari; un incrocio di pitbull, un cane sveglio, preso al canile, un meticcio combattivo che rincorreva palline e mordeva la gente – praticamente qualsiasi cosa, tranne quello che era: un cane da femminucce, con cui mi sentivo in imbarazzo a camminare per strada. Non che non fosse carino: era quel tipo di minuscola palla di pelo saltellante che piaceva alla gente, magari non a me, ma di sicuro qualche bambina come quella seduta dall'altra parte del corridoio, se l'avesse trovato per strada, se lo sarebbe portato a casa e l'avrebbe infiocchettato per bene.

Me ne stavo seduto tutto rigido e ripensavo alla scena di pochi minuti prima, al viso dell'autista e al mio shock. Ora avevo paura, perché sapevo che se avesse fatto scendere Popper dal pullman avrei dovuto seguirlo anch'io (e cosa avrei fatto?), anche se fossimo stati in mezzo al nulla in Illinois. Pioggia, campi di grano: in piedi sul ciglio della strada. Come avevo fatto ad affezionarmi a un animale tanto ridicolo? Un cagnolino da salotto scelto da Xandra?

Passammo l'Illinois e l'Indiana. Io restai seduto, vigile – ogni tanto scivolavo nel dormiveglia, ma ero troppo angosciato per prendere sonno. Gli alberi erano spogli, e sulle verande le zucche di Halloween erano già tutte marce. Sul lato opposto del corridoio, la madre abbracciava la bambina e cantava, molto piano, *You Are my Sunshine*. Non avevo niente da mangiare, a parte le briciole delle patatine che mi aveva dato l'autista del taxi. Con quel fastidioso sapore di sale in bocca, le pianure industriali, le cittadine sperdute che scorrevano fuori dal finestrino, mi sentivo infreddolito e abbandonato, mentre fissavo i terreni coltivati pensando alle canzoni che mia madre mi cantava tanto tempo prima. *Toot toot tootsie goodbye, toot toot tootsie, don't cry.* Alla fine, in Ohio, quando calò il buio e le luci nelle tristi casette lontane si accesero, mi sentii abbastanza tranquillo per sonnecchiare fino a Cleveland. Arrivammo che erano le due di notte e la città era fredda e illuminata di bianco. Cambiammo pullman. Non mi fidavo a far fare a Popper la lunga passeggiata di cui sapevo aveva bisogno, per paura che qualcuno potesse vederci (e cos'avremmo fatto, se ci avessero scoperti? Saremmo rimasti a Cleveland per sempre?). Anche lui sembrava spaventato, e così ce ne rimanemmo all'angolo di una strada, tremanti, per dieci minuti, prima che gli dessi dell'acqua, lo rimettessi nella borsa e tornassi alla stazione per risalire a bordo.

A notte fonda tutti si addormentarono, e il viaggio si fece più rilassante. Cambiammo di nuovo a mezzogiorno del giorno seguente, a Buffalo, dove l'autobus si fermò alla stazione scricchiolando fra cumuli di nevischio. Il vento sferzava umido. Dopo due anni nel deserto avevo dimenticato com'era l'inverno vero: crudo e doloroso. Boris non aveva risposto a nessuno dei miei messaggi, cosa comprensibile, forse, visto che li stavo inviando al telefono di Kotku, ma gliene scrissi comunque un altro: BUFFALO. STASERA NY. SXO TT OK. HAI SENT X?

Buffalo è molto distante da New York, ma tranne una sosta febbricitante, come in sogno, a Syracuse, dove feci fare un giro a Popper, gli diedi da bere e comprai un paio di danesi al formaggio perché non c'era altro, riuscii a dormire quasi per tutto il tragitto, attraversando Batavia, Rochester, Syracuse e Binghamton, con la guancia contro il finestrino e uno spiffero di aria fredda addosso, le vibrazioni che mi riportavano a *Terra di uomini* e a un velivolo solitario, alto sopra il deserto.

Probabilmente avevo cominciato a covare qualcosa già a Cleveland, ma quando finalmente scesi dall'autobus, a Port Authority, era sera e scottavo per la febbre. Avevo freddo, mi sentivo le gambe

molli e la città – che avevo atteso con tanta ansia – mi parve estranea, rumorosa e fredda, coi gas che uscivano dai tubi di scappamen-
to, l'immondizia e dappertutto gente sconosciuta che mi sfrecciava
accanto in ogni direzione.

La stazione era gremita di poliziotti. Ovunque guardassi, non vedevo altro che manifesti di case-famiglia per ragazzi scappati di casa
e numeri telefonici per chiedere aiuto; e una poliziotta, in particolare, mi guardò sospettosa mentre mi affrettavo a uscire – dopo più di
sedici ore sull'autobus, ero sporco e stanco, e sapevo bene di essere
impresentabile – ma nessuno mi fermò, e non mi voltai finché non
fui fuori, lontano. Per strada, diversi uomini di varie età e nazionalità mi chiamarono (*Ehi, fratellino! Dove vai? Ti serve un passaggio?*),
ma anche se un ragazzo dai capelli rossi mi parve gentile, normale e
non molto più grande di me, uno che avrebbe quasi potuto essermi
amico, ero abbastanza newyorkese da ignorare quei saluti e continuare a camminare come se sapessi dove stavo andando.

Pensavo che Popper sarebbe stato entusiasta di poter finalmente
passeggiare all'aperto, ma quando lo posai sul marciapiede dell'Ottava Avenue per lui fu troppo: era terrorizzato – non era mai stato in
città prima di allora, e procedeva a scatti, lanciandosi verso le strisce
pedonali, spaventato da tutto (le automobili, i clacson, le gambe
della gente, le buste vuote che volteggiavano sul marciapiede). Continuava a saltare di qua e di là, a schizzare dietro di me atterrito e mi
attorcigliò il guinzaglio alle gambe, facendomi inciampare e quasi
cadere davanti a un furgone che correva per anticipare il rosso.

Dopo averlo preso in braccio, sculacciato e ricacciato nella borsa
(dove annaspò in cerca di un appiglio e sbuffò esasperato prima
di tranquillizzarsi), rimasi impalato in mezzo alla folla dell'ora di
punta cercando di riprendermi. Sembrava tutto molto più sporco e
meno amichevole rispetto a quello che ricordavo – più freddo, anche: le strade erano grigie come giornali vecchi. *Que faire?*, avrebbe
detto mia madre. Quasi mi parve di sentirla, con la sua voce lieve e
distratta.

Mi ero sempre chiesto, quando mio padre si aggirava furtivamente sbattendo gli armadietti della cucina in cerca di alcol, come ci si
sentisse quando si «voleva bere»: cosa volesse dire avere voglia di

alcolici, non acqua, né Pepsi né nient'altro. *Ora*, pensai tetro, *lo so*. Morivo dalla voglia di una birra, ma sapevo che entrare in un negozio e cercare di comprarne una senza dover mostrare un documento era solo tempo sprecato. Pensai con nostalgia alla vodka del signor Pavlikovsky, la quotidiana esplosione di calore a cui m'ero abituato.

E poi, stavo morendo di fame. Ero a pochi passi da un'elegante pasticceria, ed ero così affamato che entrai senza pensarci e comprai il primo dolce che catturò la mia attenzione (al tè verde, scoprii, con una specie di ripieno alla vaniglia, strano ma delizioso). Lo zucchero mi fece sentire subito meglio, e mentre mangiavo, leccandomi la crema pasticcera dalle dita, ammiravo stupefatto la calca intorno a me. Quando avevo lasciato Las Vegas, per qualche motivo mi ero sentito molto più fiducioso su come si sarebbero svolte le cose. La signora Barbour avrebbe chiamato i servizi sociali per avvisarli che ero lì? Avevo pensato di no, ma ora il dubbio mi attanagliava. C'era anche il non-proprio-trascurabile dettaglio di Popper, dato che (insieme a latticini, nocciole, nastro adesivo, senape e più o meno altre venticinque cose che normalmente si trovano in qualunque casa) Andy soffriva di una forte allergia ai cani – non solo a loro, ma anche a gatti, cavalli, animali da circo e al porcellino d'India (di nome Newton) che avevo in seconda elementare, ragione per cui i Barbour non tenevano animali domestici. Chissà come, quello non mi era parso un problema insormontabile quand'ero ancora a Las Vegas, ma ora, in mezzo all'Ottava Avenue, al freddo, mentre si faceva notte, tutto appariva più complicato.

Non sapendo cos'altro fare, mi diressi a est, verso Park Avenue. Il vento mi sferzava il viso e l'odore della pioggia nell'aria m'innervosiva. Il cielo a New York sembrava più basso e pesante che a Ovest – le nuvole sporche, sbavature di gomma da cancellare, come di matita sulla carta ruvida. Era come se il deserto, con la sua vastità, avesse rieducato la mia vista abituandomi a orizzonti sconfinati, e lì, in città, tutto era malsano e troppo vicino.

Camminare mi aiutò a combattere il torpore alle gambe. Andai a est, fino alla biblioteca (i leoni! Restai lì fermo per un momento, come un soldato di ritorno dal fronte, che vede per la prima volta la prima casa all'orizzonte), poi svoltai imboccando la Quinta

– ancora piuttosto affollata e coi lampioni accesi, anche se si stava svuotando man mano che calava la notte – fino a Central Park Sud. Nonostante la stanchezza e il freddo, sentii un dolore al cuore alla vista del parco, e mi precipitai sulla Cinquantasettesima (La Strada della Gioia!) nell'oscurità rigogliosa. Gli odori, le ombre, persino i tronchi pallidi e chiazzati dei platani mi sollevarono il morale; ma era come se stessi vedendo un altro parco, oltre quello tangibile, una mappa del passato, un giardino fantasma oscurato dai ricordi, gite scolastiche e visite allo zoo di tanto tempo prima. Camminavo lungo il marciapiede sul lato della Quinta sbirciando gli alberi avvolti nella luce dei lampioni lungo i sentieri, misteriosi e invitanti come le foreste nel *Leone, la strega e l'armadio* delle *Cronache di Narnia*. Se mi fossi voltato e avessi imboccato uno di quei vialetti illuminati, sarei sbucato in un altro anno, magari in un altro futuro, dove mia madre, appena uscita dal lavoro, sarebbe stata ad aspettarmi nella leggera brezza sulla panchina (la nostra panchina) sul laghetto: avrebbe messo via il cellulare, si sarebbe alzata a baciarmi e mi avrebbe detto: *Ciao, cucciolo, com'è andata a scuola? Cosa vuoi per cena?*

Poi, improvvisamente, mi fermai. Una figura familiare con un completo elegante mi era passata accanto, arrancando lungo il marciapiede proprio davanti a me. Dal buio spiccava la massa di capelli bianchi, che sembravano fatti per essere portati lunghi e legati dietro la nuca con un nastro. Era preoccupato, più stropicciato del solito, ma lo riconobbi immediatamente, la forma della testa che ricordava vagamente quella di Andy: il signor Barbour, con la valigetta in mano, che tornava a casa dal lavoro.

Mi misi a correre per raggiungerlo. «Signor Barbour?» urlai. Sembrava parlasse da solo, anche se non riuscivo a sentire quello che diceva. «Signor Barbour, sono Theo» dissi ad alta voce, afferrandolo per la manica.

Con una violenza che mi impressionò, si girò e si scrollò la mia mano di dosso. Era il signor Barbour, l'avrei riconosciuto ovunque. Ma i suoi occhi, fissi nei miei, erano quelli di un estraneo: intensi, duri e sprezzanti.

«Basta elemosina!» gridò, con voce acuta. «Sparisci!»

Avrei dovuto riconoscere la follia, nel trovarmela di fronte. Era una versione amplificata dello sguardo che a volte mi aveva riservato mio padre nei Giorni delle Partite o, se è per questo, quando mi aveva picchiato. Non avevo mai avuto a che fare col signor Barbour in periodi in cui non prendeva i suoi farmaci (Andy, naturalmente, non si era sbilanciato nel descrivere gli «entusiasmi» di suo padre; e io non sapevo ancora degli episodi in cui aveva cercato di chiamare il segretario di Stato o di andare al lavoro in pigiama). Quella rabbia era così anomala per il signor Barbour confuso e distratto che conoscevo, che non riuscii a far altro che fermarmi, pieno di vergogna. Mi guardò per un lungo istante e poi spolverò il braccio (come se glielo avessi sporcato, come se potessi infettarlo) e proseguì per la sua strada.

«Gli stavi chiedendo dei soldi?» disse un tipo spuntato dal nulla, mentre me ne stavo ancora sul marciapiede, esterrefatto. «Sì o no?» insistette, quando feci per andarmene. Era grassoccio, con un banale completo aziendale e un aspetto da padre di famiglia, il suo sguardo da fallito mi fece rabbrividire. Quando provai a superarlo, mi bloccò il passaggio e mi poggiò una mano pesante sulla spalla, nel panico, lo scansai e scappai nel parco.

Mi diressi al laghetto, lungo sentieri fradici e ingialliti dalle foglie, e istintivamente andai al Punto Rendez-Vous (come mia madre chiamava la nostra panchina) e mi sedetti, tremante. A tutta prima, mi era parsa un'incredibile fortuna imbattermi nel signor Barbour per strada; avevo pensato, forse per cinque secondi, che dopo l'imbarazzo iniziale e la sorpresa mi avrebbe salutato con gioia, mi avrebbe fatto delle domande, *oh, non preoccuparti, non preoccuparti, per questo c'è tempo,* e insieme avremmo raggiunto l'appartamento. *Mio Dio, che avventura. Andy sarà così contento di vederti!*

Gesù, pensai, passandomi le dita fra i capelli, ancora scosso. Teoricamente, il signor Barbour era il membro della famiglia che *più di tutti* mi sarei sognato di incontrare per strada, anche più di Andy, sicuramente più dei suoi fratelli, anche più della signora Barbour, con le sue pause glaciali, i suoi convenevoli e le sue regole di comportamento a me sconosciute, lo sguardo freddo e impenetrabile.

D'istinto, forse per la millesima volta, controllai il cellulare e, nonostante la situazione, fui felice di trovare un messaggio. Il numero
era sconosciuto, ma doveva essere Boris. EHI! SXO ANKE TU TT OK. NN
TROPPO INCZT. CHIAMA XNR MI HA KIESTO D TE.

Provai a richiamarlo – gli avevo mandato una cinquantina di SMS
durante il viaggio – ma a quel numero non rispose nessuno, e al cellulare di Kotku scattò subito la segreteria. Xandra poteva aspettare.
Mentre tornavo a Central Park Sud, comprai tre hot dog da un venditore che stava chiudendo (uno per Popper, due per me) e mentre
mangiavamo, su una panchina un po' nascosta davanti allo Scholars'
Gate, pensai alle opzioni che mi restavano. Nel deserto, le mie fantasticherie su New York a volte contemplavano immagini deviate di
me e Boris che vivevamo per strada, dalle parti di St. Mark's Place
o Tompkins Square, bighellonando e facendo tintinnare le tazze per
le monetine in compagnia degli stessi tipacci sugli skate che una volta avevano preso in giro Andy e me nelle nostre uniformi scolastiche. Ma la prospettiva di dormire per strada da solo e febbricitante,
nell'aria fredda di novembre, era molto meno allettante.

La cosa più assurda era che mi trovavo a cinque isolati da casa
di Andy. Pensai di chiamarlo – e magari chiedergli di incontrarci –
ma decisi di no. Avrei potuto farlo se fossi stato proprio disperato;
sarebbe sgattaiolato fuori, mi avrebbe portato dei vestiti puliti e dei
soldi sfilati dalla borsa di sua madre e – chissà – magari un paio di
canapè alla polpa di granchio avanzati, o quelle arachidi da cocktail che i Barbour amavano sgranocchiare. Ma la parola *elemosina*
bruciava ancora. Per quanto volessi bene ad Andy, erano passati
quasi due anni. E non riuscivo a non pensare al modo in cui mi aveva guardato il signor Barbour. Evidentemente qualcosa era andato
storto, qualcosa di clamoroso, non sapevo immaginare cosa: tutto
ciò che sapevo era che almeno in parte dovevo esserne responsabile, nel generico miasma di vergogna, spregevolezza e sensazione-di-
essere-un-peso che non mi abbandonava mai del tutto.

Senza volerlo, mentre fissavo il vuoto, avevo incontrato lo sguardo di un uomo seduto sulla panchina di fronte alla mia. Subito
avevo abbassato il mio, ma era troppo tardi – stava venendo verso
di me.

«Bel cane» esordì, fermandosi per un buffetto a Popper. Poi, quando non risposi: «Come ti chiami? Ti spiace se mi siedo?» Era un tipo asciutto, piccolo ma muscoloso. E puzzava. Mi alzai, evitandone lo sguardo, ma quando mi voltai per andarmene allungò il braccio e mi afferrò per il polso.

«Qual è il problema» disse, con una brutta voce, «non ti piaccio?»

Mi liberai e corsi via. Popper mi seguì fino alla strada, troppo veloce, e lui non era abituato al traffico, alle macchine che passavano, lo afferrai appena in tempo e attraversai la Quinta, raggiungendo il Pierre. Il mio inseguitore, intrappolato dall'altro lato della strada dal semaforo che nel frattempo era diventato rosso, attirò l'attenzione di alcuni pedoni, ma quando guardai di nuovo, al sicuro nel cerchio di luce che proveniva dal caldo e luminoso ingresso dell'hotel – coppie eleganti, portieri che chiamavano i taxi – era stato riassorbito dall'oscurità.

Le strade erano più rumorose di quanto ricordassi, e molto più fetide. In piedi all'angolo di A la Vieille Russie mi ritrovai sopraffatto dal tanfo familiare di Midtown: i cavalli che trainavano le carrozze, i tubi di scarico degli autobus, i profumi e l'urina. Per tanto tempo avevo pensato a Las Vegas come a qualcosa di temporaneo – la mia vita vera era New York – ma lo era davvero? *Non più*, pensai, cupo, osservando la fiumana ora più contenuta di pedoni che marciavano davanti a Bergdorf.

Anche se ero ancora indolenzito e infreddolito dalla febbre, camminai per dieci isolati, nel tentativo di scuotermi di dosso il ronzio e la debolezza che sentivo nelle gambe, e le intense vibrazioni del pullman. Alla fine, però, il freddo ebbe la meglio e presi un taxi. Avrei potuto tranquillamente aspettare un autobus, ci sarebbe voluta mezz'ora, dritto dalla Quinta al Village, ma dopo tre giorni interi in viaggio il pensiero di sobbalzare di nuovo su un bus, anche solo per un minuto, era insopportabile.

L'idea di presentarmi a casa di Hobie mezzo malato mi metteva in imbarazzo. Anzi, mi sentivo a disagio in generale poiché non ci sentivamo da un po', per colpa mia e non sua: a un certo punto, avevo semplicemente smesso di rispondergli.

Da una parte, era il naturale corso degli eventi, dall'altra, la domanda che Boris aveva buttato lì con disinvoltura («È una vecchia checca?») mi aveva fatto passare a poco a poco la voglia di sentirlo, e le sue ultime due o tre lettere non avevano ricevuto risposta.

Mi sentivo in colpa, ci stavo malissimo. Anche se il tragitto era breve dovevo essermi addormentato, perché quando il tassista si fermò e disse: «Va bene qui?», sussultai, e per un attimo rimasi seduto, confuso, sforzandomi di ricordare dove mi trovassi.

Quando il tassista ripartì, mi accorsi che le luci del negozio erano spente, quasi come se per tutto il tempo in cui ero stato lontano da New York il negozio fosse rimasto sempre chiuso. Le finestre avevano uno strato di sporco e, sbirciando dentro, vidi che alcuni mobili erano nascosti sotto delle lenzuola. Non era cambiato nient'altro, tranne il fatto che tutti i vecchi libri e le chincaglierie – i cacatua di marmo, gli obelischi – erano coperti da uno strato di polvere più spesso del solito.

Avevo il cuore pesante. Rimasi sulla via per un paio di minuti prima di trovare il coraggio di suonare il campanello. Mi sembrò di aver trascorso secoli ad ascoltarne l'eco, anche se probabilmente era passato solo un attimo; mi ero quasi convinto che non ci fosse nessuno (cosa avrei fatto? Sarei tornato a piedi a Times Square a cercare un hotel da due soldi da qualche parte o mi sarei rivolto alla polizia?), quando la porta si aprì di colpo, e non mi trovai davanti Hobie, ma una ragazza della mia età.

Era lei... Pippa. Ancora piccola (ero diventato molto più alto di lei) e magra, ma all'apparenza più sana dell'ultima volta che l'avevo vista, più piena in viso, e con un sacco di lentiggini. Anche i capelli erano nuovi, sembravano ricresciuti con un colore e una consistenza diversi, non biondo ramato, ma un ruggine più scuro, ed erano un po' arruffati, come quelli di sua zia Margaret. Era vestita da maschio, con dei calzini e dei vecchi pantaloni di velluto a coste, un maglione troppo grande e una sciarpa assurda a strisce rosa e arancioni che avrebbe potuto indossare una nonnetta stravagante. Aggrottò la fronte, educata ma reticente, e mi guardò perplessa con quei suoi occhi castano dorati: uno sconosciuto. «Posso aiutarti?» disse.

e dimenticata di me, pensai, sgomento. Come potevo aspettar-
he si ricordasse? Era passato tanto tempo e avevo un aspetto
so. Era come rivedere qualcuno che pensavi morto.

i – scendendo rumorosamente le scale con indosso dei pan-
i macchiati di vernice e un cardigan coi gomiti logori – alle
e di Pippa comparve lui, Hobie. *Si è tagliato i capelli*, fu il
primo pensiero. Gli stavano più attaccati alla testa ed erano
bianchi di quanto ricordassi. Aveva un'espressione leggermente irritata; per un momento lancinante pensai che non mi avesse
riconosciuto neanche lui. Poi: «Santo Dio» disse, facendo un passo
indietro.

«Sono io» dissi in fretta. Avevo paura che mi sbattesse la porta in
faccia. «Theodore Decker. Si ricorda?»

Pippa si girò di scatto verso di lui – evidentemente aveva riconosciuto il mio nome, anche se non *me* – e l'espressione piacevolmente
sorpresa sulle loro facce mi colpì talmente che scoppiai in lacrime.

«Theo.» Hobie mi abbracciò forte, in modo paterno e così impetuoso che piansi ancora più forte. Poi mi posò la mano sulla spalla,
una mano pesante, salda, sicura e autorevole, e mi fece strada all'interno, nel laboratorio, tra l'odore di colla e legno che tante volte avevo sognato, su per le scale fino al salotto che non vedevo da tanto,
coi velluti, i bronzi e le urne. «È fantastico vederti» disse. E «sembri distrutto» e «quando sei tornato?» e «hai fame?» e «mio Dio,
come sei cresciuto!» e «questi capelli! Come Mowgli nel *Libro della
giungla*!» e (preoccupato) «ti senti soffocare qui? Vuoi che apra una
finestra?», poi, quando il muso di Popper spuntò dalla borsa: «Ah
ah! E questo chi è?».

Pippa, ridendo, lo prese in braccio e cominciò a coccolarlo. Io
ero stordito dalla febbre, rosso come una stufa, e così disorientato
che non mi vergognavo neanche delle mie lacrime. Le uniche cose
di cui ero certo erano il sollievo che provavo di essere lì, l'indolen-
zimento generale e il cuore stracolmo.

In cucina c'era una zuppa di funghi, che non avevo voglia di mangiare, ma era calda e stavo morendo di freddo e, mentre mangiavo
(con Pippa seduta a gambe incrociate sul pavimento che giocav
con Popchik, sventolandogli sul muso i pompon della sua sciarp

da nonna – Popper/Pippa, come avevo fatto a non notare quella somiglianza di nomi?), gli raccontai, a pezzi, in modo confuso, quella morte di mio padre e di quello che era successo. Hobie, che ascoltava a braccia conserte, aveva un'espressione preoccupata e, mano mano che parlavo, aggrottava sempre più la fronte.

«Devi chiamarla» disse. «È la moglie di tuo padre.»

«Ma non è sua moglie! Era solo la sua ragazza! Non le interessa niente di me.»

Scosse la testa, deciso. «Non ha importanza. Devi chiamarla e dirle che stai bene. Sì, sì, devi farlo» ribadì, impedendomi di obiettare. «Niente ma. Subito. In quest'istante. Pips…» C'era un vecchio telefono in cucina. «Vieni, togliamoci di torno.»

Anche se Xandra era l'ultima persona al mondo con cui avrei voluto parlare – specialmente dopo aver saccheggiato la sua stanza da letto e rubato i soldi delle sue mance – ero talmente sollevato che avrei fatto qualsiasi cosa Hobie mi avesse chiesto. Mentre digitavo il numero, cercavo di convincermi che probabilmente non avrebbe risposto (ci chiamavano così tanti avvocati e creditori, che non rispondeva quasi mai ai numeri che non conosceva). Perciò mi colse di sorpresa quando rispose al primo squillo.

«Hai lasciato la porta aperta» disse, quasi immediatamente, in tono accusatorio.

«Cosa?»

«Hai lasciato uscire il cane. È scappato… non lo trovo da nessuna parte. Probabilmente è finito sotto una macchina, o una cosa [...]»

«[...]o.» Avevo lo sguardo fisso nel buio del cortile di mattoni. Pioveva e le gocce picchiettavano le vetrate, era la prima volta che [...] della pioggia vera dopo quasi due anni. «È con me.»

«[...]» Sembrò sollevata. Poi, più aggressiva: «Dove sei? Da qualche parte con Boris?».

«[...] parlato, sembrava completamente fuori di testa. Non vo[...] dov'eri. So che lo sa.» Anche se laggiù era ancora presto, [...] roca, come se avesse bevuto, o pianto. «Dovrei chiamare [...] Theo. So che sei stato tu a rubare i soldi e tutto il resto.»

«Sì, come tu hai rubato gli orecchini di mia madre.»

«Cosa...»

«Gli orecchini di smeraldo. Erano di mia madre.»

«*Non* li ho rubati.» Adesso era arrabbiata. «Come ti permetti. Me li ha *regalati* Larry, me li ha regalati dopo...»

«Dopo averli rubati a mia madre.»

«Scusa, eh, ma tua madre è morta.»

«Sì, ma non lo era quando li ha rubati. È accaduto un anno prima che morisse. Ha contattato la compagnia di assicurazioni» dissi, alzando la voce sopra la sua, «e ha sporto denuncia alla polizia.» Non ero sicuro che la parte sulla polizia fosse vera, ma avrebbe potuto esserlo.

«Mmm, forse non hai mai sentito parlare di quella cosetta chiamata comunione dei beni.»

«Già. E tu non hai mai sentito parlare di eredità di famiglia. Tu e mio padre non eravate nemmeno sposati. Non aveva nessun diritto di darteli.»

Silenzio. All'altro capo, sentii lo scatto dell'accendino e una boccata stanca. «Senti, ragazzino. Posso dire una cosa? Non c'entrano i soldi, davvero. Né la coca. Anche se, cazzo, di sicuro io non facevo niente del genere alla tua età. Pensi di essere molto intelligente e forse lo sei, ma ti sei messo su una brutta strada, tu e anche quell'altro. Già, già» disse, alzando la voce a sua volta, «anche lui mi sta simpatico, ma è una cattiva compagnia, quel ragazzino.»

«Da che pulpito.»

Rise, un ghigno tetro. «Be', sai che c'è? Hai ragione, ma quello lì finirà in galera appena compiuti i diciott'anni, e ci scommetto quello che vuoi che tu sarai con lui. Insomma, non posso biasimarti» continuò, strillando, «volevo bene a tuo padre, ma non valeva granché e, da quello che mi ha detto, nemmeno tua madre valeva granché.»

«Okay. Basta così. Vaffanculo.» Adesso ero talmente arrabbiato da tremare. «Sto per riattaccare.»

«No... aspetta. Mi dispiace. Non avrei dovuto parlare così di tua madre. Non è per questo, che volevo sentirti. Per favore. Puoi aspettare un secondo?»

«Sto aspettando.»

«Tanto per cominciare, ammesso che t'interessi, farò cremare tuo padre. Per te va bene?»

«Fa' come ti pare.»

«Non ti è mai importato nulla di lui, vero?»

«C'è altro?»

«Un'altra cosa. In tutta sincerità, non m'interessa dove sei. Ma ho bisogno di un indirizzo a cui contattarti.»

«E perché mai?»

«Non fare il cretino. Prima o poi qualcuno chiamerà dalla scuola, o cose così...»

«Non ci conterei.»

«... e avrò bisogno, non so, di una spiegazione su dove ti trovi. A meno che tu non voglia che la polizia metta la tua foto su un cartone del latte o roba del genere.»

«Mi pare improbabile.»

«*Improbabile*» ripeté, in un'imitazione crudele e strascicata della mia voce. «Be', può darsi, ma dammelo comunque, e siamo pari. Voglio dire» proseguì, quando non risposi, «voglio essere chiara. Non mi frega dove sei. È solo che non voglio mettermi nei casini, quaggiù, se ci fossero problemi e dovessi aver bisogno di contattarti.»

«C'è un avvocato a New York. Si chiama Bracegirdle. George Bracegirdle.»

«Hai un numero?»

«Cercatelo» dissi. Pippa era entrata nella stanza a prendere una ciotola d'acqua per il cane e, imbarazzato, mi voltai dall'altra parte per non guardarla.

«Brace *Girdle*?» stava dicendo Xandra. «Si dice così? Che cavolo di nome è?»

«Senti, sono sicuro che riuscirai a trovarlo.»

Ci fu un attimo di silenzio. Poi Xandra disse: «Sai che c'è?».

«Che c'è?»

«È tuo padre, che è morto. Tuo padre. Ti stai comportando come se fosse, non lo so, il cane, ma *nemmeno* il cane. Perché so che t'importerebbe, se il cane finisse sotto una macchina. Almeno credo, che t'importerebbe.»

«Diciamo che di lui m'importava quanto a lui importava di me.»

«Be', lascia che ti dica una cosa. Tu e tuo padre vi somigliate molto più di quello che pensi. Sei suo figlio, dalla testa ai piedi.»

«E tu sei solo una tossica che spara stronzate» risposi, dopo una breve pausa piena di disprezzo, soddisfatto di averle detto il fatto suo. Ma, molto dopo aver riattaccato, quando m'infilai, starnutendo e tremando, in un bagno caldo, e nella nebbia accecante che mi avvolse subito dopo (mentre buttavo giù le aspirine che Hobie mi aveva dato, e lo seguivo lungo il corridoio fino alla stanza degli ospiti che sapeva di muffa, *sembri distrutto, ci sono altre coperte nel baule, no, basta parlare, ora ti lascio solo*), la stoccata finale di Xandra continuava a risuonarmi in testa; e intanto premevo la faccia contro il pesante cuscino dall'odore sconosciuto. Era falso – esattamente come quello che aveva detto sul conto di mia madre era falso. Il ricordo della sua voce roca e secca, che giungeva dall'altro capo del filo, bastava a farmi sentire sporco. *Fottiti*, pensai, assonnato. Dovevo smetterla di pensare a Xandra. Era lontana migliaia di chilometri. Eppure, benché fossi stanco morto – peggio che stanco morto – e quel precario letto d'ottone avesse il materasso più morbido del mondo, le sue parole furono un filo oscuro che si intrecciava alla trama dei miei sogni per tutto l'arco della notte.

III

Siamo così abituati a mascherarci di fronte agli altri che finiamo per farlo anche di fronte a noi stessi.
FRANÇOIS DE LA ROCHEFOUCAULD

Capitolo 7

La-bottega-dietro-la-bottega

I

Quando lo sferragliare del camion dell'immondizia mi svegliò, fu come se fossi stato paracadutato su un altro pianeta. Mi faceva male la gola. Steso immobile sotto il piumino, respiravo l'odore scuro del pot-pourri vecchio, della legna nel camino e tracce di trementina, resina e vernice. Per un po' restai sdraiato. Popper – che era rimasto acciambellato ai miei piedi tutta la notte – non si vedeva da nessuna parte. Prima di coricarmi mi ero rinfilato i vestiti sporchi della sera prima. Alla fine, spinto da una serie di starnuti, mi rizzai, indossai il maglione sopra la camicia e rovistai sotto il letto per accertarmi che la federa fosse ancora lì, poi arrancai sul pavimento freddo fino in bagno. I capelli si erano asciugati in una massa di nodi troppo grossi per passarci il pettine, e anche dopo averli bagnati e aver riprovato a districarli, avevo una ciocca talmente arruffata che mi risolsi a tagliarla, faticosamente, con un paio di forbicine arrugginite pescate in un cassetto.

Cristo, pensai, girandomi da un lato per starnutire. Non mi avvicinavo a uno specchio da un pezzo e stentai a riconoscermi: mandibola contusa, uno sfogo d'acne sul mento, il viso chiazzato e gonfio per il raffreddore – gli occhi anch'essi gonfi, socchiusi e assonnati, che mi davano l'aspetto trascurato e ottuso di uno di quei ragazzini tirati su dalle sette appena salvato dalla polizia, portato via da un seminterrato zeppo di armi da fuoco e latte in polvere.

Era tardi: le nove. Quando uscii dalla stanza, la radio trasmetteva il programma mattutino di musica classica della WNYC, un'irreale

sensazione di familiarità nella voce del presentatore, le opere numerate del Catalogo Köchel, una specie di calma drogata, lo stesso
caldo ronzio che mi aveva svegliato tante mattine a Sutton Place. In
cucina trovai Hobie al tavolo con un libro.

Ma non stava leggendo; fissava il vuoto. Quando mi vide trasalì.

«Bene, eccoti» disse mentre si alzava per spostare maldestramente una pila di lettere e bollette e farmi posto. Indossava vestiti da
lavoro, pantaloni a coste strappati sulle ginocchia e un vecchio maglione color tortora, liso e mangiato dalle tarme; la stempiatura e il
nuovo taglio corto gli davano l'aspetto pesante e spelacchiato del
senatore di marmo sulla copertina del libro di Latino di Hadley.
«Come ti senti?»

«Bene, grazie.» La voce uscì pietrosa e roca.

Aggrottò la fronte e mi guardò severo. «Santo cielo!» disse. «Non
si direbbe proprio.»

Cosa voleva dire? Rosso di imbarazzo, scivolai sulla sedia che
aveva liberato e – troppo a disagio per incrociare il suo sguardo –
mi concentrai sul libro: rilegatura in pelle consunta, *Vita e lettere* di
Lord Qualcuno, un vecchio volume che veniva probabilmente dalla
biblioteca di una vecchia signora Tal-dei-tali di Poughkeepsie, anca
rotta e niente figli. Tutto molto triste.

Mi versò del tè e mi allungò un piatto. Quando chinai la testa
e addentai il pane tostato, praticamente mi strozzai perché avevo
la gola irritata e faticavo a deglutire. Con troppa foga provai ad
agguantare la tazza, la rovesciai sulla tovaglia e mi precipitai ad
asciugare.

«No... no, non importa, ecco...»

Il mio tovagliolo era inzuppato, non sapevo che farci; confuso
com'ero lo lasciai cadere sul pane e m'infilai le dita sotto le lenti per
stropicciarmi gli occhi. «Mi dispiace» dissi d'impulso.

«Ti dispiace?» Mi guardava come se gli avessi chiesto indicazioni
per un posto che lui non sapeva come raggiungere. «Oh, forza...»

«Per favore, non mi mandi via.»

«Che significa? Mandarti *via*? E dove?» Abbassò gli occhiali a
mezzaluna e mi osservò da sopra le lenti. «Non essere ridicolo»
disse, la voce scherzosa e vagamente irritata. «L'unico posto dove

dovrei mandarti è a letto, e di corsa. Sei ridotto peggio di un appestato.»

Ma il modo in cui l'aveva detto non mi rassicurò. Paralizzato dall'imbarazzo, determinato a non piangere, mi trovai a fissare ostinatamente il desolato angolo della cucina che aveva ospitato la cuccia di Cosmo.

«Ah» disse Hobie, quando se ne accorse. «Sì. Ebbene sì. Era sordo come una campana, aveva le convulsioni tre o quattro volte la settimana, ma noi volevamo lo stesso che vivesse per sempre. Ho pianto come un bambino. Se mi avessero detto che Welty se ne sarebbe andato prima di Cosmo... ha passato metà della sua vita a portare quel cane avanti e indietro dal veterinario! Ehi» cambiò tono, sporgendosi avanti per catturare il mio sguardo notando che me ne restavo lì immobile, avvilito e silenzioso. «Forza. So che hai sofferto molto, ma non c'è nessun motivo di pensarci, adesso. Sembri molto scosso... oh, lo sei davvero» dichiarò. «Proprio molto scosso e... Salute!» esclamò sussultando. «Ti sei beccato un malanno coi fiocchi. Non preoccuparti, va tutto bene. Torna a letto, è meglio, no? Parleremo più tardi.»

«Lo so ma...» voltai la testa per soffocare uno starnuto umido e gorgogliante, «non ho un posto dove andare.»

Si appoggiò allo schienale della sedia: cortese, attento, con un che di polveroso. «Theo...» Si picchiettò il labbro inferiore con un dito. «Quanti anni hai?»

«Quindici. Quindici e mezzo.»

«E...» sembrò cercare le parole giuste, «che mi racconti di tuo nonno?»

«Oh» sospirai, debolmente, dopo una pausa.

«Gli hai parlato? Sa che non hai più una casa?»

«Be', merda» mi sfuggì. Hobie alzò una mano per dirmi che non importava. «Lei non capisce. Voglio dire, non so se ha l'Alzheimer o cosa, ma quando l'hanno chiamato per dirgli di mio padre non ha nemmeno chiesto di parlare con me.»

«Quindi» Hobie poggiò il mento sulla mano e mi rivolse uno sguardo da insegnante sospettoso, «non gli hai parlato.»

«No... cioè, non di persona... c'era questa ragazza che ci dava una mano…» Lisa, l'amica dı Xandra (che mi seguiva sollecita per la casa, gentile ma sempre più insistente nel sostenere che bisognava informare «la famiglia»), a un certo punto si era rifugiata in un angolo per comporre il numero che le avevo dato, e poi aveva riagganciato con una faccia che aveva strappato a Xandra l'unica risata di quella sera.

«Una ragazza?» ripeté Hobie nel silenzio che era calato, col tono di chi si rivolge a un paziente psichiatrico.

«Sì. Voglio dire…» mi passai una mano sulla faccia; i colori della cucina erano troppo forti, mi girava la testa, stavo perdendo il controllo. «Dorothy ha risposto al telefono e secondo Lisa ha detto una cosa tipo "okay, aspetta" – neppure un "oh, no!" o un "cos'è successo?" o "è terribile!" – soltanto "resta in linea, vado a chiamarlo", e poi è arrivato mio nonno e Lisa gli ha raccontato dell'incidente e lui è rimasto ad ascoltare. Poi ha detto che gli dispiaceva, ma il suo tono era *strano*, ha detto Lisa. Niente "cosa posso fare?" né "quand'è il funerale?", nient'altro. Solo, tipo, grazie per la chiamata, apprezziamo molto, arrivederci. Insomma… avrei potuto dirglielo io» continuai nervoso di fronte al silenzio di Hobie, «perché, cioè, a loro non piaceva per niente mio padre, ma proprio *per niente*. Dorothy è la sua matrigna e si sono odiati a vicenda dal primo giorno, ma anche col nonno non è mai andato d'accordo…»

«Okay, okay. Non ti agitare.»

«… e, insomma, mio padre ha avuto dei guai quand'era ragazzo e questo in qualche modo può avere influito… è stato arrestato, ma non so per cosa… sinceramente non so il perché, ma loro non hanno voluto avere più niente a che fare con lui, per quel che mi ricordo, e non hanno voluto avere niente a che fare nemmeno con me…»

«Calmati, non c'è bisogno di…»

«… perché, lo giuro, io non li ho praticamente mai conosciuti, non li conosco, ma non capisco perché ce l'abbiano con me… non che mio nonno sia questa gran brava persona, anzi, con mio padre era anche violento…»

«Shh, smettila! Non è un interrogatorio, voglio solo sapere… no, adesso ascoltami» provò a interrompermi, scacciando le mie parole come una mosca dal tavolo.

«L'avvocato di mia madre è qui. In città. Viene con me a incontrarlo? Cioè, no» proseguii, confuso, quando corrugò la fronte, «non un avvocato *avvocato*, è uno che maneggia soldi. Gli ho parlato al telefono. Prima di partire.»

«Okay» disse Pippa, ridendo, con le guance rosse per il freddo, «che problema ha questo cane? Non ha mai visto una macchina?»

Capelli rosso brillante, berretto verde di lana: lo shock di vederla alla luce del sole fu una doccia gelata. Zoppicava appena, probabilmente per l'incidente, con una sorta di leggerezza da cavalletta, come il bizzarro preludio a un passo di danza; e aveva addosso così tanti strati di vestiti che sembrava un piccolo bozzolo colorato coi piedi.

«Miagolava come un gatto» disse, srotolando una delle sciarpe che portava mentre Popchik le ballava attorno col guinzaglio in bocca. «Fa sempre questo verso assurdo? Voglio dire, passava un taxi e... *whoo!* Che salti! Mi sembrava di portare a spasso un aquilone! La gente moriva dal ridere. Sì...» si chinò per parlare col cane, strusciandogli le nocche sulla testa «tu hai proprio bisogno di un bel bagno, vero? È un maltese?» domandò guardando su.

Annuii, nervoso, il dorso della mano sulla bocca nel tentativo di reprimere uno starnuto.

«Li adoro.» Riuscivo a malapena a sentire cosa diceva, sconvolto com'ero dai suoi occhi fissi nei miei. «Ho un libro sui cani e ho imparato a memoria tutte le razze. Se dovessi prenderne uno grande vorrei un terranova, come Nana in *Peter Pan*, uno piccolo invece... be', cambio idea di continuo. Mi piacciono tutti i piccoli terrier, specialmente i jack russell... sono sempre così divertenti e socievoli quando li porti in giro. Ma conosco anche un basenji fantastico. E ho incontrato un gran bel pechinese, l'altro giorno. Molto molto piccolo e parecchio intelligente. In Cina solo i reali possono tenerli. Sono una razza antichissima.»

«Anche i maltesi sono antichi» gracchiai, felice di avere qualcosa di interessante da dire al riguardo, «risalgono all'antica Grecia.»

«È per questo che hai preso un maltese? Perché è antico?»

«Uhm...» mormorai soffocando un colpo di tosse.

Ma lei stava già dicendo qualcos'altro – al cane, non a me – mentre io ero alle prese con un'altra sfilza di starnuti. Prontamente Hobie agguantò la cosa più a portata di mano – il tovagliolo – e me lo passò.

«Bene, basta così» fece. «Torna a letto. No, no» mi disse quando cercai di restituirgli il tovagliolo, «tienilo. Adesso dimmi...» guardò il mio piatto col tè rovesciato e il pane fradicio, «cosa vuoi per colazione?»

Tra uno starnuto e l'altro, scrollai le spalle alla maniera russa che avevo appreso da Boris: *qualsiasi cosa*.

«Perfetto, allora, se ti va, ti porto del porridge. Con la gola irritata è la cosa migliore. Non hai dei calzini?»

«Uhm...» Lei era occupata col cane, il maglione senape e i capelli come foglie d'autunno, e i suoi colori si confondevano mischiandosi con quelli della cucina: mele screziate in una ciotola, lo scintillio vibrante e argentato del barattolo di caffè in cui Hobie teneva i pennelli.

«Un pigiama?» mi stava dicendo. «No? Vedrò cosa trovo tra la roba di Welty. E quando ti toglierai quei vestiti li metterò a lavare. Adesso sparisci» ordinò, dandomi una pacca sulla spalla così repentina che sobbalzai.

«Io...»

«Puoi restare. Per tutto il tempo che vuoi. E stai tranquillo, verrò con te dall'avvocato, andrà tutto bene.»

II

Rintronato e tremante, mi feci strada lungo il corridoio buio e m'infilai sotto le coperte, pesanti e fredde come ghiaccio. La stanza odorava di umido e, anche se c'erano molte cose interessanti da guardare – una coppia di grifoni in terracotta, quadretti ricamati di epoca vittoriana, persino una sfera di cristallo –, furono le pareti marrone, con la loro superficie secca e scura come polvere di cacao, ad assorbirmi completamente, insieme al ricordo della voce di Hobie, e di quella di Welty, un marrone amichevole che si insinuò in me fino a saturarmi, parlandomi con tonalità calde e antiche, e mentre sprofondavo in violente vampate di febbre mi sentivo avvolto e rassicurato dalla presenza di quei muri; e Pippa, dal canto suo, spandeva la sua aura guizzante e colorata, e io pensavo confuso alle foglie scarlatte e alle scintille del caminetto nel buio e anche al mio quadro, a come sarebbe stato su uno sfondo così ricco, scuro e avido di luce. Piume gialle. Lampi di cremisi. Luminosi occhi neri.

Mi svegliai di soprassalto – terrorizzato, di nuovo sul bus mentre qualcuno mi rubava il quadro dalla borsa – e scorsi Pippa che prendeva in braccio il cane assonnato, i capelli più luminosi di qualunque altra cosa nella stanza.

«Scusa, ma deve uscire» disse. «Non starnutirmi addosso.»

Balzai su, appoggiandomi ai gomiti. «Scusa, ciao» feci con aria ebete, strofinandomi la faccia con un braccio. «Sto meglio.»

I suoi conturbanti occhi marrone dorato vagavano per la stanza. «Ti annoi? Vuoi che ti porti delle matite colorate?»

«Matite colorate?» feci, frastornato. «Perché?»

«Uh, per disegnarci?»

«Be', ecco...»

«Lascia perdere» fece lei, «bastava che dicessi di no.»

E sparì, con Popchik che la seguiva trotterellando, lasciandosi dietro un odore di chewing gum alla cannella mentre io affondavo la faccia nel cuscino, annientato dalla mia stessa idiozia.

Mi sarei ucciso piuttosto che confidarlo a qualcuno, ma ero preoccupato che il mio approccio esuberante alla droga mi avesse danneggiato il cervello e il sistema nervoso e forse anche l'anima, in modo irreparabile anche se non immediatamente evidente da fuori.

Mentre ero sdraiato, in preda a questi pensieri, il cellulare trillò: INDOVINA DV SN? PISCINA @ MGM GRAND!!!!!!

Sgranai gli occhi. BORIS?, risposi.

SÌ, SN IO!

Che ci faceva lì? TT OK?, scrissi.

SÌ MA DORMI?! NOI C SM FTT I 15 GR, MIO DIO!

E poi un altro squillo: GRAN FIGATA. FESTA DURA. TU? VIVI SOTTO UN PONTE?

NY, risposi. MALATO A LETTO. XKÉ 6 AL MGMGR?

KN KT E AMBER & QUELLA GENTE!!! ;-)

Poi, un secondo dopo: CONOSCI WITE RUSIAN? BUONO MA NON 1 BEL NOME X DRINK

Qualcuno bussò. «Tutto bene?» chiese Hobie, sbucando da dietro la porta. «Hai bisogno di qualcosa?»

Posai il cellulare. «No, grazie.»

«Bene, quando hai fame dimmelo. Siamo stracolmi di cibo, il frigo è così pieno che quasi non si chiude, abbiamo avuto gente per il giorno del Ringraziamento... cos'è questo baccano?» disse guardandosi attorno.

«Solo il mio telefono.» Boris aveva scritto: NN PUOI CAPIRE GLI ULTIMI VIAGGI!!!

«Okay, ti lascio, allora. Fammi sapere se ti serve qualcosa.»

Appena se ne fu andato, mi sdraiai rivolto verso il muro e scrissi: MGMGR? KN KT BEARMAN?!

La risposta arrivò subito: SÌ! E ANKE AMBER & MIMI & JESICA & LA SORELLA DI KT JORDAN KE È AL COLLEGE :-D

KE KAZZO??

6 ANDATO VIA NEL MOMENTO SBAGLIATO :-D

Poi, immediatamente, prima che potessi rispondere: DU ANDARE, A AMBER SERVE IL TEL

KIAMAMI DOPO, scrissi. Ma non ci fu risposta; e sarebbe passato molto, molto tempo, prima che avessi nuovamente notizie di Boris.

III

Quel giorno, e il giorno dopo ancora, e forse anche quello successivo, li passai a gironzolare in un vecchio pigiama di Welty incredibilmente morbido, così sottosopra e sconvolto dalla febbre che mi ritrovai parecchie volte a Port Authority, a scappare braccato da qualcuno, a farmi strada tra la folla o a strisciare attraversando tunnel grondanti d'acqua oleosa; oppure ero di nuovo a Las Vegas, a bordo della corriera, e passavo davanti ai centri commerciali della zona industriale mentre la sabbia picchiava contro i finestrini e io non avevo i soldi del biglietto. Il tempo scivolava via turbinando come quando slitti sull'autostrada ghiacciata, costellato da flash improvvisi durante i quali le nuvole si bloccavano e venivo catapultato di nuovo nel tempo normale: Hobie che mi portava aspirine e ginger ale con ghiaccio, Popchik – fresco di bagno, morbido e bianco come la neve – che saltava sul letto e mi si infilava tra i piedi, avanti e indietro.

«Ecco» disse Pippa, avvicinandosi al letto e spingendomi di lato per accomodarsi. «Spostati.»

Mi tirai su, cercando a tentoni gli occhiali. Avevo sognato il quadro – l'avevo scartato per ammirarlo, o no? – e cominciai a guardarmi in giro con ansia per assicurarmi di averlo messo via prima di addormentarmi.

«Che succede?»

Mi sforzai di guardarla in faccia. «Niente.» Mi ero allungato più volte sotto il letto solo per appoggiare le mani sulla federa e non potevo fare a meno di chiedermi se ero stato tanto incauto da spostarlo, rendendolo visibile. *Non guardare giù*, mi dicevo. *Guarda lei.*

«Ecco» fece Pippa. «Ti ho fatto una cosa. Dammi la mano.»

«Bello» dissi, fissando l'origami verde prato. «Grazie.»

«Sai cos'è?»

«Uh...» Un cervo? Un corvo? Una gazzella? Alzai gli occhi su di lei, in preda al panico.

«Ti arrendi? Una rana! Non vedi? Tieni, mettila sul comodino. Dovrebbe saltare quando la schiacci qui, vedi?»

Me la rigirai maldestro tra le dita, e avvertii il suo sguardo su di me – occhi che avevano una luce e un aspetto selvaggio, un inconsapevole potere, come quelli di un gattino.

«Posso vedere?» Aveva afferrato il mio iPod e lo stava scorrendo velocemente. «Mmh» disse. «Bello! Magnetic Fields, Mazzy Star, Nico, Nirvana, Oscar Peterson. Niente classica?»

«Be', un po' ce n'è» risposi, imbarazzato. Quella che aveva menzionato era tutta musica di mia madre, a eccezione dei Nirvana, di cui qualcosa comunque era suo.

«Ti farei qualche CD. Peccato che ho lasciato il computer a scuola. Posso spedirti qualcosa via email... ascolto un sacco Arvo Pärt ultimamente, non chiedermi perché, devo usare le cuffie altrimenti le mie compagne di stanza danno di matto.»

Ero terrorizzato che si accorgesse di come la fissavo, incapace di toglierle gli occhi di dosso mentre studiava il mio iPod a testa china: le orecchie rosee, la linea in rilievo della cicatrice leggermente grinzosa sotto i capelli rosso fuoco. Di profilo i suoi occhi tristi erano allungati, le palpebre pesanti, di una morbidezza che mi ricordava gli angeli e i paggetti nel libro sui capolavori dell'Europa del Nord che avevo letto e riletto in biblioteca.

«Ehi...» Le parole secche nella bocca.

«Sì?»

«Uhm...» Perché non era più come prima? Perché non mi veniva in mente niente da dire?

«Ooh...» Aveva alzato lo sguardo su di me, e ora rideva, rideva tanto da non riuscire a parlare.

«Perché mi guardi così?»

«Così come?» dissi, allarmato.

«Così.» Non sapevo interpretare lo sguardo strabuzzato che mi fece. Uno che stava soffocando? Un mongoloide? Un pesce?

«Non ti arrabbiare. È che sei sempre serio. È solo che...» Guardò di nuovo l'iPod e poi scoppiò a ridere un'altra volta. «Oh» disse, «Šostakovič. Roba *forte*.»

Quanto ricordava? mi domandavo, in fiamme per l'umiliazione ma incapace di staccare gli occhi da lei. Non era una cosa carina da chiedere, ma volevo saperlo. Anche lei aveva gli incubi? Il terrore della folla? I sudori, il panico? Aveva mai la sensazione di osservarsi da fuori, come succedeva spesso a me, come se l'esplosione avesse sconquassato il mio corpo e la mia anima scindendoli in due entità distinte che restavano sempre a due metri l'una dall'altra? I suoi accessi di risate avevano quella sconsideratezza travolgente che conoscevo dalle mie notti folli con Boris, un senso di vertigine e isteria che associavo (in me, in ogni caso) all'aver scampato la morte per un pelo. C'erano state notti, nel deserto, in cui ero stato così male dalle risa, scosso dalle convulsioni e piegato in due con la pancia che doleva, per ore, che mi sarei buttato sotto una macchina pur di smettere.

IV

Il lunedì mattina, sebbene mi sentissi tutt'altro che bene, mi destai dalla nebbia di dolori e dormiveglia e arrancai diligentemente verso la cucina per telefonare all'ufficio del signor Bracegirdle. Ma quando chiesi di lui, la sua segretaria (dopo avermi fatto attendere in linea e poi essere tornata un po' troppo in fretta) m'informò che l'avvocato non era in ufficio e che no, non aveva un numero al quale avrei potuto raggiungerlo e no, temeva di non sapermi dire quando sarebbe rientrato. C'era nient'altro?

«Be'...» Le lasciai il numero di Hobie, e mi stavo già rimproverando di non aver pensato a fissare un appuntamento quando il telefono squillò.

«212, eh?» disse la voce, intelligente e profonda.

«Me ne sono andato» dissi stupidamente; il raffreddore che mi serrava la testa rendeva la mia voce lenta e nasale. «Sono a New York.»

«Sì, l'avevo capito.» Il tono era socievole ma freddo. «Cosa posso fare per te?»

Quando gli dissi di mio padre, fece un respiro profondo. «Oh» mormorò. «Mi dispiace. Quand'è successo?»

«La settimana scorsa.»

Ascoltò senza interrompere; durante i cinque minuti che mi ci vollero per aggiornarlo, lo sentii rifiutare almeno altre due chiamate. «Perbacco» commentò, quando ebbi finito di parlare. «Che avventura, Theodore.»

Perbacco: fossi stato d'umore differente, forse avrei sorriso. Non c'era dubbio che era stato un caro amico di mia madre.

«Dev'essere stato orribile per te, laggiù» proseguì. «Certo, mi spiace terribilmente per il tuo lutto. È davvero *molto* triste. Anche se, in tutta sincerità – e ora posso dirtelo senza imbarazzo –, nessuno sapeva cosa fare, quando si è presentato qui. Naturalmente tua madre mi aveva confidato alcune cose – persino Samantha era preoccupata – e come sai, la situazione era difficile. Ma credo che nessuno si aspettasse una cosa del genere. Voglio dire, delinquenti con le mazze da baseball.»

«Ah...» *Delinquenti con le mazze da baseball.* Forse avrei dovuto sorvolare su certi dettagli. «La teneva in mano, niente di più. Non è che mi abbia colpito o cose del genere.»

«Be'...» rise, una risata tranquilla che spezzò la tensione «sessantacinquemila dollari sembravano una somma *molto* precisa. C'è anche da dire... quando ci siamo parlati al telefono ho un po' abusato della mia autorità, anche se, considerate le circostanze, spero mi perdonerai. È che sentivo che c'era sotto qualcosa.»

«Scusi?» dissi, ancora turbato.

«Al telefono. I soldi. In realtà *puoi* prelevarli, almeno dal fondo 529. C'è una grossa penale da pagare, ma è possibile.»

Possibile? Avrei potuto prenderli? Un futuro alternativo mi si materializzò davanti agli occhi: la questione col signor Silver risolta, papà in accappatoio che controllava i risultati delle partite sul BlackBerry, io alla lezione di Spirsetskaja con Boris che poltriva dall'altra parte dell'aula.

«Anche se ho il dovere di dirti che il denaro nel fondo è un po' meno di sessantacinquemila dollari» continuò il signor Bracegirdle. «Ma è al sicuro, e aumenta di continuo! Non che sia impossibile organizzarsi perché tu ne abbia un po' ora, vista la tua situazione, ma tua madre era assolutamente determinata a non attingere da lì nonostante i suoi problemi economici. L'ultima cosa che avrebbe voluto era che tuo padre ci mettesse sopra le mani. E sì, che rimanga tra noi, penso che tu sia stato molto furbo a tornare in città invece di aspettare l'intervento dei servizi sociali. Mi spiace...» borbottò, «ho una riunione alle undici, devo scappare... stai da Samantha ora, mi pare di aver capito.»

A quella domanda trasalii. «No» risposi, «con degli amici nel Village.»

«Oh, ottimo. L'importante è che tu stia bene. Ad ogni modo, temo di dover riattaccare adesso. Che ne dici di continuare nel mio ufficio? Ti ripasso Patsy, così ti fissa un appuntamento.»

«Grandioso» feci, «grazie», ma quando chiusi la chiamata mi sentii male – come se qualcuno mi avesse appena ficcato una mano nel petto e stesse strappando via un mucchio di orrenda robaccia bagnata da tutt'intorno al mio cuore.

«Tutto okay?» disse Hobie – stava attraversando la cucina e si fermò di colpo quando colse la mia espressione.

«Sì.» Ma mi ci volle un'eternità per raggiungere la mia camera; e dopo aver chiuso la porta ed essermi messo a letto cominciai a cercare di piangere, terribili rantoli asciutti col viso schiacciato contro il cuscino, mentre Popchik mi grattava la camicia con la zampa e mi annusava la nuca nervoso.

V

Prima della telefonata avevo iniziato a sentirmi meglio, ma per qualche motivo ciò che avevo saputo dall'avvocato mi causò una ricaduta. Durante il giorno, mentre la febbre saliva fino a farmi delirare, l'unica cosa a cui riuscivo a pensare era mio padre: *devo chiamarlo*, pensavo, sussultando nel letto ogni volta che stavo per addormentarmi; come se la sua morte non fosse reale ma solo una prova, un giro di riscaldamento; la morte reale (quella permanente) non era ancora avvenuta e io avevo il tempo per fermarla se solo l'avessi trovato, se solo lui avesse risposto al cellulare, se Xandra lo avesse rintracciato al lavoro, *devo fermarlo, devo farglielo sapere*. Più tardi era sera, si era fatto buio –, ero scivolato in un dormiveglia agitato con mio padre che mi strigliava per aver mandato a puttane certe prenotazioni di un viaggio aereo, quando mi resi conto che c'erano delle luci in corridoio, e una piccola sagoma scura. Pippa, che entrò improvvisamente in camera mia incespicando come se qualcuno l'avesse spinta, guardandosi alle spalle con aria dubbiosa, dicendo: «Devo svegliarlo?».

«Aspetta» dissi, rivolto a lei e nello stesso tempo a mio padre, che fu rapidamente inghiottito dall'oscurità, una violenta folla da stadio che lo attendeva oltre un cancello immenso. Quando m'infilai gli occhiali vidi che indossava il cappotto, come se stesse per uscire.

«Scusa...?» dissi, coprendomi il viso con un braccio, confuso e abbagliato dalla lampada.

«No, scusa tu. È che... cioè...» si scostò una ciocca di capelli dal viso, «sto partendo e volevo salutarti.»

«Salutarmi?»

«Oh.» Aggrottò le sottili sopracciglia; guardò la porta, Hobie (che era svanito), e poi di nuovo me. «Okay. Bene.» Una leggera nota di panico nella voce. «Torno al collegio. Stasera. Comunque, è stato bello vederti. Spero che tutto vada per il meglio.»

«Stasera?»

«Sì, sto andando a prendere l'aereo. Mi ha spedito in un collegio, ricordi?» disse, visto che continuavo a fissarla con gli occhi sgranati. «Ero qui per il Ringraziamento. E per vedere il dottore. Te lo ricordi?»

«Ah, giusto.» La fissavo intensamente, sperando di essere ancora addormentato. La parola *collegio* mi ricordava vagamente qualcosa, ma credevo di essermelo sognato.

«Già...» sembrava a disagio anche lei, «peccato che tu non sia arrivato prima. È stato bello. Hobie ha cucinato... è venuta un sacco di gente. Comunque ho rischiato di non venire, mi sono dovuta far scrivere un permesso dal dottor Camenzind. Non fanno le vacanze per il Ringraziamento, nella mia scuola.»

«E cosa fanno?»

«Non lo festeggiano. Be'... forse hanno preparato il tacchino o qualcos'altro per quelli che lo festeggiano.»

«Che scuola è?»

Quando pronunciò il nome – con una smorfia vagamente divertita – rimasi di stucco. L'istituto Mont-Haefeli, in Svizzera, era una scuola – a stento qualificabile come tale, secondo Andy – frequentata solo da ragazze molto stupide ed estremamente disturbate.

«Mont-Haefeli? Davvero? Pensavo fosse molto...» l'aggettivo *psichiatrico* mi parve eccessivo, «mio Dio.»

«Zia Margaret dice che mi ci abituerò.» Stava trafficando con la rana di carta sul comodino, voleva farla saltare, ma l'origami si era piegato e si rovesciava su un fianco. «E la vista da lì sembra l'immagine sulla scatola dei pastelli Caran d'Ache: vette innevate e campi di fiori e tutte quelle cose. Per il resto, sembra di essere in un film horror di quelli europei, praticamente non succede mai nulla.»

«Ma...» Avevo la sensazione di essermi perso qualcosa, o forse stavo ancora dormendo. L'unica persona che conoscevo che frequentava il Mont-Haefeli era la sorella di James Villiers, Dorit Villiers, e l'avevano mandata lì dopo che aveva accoltellato il suo ragazzo a una mano.

«Già, è un posto strano» disse, lo sguardo annoiato che vagava per la stanza. «Una scuola per matti. Ma non ci sono molti posti in cui potrei essere ammessa, dopo la lesione alla testa. Lì hanno una clinica interna» aggiunse, alzando le spalle. «E nello staff ci sono anche dei medici. È un po' un'esagerazione, secondo me. Voglio dire, io ho dei problemi da quando ho preso quella botta in testa, ma non sono matta e non sono neanche cleptomane.»

«Sì, ma…» Stavo ancora cercando di togliermi la parola *horror* dalla testa. «La Svizzera? È un posto figo.»

«Se lo dici tu.»

«Conoscevo una ragazza, Lallie Foulkes, che andava a Le Rosey. Diceva che tutte le mattine facevano una pausa cioccolata.»

«Be', a noi non danno neanche la marmellata da spalmare sul pane tostato.» Aveva la mano picchiettata di lentiggini e pallida in contrasto col nero del cappotto. «La danno solo alle ragazze con disturbi alimentari. Se vuoi lo zucchero nel tè, devi rubare le bustine dall'infermeria.»

«Uhm…» Sempre peggio. «Conosci una che si chiama Dorit Villiers?»

«No. Era lì, ma poi l'hanno spedita da un'altra parte. Ha tentato di graffiare qualcuno in faccia, mi pare. L'hanno rinchiusa per un po'.»

«Cosa?»

«Loro non dicono *così*, ovvio» disse massaggiandosi il naso. «È un edificio che sembra una fattoria, lo chiamano La Grange. Sai… tutto pastorelle e finto rustico. Più bello degli edifici dove stiamo noi. Ma ci sono allarmi alle porte, guardie e via dicendo.»

«Be', io…» Pensavo a Dorit Villiers – i capelli crespi color oro, gli occhi blu e spenti come un angioletto psicotico dell'albero di Natale – e non sapevo cosa dire.

«Lì ci mettono solo le ragazze davvero pazze. A La Grange. Io sono a Bessonet, con delle tipe che parlano francese. In teoria è per migliorare la lingua, ma in pratica nessuno mi rivolge la parola.»

«Dovresti dirle che non ti piace! A tua zia.»

Fece una smorfia. «Glielo dico. Ma lei comincia a parlarmi di quanto costa. Oppure dice che ferisco i suoi sentimenti. Comunque…» Si interruppe, un po' a disagio, il tono era stato da *ora devo andare*, e girò la testa verso la porta.

«Ah, sì» dissi dopo un momento di confusione. La consapevolezza della sua presenza nella casa, notte e giorno, aveva reso i miei deliri meno grigi, ondate di energia e felicità mi rigeneravano ogni volta che udivo la sua voce nel corridoio, i suoi passi: avremmo costruito una tenda con una coperta, Pippa mi avrebbe aspettato sulla pista da pattinaggio, mi eccitava il pensiero di tutte le cose che avremmo fatto quando fossi stato meglio – e, in effetti, sembrava che *avessimo* fatto delle cose, come legare insieme delle caramelline colorate per farne delle collane mentre alla radio c'erano i Belle and Sebastian e poi, dopo, fingere di essere in una sala giochi di un casinò inesistente a Washington Square.

Hobie, notai, aspettava discreto nel corridoio. «Scusate» disse, guardando l'orologio. «Mi spiace davvero metterti fretta…»

«Sì» fece lei. Poi, rivolta a me: «Spero che tu ti riprenda».

«Aspetta!»

«Cosa?»

«Tornerai per Natale, vero?»

«No. Da zia Margaret.»

«Quando torni, allora?»

«Be'…» Fece spallucce. «Non so. Forse per le vacanze di primavera.»

«Pips…» chiamò Hobie, anche se in realtà parlava più con me che con lei.

«Va bene.» Si scostò i capelli dagli occhi.

Aspettai finché non sentii chiudersi la porta d'ingresso. Poi mi alzai e scostai la tenda. Attraverso il vetro impolverato, li guardai scendere insieme i gradini all'entrata, Pippa con la sua sciarpa rosa e il berretto, che si affrettava dietro alla grossa sagoma elegante di Hobie.

Per un po', dopo che furono scomparsi dietro l'angolo, restai alla finestra a guardare la strada vuota. Poi, stordito e triste, mi trascinai fino alla sua stanza e – incapace di frenarmi – aprii piano la porta.

Era uguale a due anni prima, ma più vuota. I poster del *Mago di Oz* e *Save Tibet*. Nessuna sedia a rotelle. Alle finestre, sul davanzale, cumuli di nevischio. Ma odorava di lei, era ancora calda e viva della sua presenza, e mentre me ne stavo lì a inspirare quell'atmosfera che sapeva di lei, un enorme sorriso felice si aprì sul mio viso per il solo fatto di trovarmi vicino ai suoi libri di favole, ai suoi flaconi di profumo, alle sue luccicanti mollette per capelli e alla sua collezione di biglietti di San Valentino: pizzi, cupidi e aquilegie, spasimanti edoardiani con bouquet di rose stretti sul cuore. Piano, in punta di piedi, anche se ero scalzo, camminai fino alle fotografie incorniciate d'argento sulla cassettiera – Welty e Cosmo, Welty e Pippa, Pippa e sua madre (stessi capelli, stessi occhi) con Hobie più giovane e magro...

Un debole rumore nella stanza. Mi sentii in colpa e mi voltai – stava arrivando qualcuno? No: solo Popchik, bianco come il cotone, accoccolato tra i cuscini del letto sfatto; russava, un suono umido, beato e vibrante. E anche se c'era, in questo, qualcosa di patetico – cercare il conforto nelle cose che si era lasciata dietro, come un cucciolo che si raggomitolava in un vecchio cappotto –, sprofondai anch'io sotto le lenzuola e mi accoccolai insieme a lui, sorridendo come un idiota per l'odore del piumino e la sua carezza vellutata sulla guancia.

VI

«Bene, bene» disse il signor Bracegirdle stringendo la mano di Hobie e poi la mia. «Theodore, devo dirtelo, più cresci e più somigli a tua madre. Vorrei che potesse vederti.»

Provai a guardarlo negli occhi senza sembrare a disagio. La verità era questa: malgrado avessi i capelli lisci e di un colore simile a quelli di mia madre, assomigliavo molto di più a mio padre, una somiglianza così evidente che nessun impiccione per strada e nessuna cameriera se l'era mai lasciata scappare; io non ero mai stato granché felice di somigliare proprio al genitore che non sopportavo, ma vedere allo specchio una versione più giovane della sua faccia ringhiosa da alcolista era ancora più sconvolgente, adesso che era morto.

Hobie e il signor Bracegirdle chiacchieravano sottovoce; l'avvocato gli stava raccontando come aveva conosciuto mia madre riportando a galla vecchi ricordi di Hobie: «Sì! Mi ricordo... trenta centimetri in meno di un'ora! Mio Dio, uscii dall'asta e tutto era immobile, ero al vecchio Parke-Bernet, Uptwon...».

«Sulla Madison, dall'altra parte del Carlyle?»

«Sì... una bella scarpinata fino a casa.»

«Lei si occupa di antiquariato? Giù nel Village, mi ha detto Theo.»

Educatamente, restai seduto ad ascoltarli: amici in comune, proprietari di gallerie e collezionisti d'arte, i Raker e i Rehnberg, i Fawcett e i Vogel e i Mildeberger e i Depew, fino ai paesaggi scomparsi di New York, la chiusura del Lutèce, del Caravelle, del Café des Artistes, cosa ne avrebbe pensato tua madre, Theodore, lei adorava il Café des Artistes. (Come faceva a saperlo? mi chiesi.) Mentre ad alcune delle cose insinuate da mio padre nei suoi accessi di perfidia non avevo creduto un istante, pareva proprio che il signor Bracegirdle conoscesse mia madre più di quanto immaginavo. Anche i titoli sugli scaffali suggerivano una corrispondenza, un'eco d'interessi comuni. Libri d'arte: Agnes Martin, Edwin Dickinson. E poesia, prime edizioni: Ted Berrigan. Frank O'Hara, *Meditazioni in una situazione di emergenza*. Ricordavo il giorno in cui era arrivata, arrossata e felice, con la stessa identica edizione di Frank O'Hara – avevo dato per scontato che l'avesse preso in un negozio di libri usati, visto che non avevamo i soldi per un volume del genere. Ma ripensandoci, mi resi conto che non mi aveva mai detto dove l'aveva trovato.

«Allora, Theodore» disse il signor Bracegirdle, richiamandomi al presente. Nonostante l'età, aveva l'aspetto calmo e abbronzato di uno che trascorreva gran parte del suo tempo libero su un campo da tennis; le borse scure sotto gli occhi gli davano una simpatica aria da panda. «Sei abbastanza grande perché un giudice consideri prioritaria la tua volontà, in questa faccenda. Soprattutto perché non c'è nessuno che possa contestarla. Naturalmente» continuò rivolto a Hobie, «potremmo cercare un tutore temporaneo per questa fase, ma non credo sarà necessario. Chiaramente questa soluzione fa gli interessi del minore, sempre se a lei sta bene.»

«Più che bene» disse Hobie. «Io sono felice se lui è felice.»

«Si sente pronto a fare da custode legale di Theodore per il momento in una veste informale?»

«Informale, in giacca e cravatta, in qualsiasi modo.»

«Bisogna pensare anche alla tua istruzione. Avevamo parlato di un collegio, se non ricordo male. Ma per ora meglio rimandare, non credi?» disse il signor Bracegirdle, notando la mia espressione affranta. «Farti ripartire proprio adesso che sei appena tornato, e con le vacanze in arrivo, poi. Al momento non c'è bisogno di prendere alcuna decisione, direi.» Lanciò un'occhiata a Hobie. «Sarebbe meglio se facessi gli esami da privatista per il resto del quadrimestre, poi sistemeremo tutto. E naturalmente sai che puoi chiamarmi in *qualsiasi* momento. Giorno e notte.» Annotò un numero di telefono su un biglietto da visita. «Questo è il mio numero di casa, e questo è il cellulare... ma senti, ti sei preso una brutta tosse!» esclamò, alzando lo sguardo, «brutta davvero. Ti stai curando, sì? E questo è il mio numero a Bridgehampton. Spero non ti farai scrupoli a chiamarmi, per qualunque ragione, qualsiasi cosa ti serva.»

Mi sforzai di soffocare un altro colpo di tosse. «Grazie...»

«Sei sicuro, Theo?» Mi rivolse uno sguardo intenso che mi fece sentire come se fossi sul banco dei testimoni. «Vuoi stare dal signor Hobart per le prossime settimane?»

Non mi piacque l'espressione *le prossime settimane*. «Sì» risposi, un pugno schiacciato sulle labbra, «ma...»

«Perché... stavo pensando, a proposito del collegio.» Intrecciò le dita e si chinò in avanti verso di me. «Immagino sia la cosa migliore, per te, a lungo termine, ma, sinceramente, vista la situazione, si potrebbe pensare a una soluzione su misura. Potrei chiamare il mio amico Sam Ungerer alla Buckfield e potremmo mandarti lassù anche subito. È una scuola eccellente. E credo potrebbero sistemarti nella casa del preside, o in una di quelle degli insegnanti, piuttosto che nel dormitorio, così ti troveresti in un ambiente più familiare, se pensi possa andare meglio per te.»

Lui e Hobie mi osservavano in modo incoraggiante. Rimasi a fissarmi le scarpe, non volevo sembrare un ingrato ma speravo che quell'idea non venisse presa in considerazione.

«Bene.» Il signor Bracegirdle e Hobie si scambiarono un'occhiata – mi sbagliavo, o era una punta di rassegnazione e/o delusione quella che avevo visto sul volto di Hobie? «Se è questo quello che vuoi, e se il signor Hobart è disponibile, non vedo che problema ci sia, per ora. Ma ti esorto a riflettere sul tuo futuro, Theo, così potremo metterci al lavoro e pensare a qualcosa per il prossimo quadrimestre. Anche a una scuola estiva, se ti va.»

VII

Tutela temporanea. Nelle settimane successive feci del mio meglio per non pensare al significato di *temporanea.* Mi ero messo a studiare per l'esame di ammissione anticipata all'università, il ragionamento era che così facendo non mi avrebbero spedito a finire il liceo in un collegio fuori dal mondo, nel caso da Hobie le cose non avessero funzionato. Trascorrevo tutto il giorno in camera, sotto la luce smorta della lampada, con Popchik che sonnecchiava sul tappeto ai miei piedi, curvo sui manuali di preparazione ai test, memorizzando date, esperimenti, teoremi, vocaboli latini e talmente tanti verbi irregolari spagnoli che persino nei sogni scorrevo quelle lunghe tabelle e mi dannavo per tenerle a mente.

Darmi un obiettivo tanto ambizioso era un modo di punirmi – e forse di farmi perdonare da mia madre. Non ero più abituato a studiare; a Las Vegas avevo perso tempo, e l'enorme quantità di roba da memorizzare mi dava un senso come di tortura, luci puntate in faccia, scena muta, la catastrofe del fallimento. Stropicciandomi gli occhi e tentando di restare sveglio con docce fredde e caffè ghiacciato, mi costringevo a proseguire concentrandomi sull'importanza di quello che stavo facendo, sebbene le mie infinite sgobbate fossero più deleterie di qualsiasi colla avessi mai sniffato; e a un certo punto anche lo studio divenne una specie di droga, che mi sfiniva fino a farmi perdere la percezione di dove mi trovavo.

Eppure ero contento, perché col cervello costantemente sotto pressione non avevo il tempo di pensare. La vergogna che mi tormentava era sfibrante soprattutto perché non aveva un'origine ben definita: non sapevo perché mi sentissi così sporco, e inutile e sbagliato – sapevo solo di esserlo, e ogni volta che sollevavo lo sguardo dai libri venivo sommerso da acque melmose che si riversavano su di me da ogni lato.

In parte aveva a che fare col quadro. Sapevo che tenerlo non avrebbe portato nulla di buono, ma ormai era troppo tardi per parlare. Confidarmi col signor Bracegirdle sarebbe stato imprudente. Ero in una posizione troppo precaria, e lui era impaziente di mandarmi in collegio. E quando prendevo in considerazione l'idea, come spesso accadeva, di confidarmi con Hobie, mi ritrovavo a pensare ai vari scenari possibili in linea teorica, senza saper decidere quale fosse il più verosimile.

Avrei potuto dare il quadro a Hobie e lui avrebbe detto: *Oh, cosa vuoi che sia*, e in qualche modo (mi sfuggiva come) se ne sarebbe preso cura, o avrebbe chiamato qualcuno che conosceva, o avrebbe avuto una bella idea su cosa fare, qualsiasi cosa, e non gli sarebbe importato, non si sarebbe arrabbiato, e in un modo o nell'altro tutto si sarebbe messo a posto.

Oppure: avrei dato il quadro a Hobie e lui avrebbe chiamato la polizia.

O anche: avrei dato il quadro a Hobie, lui l'avrebbe tenuto per sé e poi avrebbe detto: *Cosa? Sei pazzo? Un quadro? Non so di cosa stai parlando.*

O: avrei dato il quadro a Hobie e lui avrebbe annuito e sarebbe stato comprensivo e mi avrebbe detto che avevo fatto la cosa giusta, ma poi appena fossi uscito dalla stanza avrebbe telefonato al suo avvocato e mi avrebbero spedito in collegio o in un istituto per minori (che, quadro o non quadro, era l'epilogo di quasi tutte le mie fantasie).

Ma la fonte principale del mio malessere era mio padre. Sapevo che la sua morte non era colpa mia, ma a un livello viscerale, irrazionale e inscalfibile, ero convinto che lo fosse. Il modo in cui l'avevo abbandonato dopo il nostro ultimo disperato incontro, era più grave delle sue menzogne. Forse sapeva che io avrei potuto ripagare il suo debito; un pensiero che mi aveva torturato dal momento in cui il signor Bracegirdle se l'era lasciato ingenuamente sfuggire. Nell'ombra dietro la lampada sulla scrivania, i grifoni in terracotta di Hobie mi fissavano coi loro penetranti occhietti di vetro. Credeva l'avessi fregato di proposito? Che volessi la sua morte? Di notte, lo sognavo mentre lo picchiavano e lo inseguivano nei parcheggi dei casinò, e più di una volta mi svegliai di soprassalto e lo vidi sulla poltrona accanto al letto, che mi osservava in silenzio, la punta della sigaretta che riluceva nell'oscurità. Mi avevano detto che eri morto, dicevo ad alta voce, prima di rendermi conto che lui non era lì.

Senza Pippa, nella casa aleggiava un silenzio mortale. Il salotto buono, ormai chiuso, emanava un leggero sentore di umidità, come foglie morte. Continuavo a fantasticare guardando le sue cose, mi chiedevo dove fosse e cosa stesse facendo e mi sforzavo di sentirmi connesso a lei tramite fili sottili come un capello rosso nello scarico della vasca da bagno o un calzino appallottolato sotto il divano. Ma per quanto mi mancasse il formicolio nervoso che sentivo quando era accanto a me, la casa mi dava conforto, un senso di sicurezza, di protezione: i vecchi ritratti e i corridoi debolmente illuminati, il greve ticchettio degli orologi. Era come se avessi accettato un ingaggio come mozzo sulla *Marie Céleste*. Mentre mi aggiravo in quel silenzio stagnante, tra le pozze d'ombra e il sole profondo, i vecchi pavimenti scricchiolavano sotto i miei piedi come sul ponte di una nave, e lo sciabordio del traffico sulla Sesta Avenue s'infrangeva contro le mie orecchie. Di sopra, mentre mi spremevo le meningi, stordito, sulle equazioni differenziali, la legge del raffreddamento di Newton, le variabili indipendenti, *essendo tau una costante, abbiamo eliminato la sua derivata*, la presenza di Hobie al piano di sotto era un'ancora, un peso amico: mi confortava sentire il battere ritmico del suo mazzuolo e sapere che lui era lì a lavorare con calma ai suoi oggetti con le sue gomme adesive e il legno multicolore.

Dai Barbour, il fatto di non avere denaro a disposizione era una fonte di preoccupazione costante; dover chiedere alla signora Barbour i soldi per il pranzo, per il laboratorio scolastico e per le altre piccole spese mi metteva addosso un'ansia del tutto sproporzionata alle somme che lei sborsava senza neanche farci caso. Adesso, grazie ai soldi che avevo ricevuto dal signor Bracegirdle, mi sentivo molto meno a disagio, lì da Hobie, sebbene gli fossi piombato in casa senza preavviso. Pagavo io il veterinario di Popchik, una piccola fortuna dato che aveva un dente guasto e una leggera insufficienza cardiaca provocata dalla filariosi – a quanto ne sapevo, Xandra non gli aveva mai dato medicine né lo aveva vaccinato durante la mia permanenza a Las Vegas. Pagai anche le mie spese dentistiche (sei otturazioni, dieci ore infernali sul lettino) e acquistai un portatile e un iPhone, un paio di scarpe e i vestiti invernali che mi servivano. E, nonostante Hobie non accettasse denaro per il cibo, andavo lo stesso a fare la spesa e usavo i miei soldi: latte, zucchero e detersivo al Grand Union, ma più spesso prodotti freschi al mercato biologico a Union Square, funghi selvatici e mele stayman, pane all'uvetta, piccole leccornie che sembravano piacergli, al contrario dei grossi flaconi di detersivo Tide, che guardava con occhi tristi e portava in dispensa senza dire una parola.

Era tutto molto diverso dall'atmosfera affollata, complessa ed eccessivamente formale che si respirava dai Barbour, dove ogni cosa veniva provata e programmata come uno spettacolo di Broadway, una perfezione asfissiante a cui io e Andy cercavamo di sottrarci rifugiandoci in camera come calamari impauriti. Al contrario, Hobie viveva come un grande mammifero marino nel suo placido ecosistema, in una casa dove ogni orologio non andava d'accordo con gli altri e il tempo scorreva secondo traiettorie serpeggianti, seguendo solo il proprio torpido *tic tac*, regolato dal ritmo di quell'ambiente isolato, saturo di antichità, tra le chiazze marrone scuro del tè e del tabacco, lontano anni luce dalla versione posticcia e industriale del mondo. Anche se gli piaceva andare al cinema non possedeva un televisore; leggeva vecchi romanzi dai risvolti marmorizzati; non possedeva un cellulare; il suo computer era un preistorico e inutile IBM grande come una valigia. In quella calma immacolata si immergeva nel lavoro, staccando le impiallacciature col vapore o decorando a mano le gambe dei tavoli col cesello, e la sua concentrazione fluttuava dal laboratorio al piano di sopra e si diffondeva per la casa

come il calore di una stufa a legna in inverno. Era distratto e gentile;
negligente, con la testa tra le nuvole, modesto e delicato; spesso, la
prima o la seconda volta che gli dicevi una cosa non la sentiva; perdeva gli occhiali, il portafoglio, le chiavi, le ricevute della lavanderia, e mi chiedeva di scendere di sotto per cercare a gattoni con lui
un accessorio minuscolo o il pezzo di un attrezzo che gli era caduto
a terra. Ogni tanto apriva il negozio su appuntamento, per una o
due ore, ma – per quanto ne capivo – era poco più di una scusa per
tirare fuori la bottiglia di sherry e chiacchierare con amici e conoscenti; e se mostrava un mobile, aprendo e chiudendo cassetti su un
sottofondo di *ooh* e *aah*, sembrava farlo più che altro con lo spirito
con cui io e Andy, in un tempo lontano, tiravamo fuori i giocattoli
per metterli in mostra.

Se abbia mai davvero venduto un pezzo, io non lo vidi. Il suo
settore di competenza (come lo chiamava lui) era il laboratorio, o
piuttosto l'«ospedale», dove le sedie azzoppate e i tavoli rimane-
vano ammucchiati in attesa delle sue cure. Come un giardiniere in
una serra, che spazzola via gli afidi dalle foglie a uno a uno, veniva
assorbito dalla consistenza e dalla venatura di ogni pezzo, i cassetti nascosti, le incisioni e le meraviglie. Possedeva qualche attrezzo
moderno – una fresa verticale, un trapano senza fili e una sega circolare – ma li usava raramente («Se servono i tappi per le orecchie,
non mi attira granché»). Scendeva sul presto e a volte, se stava seguendo un progetto, ci restava fino alla sera, ma di solito quando la
luce iniziava ad affievolirsi risaliva e – prima di lavarsi per la cena –
si versava sempre lo stesso dito di whisky, liscio, in un bicchiere piccolo: stanco, cordiale, le mani sporche di nerofumo, con qualcosa
di militaresco e spartano nella sua spossatezza. T ha port fuori a cena?,
mi messaggiò Pippa.

Sì 3 o 4 volte

Gli piace andare sl in ristoranti vuoti dv nn va nessuno

Esatto il posto dv sm andati la sett scorsa era la tomba di Tutankhamon

Sì va sl in posti dove gli disp x i proprietari! xké ha paura ke falliscano e di sentirsi
in colpa

Mi piace di + qnd cucina lui

Kiedigli di farti il pan di zenzero qnt mi piacerebbe adesso

La cena era il momento del giorno che preferivo. A Las Vegas, specialmente da quando Boris aveva iniziato a vedersi con Kotku, non mi ero mai abituato alla malinconia di quei pasti raffazzonati, che consumavo seduto sul bordo del letto con un sacchetto di patatine o una vaschetta di riso rinsecchito avanzato dal take-away di mio padre. Invece, la giornata di Hobie ruotava intorno alla cena. Dove mangiamo? Chi viene? Cosa cucino? Ti piace il *pot-au-feu*? No? Mai assaggiato? Riso al limone o zafferano? Marmellata di fichi o di albicocche? Vuoi venire con me al Jefferson Market? A volte la domenica avevamo ospiti – professori della New School e della Columbia, signore appassionate di opera o di associazioni per la salvaguardia dell'ambiente, vecchi amici del quartiere –, compresi parecchi commercianti e collezionisti di ogni tipo, dalle vecchiette suonate coi guanti senza dita che vendevano gioielli di epoca georgiana al mercato delle pulci, a gente ricca come i Barbour (Welty, mi era stato detto, aveva aiutato molte di queste persone a mettere su la loro collezione, consigliandole sui pezzi da acquistare). La maggior parte degli argomenti di discussione mi coglieva impreparato (Saint-Simon? Il Festival dell'opera di Monaco? Coomaraswamy? La villa a Pau?). Ma anche quando si trattava di occasioni formali e la compagnia era «brillante», ai suoi pranzi nessuno faceva caso se ti servivi da solo o tenevi il piatto sulle ginocchia, al contrario delle feste ingessate col catering, gelide e tintinnanti, dai Barbour.

In effetti, a quei pranzi, gradevoli e interessanti come gli ospiti di Hobie, la mia preoccupazione era di imbattermi in qualcuno conosciuto dai Barbour. Mi sentivo in colpa per non aver chiamato Andy; ma, dopo quello che era successo per strada con suo padre, mi sarei vergognato ancora di più se fosse venuto a conoscenza del fatto che ero tornato in città di nuovo senza un posto mio dove stare.

E anche se solo marginalmente, mi disturbava il ricordo del modo in cui mi ero presentato da Hobie. In mia presenza non raccontava mai com'ero comparso alla sua porta, perché di certo capiva quanto mi avrebbe messo a disagio, ma di sicuro a qualcuno l'aveva detto: non che lo biasimassi, era una storia troppo bella. «Conoscendo Welty, è proprio da lui» disse una grande amica di Hobie, la signora

DeFrees, una gallerista specializzata in acquerelli del diciannovesimo secolo che, nonostante gli abiti rigidi e il profumo troppo
forte, adorava abbracciare e coccolare, e aveva l'abitudine da vecchia signora di prenderti sottobraccio e darti colpetti sulla mano
mentre parlava. «Perché, mio caro, Welty era un agora*maniaco*.
Amava la gente, sai. Adorava il mercato. Tutto quell'andirivieni. Affari, merci, chiacchiere, contrattazioni. Forse era per via del breve
periodo passato al Cairo nella sua fanciullezza, ma diceva sempre
che sarebbe stato contento di gironzolare in pantofole a mostrare
tappeti in un suk. Aveva talento come antiquario, sai… sapeva cosa
s'intonava a chi. Qualcuno entrava nel negozio senza intenzione di
comprare, magari solo per ripararsi un attimo dalla pioggia, accettava la tazza di tè che Welty gli offriva, e finiva per farsi spedire un
tavolo da salotto a Des Moines. Oppure entrava uno studente per
dare un'occhiata e si portava via una piccola stampa a poco prezzo.
Sapeva che non tutti possono permettersi un pezzo importante, era
semplicemente una questione di abbinamenti, trovare la casa giusta
a ogni pezzo.»

«Già, e la gente si fidava» disse Hobie, raggiungendoci col bicchierino di sherry della signora DeFrees e il suo bicchiere di whisky. «Diceva sempre che il suo difetto fisico era ciò che lo rendeva
un buon venditore, e credo ci fosse del vero in quell'affermazione.
"Lo storpio comprensivo." Non si lamentava mai di niente. Aveva
il giusto distacco per comprendere ciò di cui gli altri avevano bisogno.»

«Oh, Welty non è mai stato distaccato da nulla» disse la signora
DeFrees, accettando il bicchiere di sherry e dando un buffetto affettuoso a Hobie sulla manica, con la piccola mano dalla pelle sotti-
lissima che luccicava di diamanti a rosetta. «Era sempre in pista, sia
benedetto, con quella risata, mai un lamento. Ad ogni modo, caro
mio» disse, voltandosi verso di me, «questo è certo. Welty sapeva
esattamente ciò che faceva, quando ti ha dato quell'anello. Perché ti
ha portato dritto qui da Hobie, capisci?»

«Già» dissi, poi dovetti alzarmi per andare in cucina, tanto ero
scosso dalla piega che aveva preso la conversazione. Perché, naturalmente, non mi aveva dato solo l'anello.

VIII

Di notte, nella vecchia camera di Welty, che era diventata la mia, coi suoi vecchi occhiali da lettura e le penne stilografiche ancora nei cassetti della scrivania, me ne stavo a letto, agitato, ad ascoltare i rumori della strada. A Las Vegas mi aveva attraversato la mente il pensiero che se mio padre o Xandra avessero trovato il quadro avrebbero potuto non riconoscerlo, almeno non subito. Ma Hobie avrebbe capito. Continuavo a immaginarmi scenari in cui tornavo a casa e lo trovavo ad aspettarmi, col dipinto in mano – «Cos'è questo?» –, e non c'erano storie, non c'erano scuse, nessuna giustificazione per una catastrofe del genere; e quando mi mettevo in ginocchio e mi allungavo sotto il letto per tastare la federa (ormai lo facevo d'istinto, ogni tanto, per assicurarmi che fosse ancora lì) era un contatto fugace, come cercare di prendere un piatto troppo caldo dal forno.

Un incendio. Una disinfestazione. La grande scritta rossa INTERPOL sul Database delle Opere d'Arte Perdute. Se qualcuno avesse voluto stabilire un collegamento, l'anello di Welty era la prova che io ero stato nella galleria col quadro. La porta della mia stanza era talmente vecchia e aveva cardini così deformati che non si chiudeva bene; per farlo dovevo usare un fermaporta di ferro. E se, mosso da un impulso imprevedibile, si fosse messo in testa di salire per pulire? A dirla tutta, l'Hobie distratto e disordinato che conoscevo non sembrava tipo da iniziative del genere – Nn gli interessa se sei casinista. In camera mia nn va mai tranne per cambiare le lenzuola e spolverare, aveva scritto Pippa, facendomi venire immediatamente voglia di disfare il letto e passare quarantacinque frenetici minuti a spolverare tutte le superfici della stanza – e i grifoni, la sfera di cristallo, la testiera del letto – con una maglietta pulita. Presto diventò un'abitudine ossessiva – abbastanza da costringermi a uscire a comprare i miei stracci, sebbene Hobie ne avesse la casa piena –, non volevo che lui si accorgesse che spolveravo, desideravo solo che non gli venisse in mente la parola polvere quando passava in camera mia.

Per questa ragione, e poiché mi sentivo al sicuro solo quando uscivo di casa insieme a lui, trascorrevo quasi tutti i giorni nella mia stanza, alla scrivania, concedendomi appena una pausa per mangiare. E quando Hobie usciva lo tallonavo nelle gallerie, alle liquidazioni di beni, negli showroom, alle aste in cui restavamo in fondo al locale («no, no» diceva, quando gli indicavo le sedie vuote davanti, «meglio stare dove si vedono le palette per le offerte»); all'inizio era eccitante, proprio come nei film, ma dopo un paio d'ore diventava tremendamente noioso, proprio come il manuale di Statistica.

Ma nonostante mi sforzassi (con discreto successo) di apparire blasé, mentre lo seguivo in giro per Manhattan con aria indifferente, in verità mi incollavo a lui con lo stesso spirito ansioso con cui Popchik – disperatamente solo – stava sempre attaccato a me e a Boris a Las Vegas. Lo accompagnavo ai pranzi formali. Lo accompagnavo alle perizie. Lo accompagnavo dal sarto. Lo accompagnavo a convegni scarsamente frequentati su sconosciuti ebanisti di Philadelphia di fine Settecento. Lo accompagnavo a teatro, anche se le opere liriche erano noiose e tanto lunghe che avevo paura di addormentarmi e cadere dalla poltrona. Lo accompagnavo a cena dagli Amstiss (su Park Avenue, pericolosamente vicino ai Barbour) e dai Vogel, dai Krasnow e dai Mildeberger, dove le conversazioni erano a) incredibilmente monotone o b) talmente al di sopra della mia portata che riuscivo a dire soltanto *mmm*. («Povero ragazzo, dobbiamo essere davvero noiosi per te» aveva detto la signora Mildeberger con allegria, forse senza rendersi conto che era vero.) Altri amici, come il signor Abernathy – dell'età di mio padre, con qualche torbido scandalo o disgrazia alle spalle – erano così volubili e forbiti, così terribilmente indifferenti nei miei confronti («Dove hai detto di averlo recuperato questo ragazzo, James?»), che mi sedevo sbalordito tra le antichità cinesi e i vasi greci, cercando di dire qualcosa di intelligente, ma allo stesso tempo terrorizzato all'idea di attirare in qualsiasi modo l'attenzione su di me, ammutolito, fuori luogo. Almeno un paio di volte a settimana andavamo dalla signora DeFrees, nella sua grande casa zeppa di oggetti d'antiquariato (era l'equivalente di Hobie, ma nei quartieri alti) sulla Sessantatreesima Est, dove sedevo sul bordo di una sedia alta e sottile e cercavo di ignorare gli spaventosi gatti bengala che mi affondavano gli artigli nelle ginocchia. («È una creatura molto attenta a quello che gli succede intorno, vero?»

l'avevo sentita osservare non troppo *sottovoce* dall'altra parte della stanza mentre ammiravano un acquerello di Edward Lear.) Qualche volta ci accompagnava alle mostre da Christie's o da Sotheby's, dove Hobie esaminava attentamente ogni pezzo, apriva e chiudeva cassetti, mi mostrava i dettagli della lavorazione, tracciando dei segni sul suo catalogo con la matita, e poi, dopo una o due capatine in una galleria lungo la strada, lei tornava sulla Sessantatreesima e noi andavamo a Sant Ambrœus: Hobie, nel suo completo elegante, beveva un espresso al bancone, io mangiavo una brioche al cioccolato e guardavo i ragazzi che passavano con gli zaini pieni di libri, e mi auguravo di non incontrare nessuno della mia vecchia scuola.

«Tuo padre vuole un altro espresso?» mi chiese il barista quando Hobie era andato in bagno.

«No, grazie, basta il conto.» Quando qualcuno scambiava Hobie per mio padre, non potevo fare a meno di rabbrividire. Era abbastanza vecchio per essere mio nonno, ma irradiava il vigore tipico di quei padri più vecchi, europei, che si vedevano nell'East Side – uomini raffinati, corpulenti, sicuri di sé, al secondo matrimonio, padri a cinquanta o sessant'anni. Nei suoi abiti da visita-alla-galleria, sorseggiando il suo caffè e guardando tranquillo la strada, avrebbe potuto essere un magnate dell'industria svizzera o un ristoratore con un paio di stelle Michelin: ben piazzato, ricco, un matrimonio in tarda età. Perché, pensai tristemente, mentre tornava col cappotto sul braccio, perché mia madre non aveva sposato qualcuno come lui? O come il signor Bracegirdle? Qualcuno con cui avesse davvero qualcosa in comune – più vecchio, magari, ma piacevole, qualcuno che amasse le mostre e i quartetti d'archi, qualcuno che adorasse gironzolare per i negozi di libri usati, qualcuno che fosse attento, colto, gentile? Che l'avrebbe apprezzata e le avrebbe comprato bei vestiti e l'avrebbe portata a Parigi per il suo compleanno e le avrebbe donato la vita che meritava? Non le sarebbe stato difficile trovare uno così, se ci avesse provato. Gli uomini la adoravano: dal portiere ai miei insegnanti, ai padri dei miei amici, fino al suo capo, Sergio (che la chiamava, per ragioni a me sconosciute, *Dollybird*), e persino il signor Barbour schizzava come una scheggia a salutarla quando veniva a prendermi dopo che avevo passato la notte da loro, dispensando sorrisi, pronto a sfiorarle il gomito nel farle strada verso il divano, con voce bassa e amichevole, le va di sedersi?, gradisce qualcosa da bere, magari una tazza di tè? E non era stata la mia immaginazione – non solo – a farmi notare quanto attentamente mi avesse guardato il signor Bracegirdle: quasi stesse osservando lei, o cercasse tracce del suo fantasma dentro di me. Invece, anche da morto, mio padre era incancellabile, a prescindere da quanti sforzi facessi per togliermelo dalla testa: c'era sempre, nelle mie mani e nella mia voce e nel modo in cui camminavo, nelle mie occhiate che saettavano da una parte all'altra quando uscivo dal ristorante con Hobie, nella maniera in cui inclinavo il capo, che ricordava la sua vecchia abitudine di controllare la propria immagine riflessa in qualsiasi superficie potesse fungere da specchio.

IX

A gennaio diedi gli esami: uno facile e uno difficile. Quello facile in un'aula di una scuola del Bronx: madri incinte, parecchi tassisti e un branco vociante di ragazze della zona con corte giacche di pelliccia e smalti coi brillantini. Ma il test non era facile come avevo pensato, e le domande ostiche sull'amministrazione e la storia dello Stato di New York furono più numerose di quelle che mi aspettavo (quanti mesi duravano le sessioni dell'assemblea legislativa ad Albany? Come diavolo facevo a saperlo?), e tornai a casa in metro depresso e preoccupato. E l'esame difficile (aula chiusa a chiave, genitori apprensivi avanti e indietro per i corridoi, l'atmosfera alienante di un torneo di scacchi) sembrava concepito per un genio autistico del MIT, e tante delle risposte a scelta multipla erano così simili tra loro che rincasai senza avere la più pallida idea di come fosse andata.

Chi se ne frega, mi dissi, percorrendo Canal Street per prendere il treno, con le mani nelle tasche e le ascelle sudate per l'ansia da compito in classe. Forse non sarei stato ammesso all'università prima del tempo; e allora? Per farcela non era sufficiente che passassi l'esame, dovevo piazzarmi nel settantesimo percentile, se volevo avere una chance.

Hýbris: un vocabolo che era comparso spesso nei test di preparazione, ma non agli esami. Me la giocavo con cinquemila aspiranti per qualcosa come trecento posti – se non ce l'avessi fatta, chissà cosa sarebbe successo; non avrei sopportato di finire nel Massachusetts da quell'Ungerer di cui continuava a parlare il signor Bracegirdle, il preside buono e la sua «squadra», come li chiamava: la moglie e tre figli, che immaginavo in piedi, uno vicino all'altro, disposti dal più alto al più basso, che mi sorridevano coi loro denti bianchi, identici ai bulli delle scuole elementari che secoli prima avevano picchiato me e Andy e ci avevano fatto mangiare la polvere. Ma se non avessi passato il test (o, più precisamente, non fossi andato abbastanza bene da entrare nel programma), come facevo a restare a New York? Di sicuro avrei dovuto puntare a un obiettivo alla mia portata, un liceo decente in città dove sarebbe stato più facile essere ammesso. Ma il signor Bracegirdle aveva insistito così tanto con la storia del collegio, dell'aria fresca e i colori dell'autunno e i cieli stellati e le gioie della vita di campagna («*Stuyvesant*. Perché dovresti stare qui e frequentare la Stuyvesant, avendo la possibilità di andar via da New York? Sgranchirti le gambe, respirare aria fresca, stare in una vera famiglia?»), che i licei non li avevo proprio presi in considerazione, neanche quelli migliori.

«So cos'avrebbe voluto tua madre per te, Theodore» aveva ripetuto più volte. «Avrebbe voluto che ricominciassi da zero. Fuori da New York.» Aveva ragione. Ma come potevo spiegargli, nella catena di caos insensato che aveva seguito la sua morte, quanto fossero diventati irrilevanti quei vecchi desideri?

Ancora perso nei miei pensieri, svoltai per entrare nella stazione, frugandomi in tasca in cerca dell'abbonamento, e passai davanti a un chiosco dei giornali dove mi cadde lo sguardo su questo titolo:

I CAPOLAVORI DEL MUSEO RECUPERATI NEL BRONX
OPERE RUBATE PER MILIONI DI DOLLARI

Mi fermai sul marciapiede, mentre i pendolari sciamavano intorno a me. Poi – col cuore a mille e il terrore che qualcuno mi osservasse – tornai indietro e comprai una copia (di certo per un ragazzo della mia età comprare un giornale non poteva essere tanto sospetto…), e corsi sulla panchina all'altro lato della Sesta per leggere.

In seguito a una soffiata, la polizia aveva recuperato tre quadri – un George van der Mijn, un Wybrand Hendriks e un Rembrandt, tutti scomparsi dal museo dopo l'esplosione – in una casa nel Bronx. I quadri erano stati rinvenuti in una mansarda-magazzino, avvolti nell'alluminio e incastrati in mezzo ai filtri per l'impianto di condizionamento dell'edificio. Il ladro, suo fratello e la suocera del fratello – proprietaria dell'immobile – erano in custodia cautelare in attesa del pagamento della cauzione; se fossero stati dichiarati colpevoli di tutti i capi d'accusa, rischiavano fino a vent'anni di carcere.

L'articolo proseguiva per diverse pagine, con tanto di sequenze temporali e schemi esplicativi. Il ladro – un paramedico – si era trattenuto dopo l'ordine di evacuazione, aveva staccato i quadri dalla parete, li aveva avvolti in un lenzuolo e nascosti sotto una barella pieghevole, infine era uscito dal museo portandoseli via, del tutto inosservato. «Li ha scelti a caso» spiegava l'investigatore dell'FBI nell'articolo. «Quelli che si è trovato davanti. L'uomo non sa nulla di arte. Una volta a casa, non sapendo che farsene, si è consultato col fratello e insieme li hanno nascosti a casa della suocera, senza dirle niente, stando alle sue dichiarazioni.» A quanto pareva, dopo una breve ricerca su Internet i fratelli si erano resi conto che il Rembrandt era troppo famoso per essere venduto, e i loro tentativi di smerciare le opere meno conosciute avevano condotto gli inquirenti al nascondiglio nella mansarda.

Ma il paragrafo finale dell'articolo mi saltò agli occhi come se fosse stato scritto in rosso.

Per quanto riguarda le opere che ancora mancano all'appello, gli inquirenti sono fiduciosi e le autorità stanno seguendo diverse piste locali. «Chi cerca trova» ha dichiarato Richard Nunnally, l'agente di polizia in contatto con l'unità crimini d'arte dell'FBI. «Di solito, in questo genere di reato, i pezzi vengono fatti uscire dal Paese il prima possibile, ma il ritrovamento nel

Bronx conferma che probabilmente abbiamo a che fare con dei dilettanti, persone senza esperienza che hanno agito d'impulso, senza le competenze necessarie per vendere o nascondere questi oggetti.» Secondo Nunnally, in queste ore si stanno interrogando, contattando e ricontrollando diverse persone presenti sulla scena al momento dell'esplosione: «Probabilmente molte di queste opere perdute sono in città, sotto il nostro naso».

Mi veniva da vomitare. Mi alzai e gettai il giornale nel cestino più vicino, e invece di prendere la metro ritornai su Canal Street e vagabondai per Chinatown nel freddo glaciale, tra negozi di elettrodomestici a poco prezzo e tappeti rosso sangue nelle sale da *dim sum*, fissando oltre i vetri sporchi scaffali di mogano con anatre arrosto alla pechinese mentre pensavo: *merda, merda.* Venditori ambulanti con le guance arrossate infagottati come mongoli gridavano sopra i bracieri fumanti. Procuratore distrettuale. FBI. Nuove informazioni. *Intendiamo proseguire le indagini senza fare sconti a nessuno. Siamo convinti che presto spunteranno altre opere trafugate. L'Interpol, l'unesco e altre organizzazioni federali e internazionali stanno collaborando a fianco delle autorità locali.*

Era dappertutto, su tutti i giornali, persino su quelli in mandarino. Il ritratto di Rembrandt recuperato sbucava in mezzo a fiumi di caratteri cinesi, facendo capolino tra cesti di verdure irriconoscibili e anguille immerse nel ghiaccio.

«*Veramente* allarmante» disse Hobie quella sera a cena con gli Amstiss, aggrottando la fronte agitato. Non riusciva a parlare d'altro che dei dipinti ritrovati. «Gente ferita dappertutto, gente che muore dissanguata e questo tipo si mette a staccare quadri dalle pareti e se li porta in giro, fuori, sotto la *pioggia*.»

«Be', non posso dire di essere sorpreso» fece il signor Amstiss, al quarto scotch con ghiaccio. «Dopo il secondo attacco di cuore di mia madre non hai idea della confusione che hanno lasciato quei cretini del Beth Israel. *Tutto* il tappeto ricoperto di impronte nere. Abbiamo trovato i cappucci di plastica degli aghi sul pavimento per settimane, il cane per poco non ne ha inghiottito uno. E hanno anche rotto qualcosa, Martha, qualcosa nella credenza, cos'era?»

«Senti, io non voglio lamentarmi del personale medico» disse Hobie. «Le persone che ci hanno assistito quando Juliet era malata mi hanno fatto un'ottima impressione. Sono solo contento che abbiano trovato i quadri prima che subissero danni irreparabili, sarebbe stata una vera... Theo?» mi disse, all'improvviso, e io sollevai di scatto lo sguardo dal piatto. «Tutto bene?»

«Scusate. Sono solo stanco.»

«Non mi stupisce» disse la signora Amstiss gentilmente. Insegnava Storia americana alla Columbia; dei due, era lei quella con cui Hobie andava d'accordo, la sua amica, mentre il signor Amstiss era la metà meno gradita del pacchetto. «È stata una giornata dura, per te. Sei preoccupato per gli esami?»

«No, non particolarmente» risposi d'istinto, pentendomene subito.

«Oh, sono *sicuro* che ti prenderanno» disse il signor Amstiss in un tono che sottintendeva che qualsiasi idiota ce l'avrebbe fatta, e poi, girandosi verso Hobie: «La maggior parte di questi corsi universitari per studenti precoci non merita la reputazione che ha, non è vero, Martha? Ah, niente di più rispetto a un normale liceo. Tanto difficile entrarci, quanto facile una volta che sei dentro. È così che funziona oggi coi ragazzi. Partecipano, si fanno vedere, e si aspettano di essere ricompensati. Vincono tutti. Sapete cosa ha detto a Martha un suo studente, l'altro giorno? Diglielo, Martha. Questo ragazzo si presenta dopo la lezione, vuole parlare. Non dovrei dire *ragazzo*, uno studente del master. E sapete cosa dice?».

«Harold...» fece la signora Amstiss.

«Dice che è preoccupato per i risultati dei suoi esami, vuole un consiglio. Perché *fa fatica a ricordare le cose*. Meraviglioso. Uno studente all'ultimo anno di Storia americana che *fa fatica a ricordare le cose*.»

«Oh, non credere, anch'io faccio fatica a ricordare le cose» commentò Hobie, affabile, e dirottò la conversazione su altri argomenti.

Ma quella notte, dopo che gli Amstiss se ne furono andati e Hobie si fu coricato, io rimasi sveglio nella mia stanza a guardare la strada fuori dalla finestra, ascoltando i rumori dei camion in lontananza sulla Sesta e cercando in tutti i modi di placare il panico.

Cosa potevo fare? Ero stato ore al computer, a cliccare su decine di siti – «Le Monde», «Daily Telegraph», «Times of India», «la Repubblica» –, articoli in lingue che non ero in grado di leggere, da tutti i giornali del mondo. Le multe, che si aggiungevano alla reclusione, erano devastanti: duecentomila, mezzo milione di dollari. Peggio: la donna proprietaria della casa era colpevole perché i dipinti erano stati trovati nella sua proprietà. E questo voleva dire che molto probabilmente anche Hobie sarebbe finito nei guai, guai molto più seri dei miei. La donna, un'estetista in pensione, aveva affermato di non sapere che i dipinti fossero nella sua soffitta. Ma Hobie? Un antiquario? Era una persona generosa, e mi aveva accolto ignaro di tutto: ma a chi sarebbe importato? Chi mi avrebbe creduto?

I pensieri si rincorrevano come in una perversa parata di carnevale. *Nonostante questi ladri abbiano agito d'impulso e non abbiano precedenti penali, la loro inesperienza non ci tratterrà dal perseguirli applicando la legge fino in fondo.* Un editorialista di Londra aveva citato il mio quadro insieme al Rembrandt recuperato: *... ha attirato l'attenzione su altre opere di valore ancora mancanti all'appello, in particolare* Il cardellino *di Carel Fabritius, del 1654, un'opera unica nel suo genere e di conseguenza inestimabile...*

Cancellai la cronologia del computer per la terza o quarta volta e lo chiusi con un colpo secco, poi, un po' rigido, mi misi a letto e spensi la luce. Avevo ancora con me le pillole rubate a Xandra – ce n'erano centinaia, di tutti i colori e le dimensioni, tutti antidolorifici secondo Boris, e sebbene a volte mettessero al tappeto mio padre, l'avevo anche sentito lamentarsi del fatto che ogni tanto non lo facevano dormire la notte –, così dopo più di un'ora, paralizzato dallo sconforto e dall'indecisione, rigirandomi nauseato e osservando i fari delle auto che s'incrociavano sul soffitto, riaccesi la luce, frugai nel comodino in cerca dell'astuccio e scelsi due pillole di due colori diversi, una blu e una gialla, dicendomi che se una non mi avesse fatto venir sonno, l'altra magari invece sì.

Inestimabile. Mi girai verso il muro. Il Rembrandt recuperato era stato valutato quaranta milioni. Ma quaranta milioni erano comunque un prezzo.

Per strada, un camion dei vigili del fuoco ululò ferocemente prima di svanire lontano. Automobili, coppie che ridevano uscendo dai locali. Mentre me ne stavo sdraiato, cercando di pensare a cose rilassanti come la neve e le stelle nel deserto, sperando di non aver ingoiato il cocktail sbagliato che mi avrebbe ucciso, feci del mio meglio per aggrapparmi all'unico dato confortante che avevo tratto dalle mie letture online: i dipinti rubati erano quasi impossibili da rintracciare, a meno che qualcuno non cercasse di venderli, o spostarli, ragion per cui solo il venti per cento dei furti d'arte veniva scoperto.

Capitolo 8

La-bottega-dietro-la-bottega, il seguito

I

L'ansia e il terrore per il dipinto erano talmente forti che riuscirono a mettere in ombra l'arrivo della lettera: ero stato ammesso al programma universitario per studenti precoci, che avrei cominciato a frequentare in primavera. Rimasi così sconvolto da quella notizia che chiusi la busta in un cassetto della scrivania e ce la lasciai per due giorni, accanto a un fascio di carta da lettere con le iniziali di Welty, finché non trovai il coraggio di affacciarmi in cima alle scale (dal laboratorio proveniva il rumore rauco della sega) e chiamare: «Hobie?».

La sega si fermò.

«Mi hanno preso.»

In fondo alle scale spuntò il faccione pallido di Hobie. «Come dici?» chiese, ancora assorto nel suo lavoro, non del tutto presente, mentre si puliva le mani sul grembiule nero, riempiendolo di ditate bianche. Cambiò espressione quando vide la busta. «È quello che penso?»

Gliela porsi senza dire una parola. Lui guardò la lettera, poi me, e scoppiò in una risata, la sua risata «irlandese», come mi veniva da definirla, allo stesso tempo severa e incredula.

«Bravo!» esclamò, slacciandosi il grembiule e buttandolo sul corrimano. «Sono contento, e te lo dico sinceramente. Non mi piaceva pensarti lassù, tutto solo. E quando pensavi di dirmelo? Il primo giorno di scuola?»

La sua evidente soddisfazione mi faceva sentire a disagio. Andammo a cena fuori per festeggiare – io, Hobie e la signora DeFrees, in un ristorantino italiano della zona sull'orlo del fallimento – e io mi fissai sulla coppia che beveva vino all'unico altro tavolo occupato; e – invece di essere felice, come avevo sperato – provai solo irritazione e un vago senso di ottundimento.

«Salute!» disse Hobie. «Il peggio è alle spalle. Ora puoi riprendere fiato.»

«Devi essere *così* orgoglioso di te stesso» commentò la signora DeFrees che mi aveva tenuto stretto a braccetto tutta la sera, cinguettando di gioia. («Sei *bien élégante*» le aveva detto Hobie, salutandola con un bacio sulla guancia: capelli grigi raccolti sulla testa e nastri di velluto intrecciati alle maglie del bracciale di diamanti.)

«Un modello di dedizione!» sentenziò Hobie. Sentirlo raccontare ai suoi amici quanto avessi lavorato sodo e che studente eccellente fossi mi faceva stare ancora peggio.

«Be', è fantastico. Non sei contento? E con così poco preavviso! Cerca di mostrare un po' più d'entusiasmo, mio caro. Quando comincia?» chiese a Hobie.

II

La gradita sorpresa fu che, passato il trauma dell'esame d'ammissione, il programma universitario si rivelò molto meno *duro* di quanto temessi. Per certi versi era la scuola meno impegnativa che avessi mai frequentato: niente corsi avanzati, nessuno stress in vista di futuri test di ammissione, niente montagne di Matematica né corsi di lingue obbligatori – in pratica non esistevano corsi obbligatori. Osservavo il paradiso dei secchioni in cui ero finito con crescente stupore; finalmente riuscivo a capire perché i ragazzi più dotati e talentuosi di tutti e cinque i distretti di New York fossero disposti ad ammazzarsi di studio pur di essere selezionati. Non c'erano test, né esami, né voti. Frequentavamo corsi in cui costruivamo pannelli solari e seminari tenuti da premi Nobel per l'Economia e lezioni in cui non si faceva altro che ascoltare dischi di Tupac o guardare vecchi episodi di *Twin Peaks*. Gli studenti erano liberi di organizzare per conto loro piccoli corsi di Robotica o Storia dei videogiochi, se lo desideravano. Potevo scegliere tra diverse, interessanti materie facoltative per le quali le uniche verifiche consistevano in qualche domanda aperta cui rispondere da casa a metà quadrimestre e un progetto da presentare alla fine. Ma per quanto mi rendessi conto di essere stato fortunato, non riuscivo a essere felice o riconoscente per la mia buona stella. Era come se il mio spirito avesse subito una trasformazione chimica, come se l'equilibrio acido della mia psiche fosse stato alterato, causandomi un'irreparabile perdita di vitalità in un processo impossibile da arginare o da invertire, come un ramo di corallo che si secca fino a ossificarsi.

Ero perfettamente in grado di fare quello che dovevo. Lo avevo già fatto in passato: annullare i pensieri e andare avanti. Quattro mattine a settimana mi alzavo alle otto, mi facevo la doccia nella vasca coi piedini nel bagno adiacente alla stanza di Pippa (fiori di tarassaco sulla tenda, il profumo del suo shampoo alla fragola che mi trasportava in un mondo vaporoso e beffardo dove la sua presenza sorrideva tutt'intorno). Poi il brusco ritorno a terra: uscivo dalla nuvola di vapore, mi vestivo nel silenzio della mia stanza e – dopo aver trascinato Popchik a fare un giro dell'isolato, con lui che saltava da una parte all'altra e gridava di terrore – mi affacciavo nel laboratorio, salutavo Hobie, mi buttavo lo zaino in spalla e prendevo per due fermate la metro per Downtown.

La maggior parte degli studenti seguiva cinque o sei corsi, ma io mi iscrissi al minor numero possibile, cioè quattro: Arte, Francese, Introduzione al cinema europeo e Letteratura russa. Avrei voluto seguire il corso di Conversazione in russo per principianti, ma sarebbe cominciato solo in autunno. Con una freddezza da automa, mi presentavo a lezione, parlavo quand'ero interpellato, facevo quel che dovevo fare e me ne tornavo a casa. A volte, dopo le lezioni, andavo a mangiare in qualche ristorantino da poco nei dintorni dell'università, italiano o messicano, fra i flipper e le piante di plastica, enormi televisori sintonizzati sullo sport e birra a un dollaro per l'happy hour (non per me, però: era una strana sensazione riadattarmi alla vita da minorenne, come tornare all'asilo a disegnare coi pastelli). Poi, pieno di zuccheri per tutta la Sprite che avevo ingurgitato, tornavo a casa di Hobie attraversando Washington Square Park a testa bassa e con l'iPod a tutto volume. L'ansia (il Rembrandt recuperato era ancora su tutti i giornali) mi toglieva il sonno e ogni volta che il campanello di Hobie suonava inaspettatamente saltavo su come se fosse scattato un allarme antincendio da codice rosso.

«Stai perdendo molte occasioni, Theo» disse Susanna, la mia tutor (usavamo solo nomi di battesimo, come tra amici). «Le attività extracurricolari sono una risorsa fondamentale per gli studenti di un campus cittadino, soprattutto per i più giovani.»

«Be'...» Aveva ragione: a scuola mi sentivo solo. I ragazzi di diciotto e diciannove anni non socializzavano coi più piccoli e anche se c'erano un sacco di studenti della mia età o anche più giovani (persino un dodicenne allampanato che si mormorava avesse un QI di 260), conducevano un'esistenza così protetta e avevano preoccupazioni talmente sciocche e distanti dalle mie che era come se parlassero un qualche idioma da scuola media che io avevo dimenticato da tempo. Vivevano a casa coi genitori, si preoccupavano di cose come la media dei voti, i programmi di studio in Italia e i tirocini estivi all'ONU; si agitavano se ti accendevi una sigaretta davanti a loro, erano coscienziosi, pieni di buona fede, intatti, ignari di tutto. Avevo così poco in comune con loro che tanto valeva mettersi a frequentare gli alunni di otto anni della PS 41, la scuola pubblica del Village.

«Vedo che frequenti il corso di Francese. Il loro club si riunisce una volta a settimana in un ristorante francese sulla University Place. E il martedì vanno all'Alliance Française a guardare film in lingua. Secondo me ti piacerebbe.»

«Può darsi.» Il direttore del Dipartimento di francese, un vecchio algerino, era già venuto a parlarmi (un episodio piuttosto traumatico: quando avevo sentito la sua enorme mano atterrare sulla mia spalla avevo fatto un balzo come se qualcuno avesse tentato di scipparmi) e senza tanti preamboli mi aveva comunicato che teneva un seminario che forse mi poteva interessare, le origini del terrorismo moderno a partire dal FLN e dalla Guerre d'Algérie. E io non sopportavo il modo in cui gli insegnanti mi trattavano, come se mi conoscessero perfettamente e comprendessero a fondo tutte le implicazioni della «tragedia», così l'aveva definita la mia insegnante di cinema, la signora Lebowitz («Chiamami Ruthie»). Anche lei, la signora Lebowitz, dopo aver letto il mio saggio su *Ladri di biciclette* aveva insistito perché mi iscrivessi al club di Cinema; sosteneva che avrei apprezzato molto anche le attività del club di Filosofia dove, ogni settimana, si dibatteva su quelli che lei chiamava i Grandi Interrogativi. «Uhm, ci penserò» le avevo risposto educatamente.

«Be', leggendo il tuo saggio ho avuto l'impressione che tu sia fortemente attratto da questioni metafisiche quali perché le persone buone debbano soffrire» proseguì, di fronte alla mia espressione assente. «O il rapporto tra casualità e destino. Il tuo saggio non si concentra tanto sull'analisi cinematografica del film di De Sica, quanto sul caos e l'incertezza nei quali, fondamentalmente, tutti viviamo immersi.»

«Non saprei» buttai lì per interrompere il silenzio imbarazzante che si era creato. Il mio saggio parlava davvero di quelle cose? A dire il vero, *Ladri di biciclette* non mi era nemmeno piaciuto (né *Kes*, né *Il gabbiano*, né *Cognome e nome: Lacombe Lucien*, né nessun altro dei deprimenti film stranieri che avevamo visto durante il corso della signora Lebowitz).

La signora Lebowitz mi fissò così a lungo che mi sentii a disagio. Alla fine, si aggiustò gli occhiali rosso fuoco sul naso e disse: «Be', la maggior parte del materiale che affrontiamo nel corso di Cinema europeo è piuttosto pesante, così ho pensato che magari ti piacerebbe frequentare uno dei miei seminari specialistici, per esempio il corso *Screwball comedies degli anni Trenta* o magari *Cinema muto*. Abbiamo in programma *Il gabinetto del dottor Caligari*, ma anche tanto Buster Keaton e Charlie Chaplin... Insomma, sempre di caos stiamo parlando, ma inserito in un contesto meno minaccioso. Più positivo».

«Ci penserò» dissi ancora. In realtà non avevo nessuna intenzione di sobbarcarmi nemmeno un briciolo di lavoro extra, per positivo che fosse. E questo perché – fin dal primo momento in cui avevo messo piede a scuola – l'illusoria carica di energia grazie alla quale ero riuscito a superare l'esame di ammissione era svanita. Le infinite possibilità che l'università mi offriva mi lasciavano del tutto indifferente, non volevo impegnarmi più di quanto non fosse strettamente necessario. Tutto quello che volevo era restare a galla.

Perciò l'accoglienza entusiasta dei miei insegnanti sfumò presto nella rassegnazione e in una sorta di latente, impersonale rammarico. Non ero in cerca di sfide, non avevo alcuna intenzione di sviluppare le mie capacità, allargare i miei orizzonti e sfruttare le mille risorse a mia disposizione. Come aveva commentato Susanna con delicatezza, non stavo rispondendo al programma nella maniera adeguata. In effetti, man mano che il quadrimestre progrediva e i miei insegnanti prendevano le distanze da me, in qualche caso manifestando persino un certo risentimento («Le opportunità accademiche non sembrano spronare Theodore a un impegno maggiore, su nessun fronte»), dentro di me cresceva il sospetto che la sola ragione per cui ero stato ammesso fosse proprio «la tragedia». Qualcuno, nell'ufficio ammissioni, aveva segnalato la mia domanda, l'aveva passata in amministrazione, mio Dio, povero ragazzo, vittima del terrorismo, *bla bla bla*, la scuola ha delle responsabilità, quanti posti liberi sono rimasti, riusciamo a inserirlo in qualche modo? Ero quasi certo di aver rovinato la vita a un meritevole cervellone del Bronx, qualche sfigato clarinettista dei quartieri popolari che prendeva botte dai compagni che volevano copiare i compiti di Algebra e che sarebbe finito a timbrare biglietti in un casello autostradale invece di insegnare Meccanica dei fluidi al California Institute of Technology, solo perché io gli – o le – avevo rubato il posto.

Evidentemente era stato commesso un errore. «Theodore partecipa poco in classe e non dedica allo studio più attenzione dello stretto necessario» scrisse il mio professore di Francese nel feroce giudizio di metà quadrimestre che – in mancanza di adulti che mi controllassero seriamente – nessuno vide tranne me. «C'è da augurarsi che i suoi recenti insuccessi lo spronino a mettersi alla prova nei prossimi mesi.»

Ma non avevo voglia di approfittare delle possibilità che mi venivano offerte, né di mettermi alla prova. Vagabondavo per le strade di New York come in preda a un'amnesia e (anziché fare i compiti, frequentare il laboratorio di Lingue o iscrivermi a uno dei club di cui sopra) prendevo la metropolitana da solo per raggiungere il limbo dei quartieri periferici, dove gironzolavo tra bettole e negozi di capelli sintetici. Presto, però, persi interesse anche per la ritrovata possibilità di spostarmi autonomamente – centinaia di chilometri sui binari, per il puro gusto di farlo – e, come una pietra che affonda silenziosamente nella profondità delle acque, mi rintanai a lavorare pigramente nel seminterrato di Hobie, dove, avvolto da un'accogliente sonnolenza, al di sotto del livello stradale, al riparo dal rombo stridente della città e dal profilo frastagliato dei grattacieli, lucidavo ripiani di legno e ascoltavo musica classica alla radio, felice, per ore.

D'altra parte: cosa m'importava del *passé composé* o delle opere di Turgenev? Era così sbagliato desiderare di dormire fino a tardi con la testa sotto le coperte e aggirarmi in una casa silenziosa – vecchie conchiglie nei cassetti e ceste di vimini stipate di pezzi di stoffa per foderare le sedie sotto lo scrittoio del soggiorno, la luce del tramonto che filtrava in drammatici raggi corallo dalla lunetta sopra la porta d'ingresso? Nel giro di poco tempo, tra la scuola e il laboratorio, scivolai in una sorta di incurante torpore, una versione onirica e sghemba della mia vita precedente, dove percorrevo le stesse strade ma in circostanze del tutto mutate, circondato da persone nuove. E anche se spesso, andando a scuola, pensavo alla vita ormai perduta con mia madre – la stazione di Canal Street, i secchi coi fiori del mercato coreano, qualsiasi cosa me la faceva tornare in mente – era come se sulla mia esistenza a Las Vegas fosse calato un manto nero.

Solo ogni tanto, nei rari momenti in cui abbassavo la guardia, il ricordo mi assaliva con una lucidità talmente inattesa da bloccarmi in mezzo al marciapiede. Chissà come, il presente si era trasformato in un luogo più piccolo e molto meno interessante. Forse avevo solo riacquistato un po' di controllo, l'avevo fatta finita col cronico spreco e lo splendore ruggente delle sbronze adolescenziali, la nostra piccola tribù guerriera di due soli membri e le scorrerie nel deserto; forse era così che diventavi quando crescevi, anche se era impossibile immaginare Boris (che fosse a Varsavia, a Karmeywallag, in Nuova Guinea o in qualunque altro posto) vivere il catatonico preludio-all'età-adulta in cui ero precipitato io. Con Andy – persino con Tom Cable – avevo discusso in maniera ossessiva di come saremmo diventati da grandi: l'idea che Boris aveva del futuro, invece, sembrava non andare oltre il prossimo pasto. Non riuscivo a immaginarmelo mentre si dava da fare per guadagnarsi da vivere e diventare un membro produttivo della società. Eppure, stare accanto a lui ti faceva scoprire che la vita era piena di possibilità, grandiose e ridicole – molto più determinanti di qualunque cosa insegnassero a scuola. Avevo rinunciato da un pezzo a chiamarlo o a mandargli messaggi. Non avevo mai ricevuto risposta agli SMS inviati a Kotku, e nella sua casa a Las Vegas il telefono era staccato. Considerando l'ampio raggio dei suoi spostamenti, era difficile credere che l'avrei rivisto, ma pensavo a lui quasi ogni giorno. I romanzi russi che dovevo leggere per la scuola me lo facevano tornare in mente, i romanzi russi e *I sette pilastri della saggezza* e anche il Lower East Side: i negozi dei tatuatori e quelli di *pierogi*, l'odore di erba nell'aria, le vecchie signore polacche che caracollavano lungo il marciapiede con grosse borse della spesa e i ragazzini che fumavano all'entrata dei bar sulla Seconda Avenue.

E qualche volta – inaspettatamente, con un'intensità quasi dolorosa – ricordavo mio padre. Chinatown mi faceva pensare a lui, sgargiante e trascurata com'era, ai suoi umori altalenanti e indecifrabili: gli specchi e gli acquari, le vetrine coi fiori di plastica e i tronchetti della felicità. Ogni tanto, quando andavo a Canal Street per conto di Hobie, a comprare tripoli e trementina di Venezia al Pearl Paint, facevo una deviazione in Mulberry Street fino a un ristorante che gli piaceva tanto, dalle parti della fermata della linea E, otto scalini per arrivare in un seminterrato con luridi tavoli di formica dove mi facevo servire croccanti frittelle di cipolline, maiale speziato, piatti che dovevo indicare col dito perché il menu era in cinese. La prima volta che mi ero presentato da Hobie carico di borse di carta unte, la sua espressione perplessa mi aveva gelato; ero rimasto impalato al centro della stanza, come un sonnambulo risvegliato a metà della sua passeggiata, a chiedermi cosa mi fosse saltato in mente – non era roba da Hobie; non era Hobie la persona che avevo in mente, quella che smaniava per il cibo cinese a ogni ora del giorno e della notte.

«Oh, sì che mi piace» si era affrettato a dire con un sorriso. Avevamo mangiato direttamente dalle vaschette, di sotto, Hobie seduto

su uno sgabello col grembiule nero da lavoro e le maniche arrotolate fino al gomito, le bacchette stranamente minuscole nelle sue
mani grandi.

III

Anche la natura informale della mia permanenza da Hobie mi
preoccupava. Nonostante lui, nella sua bonarietà distratta, non sembrasse infastidito dalla mia presenza in casa, il signor Bracegirdle la
considerava chiaramente una soluzione temporanea. Sia lui sia la
mia tutor a scuola si erano premurati di spiegarmi che, sebbene i
dormitori del college fossero riservati agli studenti più grandi, nel
mio caso si poteva fare un'eccezione. Ma ogni volta che saltava fuori
quell'argomento, io mi zittivo e mi fissavo le scarpe. Gli alloggi per
gli studenti erano affollati, sporchi, con un ascensore a gabbia coperto di graffiti che cigolava come quello di una prigione: le pareti
tappezzate di volantini di concerti, i pavimenti appiccicosi di birra,
una calca di energumeni con l'aria da zombie avvolti nelle coperte e
mezzi addormentati sui divani della stanza TV e tizi devastati con la
barba lunga – uomini fatti e finiti, ai miei occhi, temibili ventenni –
che si tiravano lattine vuote nei corridoi. «Be', in effetti sei ancora
un po' piccolo» concesse il signor Bracegirdle quando, messo alle
strette, gli rivelai la mia perplessità; anche se la vera ragione delle
mie perplessità era qualcosa di cui non potevo parlare con nessuno:
considerando la mia situazione, come avrei potuto vivere con un
compagno di stanza? E le misure di sicurezza? Gli impianti antincendio? I ladri? *La scuola non è responsabile degli oggetti personali
degli studenti*, c'era scritto nel libretto informativo che mi avevano
consegnato. *Si raccomanda agli studenti di stipulare un'assicurazione
per qualunque oggetto di valore portino con sé a scuola.*
Preso da una sorta di trance ansiosa, mi dedicai anima e corpo
a rendermi indispensabile per Hobie: sbrigavo commissioni, pulivo i pennelli, lo aiutavo a fare l'inventario dei restauri in corso e a
mettere in ordine inserti e pezzi di legno ricavati da vecchi mobili.
Mentre lui intagliava schienali e torniva gambe di sedie, io scio-

glievo la cera d'api e la resina sulla piastra calda per preparare il
lucidante: sedici parti di cera d'api, quattro di resina, una di trementina di Venezia e un lucido dal dolce profumo di zucchero fuso,
denso come caramello, che adoravo mescolare nel tegame insieme
agli altri ingredienti. Presto Hobie mi insegnò a stendere lo strato
rosso sopra quello bianco in preparazione della doratura; si doveva
sempre strofinare un po' di oro nel punto in cui la mano avrebbe
naturalmente sfiorato la superficie, poi si dava un tocco scuro col
nerofumo negli interstizi e sui sostegni. («Se vuoi ottenere un effetto anticato su un legno nuovo, la patinatura dorata è il sistema più
facile.») Mi spiegò anche che, se dopo il nerofumo la doratura era
ancora troppo luminosa e fresca, bisognava graffiarla con una pun-
tina da disegno – segni leggeri e irregolari di diverse profondità –
e poi picchiettarla delicatamente con un vecchio mazzo di chiavi
prima di strofinarci sopra le spazzole sporche dell'aspirapolvere per
smorzarne la brillantezza. «Coi mobili che hanno subito un restauro importante, sui quali non sono visibili parti consumate o segni di
vita vissuta, devi essere tu a dare qualche tocco d'antichità e d'im-
perfezione. Il trucco» mi spiegò, asciugandosi la fronte col dorso
della mano, «sta nel non essere mai troppo precisi.» Con *precisi*
intendeva *uniformi*. Un pezzo rovinato in maniera uniforme dichiarava a gran voce le sue reali origini; l'antiquariato vero, come appresi osservando i pezzi autentici che mi passavano tra le mani, era
irregolare, deforme, capriccioso, qui brillante e lì offuscato, come
l'armadio in palissandro con un'anta segnata da calde strisce asim-
metriche nei punti in cui il sole l'aveva colpita e l'altra scura come il
giorno in cui era stata tagliata. «Cosa fa invecchiare il legno? Qualsiasi cosa. Il caldo e il freddo, la fuliggine del caminetto, troppi
gatti, o...» Arretrò di un passo mentre io facevo scorrere un dito
sul ripiano grezzo e opaco di un cassettone di mogano. «Secondo
te, cosa ha rovinato questa superficie?»

«Io non...» Mi accucciai a guardare dove la rifinitura, nera e
appiccicosa come la crosta bruciata di una torta cotta in un forno
giocattolo, sfumava in una tonalità ricca e luminosa.

Hobie cacciò una risata. «Lacca per capelli. Decenni di esposizione. Incredibile, no?» commentò, grattando uno spigolo con

l'unghia e staccando un ricciolo nero. «La proprietaria la usava come tavolo da toletta. Col passare degli anni la lacca si solidifica e diventa una specie di smalto. Non so cosa ci mettano in quelle bombolette, ma ripulire il legno da queste sostanze è un incubo, specialmente la roba degli anni Cinquanta e Sessanta. Sarebbe un pezzo interessante se le rifiniture non fossero così danneggiate. L'unica cosa che possiamo fare è ripulirla in modo che si veda di nuovo il legno e magari passarci uno strato leggero di cera. Comunque è un gran bell'oggetto, non credi?» concluse con trasporto. «Guarda la curvatura dei piedini e l'effetto delle venature, come sono distribuite... Vedi questa fioritura, qui e lì, com'è ben studiata?»

«Hai intenzione di smontarla?» Hobie lo considerava un lavoro noioso, ma io amavo l'atmosfera da sala operatoria di quando smembravamo un pezzo e lo riassemblavamo da zero – dovevamo lavorare in fretta, prima che la colla asciugasse, come medici costretti a eseguire un'appendicectomia a bordo di una nave.

«No.» Picchiettò il legno con le nocche, accostando l'orecchio alla superficie. «Sembra in buono stato, ma il telaio è danneggiato» disse, aprendo un cassetto che stridette e si bloccò. «È quello che succede quando si tiene un cassetto stracolmo di cianfrusaglie. Li ripariamo...» aggiunse, estraendolo e sussultando allo stridere del legno sul legno. «Levigheremo i punti in cui fa attrito. Vedi com'è deformato? Il modo migliore per sistemarlo è limare la scanalatura, ma non credo che sarà necessario rimuovere le vecchie guide. Ricordi come abbiamo fatto con quel pezzo in quercia, giusto? Solo che...» fece scorrere un polpastrello sul bordo, «il mogano è un po' diverso. Quando hai a che fare col mogano, che ha venature estremamente sottili – specialmente se è così vecchio –, è meglio non piallarlo, a meno che non sia assolutamente necessario. Un po' di paraffina sulle guide e tornerà come nuovo.»

IV

E così il tempo passava. I giorni si ripetevano talmente uguali che quasi non mi rendevo conto dello scorrere dei mesi. La primavera

lasciò il posto all'estate, all'umidità e all'odore di immondizia, le
strade si riempirono di gente e gli alberi di ailanto di un fogliame
scuro e fitto; e alla fine l'estate sfumò nell'autunno, coi suoi brividi e
la sua desolazione. Trascorrevo le notti a leggere *Eugenio Onegin* o a
consultare attentamente i numerosi libri sull'arredamento di Welty
(il mio preferito era un'opera antica in due volumi intitolata *Arreda-*
mento Chippendale: pezzi autentici e falsi) o la corposa ed esaurien-
te *Storia dell'arte* di Janson. Sebbene mi capitasse di lavorare nel
seminterrato accanto a Hobie per sei o sette ore di fila senza quasi
aprir bocca, non mi sentivo mai solo quand'ero con lui: il fatto di
aver trovato un adulto così comprensivo, presente e attento che non
fosse mia madre mi sbalordiva. La notevole differenza d'età faceva
sì che tra noi rimanesse una certa formalità, una sorta di riserbo
generazionale; ma allo stesso tempo avevamo stabilito una specie di
contatto telepatico, per cui accadeva che gli passassi la levigatrice
o lo scalpello prima ancora che lui me li chiedesse. «Incollato con
epossidica» era la sua generica definizione per qualsiasi lavoro scadente o articolo di scarso valore. Mi aveva mostrato diversi pezzi
originali i cui punti di giunzione avevano retto senza problemi per
duecento anni o più, mentre il problema con molti mobili moderni
era che le colle erano eccessivamente forti e facevano troppa presa
sul legno, che si spezzava e non riusciva a respirare. «Ricorda sempre che la persona per cui stiamo lavorando in realtà è colui che
restaurerà questo pezzo fra cent'anni. È lui che dobbiamo lasciare
a bocca aperta.» Ogni volta che incollava un mobile spettava a me
preparare i morsetti, regolandone accuratamente l'apertura, mentre
lui sistemava tutte le parti nell'ordine giusto alle mortase e ai teno-
ni. Questa fase di minuziosa preparazione precedeva il momento
dell'assemblaggio e dell'incollaggio vero e proprio, quando appli-
cavamo i morsetti e lavoravamo frenetici nei pochi minuti a nostra
disposizione prima che la colla asciugasse, le mani di Hobie, ferme
come quelle di un chirurgo, agguantavano l'attrezzo giusto quando
io tentennavo – in realtà, il mio compito principale era quello di
tenere uniti i pezzi mentre lui applicava i morsetti (non solo quelli
appositamente progettati per quell'uso, a G e a F, ma una stravagante gamma di attrezzi che teneva a portata di mano, molle da mate-

rasso, mollette per il bucato, vecchi telai da ricamo, camere d'aria
per biciclette e – come pesi – colorati sacchi di sabbia in calicot e
svariati oggetti rimediati chissà dove, come vecchi fermaporta di
piombo e maialini-salvadanaio di ghisa). Quando Hobie non aveva
bisogno di aiuto, spazzavo la segatura e riappendevo gli attrezzi ai
loro ganci. Se poi non c'era nient'altro da fare, me ne stavo tranquillo e beato a guardarlo affilare gli scalpelli o incurvare il legno col
vapore che usciva da una scodella d'acqua bollente sistemata sulla
piastra riscaldante. Oh, mio Dio, puzza da morire laggiù, mi scrisse Pippa
in un SMS. Le esalazioni sono rivoltanti cm fai a sopportarle? Io, però, adoravo
quell'odore – tossico e corroborante –, la sensazione del legno vecchio tra le dita.

V

Per tutto quel tempo, avevo continuato a seguire con attenzione
le notizie sui miei colleghi ladri di opere d'arte del Bronx. Si erano
dichiarati tutti colpevoli, compresa la suocera, ed erano stati condannati alle pene più severe previste dalla legge: multe di centinaia
di migliaia di dollari e quindici anni di reclusione senza condizio-
nale. L'opinione generale era che sarebbero stati ancora tutti felici
e contenti a Morris Heights – a farsi luculliane mangiate di cibo
italiano a casa della mamma – se non avessero commesso l'idiozia
di provare a vendere il Wybrand Hendriks al mercante d'arte che
aveva chiamato la polizia.

Ma quel pensiero non placava la mia ansia. Un giorno ero tornato
da scuola e avevo trovato il piano di sopra invaso dal fumo e da un
esercito di pompieri radunati nel corridoio fuori dalla mia stanza.
«Sono stati i topi» mi aveva detto Hobie, pallido in volto, gli occhi
sbarrati, mentre girava per casa col suo grembiule da lavoro e gli
occhiali di protezione sulla testa come uno scienziato pazzo. «Non
sopporto le trappole con la colla, troppo crudeli, e ho rimandato
all'infinito la disinfestazione, ma buon Dio, questo è davvero troppo! Non posso permettere che se ne vadano in giro a rosicchiare i
cavi elettrici. Se non fosse stato per l'allarme, la casa sarebbe andata

distrutta.» Si era rivolto a uno dei pompieri: «Va bene se lo faccio entrare?». Mi aveva fatto strada attraverso la stanza ingombra di estintori e altra attrezzatura. «Guarda un po' qua» e, tenendosi a debita distanza, mi aveva indicato un groviglio di scheletri di topo carbonizzati dietro il battiscopa. «Guarda! Ci avevano fatto la tana!» La casa di Hobie era piena di allarmi – non solo antincendio ma anche antifurto – e nonostante il cortocircuito e l'incendio che era seguito non avessero causato danni seri, a eccezione di una piccola area del pavimento, l'incidente mi sconvolse. E se Hobie non fosse stato in casa? Se l'incendio fosse scoppiato in camera mia? Se c'erano così tanti topi dietro mezzo metro di battiscopa, nella casa dovevano essercene molti di più (e altrettanti cavi mangiucchiati), perciò avevo cominciato a chiedermi se, nonostante l'avversione di Hobie per le trappole, non fosse il caso di piazzarne qualcuna qua e là. La mia proposta di prendere un gatto – accolta con entusiasmo da Hobie e dalla signora DeFrees, che li adorava – era stata discussa e approvata, ma non implementata e alla fine era caduta nel dimenticatoio. Poi, qualche settimana dopo, mentre mi chiedevo se non fosse il caso di tornare alla carica col gatto, avevo rischiato di svenire per il terrore quando ero entrato in camera e avevo trovato Hobie in ginocchio sul tappeto – con un braccio infilato *sotto* il mio letto, o almeno così mi era parso in un primo momento, anche se in realtà aveva solo allungato una mano per raccogliere la spatola dal pavimento; stava sostituendo un vetro incrinato alla base della finestra.

«Oh, ciao» mi aveva detto, alzandosi per scrollarsi la sporcizia dai calzoni. «Scusa! Non volevo spaventarti! È da quando sei arrivato che ho in mente di cambiarlo. Naturalmente con queste vecchie finestre preferisco usare il vetro ondulato, il Bendheim, ma se anche ci aggiungi qualche pezzo liscio non importa...» aveva spiegato. «Tutto bene?» mi aveva chiesto mentre lasciavo cadere lo zaino e sprofondavo nella poltrona come un soldato sotto shock di ritorno dal fronte.

Roba da matti, avrebbe detto mia madre. Non sapevo che fare. Anche se ero perfettamente consapevole che a volte Hobie mi guardava in modo strano e che dovevo sembrargli un po' pazzo, non potevo fare a meno di vivere immerso in un perenne frastuono interiore: sussultavo al suono del campanello o quando squillava il telefono; ero attraversato da «premonizioni» simili a scosse elettriche che mi costringevano ad alzarmi dal banco – nel bel mezzo di una lezione – e a correre a casa per accertarmi che il quadro fosse ancora nella federa e che nessuno avesse manomesso l'involucro o provato a rimuovere il nastro adesivo. Setacciavo Internet per cercare di capire le implicazioni legali del furto di opere d'arte, ma trovavo solo stralci isolati e contraddittori. Poi, dopo otto mesi trascorsi a casa di Hobie senza che succedesse granché, mi si presentò una soluzione inaspettata.

Ero in buoni rapporti con tutti i ragazzi che si occupavano di trasporto e magazzinaggio per conto di Hobie. Per la maggior parte erano irlandesi di New York, tipi placidi e bonari che non erano riusciti a entrare in polizia o nei pompieri – Mike, Sean, Patrick, il Piccolo Frank (che non era per niente piccolo, aveva la stazza di un frigorifero) –, ma c'erano anche due ragazzi israeliani, Raviv e Avi, e il mio preferito, un ebreo russo che si chiamava Griša. («"Ebreo russo" contraddizione in termini» mi spiegò, avvolto in un pennacchio di fumo al mentolo. «Almeno per la mentalità russa. Perché un "ebreo", secondo una mentalità antisemita, non può essere un vero russo. Il popolo russo è famigerato per l'odio profondo nei confronti degli ebrei.») Griša era nato a Sebastopoli e sosteneva di ricordare la sua città natale («acqua nera, sale») nonostante i suoi genitori fossero emigrati quando lui aveva solo due anni. Biondo, il viso rosso mattone e gli occhi di uno straordinario azzurro uovo di pettirosso; aveva lo stomaco gonfio a causa del bere e gli importava così poco del suo aspetto che spesso se ne andava in giro con la camicia slacciata; anche se, a giudicare dal suo atteggiamento disinvolto e arrogante, si credeva bellissimo (e forse, chissà, un tempo lo era stato). Al contrario del signor Pavlikovsky con la sua faccia inespressiva, amava chiacchierare e conosceva un sacco di barzellette o *anekdoty* – come le chiamava lui – che raccontava alla velocità della luce con una voce monocorde e buffa. «Credi che sai bestemmiare, *mažor*?» mi aveva chiesto scherzosamente, seduto in un angolo del laboratorio, davanti alla scacchiera sulla quale lui e Hobie si sfidavano di tanto in tanto. «Vai, allora. Fammi fischiare le orecchie.» E io avevo rigurgitato un tale profluvio di oscenità che persino Hobie

– che non capiva una parola – era scoppiato a ridere e si era coperto le orecchie con le mani.

Un cupo pomeriggio, poco dopo l'inizio del mio quadrimestre autunnale, ero solo in casa quando Griša passò per lasciare dei mobili. «Vieni qui, *mažor*» disse, lanciando il mozzicone della sigaretta col pollice e l'indice pieni di cicatrici. *Mažor* – uno dei tanti soprannomi con cui mi prendeva in giro – significava «Maggiore» in russo. «Renditi utile. Dammi una mano con questa robaccia.» Per Griša, tutti i mobili erano «robaccia».

Guardai il furgone alle sue spalle. «È roba pesante?»

«Se era pesante, *poprygunčik*, pensi che chiedevo a te?»

Portammo dentro i mobili – uno specchio con la cornice dorata accuratamente imballato, un candelabro e un set di sedie da sala da pranzo –, e appena ebbe scartato tutto Griša si appoggiò a una credenza a cui Hobie stava lavorando (dopo averla toccata col polpastrello per assicurarsi che non fosse appiccicosa) e si accese una Kool. «Ne vuoi una?»

«No, grazie.» In realtà la volevo, ma avevo paura che Hobie mi avrebbe sentito addosso l'odore.

Griša scacciò il fumo con le dita dalle unghie sporche. «Allora, che facevi? Mi aiuti oggi pomeriggio?»

«Aiutarti a fare cosa?»

«Metti via quel libro di donne nude» (*Storia dell'arte* di Janson), «e vieni a Brooklyn con me.»

«Per fare cosa?»

«Porto un po' di questa robaccia al magazzino e un paio di braccia mi fanno comodo. Doveva aiutarmi Mike ma oggi è *malato*. Ah! Ieri sera giocavano i Giants. Hanno perso e lui ci aveva puntato forte. Scommetto che è a casa, giù a Inwood, a letto sbronzo e con un occhio nero.»

VI

Mentre andavamo a Brooklyn sul furgone pieno di mobili, Griša si esibì in un monologo che da una parte metteva in luce le ottime qualità di Hobie e dall'altra sottolineava come sotto la sua gestione l'attività di Welty fosse destinata al fallimento. «Un uomo onesto in un mondo disonesto? Mi fa male qui, al cuore, vederlo buttare soldi dalla finestra ogni giorno. No, no» disse, sollevando una mano sudicia per zittirmi quando provai a ribattere. «Serve tempo per quello che fa, il restauro, lavorare con le mani come i grandi maestri del passato... capisco. È un artista, non un uomo d'affari. Ma spiegami, per favore, perché paga per avere un magazzino al Brooklyn Navy Yard invece che far girare la roba e stare dietro ai creditori? Insomma, robaccia nel seminterrato! Una marea di cose che Welty ha comprato alle aste e lui ancora compra. Di sopra è pieno zeppo! Ha una fortuna sotto gli occhi... ci vogliono cento anni per vendere tutto! La gente guarda la vetrina coi soldi in mano, vuole comprare, ma lui niente... Scusi signora! Fuori dai coglioni! Negozio chiuso! Poi se ne sta lì coi suoi attrezzi e passa dieci ore a intagliare un pezzo di legno piccolo *così*» (pollice e indice), «per una merda di sedia di una vecchietta.»

«Sì, ma vede anche dei clienti. Ha venduto un bel po' di roba la settimana scorsa.»

«Cosa?» disse Griša con rabbia, distogliendo lo sguardo dalla strada per lanciarmi un'occhiata feroce. «Venduto? A chi?»

«Ai Vogel. Ha aperto il negozio per loro... hanno comprato una libreria, un tavolo da gioco...»

Griša si incupì. «*Quelli*. I suoi *amici*. Sai perché comprano da lui? Perché sanno di poter avere prezzi stracciati con lui... "aperto su appuntamento"... Ah! Meglio tenerlo chiuso quando arrivano quegli avvoltoi. Voglio dire...» si colpì lo sterno col pugno, «tu mi conosci. Hobie è uno di famiglia per me. Ma...» sfregò tre dita, un gesto che avevo visto fare a Boris e che significava *soldi! soldi!*, «non è furbo negli affari. È uno che regala il suo ultimo fiammifero, l'ultimo boccone di cibo, ogni cosa, al primo truffatore che incontra. Aspetta e vedrai: fra quattro o cinque anni finisce per strada senza un soldo, a meno che non trova qualcuno che sa gestire il negozio al posto suo.»

«Tipo chi?»

«Be'...» scrollò le spalle, «magari qualcuno come mia cugina Lidija. Quella donna venderebbe acqua a uno che affoga.»

«Dovresti dirglielo. So che vorrebbe trovare qualcuno.»

Griša scoppiò in una risata sarcastica. «Lidija? Lavorare in quella *discarica*? Senti... Lidija vende oro, Rolex, diamanti della Sierra Leone. Vanno a prenderla a casa con una Lincoln di lusso. Pantaloni bianchi di pelle... pelliccia di zibellino fino ai piedi, unghie lunghe fin *qui*. Una donna così non sta seduta tutto il giorno in un negozio in mezzo alla polvere e alla robaccia.»

Si fermò e spense il motore. Eravamo davanti a un edificio grigio e squadrato, in una zona desolata sul lungofiume piena di lotti abbandonati e carrozzerie, il genere di posto in cui i gangster dei film portano il tipo che devono ammazzare.

«Lidija... Lidija è una donna sexy» disse, con aria assorta. «Gambe lunghe, poppe grosse, bella. Ama la vita. Ma per quest'attività... non va bene una appariscente come lei.»

«E quindi?»

«Qualcuno come Welty. Aveva un'innocenza, hai presente? Un'aria da studioso. O da prete. Era come un nonno per tutti, ma comunque un bravo uomo d'affari. Va bene fare il gentile ed essere amico di tutti, ma se i tuoi clienti sono convinti che fai prezzi più bassi degli altri, devi guadagnarci. Ah! È la legge del mercato, *mažor*. Funziona così questo mondo del cazzo.»

All'ingresso dell'edificio ci fermammo davanti a una scrivania presidiata da un ragazzo italiano che leggeva il giornale. Mentre Griša firmava il registro dei visitatori, esaminai una brochure appesa all'espositore con la carta da imballaggio e il nastro adesivo.

MAGAZZINO BELLE ARTI ARISTON
DEPOSITO ALL'AVANGUARDIA
SISTEMA ANTINCENDIO, AMBIENTE CLIMATIZZATO, SORVEGLIANZA 24 ORE
AFFIDABILITÀ-QUALITÀ-SICUREZZA
PER OGNI ESIGENZA NEL CAMPO DELLE BELLE ARTI
TENIAMO AL SICURO I VOSTRI BENI DI VALORE DAL 1968

A parte l'addetto all'ingresso, il posto era deserto. Caricammo il montacarichi e – usando una tessera magnetica e un codice – salimmo fino al sesto piano. Camminammo per un pezzo, corridoio dopo corridoio, videocamere sul soffitto e porte numerate, corsia D, corsia E, e pareti senza finestre, come quelle della Morte Nera, un'atmosfera da archivio militare sotterraneo o da colombario di un cimitero futuristico.

Il locale affittato da Hobie era uno dei più spaziosi – porte doppie, abbastanza ampie da far passare un furgone. «Eccoci qui» disse Griša, armeggiando con la chiave nel lucchetto e spalancando la porta con un fragore metallico. «Guarda la merda che tiene qua dentro.» La stanza era talmente stipata di mobili e altri oggetti (lampade, libri, porcellane, piccoli bronzi, vecchie borse dei grandi magazzini B. Altman piene di giornali e scarpe consunte) che sembrava l'appartamento di un vecchio accumulatore compulsivo morto da poco.

«Duemila al mese paga per questo posto» commentò tetramente, mentre disimballavamo le sedie e le impilavamo, in equilibrio precario, su una scrivania di ciliegio. «Ventiquattromila dollari l'anno! Meglio se quei soldi li usa per accendersi le sigarette, invece che pagare l'affitto di questo buco di merda.»

«E le stanze più piccole?» Alcune porte erano minuscole, delle dimensioni di una valigia.

«La gente è matta» commentò Griša rassegnato. «Per un posto grande come il bagagliaio di una macchina? Centinaia di dollari al mese?»

«Ma...» non sapevo come chiederlo, «cosa impedisce alla gente di portarci roba illegale?»

«Illegale?» Griša si tamponò il sudore dalle sopracciglia con un fazzoletto sporco, poi se lo passò sul collo. «Cioè tipo armi?»

«Esatto. Oppure, non lo so... merce rubata.»

«Cosa glielo impedisce? Te lo dico subito. Niente di niente. Nascondi qualcosa qui dentro e nessuno lo troverà mai, a meno che non ti fanno fuori o ti mandano in galera e tu smetti di pagare l'affitto. Il novanta per cento di questa roba sono vecchie foto di bambini o roba che viene dalle soffitte. Ma... se questi muri potessero parlare, chi lo sa? Probabile che ci trovi milioni di dollari, se sai dove cercare. Segreti di tutti i tipi. Pistole, gioielli, scheletri di morti ammazzati... cose assurde. Ecco...» sbatté la porta e cominciò ad armeggiare col catenaccio, «aiutami con questo maledetto affare. Odio questo posto, Dio. È come la morte, vero?» Indicò l'asettico, sterminato corridoio. «Tutto rinchiuso, isolato dal mondo! Ogni volta che vengo qui mi manca il respiro. Peggio di una biblioteca del cazzo.»

VII

Quella notte presi le Pagine Gialle di Hobie in cucina, le portai in camera mia e cercai sotto *Magazzino: belle arti*. C'erano decine di posti, a Manhattan e negli altri distretti, molti con grandi riquadri pubblicitari che elencavano le prestazioni offerte: un servizio coi guanti bianchi, dalla nostra porta alla tua! C'era una vignetta raffigurante un maggiordomo che porgeva un biglietto da visita su un vassoio d'argento: BLINGEN E TARKWELL, DAL 1928. *Forniamo soluzioni discrete e sicure per un deposito all'avanguardia a una vasta gamma di clienti privati e aziende. ArtTech. Opere d'arte. Archiviazione. Strutture monitorate con igrotermografi. Manteniamo la temperatura ambientale nel rispetto dei requisiti imposti dall'Associazione Americana Musei: 21 gradi e 50 per cento di umidità relativa.*

Così era troppo complicato. L'ultima cosa che volevo era attirare l'attenzione sul fatto che possedevo un'opera d'arte. Quello di cui avevo bisogno era un posto sicuro e anonimo. Una tra le catene più grandi e famose aveva venti sedi a Manhattan, una delle quali si trovava nel mio vecchio quartiere, dalle parti del fiume, a pochi isolati da dove io e mia madre avevamo vissuto. *La sicurezza dei nostri locali è garantita da un centro di sorveglianza attivo 24 ore su 24 e dall'utilizzo dei più avanzati dispositivi di rilevamento di fumo e incendi.*

Hobie mi stava chiedendo qualcosa dal corridoio. «Cosa?» feci, la voce rauca, troppo alta e fasulla, chiudendo di colpo l'elenco telefonico con un dito in mezzo.

«C'è Moira. Vuoi scendere con noi al locale a prendere un hamburger?» Per Hobie «il locale» era il White Horse.

«Fantastico. Arrivo fra un minuto.» Tornai all'annuncio sulle Pagine Gialle. *Fai spazio al divertimento estivo! Soluzioni facili per la tua attrezzatura sportiva e i tuoi hobby!* La facevano davvero facile: non era richiesta la carta di credito, solo una caparra, ed era fatta.

Il giorno dopo, invece di andare all'università, sfilai la federa da sotto il letto, la sigillai con del nastro adesivo, la misi in una borsa marrone di Bloomingdale e presi un taxi fino al negozio di attrezzatura sportiva di Union Square, dove, dopo qualche tentennamento, comprai una tenda canadese da poco. Quindi presi un altro taxi e mi feci lasciare sulla Sessantesima.

Nell'ufficio a vetrate da era spaziale del deposito ero l'unico cliente; e anche se mi ero preparato una spiegazione (appassionato di campeggio con una madre fissata per le pulizie), gli impiegati parvero del tutto disinteressati alla mia grande borsa sportiva con tanto di etichetta e cartellino ben in vista. Inoltre, nessuno trovò strano o insolito che volessi pagare un anno in anticipo per l'armadietto, in contanti – o forse era meglio fare due anni? Si poteva? «Il bancomat è proprio lì» disse il portoricano alla cassa, indicandolo senza alzare lo sguardo dal suo sandwich con bacon e uova.

Tutto qui?, pensai mentre scendevo in ascensore. «Scriviti il numero del tuo armadietto» aveva detto il tipo alla cassa, «e anche la combinazione, e tienili in un posto sicuro», ma io li avevo già memorizzati entrambi – avevo visto diversi film di James Bond e sapevo il fatto mio – e, appena uscito, gettai il foglietto nella spazzatura.

Mentre mi allontanavo dall'edificio, dal suo silenzio da cripta e dal soffio di aria viziata che usciva dai bocchettoni ronzanti, mi sentivo su di giri, come se di colpo mi avessero tolto il paraocchi. Il cielo blu, la luce strombazzante del sole, i fumi di scarico mattutini e i richiami e le urla dei clacson, tutto sembrava disporsi in un disegno generale più ampio, chiaro e rassicurante: un reame assolato di folla e buona sorte. Da quando ero tornato a New York, era la prima volta che mi avvicinavo a Sutton Place, e fu come ricadere in un vecchio e gradevole sogno, una dissolvenza incrociata fra passato e presente, la superficie dissestata dei marciapiedi, le stesse vecchie crepe che superavo con un salto mentre correvo a casa, immaginando di pilotare un aereo, le braccia due ali inclinate, *sto arrivando,* quello scatto finale, volando a bassa quota verso casa – molti negozi c'erano ancora, l'alimentari, il piccolo ristorante greco, l'enoteca, i tanti volti dimenticati del quartiere che si sovrapponevano nella mia testa, Sal il fioraio, la signora Battaglina del ristorante italiano e Vinnie della tintoria col metro da sarto al collo, in ginocchio a fare l'orlo della gonna di mia madre.

Ero a pochi isolati dal nostro palazzo: volgendo lo sguardo verso la Cinquantasettesima, immersa nel sole, l'oro che rimbalzava sulle finestre, esclamai tra me e me: *Goldie! Jose!*

A quel pensiero affrettai il passo. Era mattina; uno di loro era certamente di turno, forse tutt'e due. Non avevo mai spedito una cartolina da Las Vegas come avevo promesso. Sarebbero stati felici di vedermi, si sarebbero stretti intorno a me, mi avrebbero abbracciato e dato pacche sulle spalle, mi avrebbero chiesto di raccontare quel che mi era successo, compresa la morte di mio padre. Mi avrebbero invitato nello stanzino, forse avrebbero chiamato Henderson, l'amministratore, e mi avrebbero aggiornato su tutti i pettegolezzi del palazzo. Ma quando girai l'angolo della strada assediata dal traffico immobile e dai barriti dei clacson, vidi che il palazzo, mezzo isolato più giù, era coperto di impalcature simili a cicatrici e le finestre erano sigillate da avvisi ufficiali.

Mi fermai di colpo, sgomento. Poi – ancora incredulo – mi avvicinai e rimasi lì a guardare. Ero sconvolto. Le porte art déco erano sparite; al posto del fresco ingresso in penombra, coi suoi pavimenti lucidi e i pannelli sfumati, si spalancava un antro di ghiaia e blocchi di cemento e operai coi caschi di protezione che trasportavano carriolate di macerie.

«Cos'è successo qui?» chiesi a un tipo incrostato di sporcizia che se ne stava un po' in disparte, ricurvo, sorbendo rumorosamente il suo caffè con aria colpevole.

«In che senso?»

«Io...» Alzando la testa, notai che non si trattava solo dell'ingresso: l'intero edificio era stato sventrato, da dove mi trovavo riuscivo a scorgere persino il cortile sul retro. La vetrata a mosaico della facciata era ancora intatta, ma dietro le finestre, spoglie e impolverate, non c'era più niente. «Una volta vivevo qui. Cos'è successo?»

«I proprietari hanno venduto» urlò per sovrastare i martelli pneumatici. «Hanno mandato via gli ultimi inquilini qualche mese fa.»

«Ma...» Guardai in alto, osservando l'involucro vuoto, poi sbirciai all'interno del palazzo, ridotto a un ammasso di calcinacci – uomini che urlavano, cavi penzolanti. «Cosa stanno facendo?»

«Un condominio esclusivo. Appartamenti dai cinque milioni insù, piscina sul tetto... incredibile, vero?»

«Oh, mio Dio.»

«Già, un posto così dovrebbe essere salvaguardato, no? Un bell'edificio antico... Invece ieri abbiamo dovuto abbattere le scale di marmo dell'ingresso. Te le ricordi? Un vero peccato. Speravo tanto di riuscire a salvare qualcosa. Ormai non se ne vede più di marmo così, un bel vecchio marmo di qualità. Eppure...» Scrollò le spalle. «Questa è New York.»

Si mise a strillare in risposta a qualcuno di sopra – un uomo che stava calando un secchio di sabbia con una corda – e io proseguii, nauseato, fin sotto la finestra del nostro soggiorno, o meglio, fino ai resti bombardati di ciò che ricordavo, troppo angosciato per guardare su. «Fuori portata, baby» aveva detto Jose, sistemando la mia valigia sul ripiano più alto dello stanzino. Alcuni degli inquilini, come il vecchio signor Leopold, vivevano nel palazzo da più di settant'anni. Che ne era stato di lui? O di Goldie, o di Jose? O – a proposito – di Cinzia? Cinzia, che aveva sempre una dozzina di lavori part time alla volta, se non di più, e lavorava nel palazzo solo poche ore la settimana, non che avessi mai ripensato a lei fino a quel momento, ma all'epoca mi era sembrato tutto così stabile, così immutabile, il piccolo microcosmo del mio palazzo, un crocevia dove potevo sempre fare due chiacchiere, ascoltare le ultime novità. Incontrare persone che avevano conosciuto mia madre. Che avevano conosciuto mio padre.

E più mi allontanavo, più ero turbato dalla perdita di uno dei pochi punti di ormeggio saldi e costanti del mio mondo; facce familiari, saluti calorosi: ehi *manito*! Avevo sempre pensato che almeno quell'ultima testimonianza tangibile del passato sarebbe rimasta al suo posto. Era assurdo pensare che non avrei mai potuto ringraziare Goldie o Jose per il denaro che mi avevano dato – o raccontare loro che mio padre era morto. Perché in fondo, chi altro conoscevo che avesse conosciuto mio padre? A chi importava qualcosa di lui? Persino il marciapiede sembrava sul punto di sgretolarsi sotto i miei piedi, facendomi precipitare dalla Cinquantasettesima fin dentro un abisso senza fondo, in cui nulla avrebbe potuto fermare la mia eterna caduta.

IV

*Il vincolo che fa di noi dei padri e dei figli risiede nel cuore,
e non nella carne e nel sangue.*
SCHILLER

Capitolo 9
Un universo di possibilità

Un pomeriggio di otto anni più tardi – nel frattempo avevo deciso di non proseguire gli studi e mi ero messo a lavorare per Hobie – stavo uscendo dalla Bank of New York per incamminarmi sulla Madison, teso e preoccupato, quando sentii chiamare il mio nome.

Mi voltai. La voce mi era familiare ma non riconobbi il suo proprietario: sui trenta, più robusto di me, con cupi occhi grigi e capelli di un biondo scialbo lunghi fino alle spalle. I vestiti – trasandati pantaloni di tweed e un maglione ruvido col collo a scialle – erano più adatti a una fangosa stradina di campagna che a una via di città; e c'era, nel suo aspetto, un indefinibile sentore di privilegi perduti, notti passate sul divano a casa di amici, denaro della mamma e del papà sperperato in droga e altri eccessi.

«Sono Platt» disse. «Platt Barbour.»

«Platt» ripetei, dopo una pausa stupita. «È passato un sacco di tempo. Dio mio.» Era difficile riconoscere in quel passante dimesso e dall'aria premurosa il vecchio bulletto che giocava a lacrosse. L'insolenza era svanita, e anche l'atteggiamento aggressivo; ora pareva spossato e c'era un'ombra di ansia e di rassegnazione nei suoi occhi. Si sarebbe detto un marito infelice con una casa in periferia e una moglie infedele, o magari un insegnante sfigato di una qualche scuola d'infimo livello.

«Be'. Allora. Platt. Come va?» chiesi, dopo un silenzio imbarazzante, facendo un passo indietro. «Vivi sempre a New York?»

«Sì» rispose lui, grattandosi la nuca, evidentemente a disagio. «In realtà ho appena cominciato un nuovo lavoro.» Non era invecchiato bene; era stato il più biondo e il più bello dei fratelli, ma ora era appesantito, la mascella troppo prominente e i lineamenti del volto come involgariti, privi della perversa bellezza da *Jungvolk* che avevano avuto un tempo. «Lavoro per una casa editrice universitaria, la Blake-Barrows. La sede principale è a Cambridge, ma hanno un ufficio anche qui.»

«Grandioso» annuii, come se conoscessi l'editore e non era vero, giocherellando con le monete che avevo in tasca mentre cercavo di escogitare un piano di fuga. «Be', mi fa piacere averti rivisto. Come sta Andy?»

Il volto di Platt parve irrigidirsi. «Non l'hai saputo?»

«Be'…» replicai titubante, «ho sentito dire che studia al MIT. Ho incontrato Win Temple per strada un paio di anni fa e mi ha detto che Andy aveva vinto una borsa di studio per ricercatori… in Astrofisica, giusto? In realtà…» farfugliai nervoso, sotto lo sguardo sconcertato di Platt, «non sono rimasto in rapporti coi vecchi compagni di scuola e…»

Platt si passò la mano sul collo. «Mi dispiace. Probabilmente nessuno di noi è riuscito a mettersi in contatto con te. Siamo ancora tutti scombussolati, ma ero certo che ormai l'avessi saputo.»

«Saputo cosa?»

«È morto.»

«Andy?» chiesi, e poi, dato che Platt non rispondeva: «No».

Una smorfia di dolore apparve sul suo viso, così fugace che sparì nel momento esatto in cui la notai. «Sì, è stato un brutto colpo. Mi dispiace doverti dare questa notizia. Andy, e anche papà.»

«Cosa?»

«Cinque mesi fa. Sono annegati.»

«No.» Incollai lo sguardo al marciapiede.

«La barca si è capovolta. Al largo di Northeast Harbor. Non ci eravamo allontanati molto, forse non saremmo dovuti uscire per niente, ma papà… Sai com'era…»

«Oh, mio Dio.» Immobile in quell'incerto pomeriggio di primavera, mentre i bambini appena usciti da scuola mi correvano intorno, mi sentivo tradito e confuso come di fronte a uno scherzo di pessimo gusto. Sebbene negli ultimi anni avessi pensato spesso ad Andy e un paio di volte ne avessi sentito persino la mancanza, non lo avevo mai ricontattato dopo essere rientrato a New York. Ero sicuro che prima o poi l'avrei incontrato per caso, com'era successo con Win, James Villiers, Martina Lichtblau e altri vecchi compagni. E nonostante fossi stato più volte tentato di sollevare il ricevitore, per un motivo o per l'altro non l'avevo fatto.

«Tutto bene?» mi chiese Platt; continuava a massaggiarsi il collo, a disagio quanto me.

«Ehm…» Mi girai verso la vetrina per ricompormi e il mio fantasma si voltò a incontrare il mio sguardo. Riflessa nel vetro la folla scorreva come niente fosse tutt'intorno a me.

«Gesù» dissi, «non posso crederci. Non so che dire.»

«Mi spiace avertelo detto così, per la strada» si scusò Platt, grattandosi la mascella. «Sei bianco come un cencio.»

Bianco come un cencio, un'espressione del signor Barbour. Con una fitta dolorosa, lo ricordai mentre frugava nei cassetti della camera di Platt, offrendosi di accendere il fuoco per me. *Quello che è capitato è assurdo, Dio santo.*

«Così è morto anche tuo padre?» Sbattevo le palpebre come se qualcuno mi avesse appena risvegliato di colpo da un sonno profondo. «È questo che hai appena detto, no?»

Si guardò intorno, sollevando il mento in un modo che mi fece ripensare al Platt arrogante che ricordavo, poi diede un'occhiata all'orologio.

«Senti, hai un minuto?»

«Be'…»

«Andiamo a bere qualcosa» propose, dandomi una pacca sulla spalla così forte che sussultai. «Conosco un posticino tranquillo sulla Terza Avenue, ti va?»

II

Ci sedemmo nel bar quasi vuoto, un locale che in passato era stato famoso, con le pareti rivestite di quercia e tappezzate di bandierine dell'Ivy League, in cui aleggiava l'odore di grasso degli hamburger. Platt parlava con irruenza, in tono inquieto, la voce così bassa che facevo fatica a sentirlo.

«Papà...» cominciò, lo sguardo fisso sul suo gin e lime, il drink della signora Barbour. «Evitavamo tutti di parlarne, però... Mia nonna lo definiva uno squilibrio chimico. Disturbo bipolare. Il primo episodio, o attacco, o come lo vuoi chiamare, lo ebbe a Harvard, quando studiava Legge. Era al primo anno e non è mai arrivato al secondo. Tutti i suoi progetti folli, tutti quei grandi entusiasmi... Era sempre polemico a lezione, faceva interventi fuori luogo e si era messo a scrivere un poema epico lungo come la fame sulla baleniera *Essex*, un'accozzaglia di assurdità. Poi il suo compagno di stanza, che a quanto pare aveva avuto su papà un'influenza stabilizzante, partì per un quadrimestre all'estero, in Germania, e... Be', mio nonno dovette andare a Boston in treno per riportarlo a casa. Era stato arrestato per aver appiccato un incendio davanti alla statua di Samuel Eliot Morison sulla Commonwealth Avenue e per resistenza a pubblico ufficiale.»

«Sapevo che aveva dei problemi, ma non immaginavo niente del genere.»

«Be'.» Platt fissò il suo bicchiere per qualche istante, poi buttò giù il gin tutto d'un fiato. «È successo molto prima che arrivassi io. Le cose cambiarono molto dopo il matrimonio con la mamma e l'inizio della cura farmacologica, ma nonna non riusciva più a fidarsi di lui fino in fondo, dopo tutti quei casini.»

«Quali casini?»

«Oh, naturalmente *noi* nipoti andavamo abbastanza d'accordo con lei» si affrettò a precisare, «ma non puoi immaginare i problemi che papà ha causato quand'era più giovane... Sperperava montagne di soldi, per non parlare delle continue zuffe, dei suoi accessi di rabbia, delle relazioni con ragazze minorenni... Si metteva a piangere e chiedeva scusa, e poi ricominciava da capo. Gaga ha sempre incolpato lui per l'infarto del nonno, lui e mio padre stavano litigando nel suo ufficio e *boom*. Con le medicine, però, era diventato un agnellino. Un padre meraviglioso, be', insomma, meraviglioso con noi figli.»

«Era fantastico. Almeno, quando l'ho conosciuto io.»

«Sì.» Platt si strinse nelle spalle. «Sapeva esserlo. Col matrimonio le cose migliorarono per un po', poi... non so cosa sia successo. Fece degli investimenti sbagliati e quello fu il primo segnale. Iniziò a fare telefonate imbarazzanti a nostri conoscenti nel cuore della notte, e cose del genere. A un certo punto perse la testa per una studentessa che faceva il tirocinio nel suo ufficio... e la mamma conosceva la famiglia della ragazza. Fu davvero dura.»

Chissà perché, sentirlo chiamare «mamma» la signora Barbour mi commuoveva profondamente. «Non ne avevo idea.»

Platt aggrottò la fronte in un'espressione rassegnata e inconsolabile che, per un istante, mise in evidenza la sua somiglianza con Andy. «Ne sapevamo poco anche noi... noi figli, intendo» disse con amarezza, facendo scorrere il pollice sulla tovaglia. «Ci dicevano solo: "Papà è malato". Io ero via, a scuola, sai, quando lo fecero ricoverare. Non mi permettevano di parlargli al telefono, dicevano che stava troppo male e per settimane pensai che fosse morto e non volessero dirmelo.»

«Mi ricordo quel periodo. È stato orribile.»

«A cosa ti riferisci?»

«Al... ehm... al suo esaurimento.»

«Già, be'...» Rimasi turbato dal lampo di rabbia che aveva attraversato il suo sguardo. «E *io* come diavolo potevo sapere che il suo era un problema di nervi e non un cancro o che cazzo ne so? "Andy è così sensibile... Per Andy è molto meglio stare in città, non starebbe bene in collegio..." Be', io so solo che la mamma e il papà hanno spedito via *me* più o meno nell'istante in cui ho imparato ad allacciarmi le scarpe, una maledettissima scuola equestre del cazzo chiamata Prince George, di bassissimo livello dal punto di vista accademico, ma oh, wow, un'esperienza così formativa, una preparazione perfetta per Groton, e poi accettavano anche i ragazzi più giovani, dai sette ai tredici anni. Avresti dovuto vedere la brochure, Virginia la patria della caccia eccetera eccetera, peccato che non fossero solo colline verdi e cavalcate come nelle foto. Un cavallo mi travolse e mi ruppi una spalla, ed eccomi lì in infermeria, a fissare il viale d'accesso attraverso il vetro della finestra, in attesa di una mac-

china che non arrivava mai. Nessuno mi venne a trovare, neanche
Gaga. Per non parlare del dottore, era un alcolizzato, mi curò male
e da allora la spalla mi dà problemi. Ancora oggi odio i cavalli con
tutto me stesso, cazzo.

«*Ad ogni modo...*» continuò in tono più pacato, «mi avevano già
tirato fuori di lì e spostato a Groton quando la situazione di papà
precipitò e lo portarono via. Dicevano che aveva causato dei problemi in metropolitana... ma le versioni non combaciavano, papà
diceva una cosa, la polizia un'altra, *ma...*» fece una smorfia sarcastica, «in ogni caso papà finì nella casa dei matti! Otto settimane.
Niente cintura, niente lacci alle scarpe, niente oggetti appuntiti. Lì
gli fecero l'elettroshock, e sembrava che avesse funzionato, perché
quando uscì era un'altra persona. Be'... te lo ricordi anche tu. Il
padre dell'anno, praticamente.»

«Quindi...» Ripensai al mio tremendo incontro col signor Barbour per strada, ma decisi che era meglio non parlarne. «Poi cosa
accadde?»

«Be', chi lo sa. Qualche anno fa ricominciò ad avere problemi e
fu costretto a tornare là dentro.»

«Tipo?»

«Be'...» Platt trasse un sospiro profondo. «Più o meno lo stesso,
telefonate imbarazzanti, scenate in pubblico eccetera. Naturalmente *lui* stava benissimo, era in piena salute, tutto cominciò quando
ci furono dei lavori di rinnovo nel palazzo a cui era contrario, il rumore dei martelli e delle seghe e tutte le multinazionali che stavano
distruggendo la città, tutto vero, certo, ma questo innescò una reazione a catena, finché si convinse di essere costantemente seguito,
fotografato e spiato. Scrisse delle lettere deliranti a parecchie persone, compresi alcuni clienti della sua azienda... Cominciò a piantare
grane allo Yacht Club... diversi membri si lamentarono, persino
certi suoi vecchi amici, e chi poteva dargli torto?

«Comunque, quando papà tornò dall'ospedale la seconda volta
non era più lo stesso. Gli sbalzi d'umore erano meno violenti, ma
non riusciva più a concentrarsi, ed era sempre irascibile. Circa sei
mesi fa decise di rivolgersi a un nuovo team di specialisti, prese un
periodo di permesso dal lavoro e se ne andò nel Maine... nostro zio

Harry ha una casa da quelle parti, su un'isoletta. Non c'era nessuno a parte il custode e papà diceva che l'aria di mare gli faceva bene. A turno, andavamo lì per fargli un po' di compagnia. In quel periodo Andy era a Boston, al MIT, e l'ultima cosa che voleva era ritrovarsi incastrato con papà, ma sfortunatamente era più vicino di noi, quindi gli toccava occuparsene piuttosto spesso.»

«Non tornò nella, ehm…» Non volevo dire *casa dei matti*. «Nel posto in cui si erano già presi cura di lui?»

«Be', era impossibile convincerlo. Non è facile spedirci qualcuno se non è d'accordo, specialmente se non ammette di avere dei problemi, come faceva lui in quel periodo; e poi ci avevano fatto credere che fosse solo una questione di farmaci, che sarebbe tornato sano come un pesce non appena la nuova cura avesse fatto effetto. Il custode ci aiutava a tenerlo d'occhio, si assicurava che mangiasse e che prendesse le medicine, papà parlava con lo strizzacervelli tutti i giorni al telefono… Insomma, lo psichiatra *aveva confermato* che era tutto a posto» si difese. «Dichiarò che papà poteva guidare, nuotare e andare in barca, se ne aveva voglia. Probabilmente non fu un'idea brillante uscire così *tardi*, verso sera, ma le condizioni non erano tanto male quando partimmo, e poi, lo conosci. Intrepido uomo di mare e tutto il resto. Eroismo e gusto della sfida.»

«Già.» Avevo sentito moltissime storie sul signor Barbour che salpava in «acque agitate» che presto si rivelavano vere e proprie tempeste, stato d'emergenza in tre diversi Stati e blackout lungo la costa atlantica, Andy in preda al mal di mare che vomitava cercando di buttare fuori l'acqua dalla barca. Notti intere inclinati su un lato, incagliati in un banco di sabbia, al buio e sotto una pioggia torrenziale. Lo stesso signor Barbour – ridendo come un matto davanti al suo Virgin Mary e al piatto di uova e bacon della colazione domenicale – aveva raccontato più di una volta di quando lui e i ragazzi, con la radio fuori uso, erano stati trasportati al largo di Long Island Sound durante un uragano, e la signora Barbour aveva chiamato un prete della chiesa di Sant'Ignazio di Loyola all'angolo tra Park Avenue e l'Ottantaquattresima ed era stata sveglia tutta la notte a pregare (la signora Barbour!) finché non aveva ricevuto la chiamata nave-terra dalla guardia costiera.

(«Una raffica di vento ed ecco che lei corre dal Papa in persona, non è vero, tesoro? Ah!»)

«Papà...» Platt scosse tristemente la testa. «La mamma diceva sempre che se Manhattan non fosse stata un'isola, lui non avrebbe accettato di viverci un solo istante. Sulla terraferma era depresso, sempre ossessionato dal pensiero dell'acqua... doveva *vederla*, doveva sentirne *l'odore*. Ricordo ancora un viaggio in macchina con lui fino al Connecticut, da ragazzino: invece di andare dritti a Boston sull'84, allungammo di chilometri e chilometri per fare la costa. Guardava sempre l'Atlantico; il modo in cui le nuvole mutavano man mano che ci avvicinavamo all'oceano.» Per un attimo chiuse gli occhi grigio cemento. «Sapevi che la sorella minore di papà è affogata, no?» chiese, con una voce talmente piatta e inespressiva che per un momento pensai di aver capito male.

Sbattei le palpebre, senza sapere cosa dire. «No, non lo sapevo.»

«Be', sì» disse Platt, senza emozione. «Si chiamava Kitsey anche lei. Si buttò da una barca nell'East River durante una festa; una ragazzata, in teoria, dicevano tutti così, "un incidente", ma andiamo, lo sanno tutti che è tremendamente pericoloso, le correnti erano fortissime e la risucchiarono sott'acqua in un secondo. Morì anche un altro ragazzo che si era tuffato a salvarla. E poi ci fu lo zio di papà, Wendell, negli anni Sessanta, mezzo sbronzo, cercò di raggiungere la terraferma a nuoto, una notte, per scommessa... Insomma, papà non faceva che sproloquiare sul fatto che l'acqua per lui era la fonte della vita, la sorgente della giovinezza e via dicendo e... lo era, di sicuro. Ma per lui non è stata solo quello. È stata anche la morte.»

Non commentai. Le storie che il signor Barbour raccontava sul mare, mai troppo coerenti, precise o istruttive dal punto di vista puramente sportivo, vibravano tuttavia di un particolare senso di urgenza, il fremito affascinante della sciagura.

«E...» La bocca di Platt si strinse in una linea sottile. «La cosa peggiore è che si credeva immortale. Il figlio di Poseidone! L'inaffondabile! Per come la vedeva lui, più agitato era il mare, meglio era. La tempesta lo mandava su di giri, capisci? L'abbassamento della pressione che annunciava il maltempo gli faceva lo stesso effetto del gas esilarante. Anche se quel giorno… Il tempo era instabile ma faceva caldo, era una di quelle belle giornate autunnali che ti fanno venir voglia di uscire in mare. Andy era seccato all'idea, gli stava venendo il raffreddore ed era nel pieno di un lavoro complicato al computer, ma nessuno di noi pensava ci fosse *pericolo*. L'idea era di portare papà fuori in barca per farlo sfogare e poi magari al ristorante sul molo a cercare di fargli inghiottire qualcosa. Vedi…» accavallò le gambe, irrequieto, «c'eravamo solo noi due lì con lui, io e Andy, e a essere sinceri papà era parecchio strano. Era agitato fin dal giorno prima, parlava in modo frenetico, era sopra le righe… Andy aveva chiamato la mamma perché aveva del lavoro da sbrigare e non riusciva a stargli dietro e lei aveva chiamato me. Il tempo di arrivare lassù e papà era già stato inghiottito dall'ignoto spazio profondo.[11] Farneticava di "spruzzi, di spuma e di strillanti gabbiani"[12] eccetera eccetera, il selvaggio verde Atlantico… era completamente *fuori*. Andy non lo sopportava quando faceva così, e lo trovai di sopra, in camera sua, con la porta chiusa a chiave. Immagino si fosse subito i suoi deliri un po' troppo a lungo.

«Col senno di poi, lo so, sembra un gesto sconsiderato, ma… vedi, io *avrei potuto* portare la barca con una mano sola. Papà era in casa che dava di matto, cosa dovevo fare? Prenderlo a pugni e legarlo al letto? E poi, conoscevi anche tu Andy, non pensava mai al cibo, la dispensa era vuota, in frigo non c'era niente a parte qualche pizza surgelata… Un giretto in barca, poi al ristorante sul molo, sembrava una buona idea, no? "Fatelo mangiare" diceva sempre la mamma quando papà diventava troppo euforico. "Costringetelo a buttare giù qualcosa." Quella era sempre la prima strategia di difesa: farlo sedere e allungargli una bella bistecca. Spesso bastava a farlo tornare in sé. E poi, insomma… pensai anche che, se quella smania non si fosse placata, una volta sulla terraferma avremmo potuto lasciar perdere il ristorante e portarlo al pronto soccorso, nel caso. Chiesi ad Andy di accompagnarci solo per essere più sicuro. In fondo una mano avrebbe potuto far comodo; detto tra noi, la sera prima avevo

---

[11] Riferimento al film del 2005 di Werner Herzog. (*N.d.T.*)
[12] Citazione da *Sea Fever* di John Masefield. (*N.d.T.*)

fatto tardi, non mi sentivo esattamente "a tutta randa", come diceva papà.» Fece una pausa, sfregando le mani sui pantaloni di tweed. «Be', ad Andy non è mai piaciuta l'acqua, lo sai.»

«Me lo ricordo.»

Platt fece una smorfia. «Ho visto gatti che nuotavano meglio di lui. Be', detto tra noi, credo fosse il bambino più goffo che io abbia mai conosciuto, a parte gli spastici e i ritardati. Santo cielo, avresti dovuto vederlo sul campo da tennis... Scherzavamo sempre sul fatto che avremmo potuto iscriverlo alle Paralimpiadi, e avrebbe stravinto in ogni disciplina. E nonostante questo ormai aveva una certa esperienza di navigazione, Dio sa se non è vero... Mi parve sensato portare un uomo in più a bordo, dato che neanche papà era al massimo della forma. In quel modo non avremmo avuto problemi a gestire la barca... insomma, sarebbe andato tutto bene, liscio come l'olio, se solo io avessi guardato il cielo con più attenzione. Di colpo si alzò un gran vento, e mentre noi cercavamo di issare la vela maestra papà cominciò a sbracciarsi e a gridare assurdità sugli spazi vuoti tra le stelle e un sacco di altre cose insensate e a un certo punto, mentre scavalcavamo un'onda, perse l'equilibrio e cadde in acqua. Stavamo cercando di tirarlo su, io e Andy, quando un'altra onda enorme ci colpì sul fianco, nel punto peggiore... era gigantesca, uno di quei cavalloni altissimi che sbucano fuori dal nulla, ti vengono addosso senza pietà... E così, all'improvviso, *boom!* La barca si capovolse. Non faceva neanche tanto freddo, ma l'acqua a dodici gradi può mandarti in ipotermia se ci stai troppo a lungo, il che sfortunatamente era proprio quello che stava per capitare a noi, e papà, poi... Sì, insomma, lui aveva *spiccato il volo*, era praticamente in orbita...»

La cameriera, una studentessa dall'aspetto rotondetto e bonario, si avvicinò alle spalle di Platt per chiederci se volevamo qualcos'altro – io catturai il suo sguardo, scossi appena la testa e le feci capire di stare alla larga.

«È stata l'ipotermia a uccidere papà. Era diventato così magro, non aveva neanche un filo di grasso, e dibattersi per un'ora e mezza in acqua a quelle temperature è stato sufficiente. Se non stai perfettamente immobile, perdi calore più in fretta. Andy...» Platt, che evidentemente aveva percepito la presenza della cameriera, si voltò e sollevò due dita, *un altro giro*. «Il giubbotto di salvataggio di Andy, be', lo trovarono che galleggiava dietro la barca, ancora attaccato alla cima.»

«Gesù.»

«Dev'essergli scivolato via quando è caduto in acqua. C'è una cinghia che passa sotto il cavallo dei pantaloni, è un po' scomoda e a nessuno piace mettersela. Il giubbotto di Andy era lì, ancora legato alla cima di salvataggio, ma a quanto pare non l'aveva allacciato come si deve, il coglione. Be', voglio dire» fece, alzando la voce, «il *solito* Andy, no? Non poteva assicurarsi di averlo chiuso per bene? Razza di imbranato…»

Lanciai un'occhiata nervosa alla cameriera, perché d'un tratto mi ero accorto che Platt stava quasi urlando.

«Dio.» Platt si scostò dal tavolo all'improvviso. «Sono sempre stato odioso con Andy. Un bastardo di prima categoria.»

«Platt» dissi. Avrei voluto aggiungere *no, non è vero* ma sarebbe stata una bugia.

Lui alzò lo sguardo su di me e scosse la testa. «Dio mio.» I suoi occhi erano spenti e vuoti, come quelli dei piloti di elicotteri Huey di un videogame (*Air Cav* II: *Cambodian Invasion*) a cui io e Andy giocavamo sempre. «Se penso alle cose che gli ho fatto, non mi perdonerò mai. Mai.»

«Mi dispiace» dissi, dopo una pausa imbarazzata, fissando le grosse nocche delle mani di Platt poggiate sul tavolo – mani che dopo tutti quegli anni avevano ancora un aspetto rozzo, brutale, un residuo della loro antica crudeltà. Anche se tutt'e due avevamo subito la nostra dose di bullismo a scuola, le forme di persecuzione che Platt metteva in atto nei confronti di Andy – ingegnose, compiaciute, sadiche – rasentavano la tortura: gli sputava nel cibo, distruggeva i suoi giocattoli, gli lasciava sul cuscino immagini di autopsie stampate da Internet, tirava via le coperte e gli pisciava addosso mentre dormiva (per poi urlare *Android ha bagnato il letto!*), gli spingeva la testa sott'acqua in stile Abu Ghraib mentre faceva il bagno, gli schiacciava la faccia nella sabbionaia del parco giochi, con Andy che piangeva e si dibatteva nello sforzo di respirare. Oppure teneva l'inalatore in alto, fuori dalla portata di Andy durante una delle sue crisi allergiche, e gli chiedeva: *Lo vuoi? Lo vuoi?* Poi c'era stata quella storia orrenda con Platt e una cintura, la mansarda di una casa di campagna, mani legate, un cappio improvvisato: mostruoso. *Mi avrebbe ucciso,* mi aveva detto Andy con la sua voce distaccata e priva di emozione. *Se la baby-sitter non mi avesse sentito battere contro il pavimento, lui mi avrebbe ucciso.*

Una lieve pioggia primaverile picchiettava sulle vetrate del bar. Platt fissò il suo bicchiere vuoto, poi alzò lo sguardo.

«Vieni a trovare la mamma» disse. «So che ha una gran voglia di vederti.»

«Adesso?» chiesi, quando mi resi conto che intendeva in quel preciso istante.

«Dai, vieni, per favore. Se non ora, un'altra volta. Ma non fare promesse che non manterrai, tanto per dire. Per lei significherebbe molto.»

«Be'...» Stavolta fui io a guardare l'orologio. Avevo delle commissioni da sbrigare, in realtà, avevo un sacco di pensieri per la testa e molte preoccupazioni piuttosto pressanti, ma ormai si era fatto tardi, la vodka mi aveva annebbiato la mente e il pomeriggio era scivolato via.

«Per favore» insistette Platt. Chiese il conto con un cenno. «Non mi perdonerà mai se viene a sapere che ti ho incontrato e ti ho lasciato andare. Non ti va di salire a casa, solo un minuto?»

III

Entrare nell'atrio fu come varcare un portone magico che mi riportò dritto all'infanzia: porcellane cinesi, luminosi paesaggi dipinti, lampade col paralume di seta che spandevano una luce soffusa, era tutto esattamente come quando il signor Barbour mi aveva aperto la porta, poco dopo la morte di mia madre.

«No, no» disse Platt, quando, per abitudine, mi avviai verso lo specchio a oblò per attraversare il soggiorno. «Di qua.» Si diresse all'estremità opposta dell'appartamento. «Ormai siamo molto informali, la mamma di solito riceve la gente qui, le rare volte che vede qualcuno...»

In passato non ero mai entrato nel *sancta sanctorum* della signora Barbour, ma, man mano che ci avvicinavamo, il suo profumo – inconfondibile, fiori bianchi e uno strano sentore polveroso in sottofondo – era come una tenda smossa dal vento su una finestra aperta.

«Non esce più come una volta» raccontò Platt sottovoce. «Niente più cene e grandi eventi... Magari una volta a settimana viene a trovarla qualcuno per un tè oppure esce a cena con un amico, niente di più.»

Platt bussò e tese l'orecchio. «Mamma?» chiamò e – alla confusa risposta che venne da dentro – aprì leggermente la porta. «C'è qui un ospite per te. Non indovinerai mai chi ho incontrato per strada...»

Era una stanza enorme, di un color pesca da vecchietta, molto anni Ottanta. Subito varcata la soglia, sulla destra c'erano un divano e delle poltrone – un sacco di ninnoli, cuscini ricamati a mezzopunto, nove o dieci disegni di grandi maestri: la fuga in Egitto, Giacobbe e l'angelo, artisti della cerchia di Rembrandt, perlopiù; ma c'era anche un piccolo disegno a penna e inchiostro marrone di Gesù che lavava i piedi a san Pietro, tratteggiato con tale abilità (la postura affaticata e il drappo sulla schiena di Cristo, la vacua ed elaborata tristezza sul volto di san Pietro) che avrebbe potuto essere opera di Rembrandt stesso.

Mi sporsi in avanti per osservare meglio e all'altro lato della stanza si accese una lampada con un paralume a forma di pagoda. «Theo?» la sentii chiamare, ed eccola lì, poggiata su una pila di cuscini, su un letto di dimensioni sproporzionate.

«Sei proprio tu! Non posso crederci!» esclamò, allungando le braccia verso di me. «Come sei cresciuto! In quale parte del mondo ti eri cacciato? Da quanto sei in città?»

«Sono tornato da un po'. Ha un aspetto magnifico, signora Barbour» aggiunsi educatamente, anche se non era vero.

«Anche tu!» Posò le mani sulle mie. «Sei bellissimo! Sono sbalordita.» Sembrava allo stesso tempo più vecchia e più giovane di come la ricordavo: molto pallida, niente rossetto, rughe agli angoli degli occhi, ma la pelle era ancora bianca e liscia. I capelli biondo argento (erano sempre stati così o si erano ingrigiti?) le ricadevano sciolti e spettinati sulle spalle; portava un paio di occhiali a mezzaluna e una vestaglia di raso chiusa da un'enorme spilla di diamanti a forma di fiocco di neve.

«Mi trovi qui, a letto, col mio ricamo a mezzopunto, come la vedova di un marinaio» disse, accennando alla tela incompiuta che aveva in grembo. Due cagnolini – yorkshire terrier – dormivano su una coperta di cachemire ai suoi piedi, e quando quello più piccolo si accorse del mio arrivo saltò su e cominciò ad abbaiare furiosamente.

A disagio, sorrisi mentre lei cercava di calmarlo – anche l'altro aveva iniziato a fare un gran chiasso – e mi guardai intorno. Il letto era moderno – king-size, la testiera rivestita di stoffa – ma c'erano diversi oggetti antichi interessanti a cui da ragazzino non avrei neppure fatto caso. Evidentemente, quella stanza era il Mar dei Sargassi dell'appartamento, dove approdavano gli oggetti banditi dagli altri ambienti, tutti arredati con attenzione fin troppo scrupolosa: c'erano tavolini spaiati, cianfrusaglie asiatiche, una strepitosa collezione di campanelli d'argento. Un tavolo da gioco in mogano che, dal punto in cui mi trovavo, sembrava un Duncan Phyfe e, sopra (in mezzo a scadenti portacenere cloisonné e a un'infinità di sottobicchieri), un uccello cardinale rosso tassidermizzato: mangiato dalle tarme, fragile, le piume rugginose, la testa inclinata in una posizione innaturale e gli occhi come due perle nere di polvere e terrore.

«Ting-a-Ling, shh, per favore, sta' zitto, sei insopportabile. Questo è Ting-a-Ling» disse la signora Barbour prendendo in braccio il cane che continuava a dibattersi. «È il più monello dei due, vero, caro? Non sta mai fermo. L'altra, col nastro rosa, è Clementine. Platt» urlò sopra i latrati. «Platt, perché non lo porti in cucina? È una vera seccatura con gli ospiti» continuò rivolta a me. «Dovrei far venire un addestratore…»

Mentre lei arrotolava la tela da ricamo e la riponeva in un cesto ovale col coperchio ornato da un'incisione su osso di balena, io mi sedetti sulla poltrona accanto al letto. Il rivestimento era liso, ma quelle righe scolorite mi erano familiari: una vecchia poltrona del salotto esiliata in camera da letto, la stessa sulla quale avevo trovato mia madre seduta ad aspettarmi, una mattina che era venuta a prendermi dopo che avevo dormito da Andy, tanti anni prima. Feci scivolare un dito sulla stoffa. All'improvviso la rividi, che si alzava per salutarmi, stretta nel caban verde acceso che indossava quel giorno, così alla moda che la gente la fermava per strada e le chiedeva dove l'avesse preso, ma del tutto fuori luogo in casa Barbour.

«Theo?» mi chiamò la signora Barbour. «Vuoi qualcosa da bere? Una tazza di tè? Qualcosa di più forte?»

«No, grazie.»

Batté piano la mano sul copriletto di broccato. «Vieni a sederti vicino a me. Per favore. Voglio vederti bene.»

«Io...» Nel sentire quel tono di voce, intimo e allo stesso tempo formale, fui travolto da una profonda tristezza, e quando ci guardammo fu come se in quel preciso istante tutto il passato venisse ridefinito e messo a fuoco, limpido come il cristallo, una immobile complessità fatta di piovosi pomeriggi primaverili, una sedia scura nel corridoio, il tocco quasi impalpabile della sua mano sui miei capelli.

«Sono così contenta che tu sia venuto a trovarmi.»

«Signora Barbour...» dissi, avvicinandomi al letto e sedendomi delicatamente sul bordo, «mio Dio. Non riesco a crederci. L'ho saputo solo adesso. Mi dispiace moltissimo.»

Strinse le labbra come una bambina che si sforzava di non piangere. «Sì» rispose, «be'...» e poi tra noi calò un silenzio terribile che pensai sarebbe durato in eterno.

«Mi dispiace» ripetei, con più veemenza, come se parlando più forte potessi trasmetterle l'intensità del mio dolore.

Lei sbatté le palpebre, infelice; non sapendo cosa fare allungai una mano e la posai sulla sua, e poi restammo seduti, a disagio, per un lasso di tempo che mi parve lunghissimo.

Alla fine fu lei a rompere il silenzio. «Ad ogni modo.» Si asciugò una lacrima con un gesto risoluto mentre io cercavo disperatamente qualcosa da dire. «Ricordo che mi parlò di te neanche tre giorni prima di morire. Si era fidanzato e stava per sposarsi. Con una ragazza giapponese.»

«Non ci credo! Davvero?» Nonostante la tristezza, non potei fare a meno di sorridere, almeno un po': Andy aveva scelto il giapponese come seconda lingua proprio perché impazziva per le ragazzine scosciate dei manga, strizzate nelle loro uniformi da marinarette. «Giapponese giapponese?»

«Proprio così. Una cosina minuscola con la voce stridula e la borsetta a forma di orsacchiotto. Oh, sì, l'ho conosciuta» aggiunse. «Andy ci ha fatto da interprete davanti a una tazza di tè e dei sandwich al Pierre. È venuta al funerale, naturalmente – la ragazza – si chiama Miyako… Be', capisco la storia delle culture diverse, ma è proprio vero quello che dicono sui giapponesi che non sono per niente comunicativi.»

La cagnetta, Clementine, si arrampicò sulla spalla della signora Barbour e lì si attorcigliò come un collo di pelliccia. «Lo ammetto, sto pensando di prenderne un terzo» disse lei, allungando una mano per accarezzarla. «Tu che ne dici?»

«Non lo so» risposi sorpreso. Non era da lei chiedere opinioni su qualcosa, qualunque cosa, men che meno al sottoscritto.

«Devo dire che mi sono stati di grande conforto, entrambi. La mia vecchia amica Maria Mercedes de la Pereyra si è presentata con loro una settimana dopo il funerale. Non me l'aspettavo… Due cuccioli in una cesta con un bel fiocco al collo. All'inizio non ero tanto sicura, ma ora penso di non aver mai ricevuto un regalo più azzeccato. Prima non potevamo prendere cani per via di Andy. Aveva un'allergia terribile. Te lo ricordi?»

«Sì.»

Platt – sempre nella sua giacca da guardiacaccia con le tasche sformate in cui mettere gli uccelli morti e le cartucce del fucile – rientrò in camera e si sedette su una poltrona. «Allora, mamma» disse, mordendosi il labbro inferiore.

«Allora, Platypus.» Silenzio formale. «È andata bene al lavoro?»

«Benissimo.» Annuì, come stesse cercando di convincersene. «Giornata piuttosto impegnativa.»

«Mi fa molto piacere sentirlo.»

«Nuovi libri. Uno sul Congresso di Vienna.»

«Un altro?» Si girò verso di me. «E tu, Theo?»

«Come, scusi?» Lo sguardo mi era caduto sull'incisione (una baleniera) sul coperchio del cesto da cucito e stavo pensando al povero Andy: acqua nera, sale in gola, nausea e movimenti convulsi. L'orrore e la crudeltà di morire nell'elemento che più odiava. *Fondamentalmente, il problema è che detesto le barche.*

«Raccontami. Che fai di questi tempi?»

«Ehm, mi occupo di antiquariato. Mobili americani, soprattutto.»

«Ma dai!» esclamò rapita. «È stupendo!»

«Sì, sono giù al Village. Gestisco il negozio e mi occupo delle vendite. Il mio socio...» Era una novità così recente che ancora non mi ero abituato all'idea. «Il mio socio, James Hobart, è il vero artigiano e cura i restauri. Dovrebbe venirci a trovare qualche volta.»

«Oh, fantastico. Antiquariato!» Sospirò. «Sai quanto mi piacciono le cose antiche. Quanto vorrei che i miei figli si fossero interessati a questo settore. Ho sempre sperato che almeno uno di loro lo facesse.»

«C'è sempre Kitsey» intervenne Platt.

«È curioso» continuò la signora Barbour, come se non l'avesse sentito. «Nessuno di loro ha la minima inclinazione artistica. Non è incredibile? Dei piccoli barbari, tutti e quattro.»

«Ma non è vero» protestai, nel tono più scherzoso possibile. «Mi ricordo Toddy e Kitsey con tutte quelle lezioni di piano. E Andy col suo violino Suzuki.»

La signora Barbour fece un gesto sprezzante. «Andiamo, sai cosa voglio dire. Nessuno dei miei figli ha la minima sensibilità *visiva*. Non sanno apprezzare la pittura, gli arredi, niente di niente. Invece...» mi prese di nuovo la mano, «quando tu eri bambino, ti trovavo sempre in corridoio a guardare i miei quadri. Puntavi dritto ai migliori. Il paesaggio di Frederic Church, il mio Fitz Henry Lane o il mio Raphaelle Peale, il John Singleton Copley... sai, quel piccolo ritratto ovale, la ragazza con la cuffia?»

«Quello era un Copley?»

«Esattamente. E ho visto come ammiravi quel piccolo Rembrandt, prima.»

«Allora è *davvero* un Rembrandt?»

«Sì. Solo quello, la lavanda dei piedi. Il resto sono tutti allievi. I miei figli hanno vissuto con quei dipinti per tutta la vita senza mai mostrare il minimo segno di interesse, non è vero, Platt?»

«Mi piace pensare che qualcuno di noi si sia distinto in altri ambiti» borbottò lui.

Mi schiarii la gola. «Sa, in realtà sono passato solo per fare un saluto» dissi. «È stato magnifico rivederla... rivedervi entrambi» aggiunsi, voltandomi a includere anche Platt nel mio sguardo. «Vorrei che fosse successo in circostanze più felici.»

«Ti va di restare per cena?»

«Mi spiace» risposi. Mi sentivo con le spalle al muro. «Non posso, non stasera. Ma volevo salire un minuto per vederla.»

«Allora tornerai per cena un'altra sera? O per pranzo? O per un bicchierino?» mi chiese, ridendo. «O per qualunque altra cosa.»

«Certo, per cena va bene.»

Mi offrì la guancia perché la baciassi, cosa che non le avevo mai visto fare prima di allora, nemmeno coi suoi figli.

«È stupendo riaverti qui!» disse, afferrandomi la mano e premendosela sul viso. «Come ai vecchi tempi.»

IV

Quando fummo alla porta, Platt si esibì in una bizzarra stretta di mano – un po' da rapper, un po' da compagno di confraternita, un po' da linguaggio dei segni – che non sapevo come ricambiare. In un attimo di confusione allungai il pugno a toccare goffamente il suo.

«Allora... Sono contento di averti rivisto» dissi ancora, per rompere il silenzio impacciato che seguì. «Chiamami.»

«Per la cena? Sì, certo. Probabilmente mangeremo a casa, se per te va bene; alla mamma non piace più tanto uscire.» Affondò le mani nelle tasche della giacca. Poi, improvvisamente: «Mi capita di vedere spesso il tuo vecchio amico Cable. Più spesso di quanto vorrei, in realtà. Gli farà piacere sapere che ti ho incontrato».

«*Tom* Cable?» Scoppiai a ridere, incredulo, anche se non trovavo la cosa molto divertente; i brutti ricordi di quando eravamo stati sospesi da scuola e di come mi aveva ignorato quando mia madre era morta mi infastidivano ancora. «Siete in contatto?» domandai, dato che Platt taceva. «Non pensavo più a Tom da anni.»

Lui abbozzò un sorriso. «Devo ammettere che all'epoca trovavo strano che i suoi amici potessero sopportare uno sfigato come Andy» disse a bassa voce, appoggiandosi allo stipite. «Non che la vostra amicizia mi infastidisse. Dio solo sa quanto Andy avesse bisogno di qualcuno che lo facesse uscire e, chessò, stordire di canne.»

Handicappato. Android. Monopalla. Brufolo vivente. Sponge-Bob cacasotto.

«O sbaglio?» fece Platt, disinvolto, interpretando male il mio sguardo assente. «Pensavo ti piacesse, quella roba. Di sicuro Cable fumava un bel po', all'epoca.»

«Deve aver cominciato dopo la mia partenza.»

«Be', può darsi.» Platt mi scrutò, non ero sicuro che il suo sguardo mi piacesse. «La mamma di sicuro pensava che tu fossi un angioletto, ma io sapevo che eri amico di Cable. E Cable era un ladruncolo.» Rise, un suono brusco che sembrava uscito dal vecchio, sgradevole Platt. «Dicevo sempre a Kitsey e Toddy di chiudere a chiave le loro stanze quando c'eri tu, perché altrimenti avresti rubato.»

«Allora è per questo che erano tanto ostili con me?» Erano anni che non ripensavo alla storia dei salvadanai.

«Insomma, Cable...» Guardò il soffitto. «Vedi, io uscivo con la sorella di Tom, Joey, Cristo santo, anche lei era un bel personaggio.»

«Già.» Ricordavo fin troppo bene Joey Cable – sedici anni e un gran paio di tette – che, quando io ne avevo dodici, mi passava accanto nel corridoio della loro casa negli Hamptons con addosso solo una minimaglietta e un tanga nero.

«Jo la spudorata! Che culo aveva. Ti ricordi quando girava nuda vicino alla vasca idromassaggio? Comunque, tornando a Cable. Negli Hamptons, al club di papà, lo beccarono a frugare negli armadietti degli spogliatoi maschili, non avrà avuto più di dodici o tredici anni. Ma tu eri già partito, no?»

«Direi di sì.»

«Episodi del genere si verificarono in *diversi* club della zona. Per esempio, durante i tornei e roba simile, Cable sgattaiolava negli spogliatoi e rubava tutto quello su cui riusciva a mettere le mani. Poi, a quel punto doveva essere già al college... accidenti, dov'era? Non a Maidstone, ma... comunque, Cable si era trovato un lavoretto estivo nella sede del club, dava una mano al bar, riportava a casa i vecchi troppo sbronzi per guidare. Era un bel ragazzo, un chiacchierone… be', lo sai. Faceva raccontare ai vecchi le loro storie di guerra, cose così. Gli accendeva le sigarette, rideva alle battute. Peccato che qualche volta li accompagnasse fino alla porta di casa e il mattino dopo si svegliassero senza portafoglio.»

«Comunque non lo vedo da anni» tagliai corto. Non mi piaceva il tono che Platt aveva assunto. «E ora che fa?»

«Puoi immaginarlo. I soliti giochetti. So per certo che ogni tanto si vede con mia sorella, anche se a me piacerebbe che ci desse un taglio» disse, con una nota alterata nella voce. «Ma non voglio trattenerti oltre. Non vedo l'ora di dire a Kitsey e Toddy che ti ho incontrato… specialmente a Todd. All'epoca devi avergli fatto una forte impressione, parla sempre di te. Sarà in città il prossimo weekend e sono sicuro che vorrà vederti.»

V

Preferii andare a piedi per schiarirmi le idee. Era una limpida, umida giornata primaverile, grosse nuvole minacciose trafitte da barre di luce e folle di impiegati sulle strisce pedonali, ma per me la primavera a New York era sempre un periodo avvelenato, un'eco stagionale della morte di mia madre portata dal vento insieme a narcisi, alberi in fiore e schizzi di sangue, una sottile patina di allucinazione e orrore (*Bello! Divertente!* avrebbe detto Xandra). Dopo le notizie su Andy, era come se qualcuno avesse usato una macchina a raggi X per trasformare ogni cosa nel suo negativo fotografico, e così, nonostante i narcisi, la gente a spasso coi cani e i vigili che fischiavano agli angoli delle strade, non vedevo altro che morte: marciapiedi brulicanti di corpi, cadaveri che si riversavano fuori dagli autobus e si affrettavano verso casa, nel giro di cent'anni non sarebbe rimasto nulla di loro a parte le otturazioni dei denti e i pacemaker e forse qualche brandello di ossa e vestiti.

Era inconcepibile. Milioni di volte avevo pensato di chiamare Andy e non l'avevo fatto per puro imbarazzo; era vero che coi vecchi amici ci eravamo persi di vista, ma ogni tanto mi capitava di incrociarne qualcuno e la nostra compagna di scuola Martina Lichtblau (con cui, l'anno prima, avevo avuto una breve e insoddisfacente avventura, per un totale di tre scopate furtive su un divano letto) mi aveva parlato di lui, Andy è nel Massachusetts, sei ancora in contatto con lui, oh, certo, è sempre il solito nerd esagerato, però ora calca così tanto la mano che è diventato, tipo, quasi figo, un po' rétro, occhiali a fondo di bottiglia, pantaloni di velluto arancione a coste e un taglio che sembra il casco di Dart Fener.

Wow, Andy, avevo pensato io, scuotendo la testa con affetto e allungando una mano oltre la spalla nuda di Martina per prendere una delle sue sigarette. In quel momento, mi ero detto che sarebbe stato bello rivederlo – un vero peccato che non fosse a New York – e che magari l'avrei chiamato durante le vacanze, quando di certo sarebbe tornato a casa.

Solo che non l'avevo fatto. Non ero su Facebook per una questione di paranoia e raramente guardavo i notiziari, ma in ogni caso mi sembrava impossibile non averlo saputo prima, se non per il fatto che, nelle ultime settimane, ero stato così preso dal negozio da non aver pensato ad altro. Non che avessimo problemi economici – facevamo letteralmente soldi a palate, così tanti che Hobie, attribuendomi il merito di averlo salvato (prima che mi interessassi dell'attività era stato sull'orlo della bancarotta), aveva insistito perché diventassi suo socio, cosa che non mi aveva entusiasmato granché, date le circostanze. Ma i miei tentativi di svicolare l'avevano reso ancora più determinato a spartire con me i suoi ingenti profitti; più provavo a dissuaderlo, più lui insisteva; generoso com'era, attribuiva la mia riluttanza alla *modestia*, mentre la mia vera paura era che una partnership avrebbe potuto gettare una luce ufficiale su certe attività non proprio legali del negozio – attività che avrebbero sconvolto il povero Hobie dalla testa alle suole delle sue scarpe John Lobb, se ne fosse venuto a conoscenza. Cosa che non doveva accadere per alcun motivo. Il fatto era che di recente avevo intenzionalmente venduto un falso a un cliente, il quale l'aveva scoperto e minacciava di sollevare un gran polverone.

Per me non era un problema restituirgli i soldi: in questi casi

l'unica cosa da fare era ricomprare il pezzo dal cliente rimetten-
doci qualcosa. In passato aveva funzionato. Vendevo articoli che
negli anni avevano subito grosse modifiche o che erano stati inte-
ramente ricostruiti spacciandoli per originali; se il collezionista se
li portava a casa e, lontano dalla luce fioca di Hobart e Blackwell,
si accorgeva che qualcosa non andava («Tieni sempre in tasca una
piccola torcia» mi aveva consigliato Hobie fin dai primi tempi, «c'è
un motivo se tanti negozi d'antiquariato sono posti un po' bui»),
io – costernato per l'equivoco e più che mai certo che il pezzo fosse
autentico – mi offrivo magnanimamente di ricomprarlo al dieci per
cento in più del prezzo iniziale, alle condizioni di una normalis-
sima vendita. Così facevo la figura del bravo ragazzo, sicuro del
valore del mio prodotto e disposto a smuovere mari e monti pur di
soddisfare il cliente che, la maggior parte delle volte, si rabboniva
e decideva di tenere il pezzo. Ma in tre o quattro occasioni alcuni
acquirenti sospettosi avevano accettato la mia offerta: quello che
i collezionisti non capivano era che il falso – passando da loro a
me a un prezzo che dimostrava il suo presunto valore – acquisiva
da un giorno all'altro una provenienza. Un regolare certificato che
dimostrava la sua appartenenza alla illustre collezione Tal dei Tali.
Anche se dovevo pagare per riacquistare il falso dal signor Tal dei
Tali (l'ideale era un attore o uno stilista che collezionava per hobby,
non era necessario fosse qualcuno di noto nell'ambiente dell'antiquariato), poi potevo rivenderlo – anche al doppio del prezzo a cui
l'avevo ricomprato – a qualche cafone di Wall Street che non avrebbe saputo distinguere un Chippendale da un Ethan Allen, ma che
si emozionava di fronte a «documenti ufficiali» comprovanti che il
suo scrittoio Duncan Phyfe, o quel che era, proveniva dalla collezione del signor Tal dei Tali, noto filantropo / arredatore d'interni /
prima stella di Broadway / o quel che era.

E fino a oggi la mia strategia aveva funzionato. Ma questa volta il
signor Tal dei Tali – una sontuosissima checca dell'Upper East Side
di nome Lucius Reeve – non aveva abboccato. L'aspetto che più mi
preoccupava era la sua convinzione che a) l'avessi fatto di proposito, il che era vero, e b) che Hobie fosse coinvolto, anzi, che fosse
lui la mente dietro alla truffa, niente di più lontano dalla verità.

Quando avevo cercato di rimediare sostenendo che si trattava di un errore mio e solo mio – *coff coff*, sul serio, signore, c'è stato un equivoco, non ho molta esperienza e spero non me ne vorrà, la qualità dei lavori di Hobie è talmente alta che, capirà, è facile fare un po' di confusione, non è vero? –, il signor Reeve («Chiamami Lucius»), un uomo ben vestito di età e occupazione imprecisate, era stato implacabile. «Quindi non nega che il lavoro di restauro l'abbia fatto James Hobart, giusto?» mi aveva chiesto durante il nostro atroce pranzo all'Harvard Club, appoggiandosi allo schienale della sedia e facendo scorrere il dito sul bordo del suo bicchiere di acqua gasata.

«Senta...» Mi ero reso conto di aver commesso un errore tattico a incontrarlo nel suo territorio, dove conosceva i camerieri, faceva la sua ordinazione con taccuino e matita, e dove non potevo fare lo splendido e suggerirgli questo o quel piatto.

«Né che lui abbia preso di proposito questa fenice ornamentale da un Thomas Affleck – da un... sì, sì, credo sia un Affleck, in ogni caso di Philadelphia – e l'abbia assemblata a un cassettone dello stesso periodo ma piuttosto anonimo? O stiamo forse parlando di due pezzi diversi?»

«Per favore, se solo mi lasciasse...» Eravamo seduti a un tavolo accanto alla vetrata, avevo il sole negli occhi, sudavo e mi sentivo a disagio.

«Quindi come può sostenere che non si tratti di un raggiro intenzionale, a opera sua e di Hobart?»

«Guardi...» Il cameriere ci girava intorno e io volevo che se ne andasse. «Si è trattato di un errore mio, come ho già detto, e mi sono offerto di ricomprare il cassettone a un prezzo maggiorato. Non so davvero cos'altro vorrebbe che facessi.»

Ma malgrado il tono calmo, ero in preda all'agitazione, un'ansia accresciuta dal fatto che ormai da quel pranzo erano trascorsi dodici giorni e Lucius Reeve non aveva ancora incassato l'assegno che gli avevo dato, avevo controllato in banca un attimo prima di imbattermi in Platt.

Non riuscivo a capire cosa volesse ottenere da me Lucius Reeve. Hobie creava quei pezzi cannibalizzati e pesantemente modificati («i mutanti» li chiamava lui) da quando aveva iniziato la sua carriera; il deposito al Brooklyn Navy Yard era zeppo di oggetti con etichette che risalivano a trent'anni prima se non di più. La prima volta che ci ero tornato da solo e avevo curiosato in giro, ero rimasto allibito di fronte a pezzi che sembravano veri Hepplewhite o veri Sheraton; quel posto era la caverna di Alì Babà, traboccante di tesori. «Santo cielo, no» aveva detto Hobie, la voce che andava e veniva al cellulare – quella struttura era come un bunker, il telefono non prendeva, e io ero uscito di corsa per chiamarlo, fermandomi al centro della zona di carico con un dito nell'orecchio per riuscire a sentirlo –, «se fosse roba autentica avrei chiamato il reparto Mobili americani di Christie's da un bel pezzo!»

Erano anni che conoscevo e ammiravo i mutanti di Hobie e in passato l'avevo persino aiutato a realizzarne qualcuno, ma lo shock di essere tratto in inganno da quegli oggetti mai visti prima aveva scatenato in me un torrente di fantasie azzardate (per usare una delle espressioni preferite di Hobie). Ogni tanto al negozio arrivava qualche articolo da museo troppo danneggiato perché si potesse riparare; Hobie, che di fronte a quelle vecchie reliquie eleganti soffriva come fossero bambini denutriti o gatti maltrattati, si sentiva in dovere di salvare il salvabile (un paio di elementi ornamentali qui, delle zampe ben fatte là) e poi, grazie al suo talento di carpentiere e assemblatore, le ricombinava insieme, dando vita a dei piccoli, bellissimi Frankenstein, in alcuni casi assolutamente bizzarri, in altri così fedeli al periodo d'appartenenza da essere indistinguibili dai pezzi originali.

Acidi, vernice, lacca dorata e nerofumo, cera, sporcizia e polvere. Vecchi chiodi arrugginiti con l'acqua salata. Acido nitrico sul legno di noce nuovo. Guide per cassetti consumate ad arte con la carta vetrata, qualche settimana sotto la lampada a raggi UV per far invecchiare di cent'anni il legno nuovo. Da cinque sedie Hepplewhite malmesse era capace di ricavarne un set di otto, solide e dall'aspetto assolutamente autentico, smontando gli originali, copiando i pezzi (con legno recuperato da altri mobili danneggiati dello stesso periodo) e riassemblandoli: metà originali e metà nuove. («Le gambe delle sedie...» diceva, passandoci sopra un dito, «di solito sono segnate e ammaccate nella parte inferiore... anche se usi il legno vecchio, su quelle nuove devi passare una catena se vuoi che si somiglino tutte... molto, molto delicatamente, non sto dicendo che devi andarci giù pesante. Spesso sono segnate in modo non uniforme, per esempio le gambe anteriori di solito sono più scalfite di quelle posteriori, vedi?») Una volta aveva riutilizzato il legno originale di una credenza del diciottesimo secolo praticamente distrutta per realizzare un tavolo che sembrava uscito dalle mani di Duncan Phyfe in persona. («Può andare?» mi aveva chiesto indietreggiando dubbioso, senza rendersi conto della meraviglia che aveva creato.) Oppure – come aveva fatto col cassettone «Chippendale» di Lucius Reeve – prendeva un pezzo anonimo e, aggiungendo delle decorazioni ricavate da un prezioso rottame dello stesso periodo, lo trasformava in un esemplare quasi indistinguibile da un capolavoro.

Un uomo più pratico o senza scrupoli avrebbe sfruttato quel talento per ottenere un tornaconto e ci avrebbe guadagnato una fortuna («fottendone più di una prostituta da cinquemila dollari a botta», per usare l'espressione colorita di Griša). Ma per quel che ne sapevo io, il pensiero di vendere i mutanti spacciandoli per originali, o persino di venderli e basta, a Hobie non era mai passato per la testa; la sua completa mancanza d'interesse per quel che accadeva in negozio mi aveva permesso di organizzare liberamente le attività necessarie a raggranellare soldi e a far quadrare i conti. Grazie alla vendita di un solo divano «Sheraton» e di un set di sedie con lo schienale intagliato – a prezzi degni di Israel Sack – all'ingenua moglie californiana di un banchiere, ero riuscito a pagare le tasse arretrate sulla casa per centinaia di migliaia di dollari. Con un altro set da sala da pranzo e un canapè «Sheraton» – venduti a un cliente fuori città che in teoria avrebbe dovuto intendersene, ma che forse si era fatto accecare dall'immacolata reputazione di Hobie e Welty – avevo appianato i debiti del negozio.

«È molto comodo da parte di Hobart» aveva detto Lucius Reeve in tono amabile «lasciare a lei la gestione degli affari. Si chiude in laboratorio e sforna questi falsi, e poi si disinteressa della fine che fanno.»

«Le ho fatto la mia offerta. Non resterò qui a sentire altri discorsi.»

«Allora perché non se ne va?»

Non avevo mai dubitato, nemmeno per un istante, che Hobie
sarebbe rimasto di stucco se avesse scoperto che vendevo i mutanti facendoli passare per originali. Tanto per dirne una, molti degli
oggetti nei quali metteva più impegno creativo erano pieni di piccole imprecisioni, quasi un rompicapo riservato ai veri intenditori;
inoltre, non sempre era meticoloso nella scelta dei materiali come,
invece, lo sarebbe stato un falsario di professione. Ma io avevo
scoperto che era facile ingannare anche compratori con una certa
esperienza se vendevo al venti per cento in meno rispetto ai prezzi
correnti. La gente adorava l'idea di aver fatto un affare. Quattro
volte su cinque era come se scegliessero deliberatamente di ignorare ciò che non volevano vedere. Sapevo come attirare l'attenzione
sulle qualità straordinarie di un pezzo, l'impiallacciatura lavorata a
mano, l'accurata patinatura, i segni del tempo, facendo scivolare un
dito lungo la curvatura di una splendida cimasa (che Hogarth stesso
aveva definito «la linea della bellezza») per far sì che distogliessero
lo sguardo dalle parti non originali sul retro dove, sotto una luce più
forte, avrebbero potuto notare che le venature non erano perfettamente omogenee. Non suggerivo mai ai clienti di esaminare il lato
inferiore del pezzo, cosa che invece Hobie – desideroso di istruire
il prossimo anche a costo di assestare un colpo fatale ai propri interessi – faceva fin troppo volentieri. Nell'eventualità in cui qualcuno
insistesse per dare un'occhiata, facevo in modo che il pavimento
attorno al mobile fosse molto, molto sporco e che la luce della torcia che avevo casualmente in tasca fosse molto, molto fioca. A New
York c'era tanta gente con un mucchio di soldi e un sacco di arredatori con poco tempo a disposizione i quali, se mostravi loro un
articolo simile al tuo nel catalogo di un'asta, erano ben felici di buttarsi a capofitto su quello che ritenevano uno sconto, soprattutto se
stavano spendendo i soldi di qualcun altro. Un ulteriore espediente
– studiato per attirare una clientela più sofisticata – era quello di
nascondere bene un articolo nel retro del negozio, strofinarci sopra le spazzole sporche dell'aspirapolvere (antichità istantanea!) e
permettere al o alla cliente ficcanaso di scovarlo da solo – guardi,
sotto tutta questa sporcizia c'è un canapè Sheraton! Con questo

genere d'inganno – che mi divertiva parecchio –, il trucco consisteva nel recitare la parte dello scemo, sembrare annoiato, rimanere
chino sul mio libro, comportarmi come se non conoscessi il valore
di ciò che avevo intorno e far credere che fossero *loro* a ingannare
me, e continuare con la messinscena persino se li vedevo fremere
di eccitazione o precipitarsi in banca per un prelevamento ingente.
Se il potenziale acquirente era qualcuno di troppo importante, o
collegato a Hobie in qualche modo, potevo sempre dire che il pezzo
non era in vendita. Spesso, un secco «non è in vendita» era l'esca
per prendere all'amo gli sconosciuti, sia perché rendeva il tipo di
cliente che cercavo più determinato a concludere in fretta un buon
affare, pagamento in contanti, sia perché mi lasciava la possibilità
di interrompere la trattativa se qualcosa andava storto. Il problema principale che poteva verificarsi era che Hobie salisse di sopra
nel momento sbagliato. Anche l'arrivo della signora DeFrees era un
potenziale pericolo e aveva già rovinato più di un affare – una volta
avevo dovuto interrompere la trattativa sul più bello, con grande
disappunto della moglie di un regista che, stufa di aspettarmi, se
ne andò e non tornò più. Senza lampada a ultravioletti o analisi al
microscopio, la maggior parte degli interventi di Hobie risultava invisibile; e nonostante il negozio fosse frequentato da molti collezionisti seri, c'era anche un sacco di gente che non avrebbe mai saputo,
per esempio, che non era mai esistito uno specchio a bilico Queen
Anne. Di tanto in tanto, qualcuno era abbastanza sveglio da notare
un'imprecisione – come un tipo d'intaglio o di legno anacronistico
rispetto al creatore o al periodo –, ma un paio di volte avevo avuto
la faccia tosta di replicare che il mobile era stato commissionato da
un cliente speciale, e quindi, tecnicamente il suo valore era ancora
maggiore.

Nello stato confusionale in cui versavo, avevo svoltato quasi senza accorgermene nel parco e mi ero avviato verso il laghetto dove,
da bambini, io e Andy, avvolti nei nostri parka, avevamo passato
tanti pomeriggi invernali ad aspettare che mia madre venisse a
prenderci per portarci al cinema o a fare un giretto allo zoo (*Punto
Rendez-Vous, ore diciassette e zero zero spaccate!*). Ma ormai, purtroppo, la maggior parte delle volte mi ritrovavo lì ad aspettare

Jerome, il corriere in bici da cui compravo la droga. Le pillole che
avevo rubato a Xandra tanti anni prima mi avevano messo su una
cattiva strada: ossicodone, Roxicodone, morfina e Dilaudid quando
riuscivo a trovarlo; compravo quella roba per strada da anni e in
quei mesi mi ero attenuto (quasi sempre) alla regola dei giorni alterni – un giorno sì, un giorno no (anche se ovviamente «giorno no»
significava una dose ridotta, per evitare i sintomi da astinenza) –
ma, sebbene quello fosse ufficialmente un giorno no, mi sentivo
sempre più depresso e l'effetto della vodka che avevo bevuto con
Platt stava svanendo. Anche se sapevo di non avere niente addosso,
continuavo a tastarmi i vestiti e le mani tornavano a frugare ossessivamente nel cappotto e nelle tasche della giacca.

Al college non avevo combinato nulla di meritevole o degno di
nota. Gli anni passati a Las Vegas mi avevano reso inadatto a qualsiasi tipo di lavoro impegnativo; e quando, alla fine, mi ero laureato,
a ventuno anni (ci avevo messo sei anni a finire, invece dei quattro
previsti), era stato col minimo dei voti. «In tutta onestà, non vedo
come tu possa sperare di venire ammesso a un qualunque corso
di laurea specialistico» aveva detto la mio tutor. «Soprattutto dal
momento che per riuscire a pagare la retta avresti bisogno di una
consistente borsa di studio.»

Ma a me stava bene così, sapevo ciò che volevo. La mia carriera di mercante d'antiquariato era iniziata a diciassette anni, quando ero capitato per caso di sopra in uno dei rari pomeriggi in cui
Hobie aveva deciso di aprire il negozio. In quel periodo, cominciavo a rendermi conto dei suoi problemi economici; Griša aveva
detto la verità sulle conseguenze catastrofiche a cui sarebbe andato
incontro se avesse continuato ad accumulare giacenze senza preoccuparsi di venderle. («Sarà ancora là sotto a dipingere e intagliare, il giorno che vengono e gli portano via tutto.») Ma nonostante le lettere del fisco che avevano iniziato ad accumularsi accanto
ai cataloghi di Christie's e ai vecchi programmi dei concerti sul
tavolo all'ingresso (Sollecito di pagamento, Secondo sollecito di
pagamento, Ennesimo sollecito di pagamento), Hobie non aveva
voglia di tenere il negozio aperto più di mezz'ora, a meno che non
capitassero degli amici; all'apparire dei quali spesso cacciava via

i clienti e si affrettava a chiudere di nuovo. Quando tornavo da scuola trovavo quasi sempre il cartello CHIUSO sulla porta, anche se c'era qualcuno intento a sbirciare dalle vetrine. Peggio ancora, quando si sforzava di tenere aperto per qualche ora aveva il vizio di scomparire per farsi una tazza di tè, lasciando la porta aperta e la cassa incustodita; e nonostante Mike, il ragazzo che si occupava dei trasporti, avesse avuto la lungimiranza di chiudere a chiave le cassette dell'argenteria e dei gioielli, erano spariti degli articoli di cristallo e diverse maioliche; e io stesso ero entrato in negozio il pomeriggio del giorno in questione e avevo sorpreso una mamma dal fisico allenato e vestita in maniera sportiva, che sembrava appena uscita da una lezione di pilates, nell'atto di infilarsi un fermacarte in borsa.

«Sono ottocentocinquanta dollari» le avevo detto. Al suono della mia voce, era rimasta impietrita e mi aveva guardato con terrore. In realtà non ne valeva più di duecentocinquanta, ma lei mi aveva allungato la carta di credito senza fiatare e io avevo concluso la vendita – probabilmente il primo vero guadagno realizzato dopo la morte di Welty, visto che gli amici di Hobie (i suoi principali clienti) sapevano fin troppo bene di poter tirare sui prezzi, già di per sé troppo bassi, fino a raggiungere livelli al limite del ridicolo. Mike, che a volte dava una mano in negozio, tendeva a gonfiare il valore degli articoli in modo indiscriminato, rifiutandosi di negoziare e, di conseguenza, non vendeva quasi niente.

«Ben fatto!» mi aveva detto Hobie tra l'incredulo e il compiaciuto, illuminato dal bagliore della sua lampada da lavoro, quand'ero sceso di sotto per informarlo della mia grossa vendita (una teiera d'argento, secondo la mia versione dei fatti; non volevo venisse fuori che avevo spudoratamente derubato la donna, e poi sapevo che a lui non interessavano quelle che chiamava «le bagattelle», sebbene avessi scoperto grazie alle mie appassionate letture di libri di antiquariato che costituivano una parte considerevole del suo inventario). «Ingrani in fretta, eh? Welty ti avrebbe di certo preso sotto la sua ala. Ah! Un ragazzino interessato al suo argento!»

Da quel giorno, il pomeriggio, presi l'abitudine di sedermi in negozio coi miei libri di scuola, mentre Hobie era occupato in la-

boratorio. All'inizio lo facevo solo per divertimento – un divertimento drammaticamente assente nelle mie noiosissime giornate
da studente, fatte di caffè nella sala comune e seminari su Walter
Benjamin. Era evidente che, negli anni successivi alla morte di Welty,
Hobart e Blackwell aveva acquisito la reputazione di facile preda
per presunti «clienti» dalla mano svelta, e il brivido di cogliere in
flagrante quei ladruncoli ben vestiti ed estorcere loro grosse somme
di denaro mi dava quasi la sensazione di rubare al contrario.

Imparai anche una lezione, che appresi poco alla volta ma che
costituisce il cuore degli affari. Era il segreto che nessuno ti diceva, la cosa che dovevi imparare da solo: ovvero, che nell'ambito
dell'antiquariato non esisteva il prezzo «giusto». Il valore oggettivo,
da listino, non significava nulla. Se entrava un cliente inesperto coi
soldi in mano (come accadeva la maggior parte delle volte), non importava cosa dicessero i libri, cosa suggerissero gli esperti o a quale
prezzo articoli simili fossero stati venduti da Christie's di recente. Un oggetto – *qualsiasi* oggetto – valeva quel che riuscivi a farti
pagare.

Così cominciai ad aggirarmi nel negozio per rimuovere alcune
etichette col prezzo (in modo che il cliente fosse costretto a chiederlo a me) e a cambiarne altre – non tutte, solo qualcuna. Il trucco,
come scoprii dopo una serie di tentativi e di sbagli, era tenere basso
almeno un quarto delle quotazioni e alzare le altre, a volte persino
del quattro o cinquecento per cento. Anni di prezzi bassissimi avevano fatto sì che si formasse uno zoccolo duro di clienti affezionati;
lasciare inalterate le quotazioni di un quarto degli articoli mi metteva al riparo dal rischio di perderli e consentiva ai clienti nuovi
di mettere a segno qualche colpo. Inoltre, se mantenevi basso il
venticinque per cento dei prezzi, per una qualche perversa alchimia
quelli gonfiati sembravano giustificati, in confronto: chissà perché,
c'era gente che sborsava più volentieri quindicimila dollari per una
teiera Meissen se era collocata di fianco a un articolo più semplice
ma del tutto simile che ne costava (giustamente) poche centinaia.

Fu così che tutto ebbe inizio. E fu così che Hobart e Blackwell,
dopo aver patito per anni, iniziò a macinare soldi sotto i miei brillanti auspici. Ma non si trattava solo di denaro. Mi piaceva quel

gioco. Mentre Hobie, dando per scontato che chiunque provasse per l'antiquariato la stessa fascinazione che provava lui, indicava con precisione e schiettezza i punti forti e deboli degli articoli, io avevo scoperto di avere il talento opposto: sapevo offuscare e creare mistero, possedevo l'abilità di descrivere articoli di poco conto in maniera da renderli desiderabili agli occhi dei clienti. Quando mi impegnavo per vendere un pezzo, quando ne esaltavo le qualità (a differenza di quando me ne stavo seduto nel retro a lasciare che lo sprovveduto cadesse nella mia trappola), per me era tutto un gioco: per prima cosa dovevo inquadrare il cliente, capire quale immagine desiderava dare di sé, non tanto chi fosse in realtà (un arredatore saccente? una casalinga del New Jersey? un gay timido e poco sicuro di sé?), ma chi avrebbe voluto essere. Anche ai livelli più alti, si trattava sempre di gettare fumo negli occhi; tutti, in fondo, arredavano un palcoscenico. Il segreto era rivolgersi alla loro proiezione, al loro io ideale – il fine conoscitore, l'arguto viveur – anziché alla persona insicura che avevi di fronte. Era sempre meglio tenersi un po' a distanza e non essere troppo diretti. Imparai presto come vestirmi (al limite tra il classico e l'appariscente) e come trattare i clienti sofisticati e quelli meno sofisticati, calibrando gradi diversi di cortesia e indolenza; in entrambi i casi davo per scontata la loro esperienza, sapevo quando adularli e quando perdere interesse, allontanandomi al momento giusto.

Eppure, con quel Lucius Reeve avevo fatto un gran casino. Non capivo cosa volesse. Era talmente determinato a ignorare le mie scuse e a dirottare la sua rabbia su Hobie che iniziavo a pensare di essere incappato in un risentimento o in un odio preesistenti. Non volevo mettere la pulce nell'orecchio a Hobie facendo il suo nome, ma mi chiedevo chi mai avrebbe potuto covare un tale rancore nei confronti del mio maestro, la persona più ingenua e benevola del mondo. Le mie ricerche online sul conto di Reeve non avevano dato risultati, a parte qualche innocua citazione sulle pagine della cronaca mondana; non compariva nemmeno tra i membri di Harvard o dell'Harvard Club, non trovai nient'altro che un rispettabile indirizzo sulla Quinta Avenue. Sembrava non avesse una famiglia, né un lavoro, né mezzi di sostentamento tracciabili. Ero stato sciocco a fargli un assegno, e tutto per la fretta di dare a quell'articolo una provenienza certa e dimostrabile, e ormai, per come si erano messe le cose, nemmeno una busta di contanti fatta scivolare con discrezione sul tavolo sarebbe bastata a convincerlo a lasciar perdere la faccenda.

Me ne stavo lì, in piedi, coi pugni infilati nelle tasche del cappotto e gli occhiali appannati dall'umidità primaverile, a guardare tristemente le acque melmose del laghetto: qualche mesta anatra marrone, buste di plastica abbandonate tra le canne. Sulla maggior parte delle panchine c'era una targhetta col nome di un benefattore – in memoria di Ruth Klein eccetera – ma la panchina di mia madre, il Punto Rendez-Vous, era la sola, in quella zona del parco, su cui un anonimo donatore aveva lasciato un messaggio più misterioso e accogliente: UN UNIVERSO DI POSSIBILITÀ. Era La Sua Panchina da prima che nascessi io; quando era appena arrivata in città, nei pomeriggi liberi, sedeva lì con un libro della biblioteca, senza nemmeno pranzare se doveva pagarsi l'ingresso al MoMa o al Paris Theatre. Più avanti, oltre il laghetto, nel punto in cui il sentiero si faceva scuro e spoglio, c'era l'area incolta e desolata dove io e Andy avevamo sparso le sue ceneri. Era stato lui a convincermi ad agire di nascosto, infrangendo la legge, e soprattutto a spargerle proprio lì: *be', insomma, è qui che ci aspettava sempre.*

Sì, ma... Veleno per topi... Guarda quei cartelli.

Vai, sbrigati. Adesso non passa nessuno.

Adorava anche i leoni marini. Voleva sempre fare il giro per vederli.

Sì, ma non vorrai mica spargerle laggiù, c'è un odore di pesce tremendo. Comunque basta che ti sbrighi, non ho intenzione di tenere quel vaso, o come si chiama, in camera.

VI

«Mio Dio» disse Hobie, quando mi vide per bene sotto la luce. «Sei bianco come un lenzuolo. Non è che ti sta venendo l'influenza?»

«Ehm...» Stava per uscire e aveva il cappotto sul braccio; dietro di lui c'erano i Vogel, tutti impettiti, con un sorriso velenoso sulle labbra. I miei rapporti coi Vogel (o «gli Avvoltoi», come li chiamava Griša) si erano molto raffreddati da quando avevo preso in mano la gestione del negozio; memore della quantità di pezzi che avevano praticamente rubato sotto i miei occhi, ora alzavo il prezzo di qualunque oggetto verso il quale mostrassero un vago interesse; e anche se la signora Vogel – mica scema – aveva cominciato a telefonare direttamente a Hobie, di solito riuscivo a tenerle testa raccontando (fra le altre strategie) al mio socio che avevo già venduto il pezzo in questione e mi ero dimenticato di registrarlo.

«Hai mangiato?» Hobie, nella sua gentilezza distratta, nella sua assoluta ingenuità, non si era accorto che ormai io e i Vogel intrattenevamo rapporti tutt'altro che calorosi. «Scendiamo qui sotto per cena. Perché non vieni con noi?»

«No, grazie» risposi, sentendo su di me lo sguardo penetrante della signora Vogel, il suo sorriso freddo e falso, gli occhi come due agate sul viso chiaro e levigato nonostante l'età. Di solito mi divertivo a sostenere le sue occhiate e a restituirle il suo stesso sorriso, ma sotto le luci intense dell'ingresso mi sentivo sudaticcio ed esausto, e chissà perché vagamente umiliato. «Credo, ehm, credo che mangerò a casa oggi, grazie.»

«Non ti senti bene?» mi chiese il signor Vogel con voce piatta; era il tipico uomo del Midwest, calvizie incipiente e occhiali senza montatura, sussiegoso e compito nella sua giacca a doppiopetto; non avrei voluto essere in ritardo con la rata del mutuo, se fosse stato lui il banchiere. «Che peccato.»

«È stato un piacere vederti» disse la signora Vogel, facendo un passo avanti e poggiandomi la mano grassoccia su un braccio. «Sei stato contento della visita di Pippa? Avrei tanto voluto vederla, ma era così impegnata col fidanzato… Che impressione ti ha fatto lui… come si chiama?» Poi, rivolta a Hobie: «Elliot?».

«Everett» la corresse Hobie in tono neutro. «Un bravo ragazzo.»

«Già» dissi, voltandomi per sfilarmi il cappotto. Vedere Pippa, appena arrivata da Londra, insieme a quell'Everett era stato uno dei traumi peggiori della mia vita. Avevo contato i giorni, le ore persino, tremante per l'insonnia e per l'eccitazione, incapace di staccare gli occhi dall'orologio. Poi, al suono del campanello, ero schizzato come una molla e mi ero precipitato ad aprire la porta – solo per trovarla lì, mano nella mano con quel patetico inglese.

«E cosa fa nella vita? È un musicista anche lui?»

«Un bibliotecario musicale, in realtà» rispose Hobie. «Non so cosa comporti esattamente al giorno d'oggi, coi computer e tutto il resto.»

«Oh, sono sicura che Theo sa tutto a questo proposito.»

«No, non direi.»

«Un *cyber*-tecario?» domandò il signor Vogel, con una risata forte e insolitamente allegra, poi si rivolse a me: «È vero quello che dicono, che oggi un ragazzo può finire le scuole senza aver mai messo piede in una biblioteca?».

«Non saprei.» Un *bibliotecario musicale*! Mi ci era voluto tutto l'autocontrollo di cui disponevo per mantenere un'espressione indifferente (le viscere attorcigliate, la fine di tutto) mentre stringevo la sua mano inglese sudaticcia, *Ciao, Everett. Tu devi essere Theo, ho sentito tanto parlare di te, bla bla bla...* Ero rimasto impietrito sulla soglia, a fissarlo come uno yankee trafitto da una baionetta avrebbe fissato lo straniero che l'aveva colpito a morte. Era un tipo magro e dinamico, dagli occhi grandi, innocente, insipido e insopportabilmente allegro, vestito in jeans e felpa col cappuccio come un adolescente; e il suo sorriso fugace e contrito quando eravamo rimasti soli in soggiorno mi aveva mandato in bestia.

Ogni singolo istante della loro visita era stato una tortura. In qualche modo, però, ero sopravvissuto. Anche se avevo cercato di tenermi alla larga da loro il più possibile (per quanto fossi un maestro della dissimulazione, riuscivo a malapena a comportarmi in modo civile; ogni cosa di lui, la sua pelle rosea, la sua risata nervosa, i peli che spuntavano dai polsini della camicia, mi faceva venire voglia di saltargli addosso e spaccargli quei denti da cavallo; e non sarebbe stata una bella sorpresa per lui, pensavo cupamente, fissandolo, se l'antiquario Quattrocchi l'avesse attaccato all'improvviso cambiandogli i connotati?), nonostante ci avessi provato non ero riuscito a evitare Pippa, anzi mi ero mostrato invadente e per questo mi ero odiato, ma l'emozione quasi dolorosa di averla vicino era incontrollabile: i suoi piedi nudi a colazione, le sue gambe, la sua voce. L'inaspettata visione fugace delle sue ascelle bianche, quando si era sfilata il maglione. Il supplizio della sua mano sul mio braccio. «Ciao, caro. Ciao, tesoro.» Compariva alle mie spalle e mi copriva gli occhi con le mani: sorpresa! Voleva sapere tutto di me, tutto quello che stavo facendo. Mi si sedeva vicino sul divanetto a due posti Queen Anne, e le nostre gambe si toccavano. Oh, mio Dio. Cosa stavo leggendo? Poteva vedere il mio iPod? Dove avevo preso quel fantastico orologio? Ogni volta che mi sorrideva andavo in estasi. Ma non appena riuscivo a trovare un pretesto per stare solo con lei, ecco che arrivava lui col suo sorrisetto timido, e le metteva un braccio intorno alle spalle, mandando tutto all'aria. Conversazioni nella stanza accanto, scoppi di risa: forse quei due stavano parlando di me? Le posava le mani sui fianchi! La chiamava «Pips»! L'unico momento vagamente tollerabile o divertente della loro visita era stato quando Popchik – divenuto territoriale con la vecchiaia – era saltato su all'improvviso e gli aveva morso il pollice: «Oddio!», Hobie che correva a prendere l'alcol, Pippa tutta agitata, Everett che cercava di non dare peso alla cosa, ma era visibilmente irritato. «Certo, i cani sono fantastici! Li adoro! Non ne abbiamo mai avuti solo perché mia madre è allergica.» Everett era il «parente povero» (parole sue) di un vecchio compagno di scuola di Pippa; madre americana, molti fratelli, padre che insegnava qualcosa di matematico-filosofico e incomprensibile, a Cambridge. Come lei, era un vegetariano «ormai quasi vegano»; e poiché, con mio grande sconcerto, era venuto fuori che dividevano un appartamento (!), naturalmente, in quei giorni avevano dormito insieme. Per cinque notti ero rimasto sveglio, accecato dalla rabbia e dal dolore, le orecchie in allerta per cogliere ogni fruscio delle lenzuola, ogni sospiro e sussurro proveniente dalla stanza accanto.

D'altra parte – salutando Hobie e i Vogel con la mano, «Divertitevi!», per poi voltarmi e andarmene incupito – cosa pretendevo? Mi aveva fatto arrabbiare, mi aveva dilaniato, il tono cauto e gentile che Pippa prendeva con me in presenza di quell'Everett; e «No, non proprio» avevo educatamente risposto quando mi aveva chiesto se mi vedessi con qualcuna, anche se (e ne ero tristemente orgoglioso) in realtà andavo a letto con due ragazze diverse, e nessuna delle due sapeva dell'altra. Una aveva un ragazzo in un'altra città, la seconda era fidanzata, ma era stufa di lui e non rispondeva alle sue chiamate quando eravamo a letto insieme. Erano entrambe carine, anzi, quella col fidanzato cornuto era bellissima – una piccola Carole Lombard – ma nessuna delle due era una cosa seria, per me, solamente un modo per non pensare a Pippa.

M'irritava soffrire a quel modo. Starmene lì «col cuore in frantumi» (per mia sfortuna, era proprio questa la prima espressione che mi veniva in mente) era stupido, sdolcinato, spregevole e da deboli; *sob sob*, lei è a Londra, sta con un altro, va' a comprare del vino e scopati Carole Lombard, lasciala perdere. Ma il pensiero di lei mi affliggeva al punto che non riuscivo a dimenticarla più di quanto avrei potuto dimenticare un mal di denti. Era una cosa involontaria, inevitabile, compulsiva. Per anni era stata la prima cosa a cui pensavo appena sveglio, l'ultima quando andavo a dormire, e durante il giorno ci pensavo di continuo, in modo intrusivo, ossessivo e doloroso: che ore erano a Londra? Facevo sempre addizioni e sottrazioni, calcolando il fuso orario, controllavo le previsioni del tempo di Londra sul cellulare, non riuscivo a farne a meno, 11 gradi, le 22:12, lievi precipitazioni, in piedi all'angolo tra Greenwich e la Settima Avenue, di fronte all'ospedale ormai dismesso di St. Vincent, diretto Downtown per incontrare il mio spacciatore, e Pippa, invece, dov'era? Sul sedile posteriore di un taxi, fuori a cena, a bere con gente che non conoscevo, a dormire in un letto che non avevo mai visto? Avevo una voglia matta di chiederle qualche foto del suo appartamento, per aggiungere preziosi dettagli alle mie fantasie, ma me ne vergognavo troppo. Con una fitta al cuore pensavo alle sue lenzuola, a come dovevano essere, le immaginavo di un colore scuro da dormitorio, stropicciate, sporche, l'oscuro nido di uno studente, la sua guancia lentigginosa e pallida su una federa marrone o viola, la pioggia inglese che picchiettava contro la finestra. Le sue foto, che tappezzavano il corridoio fuori dalla mia stanza – tante diverse Pippa, a varie età –, erano un tormento quotidiano, sempre inatteso, sempre nuovo; anche se cercavo di evitare che i miei occhi vi si posassero, finivo sempre per cedere e la trovavo lì, a ridere della battuta di un altro o a sorridere a qualcuno che non ero io, un dolore mai sopito, un colpo dritto al cuore.

La cosa strana era che la maggior parte della gente non la vedeva come me – tutt'al più la trovava un po' strana, con quella camminata sbilenca e il suo spettrale pallore da rossa. Per qualche assurda ragione mi ero sempre illuso di essere l'unica persona al mondo che la apprezzasse davvero e credevo che Pippa sarebbe rimasta sconvolta, e commossa, e magari avrebbe persino iniziato a vedersi in una luce tutta nuova, se solo avesse saputo quanto la trovavo bella. Ma non era mai accaduto. Pieno di rabbia, mi concentravo sui suoi difetti, studiando attentamente le fotografie che l'avevano immortalata nel momento sbagliato o in una posa poco riuscita – il naso lungo, le guance scavate, gli occhi che (nonostante il colore mozzafiato) sembravano spogli con quelle sopracciglia chiare – un tipo alla Huckleberry Finn. Ma tutti questi dettagli – per me – erano così teneri e caratteristici da commuovermi fino alla disperazione. Con una ragazza bellissima avrei potuto consolarmi dicendomi che era fuori della mia portata; il fatto che fossi tanto ossessionato e scosso dalla sua normalità suggeriva – brutto segno – un sentimento più profondo del coinvolgimento fisico, una pozza di catrame interiore in cui avrei potuto sguazzare e crogiolarmi per anni.

Perché nella parte più profonda e inamovibile del mio essere la razionalità non serviva a niente. Lei era il mio regno scomparso, la parte illesa di me che avevo perso insieme a mia madre. Tutto ciò che la riguardava era un turbinio di fascinazione, dai vecchi biglietti di San Valentino ai cappotti cinesi ricamati che collezionava alle bottigliette profumate di Neal's Yard Remedies. C'era sempre stato qualcosa di magico e luminoso nella sua vita ignota e lontana: Vaud Suisse, 23 rue de Tombouctou, Blenheim Crescent W11 2EE, stanze ammobiliate in Paesi che non avevo mai visto. Evidentemente questo Everett («povero in canna» – parole sue) si faceva mantenere da Pippa, anzi, dallo zio Welty: la vecchia Europa che depredava la giovane America, per citare una frase che avevo usato in una tesina su Henry James nell'ultimo quadrimestre al college.

E se gli avessi offerto un assegno purché la lasciasse stare? Da solo nel negozio, durante i lenti pomeriggi gelidi, quel pensiero mi aveva attraversato la mente: *cinquantamila se te ne vai stasera, cento se non la rivedi mai più*. Era chiaro che per lui i soldi erano un problema; durante la loro visita non aveva fatto altro che rovistarsi le tasche e fermarsi al bancomat per prelevare venti dollari alla volta.

Non c'erano speranze. Semplicemente, mai e poi mai a Mr Biblioteca Musicale sarebbe potuto importare di lei anche solo la metà di quanto importava a me. Eravamo fatti l'uno per l'altra, fra noi c'era una sintonia da sogno, una magia indiscutibile. Il pensiero di lei inondava di luce ogni angolo della mia mente e riversava fulgore in solai prodigiosi di cui avevo ignorato persino l'esistenza, vedute mozzafiato che si aprivano solo e unicamente in relazione a lei. Ascoltavo in loop il suo compositore preferito, Arvo Pärt, per sentirla più vicina, e bastava che lei nominasse un romanzo letto da poco perché io me lo procurassi, bramoso di entrare nei suoi pensieri come per telepatia. Certi oggetti che passavano per il negozio – un piano Pleyel, uno strano cameo russo tutto graffiato – sembravano reperti tangibili della vita che io e lei, di diritto, avremmo dovuto trascorrere insieme. Le scrivevo email di trenta pagine che poi cancellavo, e mi affidavo alla formula matematica che avevo ideato per evitare di rendermi troppo ridicolo: messaggi di tre righe più corti dei suoi e spediti con un giorno di ritardo in più rispetto alla sua ultima risposta. A volte, a letto – smarrito nelle mie struggenti fantasticherie, oppiacee ed erotiche – mi intrattenevo in lunghe conversazioni sincere con lei: *siamo inseparabili*, immaginavo che ci dicessimo (in tono sdolcinato), tenendo una mano sulla guancia dell'altro, *non ci lasceremo mai*. Come un vero stalker, avevo conservato una ciocca dei suoi capelli color foglia d'autunno, raccogliendola dalla spazzatura dopo che si era accorciata la frangetta in bagno; e, cosa ancora più inquietante, una maglietta sporca con cui mi inebriavo del suo sudore erbaceo, simile al fieno.

Tutto inutile. Più che inutile: umiliante. Quando veniva a trovarci lasciavo sempre socchiusa la porta della mia stanza, un invito neppure troppo velato. Persino l'adorabile strascicare dei suoi passi (come la Sirenetta, troppo fragile per camminare sulla terra) mi faceva impazzire. Lei era il filo dorato che intesseva ogni cosa, una lente che ingigantiva la bellezza a tal punto che il mondo intero appariva trasfigurato attraverso di lei, e solo lei. Avevo provato a baciarla due volte: la prima, ubriaco, in un taxi; la seconda in aeroporto, disperato al pensiero che non l'avrei vista per mesi (o, forse, anni). «Scusami» le avevo detto, un po' troppo tardi.

«Non preoccuparti.»

«No, davvero, io...»

«Ascolta...» Un dolce sorriso sfocato. «Non c'è problema, ma tra poco devo imbarcarmi.» (Non era vero.) «Devo andare. Stammi bene, okay?»

Stammi bene. Cosa diavolo ci trovava in quell'Everett? L'unica cosa che riuscivo a pensare era quanto dovesse trovarmi noioso, se preferiva a me un budino insapore come quel tipo. *Un giorno, quando avremo dei bambini...* L'aveva detto quasi scherzando, ma il sangue mi si era gelato nelle vene. Era esattamente lo sfigato che ci si poteva immaginare con un pacco di pannolini in mano e mucchi di accessori imbottiti per poppanti... Mi rimproveravo di non essere stato più deciso con lei, anche se in verità non avrei mai osato provarci in modo più pressante senza almeno un piccolo segnale d'incoraggiamento da parte sua. Era già abbastanza imbarazzante il tatto di Hobie ogni volta che veniva fuori il suo nome, la calcolata mancanza di emozione nella sua voce. Il desiderio che provavo per lei era come un brutto raffreddore che durava da anni, nonostante cercassi di convincermi che presto sarebbe passato. Persino quella megera della signora Vogel se n'era accorta. Non che Pippa mi avesse illuso, tutt'altro; se le fosse importato un po' di me sarebbe tornata a New York, invece di restare in Europa dopo l'università. Per chissà quale assurda ragione, non riuscivo a dimenticare il modo in cui mi aveva guardato la prima volta che ero andato a trovarla e mi ero seduto sul bordo del suo letto. Il ricordo di quel pomeriggio della mia infanzia mi aveva sostenuto per anni; era come se – annientato dalla solitudine per la mancanza di mia madre – mi fossi aggrappato a lei come un pulcino orfano appena uscito dal guscio mentre lei, ironia della sorte, nello stesso momento giaceva drogata e intontita da un brutto colpo in testa, pronta a buttare le braccia al collo del primo sconosciuto.

Le mie «pillole della speranza», come le chiamava Jerome, erano chiuse in una vecchia tabacchiera. Frantumai una delle mie compresse di OxyContin di riserva sul ripiano di marmo del cassettone, la tagliai e la divisi in strisce con la mia tessera di Christie's, poi – arrotolando la banconota più nuova che avevo nel portafoglio – mi chinai, gli occhi umidi di trepidazione: impatto, *bam*, l'amaro in fondo alla gola e poi il fiotto di sollievo, all'indietro sul letto, mentre quel vecchio dolce pugno mi colpiva dritto al cuore: puro piacere, dolente e luminoso, lontano dal tramestio metallico dell'infelicità.

VII

La sera che andai a cena dai Barbour c'era un temporale violento con raffiche di vento così forti che riuscivo a malapena a tenere l'ombrello sopra la testa. Sulla Sesta Avenue non c'erano taxi liberi, i pedoni avanzavano a capo chino, cercando di dare le spalle alla pioggia che arrivava da tutte le direzioni. Nell'umidità da bunker del binario della metro, il soffitto in calcestruzzo gocciolava con ritmo monotono.

Quando riemersi in superficie, Lexington Avenue era deserta, le gocce danzavano frenetiche sul marciapiede e il fragore della pioggia sembrava amplificare i rumori della strada. I taxi mi sfrecciavano accanto sollevando roboanti spruzzi d'acqua. Poco lontano dalla stazione, mi infilai in un negozio per comprare dei fiori – gigli, tre mazzi, per un effetto meno striminzito; nel minuscolo locale ben riscaldato, il loro profumo mi colpì in maniera particolarmente sgradevole, ma solo quando arrivai alla cassa ne capii il motivo: era la stessa fragranza dolce, nauseante e malsana del funerale di mia madre. Uscii di lì e, mentre correvo sul marciapiede allagato verso Park Avenue – i calzini zuppi, la pioggia fredda che mi sferzava il viso –, mi pentii di aver comprato quei fiori e avrei voluto gettarli nella spazzatura, ma gli scrosci d'acqua erano troppo violenti e non volevo rallentare, neanche per un secondo, così continuai a correre.

Mentre aspettavo sul pianerottolo – i capelli appiccicati al viso, l'impermeabile, teoricamente resistente all'acqua, fradicio come se mi fossi immerso in una vasca da bagno – la porta si spalancò di colpo e sulla soglia comparve un ragazzo in età da college, ben piantato e con la faccia pulita, che stentai a riconoscere; impiegai qualche secondo a capire che si trattava di Toddy. Non ebbi neanche il tempo di scusarmi per l'acqua che mi colava di dosso, perché lui mi abbracciò forte e mi diede una pacca sulla schiena.

«Oh, mio Dio» disse, mentre mi faceva strada in soggiorno. «Dammi l'impermeabile... e questi, alla mamma piaceranno da impazzire. Che bello vederti! Quanto tempo è passato?» Era più robusto di Platt, aveva i capelli biondo scuro, color cartone, una tonalità diversa da quella del resto della famiglia, e un bel sorriso, anch'esso inusuale per i Barbour – entusiasta, luminoso e privo d'ironia.

«Be'...» L'affetto con cui mi trattava, neanche in passato fossimo stati grandi amici, mi metteva a disagio. «Non ci vediamo da un bel po'. Vai al college ormai, giusto?»

«Sì, Georgetown, sono qui per il weekend. Scienze politiche, ma in futuro spero di lavorare nel no profit, magari qualcosa che abbia a che fare coi giovani.» Con quel sorriso pronto da associazione studentesca, Toddy era diventato il vincente che un tempo tutti vedevano in Platt. «E poi, insomma, spero che tu non la prenda per il verso sbagliato, ma in parte devo ringraziare te.»

«Scusa?»

«Be', sì. Il fatto che mi sia venuta voglia di lavorare coi giovani svantaggiati. Tu mi avevi colpito molto, sai, quando stavi qui da noi, tanti anni fa. La tua situazione mi ha aperto gli occhi, dico davvero. Anche se ero solo un bambino di terza elementare, grazie a te mi sono reso conto che era questo che mi interessava: aiutare i ragazzini.»

«Accidenti» dissi, anche se la mia mente era ancora ferma alla parola *svantaggiati*. «Be'... è fantastico.»

«E poi è davvero entusiasmante perché ci sono un sacco di cose che si possono fare per aiutare i giovani bisognosi. Non so se conosci un po' Washington, ma lì ci sono tanti quartieri praticamente privi di servizi e io faccio parte di un progetto ideato per offrire ai bambini a rischio ripetizioni di Lettura e Matematica, poi quest'estate andrò ad Haiti con Habitat for Humanity...»

«È davvero lui?» Un elegante ticchettio di scarpe sul parquet, il tocco lieve delle dita sulla manica e un attimo dopo ero nelle braccia di Kitsey e sorridevo ai suoi capelli biondo ghiaccio.

«Oh, ma sei fradicio» disse, allontanandosi di un passo. «Ma guardati. Come diavolo sei arrivato qui? A nuoto?» Aveva il naso lungo e sottile del signor Barbour e la medesima, quasi goffa trasparenza nello sguardo – identico a quello di quand'era una bimbetta di nove anni in uniforme scolastica, spettinata e rossa in viso, con lo zaino troppo grosso sulle spalle –, solo che ora, quando posò gli occhi su di me, mi accorsi con sgomento della bellezza fredda e impersonale che aveva acquisito con gli anni.

«Io…» Per nascondere l'imbarazzo, tornai a guardare Toddy, occupato con l'impermeabile e i fiori. «Scusate, è che… è tutto così strano. Voglio dire… soprattutto tu» (rivolto a Toddy), «quanti anni avevi l'ultima volta che ti ho visto? Sette? Otto?»

«Già» disse Kitsey, «il topastro, assomiglia *proprio* a un essere umano adesso, vero? Platt…» Platt era appena entrato in soggiorno: barba incolta, pantaloni di tweed e un maglione Donegal di lana grezza, sembrava un pescatore depresso uscito da un dramma di Synge. «Dove ci aspetta?»

«Mmm…» bofonchiò come a disagio, grattandosi la guancia ruvida. «Nelle sue stanze. Per te non è un problema, no?» mi chiese. «Etta ha apparecchiato un tavolo di là.»

Kitsey aggrottò le sopracciglia. «Oh, accidenti. Be', non importa. Perché non porti i cani in cucina? Forza…» disse. Mi prese per mano e, con foga precipitosa e ansimante, mi trascinò lungo il corridoio. «Dobbiamo prepararti qualcosa da bere, ne avrai bisogno.» C'era, in quello sguardo fisso e in quell'affanno, qualcosa che ricordava Andy e il suo respiro asmatico, un'espressione vagamente attonita che in lei assumeva tutt'altra grazia, mentre dischiudeva le labbra in un bisbiglio sensuale, da diva. «Speravo che si mangiasse in soggiorno o almeno in cucina, è così macabro lì, nella sua tana… Cosa bevi?» mi domandò, entrando nella zona bar accanto alla dispensa, dov'erano già pronti dei bicchieri e un secchiello pieno di ghiaccio.

«Un bicchiere di quella Stoličnaja andrà benissimo. Con ghiaccio, per favore.»

«Davvero? Sicuro che ti va bene? Nessuno di noi la beve... Papà la ordinava» sollevò la bottiglia «perché gli piaceva l'etichetta... fa tanto Guerra fredda... potresti ripetere il nome?»

«Stoličnaja.»

«Una pronuncia *davvero* convincente. Io non ci provo nemmeno. Sai» aggiunse, fissandomi con quegli occhi color uva spina, «temevo che non saresti venuto.»

«Il tempo non è poi così terribile.»

«Sì, ma...» Due battiti di ciglia. «Pensavo che ci odiassi.»

«Odiarvi? No.»

«No?» Quando rise, restai ammaliato nel notare in lei la stessa leucemica fragilità di Andy, solo rimodellata e abbellita in una sorta di luminosità zuccherosa da principessa Disney. «Ma ero insopportabile!»

«Non m'importava.»

«Bene.» Dopo una pausa lunghissima si voltò verso i drink. «*Eravamo* insopportabili» ripeté con voce piatta. «Io e Toddy.»

«Ma dai. Eravate due bambini.»

«Sì, ma...» si morse il labbro inferiore, «avremmo potuto comportarci meglio. Specialmente dopo quello che ti era successo. E ora... voglio dire, adesso che papà e Andy...»

Attesi in silenzio perché mi sembrava che stesse formulando un pensiero, invece si limitò a bere un sorso del suo vino (bianco; Pippa lo beveva rosso), poi mi sfiorò il polso. «La mamma ti aspetta» disse. «È tutto il giorno che è in ansia. Andiamo?»

«Certo.» Con dolcezza, piano piano, la presi sottobraccio, come avevo visto fare al signor Barbour con gli ospiti «della femminea specie» e la accompagnai lungo il corridoio.

VIII

La serata fu un misto straziante e irreale di passato e presente: un mondo infantile per certi versi miracolosamente intatto e per altri dolorosamente alterato, come se il fantasma dei Natali passati e quello dei Natali futuri si fossero dati appuntamento lì per fare da ospiti d'onore. Ma nonostante il continuo, spiacevole richiamo all'assenza di Andy (*Io e Andy...?*, *Ricordate quando Andy...?*) e la sensazione di trovarmi in una versione ridotta del mondo che ricordavo (un semplice pasticcio di carne servito su un tavolo pieghevole nella stanza della signora Barbour?), la cosa più assurda fu il viscerale e irragionevole senso di *casa* che provavo. Persino Etta, quando ero entrato in cucina per salutarla, si era tolta il grembiule ed era corsa ad abbracciarmi: *avevo la serata libera, ma sono voluta rimanere, dovevo vederti.*

Toddy («Chiamami Todd, se non ti dispiace») aveva preso il posto del padre come Capitano della Tavola e conduceva la conversazione con un calore e un'amabilità forse un po' meccanici ma senza dubbio sinceri; tuttavia, alla signora Barbour non interessava parlare con nessuno che non fossi io – di Andy, anche, ma soprattutto dei mobili di famiglia, alcuni dei quali erano stati acquistati da Israel Sack negli anni Quaranta, ma che, perlopiù, venivano tramandati di generazione in generazione dall'epoca coloniale. A un certo punto, nel bel mezzo della cena, si alzò da tavola e mi prese per mano per mostrarmi un set di sedie e una commode di mogano – Queen Anne, Salem Massachusetts – che appartenevano alla famiglia della madre dal 1760. (*Salem?* pensai. *Non è che questi Phipps suoi antenati erano cacciatori di streghe? O magari streghe?* A parte Andy – criptico, isolato, autosufficiente, incapace di disonestà e completamente privo di malizia e di carisma – gli altri Barbour, compreso Todd, avevano tutti un che di inquietante, un attento e subdolo amalgama di decoro e malignità che rendeva fin troppo facile immaginare i loro avi che si radunavano nottetempo nel bosco per sbarazzarsi del consueto riserbo puritano e spassarsela intorno a un falò pagano.) Io e Kitsey non parlammo molto – non ne avemmo la possibilità, grazie alla signora Barbour – ma ogni volta che lanciavo uno sguardo nella sua direzione avvertivo i suoi occhi su di me. Platt, con la voce impastata dai cinque (sei?) abbondanti gin e lime che aveva tracannato, mi prese da parte, al bancone della cucina, dopo cena, e mi disse: «È sotto antidepressivi».

«Come?» feci, colto alla sprovvista.

«Intendo Kitsey. La mamma non li toccherebbe neanche con un dito.»

«Be'...» Il suo tono di voce sommesso mi metteva a disagio; avevo l'impressione che stesse chiedendo la mia opinione o che auspicasse in qualche modo un intervento da parte mia. «Spero che con lei funzionino meglio di quanto hanno fatto con me» dissi.

Platt aprì la bocca, poi sembrò ripensarci. «Oh...» Si ritrasse leggermente. «Tiene duro, mi pare. Ma è stato terribile per lei. Kits era molto attaccata a entrambi; nessuno di noi era legato ad Andy quanto lei.»

«Ah, davvero?» Non avrei mai usato la parola *legati* per descrivere il loro rapporto durante l'infanzia, sebbene Kitsey comparisse sullo sfondo dell'esistenza mia e di Andy con più frequenza rispetto agli altri fratelli, anche se solo per prenderci in giro o fare i capricci.

Platt sospirò – una folata di gin che quasi mi stese. «Sì. Ha preso un periodo di permesso da Wellesley. Non so se ci tornerà, forse seguirà qualche lezione alla New School, o magari si troverà un lavoro... È troppo difficile per lei restare nel Massachusetts dopo... be', lo sai. Si vedevano un sacco, a Cambridge, e si sente in colpa, ovviamente, per non essere andata lei a far compagnia a papà. Tra noi lei era la più brava a gestirlo, ma in quei giorni aveva una festa, così chiamò Andy pregandolo di andarci al posto suo, e poi... be'.»

«Cazzo.» Rimasi impietrito di fronte al bancone, con le pinze per il ghiaccio in mano, nauseato al pensiero di un'altra persona distrutta dal veleno dei *perché ho fatto questo* e dei *se solo avessi fatto quest'altro* che mi aveva rovinato l'esistenza.

«Sì» disse Platt, versandosi un'altra bella dose di gin. «Roba pesante.»

«Be', non dovrebbe sentirsi in colpa. Non deve. È assurdo. Insomma...» farfugliai, innervosito dalle occhiate spente e annacquate che Platt mi lanciava da sopra il bicchiere, «se fosse stata su quella barca, sarebbe morta *lei* al posto suo.»

«No, per niente» rispose Platt con indifferenza. «Kits è bravissima a portare la barca. Ottimi riflessi e testa sulle spalle sin da quando era bambina. Andy... lui stava pensando alle sue risonanze orbitali, o a qualunque altra astrusa stronzata stesse calcolando a

casa sul suo portatile, e nel momento dell'emergenza ha perso la
testa. Assolutamente tipico, cazzo. Ad ogni modo» continuò senza
scomporsi di fronte al mio stupore per quell'ultimo commento, «lei
non ha molti impegni adesso, come puoi immaginare. Dovresti invi-
tarla a cena o a uscire, la mamma scoppierebbe di felicità.»

IX

Quando me ne andai, dopo le undici, aveva smesso di piovere
e le strade erano bagnate e scivolose. Nell'atrio del palazzo trovai
Kenneth, il portiere notturno (stessi occhi pesanti e stesso odore
di liquore al malto che ricordavo; aveva solamente la pancia più
grossa). «Fatti vedere più spesso, eh?» si raccomandò. Era la stessa
identica frase che mi rivolgeva quando ero piccolo e mia madre
veniva a prendermi dopo che avevo passato la notte lì; la stessa voce
impastata e leggermente rallentata. Persino sullo sfondo di una
fumosa Manhattan postapocalittica potevi immaginartelo che barcollava allegramente sulla porta, nell'uniforme ridotta a brandelli,
mentre i Barbour se ne stavano chiusi di sopra, nel loro appartamento, a bruciare le copie del «National Geographic» per scaldarsi,
e a tirare avanti a forza di gin e polpa di granchio in scatola.

Nonostante avesse impregnato ogni momento della serata come
una tossina rancorosa, la morte di Andy era ancora un avvenimento
troppo enorme perché riuscissi a farci i conti. Tuttavia, mi ritrovai
a pensare che, col senno di poi, la sua fine era stata prevedibile,
come se fosse afflitto da un difetto congenito mortale. Già a sei anni
– goffo, asmatico, sognatore, un caso disperato – recava il marchio
della sventura e di una fine prematura impresso sulla sua fragile e
rachitica personcina, come una gigantesca scritta PICCHIAMI attaccata sulla schiena.

Eppure, era sconcertante constatare come il suo mondo continuasse a trascinarsi anche senza di lui. Strano, pensai, mentre saltavo una pozzanghera, come poche ore potessero cambiare tutto – o
piuttosto, come il presente contenesse tracce tanto evidenti di un
passato ancora vivo, danneggiato ed eroso ma non ancora distrut-

to. Andy mi era stato accanto quando non avevo nessun altro. Il minimo che potessi fare era mostrarmi gentile con sua madre e sua sorella. Anche se in quel momento non me ne rendevo conto, erano anni che non mi scrollavo di dosso il mio torpore fatto di infelicità ed egocentrismo; dove, tra l'anomia e la catalessi, l'inerzia e le parentesi e le ore passate a straziarmi l'anima, non mi ero accorto dei piccoli, semplici gesti di gentilezza che avevo avuto la possibilità di fare e non avevo fatto. Persino la semplice parola, *gentilezza*, bastava a farmi riemergere dall'incoscienza, come un risveglio in ospedale, col vociare delle persone, e il rumore dei macchinari intorno a me.

X

Come Jerome mi ricordava spesso, una dipendenza, anche se a giorni alterni, era pur sempre una dipendenza, soprattutto se non riuscivo ad attenermi alla regola che io stesso mi ero dato. I sottopassaggi e i luoghi affollati, di cui New York era piena, rappresentavano per me una fonte di terrore quotidiano. Il trauma dell'esplosione non mi aveva mai abbandonato: vivevo in attesa che accadesse qualcosa, mi aspettavo di scorgere il pericolo con la coda dell'occhio da un momento all'altro. Vedere un gruppo di persone disposte in modo particolare in un luogo pubblico bastava a scatenare in me un'angoscia da tempo di guerra. Era sufficiente che qualcuno mi tagliasse la strada o affrettasse improvvisamente il passo perché mi prendesse la tachicardia e una scarica di terrore martellante mi costringesse ad arrancare verso la panchina più vicina. Gli antidolorifici di mio padre, che inizialmente erano serviti ad alleviare le crisi d'ansia quasi incontrollabili, mi fornivano una via di fuga tanto esaltante che avevo finito per concedermeli a mo' di premio: dapprima solo nel weekend, poi dopo la scuola, e infine mi ero lasciato abbracciare da quella vibrante eterea beatitudine ogniqualvolta mi sentivo infelice o annoiato (il che, sfortunatamente, accadeva spesso). A quel tempo avevo fatto la sconcertante scoperta che le minuscole pillole che avevo ignorato a causa del loro aspetto insignifican-

te erano in realtà dieci volte più forti del Vicodin e del Percocet che
trangugiavo a piene mani – OxyContin da 80 mg, abbastanza forti
da uccidere un soggetto che non avesse sviluppato il mio livello di
tolleranza; e quando poi, compiuti da poco i diciotto anni, il mio
pressoché sconfinato assortimento di narcotici si era esaurito, ero
stato costretto a cominciare a procurarmeli in strada. Persino gli
spacciatori mi criticavano per le cifre che spendevo, vale a dire migliaia di dollari nel giro di poche settimane; Jack (il predecessore di
Jerome) mi aveva rimproverato un sacco di volte, mentre se ne stava
seduto sul lurido pouf dal quale gestiva i suoi affari a contare i bigliettoni che avevo appena ritirato allo sportello. «Tanto vale che gli
dai fuoco, amico.» L'eroina era meno costosa, quindici dollari a bustina. Anche se non me la fossi iniettata – Jack aveva laboriosamente
fatto i calcoli annotandoli sulla confezione di un hamburger – avrei
finito per spendere una cifra molto più ragionevole, all'incirca quat-
trocentocinquanta dollari al mese.

Ma mi facevo di eroina solo quando me la offrivano – un tiro qui,
uno lì. L'adoravo, e smaniavo continuamente per averne, ma evitavo
di comprarla. Se avessi cominciato, non avrei più trovato una ragione per dire basta. Coi farmaci, invece, la spesa ingente giocava a mio
vantaggio perché, oltre a tenere sotto controllo la mia dipendenza,
mi forniva un ottima motivo per scendere di sotto ogni giorno e
vendere qualche mobile. Il fatto che sotto oppiacei non si potesse
ragionare era un falso mito: farsi in vena era un'altra cosa, ma per
uno come me – che sussultava se un piccione batteva le ali sul marciapiede ed era affetto da una sindrome post-traumatica da stress
ai limiti della spasticità e della paralisi cerebrale – le pillole erano la
soluzione perfetta che mi consentiva non solo di condurre una vita
apparentemente normale, ma di raggiungere livelli di efficienza altrimenti impensabili. L'alcol ti trasformava in uno sciattone dall'aria
confusa: bastava guardare Platt Barbour, seduto da J.G. Melon alle
tre del pomeriggio ad autocommiserarsi. Per non parlare di mio
padre, che persino da sobrio aveva la stessa goffaggine di un pugile
stordito dai cazzotti ed era in grado a stento di tenere in mano un
telefono o un timer da cucina: sindrome di Korsakoff, si chiamava,
danni cerebrali causati dall'abuso di alcol, un deficit neurologico

irreversibile. I suoi ragionamenti erano sempre sconclusionati e non era mai riuscito a tenersi un lavoro a lungo. Io invece... Be', magari non avevo una ragazza né amici fuori dal giro della droga, ma lavoravo dodici ore al giorno, non c'era niente che mi stressasse, indossavo abiti di Thom Browne, rivolgevo sorrisi cortesi a persone che non sopportavo, andavo a nuotare due volte la settimana e, se capitava, facevo qualche partita a tennis, stavo alla larga dagli zuccheri e dai cibi confezionati. Ero disinvolto e di bell'aspetto, secco come un chiodo, non mi lasciavo prendere dall'autocommiserazione o dai pensieri negativi, ero un venditore eccellente – me lo dicevano tutti – e gli affari andavano talmente bene che quasi non mi accorgevo di quello che spendevo in sostanze.

Naturalmente anche io commettevo degli errori – scivoloni improvvisi come su un ponte ghiacciato, spaventosi istanti durante i quali la situazione mi sfuggiva di mano e mi rendevo conto di quanto male sarebbe potuta andare a finire, e quanto in fretta. Il problema non erano i soldi – era piuttosto il fatto che stavo aumentando le dosi, e capitava che dimenticassi di aver venduto un pezzo o di spedire una fattura. Hobie mi guardava in modo strano quando esageravo con le pasticche e scendevo da lui con un'espressione sballata e assente. Cene, clienti... Scusa, parlavi con me, hai detto qualcosa? No, sono solo un po' stanco, forse mi sta venendo l'influenza, credo che andrò a letto presto, ragazzi. Avevo ereditato gli occhi chiari di mia madre, perciò, quando non potevo mettere gli occhiali da sole – per esempio all'inaugurazione di una mostra –, era impossibile nascondere le pupille ridotte a uno spillo. Per fortuna, nessuno del giro di Hobie aveva mai notato qualcosa, eccetto (a volte) qualche ragazzo gay più giovane e sveglio. «Sei un ragazzaccio» mi aveva sussurrato all'orecchio il compagno palestrato di un cliente durante una cena ufficiale, spaventandomi a morte.

Ero terrorizzato all'idea di salire nell'ufficio contabilità di una certa casa d'aste perché uno degli impiegati – più grande di me, inglese, tossico come me – non faceva che provarci. Naturalmente, succedeva anche con le donne. Come quella tipa che mi ero portato a letto – la stagista del settore moda: l'avevo conosciuta all'area cani di Washington Square mentre ero lì con Popchik, ed erano bastati

trenta secondi sulla panchina del parco perché entrambi capissimo
che vivevamo nella stessa condizione. Ogni volta che le cose cominciavano a sfuggirmi di mano diminuivo le dosi e per certi periodi
– il più lungo era durato sei settimane – smettevo completamente.
Non tutti sarebbero stati capaci di fare altrettanto, dicevo a me stesso. Era solo questione di disciplina. Eppure, a ventisei anni appena
compiuti, erano almeno tre anni che non restavo pulito per più di
tre giorni di seguito.

Avevo studiato un metodo per smettere del tutto, se ne avessi
avuto voglia: riduzione sistematica delle dosi secondo un calendario settimanale, Loperamide a volontà, integratori di magnesio e
aminoacidi in forma libera per rigenerare i neurotrasmettitori danneggiati; per dormire, proteine ed elettroliti in polvere, melatonina
(e marijuana), oltre a una serie di tinture di erbe e strane pozioni
raccomandate dalla stagista del settore moda, radici di liquirizia e
cardo mariano, ortica, luppolo e olio di semi di cumino nero, radici
di valeriana ed estratto di scutellaria. Ma da più di un anno e mezzo
il sacchetto del negozio bio con tutto l'occorrente giaceva in fondo
al ripostiglio. Il contenuto era praticamente intatto, eccetto per la
marijuana, che era sparita da tempo. Il problema (come avevo con-
statato più volte) era che, dopo trentasei ore in casa col corpo in
rivolta e la prospettiva sconfortante di un'esistenza senza oppiacei
che ti si spalancava davanti come il corridoio di una prigione, avevi
bisogno di una ragione dannatamente forte per continuare ad avanzare nell'oscurità e nel dolore anziché lasciarti ricadere all'indietro
sul magnifico materasso di piume che avevi così stupidamente abbandonato.

Quella notte, di ritorno da casa dei Barbour, buttai giù una pasticca di morfina a rilascio prolungato, com'era mia abitudine ogni
volta che rincasavo schiacciato dai rimorsi e sentivo il bisogno di tirarmi su: una dose leggera, meno della metà di quanto me ne serviva
per avvertirne l'effetto, quel tanto che bastava, insieme con l'alcol,
per placare l'agitazione e farmi addormentare. L'indomani mattina,
scoraggiato (in quella fase del piano d'attacco, di solito, mi svegliavo in preda alla nausea e gettavo la spugna), frantumai prima trenta,
poi sessanta milligrammi di Roxicodone sul ripiano di marmo del

comodino, lo tirai con una cannuccia tagliata e, riluttante all'idea di buttare il resto delle pillole (più di duemila dollari di roba), mi alzai, mi ripulii il naso con una soluzione salina in spray e – dopo aver fatto scorta di compresse di morfina nel caso in cui le «asti nenze», come le chiamava Jerome, si facessero troppo acute – mi infilai la scatolina di tabacco Redbreast Flake in tasca. Alle sei in punto del mattino, prima che Hobie si svegliasse, presi un taxi per raggiungere il deposito.

Era aperto ventiquattr'ore su ventiquattro e somigliava a un complesso funerario maya, a parte il custode dallo sguardo assente che guardava la TV all'ingresso. Mi incamminai nervosamente verso gli ascensori.

Avevo messo piede in quell'edificio solo tre volte negli ultimi sette anni, sempre in preda all'agitazione e senza mai avventurarmi al piano di sopra, nel deposito vero e proprio, ma limitandomi a una puntata nell'atrio per pagare l'affitto in contanti: due anni alla volta, il massimo consentito dalle leggi dello Stato.

Per usare il montacarichi ci voleva una tessera magnetica che mi ero ricordato di portare. Ma sfortunatamente si rifiutava di funzionare e per diversi minuti, sperando che il custode fosse troppo distratto per accorgersene, rimasi all'interno dell'ascensore aperto, armeggiando faticosamente con la carta finché non sentii un sibilo e le porte d'acciaio si chiusero. Ero teso, mi sentivo osservato e, sforzandomi di non guardare la mia ombra sfocata sul monitor, giunsi all'ottavo piano. 8D, 8E, 8F, 8G: pareti di calcestruzzo ovunque e file di sportelli anonimi come in una sorta di eternità prefabbricata dove non esistevano colori all'infuori del beige e non si sarebbe depositato neanche un granello di polvere fino alla fine dei tempi.

8R, due chiavi e un lucchetto a combinazione, 7522, le ultime quattro cifre del numero di telefono di Boris a Las Vegas. L'armadietto si aprì con un cigolio metallico. Ed ecco il sacchetto del Paragon Sporting Goods col cartellino del prezzo che penzolava fuori, Tenda da campeggio King Kanopy, $ 43,99, nuova di zecca come il giorno in cui l'avevo comprata, otto anni prima. Sebbene il tessuto della federa che spuntava dal sacchetto avesse innescato in me uno sgradevole cortocircuito, come una scossa elettrica alle tempie, la cosa che mi sconvolse di più fu l'odore. Il sentore di plastica che emanava il nastro adesivo, simile a quello dei rivestimenti per piscine, era diventato intensissimo in quello spazio ristretto, un odore con una forte connotazione emotiva che avevo dimenticato da anni. L'inconfondibile olezzo di polivinile di colpo mi riportò alla mia stanza di ragazzino a Las Vegas: prodotti chimici e moquette nuova, e io che mi addormentavo e mi svegliavo ogni mattina col dipinto attaccato dietro la testiera del letto col nastro adesivo e quell'odore persistente nelle narici. Erano anni e anni che non estraevo il quadro dalla protezione. Ci sarebbero voluti quindici minuti buoni e un taglierino per aprirla, ma mentre me ne stavo lì sopraffatto (annullato e confuso, un po' come quella volta che avevo camminato nel sonno, svegliandomi davanti alla porta della camera di Pippa senza sapere cosa fare né perché mi trovassi lì) venni travolto da un'impazienza che sfiorava il delirio: averlo di nuovo a portata di mano, dopo tutto quel tempo, era come ritrovarmi all'improvviso su un confine spaventoso e irresistibile di cui avevo sempre ignorato l'esistenza. Nella penombra, quel fagotto mummificato – per quanto appena visibile – aveva un aspetto logoro, commovente e stranamente vivo; più che un oggetto inanimato, ricordava una povera creatura spaurita e legata nell'oscurità, incapace d'invocare aiuto, che sognava di essere salvata. Non mi trovavo così vicino al quadro da quando avevo quindici anni e per un istante provai l'impulso di afferrarlo, mettermelo sottobraccio e portarlo via. Ma sentivo il sibilo delle telecamere di sicurezza alle mie spalle e, con un rapido movimento spasmodico, lasciai cadere la scatolina del Redbreast Flake nel sacchetto di Bloomingdale, chiusi lo sportello e girai la chiave. «Buttale nel cesso se vuoi che funzioni davvero» mi aveva consigliato Mya, la ragazza supersexy di Jerome, «o finirai col ritrovarti in quel fottuto deposito alle due di notte.» Eppure, mentre uscivo di lì, stordito e con le orecchie ronzanti, le pillole erano l'ultimo dei miei pensieri. La semplice vista del dipinto impacchettato, solitario e patetico, mi aveva scosso nel profondo, come se il segnale di un satellite fosse giunto dal passato a ingarbugliare le frequenze e a far saltare tutte le altre trasmissioni.

XI

Sebbene i (rari) giorni in cui non mi facevo mi avessero aiutato a non aumentare troppo le dosi, le crisi di astinenza peggiorarono prima di quanto mi aspettassi e, nonostante le pillole che avevo tenuto per aiutarmi a diminuire gradualmente, mi sentivo molto giù di corda: troppo nauseato per mangiare, incapace di trattenere gli starnuti. «È solo un raffreddore» dissi a Hobie. «Sto bene.»

«No, se hai problemi di stomaco è influenza» rispose lui, tetro, di ritorno dalla farmacia Bigelow con un'altra scorta di Benadryl e di Imodium, oltre ai cracker e al ginger ale presi al Jefferson Market. «Non c'è ragione al mondo per cui... Salute! Se fossi in te, andrei dal dottore senza fare tante storie.»

«Senti, è solo un virus.» Hobie aveva una costituzione di ferro. Ogni volta che si beccava qualcosa, buttava giù un Fernet Branca e tornava come nuovo.

«Può darsi, ma negli ultimi giorni non hai quasi toccato cibo e non ha senso che vieni quaggiù a soffrire.»

Il lavoro, però, mi aiutava a distrarmi dal malessere. I brividi di freddo mi assalivano in spasmi che duravano una decina di minuti, poi cominciavo a sudare. Naso e occhi colavano di continuo ed ero colto da improvvise contrazioni muscolari simili a scosse elettriche. Il tempo era cambiato e il negozio era pieno di gente, rumore e movimento. Gli alberi che fiorivano in strada erano un'esplosione di bianco delirio. Per la maggior parte del tempo le mie mani si muovevano sicure sui tasti del registratore di cassa, ma dentro di me sentivo le viscere contorcersi. «La prima volta che provi a smettere non è la peggiore» mi aveva detto Mya. «È alla terza o quarta che vorresti morire.» Il mio stomaco si dibatteva e sussultava come un pesce preso all'amo. Dolori, contrazioni improvvise che mi impedivano di stare fermo a letto e trovare pace. La sera, dopo aver chiuso il negozio, rosso in volto e scosso dagli starnuti, mi immergevo in una vasca d'acqua bollente, al limite dell'ustione, con un bicchiere di ginger ale e del ghiaccio sciolto da tenere premuto contro le tempie, mentre Popchik – troppo rigido e scricchiolante per poggiare le zampe anteriori sul bordo della vasca come un tempo – se ne stava seduto sul tappetino del bagno e mi osservava con aria ansiosa.

Niente di tutto ciò era terribile come avevo temuto. Ciò che invece non mi aspettavo si abbattesse su di me con tanta violenza era quel che Mya definiva «il casino mentale»: qualcosa di intollerabile, un drappo nero imbevuto d'orrore. Mya, Jerome e la stagista del settore moda – come la maggior parte dei miei amici tossici – erano nel giro da più tempo di me e quando ci mettevamo a parlare di quanto dura fosse l'astinenza (solo da strafatti riuscivano a parlare dell'argomento) mi dicevano sempre che i sintomi fisici non erano la parte peggiore e che persino con una dipendenza leggera come la mia la depressione sarebbe stata «peggio di quanto tu possa mai immaginare». Io mi limitavo a sorridere educatamente e pensavo: *Scommettiamo?*

Ma *depressione* non era la parola giusta. Era un volo in caduta libera nel dolore e nel disgusto che andava ben oltre la sfera personale: una repulsione rivoltante e torrenziale nei confronti dell'intera umanità in ogni sua forma e manifestazione fin dalla notte dei tempi. Il contorto abominio dell'ordine biologico. Vecchiaia, malattia, morte. Nessuno aveva scampo. Anche i più belli non erano che morbidi frutti sul punto di marcire. Eppure, per qualche strana ragione, la gente continuava a scopare, a riprodursi e a sfornare altro cibo per vermi, mettendo al mondo altri esseri umani destinati alla stessa sofferenza, come se questo fosse uno strumento di redenzione, un'azione giusta o, persino, degna di ammirazione: trascinavano creature innocenti in un gioco senza vincitori. Neonati che si dimenavano, mamme dolci e compiaciute, drogate di ormoni. *Ma non è adorabile? Ooohh.* Bambini che schiamazzavano e correvano al parco, totalmente ignari dell'inferno che li aspettava: lavori monotoni e mutui esorbitanti e matrimoni sbagliati, calvizie, protesi all'anca, solitarie tazze di caffè in una casa vuota e una sacca per colostomia in ospedale. La maggior parte delle persone sembravano soddisfatte della sottile patina ornamentale e del sapiente gioco di luci che, di tanto in tanto, facevano apparire più misteriosa o meno ripugnante la sostanziale atrocità della condizione umana.

La gente scommetteva, giocava a golf, curava giardini, comprava e vendeva azioni, faceva sesso, acquistava macchine nuove, faceva yoga, lavorava, pregava, riarredava casa, andava in ansia per le notizie al telegiornale, si preoccupava per i figli, spettegolava sui vicini, studiava attentamente le recensioni dei ristoranti, fondava associazioni di beneficenza, sosteneva candidati politici, andava a vedere gli US Open, usciva a cena, viaggiava e cercava di distrarsi con ogni sorta di congegno o di accessorio, lasciandosi continuamente sommergere da un torrente di informazioni, messaggi, comunicazioni e forme d'intrattenimento provenienti da ogni direzione, tutto solo per tentare di dimenticare: dove eravamo, cosa eravamo. Ma sotto una luce intensa, non c'era modo di vedere le cose da una prospettiva confortante. Tutto era marcio, dall'inizio alla fine: passavi buona parte del tuo tempo in ufficio, sfornavi diligentemente i tuoi due figli e mezzo di media, sorridevi con garbo alla tua festa di pensionamento e poi finivi a masticare le lenzuola e a strozzarti con le pesche sciroppate in una casa di riposo. Sarebbe stato meglio non essere mai nati – non aver mai desiderato nulla, non aver mai sperato niente. Tutte quelle battaglie e quei contorcimenti mentali si mescolavano all'immagine ricorrente, o forse al mezzo sogno di Popchik che giaceva debole e magro su un fianco, il torace ossuto che si alzava e si abbassava lentamente – l'avevo dimenticato da qualche parte, l'avevo lasciato solo, mi ero scordato di dargli da mangiare e ora stava morendo. Quando in realtà lui era in camera con me e tirava su la testa di scatto ogni volta che mi alzavo di soprassalto in preda al senso di colpa, chiedendomi dove fosse; e tutto questo, a sua volta, si mescolava a dei flash della federa infagottata, chiusa nella sua bara d'acciaio. Qualunque fossero le ragioni che mi avevano spinto tanti anni prima a nascondere il quadro, a tenerlo con me o, ancora prima, a portarlo via dal museo, ormai non le ricordavo più. Il tempo aveva annebbiato tutto. Il quadro faceva parte di un mondo che non esisteva – o meglio, era come se io vivessi in due differenti universi e l'armadietto del deposito facesse parte di quello immaginario anziché di quello reale. Era facile dimenticarsene, fingere che non esistesse; mi aspettavo quasi di aprirlo e scoprire che il dipinto non c'era più, anche se sapevo che non era possibile, che sarebbe stato ancora lì, segregato nell'oscurità, ad aspettarmi in

eterno, finché ce lo avessi lasciato, come il cadavere di una persona
che avevo ucciso e rinchiuso in cantina.

L'ottavo mattino mi svegliai zuppo di sudore dopo quattro ore
di sonno tormentato, completamente svuotato, disperato come
non mi ero mai sentito prima, ma abbastanza in forze da portare
Popchik a fare un giro intorno all'isolato, e tornare in cucina per la
colazione da convalescente – uova in camicia e muffin inglesi – che
Hobie insistette per prepararmi.

«Era ora, accidenti» commentò. Aveva già finito di mangiare e
stava lavando con calma i piatti. «Sei bianco come un cigno… lo
sarei anch'io, dopo una settimana ad acqua e cracker. Hai bisogno
di un po' di sole, un po' d'aria. Dovresti andare a fare una bella
passeggiata col cane.»

«Hai ragione» dissi, ma non avevo intenzione di andare proprio
da nessuna parte se non in negozio, che era buio e silenzioso.

«Non ho voluto disturbarti, eri messo così male…» proseguì lui,
con una voce da *tornando a noi* e un cenno benevolo del capo che
mi costrinsero a distogliere lo sguardo, a disagio, e a fissare il piatto,
«ma mentre eri fuori uso hai ricevuto delle chiamate sul numero di
casa.»

«Ah, sì?» Avevo spento il cellulare, l'avevo chiuso in un cassetto
e non l'avevo più guardato per paura di trovare dei messaggi di
Jerome.

«Una ragazza molto gentile…» continuò, consultando il bloc-
chetto degli appunti con gli occhiali un po' abbassati. «Daisy
Horsley?» Daisy Horsley era il vero nome di Carole Lombard. «Ha
detto che è molto impegnata col lavoro» (messaggio in codice per
Fidanzato nei paraggi, stai alla larga), «e di mandarle un SMS se hai
bisogno di parlarle.»

«Okay, perfetto, grazie.» Lo sfarzoso matrimonio di Daisy alla
National Cathedral, se si fosse celebrato davvero, sarebbe stato
a giugno, dopodiché si sarebbe trasferita a Washington col suo
boyfriend, come lo chiamava lei.

«Ha chiamato anche la signora Hildesley per il cassettone di ciliegio, non quello con la cimasa, l'altro. Ha fatto una buona offerta,
ottomila, e io ho accettato. Spero non ti dispiaccia, quel mobile non

ne vale neanche tremila secondo me. E poi... ha chiamato due volte un tale... Lucius Reeve?»

Per poco non mi strozzai col caffè, il primo che riuscivo a buttare giù da giorni, ma Hobie non parve farci caso.

«Ha lasciato un numero. Ha detto che tu sai di cosa si tratta. Ah...» Si sedette all'improvviso, tamburellando sul tavolo col palmo. «Ha chiamato uno dei figli dei Barbour!»

«Kitsey?»

«No...» Bevve un sorso di tè. «Platt? Può essere?»

XII

Al pensiero di avere a che fare con Lucius Reeve senza l'aiuto della droga per poco non mi precipitai dritto al deposito. Quanto ai Barbour: non ero entusiasta nemmeno di parlare con Platt, ma con mio grande sollievo fu Kitsey a rispondere.

«Daremo una cena per te» esordì.

«Come, scusa?»

«Non te l'abbiamo detto? Oh... forse avrei dovuto chiamarti! Ad ogni modo, alla mamma ha fatto *molto* piacere vederti. Vuole sapere quando tornerai.»

«Be'...»

«Vuoi un invito formale?»

«Be', sarebbe meglio...»

«Sembri strano.»

«Scusa, è che... ehm, ho avuto l'influenza.»

«Davvero? Oh, santo cielo! Noi stiamo tutti benissimo, quindi non penso tu l'abbia presa qui... Cosa?» domandò, rivolgendosi a una voce indistinta in sottofondo. «C'è qui... Platt che sta cercando di togliermi di mano il telefono. Ci sentiamo presto.»

«Ehi, fratello» mi salutò Platt all'altro capo del filo.

«Ciao» risposi, grattandomi una tempia e sforzandomi di non pensare quanto fosse strano che Platt mi avesse appena chiamato *fratello*.

«Io...» Rumore di passi, una porta che si chiudeva. «Be', vengo subito al dunque.»

«Dimmi.»

«Si tratta di mobili» spiegò in tono affabile. «C'è qualche possibilità che tu ne possa vendere qualcuno per noi?»

«Certo.» Mi sedetti. «Quali pezzi sta pensando di vendere la signora Barbour?»

«Be'» fece Platt, «il fatto è che non vorrei coinvolgere la mamma in questa faccenda, se possibile. Non sono sicuro che lei sia d'accordo, non so se mi spiego.»

«Ah.»

«Be', insomma, ha talmente tanta roba... Una marea di cianfrusaglie nel Maine e altre in un deposito che non userà mai più... Non solo mobili, anche argenteria, una collezione di monete... delle ceramiche che credo siano pregiate, ma in tutta sincerità a vederle sembrano merda. Non dico per dire, intendo che sembrano letteralmente mucchi di merda di vacca.»

«Immagino che dovrei chiederti perché vuoi vendere.»

«Non è che *abbia bisogno* di farlo» si affrettò a rispondere. «Il fatto è che a volte la mamma si fissa in modo assurdo con questa roba vecchia e inutile.»

Mi sfregai un occhio. «Platt...»

«Sì, insomma, quelle cose stanno lì a marcire. Un mucchio di spazzatura. E molta roba è mia, le monete, qualche vecchia pistola e vari oggetti che Gaga mi ha lasciato. Ecco...» proseguì, secco, «sarò onesto con te. C'è un altro tipo con cui ho fatto affari, ma francamente preferirei lavorare con te. Tu ci conosci, conosci la mamma e so che non cercherai di fregarmi.»

«Va bene» risposi, incerto. Seguì una pausa lunghissima, come se stessimo leggendo un copione e lui fosse in paziente attesa della mia battuta successiva. Stavo cercando un modo per liberarmi di lui, quando mi cadde l'occhio sul nome di Lucius Reeve e sul suo numero scritto nella grafia aperta ed espressiva di Hobie.

«Be', ehm... è molto complicato» aggiunsi. «Insomma, prima di esprimere un'opinione, devo vedere di cosa si tratta. Sì, sì...» lo interruppi mentre cercava di dire qualcosa su delle fotografie, «ma le foto non vanno bene. E poi, io non mi occupo di numismatica né di ceramiche. Soprattutto per le monete, devi rivolgerti a uno specializzato. Ma nel frattempo» continuai, mentre tentava di nuovo di parlarmi sopra, «se vuoi raggranellare qualche migliaio di dollari, penso di poterti dare una mano.»

Questo lo zittì immediatamente. «Ah, sì?»

Infilai due dita sotto gli occhiali e mi massaggiai le palpebre. «Il fatto è questo. Sto cercando di attribuire una provenienza a un pezzo; è un vero incubo, il tizio non vuole lasciarmi in pace. Ho cercato di ricomprarglielo, ma lui sembra determinato a sollevare un polverone. Perché, proprio non lo so. Ad ogni modo, credo che mi tornerebbe utile se riuscissi a tirare fuori una ricevuta a dimostrazione del fatto che ho comprato il pezzo da un altro collezionista.»

«Be', la mamma è convinta che tu sia un angelo caduto dal cielo» replicò lui acidamente. «Sono sicuro che per te farebbe qualunque cosa.»

«Il fatto è...» Hobie era di sotto con la fresa accesa, ma abbassai la voce per precauzione. «Di te mi posso fidare, vero?»

«Naturalmente.»

«In realtà non c'è ragione di coinvolgere tua madre in questa cosa. Posso compilare una ricevuta e retrodatarla, ma se il tipo avesse delle domande da fare, cosa molto probabile, vorrei poterlo mandare da te, dargli il tuo numero, figlio maggiore, madre distrutta dal dolore per un lutto recente, *bla bla bla...*»

«Chi è questo tipo?»

«Si chiama Lucius Reeve. Mai sentito?»

«No.»

«Be'... te lo dico subito, non è escluso che conosca tua madre o che l'abbia incrociata, qualche volta.»

«Non dovrebbe essere un problema. Ultimamente la mamma non vede quasi più nessuno.» Silenzio. Lo sentii accendersi una sigaretta. «Quindi... questo tipo chiama e io che gli dico?»

Descrissi il cassettone. «Ti mando una fotografia al più presto. La caratteristica distintiva è l'intaglio a forma di fenice nella parte superiore. Se chiama, *tu* devi solo dirgli che il pezzo è sempre stato nella tua casa nel Maine finché tua madre non l'ha venduto a me un paio d'anni fa. L'avrà comprato da un antiquario che non lavora più, un anziano signore morto anni fa, mi pare, non ricordo come si

chiamava, accidenti, dovrei controllare. Ma se dovesse insistere…»
Avevo scoperto con grande stupore che bastavano qualche macchia
di tè e un paio di minuti in forno a bassa temperatura per invecchiare ulteriormente le ricevute in bianco di un libretto risalente agli
anni Sessanta comprato a un mercatino delle pulci. «Non sarà un
problema fornirgli anche quella ricevuta.»

«Capito.»

«Bene. Comunque» aggiunsi, cercando affannosamente una sigaretta che non avevo, «se fai la tua parte, cioè, se prometti di reggermi il gioco *nel caso in cui* questo tipo ti chiamasse, ti darò il dieci
per cento del prezzo del mobile.»

«Sarebbe?»

«Settemila dollari.»

Platt lanciò una risata stranamente felice e spensierata. «Papà
lo diceva sempre che di voi amanti dell'antiquariato è meglio non
fidarsi.»

XIII

Riattaccai, frastornato dal sollievo. La signora Barbour aveva la
sua buona dose di oggetti d'antiquariato di secondo e terzo ordine,
ma possedeva anche una tale quantità di pezzi importanti che mi
disturbava il pensiero che Platt vendesse la sua roba di nascosto,
senza la minima idea di cosa stesse facendo. Tra l'altro, sì, forse io
ero con «le spalle al muro» – ma tra noi era senz'altro Platt quello
che puzzava di guai seri anche se non meglio specificati. Benché da
anni non mi capitasse di pensare alla sua espulsione dal college, l'efficienza con cui quella storia era stata messa a tacere suggeriva che
avesse combinato qualcosa di grosso, un guaio che, in un contesto
meno protetto, avrebbe potuto coinvolgere la polizia; stranamente,
la cosa mi rassicurava sul fatto che avrebbe preso i suoi soldi e tenuto la bocca chiusa. E poi – il solo pensiero mi rallegrava il cuore – se
c'era qualcuno sulla faccia della Terra in grado di intimidire Lucius
Reeve, di fargli abbassare la cresta, quello era Platt: uno snob di
prima categoria e un bulletto nato.

«Signor Reeve?» dissi cortesemente quando rispose.

«Chiamami Lucius, ti prego.»

«Va bene, Lucius.» Il sangue mi ribolliva nelle vene al solo suono della sua voce, ma sapere che avevo Platt dalla mia parte mi rese più spavaldo di quanto a rigore potessi permettermi. «Mi hai lasciato detto di richiamarti. Che volevi dirmi?»

«Probabilmente non quello che pensi tu» fu la sua risposta.

«Ah, no?» chiesi, tranquillo, anche se il suo tono mi aveva colto di sorpresa. «Va bene. Sono tutt'orecchi.»

«Credo che sia meglio vederci di persona.»

«Bene. Che ne dici se ci incontriamo Downtown» proposi rapidamente, «dato che l'ultima volta sei stato così gentile da portarmi al tuo club?»

XIV

Scelsi un ristorante di Tribeca – abbastanza lontano da casa perché non dovessi preoccuparmi di incontrare Hobie o qualche suo amico e con una clientela abbastanza giovane (speravo) da destabilizzare Reeve. Rumore, luci, conversazioni, l'accalcarsi incessante dei corpi l'uno contro l'altro: ora che i miei sensi non erano più smorzati mi sentivo sopraffatto dagli odori, vino, aglio, profumo, sudore, vassoi sfrigolanti di pollo alla citronella che uscivano dalla cucina, e poi le panche turchesi, il vestito arancione acceso della ragazza seduta vicino a me, come schizzi di qualche sostanza chimica industriale dritti nei miei occhi. Avevo lo stomaco in subbuglio per il nervosismo e stavo masticando un antiacido che mi ero portato dietro quando, alzando lo sguardo, vidi la bella cameriera – una giraffona tatuata, distratta e indolente – che indicava il mio tavolo a Lucius Reeve.

«Salve» dissi, senza alzarmi. «È un piacere rivederti.»

Lui lanciò un'occhiata al locale, disgustato. «Dobbiamo proprio restare qui?»

«Perché no?» replicai tranquillo. Avevo intenzionalmente scelto un tavolo in mezzo al viavai, in un punto non così chiassoso da costringerci a urlare, ma abbastanza da risultare fastidioso – e gli avevo lasciato il posto in cui *lui* avrebbe avuto il sole negli occhi.

«È ridicolo.»

«Oh, mi dispiace. Se questo tavolo non ti va bene...» Feci un cenno alla giraffa, che era tornata alla sua postazione e ondeggiava di qua e di là con aria assente, del tutto persa nel suo mondo.

Decise di darmela vinta – il ristorante era strapieno – e si sedette. Nonostante fosse composto ed elegante nei modi e nel parlare, e sebbene il suo completo avesse un taglio alla moda adatto a un uomo della sua età, la sua faccia mi faceva pensare a un pesce palla o, a tratti, al forzuto di un cartone animato o ancora a un poliziotto a cavallo canadese gonfiato con la pompa per la bici: fossetta sul mento, naso a patata, un taglio sottile al posto della bocca, il tutto concentrato al centro di un viso che brillava di un rosa acceso, infiammato, da pressione alle stelle.

Dopo che fummo serviti – fusion asiatica, con croccanti montagne di wonton e scalogno fritto, non proprio il cibo preferito di Reeve a giudicare dalla sua espressione – attesi pazientemente che finisse di girare attorno al nocciolo della questione. La copia carbone della ricevuta, presa da uno dei vecchi libretti di Welty e retrodatata di cinque anni, era nel mio taschino, ma non avevo intenzione di tirarla fuori a meno di non esserne costretto.

Reeve chiese una forchetta, poi estrasse dai suoi inquietanti «gamberi-scorpione» dei filamenti architettonici vegetali e li spinse da parte. Mi guardò. I suoi occhietti penetranti erano di un blu acceso che spiccava sul rosa suino del volto. «So del museo» disse.

«Che vuoi dire?» chiesi, dopo una piccola esitazione.

«Oh, per favore. Sai perfettamente di cosa sto parlando.»

Avvertii una scarica di terrore lungo la spina dorsale, ma mi costrinsi a tenere lo sguardo fisso sul piatto: riso bollito e verdure fritte, la cosa più leggera che c'era sul menu. «Se non ti dispiace preferirei non parlarne. È un argomento doloroso.»

«Sì, posso immaginarlo.»

Lo disse con tono talmente sarcastico e provocatorio che sollevai lo sguardo di scatto. «Mia madre è morta quel giorno, se è questo che vuoi sapere.»

«Già, è vero.» Lunghissima pausa. «E anche Welton Blackwell.»

«Esatto.»

«Be', sì, insomma… Era su tutti i giornali, Dio santo. Una questione di pubblico dominio. Ma…» si passò la punta della lingua sul labbro superiore, «c'è una cosa che non capisco. Perché James Hobart è andato a raccontare questa storia in giro, a chiunque incontrava? Tu che ti presenti alla sua porta con l'anello del suo socio in affari? Se avesse tenuto chiusa la bocca, nessuno avrebbe mai colto il collegamento.»

«Non capisco che vuoi dire.»

«Mi capisci benissimo, invece. Hai una cosa che io voglio. Anzi, che un sacco di gente vuole.»

Mi fermai di colpo, con le bacchette a mezz'aria. Il mio primo, istintivo impulso fu di alzarmi e andare via, ma capii immediatamente che sarebbe stata una sciocchezza.

Reeve si appoggiò allo schienale. «Non parli più.»

«Perché tu stai dicendo cose senza senso» ribattei deciso posando le bacchette e, per un istante, qualcosa nella velocità di quel gesto mi fece tornare in mente mio padre. Cosa avrebbe fatto lui?

«Sembri molto turbato. Mi chiedo come mai.»

«Non vedo cosa c'entri tutto questo col cassettone. Sai, ero convinto che fossimo qui per quello.»

«Sai benissimo a cosa mi riferisco.»

«No, invece…» Scoppiai in una risata incredula, che suonò autentica. «Temo proprio di no.»

«Vuoi che ti spieghi tutto per filo e per segno? Qui? Va bene, come vuoi. Eri con Welton Blackwell e sua nipote, eravate tutti e tre nella Galleria 32 e *tu*…» un lento ghigno beffardo gli si disegnò sul volto, «sei stato l'unico a uscire di lì sulle tue gambe. Sappiamo tutt'e due cos'altro è uscito dalla Galleria 32, non è vero?»

Fu come se, di colpo, tutto il sangue fosse defluito dal mio corpo. Intorno a noi, ovunque, tintinnio di posate, risa, eco di voci che riverberavano tra le pareti piastrellate.

«Vedi?» fece Reeve, con sufficienza, ricominciando a mangiare. «È molto semplice. Insomma, sono sicuro» proseguì in tono di rimprovero, posando la forchetta, «sono sicuro che sapevi che qualcuno prima o poi ci sarebbe arrivato, no? Hai preso il quadro e quando hai portato l'anello al socio di Blackwell gli hai dato anche la tela, non so per quale ragione... sì, sì» mi interruppe quando cercai di ribattere, poi spostò leggermente la sedia e si riparò gli occhi dal sole con la mano. «Ed ecco che finisci sotto la tutela di James Hobart, Cristo santo, finisci sotto la sua tutela e lui da quel giorno comincia a dare in pegno quel tuo piccolo souvenir di qua e di là e lo usa per farci soldi.»

Farci soldi? Hobie? «Darlo in *pegno*?» chiesi, poi, ricordando la parte che dovevo recitare: «Dare in pegno cosa?».

«Senti, questa tua messinscena da "di che diavolo parli?" comincia a darmi sui nervi.»

«No, dico sul serio. Di che diavolo stai parlando?»

Reeve strinse le labbra. Sembrava molto compiaciuto.

«Si tratta di un quadro superbo» disse. «Una piccola meravigliosa anomalia... assolutamente unico. Non dimenticherò mai la prima volta che l'ho visto, alla Mauritshuis... è diverso da tutte le altre opere conservate lì, anzi, da qualunque altra opera del suo tempo, se vuoi la mia opinione. È difficile credere che sia stato dipinto nel diciassettesimo secolo. Una delle più magnifiche tele di piccole dimensioni di tutti i tempi, non credi? Cosa...» si interruppe, rivolgendomi uno sguardo beffardo. «Com'è che diceva quel collezionista... Sai, il critico d'arte francese che lo riscoprì? Lo trovò sepolto nella dispensa di qualche nobile intorno al 1890 e da quel momento fece "disperati tentativi"» mimò le virgolette con le dita «per entrarne in possesso. "Non ve lo dimenticate, devo avere quel piccolo cardellino a ogni costo." Ma non è questa la citazione a cui mi riferivo. Parlavo dell'altra, quella famosa. Sono sicuro che la conosci anche tu. Dopo tutto questo tempo, immagino che tu conosca ogni minima informazione sul dipinto e sulla sua storia.»

Posai il tovagliolo. «Non so di cosa tu stia parlando.» Non avevo altra scelta che tenere duro e continuare a ripeterlo. *Negare, negare, negare*, come mio padre – nel suo unico film importante, dove interpretava l'avvocato di un criminale – raccomandava al suo cliente poco prima che gli sparassero.

Ma mi hanno visto.
Ti avranno scambiato per un altro.
Ci sono tre testimoni oculari.
Non importa. Si sbagliano. «Non ero io.»
Troveranno altri testimoni.
Va bene. Facciano pure.

Qualcuno aveva abbassato una tendina, immergendo il nostro tavolo in una penombra tigrata. Reeve mi lanciò un'occhiata soddisfatta, poi infilzò un gambero arancio acceso e lo mangiò.

«Vedi, è un po' che ci penso» disse. «Forse tu mi puoi aiutare. Quale altro dipinto di quelle dimensioni è paragonabile a quel capolavoro? Forse un adorabile piccolo Velázquez, sai, il giardino di Villa Medici. Ma è chiaro che non si tratta di una rarità assoluta.»

«Scusa, forse è meglio se mi spieghi di nuovo di cosa stiamo parlando, perché davvero non so immaginare a cosa ti riferisci.»

«Be', continua pure con questa messinscena se vuoi» disse amabilmente, pulendosi la bocca col tovagliolo. «Chi credi di prendere in giro? Comunque, devo dire che è da veri irresponsabili affidarlo a quei gaglioffi permettendo loro di mandarlo in giro e darlo in pegno.»

Di fronte alla mia espressione sbigottita, del tutto autentica, scorsi un'ombra di sorpresa attraversargli il volto, che subito svanì così com'era comparsa.

«Non si può lasciare una cosa tanto preziosa in mano a gente del genere» disse, masticando con gusto. «Volgari delinquenti, zoticoni.»

«Quello che dici non ha alcun senso» sbottai.

«Ah, no?» Posò la forchetta. «Se mai dovessi capire di cosa sto parlando, sappi che ti sto proponendo di vendermelo.»

Il mio solito acufene – l'eco dell'esplosione – si era ripresentato, come succedeva spesso nei momenti di stress; un ronzio acuto, come un aereo in avvicinamento.

«Vuoi che ti dia una cifra? Bene. Direi che mezzo milione è più che sufficiente, se consideri il fatto che, volendo, potrei fare una chiamata in questo stesso istante...» si sfilò il cellulare di tasca e lo poso sul tavolo accanto al bicchiere, «e porre fine a questa tua impresa»

Chiusi gli occhi, li riaprii. «Senti, quante volte te lo devo dire? Non so cosa tu abbia in mente, ma...»

«Te lo dico subito, Theodore. Sono preoccupato per la conservazione, la salvaguardia dell'opera. Problematiche che né tu, né la gente con cui lavori avete preso in considerazione, a quanto sembra. Immagino tu ti renda conto che venderlo a me è la cosa migliore da fare, sia per te sia per il quadro. So che ci hai fatto un mucchio di soldi, ma converrai con me che farlo girare in condizioni tanto precarie è davvero da pazzi.»

Per fortuna lo stato confusionale – del tutto reale – in cui ero precipitato giocò a mio favore. Dopo un lungo, bizzarro intervallo, Reeve infilò la mano nel taschino della giacca.

«Tutto bene?» chiese un cameriere che sembrava un modello, sbucando fuori dal nulla.

«Sì, sì, tutto bene.»

Il modello sparì, sgattaiolando via per andare a parlare con la bella cameriera. Reeve tirò fuori dalla tasca vari fogli di carta piegati e li fece scivolare sulla tovaglia verso di me.

Erano pagine prese da un sito web. Le scorsi velocemente: FBI... agenzie internazionali... blitz fallito... indagini...

«Che cazzo è questo?» chiesi, a voce così alta che una donna al tavolo di fianco sobbalzò. Reeve – tutto preso dal suo pranzo – non disse nulla.

«No, dico sul serio. Cosa c'entra tutto questo con me?» Scorsi la pagina irritato: omicidio preterintenzionale... Carmen Huidobro, domestica impiegata presso un'agenzia di lavoro interinale di Miami, uccisa a colpi di arma da fuoco dagli agenti che hanno fatto irruzione nella casa – stavo per chiedere cosa c'entrasse con me il contenuto dell'articolo, ma le parole mi morirono in bocca.

A quanto risulta, il dipinto di un grande maestro del passato, che si credeva distrutto (*Il cardellino*, Carel Fabritius, 1654), è stato utilizzato come pegno di garanzia nell'accordo con Contreras, ma sfortunatamente non è stato recuperato durante il blitz avvenu-

to nella proprietà, situata nel Sud della Florida. Sebbene le opere d'arte rubate vengano usate spesso come strumenti di negoziazione per fornire capitale al traffico di droga e di armi, la DEA[13] si è difesa dalle critiche dell'unità crimini d'arte dell'FBI – che ha definito il loro operato «fallimentare» e «dilettantesco» – diramando un comunicato di scuse per la morte accidentale della signora Huidobro in cui si sottolinea che i loro agenti non sono addestrati a identificare o recuperare opere d'arte rubate. «In situazioni di grande tensione come questa» ha affermato Turner Stark, portavoce dell'ufficio stampa della DEA, «la nostra priorità è e rimarrà sempre la sicurezza degli agenti e dei civili coinvolti nella battaglia contro le violazioni delle leggi che regolano le sostanze stupefacenti e psicotrope.» Lo scalpore che ne è conseguito, specialmente in relazione alla causa per l'omicidio della signora Huidobro, è sfociato nella richiesta di una maggiore cooperazione tra le agenzie federali. «Sarebbe bastata una semplice telefonata» ha dichiarato Hofstede Von Molkte, portavoce dell'unità crimini d'arte dell'Interpol durante una conferenza stampa tenutasi ieri a Zurigo. «Ma a queste persone interessava solo concludere l'arresto e ottenere una condanna, ed è un vero peccato perché, ora che il dipinto è stato immesso nel mercato clandestino, potrebbero passare decine di anni prima di ritrovarlo.»
Si calcola che il traffico di dipinti e sculture rubati produca un giro d'affari di sei miliardi di dollari in tutto il mondo. Sebbene l'avvistamento del quadro non sia stato confermato con certezza, gli investigatori sono convinti che il capolavoro olandese sia già stato portato fuori dal Paese, forse ad Amburgo, dove probabilmente è stato venduto a un prezzo infinitamente minore delle cifre a sei zeri che avrebbe raggiunto a un'asta.

Posai il foglio. Reeve aveva smesso di mangiare e mi osservava con un sorrisetto felino. Forse fu l'effetto di quel minuscolo sorriso affettato sul suo viso rotondo, ma, di punto in bianco, scoppiai a ridere: uno sfogo di terrore e insieme di sollievo, lo stesso di quando

[13] Drug Enforcement Administration, agenzia federale antidroga. (N.d.T.)

io e Boris, al centro commerciale, avevamo visto il grasso poliziotto che ci stava inseguendo (e che era sul punto di acchiapparci) scivolare sulle piastrelle bagnate e finire culo a terra.

«Be'?» fece Reeve. Quel vecchio farneticante aveva una macchia arancione gambero sulle labbra. «Lo trovi divertente?»

Riuscii solo a scuotere la testa e a guardare dall'altra parte del ristorante. «Santo cielo» dissi, asciugandomi gli occhi, «non so cosa dire. Forse soffri di allucinazioni oppure... non ne ho idea.»

Reeve, devo ammetterlo, non sembrava troppo turbato, ma nemmeno contento.

«No, sul serio» dissi, scuotendo la testa. «Mi dispiace, non dovrei ridere, ma cazzo, è la cosa più assurda che mi sia mai capitata.»

Reeve piegò il tovagliolo e lo posò. «Sei un bugiardo» commentò in tono garbato. «Pensi di potertela cavare bluffando, ma non è così.»

«Omicidio preterintenzionale? Una casa in Florida? E tu credi davvero che io abbia a che fare con tutto questo?»

Reeve mi guardò intensamente coi suoi minuscoli occhi blu. «Pensaci bene, ti sto offrendo una via d'uscita.»

«*Una via d'uscita?*» Miami, Amburgo, persino i nomi delle città scatenavano in me un'ilarità incredula. «Una via d'uscita da cosa?»

Reeve si tamponò le labbra col tovagliolo. «Sono contento che lo trovi tanto buffo» disse pacato. «Perché io ho tutte le intenzioni di chiamare quel signore dell'unità crimini d'arte di cui parlano e riferirgli quello che so su di te, su James Hobart e sul complotto che avete ordito. Che ne dici?»

Gettai i fogli sul tavolo e spinsi indietro la sedia. «Dico che puoi chiamarlo anche subito, per me. Accomodati pure. Quando vorrai parlare dell'altra faccenda, fammelo sapere.»

XV

Mi precipitai fuori dal ristorante con tanta foga che quasi non feci caso a dove stavo andando, ma quando mi fui allontanato di tre o quattro isolati cominciai a tremare talmente forte che dovetti fermarmi nello squallido parchetto a sud di Canal Street per sedermi su una panchina, in iperventilazione, con la testa tra le ginocchia e le ascelle del mio completo Turnbull & Asser madide di sudore. Di sicuro le bambinaie giamaicane e i vecchi italiani che si sventolavano col giornale guardandomi sospettosi mi scambiarono per un giovane operatore di borsa cocainomane che aveva pigiato il tasto sbagliato e perso dieci milioni.

C'era un alimentari sull'altro lato della strada. Quando ripresi a respirare normalmente, entrai – sudaticcio e sconvolto nella mite brezza primaverile –, presi una Pepsi dal frigo e me ne andai lasciando lì il resto, per tornare all'ombra degli alberi del parco, sulla panchina ricoperta di fuliggine. I piccioni svolazzavano tutt'intorno a me. Il traffico rombava, scorrendo verso il tunnel, verso altri quartieri, verso altre città, verso centri commerciali e strade, vasti flussi anonimi di commercio interstatale. C'era, in quel brusio costante, una solitudine seducente, un invito, come il richiamo del mare, e per la prima volta capii l'impulso che aveva spinto mio padre a svuotare il suo conto in banca, ritirare le camicie dalla lavanderia, fare il pieno all'auto e lasciare la città senza dire una parola. Autostrade cotte dal sole, frequenze sballate alla radio, silos di cereali e fumi di scarico, vasti tratti di terra che si srotolavano come un vizio segreto.

Inevitabilmente i miei pensieri volarono a Jerome. Viveva sulla Adam Clayton Powell, piuttosto lontano, a qualche isolato dall'ultima fermata della linea 3, ma sulla Centodecima c'era un bar chiamato Brother J dove a volte ci eravamo incontrati; era una bettola per operai col juke-box che suonava Bill Withers e il pavimento appiccicoso, piena di alcolizzati di professione accasciati sul terzo bourbon alle due del pomeriggio. Ma Jerome non vendeva farmaci a meno di mille dollari per volta e, anche se sapevo che mi avrebbe dato volentieri un paio di bustine di eroina, mi parve molto meno complicato prendere un taxi fino al ponte di Brooklyn.

Una vecchietta con un chihuahua; bambini che litigavano per un ghiacciolo. Sopra Canal Street aleggiava un flusso delirante di sirene che si scontrava col ronzio nelle mie orecchie: un suono da guerra meccanica, il sibilo prolungato di missili in avvicinamento.

Premetti le mani sulle orecchie (cosa che non alleviava minima-

mente l'acufene – anzi, lo amplificava), rimasi immobile e tentai di
ragionare. Ormai le mie macchinazioni infantili sul cassettone mi
sembravano ridicole – dovevo solo andare da Hobie e raccontargli
quello che avevo fatto: non sarebbe stato divertente, anzi, sarebbe
stato un vero schifo, ma era meglio che lo sapesse da me. Non riuscivo a immaginare come avrebbe reagito; l'antiquariato era l'unica
cosa che conoscevo e non sarebbe stato facile trovare un altro posto
da venditore, ma me la cavavo bene anche con la parte pratica e
in caso di necessità avrei potuto lavorare in qualche laboratorio, a
dorare cornici e tagliare rocchetti; il restauro non era ben pagato,
ma c'erano talmente poche persone in grado di riparare in maniera
accettabile i mobili antichi che sicuramente qualcuno disposto ad
assumermi l'avrei trovato. Riguardo all'articolo: quello che avevo
letto mi aveva lasciato confuso, come quando al cinema, dopo l'intervallo, ti infili nella sala sbagliata. L'inghippo era chiaro: qualche
imbroglione intraprendente aveva realizzato una copia del mio cardellino (a livello di dimensioni e tecnica non era un pezzo troppo
difficile da riprodurre) e ora il falso veniva usato come pegno di garanzia nei traffici di droga e scambiato per l'originale da trafficanti
e agenti federali che non capivano nulla di arte. Ma, per quanto la
sua ricostruzione fosse fantasiosa e fuorviante, e di fatto non avesse
nulla a che fare con me o col quadro, il collegamento intuito da
Reeve era giusto. Chissà a quante persone Hobie aveva raccontato
di quando mi ero presentato a casa sua! E queste persone, a quanti
altri l'avevano riferito? Fino a quel momento, però, nessuno, nemmeno Hobie stesso, era giunto alla conclusione che l'anello di Welty
dimostrava la mia presenza nella Galleria 32. E qui cascava l'asino,
come avrebbe detto mio padre. Quella storia mi avrebbe spedito
dietro le sbarre. Al ladro di opere d'arte francese che era andato nel
panico e aveva *bruciato* molti dei quadri che aveva rubato (Cranach,
Watteau, Corot) avevano dato solo ventisei mesi di prigione. Ma era
successo in Francia, poco dopo l'Undici settembre; secondo le nuove leggi federali antiterrorismo, invece, chi rubava nei musei doveva
affrontare la pesante accusa di «furto di manufatti culturali». Le
pene si erano inasprite molto, soprattutto in America. Inoltre, il
mio stile di vita tutt'altro che irreprensibile non avrebbe superato

indenne l'esame da parte delle forze dell'ordine. Nel migliore dei casi mi sarei beccato dai cinque ai dieci anni.

Che – in tutta onestà – meritavo. Come avevo potuto pensare di riuscire a tenere nascosto il quadro? Per anni avevo desiderato sistemare quella faccenda e riportarlo al suo posto, ma per un motivo o per l'altro avevo sempre preferito non farlo. Al pensiero che si trovasse ancora in città, infagottato e chiuso sotto chiave al deposito, mi sentivo cancellato, annientato, come se l'averlo sepolto lì dentro avesse solo accresciuto il suo potere e lo avesse trasformato in qualcosa di vivo e terribile. In qualche modo, anche se l'avevo avvolto in un sudario inumandolo nell'armadietto, era riuscito a liberarsi e a finire in quella fraudolenta vicenda di pubblico dominio; il suo fulgore rischiarava ancora con forza la mente del mondo.

XVI

«Hobie» dissi. «Sono nei guai.»

Lui sollevò lo sguardo dalla cassapanca laccata che stava ritoccando: galli, gru e pagode dorate su sfondo nero. «Posso aiutarti?» Stava ripassando l'ala di una gru con un acrilico all'acqua, molto diverso da quello originale, a base di gommalacca, ma la prima regola del restauro, come mi aveva insegnato fin dal primo giorno, era non fare mai nulla di immodificabile.

«A dire il vero, il problema è che ho messo anche te nei guai. Involontariamente.»

«Be'...» la linea del pennello non vacillò minimamente, «se hai detto a Barbara Guibbory che l'avremmo aiutata con quella casa che sta arredando a Rhinebeck, lo farai da solo. "I colori dei chakra." Non ho idea di che diavolo siano.»

«No...» Cercai qualcosa di divertente o spigliato da dire – la signora Guibbory, soprannominata a ragione «l'allucinata», era una fonte inesauribile di comicità – ma la mia testa era una tabula rasa. «Temo non sia questo.»

Hobie si tirò su, sistemò il pennello dietro l'orecchio e si tamponò la fronte con un fazzoletto dalla fantasia incredibilmente vistosa, di un viola psichedelico, come se una violetta africana ci avesse vomitato sopra; probabilmente lo aveva trovato tra la roba di una vecchia pazza a una delle sue liquidazioni di beni fuori città. «Allora, che succede?» mi chiese in tono pacato, allungandosi per prendere uno dei piattini che usava per mischiare la vernice. Ora che avevo più di vent'anni, la barriera generazionale tra noi era crollata ed era stata rimpiazzata da una confidenza che difficilmente avrei avuto con mio padre, se fosse stato ancora vivo – con lui ero sempre sulle spine, sempre a cercare di indovinare quanto fosse sbronzo e che probabilità avessi di ottenere da lui una risposta sensata.

«Io...» Allungai una mano per assicurarmi che la sedia dietro di me non fosse appiccicosa prima di sedermi. «Hobie, ho commesso una sciocchezza. No, una vera sciocchezza» aggiunsi di fronte al suo cenno benevolo.

«Be'...» Fece cadere qualche goccia di terra d'ombra naturale sul piattino con un contagocce. «A proposito di sciocchezza, posso dirti che la settimana scorsa ho passato una giornata d'inferno dopo che ho visto la punta del trapano perforare il ripiano del tavolo della signora Wasserman. Era un pezzo autentico in stile William and Mary. So che non noterà il punto in cui l'ho riparato, ma credimi, è stato un brutto momento.»

Il suo atteggiamento semindifferente rendeva tutto più difficile. In un attimo, come in una sorta di nauseante, irreale planata, mi lanciai a capofitto nel resoconto della vicenda di Lucius Reeve e del cassettone, omettendo la parte su Platt e sulla ricevuta retrodatata che avevo ancora in tasca. Una volta iniziato non riuscii più a fermarmi, come se la sola cosa da fare fosse continuare a parlare e parlare, come un pirata della strada che vuota il sacco alla stazione di polizia. A un certo punto Hobie smise di lavorare e si risistemò il pennello dietro l'orecchio; mi ascoltava senza muovere un muscolo, con uno sguardo accigliato, artico, da pernice che nasconde la testa sotto le ali, che avevo imparato a conoscere. Poi riprese in mano il pennello di zibellino, lo intinse nell'acqua e lo asciugò con un panno di flanella.

«Theo» disse, sollevando una mano e chiudendo gli occhi, mentre io continuavo a ripetere come un disco rotto la storia dell'assegno non incassato, un vicolo cieco, una brutta situazione. «Basta, ho capito.»

«Mi dispiace davvero» farfugliai. «Non avrei mai dovuto farlo. *Mai*. Ma è un vero incubo. Quel tipo è incazzato e vendicativo e sembra che ce l'abbia con noi per qualche motivo, insomma, per un altro motivo che non c'entra niente con questa storia.»

«Be'...» Si tolse gli occhiali. Mi resi conto di quant'era confuso dalla cautela con cui ponderò la situazione prima di formulare una risposta. «Quel che è fatto è fatto. Non ha senso peggiorare le cose. Ma...» Si interruppe e rifletté per qualche istante. «Non so chi sia questo tipo, ma se ha creduto che quel cassettone fosse un Affleck, ha più soldi che cervello. Pagarlo settantacinquemila dollari... è questa la cifra che ti ha dato?»

«Sì.»

«Be', allora posso dirti per certo che ha qualche problema. Pezzi di quella qualità si trovano una o due volte in un decennio, *forse*. E non sbucano fuori dal nulla.»

«Sì, ma...»

«E poi, *qualunque* idiota sa che un vero Affleck varrebbe molto di più. Chi compra un pezzo del genere senza fare qualche ricerca? Un idiota, ecco chi. E poi» proseguì, parlandomi sopra, «hai fatto la cosa giusta quando ti ha ricontattato. Hai cercato di restituirgli i soldi, ma lui non li ha presi. È andata così, vero?»

«Non mi sono offerto di restituirgli i soldi. Ho provato a ricomprare il pezzo.»

«A un prezzo più alto di quello pagato da lui! Che figura farebbe se ci portasse in tribunale? Te lo dico io, non lo farà mai.»

Nel silenzio che seguì, sotto la luce clinica della sua lampada da lavoro, mi resi conto di quanto entrambi fossimo incerti sul da farsi. Popchik, appisolato su un asciugamano che Hobie gli aveva sistemato sotto un tavolo con le gambe a zampa di leone, scattava nervosamente e brontolava nel sonno.

«Insomma» fece Hobie – si era pulito le mani sporche di nero e stava prendendo il pennello con una sorta di fissità spettrale, come un fantasma assorto nel suo lavoro. «Le vendite non sono mai state il mio settore di competenza, lo sai, ma faccio questo lavoro da tanto tempo. E qualche volta...» guizzo veloce del pennello, «il confine tra una descrizione gonfiata e una truffa può essere molto labile.»

Aspettai, incerto, con gli occhi fissi sulla cassapanca laccata. Era un pezzo magnifico, eccezionale, per un comandante di navi in pensione che viveva in una zona sperduta nei pressi di Boston: ossi di balena intagliati e conchiglie di ciprea, imparaticci a punto croce con scene del Vecchio Testamento ricamati da anziane sorelle illibate, l'odore di olio di balena bruciato la sera, l'immobilità della vecchiaia che avanza.

Hobie posò di nuovo il pennello. «Oh, Theo» disse, un po' arrabbiato, sfregandosi la fronte col dorso della mano e lasciandoci una macchia scura. «Vuoi che ti faccia la ramanzina? Hai mentito a quel tipo. Hai cercato di rimediare. Ma lui non vuole vendere. Che altro puoi fare?»

«Non è l'unico pezzo.»

«Cosa?»

«Non avrei mai dovuto farlo» dissi, incapace di guardarlo negli occhi. «All'inizio l'ho fatto solo per pagare i conti, per rimetterci in pari, ma poi... insomma, alcuni di quei pezzi sono davvero *strepitosi*, persino io ho creduto che fossero originali, e invece stavano chiusi in quel deposito a marcire...»

Credo mi fossi aspettato una reazione incredula, grida, rabbia, recriminazioni. Invece fu molto peggio. Avrei potuto sopportare un'esplosione di collera. Ma Hobie non disse una parola, si limitò a guardarmi con un'espressione appesantita dal dolore, circonfuso dalla luce della sua lampada, gli attrezzi appesi ordinatamente alle sue spalle come simboli massonici. Mi lasciò raccontare tutto quello che avevo da dire e ascoltò in silenzio, poi, quando infine parlò, la voce era più bassa del solito e priva di calore.

«Va bene.» Sembrava il personaggio di un'allegoria: un mistico falegname nel suo grembiule nero, immerso nella penombra. «Okay. E come dovremmo gestire questa cosa secondo te?»

«Io...» Non era la reazione che avevo immaginato. Temendo la sua rabbia (perché Hobie, nonostante la sua bontà e la sua calma, era capace di grandi accessi d'ira), mi ero preparato una lunga serie di giustificazioni e scuse, ma di fronte a quell'inquietante compostezza era impossibile difendersi. «Farò qualunque cosa tu mi dica di fare.» Non provavo tanta vergogna e umiliazione da quando ero bambino. «La colpa è mia... me ne assumo ogni responsabilità.»

«Be', quei mobili sono in circolazione, là fuori.» Sembrava che stesse gradualmente mettendo a fuoco la faccenda mentre parlava, rivolgendosi più a se stesso che a me. «Non ti ha contattato nessun altro?»

«No.»

«Da quanto tempo va avanti questa storia?»

«Be'...» Da almeno cinque anni. «Da un anno o due, mi pare.»

Hobie trasalì. «Cristo santo. No, no» disse tutto d'un fiato. «Sono contento che tu abbia deciso di dirmi la verità, ma ora devi metterti al lavoro, contattare i clienti, dire che ti sono venuti dei dubbi – non devi raccontare tutto, basta dir loro che hai qualche incertezza e che la provenienza potrebbe essere sospetta – e devi offrirti di ricomprare i pezzi al prezzo a cui li hai venduti. Se non accettano, fine della storia. Hai fatto la tua parte. Ma se accettano devi ingoiare il rospo, capito?»

«Va bene.» Ciò che non gli dissi, ciò che non potevo dirgli, era che coi soldi che avevamo non saremmo riusciti a rimborsare nemmeno un quarto dei clienti. Saremmo falliti nel giro di ventiquattr'ore.

«Hai parlato di "pezzi". Quali? Quanti?»

«Non lo so.»

«*Non lo sai?*»

«È solo che...»

«Theo, per favore.» Adesso era arrabbiato; per me fu un sollievo. «Basta con le bugie. Dimmi come stanno le cose.»

«Be'... li ho venduti in nero con pagamento in contanti. Ecco, insomma, così non saresti mai venuto a saperlo, neanche se avessi controllato i libri contabili...»

«Theo, non costringermi a chiedertelo ancora. Quanti pezzi?»

«Oh...» sospirai, «saranno... una dozzina? Forse meno» aggiunsi, quando vidi l'espressione allibita del suo volto. In realtà, erano tre volte tanto, ma ero certo che la maggior parte delle persone che avevo raggirato fosse troppo incompetente per accorgersene o troppo ricca per preoccuparsene.

«Santo Dio, Theo» fece Hobie, dopo un silenzio sbigottito. «*Una dozzina di pezzi?* Non a quei prezzi? Non come l'Affleck?»

«No, no» mi affrettai a rispondere (in verità alcuni li avevo venduti al doppio). «E mai ai clienti abituali.» Questo, almeno, era vero.

«A chi, allora?»

«Gente della West Coast. Gente del cinema o dell'industria tecnologica. Anche qualcuno di Wall Street, ma... tipi giovani, insomma, piccoli speculatori. Troppi soldi fatti troppo in fretta.»

«Hai una lista dei clienti?»

«Non una lista vera e propria, ma...»

«Puoi contattarli?»

«Be', vedi, è complicato, perché...» Non mi preoccupavano tanto i clienti convinti di aver scoperto un vero Sheraton a un prezzo ridicolo che erano scappati con la loro copia pensando di avermi fregato. In quel caso, l'antica regola del *caveat emptor* si applicava perfettamente. Con quel tipo di acquirenti, non avevo mai affermato che i mobili in questione fossero originali. Quelli che mi preoccupavano davvero erano coloro a cui avevo venduto di mia iniziativa, a cui avevo mentito spudoratamente.

«Non hai tenuto un registro.»

«No.»

«Ma un quadro generale ce l'hai? Sei in grado di rintracciarli?»

«Più o meno.»

«"Più o meno" per me non significa niente.»

«Ci sono delle bolle... dei documenti di trasporto. Posso rimettere insieme i pezzi.»

«Possiamo permetterci di ricomprarli tutti?»

«Be'...»

«Possiamo? Sì o no?»

«Ehm...» Non potevo rispondergli la verità, che era *no*. «Sarà un po' dura.»

Hobie si sfregò un occhio. «Be', dura o no, dobbiamo farlo. Non abbiamo scelta. Tireremo la cinghia. Non importa se per un po' dovremo fare dei sacrifici... possiamo anche lasciare da parte le tasse per il momento. Perché...» disse, vedendo che continuavo a guardarlo senza aprire bocca, «non possiamo permettere che anche uno solo di quei falsi rimanga in circolazione, venduto come un originale. Santo cielo...» Scosse la testa, incredulo. «Come diavolo hai fatto? Non sono nemmeno delle copie come si deve! In alcuni casi i materiali che ho usato – roba che avevo sotto mano – sono stati messi insieme così, a casaccio...»

«In realtà...» In realtà i lavori di Hobie erano così ben fatti che avrebbero imbrogliato anche dei collezionisti seri, ma forse non era il caso di farlo presente in quel momento.

«... vedi, il problema è che se anche solo uno dei pezzi che hai venduto come autentico non lo è, allora nessuno dei pezzi che hai venduto lo è. In questo modo, *tutto* può essere messo in discussione, ogni singolo articolo di arredamento mai uscito da questo negozio. Non so se hai mai riflettuto su questo.»

«Ehm...» Sì, ci avevo riflettuto eccome. Lo avevo fatto quasi ininterrottamente dal giorno del pranzo con Lucius Reeve.

Hobie restò immobile, in silenzio, tanto a lungo che cominciai a innervosirmi. Ma lui si limitò a sospirare e a stropicciarsi gli occhi, poi si voltò e si rimise al lavoro.

Io non dissi nulla e continuai a fissare la punta nera e lucida del suo pennello ripassare un grande ramo di ciliegio. Nulla sarebbe più stato come prima.

Io e Hobie eravamo in società e pagavamo le tasse insieme. Io ero il suo esecutore testamentario. Anziché andarmene e prendermi un appartamento per conto mio, avevo deciso di rimanere di sopra e pagargli un affitto simbolico, poche centinaia di dollari al mese. Se potevo affermare di aver avuto una casa o una famiglia negli ultimi anni, era solo grazie a lui. Quando scendevo di sotto e lo aiutavo a incollare qualcosa, non lo facevo tanto perché lui ne avesse bisogno, quanto per il piacere di rovistare in cerca dei morsetti e gridare sopra una sinfonia di Mahler a tutto volume per farmi sentire; qualche volta poi, di sera, andavamo insieme al White Horse a bere qualcosa e a mangiare un sandwich, e per me quello era il momento più bello della giornata.

«Che c'è?» mi chiese Hobie senza distogliere lo sguardo dal suo lavoro, rendendosi conto che ero ancora dietro di lui.

«Mi dispiace. Non volevo che le cose arrivassero fino a questo punto.»

«Theo.» Il pennello si fermò. «Sai bene che... al posto mio molti ti darebbero una bella pacca sulle spalle, in questo momento. E, sarò sincero, una parte di me vorrebbe farlo davvero, perché proprio non so come tu sia riuscito a mettere in piedi una cosa del genere. Persino Welty... lui era come te, i clienti lo adoravano, era in grado di vendere qualunque cosa, ma anche lui aveva i suoi bei problemi su in negozio, coi pezzi più pregiati. Veri Hepplewhite, veri Chippendale! Non riusciva a liberarsi di quella roba! E tu, invece, sei riuscito a far fuori tutte quelle schifezze guadagnando una fortuna!»

«Non sono schifezze» ribattei, felice, per una volta, di poter dire la verità. «Gran parte di quei lavori è davvero buona. Ha fregato pure me all'inizio. Credo che tu non te ne renda conto perché li hai fatti con le tue mani. Non ti accorgi di quanto siano convincenti.»

«Sì, ma...» Si interruppe, come se non riuscisse a trovare le parole. «È difficile far spendere soldi per i mobili a gente che di mobili non capisce niente.»

«Lo so.» Avevamo un bellissimo comò coi piedi intagliati stile Queen Anne che, durante il periodo di magra, avevo tentato disperatamente di vendere al prezzo giusto, una cifra che si aggirava intorno ai duecentomila dollari. Era in negozio da anni. Tuttavia, sebbene nell'ultimo periodo avessi ricevuto alcune offerte interessanti, le avevo rifiutate tutte, semplicemente perché un pezzo indiscutibilmente autentico in bella vista all'entrata gettava una luce pregiata anche sui falsi nascosti nel retro.

«Theo, sei un vero portento. Sei un genio in quello che fai, su questo non c'è dubbio. Ma...» Il suo tono si era fatto di nuovo incerto e capii che stava cercando il modo giusto per proseguire. «Be', ecco, gli antiquari vivono di reputazione. È un meccanismo basato sull'onore. Niente che tu non sappia già. Le voci corrono. Quindi, insomma...» immerse il pennello e fissò la cassapanca con uno sguardo da miope, «è difficile dimostrare una truffa, ma se non risolvi la situazione, sono sicuro che prima o poi la cosa salterà fuori e ci si ritorcerà contro.» La sua mano era ferma e la linea del pennello sicura. «Un pezzo che ha subito un restauro sostanziale... Non credere che serva una lampada a raggi ultravioletti. Ti sorprenderebbe sapere quanto è semplice, basta che qualcuno sposti il mobile dove c'è una luce più intensa... persino una macchina fotografica coglie disuniformità delle venature che a occhio nudo non riusciresti mai a vedere. Non appena qualcuno fotograferà uno di quei pezzi o, Dio non voglia, deciderà di portarlo da Christie's o da Sotheby's per un'asta...»

Calò un silenzio tra noi che si andò ingrossando sempre più, fino a divenire così pesante da non poter essere riempito con le parole.

«Theo.» Il pennello si fermò, poi ricominciò a lavorare. «Non sto cercando delle scuse per quello che hai fatto, ma... non credere che non lo capisca: sono stato io a metterti in questa posizione. Sono io che ti ho lasciato libero di fare ciò che volevi, tu sempre lassù da solo, e io qui in attesa che compissi la moltiplicazione dei pani e dei pesci. Sei molto giovane, sì» aggiunse bruscamente, girandosi un po' di lato quando provai a interromperlo. «Sei giovane e hai un grande, grandissimo talento per tutti quegli aspetti dell'attività che a me non interessano. Sei stato formidabile, ci hai tirato fuori dai debiti e gli affari hanno ripreso a girare, tanto che mi ha fatto molto, molto comodo nascondere la testa sotto la sabbia. Mi sono disinteressato del tutto di quello che accadeva di sopra, quindi la colpa è tanto mia quanto tua.»

«Hobie, lo giuro, io non ho mai...»

«Perché...» Prese il flacone di vernice aperto e osservò l'etichetta come se non ricordasse più a cosa serviva, poi lo rimise giù. «Be', era troppo bello per essere vero, no? Tutti quei soldi che entravano, era fantastico, no? E io ho esaminato la situazione attentamente? No. Non pensare che non lo sappia: se non ti fossi dato da fare coi tuoi trucchetti lassù, probabilmente a quest'ora avremmo affittato tutta la baracca a qualcuno e saremmo in cerca di un posto in cui vivere. Perciò ascoltami... ricominciamo da capo... Cerchiamo di riparare il danno dov'è possibile e prendiamola come viene. Un pezzo alla volta. È l'unica cosa che possiamo fare.»

«Senti, voglio metterlo in chiaro...» La sua calma mi stava dilaniando. «La responsabilità è mia. Comunque vada, voglio solo che tu lo sappia.»

«D'accordo.» Fece guizzare il pennello sul legno con una destrezza da maestro, un movimento abile e quasi automatico che ebbe su di me uno strano effetto destabilizzante. «Ora, però, chiudiamo l'argomento e non parliamone più, va bene? No» mi interruppe, quando cercai di ribattere, «per favore. Voglio che sistemi la faccenda e se avrai bisogno di me per qualcosa ti aiuterò, ma altrimenti non voglio parlarne più. Va bene?»

Fuori pioveva. Il seminterrato era umido, pervaso da un orribile gelo da sotterraneo. Restai fermo a guardare Hobie, senza sapere che dire o che fare.

«Per favore. Non sono arrabbiato, voglio solo finire con questa cassapanca. Andrà tutto bene. Ora va' di sopra, per favore, okay?» insistette, vedendo che rimanevo immobile. «È un lavoro complicato e ho davvero bisogno di concentrazione se non voglio rovinare tutto.»

XVII

Salii di sopra in silenzio, le scale che scricchiolavano forte, e oltrepassai a testa china le foto di Pippa la cui vista non riuscivo a sopportare. Quando ero sceso da Hobie per vuotare il sacco, avevo pensato di cominciare con la parte più facile, per poi passare al pezzo forte. Ma mi sentivo talmente sporco e sleale che non ce l'avevo fatta. Meno Hobie sapeva del quadro, meno rischi correva. Trascinarlo in quella storia sarebbe stato un errore sotto ogni punto di vista.

Ma avevo un disperato bisogno di qualcuno con cui parlare, qualcuno di cui potermi fidare. Ogni due o tre anni usciva un articolo di giornale sui capolavori scomparsi tra i quali, oltre al mio *Cardellino* e due van der Asts in prestito al museo al momento dell'attentato, c'erano anche alcune opere di epoca medievale e svariati reperti egizi; diversi studiosi avevano scritto dei saggi sull'argomento, c'erano stati persino dei libri. L'episodio compariva sul sito dell'FBI tra i dieci crimini d'arte più eclatanti; in passato mi aveva tranquillizzato molto il fatto che quasi tutti dessero per scontato che chiunque avesse rubato i due van der Asts dalle Gallerie 29 e 30 doveva aver rubato anche il mio dipinto. Quasi tutti i cadaveri della Galleria 32 erano stati rinvenuti vicino alla porta crollata; secondo gli investigatori erano passati dai dieci ai trenta secondi prima che l'architrave cedesse, giusto il tempo necessario perché qualche visitatore riuscisse a guadagnare l'uscita. I resti della Galleria 32 erano stati analizzati con una meticolosità ai limiti del fanatismo, con guanti bianchi e sensori a scansione. La cornice del *Cardellino* era stata trovata intatta (e appesa, vuota, al museo Mauritshuis dell'Aia, «in ricordo dell'incolmabile perdita inferta al nostro patrimonio culturale»), ma del quadro vero e proprio non era stato rinvenuto neppure un frammento. Tuttavia, dal momento che era dipinto sul legno, era stata formulata l'ipotesi (e un celebre storico, a cui ero profondamente grato, sosteneva strenuamente questa tesi) che *Il cardellino* fosse stato sbalzato via dalla cornice e scagliato tra le fiamme che ardevano nel negozio della mostra, epicentro dell'esplosione. Avevo visto lo storico in questione in un documentario della PBS; camminava avanti e indietro di fronte alla cornice vuota al Mauritshuis, fissando la telecamera con uno sguardo intenso che bucava lo schermo. «Il fatto che questo minuscolo capolavoro sia sopravvissuto all'incendio di Delft solo per andare incontro al suo destino secoli dopo, in un'altra esplosione causata dall'uomo, è uno di quei casi in cui la realtà supera la fantasia, una circostanza degna di un'opera di O. Henry o di Guy de Maupassant.»

Per quanto riguardava me, la versione ufficiale – stampata nero su bianco in diverse fonti e generalmente accettata per vera – era che mi trovavo in un'altra sala al momento dell'esplosione, lontano dal *Cardellino*. Nel corso degli anni, diversi giornalisti avevano cercato di intervistarmi, ma io avevo sempre rifiutato; in ogni caso parecchie persone, testimoni oculari, avevano visto mia madre, nei suoi ultimi istanti di vita, nella Galleria 24, la bellissima donna dai capelli scuri con un trench in satin, e molti di loro avevano dichiarato che io ero lì con lei. Nella Galleria 24 erano morti quattro adulti e tre bambini e nella versione ufficiale, quella data al pubblico, io ero uno dei corpi a terra, svenuto e passato inosservato in mezzo al caos.

Ma l'anello di Welty era la prova di dove mi trovassi realmente al momento dell'esplosione. Per fortuna a Hobie non piaceva parlare della morte del suo socio, ma ogni tanto – raramente, di solito a notte tarda, dopo qualche bicchiere – si lasciava andare ai ricordi. «Riesci a immaginare come mi sono sentito? Non è un miracolo che...?» Era inevitabile che prima o poi qualcuno collegasse le cose. L'avevo sempre saputo, ma avevo continuato a galleggiare nella nebbia che avvolgeva i miei sensi drogati, ignorando il pericolo per anni. Magari nessuno ci avrebbe fatto caso. Forse il segreto sarebbe rimasto tale per sempre.

Seduto sul bordo del letto, guardavo fuori dalla finestra la Decima Strada – gente che usciva dal lavoro, andava a cena, squillanti scoppi di risa. Una pioggia sottile tagliava il cerchio di luce bianca del lampione appena oltre il vetro. Ogni cosa pareva precaria e ostile. Desideravo disperatamente una pasticca e stavo giusto per alzarmi e prepararmi qualcosa da bere quando, appena fuori dal cono di luce del lampione, notai una figura, in piedi, sola e immobile sotto la pioggia nell'andirivieni della strada.

Quando mezzo minuto passò senza che si spostasse, spensi la luce e andai alla finestra. Per tutta risposta, la figura si allontanò dal lampione e, sebbene non potessi distinguere i tratti del volto nell'oscurità, riuscii a farmi un'idea: spalle alte e ricurve, gambe corte e torace massiccio da irlandese. Jeans, una felpa col cappuccio e stivali pesanti. Per un po' rimase immobile, una sagoma da operaio del tutto fuori luogo in quel luogo e a quell'ora, in mezzo agli assistenti fotografi, alle coppie ben vestite e agli studenti del college eccitati per la serata. A un certo punto si voltò e si allontanò con frettolosa impazienza; quando raggiunse il cono di luce successivo, vidi che si metteva le mani in tasca, estraeva un cellulare e digitava un numero, a testa bassa. Sembrava preoccupato.

Feci ricadere la tendina. Ero quasi sicuro che le mie fossero solo fantasie paranoiche; mi accadeva di continuo di immaginarmi pericoli inesistenti, un'inevitabile conseguenza della vita in una metropoli moderna, con la sua venatura seminvisibile di terrore e disastro: l'allarme di un'auto che ti faceva sobbalzare, la convinzione che stesse per accadere qualcosa, odore di fumo, rumore di vetri rotti. Eppure, in quel momento, non riuscivo a convincermi che si trattasse solo di uno scherzo della mia immaginazione.

Intorno a me regnava un silenzio di tomba. La luce dei lampioni trapelava dalle tende di merletto, proiettando sulle pareti ombre distorte simili a ragni. Avevo sempre saputo che tenere il dipinto era un errore, eppure l'avevo tenuto. Non poteva venirmene nulla di buono. Tra l'altro, averlo non mi aveva mai procurato alcun vantaggio, né dato alcun piacere. Almeno, nel periodo di Las Vegas, avevo potuto guardarlo ogni volta che volevo, quando stavo male, quand'ero stanco o triste, la mattina presto e nel bel mezzo della notte, in autunno, in estate, e osservare come mutava in base al tempo e al sole. Un conto era guardare un quadro in un museo, tutt'altra cosa vederlo sotto una gamma infinita di luci, stati d'animo e stagioni differenti; significava vederlo in mille modi diversi e tenerlo chiuso al buio – una creatura fatta di luce, che solo nella luce poteva vivere – era un errore più grave di quanto riuscissi a esprimere. Più che grave: era folle.

Riempii un bicchiere di ghiaccio in cucina, andai alla credenza e mi versai una vodka, tornai in camera, presi l'iPhone dalla tasca della giacca e, dopo aver digitato pensosamente le prime tre cifre del cercapersone di Jerome, cancellai tutto e composi il numero dei Barbour.

Rispose Etta. «Theo!» esclamò contenta, col rumore del televisore della cucina in sottofondo. «Cercavi Katherine?» Solo i familiari e gli amici più stretti la chiamavano Kitsey; per tutti gli altri era Katherine.

«È in casa?»

«Torna dopo cena. So che aspettava una tua chiamata.»

«Ehm...» Non potei fare a meno di esserne contento. «Puoi dirle che ho telefonato, allora?»

«Quando torni a trovarci?»

«Presto, spero. Platt c'è?»

«No, è uscito anche lui. Gli dirò che hai chiamato. Allora torna presto, va bene?»

Riattaccai e mi sedetti sul bordo del letto per bere la mia vodka. Era rassicurante sapere che avrei potuto chiamare Platt se ne avessi avuto bisogno, non per il dipinto, non mi fidavo di lui al punto da parlargliene, ma almeno per quanto riguardava Reeve e il cassettone. Il fatto che a pranzo Reeve non avesse detto una parola in proposito non era un buon segno.

Del resto, però… cosa avrebbe potuto fare? Più ci pensavo, più avevo l'impressione che Reeve avesse fatto il passo più lungo della gamba affrontandomi in modo così aperto. Cosa ci avrebbe guadagnato a denunciarmi per il mobile? Cosa gliene sarebbe venuto se mi avessero arrestato e avessero recuperato il dipinto, allontanandolo per sempre dalla sua portata? Se lo voleva davvero, non poteva far altro che restare in disparte e aspettare che lo conducessi al quadro. La sola cosa che giocava a mio favore – la *sola* cosa – era che Reeve non sapeva dove si trovasse. Avrebbe potuto assumere chiunque per farmi pedinare, ma finché fossi rimasto alla larga dal deposito non sarebbe riuscito a rintracciarlo.

Capitolo 10
L'idiota

I

«Oh, Theo!» esclamò Kitsey un venerdì pomeriggio poco prima di Natale, sollevando uno degli orecchini di smeraldo di mia madre e osservandolo alla luce. Avevamo appena terminato un lungo pranzo da Fred, e avevamo trascorso l'intera mattinata da Tiffany in cerca di argenteria e servizi di porcellana. «Sono bellissimi! È che...» Corrugò la fronte.

«Sì?» Erano le tre, e il ristorante era ancora affollato. Quando si era alzata per andare a fare una telefonata, avevo tirato fuori gli orecchini dalla tasca e li avevo messi sulla tovaglia.

«Be', è che... non so.» Aggrottò le sopracciglia, come se avesse di fronte un paio di scarpe che non era certa di voler acquistare. «Voglio dire... sono meravigliosi! Grazie! Ma... andranno bene per il gran giorno?»

«Be', vedi tu» dissi, buttando giù un bel sorso di Bloody Mary per mascherare la sorpresa e il fastidio.

«Perché gli smeraldi, ecco...» Se ne accostò uno all'orecchio, lanciando uno sguardo di lato, pensierosa. «Li adoro! Ma...» disse e li sollevò di nuovo per vederli brillare alla luce dei lampadari, «gli smeraldi non sono proprio le mie pietre. Ho paura che possano sembrare un po' eccessivi, sai? Col bianco, e la mia pelle poi! Eau de Nil! Nemmeno la mamma porta il verde.»

«Come credi.»

«Oh, te la sei presa.»

«Non è vero.»

«Sì, invece. Ci sei rimasto male!»

«No, sono solo stanco.»

«Sembri di pessimo umore.»

«Ti prego, Kitsey, sono stanco.» La ricerca dell'appartamento ci era costata sforzi disumani, un'impresa estenuante durante la quale eravamo riusciti a mantenere quasi sempre il buonumore, anche se gli spazi vuoti e le stanze spoglie infestate dalle vite dimenticate degli altri risvegliavano (in me, almeno) orridi echi d'infanzia, scatoloni da trasloco e odori di cucina e camere da letto senza vita e, più di tutto, una specie d'inquietante ronzio meccanico che pulsava ovunque ed era udibile (a quanto pareva) soltanto da me, un'ansia palpabile che le voci degli agenti immobiliari, che rimbalzavano allegre contro le superfici lucide mentre giravano per le stanze accendendo luci e indicando gli elettrodomestici, non potevano dissipare.

E perché soffrivo a quel modo? Non tutti gli inquilini degli appartamenti che visitavamo se n'erano andati a causa di qualche tragedia, cosa di cui io, in qualche modo, ero irrazionalmente convinto. Il fatto che sentissi odore di divorzio, di bancarotta, malattia e morte in quasi tutti i posti che vedevamo era chiaramente frutto del mio delirio; e poi, i problemi degli inquilini precedenti, reali o immaginari che fossero, come avrebbero potuto nuocere a me o a Kitsey?

«Non mollare» diceva Hobie (che, come me, era particolarmente sensibile all'anima delle stanze e degli oggetti, alle emanazioni stratificate dal tempo). «Prendilo come un lavoro. È come frugare in una scatola piena di pezzetti di legno alla ricerca di quello più adatto, prima o poi lo trovi, devi solo continuare a cercare.»

E aveva ragione. Avevo fatto buon viso a cattivo gioco, e lo stesso valeva per lei, mentre ci facevamo forza e visitavamo una casa dietro l'altra in tetri edifici anteguerra infestati dai fantasmi di solitarie vecchiette ebree, e obbrobri di vetro in cui sapevo che non sarei mai riuscito a vivere senza avere la sensazione che dall'altra parte della strada ci fosse un cecchino col fucile puntato su di me. Nessuno aveva mai detto che la ricerca di un appartamento fosse divertente.

Al confronto, la prospettiva di andare con Kitsey da Tiffany per la lista nozze mi era sembrata un gradevole diversivo. Ascoltare i consigli della consulente, scegliere quello che ci piaceva, e poi scivolare fuori mano nella mano e andare a pranzo. Ma – piuttosto inaspettatamente – sgomitare in uno dei negozi più affollati di Manhattan un venerdì pomeriggio sotto Natale mi aveva a dir poco stressato: ascensori stipati, scale stracolme, orde di turisti e di gente che faceva compere per le feste accalcate davanti alle vetrinette per accaparrarsi orologi, sciarpe, borse, sveglie, libri sul galateo e un altro qualunque di quegli oggetti color Tiffany. Avevamo vagato al quinto piano per ore, pedinati da una consulente matrimoniale che ce l'aveva messa tutta per assicurarci un servizio impeccabile dispensando consigli con una sicurezza che reputavo un po' invadente («Un servizio di porcellana dovrebbe comunicare a entrambi: "Ecco, è questo che siamo come coppia"... è un'importante dichiarazione del vostro stile»), mentre Kitsey schizzava da un servizio all'altro: quello coi bordi dorati!, no, blu!, aspetta... qual era il primo?, quello ottagonale è esagerato?, e la consulente interveniva con la sua efficace esegesi: geometrie urbane... romanticismo floreale... eleganza senza tempo... appariscente ostentazione... e nonostante io continuassi a dire certo, quello mi piace, a me vanno bene entrambi, scegli tu Kits, la consulente continuava a mostrarci altri servizi, sperando evidentemente di ottenere un segno di approvazione più convinto da parte mia, mentre mi esponeva tutta gentile i pregi di ciascuno, il *vermeil* di questo, i bordi dipinti a mano di quello, finché dovetti mordermi la lingua per non dire ciò che pensavo davvero: che nonostante l'ottima fattura, per me non avrebbe fatto nessunissima differenza se Kitsey avesse scelto il modello x o l'y, dato che, per quanto mi riguardava, erano fondamentalmente tutti uguali: nuovi, privi di fascino, completamente anonimi. Per non parlare del prezzo: ottocento dollari per un piatto fatto l'altroieri? Un solo piatto? Esistevano meravigliosi servizi dell'Ottocento che si potevano avere a un decimo del costo di quella roba fredda, luccicante e nuova di zecca.

«Ma non possono piacerti tutti *esattamente* allo stesso modo! E sì, assolutamente, sono rimasta molto colpita da quel déco» disse Kitsey alla paziente commessa che continuava a starci dietro, «ma per quanto mi piaccia, non credo sia adatto a noi». E poi, rivolta a me: «Che ne pensi?».

«Quello che vuoi. Mi vanno bene tutti. Davvero» avevo risposto, affondando le mani nelle tasche e distogliendo lo sguardo quando lei era rimasta a guardarmi tutta seria, sbattendo le palpebre.

«Sembri nervoso. Vorrei che mi dicessi cosa ti piace.»

«Sì, ma…» Avevo tirato fuori dagli scatoloni talmente tante porcellane provenienti da vendite testamentarie e separazioni familiari, che c'era qualcosa di terribilmente triste in quelle vetrine immacolate e scintillanti, nella loro tacita promessa che sarebbero bastate delle stoviglie perfette ad assicurare un futuro altrettanto luminoso e privo di problemi.

«Allora, fantasia *chinois*? O uccelli del Nilo? Dimmi, Theo, so che hai un'opinione.»

«Si va sul sicuro con entrambi. Sono tutt'e due divertenti e alla moda. E questo qui è semplice, per tutti i giorni» disse la consulente, affabile: *semplice*, nella sua mente, doveva essere una parola chiave da usare coi futuri mariti esausti e irritabili. «Molto molto semplice e neutro.» Evidentemente, il protocollo della lista nozze permetteva allo sposo di scegliere il servizio per tutti i giorni (immagino per le serate del Super Bowl che avrei passato con gli amici, ah ah), mentre la scelta degli articoli «formali» doveva essere lasciata alle esperte: le signore.

«Va bene» dichiarai, più brusco di quanto intendessi, quando mi resi conto che aspettavano che dicessi qualcosa. Non avrei mai potuto simulare entusiasmo per quell'insignificante porcellana bianca, soprattutto considerando quel che costava. Mi faceva pensare a quelle vecchie signore fasciate in abiti Marimekko che ogni tanto mi davano appuntamento alla Ritz Tower: vedove dalla voce stridula con turbante e bracciali a forma di pantera, pronte a partire per Miami, con appartamenti pieni di vetri fumé e mobili in acciaio cromato acquistati negli anni Settanta su consiglio dei loro arredatori al prezzo di pregiati Queen Anne – cianfrusaglie che (era mio dovere far loro presente, anche se a malincuore) non avevano mantenuto il loro valore e non avrebbero potuto essere rivendute nemmeno alla metà del prezzo originario.

«La porcellana…» La consulente matrimoniale fece scivolare il dito dalla sobria manicure sul bordo del piatto. «Mi piace che le mie coppie considerino l'argenteria pregiata, il cristallo e la porcellana... come gli ingredienti di un lieto rituale di fine giornata. Vino, divertimento, famiglia, condivisione. Un servizio di porcellana pregiata è un bel modo per dare al matrimonio un tocco di romanticismo e uno stile senza tempo.»

«Va bene» borbottai. Ma quella frase mi aveva fatto inorridire. E i due Bloody Mary che mi ero scolato da Fred non erano riusciti a togliermi di dosso quella sensazione.

Kitsey stava guardando gli orecchini e pareva dubbiosa. «Be', senti. Li indosserò al matrimonio, sì. Sono splendidi. E so che erano di tua madre.»

«Desidero che indossi quello che vuoi tu.»

«Ecco cosa penso *io*.» Con fare allegro, tese un braccio attraverso il tavolo e mi prese la mano. «Penso che ti farebbe bene un riposino.»

«Assolutamente» risposi, premendomi il suo palmo contro il viso, pensando che ero un uomo fortunato.

II

Era successo tutto molto in fretta. Due mesi dopo la serata dai Barbour, io e Kitsey ci vedevamo praticamente tutti i giorni – lunghe passeggiate e cene (a volte al Match 65 o al Le Bilboquet, altre panini seduti in cucina) e parlavamo dei vecchi tempi: di Andy, delle domeniche di pioggia trascorse a giocare a Monopoli («eravate *veramente* cattivi... era praticamente Shirley Temple contro Henry Ford e J.P. Morgan...»), della sera in cui aveva pianto perché l'avevamo costretta a guardare *Hellboy* invece che *Pocahontas*, delle strazianti serate in giacca e cravatta – strazianti per noi ragazzi, seduti tutti rigidi allo Yacht Club, in mano un bicchiere di Coca-Cola e lime, mentre il signor Barbour cercava nervosamente Amadeo, il suo cameriere preferito, con cui insisteva a voler mettere alla prova il suo ridicolo spagnolo alla Xavier Cugat –, dei compagni di scuola e delle feste. C'era sempre qualcosa da rievocare, ti ricordi di questo, ti ricordi di quello, ti ricordi quando... Tutt'altra cosa rispetto a

Carole Lombard, con la quale non facevamo altro che bere per poi finire a letto, senza molto da dire.

Non che io e Kitsey non fossimo diversi, ma andava bene così: dopotutto, come aveva sottolineato saggiamente Hobie, il matrimonio non è forse l'unione di due opposti? Il punto non era che lei portasse nuovi progetti nella mia vita, e io nella sua? E poi (mi dicevo), era giunta l'ora di Andare Avanti, di Voltare Pagina, di distogliere l'attenzione da quel giardino al quale non avevo accesso. Vivere il Presente, Concentrarmi sull'Ora invece di affliggermi per quello che non avrei mai potuto avere? Per anni mi ero crogiolato in un pantano di inutili sofferenze: Pippa Pippa Pippa, entusiasmo e disperazione, in un alternarsi infinito, episodi privi di importanza mi portavano al settimo cielo o mi gettavano in uno stato di muta depressione, il suo nome sul mio telefono o un'email firmata «Love» (la parola con cui concludeva tutte le sue lettere) mi mandavano in estasi per giorni, mentre, se telefonava a Hobie e non chiedeva di parlare con me (e perché avrebbe dovuto?), precipitavo nel più totale sconforto. Mi illudevo, e ne ero consapevole. Peggio: sotto sotto le radici del mio amore per Pippa si intrecciavano a quelle dell'amore per mia madre, al dolore per la sua perdita e all'impossibilità di riaverla. Quella cieca brama infantile di salvare ed essere salvato, di rivivere il passato e cambiarlo, si era trasferita su di lei. Era sintomo di instabilità e malattia. Vedevo cose che non c'erano. Non ero poi così diverso dai solitari bazzicatori di parcheggi per roulotte che iniziavano a perseguitare ragazze adocchiate al centro commerciale. Perché la verità era che Pippa e io ci vedevamo non più di due volte l'anno, ci scambiavamo email e messaggi – anche se non regolarmente –, quand'era in città ci prestavamo libri e andavamo al cinema: eravamo amici, niente di più. Le mie speranze di una relazione con lei erano del tutto infondate, mentre l'infelicità e la frustrazione perenni erano una fin troppo tangibile realtà. Dovevo sprecare il resto della mia vita dietro un'ossessione anacronistica, disperata e non corrisposta?

Liberarmene era stata una scelta consapevole. Ce l'avevo messa tutta, come un animale che si dilania una zampa per liberarsi da una trappola. E in qualche modo c'ero riuscito. E lì, all'uscita del tunnel, c'era Kitsey, che mi guardava con quegli allegri occhi color uva spina.

Insieme ci divertivamo. Andavamo d'accordo. Era la sua prima estate in città, «la prima da quando sono nata!» – avevano chiuso la casa nel Maine, lo zio Harry e i cugini erano andati in Canada, alle Îles de la Madeleine – «e mi annoio qui da sola con la mamma, e oh, *ti prego*, facciamo qualcosa insieme. Ti va di venire al mare con me questo weekend?». Così, nei fine settimana andavamo a East Hampton, a casa di alcuni suoi amici che trascorrevano l'estate in Francia, e gli altri giorni ci vedevamo dopo il lavoro e bevevamo vino tiepido seduti ai tavolini all'aperto, in una Tribeca deserta, coi marciapiedi roventi e l'aria calda che usciva dalle grate della metropolitana che strappava scintille dalla punta della mia sigaretta. I cinema erano sempre freschi, e così le sale del King Cole e l'Oyster Bar a Grand Central. Due pomeriggi a settimana, con tanto di cappello, guanti, scarpe Jack Purcell e gonnellina, spalmata dalla testa ai piedi di crema solare ad alta protezione (anche lei, come Andy, era allergica al sole), Kitsey se ne andava a Shinnecock o Maidstone con la sua Mini Cooper nera, il cui bagagliaio era stato adattato per poter accogliere un set di mazze da golf. A differenza di Andy chiacchierava, si entusiasmava, rideva nervosamente alle proprie battute, e io riconoscevo in lei una traccia della confusa energia del padre, solo senza il suo distacco, l'ironia. Avresti potuto incipriarle il viso e disegnarle un neo vicino alla bocca e si sarebbe trasformata in una dama di corte di Versailles, con la pelle bianca, le guance rosa e quella sua gaiezza farfugliante. Indossava miniabiti di lino, in campagna e in città, abbinati a borse di coccodrillo vintage di Gaga, e aveva incollato nome e indirizzo dentro le Louboutin spaventosamente alte sulle quali arrancava («Tanto-tanto male!») nel caso in cui se le fosse tolta per ballare o nuotare e le avesse dimenticate: scarpe argentate, scarpe ricamate, infiocchettate e appuntite, da mille dollari il paio. «Bruttocattivo!» mi gridava da in cima alle scale quando – alle tre del mattino, totalmente sbronzo di rum e Coca – barcollavo verso il portone per prendere un taxi, perché il giorno dopo dovevo lavorare.

Fu lei a chiedermi di sposarci. Stavamo andando a una festa. Chanel N° 19, vestitino celeste. Eravamo appena usciti dal portone – un po' brilli – e i lampioni s'erano accesi nell'istante in cui ci incamminavamo lungo la via, e ci eravamo fermati di colpo per guardarci: siamo stati *noi*? Un momento così buffo, che entrambi scoppiammo a ridere – era come se la luce emanasse da noi, come se fossimo noi a dare energia a tutta Park Avenue. E quando Kitsey mi aveva stretto la mano e aveva sussurrato: «Sai cosa credo che dovremmo fare, Theo?», sapevo esattamente cosa stava per dire.

«Dici?»

«Sì, ti prego! Non credi? La mamma ne sarebbe così felice.»

Non avevamo nemmeno deciso la data. Cambiava di continuo, a seconda della disponibilità della chiesa, di quella di alcuni invitati imprescindibili, della gara di uno o del parto imminente di un'altra eccetera. Perché a quanto pareva le nozze si stavano trasformando in una cosa assai impegnativa, una pomposa messinscena che mi faceva sentire tagliato fuori – centinaia di invitati in lista, migliaia di dollari spesi, costumi e coreografia degni di uno spettacolo di Broadway. Spesso, lo sapevo, dietro quel genere di eccessi c'era lo zampino della madre della sposa, ma nel mio caso non si poteva certo dare la colpa alla signora Barbour, che quasi non metteva piede fuori dalla sua stanza e non alzava il naso dal cestino del ricamo, non riceveva telefonate, non accettava inviti e non andava nemmeno più dal parrucchiere, proprio lei, che un tempo non avrebbe mai rinunciato all'appuntamento fisso per la piega, alle undici in punto, prima di andare a pranzo fuori, un giorno sì e uno no.

«Quanto sarà contenta la mamma!» mi aveva sussurrato Kitsey, dandomi un colpetto nelle costole col suo piccolo gomito appuntito mentre ci affrettavamo a tornare sui nostri passi per dare l'annuncio alla signora Barbour. E continuavo a ripensare, senza mai stancarmi, alla gioia con cui aveva accolto la notizia (*glielo dici tu*, aveva suggerito Kitsey, *sarà ancora più felice se sarai tu ad annunciarglielo*): i suoi occhi sorpresi, la gioia che esplodeva incontenibile su quel viso freddo e stanco. Mi teneva una mano mentre l'altra stringeva quella di Kitsey, ma quel bellissimo sorriso – non lo scorderò mai – era stato tutto per me.

Chi avrebbe mai detto che era in mio potere far felice qualcuno? O che io stesso potessi essere felice? Il mio umore era l'elastico di una fionda; dopo essere stato rinchiuso e anestetizzato per anni, ora il mio cuore batteva e si dibatteva energico, come un'ape sotto un bicchiere, e tutto mi sembrava luminoso, preciso, confuso, sbagliato – ma era una sofferenza definita, in confronto alla monotona infelicità che, come un dente cariato, mi aveva afflitto per anni mentre ero sotto l'effetto delle droghe; in confronto al dolore malsano e sporco di qualcosa di guasto. Quella chiarezza era inebriante, era come se mi fossi tolto un paio di occhiali sporchi che offuscavano tutto ciò che vedevo. Avevo trascorso l'estate in preda a un delirio estatico: fremente, istupidito, galvanizzato, ingurgitando gin e cocktail di gamberetti e rinvigorito dallo *stonc* delle palline da tennis. In testa non avevo altro che Kitsey, Kitsey, Kitsey!

E così erano passati quattro mesi, era giunto dicembre, mattinate pungenti e scampanellii natalizi nell'aria, Kitsey e io eravamo fidanzati, sul punto di sposarci, e quant'ero fortunato? Ma, sebbene ogni cosa fosse fin troppo perfetta, tutto cuori e fiori, il gran finale di una commedia musicale, io stavo male. Per qualche ragione sconosciuta, la ventata di energia che mi aveva trascinato e reso spumeggiante per tutta l'estate, a metà ottobre mi aveva fatto precipitare dentro una pioggerellina di tristezza che si espandeva senza limiti in tutte le direzioni: con pochissime eccezioni (Kitsey, Hobie, la signora Barbour), odiavo stare in mezzo alla gente, non riuscivo a prestare attenzione a nessuno, non ero in grado di parlare coi clienti, di assegnare un prezzo ai miei pezzi, di prendere la metropolitana. Tutte le attività umane erano tornate a sembrarmi prive di scopo, incomprensibili, un formicaio brulicante e selvaggio, da qualsiasi parte mi voltassi non riuscivo a scorgere spiragli di luce, gli antidepressivi che avevo diligentemente ingoiato per otto settimane non mi avevano aiutato neanche un po', e nemmeno quelli che avevo preso ancora prima (d'altro canto, li avevo provati tutti. A quanto pareva rientravo nel venti per cento degli sventurati che non vedevano campi di margherite e farfalle ma dovevano accontentarsi degli Acuti Mal di Testa e dei Pensieri Suicidi); e nonostante qualche volta l'oscurità si diradasse abbastanza da consentirmi di riconoscere il mondo che mi circondava – figure familiari che prendevano forma come i mobili della stanza da letto all'alba –, il mio sollievo era sempre e solo temporaneo perché in qualche modo il mattino non arrivava mai, le cose ripiombavano nell'oscurità prima che potessi orientarmi, e io mi trovavo di nuovo lì, con l'inchiostro negli occhi, a brancolare nel buio.

Perché mi sentissi tanto perso non lo capivo. Non avevo dimenticato Pippa, lo sapevo, non avrei mai potuto dimenticarla, ed era un fatto con cui dovevo convivere, la tristezza di amare una persona che non potevo avere; ma sapevo anche che la mia difficoltà più immediata consisteva nell'essere all'altezza di una vita sociale che si faceva sempre più intensa. Io e Kitsey non ci godevamo più quelle ristoratrici serate *à deux*, a tenerci le mani seduti vicini vicini nell'intimità di un séparé buio. Invece, quasi ogni sera c'erano cene con i suoi amici e tavoli di ristoranti affollati, eventi estenuanti in cui (teso, non-drogato, sfatto fino all'ultima sinapsi) trovavo difficile simulare l'adeguato ardore sociale, soprattutto quando ero stanco dopo aver lavorato – e poi c'erano i preparativi per il matrimonio, una valanga di banalità a cui in teoria mi sarei dovuto appassionare col suo stesso entusiasmo: un turbinio di brochure patinate, centrotavola e dettagli vari. Per lei era diventato un lavoro a tempo pieno: andare in cartoleria e dai fiorai, cercare catering e fornitori, accumulare campioni di tessuto e scatole di petit four e assaggi di torta, agitandosi e chiedendomi in continuazione di aiutarla a scegliere da un qualche campionario tra sfumature praticamente identiche di avorio e lavanda, mentre organizzava pigiama party «per sole ragazze» con le sue damigelle e weekend «per soli maschietti» per me (con Platt? Almeno potevo contare su un buon tasso alcolico) – e poi la luna di miele, pile di dépliant (Fiji o Nantucket? Mykonos o Capri?). «Fantastico» continuavo a ripetere, nella mia nuova voce affabile solo-per-Kitsey, «sembrano tutti luoghi stupendi», anche se, considerato ciò che era capitato in famiglia e la loro storia con l'acqua, mi risultava strano che non fosse interessata a Vienna, Parigi, Praga o qualsiasi altra destinazione che non fosse necessariamente un'isola in mezzo allo stramaledetto oceano.

Eppure non ero mai stato tanto certo riguardo al futuro; e quando ragionavo su quanto fosse giusta la direzione che avevo preso, il che mi capitava molto spesso, i miei pensieri si soffermavano non solo su Kitsey ma anche sulla signora Barbour, la cui felicità rassicurava e appagava regioni del mio cuore che per anni erano state scorticate dall'aridità. La notizia l'aveva resa raggiante, si era riscossa dal suo torpore e aveva iniziato a entusiasmarsi per l'appartamento, a ravvivarsi le labbra con un velo di rossetto, e persino il più banale scambio tra noi si colorava d'una luce ferma, solida e pacifica che ampliava lo spazio intorno a me e rischiarava i miei abissi più oscuri.

«Non credevo che sarei ancora stata felice» mi aveva confidato, sottovoce, una sera a cena, quando Kitsey era schizzata in piedi per correre a rispondere al telefono com'era solita fare, e noi eravamo rimasti soli al tavolino da gioco in camera sua, a infilzare imbarazzati gli asparagi e i tranci di salmone. «Perché... tu eri sempre così buono con Andy... lo sostenevi, lo rendevi più sicuro. Lui era decisamente migliore, con te, sempre. E sono così contenta che entrerai a far parte della famiglia, in modo ufficiale, perché... oh, probabilmente non dovrei dirlo, spero non ti dispiaccia se ti parlo col cuore, ma ti ho sempre considerato come un figlio, lo sapevi? Anche quando eri piccolo.»

Quell'affermazione mi sciocò e mi commosse talmente che reagii in modo goffo, farfugliando qualcosa imbarazzato, tanto che lei provò pena per me e cambiò discorso. Ma ogni volta che mi tornava in mente, mi sentivo avvolto da una vampa di calore. Un momento altrettanto gratificante (seppur meschino) fu la breve pausa sbigottita di Pippa quando le comunicai la notizia al telefono. Avevo continuato a pensare e ripensare a quella pausa, a godermi quel suo silenzio smarrito. «Ah.» E poi, ricomponendosi: «Oh, Theo! Ma è meraviglioso! Non vedo l'ora di conoscerla!».

«Be', lei è *fantastica*» avevo detto, velenoso. «Sono innamorato di lei da quando eravamo bambini.»

Cosa che, mi rendevo sempre più conto, era assolutamente vera. L'interazione di passato e presente sprigionava una forte carica erotica: ripensare al modo in cui la Kitsey di nove anni aveva disprezzato il Theo tredicenne e imbranato (alzava gli occhi al cielo e metteva il muso quando doveva sedersi accanto a me a cena) suscitava in me un'intensa delizia. Soddisfazione ancora maggiore mi dava il palese shock della gente che ci conosceva sin da bambini: tu? E Kitsey Barbour? Davvero? *Lei*? Adoravo il lato divertente e malizioso della faccenda, l'assoluta improbabilità: scivolare in camera sua dopo che sua madre si era addormentata – la stessa stanza che mi era inaccessibile quando eravamo piccoli, la stessa carta da parati rosa, immutata dai tempi di Andy, le scritte a mano NON ENTRARE, NON DISTURBARE –, io che la spingevo dentro, Kitsey che richiudeva la porta alle nostre spalle e mi poggiava un dito sulla bocca, mi accarezzava le labbra, quel primo, delizioso tuffo nel suo letto, la mamma sta dormendo, *shh!*

Ogni giorno, le occasioni di ricordare a me stesso quanto fossi fortunato erano numerose. Kitsey non era mai stanca, Kitsey non era mai infelice. Era seducente, entusiasta, affettuosa. Era bellissima, di una bellezza luminosa e candida come zucchero che faceva voltare la gente per strada. Ammiravo la sua socievolezza, la sua curiosità per il mondo, la sua allegria e la sua spontaneità – «Testolina di piume» la chiamava con profonda tenerezza Hobie –, che ventata d'aria fresca! L'adoravano tutti. E proprio a causa di questa sua contagiosa leggerezza d'animo, ero disposto a considerare un trascurabile dettaglio il fatto che Kitsey non si *commuovesse*. Persino alla cara, vecchia Carol Lombard era capitato di emozionarsi per un ex fidanzato, animali maltrattati al telegiornale, o per la chiusura di alcuni bar storici di Chicago, la sua città. Invece per Kitsey nulla sembrava mai essere particolarmente coinvolgente, emozionante o sorprendente. In questo somigliava alla madre e al fratello – ma la compostezza della signora Barbour e di Andy erano un'altra cosa rispetto al modo in cui Kitsey se ne usciva con commenti superficiali o banali ogni volta che qualcuno tirava fuori un argomento serio. («Non è divertente» diceva con un mezzo sospiro capriccioso e storcendo il naso, se qualcuno le chiedeva di sua madre.) E poi – mi sentivo patologico solo a pensarci – continuavo a cercare in lei segni di sofferenza per Andy e il padre, e cominciava a darmi fastidio il fatto di non riuscire a scorgerne traccia. La loro morte non l'aveva toccata affatto? Non era normale che a un certo punto ne parlassimo, almeno? Da un lato ammiravo il suo coraggio: mento insù, andava avanti nonostante la tragedia. Forse aveva deciso di indossare una maschera per proteggersi, si era chiusa in se stessa. Ma quelle azzurre e spumeggianti acque basse – così attraenti a prima vista – non accennavano a diventare più profonde, e io mi aggiravo confuso e scoraggiato, quasi disperando di trovare un punto abbastanza profondo per una nuotata.

Kitsey mi stava dando dei colpetti sul polso.

«Che c'è?»

«*Barneys*. Voglio dire, già che ci siamo potremmo fare un giro nel reparto dedicato alla casa. So che la mamma non sarebbe contenta se facessimo la lista lì, ma sarà divertente cercare qualcosa di meno tradizionale, per tutti i giorni».

«No...» Mi allungai per prendere il bicchiere, scolando quello che restava. «Devo andare Downtown per vedere un cliente.»

«Vieni dalle mie parti stasera?» Kitsey condivideva un appartamento con due ragazze nelle East Seventies, non lontano dall'ufficio della fondazione artistica per cui lavorava.

«Non sono sicuro. Probabilmente andremo a cena. Mi libero, se ci riesco.»

«Cocktail? Per favore! Almeno per un drink dopo cena. Ci resteranno tutti male se non fai almeno una *capatina*. Charles e Bette...»

«Ci provo. Te lo prometto. Non dimenticarli» dissi, facendo un cenno in direzione degli orecchini, ancora sulla tovaglia.

«Oh! No! Certo che no!» disse, con aria colpevole, afferrandoli e buttandoli nella borsa come fossero una manciata di monete.

III

Quando uscimmo nella ressa natalizia mi sentivo malfermo e afflitto, e gli edifici carichi di decorazioni, insieme al luccichio delle finestre, non fecero altro che acuire quella tristezza opprimente: lo scuro cielo invernale, un grigio canyon di gioielli e pellicce e tutto il potere e la malinconia del lusso.

Cos'era che non andava in me?, pensavo, mentre attraversavamo Madison Avenue, il cappotto di Kitsey, un Prada rosa squillante, che svolazzava vivace nella calca. Non riuscivo a perdonarle di non

essere ossessionata da Andy e dal padre, ma che senso aveva voler-
gliene perché riusciva ad andare avanti con la propria vita?

Ma, quando le strinsi il gomito e ricevetti in cambio un sorriso
radioso, per un attimo mi sentii di nuovo sollevato e lontano dai
miei problemi. Erano passati otto mesi da quando avevo lasciato
Reeve in quel ristorante di Tribeca; nessuno mi aveva ancora contattato per i pezzi falsi che avevo venduto, ma qualora fosse accaduto
ero prontissimo ad ammettere il mio errore: ero inesperto, nuovo
nel giro, ecco i suoi soldi, signore, accetti le mie scuse. Di notte,
insonne, mi rasserenava pensare che, almeno, non avevo lasciato
molte tracce: avevo fatto in modo di non documentare le vendite
più dello stretto indispensabile, e sui pezzi più piccoli avevo offerto
uno sconto per il pagamento in contanti.

Eppure. Eppure. Era solo questione di tempo. Sarebbe bastato
un solo cliente per provocare una reazione a catena. La reputazione
di Hobie era a rischio; ma c'era di peggio, perché nel momento
in cui fossero arrivati tanti reclami da non consentirci di risarci-
re i clienti, saremmo inevitabilmente finiti in tribunale: Hobie, in
quanto mio socio in affari, si sarebbe trovato in guai seri. Difficile
convincere un giudice che lui non era al corrente di quanto facevo, soprattutto per certe vendite che avevo realizzato alle aste di
Important Americana – e se si fosse arrivati a quel punto, non ero
nemmeno sicuro che Hobie sarebbe stato disposto a difendersi, se
ciò avesse significato abbandonare me al mio destino. Certo: molta di quella gente aveva così tanti soldi che non gliene fregava un
cazzo. Eppure. Eppure. Se avessero deciso di guardare sotto i sedili delle sedie Hepplewhite (per esempio) e si fossero accorti che
non erano tutte uguali? Che la venatura era sbagliata, che le gambe
erano diverse? Se avessero portato a far valutare un tavolo solo per
scoprire che l'impiallacciatura era di un tipo che nel 1770 nemmeno
esisteva? Ogni giorno mi domandavo dove e come sarebbe venuta
a galla la prima truffa: la lettera di un avvocato, una chiamata dagli
uffici di Sotheby's, un arredatore o un collezionista che piombavano in negozio per affrontarmi, Hobie che scendeva di sotto, ascolta,
c'è un problema, hai un minuto?

Se la storia dei miei illeciti fosse venuta a galla prima delle nozze, chissà cosa sarebbe potuto succedere. Non riuscivo nemmeno a immaginarlo. Il matrimonio sarebbe anche potuto saltare. D'altro canto – per Kitsey e per sua madre – sarebbe stato peggio se si fosse saputo dopo, specialmente considerando che i Barbour non erano più nemmeno lontanamente benestanti come in passato, quando il signor Barbour era ancora vivo. Avevano problemi di liquidità. I soldi erano blindati in un fondo. La mamma aveva dovuto ridurre le ore di lavoro di alcuni dipendenti, e licenziarne altri. E verso la fine, il signor Barbour – mi aveva confidato Platt, nel tentativo di suscitare il mio interesse per altri pezzi antichi di casa – era impazzito e aveva investito più del cinquanta per cento del suo portfolio in VistaBank, per «ragioni sentimentali» (il trisavolo del signor Barbour era stato il presidente di una delle storiche banche poi confluite in quella "specie di mostro"). Sfortunatamente, poco dopo la morte del signor Barbour, VistaBank aveva smesso di pagare i dividendi ed era fallita. Di qui la necessità per la signora Barbour di ridurre drasticamente il suo contributo a svariate organizzazioni benefiche. Di qui, il lavoro di Kitsey. E Platt, nella sua piccola e raffinata casa editrice, come mi aveva spesso ricordato quand'era alticcio, prendeva meno di quello che la mamma un tempo aveva dato alla domestica. Se le cose si fossero messe male, ero sicuro che la signora Barbour avrebbe fatto il possibile pur di darmi una mano; e Kitsey, in quanto mia moglie, sarebbe stata obbligata ad aiutarmi, che lo volesse o no. Ma avrei giocato loro un gran brutto tiro, specie dal momento che il profluvio di lodi di Hobie li aveva convinti tutti (soprattutto Platt, preoccupato per le condizioni in cui versavano le risorse familiari) che io fossi una sorta di mago della finanza piovuto dal cielo per salvare la sorella. «Tu sai come *fare* soldi» aveva detto Platt, senza giri di parole, quando mi aveva confidato che erano tutti entusiasti che Kitsey sposasse me invece di uno degli scansafatiche che frequentava. «Lei no.»

Ma a impensierirmi più di ogni altra cosa era Lucius Reeve. Anche se non lo avevo più sentito a proposito del cassettone, durante l'estate avevo iniziato a ricevere una serie di lettere preoccupanti: scritte a mano, non firmate, su carta da lettera dai bordi blu col suo nome in caratteri calligrafici: **LUCIUS REEVE**.

Sono trascorsi quasi tre mesi da quando ti ho fatto quella che, sotto ogni punto di vista, non può che dirsi una proposta equa e ragionevole. Non capisci che la mia offerta è semplicemente ragionevole?

E un'altra:

Sono trascorse altre otto settimane. Comprenderai il mio dilemma. Il livello di frustrazione sale.

Poi, tre settimane dopo, un'unica riga:

Il tuo silenzio non è accettabile.

Quelle lettere erano un'agonia, nonostante cercassi di non pensarci. Ogni volta che mi tornavano in mente – spesso all'improvviso, durante un pasto, con la forchetta a mezz'aria – era come se fossi stato svegliato da un sogno a forza di schiaffi. Invano, cercavo di ricordare a me stesso che le affermazioni fatte da Reeve al ristorante erano completamente prive di fondamento. Rispondergli, in qualsiasi modo, sarebbe stato un errore. L'unica cosa da fare era ignorarlo, come con i mendicanti aggressivi per strada.

Poi, però, erano accadute due cose allarmanti in rapida successione.

Ero salito di sopra per chiedere a Hobie se voleva uscire per pranzo. «Certo, aspetta un attimo» aveva risposto, mentre rovistava tra la posta sulla credenza, gli occhiali poggiati sulla punta del naso. «Mmm» aveva mugugnato, rigirando una busta per leggere la scritta. Poi l'aveva aperta e sbirciata da sopra le lenti, dopodiché l'aveva avvicinata.

«Guarda qui» disse. Me la passò. «Di cosa si tratta?»

La lettera, nella grafia fin troppo familiare di Reeve, conteneva solo due frasi: né intestazione, né firma.

Il vostro attendismo non porta alcun vantaggio. La invito a prendere in mano la situazione e accettare la proposta che ho fatto al suo giovane socio.

«Cristo santo» dissi, poggiando la lettera sul tavolo e distogliendo lo sguardo.

«Cosa?»

«È lui. Quello del cassettone.»

«Oh, lui» disse Hobie. Si aggiustò gli occhiali e mi guardò tranquillo. «Ha mai incassato quell'assegno?»

Mi passai una mano fra i capelli. «No.»

«Cos'è questa proposta? Di cosa sta parlando?»

«Senti...» Andai al lavandino per prendere un bicchiere d'acqua, un vecchio trucco di mio padre quando aveva bisogno di un momento per ricomporsi. «Non volevo darti altre preoccupazioni, ma questo tipo mi perseguita. Ho iniziato a buttare le sue lettere senza aprirle. Se te ne arriva un'altra, gettala nella spazzatura.»

«Che vuole?»

«Be'...» Il rubinetto fischiava. Riempii il bicchiere. «Be'.» Mi voltai, mi passai una mano sulla fronte. «È veramente un folle. Gli ho compilato un assegno per il pezzo, come ti ho detto. Offrendogli più di quello che l'aveva pagato.»

«Allora qual è il problema?»

«Ah...» Mandai giù un sorso d'acqua. «Sfortunatamente ha in mente qualcos'altro. Pensa, ah, pensa che qui ci sia una catena di montaggio, e sta cercando di mettersi in mezzo. Sai, invece di incassare l'assegno. Ha sottomano una donna anziana, assistita ventiquattr'ore al giorno eccetera, e vorrebbe che noi usassimo l'appartamento della donna per, ecco...»

Hobie sollevò il sopracciglio. «Infiltrare?»

«Esatto» dissi, contento che fosse stato lui a dirlo. «Infiltrare» significava piazzare illegalmente oggetti d'antiquariato falsi o di scarso valore in case private – spesso case di anziani – per poi venderli agli avvoltoi che giravano attorno al capezzale: parassiti tanto ansiosi di derubare la vecchietta moribonda che non si accorgevano di essere loro a restare fregati. «Quando ho cercato di restituirgli i soldi, questa è stata la sua controproposta. Noi forniamo i pezzi. Poi dividiamo cinquanta e cinquanta. Non mi dà pace da quel giorno.»

Hobie mi fissava inespressivo. «Ma è assurdo.»

«Sì…» Chiusi gli occhi, mi pizzicai il naso. «Ma è davvero insistente. Per questo ti consiglio di…»

«Chi è questa donna?»

«Una signora, una parente anziana, una cosa del genere.»

«Come si chiama?»

Mi accostai il bicchiere alla tempia. «Non lo so.»

«Qui? In città?»

«Presumo di sì.» Il punto non era quello, però. «Ad ogni modo… buttala nella spazzatura. Mi dispiace di non avertene parlato prima, ma davvero non volevo farti preoccupare. Prima o poi si stancherà se lo ignoriamo.»

Hobie guardò la lettera e poi me. «Questa la tengo. No» disse, quando feci per interromperlo, «basta e avanza per andare alla polizia, se necessario. Non mi importa del cassettone… no, no» continuò sollevando una mano per zittirmi, «non va bene, tu hai provato a sistemare le cose e lui ti vuole costringere a commettere un illecito. Da quanto va avanti questa storia?»

«Non lo so. Un paio di mesi?» risposi, dal momento che continuava a fissarmi.

«Reeve.» Studiava la lettera con la fronte aggrottata. «Chiederò a Moira.»

Moira era la signora DeFrees. «Dimmelo, se scrive ancora.»

«Certo.»

Non riuscivo nemmeno a immaginare cosa sarebbe successo se fosse saltato fuori che la signora DeFrees conosceva Lucius Reeve, o l'aveva sentito nominare, ma fortunatamente non ne avevamo più parlato. Era stato un bene che la lettera indirizzata a Hobie fosse così ambigua. Ma l'avvertimento che conteneva era chiaro. Era stupido preoccuparsi che Reeve desse corso alla sua minaccia di ricorrere alle vie legali, visto che – me lo ripetevo in continuazione – l'unica possibilità che aveva di mettere le mani sul dipinto era lasciarmi libero di recuperarlo.

Eppure, per un meccanismo perverso, questo acuiva il mio desiderio di avere il quadro con me, per ammirarlo ogni volta che ne avevo voglia. Ovunque guardassi, in ogni appartamento che io e Kitsey visitavamo, scorgevo potenziali nascondigli: alte credenze, camini finti, ampie travi che potevano essere raggiunte solo con scale altissime, assi facilmente sollevabili. Di notte me ne stavo sdraiato a fissare il buio, fantasticando su un armadietto, costruito su misura e con materiali ignifughi, nel quale avrei potuto tenerlo al sicuro o – ancora più assurdo – su uno stanzino segreto alla Barbablù, climatizzato, con apertura a combinazione.

Mio, mio. Paura, idolatria, ossessione. L'orrore e la delizia del feticista. Del tutto consapevole della mia follia, avevo scaricato alcune foto del quadro sul computer e sul telefono per godere in privato di quell'immagine, le pennellate rese digitalmente, un frammento della luce del sole del diciassettesimo secolo compressa in puntini e pixel, ma più puro era il colore, più definita era la riproduzione, più bramavo la cosa in sé, l'oggetto insostituibile, magnifico e inondato di luce.

Un ambiente completamente privo di polvere, sorvegliato notte e giorno. Sebbene cercassi di non pensare all'austriaco che aveva tenuto una donna rinchiusa in un seminterrato per vent'anni, purtroppo era questa la metafora che avevo in testa. E se fossi morto? Investito da un autobus? Quel pacco deforme avrebbe potuto essere scambiato per spazzatura e finire nell'inceneritore. Tre o quattro volte avevo fatto chiamate anonime al deposito per sentirmi ripetere quello che sapevo già grazie alla mia lettura ossessiva del sito web: garantite temperatura e umidità adeguate alla conservazione di opere d'arte. A volte, appena sveglio, mi pareva tutto un sogno, ma ben presto mi rendevo conto che così non era.

Tuttavia, era impossibile anche solo pensare di recarmi lì, con Reeve che, come un gatto in agguato, aspettava di saltarmi addosso. Dovevo aspettare, paziente. Purtroppo, tempo tre mesi e avrei dovuto pagare il deposito; e, per come stavano le cose, non era il caso che andassi di persona. L'unica soluzione era mandare Griša o uno dei ragazzi a saldare al posto mio, in contanti, cosa che avrebbero fatto senza pretendere spiegazioni. Ma poi era capitato il secondo evento sfortunato: pochi giorni prima, mentre ero solo in negozio a chiudere i conti della settimana, Griša mi aveva profondamente scioccato, avvicinandosi in maniera furtiva e dichiarando: «*Mažor*, ho bisogno di parlarti».

«Ah, sì?»

«Tutto a bomba?»

«Cosa?» Tra lo yiddish e il russo scurrile, un brooklynese bia-
scicato e lo slang assimilato dalle canzoni rap, a volte Griša usava
espressioni per me incomprensibili.

Fece una sonora risata. «Non credo che mi stai capendo, campione. Ti sto chiedendo se sei a posto. Con le leggi.»

«Aspetta un attimo» dissi – ero impegnato con una sfilza di numeri –, poi alzai lo sguardo dalla calcolatrice. «Un momento, di
cosa stai parlando?»

«Tu sei mio fratello, non ti condanno né ti giudico. Devo solo
sapere, okay?»

«Perché? Cos'è successo?»

«C'è gente che gironzola intorno al negozio, lo tiene d'occhio.
Ne sai niente?»

«Chi?» Guardai fuori dalla vetrina. «Cosa? Quand'è successo?»

«Volevo chiederlo a te. Ho paura di andare a Borough Park a
incontrare mio cugino Genka per certi affari... ho paura che mi
vengono dietro.»

«Dietro a te?» Mi sedetti.

Griša scrollò le spalle. «È la quarta, quinta volta che succede.
Ieri scendo dal furgone e vedo uno di loro che ciondola di nuovo
davanti al negozio, ma ha subito attraversato la strada. Un vecchio
coi jeans, molto casual. Genka non ne sa nulla ma è in paranoia,
come ho detto abbiamo certe cose in piedi, mi ha detto di chiederti
cosa ne sai. Non parla mai, sta lì e aspetta. C'entra qualcosa col tuo
Shvatzah?» disse con discrezione.

«No.» Lo Shvatzah era Jerome; e non lo vedevo da mesi.

«Bene. Allora mi spiace dirlo, ma secondo me è la polizia che ti
tiene d'occhio. Mike... l'ha notato anche lui. Pensava che era per
gli alimenti di suo figlio. Ma quel tipo gironzola e basta, senza far
niente.»

«Da quanto tempo?»

«Chi lo sa? Almeno un mese, però. Mike dice di più.»

«La prossima volta che lo vedi, me lo indichi?»

«Forse è un investigatore privato.»

«Perché lo pensi?»

«Perché sembra più un ex poliziotto. È Mike che lo pensa… è irlandese, loro ne sanno di poliziotti, Mike ha detto che sembrava anziano, tipo uno sbirro in pensione.»

«Va bene» dissi, pensando al tizio robusto che avevo visto fuori dalla vetrina. L'avevo beccato quattro o cinque volte di fila, lui o qualcuno che gli assomigliava, davanti al negozio durante l'orario di apertura – sempre quand'ero con Hobie o con un cliente e non era il caso di andare a parlargli –, e sebbene avesse un aspetto del tutto innocuo (scarponcini da lavoro e felpa col cappuccio), non potevo essere sicuro di nulla. Una volta, però, mi ero spaventato davvero: avevo visto un tipo che gli assomigliava appostato davanti a casa dei Barbour, ma poi avevo guardato meglio e mi ero reso conto di essermi sbagliato.

«È un po' che si vede in giro. Ma questo…» Griša fece una pausa. «Normalmente non direi niente, forse non è niente, ma ieri…»

«Ieri cosa? Va' avanti» insistetti, quando distolse lo sguardo in modo colpevole, massaggiandosi il collo.

«Un altro tipo. Diverso. L'avevo già visto aggirarsi fuori dal negozio. Ma ieri è entrato e ha chiesto di te, ha fatto il tuo nome. E non mi è piaciuta per niente la sua aria.»

Mi abbandonai contro lo schienale della sedia. Mi chiedevo ormai da tempo quando Reeve si sarebbe deciso a venire di persona.

«Io non gli ho parlato. Ero fuori…» fece un cenno verso l'esterno «a caricare il furgone. Ma l'ho visto entrare. Uno che si nota. Vestito bene, ma non come un cliente. Tu eri a pranzo e Mike era in negozio da solo. Il tipo entra, chiede, Theodore Decker? Be', tu non ci sei, Mike glielo dice. Dov'è? Un sacco di domande su di te, tipo se lavori qui, se vivi qui, da quanto, dove sei, di tutto.»

«Dov'era Hobie?»

«Non voleva Hobie. Voleva te. E poi…» col dito tracciò una linea sulla scrivania, «e poi esce. Passeggia attorno al negozio. Guarda di qua, guarda di là. Guarda dappertutto. Questo… io lo vedo da dove sono, dall'altra parte della strada. Sembra strano. E… Mike non ti ha parlato perché ha detto che forse non è niente, forse è qualcosa di personale, "meglio restarne fuori", ma l'ho visto anch'io e ho pensato che dovevi saperlo. Perché, ehi, tra furbi ci si riconosce, mi capisci?»

«Che aspetto aveva?» gli chiesi, e poi, dato che non rispondeva: «Un tipo anziano? Robusto? Capelli bianchi?».

Griša fece un verso esasperato. «No no no.» Scosse la testa, risoluto. «Questo non è un vecchietto.»

«Che aspetto aveva, allora?»

«Quello di uno con cui è meglio non avere problemi, ecco che aspetto aveva.»

Nel silenzio che seguì, Griša si accese una Kook e ne offrì una anche a me. «Quindi cosa dovrei fare, *Mažor*?»

«Scusa?»

«Io e Genka dobbiamo preoccuparci?»

«Non credo. Okay» dissi, dandogli il cinque, un po' goffamente, «okay, ma puoi farmi un favore? Mi vieni a chiamare, se ti ricapita di vedere uno di loro?»

«Sicuro.» Fece una pausa, lanciandomi un'occhiata seria. «Quindi io e Genka non ci preoccupiamo?»

«Be', non so cos'abbiate per le mani.»

Griša estrasse un fazzoletto sporco dalla tasca e ci si soffiò il naso arrossato. «Non è una risposta che mi piace.»

«Tu sta' all'occhio comunque. Non si sa mai.»

«*Mažor*, dovrei dire lo stesso a te.»

IV

A Kitsey avevo mentito: non avevo nulla da fare. Usciti da Barneys ci salutammo con un bacio all'angolo con la Quinta, e lei tornò da Tiffany a guardare la cristalleria – non c'eravamo nemmeno arrivati – mentre io andai a prendere la linea 6. Ma invece di infilarmi nel flusso di gente che si riversava sulle scale della stazione, mi sentivo così vuoto e distratto, così perso e stanco e malaticcio, che mi fermai a guardare la vetrina sporca di un Subway Inn, proprio di fronte all'area di carico/scarico di Bloomingdale's, una scena che pareva uscita direttamente da *Giorni perduti* e immutata dai tempi del periodo alcolico di mio padre. Fuori: un neon da film noir. Dentro: le stesse pareti rosse e sudicie, i tavoli appiccicosi, le piastrelle del pavimento rotte, il tanfo di Clorox e un barista ricurvo con un cencio sulla spalla intento a versare da bere a un tizio con gli occhi iniettati di sangue seduto da solo al bancone. Mi ricordai di quando io e la mamma ci eravamo persi papà da Bloomingdale's, e di come lei – inspiegabilmente, per me, al tempo – senza pensarci due volte era uscita dal negozio, aveva attraversato la strada e l'aveva trovato lì, a scolarsi shot da quattro dollari con un camionista rantolante e un altro vecchio con la bandana che sembrava un barbone. Ero rimasto sulla soglia, sopraffatto dalle zaffate di birra stantia e affascinato dalla calda e riservata oscurità del posto, dal chiarore del juke-box che sembrava uscito da *Ai confini della realtà* e dal video-gioco di Buck Hunter che lampeggiava sul fondo. «Ah, l'odore di vecchi e di disperazione» aveva detto mia madre sarcastica, facendo una smorfia mentre usciva dal bar e mi prendeva per mano.

Un Johnnie Walker Black Label, in onore di mio padre. Magari due. Perché no? Gli anfratti bui del bar mi apparivano caldi, invitanti, intrisi di quella sentimentale aura alcolica che ti faceva dimenticare per un attimo chi eri e perché eri finito là dentro. Ma all'ultimo momento, fermo sulla soglia, col barista che mi guardava, mi voltai e ripresi a camminare.

Lexington Avenue. Vento umidiccio. Il pomeriggio era spettrale e malsano. Mi diressi alla fermata sulla Cinquantunesima Strada, poi a quella sulla Quarantaduesima, e continuai a camminare per schiarirmi le idee. Edifici bianco cenere. Orde di gente per le strade, sfavillanti alberi di Natale sui balconi degli attici, compiaciuta musica natalizia che fluttuava dai negozi e io, risucchiato dentro e fuori dalla ressa, avevo la strana sensazione di essere già morto, di muovermi nel grigiore di un marciapiede più largo di quello che la strada, o addirittura la città, potesse contenere, l'anima scissa dal corpo che vagava tra altre anime, in un luogo nebuloso sospeso fra presente e passato; Avanti/Alt, pedoni solitari, facce vuote con gli auricolari nelle orecchie e lo sguardo fisso, labbra che si muovevano silenziose, e i rumori della città smorzati e resi muti, un cielo opprimente color granito, immondizia e carta di giornale, cemento e pioggerellina, un sudicio grigiume invernale pesante come un macigno.

Scampato alle insidie del bar, pensai che avrei potuto vedere un film – che magari la solitudine di un cinema mi avrebbe fatto stare meglio, la proiezione pomeridiana semideserta di una pellicola datata. Ma quando, stordito e col naso che colava, giunsi di fronte al cinema tra la Seconda e la Trentaduesima, il poliziesco francese che volevo vedere era già iniziato, come pure il thriller sullo scambio di identità. Restavano solo un mucchio di film natalizi e di insopportabili commedie romantiche: locandine con spose inzaccherate, damigelle che si azzuffavano, un padre sgomento con un cappello da Babbo Natale e due bebè ululanti in braccio.

I taxi cominciavano a scemare. Alte sopra la strada, nel pomeriggio buio, le luci ardevano negli uffici vuoti e negli appartamenti. Mi voltai e proseguii in direzione Downtown, senza un'idea precisa di dove stessi andando né del perché; e a mano a mano che procedevo provavo una sensazione stranamente gradevole di disfacimento, come se mi stessi srotolando filo dopo filo, pezzi e brandelli che cadevano a terra nell'istante in cui attraversavo la Trentaduesima Strada e galleggiavano tra i pedoni dell'ora di punta, rotolando dall'istante successivo a quello dopo ancora.

Al cinema seguente, dieci o dodici isolati più a sud, la stessa storia: il film sulla CIA era già iniziato, e così la biografia ben recensita di un'attrice degli anni Quaranta, al poliziesco francese mancava ancora un'ora e mezza e, a meno che non avessi scelto il film su uno psicopatico o la feroce tragedia familiare, cosa che non avevo intenzione di fare, restavano solo altre spose, feste di addio al celibato, cappelli da Babbo Natale e film d'animazione.

Quando raggiunsi il multisala sulla Diciassettesima Strada tirai dritto senza nemmeno fermarmi al botteghino. Per qualche misterioso motivo, nell'atto di attraversare Union Square in preda a un'oscura corrente che mi aveva travolto all'improvviso, decisi di chiamare Jerome. Avvertivo una gioia mistica in quell'idea, una sacra mortificazione. Avrebbe avuto delle pasticche con così poco preavviso? O avrei dovuto accontentarmi della roba che vendeva per strada? Non m'importava. Non mi facevo da mesi, ma per qualche ragione passare una serata piegato e incosciente nella mia camera a casa di Hobie iniziava a sembrarmi una reazione perfettamente logica alle luci natalizie, alla calca natalizia, alle insistenti campane natalizie coi loro rintocchi funerei, e al taccuino rosa confetto di Kitsey preso da Kate's Paperie, con una linguetta per ogni cosa: LE MIE DAMIGEL-LE I MIEI OSPITI I MIEI POSTI A SEDERE I MIEI FIORI I MIEI FORNITORI LA MIA LISTA DI COSE DA FARE IL MIO CATERING.

Arretrai di scatto – il semaforo aveva cambiato colore e stavo per finire sotto una macchina –, barcollai e per poco non caddi. Non aveva senso rimuginare su quell'irrazionale terrore di un matrimonio con tanti invitati: spazi chiusi, claustrofobia, movimenti improvvisi. Per qualche ragione la metropolitana non mi allarmava quanto gli edifici pieni di gente, in cui mi aspettavo sempre che succedesse qualcosa, l'odore di qualcosa che brucia, il fumo, l'uomo che corre ai margini della folla, e non sopportavo nemmeno di stare al cinema se c'erano più di dieci o quindici persone, nel qual caso facevo dietrofront e me ne andavo col biglietto in tasca. Eppure, in qualche modo, quell'imponente, affollata cerimonia in chiesa stava prendendo forma intorno a me con la velocità di un flash mob. Avrei ingoiato un paio di Xanax, tenuto duro e ce l'avrei fatta.

Inoltre speravo che la sempre più intensa vita sociale che avevo affrontato come un capitano affronta il mare in tempesta sarebbe scemata dopo il matrimonio, poiché non desideravo altro che tornare al periodo d'oro dell'estate, quando avevo avuto Kitsey tutta per me: cene da soli, film a letto. I continui inviti e le uscite mi stavano stremando: lo scintillante turbinio dei suoi mille amici, serate piene di gente e weekend frenetici durante i quali facevo del mio meglio per non affondare: Linsey?, no, Lolly?, scusa... e lei è...? Frieda? Ciao, Frieda, e... Trev? Trav? Che bello vederti! Mi tenevo prudentemente ai margini della conversazione, sprofondando nel torpore dell'alcol mentre intorno al tavolo gli altri blateravano delle loro case di campagna, dei loro consigli d'amministrazione, delle loro scuole, della loro ginnastica – esatto, un passaggio indolore dall'allattamento al biberon, anche se di recente abbiamo introdotto grandi cambiamenti rispetto all'orario del riposino, il più grande sta cominciando ad andare all'asilo e i colori dell'autunno nel

Connecticut sono meravigliosi, oh sì, certo, come tutti gli anni faremo il nostro viaggio con le ragazze ma, sai, questi giri fra maschi che facciamo due volte l'anno, a Vail, e poi fino ai Caraibi, l'anno scorso siamo andati a pescare in Scozia e abbiamo seguito dei corsi di golf davvero niente male... ma già, Theo, giusto, tu non giochi a golf, non scii, non vai in barca, vero?

«Mi spiace, temo di no.» I meccanismi di gruppo erano tali (battute incomprensibili e confusione, tutti intorno ai video delle vacanze sugli iPhone) che era difficile immaginare uno di loro al cinema da solo o a mangiare in un bar. A volte, quell'affabile cameratismo tra uomini mi dava la vaga sensazione di essere a un colloquio di lavoro. Per non parlare di tutte quelle donne incinte. «Oh, Theo! Ma non è adorabile?» Con Kitsey che inaspettatamente mi rifilava il neonato di qualche amico, mentre io, terrorizzato, mi tiravo indietro come se fosse un fiammifero acceso.

«Ah, a volte a noi uomini occorre del tempo» commentò Race Goldfarb di fronte al mio disagio, alzando la voce per sovrastare il piagnucolio dei bambini che giocavano e si rotolavano in un angolo della stanza sorvegliati dalla tata. «Ma lascia che ti dica una cosa, Theo: quando tieni fra le braccia quel piccoletto tutto tuo per la prima volta...» (una carezzina alla pancia della moglie incinta) «ti si allarga il cuore. E quando ho visto il piccolo Blaine per la prima volta» (che barcollava ai suoi piedi con la faccia appiccicosa. No, non un bello spettacolo) «e ho guardato quegli occhioni, quei bellissimi occhi azzurri, mi sono *trasformato*. Mi sono *innamorato*. Perché pensi: ehi, piccoletto! Quante cose mi insegnerai! E ti dico che al primo sorriso mi sono sciolto completamente, come succede a tutti, vero, Lauren?»

«Giusto» dissi educatamente, e andai in cucina a versarmi un bicchierone di vodka. Anche a mio padre non piacevano le donne incinte (infatti, era stato licenziato da un posto di lavoro per via delle insistenti battute a sfondo sessista) e, ben lontano dal classico «sciogliersi completamente», non aveva mai sopportato i bambini, né i neonati, né i genitori iperprotettivi, tantomeno le donne che si toccavano la pancia con un sorriso ebete o gli uomini col marsupio; usciva a fumare, oppure se ne stava in disparte con un'espressione cupa in volto, come uno spacciatore, se era obbligato a partecipare a un evento scolastico o a una festa per bambini. Evidentemente avevo preso da lui o, chi lo sa, addirittura da nonno Decker, quel violento disgusto nei confronti della procreazione che si agitava assordante nel mio sangue sembrava qualcosa di innato, intrinseco, genetico.

Trascorrere la notte strafatto. Immerso in quell'oscura beatitudine. No, grazie, Hobie, ho già mangiato, mi sa che me ne vado a letto col mio libro. I discorsi di quella gente, persino degli uomini! Il solo pensiero della serata passata dai Goldfarb mi faceva venire voglia di devastarmi al punto da non reggermi in piedi.

Mentre mi avvicinavo ad Astor Place – suonatori di tamburo africani, ubriachi che litigavano, nuvole di incenso di un venditore ambulante – mi sentivo già più sollevato. Di sicuro la mia soglia di tolleranza era ai minimi: un pensiero incoraggiante. Appena una o due pillole a settimana, per superare i momenti peggiori, e solo quando ne avevo davvero molto bisogno. Invece di prendere le pasticche avevo cominciato a bere tantissimo, il che non mi faceva affatto bene; con gli oppiacei ero rilassato, condiscendente, entusiasta di qualunque cosa, potevo amabilmente resistere ore intere in situazioni insopportabili, ad ascoltare qualsiasi noiosa o ridicola stronzata senza che mi venisse voglia di uscire e spararmi un colpo in testa.

Ma era da tanto che non sentivo Jerome, e quando mi infilai in un negozio di skateboard per chiamarlo scattò subito la segreteria – un messaggio che non sembrava da lui. *Ha cambiato numero?* pensai, iniziando a preoccuparmi dopo il secondo tentativo. Quelli come Jerome – mi era successo con Jack, prima di lui – erano in grado di sparire dalla faccia della Terra da un momento all'altro.

Non sapendo che fare, m'incamminai lungo St. Mark's, verso Tompkins Square Park. Aperto Tutto il Giorno e Tutta la Notte. Ingresso Vietato ai Minori di 21 anni. Da quelle parti, lontano dall'assedio dei grattacieli, il vento soffiava tagliente, ma il cielo era più aperto e si respirava meglio. Tizi muscolosi che portavano a spasso dei pitbull, ragazze tatuate in vestitini da pin-up alla Bettie Page, poveracci con l'orlo dei pantaloni che strusciava a terra, i denti alla

Jack Lanterna e scarpe tenute insieme col nastro adesivo. Fuori dai negozi, espositori pieni di occhiali da sole, braccialetti coi teschi e parrucche multicolori per travestiti. Da qualche parte c'era un posto dove ritiravano le siringhe usate e te ne davano in cambio di nuove, ma non ricordavo dove; quelli di Wall Street compravano sempre per strada, stando a quanto si diceva in giro, ma io non ero abbastanza esperto da sapere dove andare o a chi chiedere, e poi chi avrebbe venduto la roba a uno sconosciuto con gli occhiali dalla montatura di corno e un taglio di capelli da quartieri bene, vestito per andare a scegliere un servizio di porcellana con Kitsey?

Cuore inquieto. Il piacere feticistico della segretezza. Quella gente capiva – come me – i vicoli bui dell'anima, i sussurri e le ombre, i soldi che scivolavano di mano in mano, la parola d'ordine, i codici, le identità fittizie, tutte le consolazioni nascoste che innalzavano la vita al di sopra dell'ordinario e la rendevano degna di essere vissuta.

Jerome – mi fermai sul marciapiede fuori da un sushi bar per cercare di orientarmi –, Jerome mi aveva parlato di un bar con le tende rosse, vicino a St. Mark's, Avenue A, forse? Arrivava sempre da lì, o ci passava prima di raggiungermi. La barista spacciava da dietro il bancone agli avventori che, pur di non comprare per strada, erano disposti a pagare il doppio. Jerome faceva delle consegne per lei. Il suo nome era – lo ricordavo, incredibile – Katrina! Ma da quelle parti sembrava non ci fossero che bar.

Salii per Avenue A per poi riscendere lungo la Prima, m'infilai nel primo bar che notai con delle tende vagamente rosse – color fegato malato, per l'esattezza, ma doveva essere stato rosso, una volta – e chiesi: «Katrina lavora qui?».

«No» rispose da dietro il bancone la rossa coi capelli bruciati dalle troppe tinte, senza nemmeno guardarmi, mentre spillava una birra.

Signore addormentate accanto ai loro carrelli della spesa, con la testa sui sacchetti. La vetrina piena di cartonati scintillanti di Madonna e personaggi di *Day of the Dead*. Grigi stormi di piccioni che sbattevano le ali silenziosi.

«Sai che ci stai pensando, sai che ci stai pensando» mi sussurrò una voce all'orecchio.

Mi voltai e mi trovai davanti un tizio nero, robusto, di una certa età, con un ampio sorriso in cui risaltava un incisivo d'oro, che mi allungò un biglietto: TATUAGGI BODY ART PIERCING.

Risi – e lui con me, una risata complice che gli squassava tutto il corpo –, poi mi fece scivolare il biglietto in tasca e se ne andò. Ma un momento dopo mi pentii di non avergli chiesto dove potevo trovare quello che volevo. Aveva l'aria del tipo che avrebbe saputo come aiutarmi.

Body Piercing. Massaggio plantare con agopressione. Compro Oro & Argento. Adolescenti pallidi, tanti, e poi, qualche isolato più a sud, tutta sola, una ragazza esangue coi dreadlock, un cagnetto lurido e un cartello con la scritta talmente rovinata che non riuscii a leggerla.

Mi rovistai in tasca in cerca di qualche dollaro, il fermasoldi che mi aveva regalato Kitsey era troppo stretto, non riuscivo a sfilare le banconote, e mentre ero lì che ci provavo sentivo che mi guardavano tutti, e poi... «ehi!» urlai, balzando all'indietro, quando il cane ringhiò e fece un salto ad azzannarmi l'orlo dei pantaloni coi suoi denti appuntiti come aghi.

Risero tutti – i bambini, un venditore ambulante, un cuoco con una retina sui capelli che telefonava seduto su un gradino. Un lembo dei pantaloni si strappò – giù altre risate –, mi voltai e, per riprendermi dalla costernazione, entrai nel bar successivo – tende nere con qualcosa di rosso. «Katrina lavora qui?» chiesi al barista.

Posò il bicchiere. «Katrina?»

«Sono un amico di Jerome.»

«Katrina? Intendi Katya?» I clienti al bancone – gente dell'Est Europa – erano ammutoliti.

«Può essere...»

«Come fa di cognome?» Un tizio con la giacca di pelle aveva abbassato il mento e si era rigirato sullo sgabello inchiodandomi con uno sguardo alla Bela Lugosi.

Il barista mi scrutava. «La ragazza che cerchi. Cosa vuoi da lei?»

«Be', veramente io...»

«Colore dei capelli?»

«Ehm... biondi? O, ecco...» Dalla sua espressione, era chiaro che stavo per essere buttato fuori, o peggio; mi caddero gli occhi sul Louisville Slugger a canne mozze dietro il bancone. «Mi sono sbagliato, lascia stare...»

Ero uscito e avevo fatto un bel po' di strada, quando udii un urlo alle mie spalle: «*Potter!*».

Quando lo sentii di nuovo, restai di ghiaccio. Poi, incredulo, mi girai. E mentre ero lì, ancora incapace di crederci, con la gente che ci superava da entrambi i lati, lui scoppiò a ridere e si lanciò in avanti per buttarmi le braccia al collo.

«Boris.» Sopracciglia nere appuntite, occhi neri vivaci. Era più alto e col viso più incavato, indossava un lungo cappotto nero e aveva la stessa vecchia cicatrice sull'occhio, e qualcuna nuova. «Accidenti.»

«Accidenti a te!» Mi guardava tenendomi a distanza col braccio. «Ah! Ma guardati! Ne è passato di tempo, eh?»

«Io...» Ero troppo esterrefatto per parlare. «Che ci fai qui?»

«E, dovrei chiederlo io a te...» Indietreggiò per squadrarmi, poi indicò la strada come se gli appartenesse. «Cosa ci fai *tu* qui! A cosa devo la sorpresa?»

«Cosa?»

«L'altro giorno sono venuto al tuo negozio!» Si scostò i capelli dagli occhi. «Per vederti!»

«Eri tu?»

«E chi se no? Come hai fatto a trovarmi?»

«Io...» Scossi la testa, allibito.

«Non mi stavi cercando?» Indietreggiò stranito. «Davvero? È stato un caso? Ci siamo incrociati per caso? Incredibile! E cos'è quella faccia pallida?»

«Cosa?»

«Hai un aspetto orribile!»

«'Fanculo.»

«Ah» disse, cingendomi il collo col braccio. «Potter, Potter! Che brutte occhiaie!» Passò il dito sotto l'occhio. «Bel vestito, però. Ehi» mi diede un colpetto con indice e pollice sulla tempia, «gli stessi occhiali? Non li hai cambiati?»

«Io...» Riuscivo soltanto a scuotere la testa.

«Che c'è?» Allungò le mani. «Ce l'hai con me perché sono contento di vederti?»

Risi. Non sapevo da dove cominciare. «Perché non hai lasciato un recapito?» dissi.

«Allora non sei arrabbiato con me? Non mi odierai per sempre?» Anche se non sorrideva, si stava mordendo il labbro inferiore, divertito. «Non...» fece un cenno verso la strada, «non vuoi fare a botte o roba del genere?»

«Ma ciao» disse una donna magra e slanciata dagli occhi di ghiaccio, in jeans neri attillati, scivolando d'un tratto al fianco di Boris con una familiarità che mi fece pensare dovesse essere la sua ragazza, o sua moglie.

«Il famoso Potter» fece, tendendo una mano bianca e affusolata, piena di anelli d'argento. «Piacere. Ho sentito molto parlare di te.» Era appena più alta di lui, con lunghi capelli rovinati e un corpo snello ed elegante, inguainata di nero come un pitone. «Sono Myriam.»

«Myriam? Ciao! In realtà mi chiamo Theo.»

«Lo so.» La sua mano, nella mia, era fredda. Notai un simbolo esoterico blu tatuato sull'interno del polso. «Ma lui quando parla di te ti chiama Potter.»

«Parla di me? Ah, sì? E cosa dice?» Nessuno mi chiamava più Potter da anni, ma la sua voce calda mi fece tornare in mente una parola dimenticata che avevo imparato leggendo quei libri: il Serpentese, il linguaggio dei serpenti e degli stregoni.

Boris, che un attimo prima mi teneva un braccio intorno alle spalle, si era allontanato da me nell'istante in cui lei era apparsa, quasi avessero comunicato in codice. Ci fu uno scambio d'occhiate – che riconobbi all'istante, le stesse occhiate dei tempi dei furtarelli nei negozi, quando potevamo dirci *andiamo* oppure *arriva* senza spiccicare parola – e Boris, apparentemente agitato, si passò le dita fra i capelli e mi fissò.

«Resti da queste parti?» indagò, indietreggiando.

«Da quali parti?»

«Nel quartiere.»

«Volendo.»

«Voglio...» Si fermò, aggrottò la fronte e guardò la strada dietro di me. «Voglio parlarti. Ma adesso...» all'improvviso sembrava preoccupato, «non è un buon momento. Magari fra un'ora?»

Myriam, lo sguardo su di me, disse qualcosa in ucraino. Ci fu un breve scambio di battute. Poi lei fece scivolare il braccio intorno al mio in un modo stranamente intimo e mi guidò lungo la strada.

«Lì» indicò. «Vai per di qua, quattro o cinque isolati. C'è un bar, sulla Seconda. Un vecchio posto gestito da polacchi. Ti raggiungerà lì.»

v

Circa tre ore dopo ero ancora seduto nel bar polacco su un divanetto rosso di vinile, luci natalizie intermittenti e un fastidioso mix di punk-rock e polke natalizie che strombazzava dal juke-box, stufo di aspettare e di chiedermi se si sarebbe presentato o se invece era tempo che schiodassi di là. Non avevo fatto in tempo a domandargli niente, era successo tutto così in fretta. In passato avevo cercato Boris su Google un'infinità di volte – di lui neanche l'ombra – ma d'altro canto non mi aspettavo certo che conducesse il genere di vita che lo avrebbe reso facilmente rintracciabile online. Avrebbe potuto essere ovunque, e fare di tutto: pulire pavimenti in un ospedale, aggirarsi armato di fucile in qualche giungla sconosciuta, raccogliere mozziconi di sigarette per strada.

L'happy hour volgeva al termine, un gruppetto di studenti e alcuni artistoidi si erano uniti ai vecchi polacchi panciuti e ai punk brizzolati. Avevo appena finito la mia terza vodka; in quel bar le dosi erano generose, e non era il caso di ordinarne una quarta; sapevo che avrei dovuto mangiare qualcosa, ma non avevo fame, e il mio umore si faceva ogni minuto più nero. Pensare che mi avesse dato buca dopo tutti quegli anni era davvero deprimente. Anche se, a prenderla con filosofia, almeno ero stato costretto a rinunciare alla mia missione droga: non ero andato in overdose, non stavo vomitando in un cestino della spazzatura, non mi avevano derubato né mi ero fatto beccare a chiedere roba a un poliziotto in borghese...

«Potter.» Eccolo che si sedeva di fronte a me, scostandosi i capelli dagli occhi con un gesto che mi riportò indietro di anni.

«Stavo per andarmene.»

«Scusa.» Lo stesso sorriso sporco e seducente. «Avevo da fare. Myriam non te l'ha spiegato?»

«No.»

«Be'. Non è come timbrare il cartellino. Senti» disse, chinandosi in avanti, le mani sul tavolo, «non essere arrabbiato! Non mi aspettavo di incontrarti! Ho fatto più in fretta che ho potuto! Ho corso, praticamente!» Allungò il braccio e mi diede un buffetto sulla guancia. «Mio Dio! Quanto tempo è passato? Sono contento di vederti! E tu non sei contento?»

Era diventato bello. Anche nei suoi momenti peggiori, strafatto ed emaciato come un cadavere, aveva sempre conservato un che di scaltro e di attraente, occhi vispi e un'intelligenza pronta, ma ora aveva perso quell'aspetto inquietante da mezzo morto di fame. La pelle era invecchiata, ma i vestiti gli cadevano bene, i lineamenti decisi e nervosi, una via di mezzo tra un eroico cavaliere e un pianista; e i suoi piccoli denti grigi e storti, notai, erano stati sostituiti da una fila regolare di denti bianchi in perfetto stile americano.

Vide che li guardavo e diede un colpetto a un incisivo con l'unghia del pollice. «Nuovi di zecca.»

«Me ne sono accorto.»

«Li ha fatti un dentista in Svezia» disse Boris, facendo un cenno al cameriere. «Mi sono costati una fortuna, cazzo. Mia moglie non mi dava tregua, Borja la tua bocca fa schifo! Dicevo che non lo avrei mai fatto, ma sono stati i soldi meglio spesi.»

«Quando ti sei sposato?»

«Eh?»

«Potevi portarla, se volevi.»

Mi guardò sorpreso. «Cosa, intendi Myriam? No, no...» Allungò una mano nella tasca della giacca, trafficò col telefono. «Myriam non è mia moglie! Questa...» mi passò il telefono, «*questa* è mia moglie. Che prendi?» disse, prima di voltarsi e rivolgersi al cameriere in polacco.

Sull'iPhone c'era la fotografia di uno chalet coperto di neve e, davanti, una bellissima bionda sugli sci. Al suo fianco, due bambini biondi infagottati, di sesso imprecisato, anche loro con gli sci ai piedi. Più che un'istantanea sembrava la pubblicità di qualche salutare prodotto svizzero: yogurt o Bircher müsli.

Lo guardai stupefatto. Lui distolse lo sguardo, con un gesto molto russo del tipo: *sì, be', è così.*

«Tua *moglie*? Sul serio?»

«Già» fece, un sopracciglio alzato. «E i miei bambini. Gemelli.»

«Cazzo.»

«Sì» disse con rammarico. «Nati quand'ero molto giovane... troppo giovane. Non è stato facile, lei voleva tenerli – "Borja, come puoi pensare..." – e che potevo dire? A essere sincero, nemmeno li conosco bene. In realtà, il più piccolo – nella foto non c'è – non l'ho proprio visto. Credo abbia solo, quanto? Sei settimane?»

«Cosa?» Guardai di nuovo la fotografia, sforzandomi di conciliare quella perfetta famiglia nordica col Boris che conoscevo. «Avete divorziato?»

«No no no...» La vodka era arrivata in una caraffa ghiacciata, e lui la stava versando in due bicchierini. «Astrid e i bambini stanno quasi sempre a Stoccolma. A volte lei viene ad Aspen d'inverno per sciare – era una campionessa di sci, a diciannove anni si è qualificata per le Olimpiadi...»

«Ah, sì?» dissi, sforzandomi di non apparire incredulo. Visti più da vicino, i bambini sembravano decisamente troppo biondi e sani per essere anche solo lontanamente imparentati con Boris.

«Sì, sì» disse lui, serio, annuendo con una certa foga. «Ha bisogno di stare sempre dove si scia e... tu mi conosci, odio quella neve del cazzo, ah! Suo padre è un tipo di destra... praticamente un nazista. È ovvio che Astrid soffra di depressione, con un padre come quello! Che odioso pezzo di merda! Ma è gente infelice, tristissimi, tutti quanti, gli svedesi. Un minuto ridono e bevono e quello dopo... buio, non una parola. *Dziękuję*» disse al cameriere, che era ricomparso con un vassoio carico di piattini: pane nero, insalata di patate, due tipi di aringhe, cetrioli con panna acida, cavolo stufato e uova sott'aceto.

«Non sapevo che facessero anche da mangiare qui.»

«Non lo fanno» rispose Boris, spalmando del burro su una fetta di pane nero e ricoprendolo di sale. «Ma sto morendo di fame. Gli ho chiesto di ordinare qualcosa dal locale accanto.» Fece tintinnare il suo bicchiere contro il mio. «*Sto lat!*» esclamò, il suo vecchio modo di brindare.

«*Sto lat.*» La vodka era aromatizzata con una qualche erba amara che non riuscivo a identificare.

«Allora» dissi, servendomi del cibo. «Myriam?»

«Eh?»

Tesi i palmi aperti nel mimare il nostro vecchio gesto: *avanti, spiega.*

«Ah, Myriam! Lavora per me! È un po' "il mio uomo di fiducia". Anche se, ti dirò, è meglio di qualsiasi uomo si possa trovare. Che donna, mio Dio. Non ce ne sono tante come lei, te lo dico io. Vale tanto oro quanto pesa. Ecco, ecco» disse, riempiendo di nuovo il mio bicchiere e passandomelo. «*Za vstrechu!*» e sollevò il suo verso di me. «Al nostro incontro!»

«Non devo fare un brindisi anch'io?»

«Sì, sì...» disse, «ma io ho fame e tu ci stai mettendo troppo.»

«Al nostro incontro, allora.»

«Al nostro incontro! E alla sorte! Che ci ha riuniti!»

Appena ebbe finito di bere, Boris si gettò a capofitto sul cibo.

«E cosa fai, esattamente?» gli chiesi.

«Un po' di questo, un po' di quello.» Mangiava ancora con l'appetito innocente e vorace di un bambino. «Varie cose. Me la cavo, capisci?»

«E dove vivi? A Stoccolma?» ipotizzai, dato che non rispondeva.

Lui fece un ampio gesto con la mano. «Dappertutto.»

«Nel senso...?»

«Oh, sai. Europa, Asia, America del Nord, del Sud...»

«Oh, ovunque, quindi.»

«Be'» disse, con la bocca piena di aringhe, pulendosi uno sbaffo di panna acida dal mento, «ho anche un piccolo business, se capisci cosa intendo.»

«Scusa?»

Innaffiò le aringhe con un lungo sorso della birra che nel frattempo ci avevano portato. «Sai com'è. Ufficialmente gestisco una

ditta di pulizie. Soprattutto lavoratori polacchi. Il nome è anche
un bel gioco di parole: "Polish cleaning service".[14] Capito?» Ad-
dentò un uovo. «Indovina qual è il nostro slogan? "Ti ripuliamo",
ah!»

Preferii non commentare. «Quindi per tutto questo tempo sei
stato qui, negli Stati Uniti?»

«Oh, no!» Aveva versato a entrambi un terzo bicchiere di vodka. «Viaggio molto. Sto qui forse sei, otto settimane all'anno. Per il
resto...»

«In Russia?» dissi, scolando il mio shot e asciugandomi la bocca
col dorso della mano.

«Non molto. Europa del Nord. Svezia, Belgio. Germania, a volte.»

«Pensavo te ne fossi andato.»

«Eh?»

«Perché... be'. Non ti ho più sentito.»

«Ah.» Boris si grattò il naso, impacciato. «È stato un periodo
incasinato. Ti ricordi a casa tua... l'ultima notte?»

«Certo.»

«Be'. Non ho mai visto tanta droga in vita mia. Tutta quella coca,
e non ne ho venduta neanche un granello, neanche un quarto di
grammo. Di certo ne ho regalata molta... ero molto popolare a
scuola, ah! Mi adoravano tutti! Ma la maggior parte... è andata
dritta su per il mio naso. Poi ti ricordi i sacchetti di plastica che
abbiamo trovato, con quelle pillole di tutti i tipi, ti ricordi? Quelle
piccole verdi? Erano pasticche per il cancro, stadio terminale... tuo
padre doveva starci proprio sotto, se prendeva quella roba.»

«Già, ne ho presa qualcuna anch'io.»

«Ah, quindi lo sai! Non lo fanno neanche più, quel fantastico
ossicodone verde! Adesso fanno apposta a fare roba che non si può
né iniettare né sniffare! Ma tuo padre? Tipo... passare dall'alcol a
quelle? Meglio essere un ubriacone in mezzo a una strada, tutta la
vita. La prima volta che ne ho presa una sono svenuto prima ancora
di rendermene conto... se non ci fosse stata Kotku...» si passò un
dito lungo la gola, «*pfff.*»

---

[14] *Polish* significa sia «polacco» sia «lucido». (*N.d.T.*)

«Già» dissi, ripensando alla mia beatitudine intontita, accasciato sulla scrivania al piano di sopra, da Hobie.

«Comunque...» Boris si scolò la vodka in un sorso e ne versò altra a entrambi. «Xandra la vendeva. Non *quelle*, quelle erano di tuo padre. Per uso personale. Ma l'altra la spacciava nel locale dove lavorava. Quella coppia, Stewart e Lisa, te la ricordi? Quelli superperfettini tipo agenti immobiliari? Erano loro che la rifornivano.»

Posai la forchetta. «E tu come lo sai?»

«Perché me l'ha detto lei! E mi sa che si incazzavano pure, quando non riusciva a piazzarla. Il signor Faccia da Avvocato e la signorina Borsetta Fiorata, tutti carini e gentili a casa tua... le accarezzavano la testa... "cosa possiamo fare...", "povera Xandra...", "ci dispiace davvero tanto...", poi la loro droga è sparita... *fiuu*. Ma quella è un'altra storia. Mi sono sentito in colpa quando me l'ha detto, per quello che avevamo fatto! L'abbiamo messa nei casini! Ma quando l'ho saputo...» si picchiettò il naso, «era già tutto qui. Kaput.»

«Aspetta... Xandra ti ha detto queste cose?»

«Sì. Dopo che te ne sei andato. Quando vivevo lì con lei.»

«Mi devo essere perso qualche passaggio.»

Boris sospirò. «Be', okay. È una lunga storia. Ma non ci vediamo da un sacco di tempo, no?»

«Hai vissuto con Xandra?»

«Ecco, sai... andavo e venivo. Sono stato lì più o meno quattro o cinque mesi. Poi lei è andata a Reno. E non l'ho più sentita. Mio padre era tornato in Australia, e anche con Kotku eravamo ai ferri corti...»

«Assurdo.»

«Be'... abbastanza» disse lui, agitato. «Vedi...» Si abbandonò contro lo schienale, e con un gesto chiamò di nuovo il cameriere. «Ero messo male. Non dormivo da giorni. Sai com'è quando ti sfondi di cocaina, terribile. Ero solo e molto spaventato. Sai, quel malessere che ti prende l'anima, sei terrorizzato, col respiro affannato, hai paura tipo che la Morte allunga una mano e ti viene a prendere, hai presente? Magro, sporco, tremavo. Sembravo un gattino bagnato. Ed era anche Natale, non c'era nessuno! Ho chiamato diverse persone e nessuno rispondeva, sono andato da Lee, quel tipo da cui stavo qualche volta, nella casa con la piscina, ma non c'era nessuno nemmeno lì e la porta era chiusa a chiave. Ho camminato un sacco, praticamente barcollavo. Faceva freddo ed ero spaventato! A casa non c'era nessuno! Allora sono andato da Xandra. Kotku non mi parlava già più.»

«Hai avuto le palle. Io lì non ci sarei tornato nemmeno per un milione di dollari.»

«Lo so, ci sono volute le cosiddette palle, ma ero *talmente* solo e stavo male. Hai presente quando vuoi solo startene sdraiato a guardare un orologio e contare i battiti del tuo cuore, però non hai un posto dove sdraiarti? E non hai un orologio? Per poco non piangevo! Non sapevo cosa fare! Non sapevo nemmeno se lei era ancora lì. Ma le luci erano accese – le uniche in tutta la via – allora sono andato alla porta a vetri e l'ho vista, con la solita maglietta dei Dolphins, in cucina che si preparava un margarita.»

«E lei che ha fatto?»

«Ah! All'inizio non voleva farmi entrare! Stava sulla porta a urlare, mi ha insultato, me ne ha dette di tutti i colori! Ma poi mi sono messo a piangere. E quando le ho chiesto se potevo stare con lei» scrollò le spalle, «ha detto di sì.»

«Cosa?» feci, allungandomi a prendere il bicchiere che mi aveva riempito. «Intendi proprio stare *stare*?»

«Avevo paura! Lei mi ha lasciato dormire nella sua stanza, con la TV accesa sui film di Natale!»

«Mmm.» Voleva che insistessi per farmi raccontare i dettagli, ma dalla sua espressione allegra non ero sicuro se credere a quella storia della stanza e via dicendo. «Be', sono contento che ti sia andata bene, direi. Ti ha detto qualcosa di me?»

«Qualcosina» ridacchiò. «In realtà, un sacco di roba! Perché, be', non ti arrabbiare, ma ho incolpato te di alcune cose.»

«Mi fa piacere esserti stato utile.»

«Sì, certo!» Fece tintinnare il bicchiere contro il mio, raggiante. «Molte grazie! Se tu avessi fatto lo stesso, a me non sarebbe importato. Sul serio, però, povera Xandra, credo che fosse contenta di vedermi. Di vedere *qualcuno*. Voglio dire…» scolò il suo shot, «era assurdo... quegli amici terribili... era completamente sola, laggiù. Beveva un sacco, e aveva paura di andare al lavoro. Poteva succederle qualunque cosa... nessun vicino, davvero inquietante. Perché Bobo Silver... be', comunque Bobo alla fine non era poi così cattivo. Lo chiamano "Mensch" e non per niente! Xandra ne aveva una paura folle, ma lui non la perseguitò per i debiti di tuo padre, almeno non in modo serio. Per niente. E tuo padre gli doveva un sacco di soldi. Probabilmente Silver si era reso conto che lei era al verde, tuo padre aveva fottuto anche lei alla grande, nel vero senso della parola. Tanto valeva lasciarla in pace. Non si può cavar sangue da una rapa. Ma quegli altri, i suoi cosiddetti amici, erano spietati come banchieri. Hai presente? "Mi devi dei soldi", molto tosti, ammanicati, facevano paura. Peggio di Bobo! Non era nemmeno una somma enorme, ma lei non ce li aveva e loro erano cattivi, tipo...» (imitandoli, con la testa inclinata e il dito puntato in un gesto aggressivo) «"vaffanculo, noi non aspettiamo, è meglio che t'inventi qualcosa". Roba del genere. Comunque... per fortuna che ero tornato e l'ho aiutata.»

«E come?»

«Le ho restituito i soldi che le avevo preso.»

«Li avevi tenuti da parte?»

«Be', no» rispose, come se fosse ovvio. «Li avevo spesi. Ma... avevo qualcosa per le mani, capisci. Perché subito dopo che la coca era finita... avevo portato i soldi a Jimmy, al negozio di pistole, e ne avevo comprata altra. Vedi, l'avevo comprata per me e Amber – per noi due e basta. Una ragazza bellissima, innocente, speciale. E molto giovane, sui quattordici anni, non di più! Quella sera all'MGM Grand ci eravamo avvicinati molto, seduti sul pavimento del bagno per tutta la notte, nella suite del padre di KT, a parlare. Non ci siamo nemmeno baciati! Solo chiacchiere chiacchiere chiacchiere! Per poco non scoppiavo in lacrime. Ci confidammo l'uno con l'altra, veramente. E...» si mise la mano sullo sterno, «quando si fece giorno ero così triste, del tipo *ma perché è tutto finito?* Potevamo restare lì a parlare per sempre! Essere felici e contenti per sempre! Ci eravamo avvicinati fino a quel punto, vedi, in una sola notte. Comunque... questo è il motivo per cui andai da Jimmy. Lui aveva della coca veramente di merda; non valeva la metà di quella di Stewart e Lisa. Ma vedi, tutti sapevano... tutti avevano saputo di quel weekend all'MGM Grand, e di tutta la coca che avevo. Venne da me della gente. Una decina di persone, il primo giorno che tornai a scuola. Mi buttavano i soldi addosso. "Me ne prendi un po'... me ne prendi un po'... ne prendi un po' al mio socio... ho problemi di concentrazione, mi serve per studiare..." Nel giro di pochissimo la vendevo ai giocatori di football dell'ultimo anno e a mezza squadra di basket. E pure a un sacco di ragazze... amiche di Amber e KT... o amiche di Jordan... e anche a studenti dell'Università del Nevada. Con le prime partite ci ho perso dei soldi – non sapevo quanto chiedere, vendevo grandi quantità a prezzi troppo bassi, sai com'è, volevo stare simpatico a tutti, *bla bla bla*. Ma una volta imparato a gestire la cosa... ero ricco! Jimmy mi faceva sconti enormi, stava guadagnando un sacco di grana anche lui. Perché gli stavo facendo un favore, capisci, a vendere droga a ragazzi che avevano paura di comprarla da soli... paura di comprarla da gente come Jimmy. KT... Jordan... quelle ragazze avevano un sacco di grana! Erano *sempre* contente di affidarmi i loro soldi. La coca non è come l'ecstasy – vendevo anche quella, ma quella va a momenti, magari ne vendi una montagna all'inizio, e poi più niente per giorni, invece con la coca avevo i miei clienti regolari, che mi chiamavano due o tre volte la settimana. Voglio dire, solo KT...»

«Wow.» Anche dopo tutti quegli anni, sentire quel nome smuoveva qualcosa in me.

«Sì! A KT!» Levammo i bicchieri e bevemmo.

«Che bellezza!» Boris batté il bicchiere sul tavolo. «Quando stavo vicino a lei non capivo più niente. Bastava respirare la sua stessa aria.»

«Ci sei andato a letto?»

«No... Dio, ci ho provato... ma mi ha fatto una sega nella cameretta del fratellino, una sera che era fatta e di buon umore.»

«Me ne sono andato al momento sbagliato.»

«Sicuro. Sono venuto nei pantaloni prima che lei mi tirasse giù la cerniera. E i soldi che le passavano i suoi...» si allungò verso il mio bicchiere vuoto. «Duemila al mese! E soltanto per i vestiti! Solo che ne aveva già così tanti, che voglio dire, ma che se ne doveva fare di altra roba nuova? Comunque, verso Natale stavo messo come nei film, col simbolo del dollaro negli occhi e il rumore dei soldi nelle orecchie. Il telefono squillava di continuo. Erano tutti miei grandi amici! Ragazze che non avevo mai visto mi baciavano e si strappavano dal collo gioielli d'oro per darmeli! Prendevo tutte le droghe possibili e immaginabili, giorno e notte, strisce lunghe come la mia mano, ed ero pieno di soldi. Un tipo mi ha dato una moto, un altro una macchina usata. Mi piegavo per raccogliere i vestiti dal pavimento e mi cadevano centinaia di dollari dalle tasche, e non avevo idea da dove venissero.»

«Wow. Mi stai dando un mucchio di informazioni, quasi non riesco a starti dietro.»

«Be', non dirlo a me! Ma è il mio normale processo di apprendimento, questo. Dicono che l'esperienza è una buona maestra, e di solito è vero, ma io sono fortunato che tutta quell'esperienza non mi abbia ucciso. Ogni tanto… quando mi capita di bere qualche birra… magari mi faccio una o due strisce. Ma non mi piace neanche più tanto. Mi sono bruciato per bene. Se mi avessi visto qualcosa come cinque anni fa, ero tutto…» tirò in dentro le guance, «così. Ma…» Era riapparso il cameriere, con altre aringhe e altra birra. «Basta parlare di me. Tu…» mi squadrò, «che combini? Sei messo piuttosto bene, mi pare.»

«Abbastanza, direi.»

«Ah!» Si poggiò all'indietro, col braccio sullo schienale del divanetto. «Strana la vita, eh? Antiquariato? La vecchia checca? Ti ha insegnato il mestiere?»

«Esatto.»

«Gli affari vanno bene, ho sentito.»

«Esatto.»

Mi squadrò di nuovo. «Sei felice?»

«Non molto.»

«Allora, senti che ti dico, ho una grande idea. Vieni a lavorare con me!»

Scoppiai a ridere.

«No, non sto scherzando! No no» disse. E quando cercai di

ribattere mi zittì versandomi un altro bicchiere e passandomelo. «Quanto ti dà? Sul serio. Io ti do il doppio.»

«No, il mio *lavoro* mi piace...» Mi sentivo la lingua pesante, ero davvero così ubriaco? «Quello che *faccio* mi piace.»

«Sì?» Sollevò il bicchiere verso di me. «Allora perché non sei felice?»

«Non mi va di parlarne.»

«Perché?»

Feci un gesto di rifiuto con la mano. «Perché...» Ormai avevo perso il conto dei bicchieri. «Perché no.»

«Se non è il lavoro, allora... cos'è?» Anche Boris se ne era scolato un altro, scuotendo energicamente la testa, e si era buttato sul piatto di aringhe. «Problemi di soldi? Ragazze?»

«Nessuno dei due.»

«Quindi ragazze» disse trionfante. «Lo sapevo.»

«Senti...» Mi scolai il resto della vodka e battei il bicchiere sul tavolo – ero un genio, non riuscivo a smettere di sorridere, all'improvviso avevo avuto un'idea fantastica, la migliore da anni! «Andiamocene di qui. Forza... andiamo! Ho una bella sorpresa per te.»

«*Andarcene?*» disse Boris, visibilmente irritato. «E dove?»

«Vieni con me. Vedrai.»

«Voglio stare qui.»

«Boris...»

Si appoggiò allo schienale. «Lascia perdere, Potter» disse, alzando le mani. «Rilassati.»

«Boris!» Guardai la gente nel bar, quasi mi aspettassi di vederli scattare in piedi indignati, poi di nuovo lui. «Sono stufo di stare seduto qui! *Sono qui da ore.*»

«Ma...» Era infastidito. «Mi sono liberato per te, stasera! Avevo delle cose da fare! E tu te ne vai?»

«Sì! E tu verrai con me! Perché...» tesi le braccia, «ho una sorpresa!»

«Una sorpresa?» Appallottolò il tovagliolo e lo lanciò sul tavolo. «Quale sorpresa?»

«Lo scoprirai.» Ma cosa gli prendeva? Non si ricordava più come si faceva a divertirsi? «Forza, vieni, andiamo.»

«Perché? Adesso?»

«Perché sì!» Il bar era buio e rumoroso, non mi ero mai sentito tanto sicuro di qualcosa in vita mia come in quel momento, ed ero abbagliato dalla mia stessa intelligenza. «Forza. Bevi.»

«Dobbiamo proprio?»

«Ne sarai felice. Promesso. Dai!» dissi, allungandomi e scuotendogli amichevolmente le spalle. «Dai, non dico stronzate, è una sorpresa che non ti immagini nemmeno.»

Tornò ad appoggiarsi allo schienale con le braccia conserte e uno sguardo sospettoso. «Credo che tu ce l'abbia con me.»

«Boris, ma che cazzo.» Ero così ubriaco che nell'alzarmi incespicai, e dovetti aggrapparmi al tavolo. «Non discutere. Andiamo e basta.»

«Temo sia un errore, venire da qualche parte con te.»

«Oh, allora?» Lo guardai con un occhio semichiuso. «Vieni o no?»

Boris mi squadrò freddo. Poi si pizzicò l'attaccatura del naso e disse: «Non mi dirai dove andiamo, ovviamente».

«No.»

«Ti scoccia se ci facciamo accompagnare dal mio autista?»

«Il tuo autista?»

«Certo. Sta aspettando a un paio di isolati da qui.»

«Cazzo.» Distolsi lo sguardo e risi. «Tu hai un *autista*?»

«Allora, per te non è un problema se andiamo con lui?»

«E perché dovrebbe essere un problema?» risposi, dopo un attimo di silenzio. Ero ubriaco fradicio, ma il suo atteggiamento mi insospettì: mi guardava con un'espressione strana, calcolatrice, che non gli avevo mai visto prima.

Vuotò il bicchiere e si alzò. «Molto bene» disse, rigirandosi una sigaretta spenta fra le dita. «Vediamo di farla finita con quest'assurdità, forza.»

VI

Davanti alla porta d'ingresso di Hobie, Boris aveva esitato, rimanendo in mezzo alla strada, come per il timore che la chiave nella toppa innescasse un'esplosione apocalittica. Il suo autista aveva parcheggiato davanti alla casa, in seconda fila, e ora sbuffava ampi cerchi di fumo fuori dal finestrino. In macchina, la conversazione fra lui e Boris si era svolta tutta in ucraino: non ero riuscito a capire niente, nonostante i miei due quadrimestri di russo al college.

«Vieni dentro» dissi, trattenendo a stento un sorriso. Cosa pensava, l'idiota, che gli sarei saltato addosso, che l'avrei rapito? Ma lui non si mosse, le mani infilate nelle tasche del cappotto e gli occhi fissi sull'autista, che si chiamava Genka o Gyuri o Gyorgi, o insomma, un nome del cazzo che avevo già dimenticato.

«Qual è il problema?» dissi. Se fossi stato meno sbronzo forse mi sarei arrabbiato, ma in quel momento la sua paranoia mi divertì.

«Dimmelo, perché siamo venuti fin qua?» chiese, sempre senza avvicinarsi.

«Lo vedrai.»

«È qui che vivi?» domandò sulla porta, sospettoso, dando un'occhiata al salotto. «Questa è casa tua?»

Entrando, avevo fatto più rumore del previsto. «Theo?» gridò Hobie. «Sei tu?»

«Sì.» Era vestito di tutto punto, in giacca e cravatta. *Merda*, pensai, *ci sono ospiti?* Con un sussulto, mi resi conto che era ora di cena, sebbene per come mi sentivo avrebbero potuto essere le tre del mattino.

Boris era scivolato piano dietro di me, le mani sempre in tasca; aveva lasciato la porta spalancata, e osservava attentamente le grandi urne in basalto e il lampadario.

«Oh, Hobie» dissi; era spuntato nell'ingresso, con lo sguardo perplesso, seguito dalla signora DeFrees che avanzava con passo ansioso. «Ciao, Hobie, ti ricordi di quando ti ho parlato di…»

«*Popchik!*»

Il fagottino bianco – che aveva diligentemente trotterellato lungo il corridoio per raggiungere la porta – si bloccò. Poi emise un verso acuto e cominciò a correre più veloce che poteva (non più tanto veloce, ormai) e Boris, ridendo forte, cadde in ginocchio.

«Oh!» esclamò, e lo prese in braccio, mentre Popchik si dimenava come un ossesso. «Sei ingrassato! È ingrassato!» disse, indignato, mentre il cane balzava su e giù e gli leccava la faccia. «L'hai fatto ingrassare! Sì, sì, ciao, *pustyška*, piccola palla di pelo, ciao! Ti ricordi di me, vero?» Si era buttato di schiena, lungo disteso, in preda alle risate, con Popchik che, strepitante di gioia, gli saltava addosso. «Si ricorda di me!»

Hobie si sistemò gli occhiali sul naso e osservò la scena divertito; la signora DeFrees, un po' meno divertita, era dietro di lui e, con la fronte leggermente aggrottata, assisteva allo spettacolo del mio ospite che si rotolava col cane sul tappeto.

«Non mi dire» fece Hobie, infilando le mani nelle tasche della giacca. «Questo sarebbe...?»

«Esatto.»

VII

Non restammo a lungo. Hobie aveva sentito molto parlare di Boris, andiamo a bere qualcosa!, e Boris era preso da Hobie, e curioso, come avrei potuto esserlo io se fosse spuntata Judy, la barista di Karmeywallag, o qualche altro mitico personaggio del suo passato, ma eravamo ubriachi e facevamo un po' troppo casino e pensai che avremmo potuto infastidire la signora DeFrees, la quale, sebbene con un sorriso educato, se ne stava seduta rigida su una sedia in corridoio, in silenzio, con le piccole mani piene di anelli poggiate in grembo.

Così ce ne andammo, trascinandoci dietro Popchik che ci seguiva eccitato, con Boris che urlava, contentissimo, e faceva un cenno all'autista per dirgli di fare il giro dell'isolato e venire a prenderci. «Sì, *pustyška*, sì!» diceva a Popper. «È la nostra macchina! Sì!»

Poi d'un tratto venne fuori che l'autista di Boris parlava inglese bene quanto lui, ed eravamo lì, insieme, noi tre – quattro, contando Popper, che dritto sulle zampe posteriori si era appoggiato al finestrino e guardava, serio, le luci della West Side Highway, mentre Boris gli borbottava qualcosa e lo baciava sulla nuca e nel frattempo spiegava a Gyuri (l'autista), un po' in russo un po' in inglese, quanto fosse fantastico il suo amico d'infanzia, sangue del suo sangue! (Gyuri si voltò e si allungò per stringermi la mano con fare solenne), e quant'era meravigliosa la vita a far sì che due amici tanto stretti si ritrovassero in un mondo tanto vasto dopo una separazione tanto lunga.

«Sì» disse Gyuri, malinconico, mentre svoltava in Houston Street così bruscamente che andai a sbattere contro la portiera, «è la stessa cosa di me e Vadim. Lo rimpiango tutti i giorni. Lo rimpiango così tanto che mi sveglio di notte piangendo. Vadim era mio fratello...» si girò a guardarmi, e intanto passava sulle strisce coi pedoni che si scansavano, le facce stupefatte oltre i finestrini sporchi, «più di un fratello. Come io e Borja. Ma Vadim...»

«Una storia terribile» mi sussurrò Boris, e poi, a Gyuri: «Sì, sì, terribile...».

«... Vadim è finito sottoterra troppo presto. È proprio vera la canzone che si sente alla radio, la conosci *Only the good die young*?, quella del cantante di *Piano Man*.»

«Ci starà aspettando laggiù» disse Boris con una pacca consolatoria sulla spalla di Gyuri.

«Sì, è quello che gli ho detto di fare» borbottò Gyuri, inchiodando così improvvisamente che fui scaraventato in avanti e Popchik cadde giù dal sedile. «Queste cose sono profonde... e le parole non rendono giustizia. La lingua umana non le può esprimere. Ma alla fine, mentre lo seppellivo, io gli ho parlato con l'anima. "Aspettami, Vladim. Tienimi le porte aperte, fratello. Tienimi un posto, lì dove ti trovi ora." Solo Dio...» *ti prego*, pensavo, cercando di mantenere la calma mentre recuperavo Popchik e me lo mettevo in grembo, *per favore, cazzo, guarda la strada.* «... Fëdor, aiutami, per favore, ho due domande importanti su Dio. Tu insegni all'università» (*cosa?*) «quindi forse mi puoi rispondere. La prima domanda...» incrociò il mio sguardo nello specchietto retrovisore, sollevando un dito verso l'alto, «Dio ce l'ha il senso dell'umorismo? Seconda domanda: Dio ha un senso dell'umorismo crudele? Del tipo: Dio gioca con noi e ci tortura per divertirsi, come i bambini cattivi con le lucertole in giardino?»

«Uh» dissi, allarmato dall'intensità del suo sguardo, che era su di me invece che sulla strada, «be', forse, non lo so, di sicuro spero di no.»

«Lui non è l'uomo giusto a cui fare queste domande» intervenne Boris, offrendomi una sigaretta e poi passandone una a Gyuri. «Dio ha torturato Theo per un bel po'. Se la sofferenza nobilita, allora lui è un principe. Ora, Gyuri...» disse appoggiandosi al sedile, in una nuvola di fumo, «un favore.»

«Qualunque cosa.»

«Ti va di tenere il cane dopo che ci hai fatto scendere? Portalo in giro, qui seduto sul sedile posteriore, dove vuole lui.»

Il locale era dalle parti del Queens, non avrei saputo dire dove con esattezza. Nella sala principale (con tanto di tappeto rosso, il genere di posto dove saresti potuto andare appena uscito di galera per salutare il vecchio patriarca della tua famiglia), numerosi avventori, riuniti in circolo su poltrone Luigi XVI, mangiavano, fumavano e facevano baldoria, dandosi virili pacche sulla schiena intorno a dei tavoli con sopra delle sgargianti tovaglie color oro. Alle loro spalle, sulle ampie pareti laccate di rosso, ghirlande natalizie e decorazioni risalenti all'era sovietica fatte di lampadine e carta stagnola colorata – galli, nidi d'uccello, stelle rosse e missili e falce e martello con delle scritte kitsch in cirillico (*Buon Anno, compagno Stalin*) – penzolavano precarie. Boris (anche lui bello ubriaco; in macchina aveva continuato a bere) mi circondava col braccio e, in russo, mi presentava a giovani e vecchi come suo fratello, cosa che, mi resi conto, la gente prendeva alla lettera, a giudicare dalla quantità di uomini e donne che mi abbracciavano e baciavano e dai bicchierini di vodka che volevano versarmi dalle bottiglie enormi che tiravano fuori dai secchielli di cristallo ricolmi di ghiaccio.

Finalmente, in un modo o nell'altro, arrivammo nel retro del locale, che era chiuso da tende di velluto nero e sorvegliato a vista da un ceffo con la testa rasata e gli occhi da vipera, tatuato dalla testa ai piedi di scritte in cirillico. La stanza rimbombava di musica e puzzava di sudore, dopobarba, erba e sigari Cohiba: Armani, tute da ginnastica, Rolex di platino e diamanti. Non avevo mai visto così tanti uomini con tanto oro addosso: anelli d'oro, catene d'oro, incisivi d'oro. Sembrava uno strano sogno, confuso e luccicante; e io ero talmente sbronzo che non riuscivo a mettere a fuoco né a fare nient'altro che non fosse annuire e salutare con la mano e lasciare che Boris mi trascinasse tra la gente. A un certo punto, a notte inoltrata, riapparve Myriam, come un'ombra; dopo avermi salutato con un bacio sulla guancia austero e inquietante, un gesto solenne, sospeso nel tempo, lei e Boris svanirono lasciandomi a un tavolo con dei russi ubriachi che fumavano come ciminiere e sembravano conoscermi molto bene («Fëdor!»), e mi davano pacche sulle spalle e mi versavano da bere offrendomi cibo e Marlboro, parlandomi amichevolmente in russo senza aspettarsi risposta...

Poi sentii una mano sulla spalla. Qualcuno che mi sfilava gli occhiali. «Ciao...» dissi alla sconosciuta che d'un tratto mi ritrovai seduta in grembo.

Zhanna. Ciao, Zhanna! Che fai adesso? Io niente di che. Tu? Una pornostar, con l'abbronzatura da lettino e le tette rifatte che le uscivano dal vestito. Nella mia famiglia siamo tutti veggenti: mi permetti di leggerti la mano? Ehi, certo: parlava un buon inglese, ma nel frastuono del locale era difficile capire quello che diceva.

«Vedo che sei un filosofo nato.» Fece scivolare sul palmo un'unghia color rosa Barbie. «Molto, molto intelligente. Alti e bassi... hai fatto un po' di tutto nella vita. Ma sei solo. Sogni di incontrare una ragazza e passare con lei il resto della vita, giusto?»

Poi ricomparve Boris, da solo. Prese una sedia e si sedette. Seguì una breve conversazione in ucraino fra lui e la mia nuova amica, che si concluse con lei che mi rinfilava gli occhiali e se ne andava, non prima di aver scroccato una sigaretta a Boris e di averlo baciato sulla guancia.

«La conosci?» gli chiesi.

«Mai vista in vita mia» rispose lui, accendendosi una sigaretta. «Ora possiamo andare, se vuoi. Gyuri ci aspetta qui fuori.»

VIII

S'era fatto tardi. Il sedile posteriore dell'auto sembrava il paradiso, dopo la confusione del locale (l'intimo bagliore della radio, la musica a basso volume), e ce ne andammo in giro per ore, ridendo e parlando, con Popchik addormentato sulle ginocchia di Boris –

s'intrometteva anche Gyuri per raccontare con la sua voce roca di quand'era piccolo a Brooklyn e viveva in quelli che lui chiamava «i casermoni» (le case popolari) mentre io e Boris bevevamo vodka tiepida dalla bottiglia e tiravamo cocaina dal sacchetto che aveva preso dalla tasca del cappotto; ogni tanto Boris lo passava anche a Gyuri. Nonostante l'aria condizionata, la macchina era un forno; Boris era sudato in faccia e aveva le orecchie rosso fuoco. «Vedi» stava dicendo – si era già tolto la giacca; si stava levando i gemelli, infilandoseli in tasca e rimboccandosi le maniche della camicia, «è stato tuo padre a insegnarmi come vestirmi. Di questo gli sono grato.»

«Sì, mio padre ha insegnato a entrambi molte cose.»

«Già» disse, sincero – annuiva convinto, senza ironia, pulendosi il naso con la mano. «Sembrava sempre un gentiluomo. Cioè... tanta gente lì al locale... cappotti di pelle, roba di ciniglia, sembrano appena usciti dall'ufficio immigrazione. Molto meglio vestire in modo semplice, come tuo padre, con belle giacche, begli orologi ma *klassnyj*... hai capito, semplice, perché devi sentirti a tuo agio.»

«Sì.» Forse per deformazione professionale avevo notato l'orologio di Boris – svizzero, prezzo al dettaglio sui cinquantamila, un orologio da playboy – troppo appariscente per i miei gusti, ma decisamente sobrio rispetto ai patacconi d'oro e platino che avevo visto nel locale. All'interno dell'avambraccio vidi che aveva tatuata una stella di David blu.

«Cos'è?»

Sollevò il polso per farmi vedere meglio. «IWC. Un bell'orologio è come avere soldi in banca. Puoi darlo in pegno o venderlo, in situazioni d'emergenza. Questo è oro bianco ma sembra acciaio inossidabile. È sempre meglio indossare orologi che sembrano meno costosi di quello che sono.»

«No, il tatuaggio.»

«Ah.» Si rimboccò la manica e si guardò il braccio con rammarico, ma io non stavo più guardando il tatuaggio. La luce in macchina era bassa, nell'auto, ma sapevo riconoscere i segni dell'ago, quando li vedevo. «Intendi la stella? È una lunga storia.»

«Ma...» Sapevo che non era il caso di chiedergli spiegazioni. «Tu non sei ebreo.»

«No, no!» disse Boris indignato, tirando giù la manica. «Certo che no!»

«Be', allora direi che la domanda è perché.»

«Perché ho detto a Bobo Silver che lo ero.»

«Cosa?»

«Perché volevo lavorare con lui! Quindi ho mentito.»

«Ma che cazzo dici.»

«È vero! Veniva spesso a casa di Xandra – faceva avanti e indietro per la strada, curiosava, perché sospettava che ci fosse qualcosa sotto, tipo che tuo padre non fosse morto – e un giorno mi sono fatto coraggio e sono andato a parlarci. Mi sono offerto di lavorare per lui. Le cose mi stavano sfuggendo di mano – a scuola c'erano problemi, qualcuno era finito in riabilitazione, qualcun altro era stato espulso – e avevo bisogno di tagliare i ponti con Jimmy, di fare qualcos'altro per un po'. E sì, il mio cognome non c'entrava proprio niente, ma in Russia Boris è il nome di molti ebrei, quindi ho pensato, perché no? Ma come facevo a dirglielo? Quindi il tatuaggio mi è sembrato una mossa furba... per convincerlo, sai, che ero a posto. Me lo sono fatto fare da un tizio che mi doveva un centinaio di dollari. Mi sono inventato una bella storia triste, mia madre ebrea polacca, la sua famiglia in un campo di concentramento, *bla bla bla*... ma che cazzo, non mi è venuto in mente che gli ebrei mica possono tatuarsi. Perché ridi?» chiese, sulla difensiva. «Un tipo come me... gli era utile, sai? Parlo inglese, russo, polacco, ucraino. Ho studiato. Comunque, lui sapeva benissimo che non ero ebreo. Mi rise in faccia ma mi prese comunque a lavorare, e fu molto gentile da parte sua.»

«Come hai fatto a lavorare per uno che voleva uccidere mio padre?»

«Non voleva uccidere tuo padre! Non è vero, non è giusto. Voleva solo spaventarlo! Comunque... sì, ho lavorato per lui per quasi un anno.»

«Cosa facevi?»

«Niente di losco, anche se ti sembrerà strano. Gli facevo da assistente: consegnavo messaggi, sbrigavo commissioni in giro, roba del genere. Portavo fuori i suoi cagnolini e andavo a ritirargli i vestiti in lavanderia! Bobo è stato generoso e disponibile, era un brutto periodo per me... è stato quasi un padre, te lo posso dire davvero con la mano sul cuore. Di sicuro lo è stato più del mio vero padre. Bobo è stato sempre onesto con me. Più che onesto. Buono. Da lui ho imparato molto, guardandolo in azione. Quindi non è un problema per me portare questa stella per lui. E questo...» si tirò su la manica fino al bicipite e mi mostrò una rosa trafitta dalle spine, con una scritta in cirillico, «questo è per Katya, l'amore della mia vita. L'ho amata più di qualsiasi altra donna io abbia mai conosciuto.»

«Lo dici di tutte.»

«Sì, ma con Katya è vero! Camminerei sui vetri rotti per lei! Attraverserei l'inferno, il fuoco! Darei la vita! Non amerò mai più nessuna quanto lei; nemmeno lontanamente. Era unica. Morirei felice se potessi passare anche un giorno solo con lei. Ma» tirandosi giù la manica «non bisogna mai tatuarsi il nome di una persona, perché altrimenti la perdi. Quando mi sono fatto il tatuaggio, ero troppo giovane per saperlo.»

IX

Non sniffavo coca da quando Carole Lombard se n'era andata da New York, e di andare a dormire non se ne parlava nemmeno. Alle sei e mezza del mattino, Gyuri girava ancora per il Lower East Side con Popchik sul sedile posteriore («Lo porto alla gastronomia! A prendere uova al bacon e formaggio!») e noi, strafatti, parlavamo in una bettola aperta tutta la notte sulla Avenue C, con le pareti scarabocchiate di graffiti e le finestre schermate da tela grezza per non far entrare la luce del sole, Ali Babà Club, Shot a Tre Dollari, Happy Hour dalle 10:00 a mezzogiorno, cercando di bere abbastanza birra da stramazzare.

«Sai cosa ho fatto al college?» gli stavo dicendo. «Ho seguito un corso di russo per principianti, per un anno. Solo per te. Andavo malissimo, però. Non l'ho imparato nemmeno abbastanza per riuscire a leggerlo, sai, *Eugenio Onegin* – dicono che devi leggerlo in originale, la traduzione non rende. Ma... ti pensavo così tanto! Mi ricordavo anche le cose piccole che dicevi – mi ricordavo tutto – oh, wow, senti, c'è *Comfy in Nautica*, la senti? Panda Bear! Mi ero completamente dimenticato di quell'album. Comunque. Per il corso di letteratura russa – letteratura russa tradotta – ho scritto un saggio sull'*Idiota*, e be', per tutto il tempo che mi ci è voluto a leggerlo non ho fatto altro che pensare a te, chiuso nella mia stanza a fumare le sigarette di mio padre. Era molto più facile ricordarmi i nomi, se immaginavo che fossi tu a dirmeli... anzi, era come ascoltare tutto il libro letto dalla tua voce! A Las Vegas avevi letto *L'idiota* per tipo sei mesi, ti ricordi? In originale. Per molto tempo non avevi fatto altro. Ti ricordi che i primi tempi non potevi scendere per via di Xandra? E io ti portavo da mangiare su, tipo Anna Frank? Comunque l'ho letto in inglese, *L'idiota*, ma avrei voluto arrivare a un livello di russo sufficiente per leggerlo in originale. Però non ce l'ho fatta.»

«Oh, quei cazzo di corsi» disse Boris, che non era rimasto troppo impressionato dalla mia storia. «Se vuoi parlare il russo, vieni a Mosca con me. Lo impareresti in due mesi.»

«Allora, hai intenzione di dirmi cosa fai?»

«Te l'ho detto. Un po' questo, un po' quello. Abbastanza da viverci, comunque.» Poi, dandomi un calcio sotto il tavolo: «Sembra che tu stia meglio, ora, eh?».

«Eh?» C'erano solo altre due persone nel locale con noi, un uomo e una donna, belli, pallidi come fantasmi, entrambi coi capelli corti e scuri, gli sguardi fissi l'uno sull'altra, e l'uomo teneva la mano della donna dall'altra parte del tavolo e le mangiucchiava e mordicchiava l'interno del polso. *Pippa*, pensai, colto da una fitta d'angoscia. Era quasi ora di pranzo, a Londra. Cosa stava facendo?

«Quando ti ho incontrato, sembravi lì lì per buttarti da un ponte» mi disse. Da dove era seduto, non vedeva la coppia. «Allora, state insieme, tu e Hobie?»

«Ma no!»

«Non intendevo quello!» Boris mi squadrò con disapprovazione. «Gesù, Potter, non essere così permaloso! Comunque, quella era sua moglie, giusto?»

«Sì» risposi, agitato, poggiandomi allo schienale. «Be', più o meno.» Il rapporto fra Hobie e la signora DeFrees era un grande mistero, così come il matrimonio di lei col signor DeFrees, con il quale era ancora legalmente sposata. «Pensavo fosse vedova da anni, ma non lo è. Lei...» mi chinai in avanti, strofinandomi il naso, «lei vive Uptown e lui al Village, ma sono sempre insieme... La signora DeFrees ha una casa nel Connecticut, a volte ci vanno per il weekend. È sposata... ma non vedo mai suo marito. Non ho ben capito. Io credo che siano solo amici. Scusa, parlo troppo. Non so davvero perché ti racconto tutte queste cose.»

«E lui ti ha insegnato il mestiere, eh? Sembra un brav'uomo. Un vero gentiluomo.»

«Uh?»

«Il tuo capo.»

«Non è il mio capo! È il mio socio.» L'effetto della cocaina stava svanendo; il sangue mi pulsava nelle orecchie, sibilando, un rumore acuto e intenso come il canto dei grilli. «In pratica io mi occupo soprattutto delle vendite.»

«Scusa!» disse Boris, alzando le mani. «Non c'è bisogno di incazzarsi. Ma dicevo sul serio, quando ti ho chiesto di venire a lavorare per me.»

«E come dovrei risponderti?»

«Senti, voglio ripagarti. Condividere con te tutte le cose buone che mi sono successe. Perché» disse, interrompendomi con un gesto brusco, «io ti devo tutto. Tutte le cose belle che mi sono successe, Potter, mi sono successe grazie a te.»

«Ah, sì? Io ti avrei fatto entrare nel giro dello spaccio, secondo te? Accidenti, okay» dissi, accendendo una delle sue sigarette e allungandogli il pacchetto, «buono a sapersi, mi fa sentire davvero a posto, grazie.»

«Spaccio di droga? Chi ha parlato di spaccio? Voglio sdebitarmi con te! Dopo tutto quello che mi è successo, è il minimo. Te lo dico, è una vita fantastica. Ci divertiremmo, insieme.»

«Stai parlando di quell'agenzia di escort che hai? È questo?»

«Senti, posso dirti una cosa?»

«Sì.»

«Mi dispiace davvero per quello che ti ho fatto.»

«Lascia stare. Non importa.»

«Perché non dovrei condividere con te una parte di quello che ho guadagnato per merito tuo? Consentire anche a te di raccogliere qualche frutto?»

«Ascolta, Boris. Non voglio essere coinvolto in niente di losco. Senza offesa, ma sto cercando in tutti i modi di tirarmi fuori da un guaio e, come ti dicevo, ora sono fidanzato, le cose sono cambiate, non credo di voler...»

«Perché non lasci che ti aiuti?»

«Non intendevo questo. Intendo... be', non voglio entrare nei dettagli, ma ho fatto delle cose che non avrei dovuto fare e a cui sto cercando di rimediare. Cioè, sto cercando di capire come rimediare.»

«È difficile sistemare le cose. Non sempre si può. A volte l'unica cosa che puoi fare è non farti beccare.»

La coppietta si era alzata per andarsene, ed erano usciti, mano nella mano nell'alba evanescente e fredda. La tenda di perline tintinnò al loro passaggio, ondeggiando al ritmo dell'ancheggiare di lei.

Boris si appoggiò alla sedia. Aveva gli occhi fissi sui miei. «Ho provato a sdebitarmi con te» disse. «Spero un giorno di riuscirci.»

«Ma di che parli?»

Aggrottò le sopracciglia. «Be'... per questo sono venuto al negozio. Sono sicuro che l'hai sentita, la storia di Miami. Ero preoccupato per quello che avresti pensato, quando fosse uscita la notizia, e onestamente avevo un po' paura che risalissero a te tramite me, sai? Non più tanto, ormai, ma... comunque. C'ero dentro fino al collo, ovviamente, ma *sapevo* che la cosa era sbagliata. Avrei dovuto fidarmi del mio istinto. Io...» Si chinò per un'altra veloce sniffata; eravamo soli, nel bar; la cameriera – o era la proprietaria? –, un tipetto minuto, tatuata, era scomparsa nella fumosa stanza sul retro dove, a una rapida occhiata, la gente seduta su dei divanetti di seconda mano sembrava riunita per la proiezione di un film porno anni Settanta. «Comunque. È stato terribile. Avrei dovuto saperlo. Qualcuno si è fatto male e io ho fallito, ma ho imparato una bella lezione da quella storia. È sempre un errore – ecco, aspetta, lasciami tirare – come dicevo, è sempre un errore fare affari con gente che non conosci.» Si pizzicò il naso e mi passò il sacchetto sotto il tavolo. «Sono cose che sai, eppure te le dimentichi. Mai avere a che fare con sconosciuti per le cose serie! Mai! La gente ti dice: "Oh, fidati, è una brava persona" – e io ci voglio credere, sono fatto così. Ma poi succedono cose brutte, come quella. Vedi, io conosco i miei amici. Ma gli amici degli amici? Eh, mica tanto. È così che si prende l'AIDS o no?»

Non avrei dovuto sniffare ancora, e mentre lo facevo ne ero cosciente; me ne ero già pippata troppa, avevo la mascella rigida e il sangue che mi pulsava alle tempie anche se già presagivo il down incombente, e mi sentivo fragile come una sottile lastra di vetro.

«Ad ogni modo» proseguì Boris parlando veloce, picchiettando il piede e agitandosi sotto il tavolo. «Ho pensato molto a lungo a come sistemare le cose. Naturalmente non lo posso più sfruttare io, mi ci sono già bruciato abbastanza. Naturalmente...» continuava a muoversi, «non è il motivo per cui sono venuto a cercarti, non esattamente. In parte, volevo scusarmi. Chiederti scusa di persona. Perché, davvero, mi spiace. E in parte sono venuto perché, con tutta quella roba al telegiornale, volevo dirti di non preoccuparti perché magari stai pensando... be', non so cosa stai pensando. Solo che... non mi piaceva immaginarti a sentire tutte quelle storie e magari prendere paura, senza capirci un tubo. Magari hai creduto che potessero risalire a te. Ci sono stato parecchio male, credimi. Per questo volevo parlarti. Dirti che ti ho tenuto fuori... nessuno sa del rapporto fra me e te. E poi per dirti che sto davvero, davvero cercando di sistemare le cose. Perché...» si portò tre dita sulla fronte, «io ci ho fatto una fortuna, e mi piacerebbe veramente se tu potessi riavere tutto indietro... sai, solo quello, in nome dei vecchi tempi, solo che tu l'avessi, che fosse tuo, che potessi tenerlo nell'armadio, o dove vuoi tu, e tirarlo fuori per guardarlo, come una volta, sai? Perché so quanto lo amavi. E sono arrivato ad amarlo anch'io, in effetti.»

Lo fissavo. Completamente fatto, iniziavo finalmente a capire. «Boris, di cosa stai parlando?»

«Lo sai.»

«No, non lo so.»

«Non farmelo dire ad alta voce.»

«Boris...»

«Ho cercato di dirtelo. Ti ho pregato di non partire. Te l'avrei restituito, se avessi aspettato anche solo un giorno in più.»

Le perline della tenda tintinnavano e ondeggiavano ancora nella brezza, come sinuose piccole onde di vetro. Mentre lo guardavo, fui trafitto dall'oscura, vaga sensazione che un sogno stesse entrando in collisione con un altro: le posate che sbatacchiavano nel mezzogiorno feroce di Tribeca, Lucius Reeve col suo sorrisetto dall'altra parte del tavolo.

«No» dissi spingendo indietro la sedia, in preda al panico, portandomi le mani al volto. «No.»

«Cos'è, pensavi che l'avesse preso tuo padre? Io in effetti ci speravo. Perché lui aveva già toccato il fondo. E ti aveva già derubato.»

Mi strofinai il viso e lo guardai, incapace di parlare.

«L'ho scambiato. Sì, sono stato io. Pensavo lo sapessi. Senti, mi dispiace!» disse, dato che me ne stavo ancora lì seduto, con la bocca aperta. «Lo tenevo nel mio armadietto a scuola. Per scherzo, sai. Be'...» sorrise debolmente, «forse no. Un po' per scherzo. Ma... ascolta...» tamburellò le dita sul tavolo per attirare la mia attenzione, «lo giuro, non volevo tenerlo. Il mio piano non era quello. Come facevo a sapere quel che sarebbe successo a tuo padre? Se solo fossi rimasto quella notte...» alzò le braccia al cielo, «te l'avrei restituito, giuro che l'avrei fatto. Ma non ci sono riuscito. Dovevi andare! In quel momento! Ora, Boris, ora! Non hai voluto aspettare nemmeno fino al mattino! Devo andare, devo andare, in questo preciso istante! E avevo paura di dirti cos'avevo fatto.»

Lo fissavo. Avevo la gola troppo secca, e il cuore aveva iniziato a battere così forte che l'unica cosa che riuscii a fare fu restare dov'ero e sperare che rallentasse.

«Ora sei arrabbiato» disse Boris, rassegnato. «Mi vuoi uccidere.»

«Che cosa stai cercando di dirmi?»

«Io...»

«Cosa vuol dire, che lo hai *scambiato*?»

«Ti giuro...» si guardava intorno nervoso, «mi dispiace! Lo sapevo, lo sapevo che non era una buona idea rivederci, che sarebbe finita male! Ma...» si sporse in avanti e poggiò le mani sul tavolo, «ci sono stato davvero male, sul serio. Altrimenti pensi che sarei venuto a cercarti, che avrei urlato il tuo nome per strada, fuori dal bar? E quando dico che voglio sdebitarmi, dico sul serio. Mi farò perdonare. Perché, vedi, con quel quadro ci ho fatto una fortuna, ci ho fatto...»

«Cosa c'è allora nel pacco che ho io?»

«Cosa?» disse, incredulo, e poi, ritraendosi e guardandomi serio: «Stai scherzando. In tutto questo tempo non hai mai ..».

Ma io non riuscivo a rispondere. Muovevo le labbra ma non usciva niente.

Boris colpì il tavolo. «Idiota. Vuoi dire che non l'hai mai aperto? Come hai fatto a non...»

Dato che continuavo a non rispondergli, le mani sul viso, si allungò sul tavolo e mi scosse per le spalle.

«Davvero?» disse, cercando di guardarmi negli occhi. «Non l'hai fatto? Non l'hai mai aperto?»

Dalla stanza sul retro il gridolino di una donna, sciocco e vuoto, seguito dalla risata piena di un uomo, sciocca anche quella. Poi, con un rumore forte da sega circolare, un frullatore entrò in funzione dietro il bancone e andò avanti per un tempo che mi parve infinito.

«Non lo sapevi?» disse Boris, quando il rumore cessò. Ancora risate e applausi. «Com'è possibile che tu non...»

Ma io non riuscivo a spiccicare parola. Sulle pareti graffiti ormai stratificati, etichette adesive e scarabocchi, omini ubriachi con croci al posto degli occhi. Nel retro si era alzato un coro, *dai, dai, dai*. Io continuavo ad avere dei flash, tanti e tutti insieme che quasi non respiravo più.

«Tutti questi anni?» disse Boris, accigliato. «E non hai mai, neanche una volta pensato di...?»

«Oddio.»

«Tutto bene?»

«Io...» Scossi la testa. «Come sapevi che ce l'avevo? Come facevi a saperlo?» ripetei, dato che non rispondeva. «Hai frugato nella mia stanza? Tra le mie cose?»

Boris mi guardò. Poi si passò entrambe le mani fra i capelli e disse: «Sei un ubriacone che non ricorda le cose, Potter, lo sai?».

«Oh, ma sta' zitto» dissi, dopo un silenzio incredulo.

«No, sono serio» continuò lui tranquillo. «Io sono un alcolizzato. Lo so! Lo sono da quando avevo dieci anni, la prima volta che ho bevuto. Ma tu, Potter... tu sei come mio padre. Lui beve... perde i sensi e fa cose che poi non ricorda. Distrugge la macchina, mi picchia, fa a botte, si sveglia col naso rotto o in un'altra città, sdraiato su una panchina alla stazione dei treni.»

«Io non faccio cose del genere.»

Boris sospirò. «Okay, okay, ma hai dei vuoti di memoria. Proprio come lui. E non sto dicendo che tu abbia fatto qualcosa di male, o di violento, tu non sei violento come lui, ma sai, tipo... oh, quella volta che andammo al parco giochi del McDonald's e tu eri così ubriaco su quel gonfiabile che la signora chiamò la polizia e tu sei scappato via come un fulmine, mezz'ora lì al centro commerciale a far finta di guardare matite e poi di nuovo sull'autobus, e poi la sera non ti ricordavi niente... Zero assoluto... "McDonald's? Quale McDonald's, Boris?" Oppure» proseguì, tirando rumorosamente su col naso, senza lasciarmi parlare, «quel giorno che eri completamente *devastato* e mi hai chiesto di venire con te a fare una "passeggiata nel deserto"? Okay, siamo andati a fare una passeggiata. Bene. Peccato che fossi così ubriaco che quasi non riuscivi a camminare e c'erano quaranta gradi. Ti sei stancato e ti sei sdraiato sulla sabbia. E mi hai chiesto di lasciarti morire. "Lasciami stare, Boris, lasciami." Te lo ricordi?»

«Arriva al punto.»

«Che ti posso dire? Eri infelice. Ti ubriacavi continuamente fino a svenire.»

«Anche tu.»

«Sì, me lo ricordo. Svenuto sulle scale, a faccia ingiù, ricordi? Mi svegliavo buttato per terra, a chilometri da casa, i piedi che spuntavano da un cespuglio, senza la minima idea di come ci fossi arrivato. Sì. Merda, una volta scrissi una email alla Spirsetskaja, nel mezzo della notte, una email folle, da ubriaco, per dirle che era una donna bellissima e che io ero completamente innamorato di lei, cosa che al tempo era vera. Il giorno dopo, a scuola, stavo malissimo: "Boris, Boris, devo parlarti". Be', di cosa? Ed era tutta carina e gentile, cercava di scaricarmi senza farmi rimaner male. Email? Quale email? Niente, il vuoto totale! Me ne stavo lì, rosso in faccia, mentre lei mi consegnava le fotocopie del libro di poesia e mi diceva che avrei fatto meglio a innamorarmi delle ragazze della mia età! Certo... ho fatto una marea di cose stupide. Più stupide di quelle che facevi tu! Ma io» disse, giocherellando con una sigaretta, «io volevo divertirmi ed essere felice. Tu volevi morire. È diverso.»

«Perché ho l'impressione che tu stia cercando di cambiare argomento?»

«Non ti voglio giudicare! È solo che... facevamo cose assurde, allora. Cose che secondo me non ti ricordi. No, no!» disse subito, scuotendo la testa, quando vide la mia espressione. «Non *quello*. Anche se ti dirò, tu sei l'unico ragazzo con cui sia mai stato a letto!»

La mia risata schizzò fuori rabbiosa, come se avessi tossito o se qualcosa mi fosse andato di traverso.

«Riguardo a quello...» Boris si appoggiò allo schienale con indifferenza. Si pizzicò il naso. «... *pfff*. A quell'età può succedere. Eravamo giovani, e avevamo bisogno di ragazze. Credo che forse per te fosse diverso. Ma no, aspetta» si affrettò a dire, cambiando espressione, quando scostai la sedia all'indietro, pronto per andarmene, «aspetta» disse di nuovo, afferrandomi la manica, «non farlo, per favore, ascolta quello che sto cercando di dirti, non ti ricordi di quella sera? Guardavamo *Agente 007 - Licenza di uccidere*.»

Io stavo prendendo il cappotto dallo schienale. Ma a quelle parole mi bloccai.

«Te lo ricordi?»

«Dovrei? Perché?»

«Non te lo ricordi. Niente, volevo metterti alla prova.»

«Cosa c'entra *007*?»

«Non ci conoscevamo da molto!» Faceva su e giù col ginocchio, freneticamente. «Tu non eri abituato alla vodka, non sapevi mai quanta versartene. Sei arrivato con questi bicchieroni enormi, tipo bicchieri per l'acqua, e io ho pensato: *Cazzo!*, non ti ricordi?»

«Ce ne sono state tante di sere così.»

«Non ti ricordi. Pulivo il tuo vomito, buttavo i tuoi vestiti in lavatrice, e tu non lo sapevi nemmeno. Piangevi e mi dicevi un sacco di cose.»

«Che tipo di cose?»

«Tipo...» fece una faccia impaziente, «oh, che era colpa tua se tua madre era morta... che avresti voluto esserci rimasto tu... che se fossi morto forse saresti stato con lei, insieme nell'oscurità... ma non ha senso fare questi discorsi, non voglio farti star male. Eri messo da schifo, Theo. Mi divertivo con te, la maggior parte del tempo! ti andava bene tutto! però eri messo male. Probabilmente saresti dovuto andare in ospedale. Ti arrampicavi sul tetto e ti buttavi in piscina, ti ricordi? Una follia, ti potevi rompere il collo. Poi ti sdraiavi per strada, di notte, al buio, e aspettavi che passasse una macchina e ti mettesse sotto, e io dovevo lottare per tirarti su e trascinarti in casa...»

«In quella strada dimenticata da Dio sarei dovuto rimanere sdraiato per ore. Avrei potuto dormirci, lì fuori. Con un sacco a pelo.»

«Ma non è questo il punto. Eri fuori di testa. Avresti potuto ucciderci entrambi. Una notte hai preso dei fiammiferi e hai provato a dar fuoco alla casa.»

«Stavo solo scherzando» dissi, a disagio.

«E il tappeto? Quell'enorme bruciatura sul divano? Quello era uno scherzo? Ho girato i cuscini così Xandra non se ne sarebbe accorta.»

«Quella merda era così scadente che non era nemmeno ignifuga.»

«Va bene, va bene. Vedila come vuoi. Comunque, torniamo a quella notte. Stiamo guardando il film, che io non avevo mai visto ma tu sì, e mi sta piacendo molto, e tu sei completamente *v gavno*, e sulla sua isola, tutto tranquillo, il cattivone preme un pulsante e salta fuori il quadro che ha rubato, giusto?»

«Oddio.»

Boris scoppiò a ridere. «L'hai fatto! Cristo santo! È stato fantastico. Eri così ubriaco che barcollavi... Devo farti vedere una cosa! Una cosa meravigliosa! La cosa più bella del mondo! E ti piazzi davanti al televisore. No, veramente! Io sto guardando il film, la scena migliore, e tu non stai zitto. Togliti! Comunque, tu prendi e te ne vai, incazzato nero, "vaffanculo", facendo un casino *assurdo*. *Bang bang bang*. E poi vieni giù col quadro.» Rise. «La cosa divertente è che ero sicuro che mi stessi prendendo per il culo. Un'opera d'arte famosa in tutto il mondo? Certo, come no. Invece era vero. L'ho capito subito.»

«Non ti credo.»

«Be', è vero. Io lo sapevo. Perché se fosse possibile dipingere dei falsi come quello… Las Vegas sarebbe la città più bella della Terra! Comunque, che spasso: io lì a insegnarti a rubare mele e caramelle al supermercato, e tu avevi rubato un capolavoro.»

«Non l'ho rubato.»

Boris ridacchiò. «No, no. Me l'avevi spiegato. Lo tenevi al sicuro. La missione della tua vita. Mi stai dicendo» disse, chinandosi in avanti, «che davvero in tutti questi anni non l'hai mai aperto per dargli un'occhiata? Ma che problemi hai?»

«Non ti credo» ripetei. «*Quando* l'hai preso?» chiesi. «E come?» «Ascolta. Come dicevo…»

«Ti aspetti sul serio che io creda a questa storia?»

Boris sollevò gli occhi al cielo, infilò la mano nella tasca del cappotto, tirò fuori l'iPhone e si mise a cercare una foto. Poi mi passò il telefono.

Era la foto della parte posteriore del quadro. Riproduzioni del lato anteriore se ne trovavano ovunque. Ma il retro era come un'impronta digitale: grosse gocce di ceralacca, marroni e rosse; un collage irregolare di etichette europee (numeri romani, ghirigori, firme vergate con la penna d'oca) che facevano venire in mente un vecchio baule, o un trattato antico. I gialli e i marroni decrepiti erano stratificati con un'intensità quasi organica, come foglie morte.

Rimise il telefono in tasca. Restammo seduti un bel po' in silenzio. Poi Boris si allungò per prendere una sigaretta.

«Ora mi credi?» disse, soffiando un filo di fumo da un angolo della bocca.

Scissione di atomi nella mia testa; l'effetto euforizzante della cocaina che scemava di colpo, mentre l'apprensione e l'inquietudine s'insinuavano subdole, come aria soffocante prima di un temporale.

Per un lungo, oscuro momento ci guardammo: solitudine contro solitudine, come due monaci tibetani sulla cima di una montagna.

Poi mi alzai senza dire una parola e presi il cappotto. Anche Boris saltò su.

«Aspetta» disse, mentre lo oltrepassavo con una spallata. «Potter, non ti arrabbiare. Quando dicevo che volevo farmi perdonare, dicevo sul serio...»

«Potter!» urlò di nuovo, mentre uscivo per strada fendendo la tenda tintinnante, nella luce grigia e sporca dell'alba. Avenue C era deserta, a parte per un taxi solitario che sembrò contento di vedermi quanto lo ero io, e accelerò per raggiungermi. Prima che Boris potesse dire altro salii e me ne andai, lasciandolo lì, avvolto nel suo cappotto accanto a una fila di bidoni della spazzatura.

X

Erano le otto e mezza del mattino quando giunsi al deposito, con la mandibola dolorante per tutto quel digrignare di denti e il cuore sul punto di esplodere. La luce burocratica del giorno, clacson e pedoni come una minaccia, risplendenti di aggressività. Alle dieci meno un quarto ero seduto sul pavimento della mia stanza a casa di Hobie, la testa che pulsava e vorticava come una trottola. Buttati sul tappeto intorno a me c'erano un paio di sacchetti; una tenda da campeggio mai usata; una federa beige in percalle che aveva ancora l'odore della mia stanza di Las Vegas; un barattolo di latta pieno di pasticche di Roxicodone e idromorfone che avrei dovuto buttare giù per il cesso; e un groviglio di nastro adesivo che avevo tagliato, scrupolosamente, con un coltellino X-Acto, venti minuti di lavoro minuzioso, col sangue che mi pulsava nei polpastrelli, terrorizzato all'idea di andare troppo a fondo e graffiare il quadro per sbaglio, e alla fine ero riuscito ad aprire un lato del pacco, staccando il nastro adesivo uno strappo alla volta, con le mani che tremavano: solo per trovare – in mezzo a due pezzi di cartone, avvolto nella carta di giornale – un manuale di educazione civica tutto scarabocchiato (*Democrazia, diversità... e tu!*).

Sulla copertina, una variopinta folla multiculturale. Bambini asiatici, bambini latinoamericani, bambini afroamericani, bambini nativi americani, una ragazza con un velo in testa e un bambino bianco su una sedia a rotelle che sorridevano e si tenevano per mano intorno a una bandiera americana. All'interno, nell'allegro mondo dei cittadini modello, dove persone di etnie differenti partecipavano alla vita della comunità e i bambini dei bassifondi vagavano per il quartiere con un annaffiatoio in mano e si prendevano cura di un alberello i cui rami illustravano le diverse prerogative del governo, Boris aveva disegnato dei pugnali sormontati dal suo nome, rose e cuori intorno alle iniziali di Kotku, e un paio di occhi che sbirciavano astuti l'esercizio di fianco, svolto solo a metà:

Perché l'uomo ha bisogno del governo? *Per imporre un'ideologia, punire i malfattori e promuovere uguaglianza e fratellanza fra la gente.* Quali sono alcuni dei doveri dei cittadini americani? *Votare, celebrare la diversità e combattere i nemici dello Stato*

Grazie a Dio Hobie non era in casa. Le pillole che avevo ingoiato non avevano fatto effetto e, dopo due ore di contorsioni, immerso in un angoscioso stato di dormiveglia – in un rimuginio costante, sfinito dal martellare del mio cuore nel petto, e con la voce di Boris ancora in testa –, mi costrinsi ad alzarmi, sistemare il disordine sul pavimento nella stanza, fare una doccia e radermi, finendo per tagliarmi, mentre lo facevo, perché mi era uscito molto sangue dal naso e il labbro superiore era intorpidito come se fossi reduce da una seduta dal dentista. Poi andai in cucina e mi preparai un caffè, trovai una focaccina stantia e mi sforzai di mangiarla, e a mezzogiorno ero giù in negozio, pronto per lavorare, giusto in tempo per intercettare la postina col suo poncho di plastica per la pioggia (ma, coi miei occhi lucidi, il labbro tagliato e il Kleenex insanguinato la spaventai, e preferì non avvicinarsi troppo), anche se mentre mi consegnava la posta con le mani guantate non potei fare a meno di chiedermi: *Che senso ha, a questo punto?* Reeve avrebbe potuto scrivere a Hobie qualsiasi cosa – anche chiamare l'Interpol – che importanza aveva, ormai.

Pioveva. I pedoni si accalcavano, affrettandosi. La pioggia picchiava forte contro la vetrina, e imperlava i sacchi della spazzatura sul marciapiede. Lì alla scrivania, sulla mia poltrona muffita, cercavo rifugio, o almeno un po' di conforto, nelle sete sbiadite e nell'oscurità del negozio, nella sua tetraggine dolceamara che mi ricordava le aule scolastiche nei giorni di pioggia, ma la botta della dopamina mi aveva tramortito, lasciandomi a tremare in una specie di agonia, una tristezza che avvertivo prima nello stomaco, e poi nella fronte, come se tutto il buio che avevo chiuso fuori fosse tornato ad aggredirmi.

Per tutti quegli anni mi ero trascinato in giro come assente, impermeabile a qualsiasi realtà: un delirio ipnotico del quale ero stato ostaggio sin dall'infanzia, da quando, strafatto, me ne stavo sdraiato sul tappeto peloso a Las Vegas a ridere del ventilatore sul soffitto, solo che adesso non ridevo più, e Rip Van Winkle si era risvegliato di soprassalto con circa cent'anni di ritardo.

C'era un modo per rimediare? No. In un certo senso Boris mi aveva fatto un favore, rubandomi il quadro; almeno, sapevo che molti l'avrebbero pensata così. Mi ero tolto un peso; nessuno avrebbe potuto accusarmi di nulla; la stragrande maggioranza dei miei problemi si era risolta in un colpo solo ma, nonostante sapessi che qualunque persona sana di mente sarebbe stata più che sollevata senza più il quadro fra le mani, non mi ero mai sentito tanto disperato, accecato dall'odio verso me stesso e dalla vergogna.

Il caldo dentro il negozio era spossante. Non riuscivo a star fermo; mi alzavo e mi sedevo, mi avvicinavo al vetro e tornavo indietro. Ogni cosa trasudava orrore. Un Pulcinella di ceramica mi fissava contrariato. Persino i mobili sembravano insalubri, sproporzionati. Come avevo potuto credermi una persona migliore, una persona più saggia, una persona più nobile e valida e degna di vivere, solo perché avevo quel segreto? Eppure l'avevo fatto. Il quadro mi aveva fatto sentire meno mortale, meno ordinario. Era stato un sostegno, una forma di rivalsa, di nutrimento e di resa dei conti. Era il pilastro che aveva tenuto in piedi la cattedrale. Ed era terribile scoprire, ora che era scomparso all'improvviso, che dentro di me, per tutta la mia vita adulta, ero stato sorretto da questa colossale, crudele, invisibile gioia: credere che la mia intera esistenza avesse trovato il suo equilibrio grazie a un segreto che poteva disintegrarla da un momento all'altro.

XI

Quando Hobie rientrò, verso le due, fece tintinnare i campanelli, come un cliente.

«Be', ieri sera è stata davvero una sorpresa.» Aveva le guance arrossate dalla pioggia, e si tolse l'impermeabile scuotendo via l'acqua; era vestito per la casa d'aste, la cravatta col nodo Windsor e uno dei suoi bei vecchi completi. «Boris!» L'asta gli era andata bene, lo capii dall'umore; anche se tendeva a non fare offerte molto alte, sapeva il fatto suo, e qualche volta, nelle sedute più tranquille, quando non c'era nessuno a dargli filo da torcere, si accaparrava un sacco di roba interessante. «Immagino abbiate passato una bella nottata.»

«Ah.» Io ero curvo in un angolo e sorseggiavo un tè; avevo un mal di testa feroce.

«Felice di incontrarlo, dopo averne sentito tanto parlare. Come incontrare il personaggio di un libro. Me l'ero sempre immaginato come l'Artful Dodger di *Oliver Twist* – oh, hai presente? –, quel ragazzino, quel monello, qual era il nome dell'attore? Jack qualcosa. Cappotto sfilacciato. Sbaffo di sporco sulla guancia.»

«Credimi, ai tempi era abbastanza sporco.»

«Be', Dickens in effetti non ci dice cosa successe a Dodger. Chissà se crescendo è diventato un rispettabile uomo d'affari. E Popper? Completamente impazzito! Non ho mai visto un animale più felice. Oh, e sì...» disse voltandosi mentre trafficava col cappotto; non aveva notato che al nome di Popper mi ero bloccato, «prima che mi dimentichi, ha chiamato Kitsey.»

Non risposi, non potevo. A Popper non avevo nemmeno pensato.

«Alle dieci passate. Le ho detto che avevi incontrato Boris, che eravate passati e poi usciti di nuovo. Spero non sia un problema.»

«No, certo» dissi, dopo un attimo di silenzio, cercando a fatica di raccogliere i pensieri che galoppavano contemporaneamente in più direzioni, tutte pericolose.

«*Cosa* devo ricordarti?» Hobie si portò un dito alle labbra. «Mi è stato dato un compito. Fammi pensare...»

«Non me lo ricordo» disse dopo aver riflettuto, scuotendo la testa. «Devi chiamarla. Cena questa sera. Cena questa sera, lo so, a casa di qualcuno. Cena alle otto! Questo me lo ricordo. Ma non ricordo dove.»

«Dai Longstreet» dissi, con un tuffo al cuore.

«Sì, mi sembra di sì. Ad ogni modo, Boris! Che tipo speciale, così divertente. Quanto starà in città? Quanto si trattiene?» ripeté affabile, dato che non rispondevo; non mi vedeva in faccia, ma io avevo lo sguardo atterrito. «Dovremmo invitarlo a cena, non credi? Perché non gli chiedi di dirci un paio di sere in cui sarà libero? Cioè, se ti va» aggiunse di fronte al mio silenzio. «Come vuoi tu. Fammi sapere.»

XII

Circa due ore dopo, esausto, gli occhi dolenti per il mal di testa e in preda all'agitazione, mi chiedevo come recuperare Popper e al contempo inventavo, e scartavo, spiegazioni per la sua assenza. L'avevo legato fuori da un negozio e poi dimenticato? Lo avevano rapito? Erano tutte bugie troppo evidenti: a parte il fatto che pioveva a catinelle, Popper era così vecchio e irritabile che al guinzaglio riuscivo a malapena a trascinarlo fino al primo idrante. L'avevo lasciato dal toelettatore? Il toelettatore di Popper, una dolce vecchietta di nome Cecelia che riceveva i clienti nel suo appartamento, lo riportava sempre entro le tre. Dal veterinario? Tanto per cominciare Popper non era malato (e perché non avrei dovuto dirglielo, se lo fosse stato?), e comunque andava dallo stesso veterinario che Hobie frequentava dai tempi di Welty e Chessie. L'ambulatorio del dottor McDermott era dietro l'angolo. Perché avrei dovuto portarlo da un'altra parte?

Gemetti, mi alzai, raggiunsi la vetrina. Continuavo a finire nello stesso vicolo cieco, Hobie che entrava sconcertato, come ero convinto che avrebbe fatto entro un paio d'ore, guardandosi intorno: «Dov'è Popper? L'hai visto?». Tutto qui. In un loop infinito: nessuna via d'uscita, nemmeno premendo ALT-TAB. Potevo effettuare l'uscita forzata, chiudere il computer, ricominciare da capo, ma il gioco avrebbe continuato a bloccarsi nello stesso identico punto. «Dov'è Popper?» Impossibile barare. Game over. Niente da fare.

Gli scrosci di pioggia si erano placati, trasformandosi in pioggerella, i marciapiedi luccicavano, l'acqua gocciolava dai tendoni, e pareva che tutti, per strada, avessero scelto lo stesso momento per infilarsi l'impermeabile e portare a spasso il cane: ovunque guardassi c'erano cani, un pastore che galoppava goffamente, un barboncino nero, un bastardo mezzo terrier, un retriever, un vecchio bulldog francese e un'orgogliosa coppia di bassotti col muso rivolto all'insù che attraversavano la strada trotterellando. Agitato, tornai alla mia poltrona, mi sedetti, presi il catalogo di Christie's e iniziai a sfogliarlo con foga: inguardabili acquerelli modernisti, duemila dollari per un orrendo bronzo vittoriano con bisonti in lotta. Assurdo.

Cos'avrei detto a Hobie? Popper era vecchio e sordo, e a volte in casa si addormentava in anfratti lontani, da dove non riusciva a udire i nostri richiami, ma presto sarebbe stata ora di cena e avrei sentito Hobie aggirarsi di sopra a cercarlo dietro il sofà, nella stanza di Pippa o in uno dei suoi soliti nascondigli. «Popsky? Vieni, bello! È ora di cena!» Potevo far finta di niente. Mettermi a cercarlo anch'io per la casa, grattandomi la testa stupito? Una scomparsa misteriosa? Il triangolo delle Bermuda? Col cuore a pezzi ero tornato all'idea del toelettatore, quando suonò il campanello del negozio.

«Volevo quasi tenermelo.»

Popper – bagnato, ma nient'affatto turbato per la sua disavventura – irrigidì le zampe quando Boris lo posò a terra, poi venne verso di me, la testa alta in modo che potessi grattarlo sotto il mento.

«Non gli sei mancato nemmeno un po'» disse Boris. «Abbiamo passato una bella giornata, insieme.»

«Cos'avete fatto?» chiesi dopo un lungo silenzio, non venendomi in mente nient'altro da dire.

«Dormito, soprattutto. Gyuri ci ha portati a casa...» si strofinò gli occhi scuri e sbadigliò, «abbiamo fatto un bel sonnellino insieme, noi due soli. Sai... come si raggomitolava una volta? Come un cappello di pelliccia sulla mia testa?» A Popper non era mai piaciuto dormire col muso sulla mia testa, lo faceva solo con Boris. «Poi ci siamo svegliati, io mi sono fatto una doccia e l'ho portato a fare una passeggiata – vicino, non voleva allontanarsi –, ho fatto delle telefonate, abbiamo mangiato dei sandwich al bacon e siamo tornati indietro. Senti, mi dispiace!» disse d'impulso, passandosi la mano tra i capelli arruffati. «Davvero. E metterò le cose a posto. Dio, se lo farò.»

Il silenzio tra noi era insostenibile.

«Comunque, ti sei divertito ieri sera? Io *sì*. Grande serata! Anche se stamattina non mi sentivo granché bene. Ti prego, di' qualcosa» sbottò. «È tutto il giorno che mi tormento per questa storia.»

Popper era sgattaiolato all'altro lato della stanza, verso la sua ciotola, e si era messo a bere, tranquillo e beato. Per un bel po' non ci fu alcun rumore, eccetto il suono monotono della sua lingua nell'acqua.

«Davvero, Theo» mano sul cuore, «sto malissimo. Non ho parole per dirti come mi sento, quanto mi vergogno» aggiunse, più serio, dato che ancora non mi degnavo di rispondere. «E sì, lo ammetto, una parte di me si chiede: "Perché hai rovinato tutto, Boris, perché hai aperto quella boccaccia?". Perché... avrei potuto tenermelo per me, sì. Facile! Tu non l'avresti mai saputo. E sarebbe andato tutto bene. Ma come potevo mentire e nasconderti tutto? Almeno questo lo riconosci?» disse sfregandosi le mani, nervoso. «Non sono un codardo. L'ho ammesso. Non volevo che ti preoccupassi, visto che eri all'oscuro di tutto. E metterò le cose a posto, in qualche modo, te lo prometto.»

«Perché...» Hobie trafficava di sotto con l'aspirapolvere, ma abbassai comunque la voce, lo stesso mormorio rabbioso che usavamo quando Xandra era giù e non volevamo che ci sentisse litigare, «perché...»

«Perché cosa?»

«Perché cazzo l'hai preso?»

Boris sbatté le palpebre, indignato. «Perché quell'ebreo mafioso girava intorno a casa tua come un avvoltoio, ecco perché!»

«Non è questo il motivo.»

Boris sospirò. «Be', in parte sì... un po'. A casa tua era al sicuro? No! E nemmeno a scuola. Ho preso il mio vecchio libro, l'ho avvolto nella carta di giornale e ci ho messo anche il nastro adesivo, per farlo dello stesso spessore...»

«Ti ho chiesto *perché* l'hai preso.»

«Che posso dire. Sono un ladro.»

Popper stava ancora bevendo rumorosamente. Esasperato, mi chiesi se Boris avesse pensato a dargli qualcosa da mangiare, durante la loro bellissima giornata insieme.

«E...» alzò appena le spalle, «lo volevo. Sì. Chi non lo vorrebbe?»

«Lo volevi perché? Per soldi?» domandai.

Boris fece una smorfia. «Certo che no. Non si può vendere una cosa del genere. Anche se – devo ammettere – una volta che ero nei guai, quattro o cinque anni fa, sono stato a un passo dal venderlo, a un prezzo bassissimo, praticamente stavo per regalarlo, solo per liberarmene. Sono contento di non averlo fatto. Ero nei casini e avevo bisogno di soldi. Ma...» tirò su col naso, «provare a vendere un pezzo come quello è il modo più veloce di farsi beccare. Lo sai anche tu. Ma come titolo di credito è tutta un'altra storia! Se lo tengono come garanzia e ti danno la merce. Tu la vendi, o quel che è, torni coi soldi, gli dai la loro parte, loro ti ridanno il quadro e il gioco è fatto. Capisci?»

Rimasi in silenzio e ricominciai a sfogliare il catalogo di Christie's, ancora aperto sulla mia scrivania.

«Sai come si dice.» La sua voce era allo stesso tempo triste e persuasiva. «"L'occasione fa l'uomo ladro." E chi lo sa meglio di te? Ho aperto il tuo armadietto per cercare i soldi per il pranzo e ho pensato: cosa? Ehilà? E questo cos'è? Tirarlo fuori e nasconderlo è stato facile. Poi ho portato il mio libro alla lezione di bricolage di Kotku, stesse dimensioni, stesso spessore – stesso nastro adesivo e tutto quanto. Lei mi ha aiutato. Ma non le ho detto perché lo stavo facendo. A Kotku non si potevano dire certe cose.»

«Non riesco ancora a credere che tu l'abbia rubato.»

«Senti. Non inventerò scuse. L'ho preso. Ma...» sorrise vittorioso, «sono forse disonesto? Ti ho mentito?»

«Sì» risposi, dopo una pausa piena d'incredulità. «Sì, certo che mi hai mentito.»

«Ma non me l'hai mai chiesto! Se l'avessi fatto, te l'avrei detto!»

«Boris, non dire cazzate. Mi hai mentito.»

«Be', non ti sto mentendo *ora*» disse lui, guardandosi intorno con aria rassegnata. «Pensavo te ne fossi già accorto. Che l'avessi fatto anni fa! Pensavo sapessi che ero stato io!»

Mi allontanai verso le scale seguendo Popchik; Hobie aveva spento l'aspirapolvere, ed era calato un pericoloso silenzio: non volevo che ci sentisse.

«Non ne sono certissimo...» Boris si soffiò il naso con noncuranza, ispezionò il contenuto del Kleenex, sbatté le palpebre, «ma sono piuttosto sicuro che sia da qualche parte in Europa.» Appallottolò il Kleenex e se lo ficcò in tasca. «Una possibilità è Genova. Ma penso sia più probabile che si trovi in Belgio o in Germania. Forse in Olanda. Laggiù è più facile farci affari, perché la gente resta più colpita.»

«Questo non basta per rintracciarlo.»

«Be', senti! Ringrazia che non sia in Sud America! Perché se fosse lì, ti garantisco che non avresti nessuna chance di rivederlo.»

«Pensavo avessi detto che era perso per sempre.»

«Non dico niente, solo che forse possiamo scoprire dov'è. *Forse*. Che è molto diverso dal sapere come recuperarlo. Non ho mai avuto a che fare con quella gente.»

«Quale gente?»

Lui tacque, a disagio, gli occhi fissi sul pavimento: statuette di bulldog di ferro, libri accatastati, tappeti.

«Non piscia sugli oggetti d'antiquariato?» indagò, facendo un cenno in direzione di Popchik. «Con tutti questi bei mobili?»

«No.»

«A casa tua la faceva dappertutto. Il tappeto di sotto puzzava di piscio. Penso che fosse perché Xandra non stava molto attenta a portarlo fuori, prima che arrivassimo noi.»

«Quale gente?»

«Eh?»

«Con quale gente non hai mai avuto a che fare?»

«È complicato. Se vuoi te lo spiego» aggiunse solerte, «ma penso che siamo tutt'e due stanchi, e ora non è il momento. Ma farò un paio di chiamate e ti dirò cosa ho scoperto, va bene? E quando saprò qualcosa in più tornerò a dirtelo, te lo prometto. Comunque…» si toccò il labbro superiore col dito.

«Cosa?» dissi, allarmato.

«Cos'hai sotto il naso?»

«Mi sono tagliato mentre mi radevo.»

«Oh.» Lì impalato pareva incerto, come se fosse tentato di dire dell'altro, ma il silenzio che era calato fra noi sapeva decisamente di conclusione, e s'infilò le mani in tasca. «Bene.»

«Bene.»

«Ci vediamo, allora.»

«Certo.» Ma quando uscì, e io restai davanti al vetro a guardarlo schivare le gocce che scendevano dal tendone mentre si allontanava pensando di non essere visto – il passo che via via si faceva più sciolto e leggero –, ero quasi sicuro che quello sarebbe stato il nostro ultimo incontro.

XIII

Considerato come mi sentivo, praticamente morto, torturato da un'emicrania lancinante e schiacciato da una tristezza tanto profonda che quasi non riuscivo a tenere aperti gli occhi, non aveva granché senso tenere il negozio aperto. Quindi, nonostante fosse uscito il sole e la gente iniziasse ad affollare le strade, appesi il cartello CHIUSO e, con Popper che, ansioso, mi seguiva a fatica, mi trascinai fino alla mia stanza con le tempie che mi pulsavano per il dolore, e svenni per un paio d'ore prima di cena.

Avrei dovuto incontrare Kitsey a casa della madre alle otto meno un quarto per poi andare insieme dai Longstreet, ma arrivai in leggero anticipo, in parte perché volevo vederla per qualche minuto da sola prima di uscire, in parte perché avevo qualcosa per la signora Barbour – il vecchio catalogo di una famosissima mostra che ero riuscito a scovare a una delle liquidazioni di beni di Hobie, *L'incisione all'epoca di Rembrandt.*

«Vai pure» disse Etta quando entrai in cucina per chiederle di bussare alla porta per me, «è già attiva. Le ho portato un tè nemmeno un quarto d'ora fa.»

Attiva, riferito alla signora Barbour, significava in pigiama e pantofole mordicchiate dai cani, con quello che sembrava un vecchio soprabito da sera buttato sulle spalle. «Oh, Theo!» esclamò quando vide il catalogo, col viso che le si apriva in un commovente sorriso indifeso che mi fece pensare ad Andy nelle rare occasioni in cui era davvero contento di qualcosa, come l'arrivo per posta della lente per il telescopio Nagler da 22 mm o la felice scoperta del sito porno LARP (Live Action Role Play), in cui ragazze prosperose munite di spada se la facevano con cavalieri, stregoni e roba del genere. «Sei davvero un caro, caro ragazzo.»

«Spero che non l'abbia già.»

«No...» disse, sfogliandolo deliziata, «è perfetto! Non ci crederai, ma ho visto questa mostra a Boston, quando ero al college.»

«Dev'essere stata notevole» dissi, sistemandomi su una poltrona. Mi sentivo molto più felice di quanto, solo un'ora prima, avrei mai osato immaginare. Nauseato per la storia del quadro, nauseato dal mal di testa, disperato al pensiero della cena dai Longstreet, mi ero chiesto come diavolo sarei riuscito a sopportare una serata a base di canapè di granchio caldo, con Forrest che snocciolava le sue teorie economiche, quando avrei semplicemente voluto spararmi un colpo in testa. Avevo provato a chiamare Kitsey per dirle di riferire che ero malato, così avremmo potuto svignarcela e passare la serata nel suo appartamento, a letto. Ma – come succedeva spesso quando Kitsey era in giro, e la cosa mi faceva irritare non poco – non aveva risposto alle mie chiamate, né ai messaggi, né alle email, e ogni volta era scattata la segreteria. «Devo comprarmi un telefono nuovo» mi aveva detto scocciata una volta che mi ero lamentato di quei blackout comunicativi troppo frequenti, «questo ha qualcosa che non va», ma sebbene le avessi proposto più volte di andare insieme all'Apple Store all'angolo e comprarne uno nuovo, lei aveva sempre una scusa: c'era troppa coda, aveva altro da fare, non era dell'umore adatto, aveva fame, aveva sete, doveva fare pipì, non potevamo andarci un'altra volta?

Seduto sul bordo del letto a occhi chiusi, infastidito perché non riuscivo a contattarla (come accadeva sempre quando ne avevo davvero bisogno), avevo pensato di chiamare io Forrest e dirgli che ero malato. Ma per quanto male stessi, avevo voglia di vedere Kitsey, foss'anche dall'altra parte del tavolo, in mezzo a gente che non mi piaceva. Quindi – per costringermi ad abbandonare il letto, raggiungere Uptown e superare quella serata mortale – avevo ingoiato quella che, ai vecchi tempi, sarebbe stata una dose moderata di oppiacei. E, anche se non mi aveva fatto passare il mal di testa, mi aveva messo di buon umore. Non mi sentivo così bene da mesi.

«Tu e Kitsey cenate fuori stasera?» chiese la signora Barbour, che stava ancora sfogliando il catalogo, tutta felice. «Forrest Longstreet?»

«Esatto.»

«Era in classe con te e Andy, non è vero?»

«Già.»

«Non era uno di quei ragazzi terribili?»

«Be'...» L'euforia mi rendeva generoso. «No, non direi.» Forrest, maldestro e non molto sveglio («Professore, gli alberi vengono considerati piante?»), non era abbastanza intelligente da perseguitare Andy e me in modo mirato o costante. «Però sì, faceva parte del gruppo, insieme a Temple, Tharp, Cavanaugh e Scheffernan.»

«Già, Temple. Me lo ricordo. E quel Cable.»

«Chi?» dissi, piuttosto sorpreso.

«Tom Cable. Lui ha fatto *davvero* una brutta fine» commentò la signora Barbour, senza alzare gli occhi dal catalogo. «Vive di prestiti, non riesce a tenersi un lavoro e ha problemi con la legge, a quanto ho sentito. Ha falsificato degli assegni e sua madre si è fatta in quattro per evitargli una denuncia. E Win Temple» aggiunse guardandomi, prima che riuscissi a spiegare che Cable non faceva davvero parte del gruppo dei bulletti, «lui è quello che spaccò la testa ad Andy contro una parete, nelle docce.»

«Sì, è stato lui.» Più che la testa di Andy contro le mattonelle, quello che ricordavo dell'episodio delle docce erano Scheffernan e Cavanaugh che mi avevano atterrato e cercavano di infilarmi il flacone del deodorante su per il culo.

La signora Barbour – delicatamente avvolta nel soprabito, uno scialle sulle ginocchia come per una corsa in slitta la notte di Natale – continuava a sfogliare il catalogo. «Sai cosa disse, quel Temple?»

«Come, scusi?»

«Quel Temple.» Gli occhi fissi sulle pagine; la voce squillante, come se stesse rivolgendosi a un semisconosciuto incrociato a una festa. «Che scusa tirò fuori. Quando gli chiesero perché aveva sbattuto la testa di Andy fino a fargli perdere i sensi.»

«No, non lo so.»

«Disse: "Perché mi sta sulle scatole". Ora fa l'avvocato, pare. Spero davvero sia in grado di controllarsi meglio, in tribunale.»

«Win non era il peggiore, fra loro» dissi, dopo un attimo di silenzio. «Per niente. Cavanaugh e Scheffernan...»

«Sua madre non mi ascoltò nemmeno. Scriveva un messaggio sul cellulare. Una qualche questione con un cliente che non poteva aspettare.»

Posai lo sguardo sul polsino della mia camicia. Mi ero premurato di indossarne una pulita, dopo il lavoro – se c'era una cosa che i miei anni da oppiomane mi avevano insegnato (per non parlare di quelli da truffatore) era che le camicie inamidate e i completi freschi di tintoria erano strumenti efficacissimi per nascondere quasi tutti i peccati –, ma mentre mi vestivo ero stordito dalle pasticche di morfina e gironzolavo per la stanza canticchiando Elliott Smith, *sunshine... been keeping me up for days...* e adesso (mi accorsi) uno dei polsini non era sistemato bene. In più, i gemelli che avevo scelto erano spaiati: uno viola e l'altro blu.

«Avremmo potuto denunciarli» disse lei, distrattamente. «Non so perché non lo facemmo. Chance sosteneva che secondo lui avrebbe solo creato altri problemi ad Andy, a scuola.»

«Be'...» Non sarei mai riuscito a sistemare il polsino senza che se ne accorgesse. Avrei dovuto aspettare di essere in taxi. «Quella storia delle docce in realtà fu colpa di Scheffernan.»

«Sì, anche Andy lo diceva, e pure Temple, ma per quanto riguarda la botta in sé, la commozione cerebrale, non ci furono *dubbi...*»

«Scheffernan era un viscido. Fu lui a spingere Andy addosso a Temple... quando cominciò la zuffa, lui era già dall'altra parte dello spogliatoio, piegato in due dalle risate con Cavanaugh e gli altri.»

«Be', questo non lo so, ma David...» David era Scheffernan, «lui non c'entrava nulla con gli altri, era sempre molto gentile e perfettamente educato, veniva spesso qui da noi, e riusciva sempre a coinvolgere Andy. Sai come si comportavano molti dei ragazzini, alle feste di compleanno...»

«Sì, ma Scheffernan ce l'ha sempre avuta con Andy. Perché sua madre lo costringeva a frequentarlo, lo *obbligava* a venire qui.»

La signora Barbour sospirò e posò la tazza. Il tè era al gelsomino; ne avvertivo l'odore da dov'ero seduto.

«Be', Dio solo lo sa, tu conoscevi Andy meglio di me» disse inaspettatamente, stringendosi addosso il collo ricamato del soprabito. «Non l'ho mai visto per quello che era davvero, e per alcuni versi era il mio preferito. Vorrei non aver sempre cercato di trasformarlo in qualcun altro. Tu lo accettavi per quello che era, più di suo padre e di me, o di suo fratello. Guarda» disse, poi, nello stesso tono, nel freddo silenzio che seguì quelle parole. Sfogliava ancora il catalogo. «San Pietro. Che tiene i bambini lontani da Gesù.»

Mi alzai, obbediente, e feci il giro per mettermi dietro di lei. Conoscevo quel lavoro, una delle più grandi e turbolente incisioni a puntasecca conservate alla Morgan, nota come la *Stampa dei cento fiorini*: il prezzo che lo stesso Rembrandt era stato costretto a pagare per ricomprarla.

«È così particolare, Rembrandt. Persino nei soggetti religiosi. È come se i santi fossero scesi in Terra per fargli da modelli. Questi due san Pietro...» fece un cenno verso il piccolo disegno a inchiostro sulla parete, «sono opere completamente diverse, eseguite a distanza di anni, ma accostandoli l'uno all'altro si riconosce lo stesso uomo, anima e corpo, non trovi? La testa che si fa calva, e lo stesso viso: diligente, coscienzioso. Traspira bontà, ma al contempo preoccupazione e inquietudine.»

La signora Barbour stava ancora ammirando la riproduzione sul catalogo, ma io mi ritrovai a fissare la foto di Andy e suo padre, incorniciata sul tavolino accanto a noi. Era solo un'istantanea, ma aveva in sé un senso di premonizione, di transitorietà e sventura che nessun maestro olandese avrebbe potuto riprodurre con maggior precisione. Andy e il signor Barbour si stagliavano su uno sfondo scuro, candele spente sui portacandele alle pareti, la mano del signor Barbour sul modellino di una barca. L'effetto non avrebbe potuto essere più allegorico, o agghiacciante, se la sua mano fosse stata posata su un cranio. Sopra di loro, al posto della clessidra tanto amata dai pittori olandesi di *vanitas*, c'era un orologio severo e vagamente sinistro coi numeri romani. Le lancette nere segnavano le dodici meno cinque. Il tempo che scivolava via.

«Mamma...» era Platt, che entrò all'improvviso e restò impietrito nel vedermi.

«Non preoccuparti di bussare, caro» disse la signora Barbour senza staccare lo sguardo dal catalogo, «sei sempre il benvenuto.»

«Io...» Platt mi guardava a occhi sbarrati. «Kitsey.» Sembrava nervoso. Sprofondò le mani nelle tasche del cappotto. «L'hanno trattenuta» disse alla madre.

La signora Barbour parve sorpresa. «Oh» fece. Si guardarono, comunicando senza parlarsi.

«Trattenuta?» chiesi tranquillo, guardando prima l'uno e poi l'altra. «Dove?»

Non ci fu risposta. Platt – gli occhi fissi sulla madre – aprì la bocca e la richiuse. Con calma, la signora Barbour mise da parte il catalogo e, evitando di guardarmi, disse: «Be', sai, mi pare che oggi sia andata a giocare a golf».

«Davvero?» feci, un po' sorpreso. «Con questo tempo?»

«C'è traffico» disse Platt, impaziente, lanciando un'occhiata alla madre. «È bloccata. La superstrada è un disastro. Ha chiamato Forrest» disse, rivolgendosi a me, «per la cena.»

«Forse» disse la signora Barbour, pensierosa, dopo una pausa, «forse tu e Theo dovreste uscire a bere qualcosa. Sì» disse convinta a Platt, intrecciando le mani, come se la decisione fosse stata presa. «Penso proprio che sia un'idea eccellente. Uscite a bere qualcosa. E tu!» si girò sorridendo verso di me, «sei davvero un angelo. Grazie mille per il catalogo» aggiunse, allungandosi per afferrarmi la mano. «È il regalo più bello del mondo.»

«Ma...»

«Sì?»

«Non dovrà passare da casa per rinfrescarsi?» chiesi dopo un attimo di confusione.

«Scusa?» Mi guardarono entrambi.

«Se è stata a giocare a golf, non vorrà cambiarsi? Di sicuro non pensa di andare da Forrest vestita da golf» aggiunsi, continuando a spostare lo sguardo dall'uno all'altra, e poi, dato che nessuno dei due parlava, «per me non è un problema restare ad aspettare.»

Assorta, la signora Barbour si inumidì le labbra, l'espressione greve; e d'un tratto capii. Era stanca. Intrattenermi non era stato nei suoi programmi, l'aveva fatto solo per educazione.

«Anche se» dissi, un po' a disagio, «si sta facendo tardi, un cocktail non mi dispiacerebbe...»

In quel momento il telefono nella mia tasca, che era stato silenzioso tutto il giorno, trillò: un messaggio. Goffamente, così esausto da riuscire a malapena a capire dove fossero le tasche, lo pescai.

E infatti era Kitsey, che cinguettava qualcosa tra cuoricini e faccine. ♥♥ Ciao Bambolo ♥ sono in ritardo di un'ora! ✗⊘❂✳⁂ !!! Ti ho beccato spero! Cena da Forrest&Celia, ci vediamo lì alle 9, ti amo come non mai! Kits ♥✗♥✗♥✗♥

XIV

Dopo cinque o sei giorni non mi ero ancora completamente ripreso dalla serata con Boris – in parte perché ero occupato coi clienti, le aste e le eredità, in parte perché ogni sera avevo qualche sfiancante impegno con Kitsey: feste di Natale, cene in abito scuro, *Pelléas et Mélisande* al Met; mi svegliavo alle sei ogni mattina, andavo a letto ben oltre la mezzanotte. Non avevo praticamente avuto un attimo per me e (ancora peggio) neppure un secondo per stare solo con lei, cosa che normalmente mi avrebbe fatto arrabbiare, ma nello stato di profonda stanchezza in cui ero non faceva grande differenza.

Per tutta la settimana precedente avevo aspettato con ansia il martedì, il giorno che Kitsey dedicava alle amiche – non perché non volessi stare in sua compagnia, ma perché Hobie aveva una cena e non vedevo l'ora di restare solo, cenare con gli avanzi del frigo e andare a letto presto. Ma alle sette, orario di chiusura, avevo ancora del lavoro da sbrigare. Miracolosamente, qualche ora prima si era presentato in negozio un arredatore che voleva esaminare un costoso oggetto in peltro, fuori moda, impossibile da vendere, che se ne stava sopra un mobile a prendere polvere fin dai tempi di Welty. Il peltro non era un materiale che conoscevo bene, e stavo cercando un articolo paragonabile su un vecchio numero di «Antiques» quando Boris comparve trafelato e si mise a bussare al vetro della porta, nemmeno cinque minuti dopo che avevo chiuso. C'era una pioggia battente; sotto lo scrosciare dell'acquazzone Boris pareva un'ombra col cappotto, irriconoscibile, ma la cadenza dei suoi colpi alla porta era la stessa del passato, quando a Las Vegas faceva il giro della veranda e picchiettava brusco perché lo facessi entrare.

S'infilò dentro e si scrollò così forte che l'acqua finì da tutte le parti. «Vuoi venire con me Uptown?» disse senza preamboli.

«Sono occupato.»

«Sì?» disse, con un tono allo stesso tempo affettuoso ed esasperato, e con una nota di delusione così evidente e infantile che mi voltai, distogliendo lo sguardo dalla libreria. «E non mi chiedi perché? Credo che ti potrebbe interessare.»

«Uptown dove?»

«Devo parlare con certe persone.»

«E di cosa?»

«Oh, guarda» disse lui allegro, soffiandosi il naso. «Non devi venire per forza, avrei portato comunque il mio socio Toly, ma ho pensato che, per svariate ragioni, poteva essere una buona cosa se fossi voluto venire anche tu... Popchik, sì, sì!» disse, chinandosi per prendere il cane, che gli saltellava intorno per salutarlo. «Che bello vederti! Gli piace il bacon» disse a me, grattando Popper dietro le orecchie e strofinandogli il naso sulla nuca. «Gli cucini mai il bacon? Gli piace anche il pane, quando è inzuppato nel grasso.»

«Parlare a chi? Chi è questa gente?»

Boris si scostò i capelli bagnati dal viso. «Un tipo che conosco. Si chiama Horst. Un vecchio amico di Myriam. Anche lui è rimasto fregato, in questa storia; sinceramente non credo che possa aiutarci, ma Myriam pensa che parlargli un'altra volta non farebbe male. E forse ha ragione.»

XV

Diretti Uptown, sui sedili della Town Car, con la pioggia che batteva così forte che Gyuri doveva urlare perché lo sentissimo («Che tempo da cani!»), Boris mi diede qualche informazione su Horst. «Una storia molto, molto triste. È tedesco. Tipo interessante, molto intelligente e sensibile. Anche di famiglia importante... una volta me l'ha detto, ma me lo sono dimenticato. Suo padre era in parte americano e gli ha lasciato un sacco di soldi, ma quando sua madre si è risposata...» a quel punto fece il nome di un industriale famoso in tutto il mondo, che aveva una tetra nomea di vecchio nazista. «*Milioni*. Cioè, non ti immagini nemmeno quanti soldi abbia questa gente. Ci si rotolano, nei soldi. Gli escono dal culo.»

«Già, che storia triste, è vero.»

«Be'... Horst è un vero tossico. Tu mi conosci...» alzata di spalle da uomo di mondo, «io non giudico, non condanno. Fa' quel che vuoi, non è affar mio. Ma Horst... un caso molto triste. Si innamorò di questa ragazza che si faceva e iniziò a farsi anche lui. Lei lo sfruttava per tutto, e quando il denaro finì se ne andò. La famiglia di Horst... lo rinnegarono molti anni fa. E lui ha ancora il cuore a pezzi per via di questa ragazza terribile. Ragazza... ormai avrà quarant'anni. Si chiama Ulrika. Ogni volta che Horst ha un po' di soldi... lei torna per qualche tempo. Poi lo lascia di nuovo.»

«E cosa ci andiamo a fare?»

«È il socio di Horst, Saša, che ha organizzato l'affare. Lo incontro, sembra a posto, ma che ne so io? Horst aveva detto di non aver mai lavorato col braccio di destro di Saša, io però avevo fretta e non ho indagato come avrei dovuto e...» alzò le mani, «*poof*! Myriam aveva ragione – lei ha sempre ragione – avrei dovuto ascoltarla.»

L'acqua scivolava sui finestrini, densa come il mercurio, sigillandoci nella macchina, e le luci ammiccanti si scioglievano attorno a noi con un frastuono che mi riportò ai pomeriggi a Las Vegas, quando, all'autolavaggio, io e Boris rimanevamo seduti sul sedile posteriore della Lexus di mio padre.

«Horst di solito è puntiglioso sulla gente con cui fa affari, quindi ho pensato che sarebbe andato tutto bene. Ma... insomma, lui è un tipo di poche parole. "Insolito", è stato questo il suo unico commento. "Non convenzionale." Be', cos'avrebbe dovuto significare? Poi, quando arrivo laggiù... quella gente era pazza da legare. Voglio dire, tipo che usavano i polli come tirassegno. A questi livelli. E quando si tratta di affari, uno vuole solo che sia tutto perfetto e tranquillo! Ma cos'è, pensavo, hanno visto troppi film? Ma è il modo di lavorare, questo? Normalmente in situazioni del genere sono tutti educati e silenziosi, superpacifici! Myriam disse – e aveva ragione – lascia stare le pistole! Quanto è assurdo che questa gente allevi dei polli a Miami? In un quartiere di Jacuzzi, campi da tennis, capisci... ma chi si mette a tenere dei polli? Immagina il vicino che chiama per lamentarsi del rumore dei polli in cortile! Ma ormai...» scrollò le spalle, «ormai ero lì. C'ero dentro. Mi dissi di non preoccuparmi tanto, e invece avevo ragione eccome.»

«Cos'è successo?»

«Non lo so, davvero. Mi hanno dato metà della roba, il resto sarebbe arrivato la settimana dopo. Può succedere. Non è così strano. Ma poi li hanno arrestati, e non ho visto né l'altra metà della roba né il quadro. Horst... be', anche Horst vorrebbe ritrovarlo, anche lui ci ha perso un bel po' di verdoni. Comunque spero che sappia qualcosa di più dell'ultima volta che ci ho parlato.»

XVI

Gyuri ci lasciò all'angolo con la Sessantesima, non lontano da casa dei Barbour. «È qui?» dissi, scrollando l'ombrello di Hobie. Eravamo davanti a una delle grandi palazzine eleganti sulla Quinta: portone in acciaio nero ed enormi battenti a testa di leone.

«Sì, è la casa del padre, il resto della famiglia sta cercando di farlo buttare fuori. Ah! Buona fortuna.»

Ci aprirono il portone e salimmo al secondo piano con un ascensore a gabbia. C'era odore di incenso, di erba e di cucina. Una bionda allampanata – capelli corti e una faccia placida come quella di un cammello, occhi piccoli – venne ad aprire. Era vestita come una specie di monello di strada o uno strillone vecchio stile: pantaloni *pied de poule*, stivaletti bassi, una maglietta della salute sporca, bretelle. Poggiati sulla punta del naso, un paio di occhiali tondi con la montatura metallica.

Senza parlare, ci aprì la porta e se ne andò, lasciandoci in un enorme salotto lurido e semibuio, la versione fatiscente di una sala da ballo di un film con Fred Astaire: soffitti alti; intonaco decrepito; pianoforte a coda; lampadario in penombra con metà dei cristalli rotti o mancanti; ampia scalinata alla Hollywood disseminata di mozziconi di sigaretta. Canti sufi ronzavano lievi in sottofondo: *Allāhu Allāhu Allāhu Haqq. Allāhu Allāhu Allāhu Haqq.* Su un muro qualcuno aveva disegnato col carboncino una serie di nudi a grandezza naturale che, in sequenza, salivano le scale, come i fotogrammi di un film; e quasi non c'erano mobili a parte un futon logoro e alcune sedie e tavoli che sembravano raccattati nell'immondizia. Alle pareti, cornici vuote e la testa di un montone. In TV, un film d'animazione crepitava e sfarfallava con vigore epilettico, in un mulinare scomposto di figure geometriche e lettere ritagliate e immagini di rombanti auto da corsa. A parte la TV, e la porta oltre la quale era scomparsa la bionda, l'unica luce proveniva da una lampada che proiettava un cerchio bianco su cavi di computer, mozziconi di candele, bottiglie di birra vuote e ricariche di butano, pastelli a cera sciolti, diversi cataloghi, libri in tedesco e inglese tra cui *Disperazione* di Nabokov e *Essere e tempo* di Heidegger con la copertina strappata, blocchi da disegno, libri d'arte, portacenere e carta stagnola bruciata, e un cuscino dall'aspetto sudicio sul quale sonnecchiava un gatto soriano grigio. Sopra la porta, come un trofeo in un casotto per cacciatori nella Foresta Nera, un palco di corna gettava labirintiche ombre distorte sul soffitto, in un tocco dal sapore nordico a metà tra il fiabesco e il malsano.

Dalla stanza accanto si sentiva qualcuno parlare. Le finestre erano coperte da lenzuola attaccate con delle puntine da disegno, abbastanza sottili da lasciar entrare il diffuso bagliore violetto della strada. Mentre mi guardavo in giro, le forme emergevano dall'oscurità e si delineavano in modo bizzarro, come accade nei sogni: per primo il séparé improvvisato che divideva la stanza in due ambienti – un drappo gettato su una corda tesa –, e diventava, se lo si osservava più da vicino, un arazzo, e anche bello, del diciottesimo secolo o forse ancora più antico, gemello di un Amiens che avevo visto a un'asta, del valore di quarantamila sterline. E non tutte le cornici appese alla parete erano vuote. Alcune contenevano dipinti, e uno di essi – nella penombra – sembrava un Corot.

Stavo per avvicinarmi a dargli un'occhiata, quando sulla soglia apparve un uomo che poteva avere fra i trenta e i quarant'anni: snello, coi capelli lisci e rossicci pettinati all'indietro, sfatto. Indossava jeans neri da punk strappati sulle ginocchia e un maglione sudicio dell'esercito inglese con sopra una giacca della taglia sbagliata.

«Ciao» mi fece, una voce cupa dall'intonazione britannica sporcata da un accento tedesco, «tu devi essere Potter» e poi, a Boris: «Sono felice che tu sia venuto. Dovreste restare un po'. Candy e Niall stanno preparando la cena con Ulrika».

Un movimento dietro l'arazzo, all'altezza del pavimento, mi fece sobbalzare: sagome raggomitolate, sacchi a pelo, odore di senzatetto.

«Grazie, non possiamo restare» disse Boris, che aveva preso in braccio il gatto e lo stava grattando dietro le orecchie. «Ma prenderò un po' di vino, grazie.»

Senza una parola, Horst passò il suo bicchiere a Boris e poi urlò in tedesco rivolto a qualcuno nella stanza accanto. E a me disse: «Tu sei un antiquario, giusto?». Nel bagliore della TV, i suoi occhi da gabbiano impagliato, la pupilla ridotta a uno spillo, scintillavano duri e impassibili.

«Già» risposi, a disagio, e poi: «Uh, grazie». Un'altra donna – capelli castano scuro a caschetto, alti stivali neri, gonna sufficientemente corta da lasciare scoperto il gatto nero tatuato su una coscia bianco latte – era comparsa con una bottiglia e due bicchieri: uno per Horst e uno per me.

«*Danke, darling*» disse Horst. «Gentiluomini, avete voglia di farvi?» chiese rivolto a Boris.

«Non ora» rispose lui, che si era piegato in avanti per strappare un bacio alla donna dai capelli scuri prima che se ne andasse. «Mi chiedevo: cosa sai di Saša?»

«Saša...» Horst si abbandonò sul futon e si accese una sigaretta. Con quei jeans strappati e gli anfibi sembrava la versione sciatta di un caratterista hollywoodiano anni Quaranta, un *mitteleuropäischer* noto per aver interpretato violinisti senza un quattrino e rifugiati politici colti e disillusi. «Pare sia finito in Irlanda. È una buona notizia se vuoi il mio parere.»

«C'è qualcosa di strano.»

«Anche secondo me, ma abbiamo parlato con della gente, e finora tutto collima.» Parlava con la lentezza sincopata dei tossici, ma senza farfugliare. «Quindi... presto sapremo di più, spero.»

«Amici di Niall?»

«No. Niall non li ha mai sentiti nominare. Ma è un inizio.»

Il vino era cattivo: Syrah da supermercato. Non volevo avvicinarmi ai corpi sul pavimento, così mi spostai per dare un'occhiata a un gruppo di gessi su un tavolaccio: un torso maschile; una venere drappeggiata alta forse trenta centimetri; un piede infilato in un sandalo. Nella luce fioca sembravano i soliti calchi in vendita da Pearl Paint – modelli buoni per le esercitazioni degli studenti –, ma quando feci scorrere il dito lungo la linea del piede percepii la compattezza liscia e fredda del marmo.

«Perché se lo sarebbero portato in Irlanda?» stava dicendo Boris, agitato. «Che tipo di mercato c'è per i collezionisti? Pensavo che tutti cercassero di fare uscire dei pezzi dall'Irlanda, non di portarceli.»

«Sì, ma Saša dice che hanno usato il dipinto per saldare un debito.»

«Quindi il tipo ha dei contatti lì?»

«Evidentemente.»

«Mi pare difficile.»

«Cosa, i contatti?»

«No, che abbia usato il quadro per ripianare un debito. Ha l'aria di uno che rubava coprimozzi per strada fino a sei mesi fa.»

Horst scrollò appena le spalle: occhi assonnati, fronte rugosa. «Chissà. Non sono sicuro che sia vero, ma di certo non ho voglia di affidarmi alla fortuna. Non ci metterei la mano sul fuoco» disse, facendo cadere pigramente la cenere sul pavimento.

Boris aggrottò la fronte, concentrato sul suo bicchiere di vino. «Era un dilettante. Credetemi. Se l'aveste visto lo sapreste.»

«Sì, ma gli piace rischiare, dice Saša.»

«Credi che Saša sappia qualcosa di più?»

«No, non penso.» C'era qualcosa di distaccato nel suo modo di fare, come se si stesse rivolgendo a se stesso. «"Aspetta e vedrai." Questo è quello che ho sentito. Una risposta insoddisfacente. Sento puzza di bruciato, se volete proprio saperlo. Ma come vi ho detto, non siamo ancora arrivati in fondo alla questione.»

«E Saša quando torna in città?» La penombra della stanza mi proiettò direttamente nella mia infanzia, a Las Vegas, come il tetro umore del sogno che indugia dopo il risveglio: nebbia da fumo di sigaretta, vestiti sporchi sul pavimento, il viso di Boris bianco e blu alla luce tremolante dello schermo.

«La settimana prossima. Ti faccio uno squillo. Puoi parlargli di persona.»

«Sì. Ma credo che dovremmo farlo insieme.»

«Sì, lo credo anch'io. In futuro ci faremo entrambi più furbi... questo non doveva succedere... ma in ogni caso» disse Horst grattandosi lentamente il collo, assente, «capisci che non mi fido a fargli troppe pressioni.»

«È molto comodo così, per Saša.»

«Hai dei sospetti. Dimmi.»

«Credo...» Boris lanciò un'occhiata verso la porta.

«Sì?»

«Credo...» Abbassò la voce. «Hai troppa fiducia in lui. Sì sì...» alzando le mani, «lo so. Ma... è davvero molto comodo per il tuo socio svanire nel nulla, sostenendo di non saperne niente!»

«Be', forse» disse Horst. Sembrava come scollegato, la testa altrove, un adulto in una stanza piena di bambini. «Questa cosa mi sta creando dei problemi. Li sta creando a tutti. Voglio andare fino in fondo tanto quanto lo volete voi. Per quanto ne so, il suo socio potrebbe essere persino uno sbirro.»

«No» disse Boris deciso. «Non è vero. Non è vero. Ne sono sicuro.»

«Be'... in tutta sincerità, non lo credo neanch'io, c'è sotto qualcosa che non sappiamo. Però resto ottimista.» Stava trafficando con una scatola che aveva preso da un tavolo da disegno. «Signori, siete sicuri di non volere qualcosina?»

Distolsi lo sguardo. Non c'era nulla che desiderassi di più. Volevo anche ammirare il Corot, ma non mi andava di scavalcare i corpi sul pavimento. Dall'altra parte della stanza avevo notato diversi altri dipinti poggiati contro il rivestimento di legno della parete: una natura morta e un paio di piccoli paesaggi.

«Dagli un'occhiata, se vuoi» disse Horst. «Il Lépine è falso. Ma il Claesz e il Berchem sono in vendita, se sei interessato.»

Boris rise e si allungò per prendere una delle sigarette di Horst. «Non è interessato.»

«Ah, no?» disse Horst, affabile. «Posso fargli un buon prezzo su quei due. Il venditore deve liberarsene.»

Mi feci avanti per guardarli: natura morta, candela e bicchiere di vino semivuoto. «Claesz Heda?»

«No... Pieter. Anche se...» Horst mise via la scatola, poi mi raggiunse e prese la lampada sopra la scrivania, illuminando entrambi i dipinti di una luce dura e formale. «Questa parte...» e indicò a mezz'aria tracciando una linea curva col dito, «il riflesso della fiamma, lo vedi, qui? E il bordo del tavolo, i drappeggi? Potrebbe quasi essere Heda in una giornata no.»

«Un pezzo bellissimo.»

«Sì. Nel suo genere lo è.» Da vicino puzzava di sporco e di muffa, un forte tanfo, come una di quelle vecchie scatole di legno che si trovano nei negozi di articoli d'importazione cinesi. «Un po' datato. Classicheggiante e manierista. Davvero troppo costruito. Comunque il Berchem è molto bello.»

«Ci sono in giro un sacco di Berchem falsi» dissi in tono neutro.

«Sì... Ma questo è incantevole... Italia, 1655... gli ocra sono stupendi, vero? Il Claesz non è così bello, secondo me, molto acerbo, sebbene la provenienza di entrambi sia impeccabile. Non sarebbe male tenerli insieme... non sono mai stati separati, questi due. Padre e figlio. Sono arrivati insieme a un'antica famiglia olandese e sono finiti in Austria dopo la guerra. Pieter Claesz...» Horst sollevò ancora la lampada. «Era molto incostante. Ottima tecnica, tratto meraviglioso, ma c'è qualcosa che non va in questo qui, non sei d'accordo? La composizione non regge. È incoerente, in un certo senso. E poi...» e indicò col polpastrello del pollice la lucentezza che emanava la tela: un eccesso di verniciatura.

«Sono d'accordo. E qui...» Mostrai il punto in cui una pulizia troppo energica aveva rovinato il dipinto fino a sfumarne i colori.

«Sì.» Lo sguardo che mi rivolse era affabile e intorpidito. «È vero. Acetone. Chiunque l'abbia fatto, meriterebbe un colpo di pistola. E nonostante tutto, un quadro di livello medio come questo, in cattive condizioni – vale più di un capolavoro. Ironico, non trovi? Almeno, *per me* vale di più. Soprattutto i paesaggi. Facilissimi da vendere. Poca attenzione da parte delle autorità... Sono difficili da riconoscere sulla base di una semplice descrizione... ma valgono intorno ai duecentomila. Ora, il Fabritius...» fece una lunga pausa rilassata, «è di tutt'altro calibro. Il pezzo più notevole che mi sia mai passato per le mani, lo posso dire con certezza.»

«Sì, è per questo che ci piacerebbe riprendercelo» grugnì Boris dall'oscurità.

«Decisamente straordinario» continuò Horst senza farci caso. «Una natura morta come questa...» indicò il Claesz, con un gesto lento e teatrale della mano (unghie bordate di nero, reticolo di vene sul dorso), «be', un vero e proprio *trompe-l'œil*. Estrema abilità tecnica. Precisione ossessiva. C'è un che di mortifero. Un motivo c'è, se le chiamano nature morte, no? Ma il Fabritius...» lunga pausa, «conosco la storia del *Cardellino*, la conosco bene, lo chiamano *trompe-l'œil* e in effetti da lontano l'occhio riesce a imbrogliarlo. Ma non mi importa cosa dicono gli storici dell'arte. È vero: ci sono punti lavorati come un *trompe-l'œil*... la parete e il trespolo, il riflesso della luce sull'ottone, e poi... il petto piumato, veramente *vivo*. Ciuffi di piume così soffici... Claesz porterebbe quella rifinitura e quella precisione all'estremo, fino alla morte – e un pittore come van Hoogstraten ancora più in là, all'ultimo chiodo della bara. Ma Fabritius... lui con questo genere ci gioca... una risposta magistrale al concetto stesso del *trompe-l'œil*... perché in altri punti – la testa? l'ala? – non è così vivo, né così preciso. Smonta deliberatamente l'immagine per mostrarci come l'ha dipinta. Pennellate più rapide, vere e proprie macchie, modellate come se stesse applicando il colore direttamente con le dita, soprattutto la linea del collo, un pezzo di pittura solida, decisamente astratta. Che è ciò che lo rende un genio, dei nostri tempi più ancora che dei suoi. C'è un doppio livello... Vedi il segno, vedi la pittura in quanto tale, e anche l'uccello vivo.»

«Già, be'» ringhiò Boris, nel buio oltre il fascio di luce, chiudendo di scatto il suo accendino, «finché il quadro non salta fuori non vedrai proprio niente.»

«Esatto.» Horst si girò, il viso tagliato a metà dalla linea d'ombra. «È uno scherzo, il Fabritius. Per sua stessa natura, è uno scherzo. Ed è questo che fanno tutti i veri maestri. Rembrandt. Velázquez. L'ultimo Tiziano. Giocano. Si divertono. Costruiscono l'illusione... ma appena ti avvicini un po', ecco che il trucco si svela e appaiono i segni del pennello. Astratti, ultraterreni. Una bellezza diversa e molto, molto più profonda. La cosa in sé e il suo contrario. Si può dire che quel minuscolo dipinto fa di Fabritius uno dei più grandi pittori mai esistiti. È con *Il cardellino* che compie il miracolo, in uno spazio tanto ridotto. Anche se, ammetto, sono rimasto sorpreso...» si girò verso di me, «quando l'ho avuto fra le mani per la prima volta. Dal suo peso.»

«Già...» Non riuscivo a non sentirmi in qualche modo gratificato dal fatto che avesse notato quel dettaglio, per me stranamente importante, con la sua rete di sogni e associazioni infantili. «La tavola è più spessa di quanto si penserebbe. Ha una certa... importanza.»

«Giusto. La parola esatta. E lo sfondo... molto meno giallo di quando lo vidi da ragazzo. Il quadro è stato sottoposto a una pulizia; nei primi anni Novanta, credo. C'è più luce, dopo il restauro.»

«Non saprei. Non ho termini di paragone.»

«Oh» disse Horst. Dal buio, il fumo dalla sigaretta di Boris fluttuava fino a noi. «Forse mi sbaglio. Avevo più o meno dodici anni quando l'ho visto la prima volta.»

«Sì, anche io avevo la stessa età.»

«Be'» disse Horst, rassegnato, sfregandosi un sopracciglio – lividi grossi come monete sulle sue mani, «fu l'unica volta in cui mio padre mi portò con sé in un viaggio di lavoro, all'Aia. Quelle glaciali sale riunioni. Non fu per nulla entusiasmante. Di pomeriggio volevo andare al Drievliet, il parco divertimenti, invece mi portò al Mauritshuis. Grande museo, tante opere meravigliose, ma l'unico che ricordo è il tuo cardellino. Affascina i bambini quel dipinto, vero? *Der Distelfink*. È così che l'ho conosciuto, col nome tedesco.»

«*Bla bla bla*» fece Boris dall'oscurità, annoiato. «È come ascoltare un documentario in TV.»

«Ti occupi mai di arte moderna?» chiesi, rompendo il silenzio che seguì.

«Be'...» Horst mi fissò coi suoi asciutti occhi invernali; *occuparsi* non era proprio la parola corretta e parve divertito dal verbo che avevo scelto. «A volte. Non molto tempo fa ho avuto per le mani un Kurt Schwitters... uno Stanton Macdonald-Wright... lo conosci? Pittore adorabile. Dipende molto da quello che arriva. Sinceramente... tu tratti anche quadri?»

«Molto raramente. I mercanti d'arte di solito arrivano prima di me.»

«È un peccato. La trasportabilità è un fattore chiave in quello che facciamo. Ci sono un sacco di pezzi di medio livello che potrei vendere tranquillamente se avessi un documento dall'aspetto autentico.»

Folata di aglio; padelle che sbatacchiavano in cucina; una vaga sfumatura da mercato marocchino, un misto di urina e incenso. In sottofondo, quasi impercettibile, l'ipnotico ronzio sufi, che si espandeva e vorticava attorno a noi nel buio, un canto incessante innalzato al Divino.

«O questo Lépine. Una buona imitazione. C'è questo tipo – canadese, simpatico, ti piacerebbe – che li fa su ordinazione. Pollock, Modigliani... sarei felice di presentartelo se ti va. Io non ci alzo molti soldi, ma ci si potrebbe fare una fortuna se uno di quei pezzi finisse nel posto giusto.» Poi, calmo, nel silenzio che seguì: «Fra le opere più antiche ne vedo molte italiane, ma le mie preferite provengono dal Nord Europa, come puoi vedere. Ora... questo Berchem è riuscitissimo in sé, ma questi paesaggi italianeggianti con le colonne spezzate e le pastorelle non si addicono al gusto moderno, ovvio. Preferisco di gran lunga il van Goyen, là. Non in vendita, purtroppo.»

«Van Goyen? Avrei giurato fosse un Corot.»

«Da qui, sì, potrebbe sembrarlo.» Era compiaciuto per il paragone. «Pittori molto simili... lo stesso Vincent l'ha sottolineato... conosci quella lettera? "Il Corot degli olandesi"? La stessa foschia morbida, la porosità della nebbia, capisci?»

«Dove...» Stavo per fare la classica domanda da commerciante, *dove l'hai preso*, ma mi trattenni.

«Pittore meraviglioso. Molto prolifico. E questo è un pezzo particolarmente bello» disse, con tutto l'orgoglio del collezionista. «Diversi dettagli curiosi, da vicino – il piccolo cacciatore, il cane che abbaia. La firma sulla poppa della barca, cosa piuttosto tipica. Affascinante. Se non ti infastidisce...» indicò con un cenno i corpi dietro l'arazzo, «vai. Non li disturberai.»

«No, ma...»

«No» sollevando una mano, «capisco perfettamente. Vuoi che te lo porti?»

«Sì, mi piacerebbe vederlo.»

«Devo dire che mi ci sono affezionato tanto, separarmene mi strazierebbe. Anche lui vendeva dipinti, van Goyen. Molti dei maestri olandesi lo facevano. Jan Steen. Vermeer. Rembrandt. Ma Jan van Goyen...» sorrise, «era come il nostro amico Boris. Mani in pasta dappertutto. Opere d'arte, palazzi, mercato dei tulipani.»

A quel punto, nell'oscurità, Boris emise un gemito d'irritazione e sembrò sul punto di aprire bocca, quando, all'improvviso, un ragazzo ossuto, spettinato, intorno ai ventidue anni, con un termometro al mercurio che gli spuntava dalla bocca, uscì barcollando dalla cucina con una mano sugli occhi per ripararsi dalla luce della lampada. Indossava uno strano cardigan da donna fatto a mano, pesante, che gli arrivava fin quasi alle ginocchia, come un accappatoio; sembrava malaticcio e disorientato, e si grattava la parte interna dell'avambraccio con due dita, la manica arrotolata; un istante dopo crollò a terra e il termometro gli schizzò di bocca finendo sul parquet con un tintinnio, intatto.

«Cosa...?» disse Boris, gettando la sigaretta e alzandosi in piedi, mentre il gatto che aveva in grembo scompariva nel buio. Horst, accigliato, appoggiò la lampada sul pavimento, la luce si mosse sulle pareti e sul soffitto. «Ach» disse subito, scostandosi i capelli dagli occhi e mettendosi in ginocchio per dare un'occhiata al ragazzo. «State indietro» ordinò infastidito alla donna che era comparsa sulla soglia insieme a un colosso coi capelli scuri e l'aspetto guardingo e a una coppia di ragazzi occhialuti con l'aria da bravi studenti che non potevano avere più di sedici anni; poi, mentre tutti se ne stavano immobili a guardare, fece un gesto con la mano. «Tornate in cucina! Ulrika» disse alla bionda, «*halt sie zurück*.»

L'arazzo si mosse; fagotti avvolti in coperte e voci assonnate: *eh? was ist los?*

«*Ruhe, schlaft weiter*» urlò la bionda, prima di girarsi verso Horst e iniziare a discutere in un tedesco concitato.

Sbadigli, grugniti, più indietro un gruppetto si rizzò a sedere, lamenti intontiti di qualche americano: «Eh? Klaus? Che ha detto?».

«Taci, piccola, e torna *zu schlafen*.»

Boris aveva preso il cappotto e se lo stava infilando. «Potter» disse, e poi di nuovo, dato che non rispondevo, guardando orripilato il pavimento, dove il ragazzo si contorceva rantolando: «Potter». Mi afferrò il braccio. «Dai, andiamocene.»

«Sì, scusate. Dovremo riparlarne più avanti. *Scheisse*» disse Horst dispiaciuto, scuotendo la spalla molle del ragazzo, col tono di un genitore che fa una lavata di capo non troppo convincente al figlio. «*Dummer Wichser! Dummkopf!* Quanta se n'è presa, Niall?» disse al gigante che era riapparso sulla soglia e lo guardava con occhio critico.

«Cazzo ne so» rispose minaccioso l'irlandese, un brusco movimento della testa.

«Forza, Potter» disse ancora Boris, tirandomi per il braccio. Horst aveva accostato l'orecchio al petto del ragazzo e la bionda, che nel frattempo era tornata, si era inginocchiata al suo fianco e stava controllandogli le vie aeree.

Mentre si consultavano in tedesco, agitati, altri rumori e movimenti giunsero da dietro l'arazzo, che d'un tratto parve animarsi: fiori sbiaditi, una *fête champêtre*, ninfe generose che si svagavano tra fontanelle e viti. Io stavo fissando un satiro che le sbirciava furtivo da dietro un albero e, all'improvviso, balzai all'indietro; una mano era spuntata dal basso e aveva afferrato il risvolto dei miei pantaloni. Dal pavimento, uno dei luridi fagotti – faccia rossa e gonfia, appena visibile sotto il bordo inferiore dell'arazzo – mi chiese, con voce assonnata e gentile: «È un marchese, mio caro, lo sapevi?».

Mi liberai dalla presa e mi allontanai. Il ragazzo sul pavimento muoveva la testa e faceva un rumore come se stesse affogando.

«*Potter*.» Boris aveva raccattato il mio cappotto e quasi me lo buttò in faccia. «Forza! Andiamo! *Ciao*»[15] urlò in direzione della cucina (sulla soglia apparve una testolina scura, con una mano sventolante: *bye, Boris! Bye!*) mentre mi spingeva davanti a sé sgattaiolando fuori. «*Ciao*, Horst!» lo salutò, portandosi la mano all'orecchio per dirgli con un gesto *chiamami*.

«*Tschau*, Boris! Mi dispiace! Ci sentiamo presto! Su» disse Horst, mentre l'irlandese prendeva il ragazzo per l'altro braccio; lo sollevarono insieme, i piedi molli che strascicavano sul parquet, i due adolescenti che assistevano alla scena allarmati – e lo trasportarono fino alla soglia illuminata della stanza attigua, dove la moretta di Boris stava preparando una siringa da una bottiglietta di vetro.

XVII

Nell'ascensore, il silenzio ci avvolse improvviso; si udivano solo il cigolio dei cavi e lo scricchiolio delle pulegge.

Fuori, il tempo era migliorato. «Dai» mi disse Boris, guardando nervosamente la strada, «dai, attraversiamo...» e tirò fuori il cellulare dalla tasca del cappotto.

---

[15] In italiano nel testo. (*N.d.T.*)

«Che fai?» chiesi – avremmo potuto farcela prima del rosso, se ci fossimo sbrigati. «Chiami il 911?»

«No, no» rispose distratto, soffiandosi il naso e guardandosi in giro, «non voglio starmene qui ad aspettare la macchina, lo chiamo e gli dico di venire a prenderci dall'altra parte del parco. Lo attraversiamo. A volte quei ragazzini esagerano un po'» disse, quando mi vide guardare con ansia in direzione della casa. «Non ti preoccupare. Andrà tutto bene.»

«Non ci giurerei.»

«Respirava, e Horst ha il Narcan. Quello lo farà riprendere al volo. Sembra magia, l'hai mai visto? Passi direttamente all'astinenza. Stai di merda, ma sei vivo.»

«Dovrebbero portarlo al pronto soccorso.»

«Perché?» chiese Boris serio. «Cosa gli farebbero, lì? Gli darebbero il Narcan, ecco cosa. Horst glielo può dare più in fretta di loro. E sì, si vomiterà addosso e si sentirà come se lo stessero pugnalando alla testa, ma meglio che in ambulanza, *boom*, maglietta tagliata via, maschera in faccia, gente che ti schiaffeggia per svegliarti, poi c'è di mezzo la legge, e tutti lì a giudicarti… Credimi, il Narcan è già una brutta roba, se poi ci aggiungi pure l'ospedale, luci accecanti, tutti ostili, ti trattano di merda, "tossico", "overdose", e quelle occhiatacce, e magari non ti lasciano tornare a casa, capace che ti mandano al reparto psichiatrico, con un'assistente sociale che si presenta per farti il discorsetto: "Ci sono talmente tante cose per cui vale la pena vivere", e poi, come se non bastasse, ti becchi pure una bella visita degli sbirri. Aspetta un attimo» disse, «solo un momento» e si mise a parlare in ucraino al telefono.

Buio. Sotto il nebbioso fascio di luce dei lampioni, le panchine del parco erano fradice d'acqua, gli alberi grondanti e neri. Sentieri ricoperti di foglie, un paio di impiegati solitari che si affrettavano verso casa.

Boris, la testa bassa, le mani ficcate in tasca, lo sguardo fisso a terra, aveva chiuso la chiamata e mormorava tra sé.

«Come, scusa?» domandai guardandolo di sbieco.

Serrò le labbra, scuotendo la testa. «Ulrika» disse tetro. «Quella stronza. È quella che è venuta ad aprirci la porta.»

Mi passai la mano sulla fronte. Avevo la nausea, tremavo e iniziavo a sudare freddo. «Come li conosci?»

Boris scrollò le spalle. «Horst?» disse, calciando un mucchio di
foglie. «Ci conosciamo da anni. Ho incontrato Myriam tramite lui;
gli sono grato per avermela presentata.»

«E…?»

«Cosa?»

«Il tipo sul pavimento.»

«Lui? Quello che è svenuto?» Boris fece la sua smorfia da *e chi lo
sa?* «Se ne prenderanno cura, non ti preoccupare. Succede. Alla fine
se la cavano sempre. Davvero» disse, più serio. «Perché… ascoltami.» Mi diede una gomitata. «Questi ragazzi passano molto tempo
da Horst… ce ne sono tanti, sempre diversi… vent'anni o anche
meno. Quasi sempre ricchi, hanno fondi fiduciari, e possono pagarlo
con pezzi o dipinti che magari hanno preso a casa dei genitori. Sanno
che possono andare da lui. Perché…» scosse la testa, spostandosi i
capelli dagli occhi, «lo stesso Horst, sai, per un anno o due ha frequentato uno di quegli istituti fighetti da queste parti, uno di quelli
in cui devi indossare la giacca, sai… Molto tempo fa, negli anni Ottanta. Una volta me l'ha fatto vedere, da un taxi. Comunque» tirò su
col naso, «il tipo sul pavimento non è mica un poveraccio che viene
dalla strada. E non lasceranno che gli succeda niente. Speriamo che
impari la lezione. Capita a molti. Non starà mai più così male in vita
sua, dopo quella dose di Narcan. E poi, Candy è un'infermiera e si
prenderà cura di lui. Candy. La moretta» disse, dandomi una gomitata nelle costole, dato che non rispondevo. «L'hai vista?» Ridacchiò.
«Tipo…?» Si abbassò a mimare l'altezza dei suoi stivali. «*Lei* è incredibile. Dio, se solo riuscissi a farla schiodare da quel Niall, l'irlandese! Un giorno siamo andati a Coney Island, solo noi due, e non mi
sono mai divertito tanto. Le piace fare golfini a maglia, te la immagini?», rivolgendomi un'occhiata allusiva. «Donne così… penseresti
mai che è una che lavora a maglia? E invece sì! Voleva farmene uno!
Ed era seria! "Boris, quando vuoi ti faccio un bel maglione. Dimmi
il colore e te lo faccio."»

Cercava di tirarmi su di morale, ma ero ancora troppo scosso per
parlare. Per un po' camminammo in silenzio, al buio, le teste chine,

l'unico rumore quello dei nostri passi sul sentiero del parco, che sembravano generare un'eco infinita, e, oltre l'enorme notte della città tutt'intorno a noi, il suono dei clacson e delle sirene pareva giungere da un chilometro di distanza.

«Be'» disse poi Boris, lanciandomi un'altra occhiata di sbieco, «almeno ora lo so, no?»

«Cosa?» risposi, sorpreso. Stavo ancora pensando al ragazzo e ai miei recenti svenimenti: quando avevo perso i sensi nel bagno di sopra da Hobie e avevo battuto contro lo spigolo del lavandino, ferendomi la testa; quando mi ero svegliato sul pavimento della cucina di Carol Lombard, con lei che mi scuoteva urlando, oh, per fortuna è durata solo quattro minuti, avrei chiamato il 911 se al quinto non ti fossi ripreso.

«Ne sono abbastanza certo. È stato Saša a prendere il quadro.»

«Chi?»

Boris mi guardò in cagnesco. «Il fratello di Ulrika. Spassoso, eh?» disse, incrociando le braccia sul petto magro. «E due più due fa quattro, se capisci cosa intendo. Saša e Horst sono abbastanza legati… Horst non vuole che se ne parli male. È difficile non affezionarsi a Saša – è uno che si fa voler bene da tutti –, è molto meglio di Ulrika, ma abbiamo sempre avuto divergenze caratteriali. Horst era un bravo ragazzo, lo dicono tutti, prima di incontrare quei due. Studiava filosofia… si stava preparando per amministrare l'azienda del padre… e guardalo ora. Detto questo, non avrei mai pensato che Saša si sarebbe messo contro di lui, neanche fra un milione di anni. Hai seguito il discorso?»

«No.»

«Be', Horst pensa che la parola di Saša sia oro colato, ma io non ne sono tanto sicuro. E non credo nemmeno che il quadro sia in Irlanda. Nemmeno Niall, l'irlandese, lo pensa. Detesto che lei sia tornata, Ulrika… perché non posso dire chiaro e tondo ciò che penso. Ma…» le mani sprofondate nelle tasche, «mi sorprende un po' che Saša abbia azzardato tanto, e non ho il coraggio di dirlo a Horst, ma credo che non ci sia nessun'altra spiegazione… credo che l'affare finito male, l'arresto, la soffiata ai poliziotti… sia stato tutto un piano di Saša per svignarsela col dipinto. Horst mantiene decine di persone... è fin troppo generoso, si fida troppo... ha un'anima buona, capisci, vede sempre il meglio negli altri... Be', lui può anche lasciare che Saša e Ulrika lo derubino, ma io non mi faccio raggirare.»

«Mmm.» Avevo trascorso con Horst solo pochi minuti, e non mi era sembrato un'anima particolarmente buona.

Boris aggrottò le sopracciglia, dando un calcio a una pozzanghera. «Un problema, però, è questo uomo di Saša, quello grazie al quale mi ha fregato: come si chiama? Chi lo sa. Si faceva chiamare "Terry", che mica è il suo nome – nemmeno io uso il mio nome, okay, ma Terry, canadese, ma dai, che cazzo! Veniva dalla Repubblica Ceca, e non si chiamava Terry White più di quanto mi ci chiamo io! Un delinquente di strada, appena uscito di galera; non sa nulla, del tutto ignorante... una bestia, pura e semplice. Credo che Saša l'abbia raccattato da qualche parte appositamente per questo affare e gli abbia dato della droga in cambio dell'aiuto per mandarlo a monte – se l'è cavata con poco, probabilmente. Ma so che aspetto ha Terry e so che ha dei contatti ad Anversa, ho intenzione di chiamare il mio socio Cherry e metterlo al lavoro.»

«Cherry?»

«Sì... il mio socio, il *klička* di Victor, lo chiamiamo così per via del naso rosso, ma anche perché il suo vero nome, Vitja, somiglia alla parola russa per ciliegia, *cherry*. E poi c'è quella soap famosa in Russia, *Winter Cherry*... be', è difficile da spiegare. Io prendo in giro Vitja per quel programma, gli dà un sacco di fastidio. Ad ogni modo, Cherry conosce tutti, sa tutto, è informato di tutte le chiacchiere del giro. Due settimane prima che succeda qualcosa... Cherry ti racconta già ogni particolare. Quindi non devi preoccuparti per il tuo uccellino, okay? Sono sicuro che si sistema tutto.»

«Si *sistema*?»

Boris sbuffò. «Perché questo è un giro molto ristretto, capisci? Horst ha ragione. *Nessuno comprerà il quadro*. Impossibile da vendere. Ma... sul mercato nero, come merce di scambio? Può essere scambiato, da una parte all'altra, fino alla fine dei tempi! È di valore, e te lo puoi portare in giro. Stanze d'hotel... di qua, di là. E in cambio ottenere droga, armi, ragazze, contanti... tutto quello che vuoi.»

«Ragazze?»

«Ragazze, ragazzi, quel che ti pare. Guarda, credimi» disse, sollevando una mano, «io non sono coinvolto in niente del genere. Sono stato a un passo dall'essere venduto, da ragazzo... questi serpenti stanno dappertutto, in Ucraina, o almeno era così una volta, in ogni angolo e stazione, e ti dico anche che quando sei giovane e infelice può sembrare un buon affare. Un tipo dall'aspetto normale ti promette un lavoro in un ristorante a Londra, o roba del genere, ti paga il biglietto e le pratiche per il passaporto. Ah! Poi ti risvegli in un seminterrato con le catene ai polsi. Non mi metterei mai in giri come quelli. È sbagliato. Ma succede. E ora che non ho più il quadro tra le mani, e neanche Horst... chissà con cosa lo stanno scambiando? Ora ce l'ha questo gruppo, poi quell'altro. Il punto è...» alzò l'indice, «che il tuo quadro non finirà nella collezione di un qualche oligarca fanatico dell'arte. Troppo, troppo famoso. Nessuno vuole comprarlo. E perché dovrebbero? Cosa possono farci? Niente. A meno che non lo trovino gli sbirri; e *non* l'hanno trovato, di questo siamo sicuri...»

«Io voglio che lo trovino gli sbirri.»

«Be'...» Boris si grattò il naso, «sì, molto nobile da parte tua. Ma per ora quello che io *so* è che continuerà a circolare e lo farà all'interno di una cerchia relativamente piccola. Victor Cherry è un mio caro amico e mi deve un grosso favore. Quindi, sorridi!» E mi afferrò il braccio. «Basta con quella lugubre faccia da malato! Ne riparliamo presto, te lo prometto.»

XVIII

Fermo sotto un lampione, nel punto in cui mi aveva lasciato Boris («Non ti posso accompagnare a casa! Sono in ritardo! Devo andare in un posto!»), ero così scosso che dovetti guardarmi intorno per orientarmi – la frivola facciata grigia dell'Alwyn, il barocco in versione degradata e demente – e le luci sulle tendine ricamate, le decorazioni natalizie sulla porta del Petrossian colpirono un gong da qualche parte nel mio cervello e risvegliarono un ricordo sepolto nel profondo: dicembre, mia madre con un berretto da neve: *ecco piccolo, aspetta, faccio un salto qui dietro a prendere dei croissant per colazione...*

Ero così distratto che un uomo girò l'angolo a passo spedito e mi venne addosso: «Occhio!».

«Scusi» dissi, riscuotendomi. Anche se la colpa era sua – era troppo occupato a ciarlare al cellulare per guardare dove metteva i piedi – diverse persone sul marciapiede mi avevano lanciato sguardi di disapprovazione. Confuso, senza fiato, cercai di concentrarmi sul da farsi. Avrei potuto prendere la metro fino a casa di Hobie, se ne avessi avuto voglia, ma l'appartamento di Kitsey era più vicino. Lei e le sue coinquiline, Francie ed Em, erano fuori per la loro serata di sole donne (inutile scriverle un messaggio o chiamarla, lo sapevo per esperienza; di solito andavano al cinema), ma avevo le chiavi e sarei potuto entrare, bere qualcosa e sdraiarmi mentre aspettavo che tornasse.

Il tempo era migliorato, la luna invernale si stagliava tra le nuvole che si andavano squarciando, e dopo un attimo di contemplazione ripresi a camminare verso est, fermandomi ogni tanto per provare a chiamare un taxi. Di solito non passavo da Kitsey senza avvertire, soprattutto perché non andavo d'accordo con le sue coinquiline. Ma nonostante Francie ed Em e i nostri artificiosi scambi di battute in cucina, l'appartamento di Kitsey era uno dei pochi posti in cui mi sentivo davvero al sicuro a New York. Lì nessuno mi avrebbe potuto trovare. Vi aleggiava una sensazione di provvisorietà; Kitsey ci teneva solo pochi vestiti che prendeva da una valigia ai piedi del letto. Inoltre, per motivi inspiegabili, mi piaceva il vacuo, rilassante anonimato dell'appartamento, arredato in modo allegro ma modesto con tappetini a fantasie astratte e mobili moderni comprati a poco prezzo. Il suo letto era comodo, c'era una luce adatta a leggere e una grande TV al plasma, e potevamo starcene lì sdraiati a guardare film se ne avevamo voglia; e il frigo era sempre ben rifornito di cibo da ragazze: hummus e olive, torte e champagne, un sacco di assurde insalate vegetariane da asporto e gelato di tre o quattro gusti diversi.

Mi frugai le tasche in cerca della chiave, poi aprii la porta distrat-

tamente (pensando a cosa avrei trovato da mangiare, avrei dovuto ordinare a domicilio? Lei di sicuro aveva già cenato, non aveva
senso aspettarla) e quasi sbattei il naso contro la porta, quando si
bloccò a causa del chiavistello.

La richiusi e restai lì un minuto, disorientato; provai ancora e di
nuovo la porta si aprì di pochi centimetri prima di bloccarsi sba-
tacchiando. Attraverso lo spiraglio vidi il divano rosso, le stampe
incorniciate e una candela accesa sul tavolino da caffè.

«Permesso?» gridai, e poi di nuovo: «Permesso?» più forte,
quando sentii dei movimenti dall'interno.

Bussavo ormai con abbastanza foga da svegliare i vicini, quando
Emily, dopo quella che mi sembrò un'eternità, venne alla porta e mi
guardò dalla fessura. Indossava un maglione da casa e quei pantaloni a fantasie vistose che facevano sembrare il suo didietro parecchio
più grande.

«Kitsey non c'è» disse in tono piatto, senza aprire.

«Sì, lo so» dissi irritato.

«Non so quando tornerà.» Emily, che avevo conosciuto al tempo
in cui era una bambina di nove anni con la faccia tonda che mi sbatteva in faccia la porta della casa dei Barbour, non aveva mai tenuto
nascosta la sua opinione su di me, e cioè che non fossi all'altezza di
Kitsey.

«Be', posso entrare, per favore?» dissi infastidito. «Voglio aspettarla.»

«Mi spiace, non è un buon momento.» Em portava ancora i capelli color grano tagliati corti con la frangetta, proprio come da
piccola, e la sua espressione imbronciata – identica dai tempi della
seconda elementare – mi fece pensare ad Andy, a quanto lui l'avesse
sempre odiata, Emily l'impassibile, Emilyaccia.

«Ma è ridicolo. Dai, fammi entrare» ripetei irritato, ma lei se ne
stava lì impalata sulla porta, senza nemmeno guardarmi negli occhi, fissando un punto indefinito da qualche parte sulla mia faccia.
«Senti, Em, voglio solo andare in camera sua e sdraiarmi…»

«Credo sia meglio se torni più tardi, mi spiace» disse dopo un
momento di silenzio.

«Senti, non m'interessa quello che stai facendo…» Francie, l'altra coinquilina, faceva se non altro qualche minimo sforzo per socializzare. «Non voglio disturbarti, voglio solo…»

«Mi spiace, ma è meglio se te ne vai. Perché, senti, io qui ci vivo» disse, alzando la voce per coprire la mia.

«Cristo santo. Stai scherzando spero.»

«… io ci vivo» sbatteva le palpebre, a disagio, «questa è casa mia e non puoi presentarti quando ti pare.»

«Ma smettila!»

«E, e…» era turbata anche lei, «senti, non ti posso aiutare, è davvero un brutto momento, è meglio se te ne vai. Va bene? Mi spiace.» Mi stava chiudendo la porta in faccia. «Ci vediamo alla festa.»

«Che festa?»

«La tua festa di *fidanzamento*» disse, e riaprendo un poco la porta mi guardò, e per un istante riuscii a scorgere l'agitazione nei suoi occhi blu.

XIX

Per un po' restai sul pianerottolo, in silenzio, a fissare lo spioncino della porta chiusa, e in quel silenzio immaginai di sentire i passi di Em che si allontanava, il respiro pesante quanto il mio.

Be', ti sei giocata il posto nella lista delle damigelle, pensai, voltandomi e scendendo le scale con passo greve, cercando di fare più rumore possibile, infuriato e allo stesso tempo stranamente rallegrato dall'episodio, che confermava ogni mio impietoso giudizio sul conto di Em. Kitsey si era scusata con me più volte per i «modi bruschi» della sua amica, ma la maniera in cui mi aveva appena trattato vinceva, per usare un'espressione di Hobie, il primo premio. Perché non era al cinema con le altre? Era con un ragazzo? Em, nonostante avesse le caviglie grosse e non fosse molto attraente, ce l'aveva, un ragazzo, un tipo che si chiamava Bill, dirigente alla Citybank.

Scintillanti strade nere. Una volta fuori, mi fermai davanti alla vetrina del fiorista lì accanto per controllare i messaggi e scrivere a Kitsey prima di avviarmi: se il film fosse finito, ci saremmo potuti vedere per cena e per un bicchiere (da soli, senza le amiche: la situazione lo richiedeva) e – sicuramente – per un'ironica chiacchierata sul comportamento della sua amica Em.

La vetrina illuminata a giorno. Dietro il vetro appannato, punteggiato da gocce di condensa, i cespi alati delle orchidee tremolavano sotto il getto delle ventole, bianchi come fantasmi, lunari, angelici. Davanti stavano le specie più bizzarre, alcune delle quali in vendita a migliaia di dollari: pelose, coperte di venature, maculate e munite di zanne, punteggiate di sangue, demoniache, in tinte che andavano dal verde cadavere al magenta livido – e c'era persino uno stupendo esemplare nero con le radici grigie, che strisciava fuori dal vaso avvolto nella sua pelliccia di muschio. («Per favore, caro» aveva detto Kitsey, intuendo i miei piani per Natale, «non pensarci nemmeno, sono troppo belle e non ho il pollice verde.»)

Nessun nuovo messaggio. Gliene scrissi uno in fretta (Ehi, chiamami, devo parlarti, è appena successa una cosa divertentissima xxxx), e per assicurarmi che non fosse già uscita dal cinema, digitai di nuovo il suo numero. Ma quando scattò la segreteria, vidi un riflesso nella vetrina, perso nella giungla verde delle profondità del negozio, e – incredulo – mi voltai.

Era Kitsey, nel suo cappotto rosa di Prada, la testa china, a braccetto e intenta a sussurrare qualcosa a un uomo che riconobbi subito – non lo vedevo da anni ma non ebbi alcun dubbio – le stesse spalle, la stessa andatura sciolta e furtiva – Tom Cable. I capelli crespi e castani erano ancora lunghi; indossava gli stessi vestiti che portavano i ricchi fattoni della nostra scuola (Tretorn ai piedi, enorme maglione irlandese a trama larga, niente cappotto) e appeso al braccio aveva il sacchetto di un'enoteca dove io e Kitsey a volte andavamo a comprarci una bottiglia. Ma ecco quello che più mi sconvolse: Kitsey, che quando dava la mano a *me* lo faceva sempre da una certa distanza – trascinandomi dietro di sé, facendo dondolare il braccio come una bambina –, era accoccolata contro di lui, stretta stretta, e triste. Mentre li fissavo, spaesato, impalato davanti a quella visione incomprensibile – loro aspettavano che scattasse il semaforo, e un autobus gli sfrecciava davanti, troppo appiccicati l'una all'altro per accorgersi di me, Cable, che le parlava piano, le scompigliò i capelli e l'attirò a sé per baciarla, e lei ricambiò con una dolorosa dolcezza che nei nostri baci non era mai esistita.

Poi attraversarono la strada; mi voltai di scatto; li vedevo perfettamente riflessi nella vetrina del negozio illuminato, mentre si avvicinavano al portone del palazzo di Kitsey, a pochi metri da me – era preoccupata, parlava piano, la voce bassa e rauca per l'emozione, e si chinò schiacciando il viso contro la manica di Cable, mentre lui l'avvolgeva dolcemente per stringerle il braccio; e anche se non riuscivo a capire cosa gli stesse dicendo, il tono di voce era fin troppo eloquente: perché nonostante quel velo di tristezza, la gioia di stare con lui, e quella di Cable nello stare con lei, era evidente. Qualsiasi estraneo che passasse in quel momento se ne sarebbe accorto. Quando mi scivolarono accanto, oltrepassando la vetrina, come una affettuosa coppia di fantasmi, la vidi allungare rapidamente una mano per asciugarsi una lacrima e mi ritrovai a sbattere le palpebre sconcertato davanti a quella scena: perché per qualche motivo, incredibilmente, per la prima volta da sempre, Kitsey stava piangendo.

XX

Quella notte non riuscii a prendere sonno, e quando, la mattina dopo, scesi ad aprire il negozio, ero così sovrappensiero che rimasi seduto a fissare il vuoto per mezz'ora, prima di rendermi conto che non avevo tolto il cartello con scritto CHIUSO.

Le trasferte di Kitsey negli Hamptons due volte a settimana. I comportamenti bizzarri, che mi tornavano in mente all'improvviso come flash. Telefonate interrotte in tutta fretta. Kitsey che guardava accigliata il cellulare durante la cena e lo spegneva: «Oh, è solo Em. Oh, è solo la mamma. Oh, è solo pubblicità, sono finita in qualche mailing list». Messaggi che arrivavano nel cuore della notte, l'icona che lampeggia sullo schermo, il pulsare intermittente della luce bluastra sulle pareti, Kitsey, nuda, che salta giù dal letto per spegnere il telefono, le gambe bianche nel buio: «Oh, hanno sbagliato numero. Oh, è solo Toddy, è da qualche parte, ubriaco».

E per poco non mi prese un colpo: la signora Barbour. Ero perfettamente consapevole della sua abilità nelle situazioni scomode – l'estrema delicatezza nel gestire le faccende spinose da dietro le quinte – e anche se non mi aveva realmente mentito, almeno per quanto ne sapevo, sicuramente aveva omesso e filtrato alcune informazioni. Mi tornavano alla mente particolari di ogni tipo, come quando, un paio di mesi prima, passavo a casa sua e l'avevo sentita dire in tono severo al portiere che aveva chiamato per annunciare una visita: *No, non m'interessa, non lasciarlo salire*. E Kitsey, passati neanche trenta secondi, che dopo aver controllato il cellulare se n'era uscita dal nulla dicendo che avrebbe portato Ting-a-Ling e Clemmy a fare il giro dell'isolato! Lì per lì non ci avevo fatto caso, nonostante l'inequivocabile gelo sul viso della madre e il calore e l'energia con cui, all'incirca mezz'ora dopo, Kitsey era riapparsa e si era precipitata a stringermi la mano.

Quella sera ci saremmo dovuti vedere: l'avrei accompagnata al compleanno di uno dei suoi amici, dopodiché saremmo passati a un'altra festa. Non mi aveva telefonato, limitandosi a un messaggio un po' vago. Theo, come va? Sono al lavoro. Chiamami. Lo stavo ancora fissando senza capire, chiedendomi se rispondere o no – e cos'avrei potuto scriverle? – quando Boris fece irruzione nel negozio. «Ci sono novità.»

«Ah, sì?» dissi, dopo un attimo di silenziosa distrazione.

Si asciugò la fronte. «Possiamo parlare qui?» chiese, guardandosi intorno.

«Oh, be'…» Scossi la testa per schiarirmi le idee. «Certo.»

«Ho il cervello addormentato oggi» disse, stropicciandosi un occhio. I capelli scompigliati. «Ho bisogno di caffè. No, non c'è tempo» si rispose da solo, confuso, sollevando una mano. «Non posso nemmeno sedermi. Posso stare un minuto. Ma, ecco, buona notizia: ho una pista per ritrovare il tuo quadro.»

«E cioè?» dissi, riscuotendomi bruscamente dai miei pensieri.

«Be', lo vedremo presto» disse, evasivo.

«Dove…» Mi sforzai di concentrarmi. «È a posto? Dove lo tengono?»

«Queste sono domande a cui non posso rispondere.»

«È…» Feci un respiro profondo, tracciai una linea sulla scrivania col pollice per calmarmi, sollevai lo sguardo.

«Sì?»

«Ha bisogno di una certa temperatura e di una precisa percentuale di umidità… lo sai, vero?» Era la voce di qualcun altro, non la mia. «Non possono semplicemente tenerlo in un garage umido o buttato in un posto qualsiasi.»

Boris s'inumidì il labbro nel suo solito modo beffardo. «Credimi, ho visto Horst prendersi cura di quel dipinto come se fosse suo figlio. Detto questo» chiuse gli occhi, «non posso giurarti che questi tipi stiano facendo altrettanto. Purtroppo devo ammettere che non sono geni. Possiamo solo sperare che abbiano abbastanza cervello da non tenerlo dietro al frigorifero o roba del genere. Sto scherzando» aggiunse magnanimo, quando mi vide boccheggiare per il terrore. «Anche se, da quello che ho sentito, lo tengono in un ristorante, o vicino a un ristorante. Di sicuro nello stesso edificio, insomma. Ne parliamo più tardi» concluse sollevando una mano.

«Qui?» domandai, dopo un'altra pausa incredula. «In città?»

«Più tardi. Può aspettare. Ma senti la novità» proseguì concitato concentrandosi su un punto sopra la mia testa. «Senti, senti. Ecco quello che sono davvero venuto a dirti. Horst non sapeva che ti chiamassi Decker, fino all'altro giorno, quando me l'ha chiesto al telefono. Tu conosci un tipo che si chiama Lucius Reeve?»

Mi sedetti. «Perché?»

«Horst dice di stargli alla larga. Sa che tu sei un mercante di antiquariato, ma non ha messo in relazione le due cose finché non ha saputo come ti chiami.»

«Qual è l'altra cosa?»

«Non ha voluto entrare troppo nei dettagli. Non so in che rapporti tu sia con questo Lucius, ma Horst dice di stargli lontano, e pensavo che dovessi saperlo. L'ha fregato su una faccenda che non c'entra con noi e Horst gli ha messo Martin alle calcagna.»

«Martin?»

«Non l'hai conosciuto, Martin. Credimi, te lo ricorderesti. Ad ogni modo, è meglio non avere a che fare questo Lucius, per chi fa quello che fai tu.»

«Lo so.»

«E allora com'è che hai a che fare con lui? Se posso chiederlo?»

«Io...» scossi di nuovo la testa: era impossibile affrontare quel discorso. «È complicato.»

«Be', non so cosa voglia da te. Se hai bisogno del mio aiuto, ovviamente sono qui – te lo sto giurando – e anche Horst, perché tu gli piaci. È stato bello vederlo tanto partecipe e loquace, ieri! Non credo che conosca molta gente con cui essere se stesso e condividere i suoi interessi. È triste, questo. Lui è molto intelligente, Horst. Ha molto da dare. Ma...» guardò l'orologio, «scusa, non voglio essere maleducato, ma devo andare in un posto – mi sento molto ottimista! Forse, c'è la possibilità di riprenderci il tuo uccellino! Quindi...» si alzò, e si batté il pugno sullo sterno, «coraggio! Ci sentiamo presto.»

«Boris?»

«Sì?»

«Tu cosa faresti se una ragazza ti tradisse?»

Boris – già lanciato verso la porta – reagì con un istante di ritardo. «Come, scusa?»

«Se pensassi che la tua ragazza ti sta tradendo.»

Mi guardò perplesso. «Non ne sei sicuro? Non ci sono prove?»

«No» dissi, prima di rendermi conto che non era proprio la verità.

«Allora devi chiederglielo, direttamente» disse Boris deciso. «In un momento tranquillo, quando non se l'aspetta. Magari a letto. Se la prendi al momento giusto, anche se mente te ne accorgerai. Perderà il controllo.»

«Non questa ragazza.»

Boris rise. «Be', allora ne hai trovata una buona! Una rarità! È bella?»

«Sì.»

«Ricca?»

«Sì.»

«Intelligente?»

«Molti risponderebbero di sì.»

«Crudele?»

«Un po'.»

Boris rise. «E tu la ami. Ma non così tanto.»

«Cosa te lo fa pensare?»

«Il fatto che non sei arrabbiato, non sei furioso, non stai piangendo! Non stai correndo a strangolarla a mani nude! Significa che la tua anima non è davvero fusa con la sua. Ed è buono. La mia esperienza è questa: stai lontano da quelle che ami troppo. Sono loro che ti uccideranno! Quello che ti serve per vivere ed essere felice è una donna che abbia la sua vita e ti permetta di vivere in pace la tua.»

Mi diede due pacche sulla spalla e se ne andò, lasciandomi a fissare la mia scatola d'argento, con un rinnovato senso di afflizione per la mia spregevole vita.

XXI

Quando Kitsey mi aprì la porta, quella sera, non era calma come al solito: saltava da un argomento all'altro, parlava del nuovo vestito che voleva comprarsi, l'aveva provato, non riusciva a decidere, l'aveva bloccato, poi la tempesta nel Maine – quanti alberi abbattuti, soprattutto quelli vecchi, sull'isola, zio Harry aveva chiamato, quant'era triste! «Oh caro...», mentre mi svolazzava intorno, sollevandosi in punta di piedi per prendere i calici da vino, «mi aiuti? Per favore?» Em e Francie, le coinquiline, non si vedevano, come se, insieme ai loro ragazzi, fossero saggiamente sparite prima del mio arrivo. «Oh, lascia stare... ce l'ho fatta. Ho avuto un'idea fantastica. Andiamo a mangiare un curry prima di passare da Cynthia. Muoio dalla voglia. Qual è quel buco sulla Lex dove mi hai portata... quello che adori? Come si chiama? Il Mahal qualcosa?»

«Intendi la topaia?» dissi, freddo. Non mi ero nemmeno tolto il cappotto.

«Scusa?»

«Con il *rogan josh* bisunto e quei vecchi deprimenti. E la folla dei saldi di Bloomingdale.» Il Jal Mahal Restaruant (*sic*) era uno squallido ristorante indiano imboscato al secondo piano di un edificio commerciale sulla Lex che da quando ero bambino non era cambiato di una virgola: non il *papadum*, non i prezzi, non il tappeto sbiadito a causa di una perdita vicino alle finestre, nemmeno i camerieri: le stesse facce grosse, estatiche e gentili che ricordavo dall'infanzia, quando io e mia madre ci andavamo a mangiare *samosa* e gelato dopo il cinema. «Certo, perché no. "Il ristorante più triste di Manhattan." Che idea grandiosa.»

Si girò verso di me, accigliata. «Fa lo stesso. Baluchi è più vicino. O... insomma, facciamo quello che vuoi tu.»

«Ah, sì?» Me ne stavo appoggiato alla porta con le mani infilate in tasca. Anni passati con un bugiardo patologico mi avevano reso spietato. «Quello che voglio *io*? Accipicchia.»

«Scusa. Pensavo che il curry fosse un'idea carina. Lascia stare.»

«Va bene così. Puoi smetterla, ora.»

Alzò lo sguardo con espressione assente. «Come, scusa?»

«Lascia perdere la messinscena. Sai benissimo di cosa sto parlando.»

Non disse nulla. Sulla sua bella fronte comparve una ruga.

«Forse questo ti insegnerà a tenere il telefono acceso quando sei con lui. Sono sicura che la tua amichetta stesse cercando di chiamarti, quando ieri sera sono passato di qua senza avvisare.»

«Scusa, non so...»

«Kitsey, ti ho vista.»

«Oh, per favore» disse, sbattendo le palpebre, dopo un attimo di silenzio. «Stai scherzando spero. Non intendi Tom, vero? Theo, sul serio?» disse, nel silenzio mortale che seguì. «Tom è un amico di vecchia data, siamo molto legati...»

«Sì, me ne sono accorto.»

«... ed è anche amico di Em e, insomma...» continuava a sbattere le palpebre, fuori di sé, con l'aria di chi è ingiustamente perseguitato, «so cosa credi di aver visto, so che Tom non ti piace e ne hai tutti i motivi. Perché, be', so della storia di quando morì tua madre e certo, si comportò male, ma era un bambino e si sente davvero in colpa per quello che ha fatto...»

«*Si sente in colpa?*»

«… ma, ma, ieri sera gli avevano appena dato una brutta notizia» continuò, senza riprendere fiato, come un'attrice interrotta a metà del monologo, «una brutta notizia che lo riguarda…»

«Parli di me con lui? Ve ne state lì a discutere e a dispiacervi per me?»

«… e Tom, è venuto qui per vederci, Em e me, tutte e due, dal nulla, saremmo dovute andare al cinema, per questo siamo rimaste e non siamo andate con le altre, puoi chiedere a lei, se non mi credi, lui non sapeva dove andare, stava male, era sconvolto, una cosa personale, voleva solo qualcuno con cui parlare, e cosa avremmo dovuto…»

«Non penserai che ci creda, vero?»

«Ascolta. Non so cosa ti abbia detto Em…»

«Dimmi un po'. La madre di Tom Cable ha ancora quella casa all'East Hampton? Ricordo che lo mollava al country club per ore, dopo aver licenziato la baby-sitter, o dopo che la poveretta se l'era data a gambe, non so. Lezioni di tennis, lezioni di golf. Probabilmente è diventato un gran giocatore di golf.»

«Sì» disse, fredda. «È piuttosto bravo.»

«Potrei dire qualcosa di volgare.»

«Theo, non fare così.»

«Posso esporti la mia teoria? Ti dispiace? Forse mi sbaglierò in merito a qualche particolare, ma credo che di base sia giusta. Perché sapevo che vi vedevate, Platt me l'ha detto tempo fa, quando l'ho incontrato per strada, e anche lui non ne era troppo entusiasta. E sì» dissi quando cercò di interrompermi, con una voce dura e morta che rispecchiava quel che avevo dentro, «va bene. Non c'è bisogno di inventare scuse. Alle ragazze Cable è sempre piaciuto. Simpatico, molto divertente quando vuole. Anche se ultimamente ha firmato assegni in bianco e derubato la gente al country club, e via dicendo…»

«Non è vero! È una bugia! Non ha mai rubato a nessuno…»

«… e a Mami e Papi Tom non è mai troppo piaciuto, anzi, probabilmente non gli è mai piaciuto affatto, e perciò, dopo la morte di Andy e di papà, non potevi continuare, non in pubblico, almeno. Avrebbe fatto soffrire troppo la mamma. E, come Platt mi ha fatto notare spesso…»

«Non lo vedrò più.»

«Quindi lo ammetti.»

«Non pensavo che fosse un problema, non prima del matrimonio.»

«Ma davvero!»

Si scostò i capelli dagli occhi senza dire nulla.

«Non pensavi fosse un problema? Perché? Non pensavi che l'avrei scoperto?»

Sollevò gli occhi, arrabbiata. «Sei un pezzo di ghiaccio, lo sai?»

«Io?» distolsi lo sguardo e risi. «Io sarei quello freddo?»

«Oh, giusto. "La parte lesa." "Gli alti principi morali."»

«Più alti di quelli di qualcun altro, a quanto pare.»

«Ti stai divertendo.»

«No, credimi.»

«Ah no? Non si direbbe, da quel sorrisetto.»

«E cosa dovrei fare? Starmene zitto?»

«Ho promesso che non lo vedrò più. In realtà, gliel'ho già detto da un po'.»

«Ma lui insiste. Ti ama. Non accetterà un no come risposta.»

Arrossì, lasciandomi spiazzato. «È vero.»

«Povera piccola Kits.»

«Non essere odioso.»

«Povera piccola» ripetei, continuando a prenderla in giro, poiché non mi veniva in mente altro da dire.

Lei rovistava nel cassetto in cerca del cavatappi, e si girò lanciandomi uno sguardo cupo. «Ascolta» disse. «Non mi aspetto che tu capisca, ma è dura essere innamorati della persona sbagliata.»

Restai in silenzio. Quand'ero arrivato e l'avevo vista, ero talmente impazzito di rabbia che mi ero ripromesso che mai e poi mai mi sarei lasciato ferire o – Dio non voglia – impietosire. Ma chi più di me sapeva quanto fosse vero quello che aveva appena detto?

«Senti» disse di nuovo, posando il cavatappi. Aveva intravisto un varco e voleva provare a insinuarcisi: proprio come quando, sul campo da tennis, spietata, cercava il punto debole dell'avversario.

«Sta' lontana da me.»

Troppo emotivo. Tono di voce sbagliato. Non stava andando come avevo sperato. Dovevo essere freddo e mantenere il controllo.

«Theo. Per favore.» Ed eccola lì, con la mano sul mio braccio. Il naso che prendeva colore, gli occhi arrossati dalle lacrime: proprio come il povero Andy con le sue allergie di stagione. «Mi spiace. Davvero. Con tutto il cuore. Non so che dire.»

«Ah, sì?»

«Sì. Ti ho fatto un gran torto.»

«Torto. Immagino sia una delle definizioni possibili.»

«E, voglio dire, so che Tom non ti *piace...*»

«E questo che c'entra?»

«Theo. Davvero ti importa tanto? No, e lo sai» disse in fretta. «No, se ti fermi a rifletterci. E poi» fece una pausa prima di riprendere, «non prenderla male, ma io so tutto delle tue cose e non mi importa.»

«*Cose?*»

«Oh, per favore» disse lei con voce stanca. «Tutti quei tuoi amici strani, e le droghe che prendi. Ma a me non interessa.»

In sottofondo, il termosifone emise un rumore, un tremendo clangore metallico.

«Senti. Noi siamo fatti per stare insieme. Il matrimonio è in assoluto la cosa più giusta per entrambi. Lo sai tu e lo so io. Perché... insomma, senti, io *lo so*. Non me lo devi dire tu. E, voglio aggiungere... tu stai meglio da quando ci frequentiamo, no? Ti sei dato una raddrizzata.»

«Ah sì? "Una raddrizzata"? E questo cosa vorrebbe dire?»

«Ascolta» sospirò, «è inutile far finta di niente, Theo. Martina... Em... Tessa Margolis, ti ricordi di lei?»

«Cazzo.» Credevo che nessuno sapesse di Tessa.

«Hanno cercato di dirmelo tutti. "Stai lontana da lui. È un caro ragazzo, ma è un tossico." Tessa ha detto a Em che ha smesso di uscire con te dopo che ti ha beccato a sniffare eroina sul tavolo della cucina.»

«Non era eroina» risposi duramente. Erano pillole di morfina tritate, e sniffarle era stata una pessima idea, un vero spreco. «E comunque, Tessa di sicuro non si faceva altrettanti scrupoli con la coca, continuava a chiedermi di procurargliela...»

«Senti, è diverso, e lo sai. La mamma...» mi interruppe.

«Ah davvero? Diverso?» feci alzando la voce per sovrastare la sua. «E come, diverso? Come?»

«... Mamma, lo giuro, ascoltami Theo, la mamma ti vuole davvero bene. Davvero *tanto*. Le hai salvato la vita, quando sei ricomparso. Chiacchiera, mangia, s'interessa delle cose, passeggia nel parco, non vede l'ora di vederti, ogni volta, e non puoi nemmeno *immaginare* com'era prima. Sei parte della famiglia» disse, sfruttando il suo vantaggio. «Davvero. Perché, voglio dire, Andy...»

«*Andy*?» Sbottai in una risata malinconica. Andy non si era fatto alcuna illusione, su quella famiglia di matti.

«Dai, Theo, non fare così.» Si era ripresa: era di nuovo calma, ragionevole. C'era qualcosa del padre, nella sua schiettezza. «È la cosa giusta da fare. Sposarci. Siamo una bella coppia. Ed è giusto anche per le altre persone coinvolte, a parte noi.»

«Ah sì?»

«Sì.» Perfettamente serena. «Non rovinare tutto. Sai cosa intendo. Perché dovremmo rinunciare l'uno all'altra? Alla fine, siamo persone migliori quando stiamo insieme, no? Tutt'e due. E...» sorrisino timido; sua madre, il ritratto sputato, «siamo una bella coppia. Ci piacciamo. Andiamo d'accordo.»

«Tutta testa e niente cuore, quindi.»

«Se vuoi metterla così, sì» disse, guardandomi con una compassione e con un affetto tali che, inaspettatamente, avvertii la rabbia scivolare via, di fronte a quella sua intelligenza fredda e squillante come un campanello d'argento. «Ora...» alzandosi in punta di piedi per baciarmi sulla guancia, «facciamo i bravi e siamo sinceri e gentili l'uno con l'altra, siamo felici e divertiamoci sempre.»

XXII

Così, quella sera restai da lei; più tardi ordinammo la cena e tornammo a letto. Ma se da una parte era fin troppo facile far finta che tutto fosse come prima (perché, in un certo senso, non avevamo entrambi finto, per tutto il tempo?), dall'altra mi sentivo soffocare dal peso di tutto ciò che ancora non sapevo e che non c'eravamo detti; e più tardi, mentre nel sonno Kitsey si rannicchiava accanto a me, restai sveglio a guardar fuori dalla finestra e mi sentii completamente solo. I silenzi della serata (colpa mia, non sua; anche in situazioni estreme, a lei le parole non mancavano mai) e la distanza apparentemente incolmabile fra noi, mi avevano fatto tornare indietro ai miei sedici anni, quando non avevo la più pallida idea di come comportarmi con Julie, che, per quanto non gradisse essere chiamata «la mia ragazza», era la prima a cui avevo pensato in quei termini. L'avevo conosciuta davanti al negozio di liquori sulla Hudson, mentre coi soldi in mano aspettavo che qualcuno entrasse e mi comprasse una bottiglia, e lei aveva svoltato l'angolo, fluttuando in un futuristico abito da pipistrello che mal si addiceva alla sua camminata pesante e al suo aspetto schietto e gradevole da contadinotta del secolo scorso. «Ehi ragazzino» mi aveva detto mostrandomi la sua bottiglia di vino. «Pensi davvero di restartene qui fuori al freddo a bere tutto da solo?» Aveva ventisette anni, quasi dodici più di me, e un fidanzato che stava finendo di studiare Economia in California... e quando lui fosse tornato io non avrei dovuto più farmi vedere né sentire. Lo sapevamo entrambi. Non c'era stato nemmeno bisogno di dirlo. Dopo la corsa su per i cinque piani che conducevano al suo monolocale, nei troppo rari (per me) pomeriggi in cui mi era concesso di vederla, ero sempre sopraffatto da parole e sentimenti troppo impetuosi da arginare, e tutto quello che avevo deciso di dirle svaniva nell'istante in cui lei apriva la porta, e invece di provare a sostenere una qualsiasi banale conversazione per due minuti, me ne restavo ammutolito e affranto, tre passi più indietro, le mani affondate nelle tasche, detestandomi, mentre lei camminava scalza per casa, perfettamente a suo agio, conversando in modo naturale, scusandosi per i vestiti sporchi buttati per terra e per essersi dimenticata di passare a prendere le birre – mi andava di fare una corsa giù? – finché a un certo punto mi buttavo letteralmente su di lei, nel bel mezzo di una frase, gettandola sul divano letto, a volte con tanta foga che gli occhiali mi volavano via. Era così bello che pensavo di morire, ma starmene lì sdraiato, dopo, mi riempiva di un orribile senso di vuoto; il suo braccio bianco sul copriletto, le luci dei lampioni che si accendevano, segno che erano le otto e che tra poco lei si sarebbe alzata e vestita per andare al lavoro, in un bar a Williamsburg dove io non avevo l'età per entrare. E non l'amavo nemmeno. La ammiravo, ne ero ossessionato, invidiavo la sua sicurezza e avevo anche un po' paura di lei; ma non l'amavo, non più di quanto lei amasse me. Non ero sicuro nemmeno di amare Kitsey (almeno, non nel modo in cui un tempo avevo desiderato di amarla), ma ero comunque sorpreso di quanto stessi male, considerando che ci ero già passato.

XXIII

La faccenda di Kitsey mi aveva temporaneamente fatto uscire di mente Boris, ma – non appena mi addormentai – il pensiero tornò, obliquo, in sogno. Per due volte mi svegliai di soprassalto e mi rizzai a sedere: la prima per via di una porta, nel deposito, che oscillava sinistra mentre fuori certe donne con dei fazzoletti in testa litigavano per un mucchio di vestiti usati; poi – dopo essermi riaddormentato, in un altro momento dello stesso sogno – il deposito si tramutò in uno spazio a cielo aperto, delimitato solo da sottili tende fluttuanti, non abbastanza lunghe da arrivare a toccare l'erba. Sullo sfondo, una distesa di campi verdi e ragazze con lunghi abiti bianchi: un'immagine così (misteriosamente) carica di morte e di orrore rituale che mi svegliai boccheggiando.

Controllai il mio telefono: le quattro. Dopo mezz'ora di agonia mi misi seduto sul letto, a petto nudo, nel buio e – mi sentivo come un ladro in un film francese – accesi una sigaretta e iniziai a fissare Lexington Avenue, a quell'ora praticamente deserta: i tassisti iniziavano il turno, o forse avevano appena smontato, chissà. Ma il sogno, che mi era sembrato profetico, rifiutava di dissiparsi, e indugiava sospeso, come un vapore velenoso, il cuore che continuava a battere forte per quella minaccia incorporea, quel senso di vastità e di pericolo.

Meriterebbe un colpo di pistola. Per tutto il tempo mi ero preoccupato per le sorti del quadro, quando ancora pensavo che fosse al sicuro (come descritto nella fredda e professionale brochure del deposito) a una temperatura di conservazione di ventuno gradi, con un'umidità relativa del cinquanta per cento. Non si poteva tenere un oggetto del genere in un luogo qualsiasi. Avrebbe potuto subire danni a causa del freddo, del caldo, dell'umidità o della luce diretta del sole. Aveva bisogno di un ambiente controllato, come le orchidee nel negozio di fiori. Immaginarlo infilato dentro a un forno per le pizze bastava a far battere il mio cuore da idolatra di un terrore simile a quello di quando avevo pensato che l'autista stesse per scaraventare il povero Popper fuori dal pullman: sotto la pioggia, nel mezzo del nulla, sul ciglio della strada.

Dopotutto, per quanto tempo Boris aveva tenuto con sé il dipinto? Boris. Persino Horst, che si dichiarava amante dell'arte, con quell'appartamento non mi aveva certo rassicurato riguardo ai suoi metodi di conservazione. Ne erano accaduti, di disastri, nel corso della storia: *Tempesta sul mare di Galilea* di Rembrandt, l'unico paesaggio marino che avesse mai dipinto, si diceva fosse stato rovinato a causa di condizioni ambientali non idonee. Il capolavoro di Vermeer, *La lettera d'amore*, rimosso dal suo telaio dal cameriere di un albergo, si era scrostato e spiegazzato quando era stato infilato sotto un materasso. *Povertà*, di Picasso, e *Paesaggio tahitiano* di Gauguin erano rimasti danneggiati dall'acqua dopo essere stati nascosti da qualche zucca vuota in un bagno pubblico. Nelle mie letture ossessive, la storia che mi catturava di più era quella della *Natività con i santi Lorenzo e Francesco d'Assisi* di Caravaggio, rubato dall'oratorio di San Lorenzo e tagliato dalla cornice in modo così maldestro che quando il collezionista che aveva commissionato il furto l'aveva visto era scoppiato a piangere e si era rifiutato di prenderlo.

Avevo notato che il telefono di Kitsey non era al solito posto, il davanzale sul quale lo metteva in carica e da dove lo prendeva ogni mattina, appena alzata. A volte, in piena notte, mi svegliavo e vedevo un bagliore blu, nel buio, dalla sua parte del letto, sotto le coperte, nel nido sicuro delle lenzuola. «Oh, stavo solo controllando l'ora» diceva se rotolavo verso di lei e con voce assonnata le chiedevo cosa stesse facendo. Immaginai che fosse spento e sepolto nelle profondità della borsa di coccodrillo insieme al solito caos di rossetti e biglietti da visita e campioncini di profumo e contanti, con le banconote da venti arrotolate che cadevano a terra ogni volta che cercava la spazzola. Lì, in quel guazzabuglio odoroso, Cable avrebbe chiamato ossessivamente, la notte, e avrebbe scritto messaggi, e altrettanti ne avrebbe lasciati in segreteria, dove Kitsey li avrebbe trovati al risveglio.

Di cosa parlavano? Cosa si dicevano? In realtà non mi risultava difficile immaginarlo. Chiacchiere brillanti, maliziosa complicità. Cable che, a letto, la chiamava con nomignoli stupidi e le faceva il solletico fino a farla urlare.

Spensi la sigaretta. Nulla aveva una forma, né un senso, né una ragione. A Kitsey non piaceva che fumassi nella sua stanza, ma quand'anche avesse trovato il mozzicone spento nel cofanetto Limoges sopra il cassettone, dubito che avrebbe osato protestare. A volte, per capire il mondo nel suo insieme, puoi solo focalizzarti su un minuscolo frammento, concentrandoti su quello che hai a portata di mano per ricavarne il paradigma di ogni cosa; ma da quando il dipinto mi era svanito da sotto il naso, mi sentivo annegare nella vastità, non solo quella del tempo e dello spazio, ma anche e soprattutto quella, insormontabile, tra le persone. E con un'ondata di vertigine pensai a tutti i posti in cui ero stato e a tutti quelli in cui non ero stato mai, un mondo perduto, enorme, imperscrutabile, un dedalo di vicoli e città, di rovine e immensi spazi ostili, coincidenze mancate, cose perse e mai ritrovate; e in quella corrente portentosa il mio dipinto scivolava via, trascinato da qualche parte, lontano: un minuscolo frammento di spirito, una tenue fiammella che galleggiava sopra un mare oscuro.

XXIV

Non riuscivo a riaddormentarmi, perciò me ne andai senza svegliarla, nell'ora nera e gelida prima dell'alba, tremando mentre mi vestivo al buio; una delle sue coinquiline era rincasata ed era sotto la doccia, e l'ultima cosa che volevo era incontrarla mentre uscivo.

Quando scesi dal treno della linea F, il cielo si stava facendo pallido. Mi trascinai a casa in quel freddo amaro – abbattuto ed esausto, entrai dalla porta di servizio, salii a fatica fino in camera mia, gli occhiali appannati, con addosso la puzza di fumo, sesso e curry e Chanel N° 19 di Kitsey, mi fermai a salutare Popchik, che mi era venuto incontro in corridoio saltellandomi intorno con inusuale vivacità, e sfilai dalla tasca la cravatta arrotolata per appenderla all'attaccapanni sul retro della porta – e il sangue quasi mi si gelò nelle vene quando udii quella voce dalla cucina: «Theo? Sei tu?».

Una testa rossa fece capolino. Era lei, una tazza di caffè in mano.

«Scusa, ti ho spaventato? Non volevo.» Rimasi immobile, pietrificato, rincretinito, mentre lei mi abbracciava canticchiando tra i denti una melodia allegra, con Popchik che piagnucolava e saltellava eccitato ai nostri piedi. Indossava ancora il pigiama, pantaloni a righe colorate e una maglietta di cotone a maniche lunghe con sopra un vecchio maglione di Hobie, e odorava di lenzuola sgualcite e di letto: *Oh, Dio*, pensai, chiudendo gli occhi e premendo il viso sulla sua spalla, assaporando quel rapido assaggio di Paradiso, *oh, Dio*.

«Che bello vederti!» Eccola. I suoi capelli; i suoi occhi. Lei. Unghie mangiucchiate come quelle di Boris e il labbro inferiore di una bambina che si è succhiata il pollice troppo a lungo, la testa rossa arruffata simile a una dalia. «Come stai? Mi sei mancato!»

«Io...» Tutti i miei propositi svaniti in un secondo. «Che ci fai qui?»

«Stavo andando a Montreal!» Risata secca, rauca, da monella al parco giochi. «A trovare il mio amico Sam per qualche giorno, e poi da Everett in California.» (*Sam?*, pensai.) «Comunque c'è stato un problema tecnico e il mio aereo ha dovuto cambiare rotta...» bevve un sorso di caffè, senza dire nulla mi offrì la tazza, *ne vuoi? No?*, un altro sorso, «ed eccomi bloccata a Newark, così ho pensato, perché no, mi sono fatta rimborsare il biglietto e sono passata in città a trovarvi.»

«È fantastico.» *A trovarvi*. Aveva incluso anche me.

«Ho pensato che sarebbe stato carino farvi una sorpresa, visto che a Natale non ci sarò. E considerato che la tua festa è domani... Ti sposi, incredibile! Congratulazioni!» Aveva le dita poggiate sul mio braccio, e quando si alzò in punta di piedi per baciarmi la guancia sentii il bacio diffondersi lungo tutto il corpo. «Quando posso conoscerla? Hobie dice che è una rubacuori. Sei emozionato?»

«Io...» Ero così confuso che portai una mano al viso, nel punto in cui avvertivo ancora la pressione luminosa e leggera delle sue labbra, e poi, quando mi resi conto di come dovevo apparirle, abbassai la mano. «Sì. Grazie.»

«Che bello vederti. Ti trovo bene.»

Non sembrava consapevole di fino a che punto la sua apparizione mi avesse scioccato. O forse l'aveva notato ma non voleva darlo a vedere.

«Dov'è Hobie?» dissi. Non lo chiedevo perché mi interessasse, ma perché essere in casa con lei da solo era troppo bello e anche un po' spaventoso.

«Oh...» alzò gli occhi al cielo, «ha insistito per andare alla panetteria. Gli ho detto di non preoccuparsi, ma sai com'è fatto. Gli piace prendermi quei biscotti al mirtillo che compravano mamma e Welty quand'ero piccola. Non riesco a credere che li facciano ancora, e in effetti Hobie dice che non sempre ce li hanno. Sei sicuro di non volere del caffè?» Andò verso i fornelli, zoppicando appena.

Era straordinario, quasi non sentivo quello che diceva. Era sempre così, quand'era accanto a me, tutto il resto passava in secondo piano: la sua pelle, i suoi occhi, quella voce rugginosa, i capelli del colore del fuoco e la testa inclinata quasi stesse borbottando tra sé e la luce in cucina che si mescolava con quella della sua presenza, col colore, l'energia e la bellezza.

«Ti ho masterizzato dei CD!» Si girò a guardarmi. «Vorrei averteli portati. Ma non sapevo che sarei venuta. Appena torno te li spedisco.»

«Anche io ho dei CD per te.» Nella mia stanza c'era un'intera pila di dischi che avevo comprato perché mi ricordavano lei, ma erano talmente tanti che mi sentivo ridicolo a spedirglieli. «E libri.» *E gioielli*, avrei voluto aggiungere. *E sciarpe e poster e profumi e vinili e un kit Costruisci il tuo aquilone e una pagoda in miniatura.* Una collana in topazio del diciottesimo secolo. Una prima edizione di

Ozma, regina di Oz. Comprarle quegli oggetti era soprattutto un modo di pensarla, di sentirla vicina. Alcuni li avevo regalati a Kitsey, e tuttavia, se avessi tirato fuori dalla mia stanza l'enorme catasta di roba che avevo accumulato nel corso degli anni, avrei fatto la figura del pazzo.

«Libri? Oh, grandioso. Ho finito il mio in aereo, me ne serve uno nuovo. Possiamo fare scambio.»

«Certo.» Piedi scalzi. Orecchie arrossate. La pelle bianco perla sopra lo scollo della maglietta.

«*Gli anelli di Saturno.* Everett ha detto che pensa che possa piacere anche a te. Ti saluta, comunque.»

«Ah, già, ciao.» Odiavo quando fingeva che Everett e io fossimo amici. «Io, ehm…»

«Cosa?»

«Veramente…» Mi tremavano le mani, e la sera prima non avevo nemmeno bevuto. Speravo solo che non lo notasse. «Veramente andrei un attimo in camera mia, va bene?»

Sembrò sorpresa, si toccò la fronte: *che stupida.* «Ah, certo! Scusa! Io resto qui.»

Non ricominciai a respirare finché non fui nella stanza con la porta chiusa. Il mio vestito era a posto, nonostante fosse quello del giorno prima, ma avevo i capelli sporchi e avevo bisogno di una doccia.

Avrei dovuto radermi? Indossare una camicia pulita? O se ne sarebbe accorta? Sarebbe stato fuori luogo se mi fossi dato una rapida sistemata per lei? Potevo infilarmi in bagno e lavarmi i denti senza che ci facesse caso? Poi, improvvisamente, tornai in me: me ne stavo seduto in camera con la porta chiusa a sprecare tempo prezioso che avremmo potuto trascorrere insieme.

Mi rialzai e aprii la porta. «Ehi!» la chiamai.

La sua testa fece capolino nella mia stanza. «Ehi.»

«Ti va di venire al cinema con me stasera?»

Leggero stupore. «Be', certo. Cosa?»

«Un documentario su Glenn Gould. È un po' che muoio dalla voglia di vederlo.» In realtà l'avevo già visto, e per tutto il tempo, al cinema, me n'ero stato seduto facendo finta che lei fosse con me:

immaginando la sua reazione davanti alle varie scene, fantasticando
sull'affascinante discussione che avremmo avuto dopo.

«Fantastico. A che ora?»

«Verso le sette. Poi controllo.»

XXV

Per tutto il giorno rimasi in uno stato di costante eccitazione al
pensiero della serata. Di sotto, in negozio, pur occupato coi clienti,
pensai a cosa avrei indossato (qualcosa di semplice, non un completo, niente di troppo studiato) e a dove l'avrei portata a mangiare
– un posto non troppo alla moda, niente che la mettesse in allarme
o sembrasse eccessivo, ma al tempo stesso un posto speciale, sug-
gestivo e tranquillo, dove potessimo parlare e che non fosse eccessivamente lontano dal Film Forum – senza contare che mancando
da New York da un po', probabilmente le avrebbe fatto piacere
qualcosa di nuovo («Oh, questo posticino? Sì, è fantastico, sono
contento che ti piaccia, una vera scoperta»), ma a parte tutto questo
(e *tranquillo* era la cosa più importante, più del cibo e dell'ambiente, non volevo andare in un posto dove fossimo costretti a urlarci
addosso) avevo bisogno di un locale in cui fosse possibile prenotare
con così poco preavviso, e dove servissero piatti vegetariani. Un posto adorabile. Ma non troppo costoso, tutto doveva sembrare spen-
sierato, spontaneo. Come diavolo faceva a vivere con quel fesso di
Everett? Con quei vestiti improponibili e i denti da coniglio e gli
occhi sempre spalancati? Un uomo la cui idea di divertimento era
un piatto di riso integrale con le alghe consumato in piedi al bancone di un negozio di cibo biologico?

E così, la giornata era scivolata via; si erano fatte le sei, e Hobie
era tornato dalla sua passeggiata con Pippa e aveva fatto capolino
in negozio.

«Allora!» disse, dopo una pausa, in un tono allegro ma cauto
che mi ricordò (brutto segno) quello che usava mia madre con mio
padre quando tornando a casa lo trovava sull'orlo di uno dei suoi
accessi di euforia. Hobie sapeva quello che provavo per Pippa; non

gliel'avevo mai confidato, mai una parola, ma lo sapeva; e anche se non l'avesse saputo, avrebbe potuto constatare ugualmente (lui, come qualsiasi sconosciuto che fosse passato di lì per caso) che ero tremendamente su di giri. «Com'è andata?»

«Alla grande! E la vostra giornata?»

«Oh, benissimo!» disse sollevato. «Siamo riusciti ad arrivare a Union Square per pranzo, ci siamo seduti in un bar, peccato non ci fossi anche tu. Poi siamo saliti da Moira, e tutt'e tre abbiamo passeggiato fino all'Asia Society, e Pippa adesso è in giro, a fare un po' di acquisti natalizi. Ha detto che, ah, sì, che avete in programma di vedervi stasera, mi pare.» Calmo, ma con l'apprensione di un genitore che si chiede se sia il caso che il figlio adolescente esca con la macchina. «Film Forum, vero?»

«Esatto» risposi nervoso. Non volevo dirgli che l'avrei portata a vedere il film su Glenn Gould, dato che sapeva che l'avevo già visto.

«Ha detto che andate a vedere quello su Glenn Gould...»

«Be', uhm, morivo dalla voglia di rivederlo. Non dirle che ci sono già stato» dissi d'impulso; e poi: «Gliel'hai...?».

«No no...» si affrettò a rispondere, avvicinandosi. «Non l'ho fatto.»

«Bene, uhm...»

Hobie si strofinò il naso. «Be', senti, sono sicuro che è bellissimo. Vorrei proprio vederlo anch'io. Non stasera, però» aggiunse rapidamente. «Un'altra volta.»

«Oh...» feci, sforzandomi di sembrare dispiaciuto, senza molto successo.

«Ad ogni modo. Vuoi che tenga d'occhio io il negozio? Magari vuoi andare di sopra a darti una rinfrescata? Dovresti uscire al massimo alle sei e mezza, se hai intenzione di andarci a piedi, lo sai.»

XXVI

Mentre m'incamminavo, non riuscivo a smettere di sorridere e canticchiare. E quando svoltai l'angolo e la vidi davanti al cinema mi agitai così tanto che fui costretto a fermarmi un momento e a ri-

compormi, prima di affrettarmi a raggiungerla, a salutarla e aiutarla con le borse (carica di acquisti, raccontava qualcosa a proposito
della sua giornata), una beatitudine perfetta, perfetta, in fila per il
biglietto insieme a lei, vicini perché faceva freddo, e poi dentro, il
tappeto rosso e tutta la serata davanti, lei che batteva le mani guantate. «Oh, vuoi i popcorn?», «Certo!» (mentre già saltellavo verso
il bancone), «Qui i popcorn sono fantastici...» – e poi entrammo
insieme in sala, io che le toccavo la schiena come se niente fosse, il
dorso vellutato del suo cappotto, un cappotto perfetto, marrone,
un cappello verde perfetto e una piccola testa rossa perfetta, perfetta e «... ecco... va bene qui?». Eravamo stati al cinema insieme
un numero sufficiente di volte (cinque) perché sapessi con esattezza dove le piaceva sedersi, senza contare le cose che sapevo grazie
a Hobie dopo anni di domande apparentemente casuali sui suoi
gusti, cosa amava cosa detestava, quali abitudini aveva, domande
che avevo fatto scivolare con noncuranza, una alla volta, nell'arco
di quasi un decennio, questo le piace? e questo?; e adesso eccola
lì, che si girava a sorridermi, a me! e in sala c'era comunque troppa gente perché era lo spettacolo delle sette, decisamente troppa
perché mi sentissi a mio agio considerata la mia ansia generalizzata
e il mio odio per i luoghi affollati, e altra gente continuò a entrare anche dopo che il film era iniziato, ma non m'importava, avrei
potuto essere in una trincea nella Somme durante un bombardamento tedesco, tutto quello che importava era che lei era lì accanto
a me, al buio, il suo braccio a fianco al mio. E la musica! Glenn
Gould al piano, i capelli selvaggi, esuberante, la testa all'indietro,
emissario del regno degli angeli, rapito e consumato dal sublime!
Continuavo a lanciarle occhiate furtive, incapace di trattenermi;
ma passò almeno mezz'ora dall'inizio del documentario prima che
riuscissi a trovare il coraggio di girarmi completamente a guardarla
– il profilo sbiancato nel bagliore dello schermo – e allora mi resi
conto, con orrore, che il film non le stava piacendo. Era annoiata.
No: era turbata.

Passai il resto del film avvilito, senza quasi vederlo. Anzi, lo vedevo, ma in modo del tutto diverso: Gould non era più l'estatico
genio, non era più il mistico, il solitario che aveva eroicamente ab-

bandonato le scene all'apice della fama per ritirarsi tra le nevi del Canada – ma l'ipocondriaco, il recluso, l'isolato. Il paranoico. Il pasticcomane. No: il tossico. Il maniaco: coi guanti, la fobia dei germi, in giro con la sciarpa anche d'estate, pieno di tic e di ossessioni. Il tipo strambo, ingobbito, notturno, talmente disavvezzo al contatto con gli altri esseri umani che (durante un'intervista che a rivederla mi parve una tortura) aveva chiesto a un tecnico del suono di andare da un avvocato insieme con lui per farsi dichiarare legalmente fratelli – più o meno la versione tragica, invecchiata e geniale di me e Tom Cable che univamo i nostri pollici tagliati nel buio del cortile sul retro di casa sua, o – più strano ancora – di Boris che mi prendeva la mano con le nocche sanguinanti perché gli avevo tirato un pugno al parco giochi, e se la premeva sulla bocca insanguinata.

XXVII

«Ti ha turbata» dissi d'impulso mentre uscivamo dal cinema. «Mi dispiace.»

Lei sollevò lo sguardo, come sorpresa che l'avessi notato. Eravamo usciti e il mondo era bluastro – la luce onirica della prima neve della stagione: dieci centimetri in meno di un'ora.

«Potevamo andarcene.»

Per tutta risposta scosse la testa. I fiocchi scendevano volteggiando, magici, come in una versione idealizzata del Nord, lo stesso candido Nord del film.

«Be', no» disse riluttante. «Voglio dire, non è che non mi sia *piaciuto*...»

Con cautela procedevamo lungo la strada. Nessuno dei due indossava scarpe adatte. Ascoltavo lo scricchiolio dei nostri passi, aspettando che lei continuasse e pronto ad afferrarla per il gomito se fosse scivolata, ma quando si voltò tutto quello che disse fu: «Oddio. Non troveremo mai un taxi, vero?».

E la cena? Che fare? Voleva andare a casa? Cazzo! «Non è lontano.»

«Oh, lo so, ma... oh, ce n'è uno!» strillò. Ebbi un tuffo al cuore ma poi mi accorsi che, grazie a Dio, l'aveva già preso qualcun altro.

«Ehi» dissi. Eravamo dalle parti di Bedford Street – luci, caffè. «Che ne dici se proviamo di qua?»

«A cercare un taxi?»

«No, a cercare qualcosa da mangiare.» (Aveva fame? Dio, ti prego, fa' che abbia fame). «O almeno qualcosa da bere.»

XXVIII

Per qualche motivo – forse per intervento divino – il wine bar semivuoto in cui ci infilammo d'impulso era caldo, illuminato dalle candele e molto, molto più accogliente di tutti i ristoranti che nel pomeriggio avevo preso in considerazione.

Tavolo piccolo. Il mio ginocchio contro il suo – ne era consapevole? Con la stessa intensità con cui lo ero io? La luce della candela sul suo viso, i riflessi metallici della fiamma sui suoi capelli, così luminosi che sembravano sul punto di prendere fuoco. Ogni cosa era dolce e sfavillante. In sottofondo un vecchio disco di Bob Dylan, assolutamente perfetto per l'atmosfera prenatalizia del Village con la neve che turbinava in fiocchi leggeri, quel tipo d'inverno che ti fa venir voglia di camminare per la città abbracciato a una ragazza come sulla copertina del disco – perché Pippa era esattamente quella ragazza, non la più bella, ma acqua e sapone, la ragazza semplice, con cui lui aveva scelto di essere felice, e in effetti quell'immagine rappresentava a suo modo un ideale di felicità, lui che si stringeva nelle spalle e il sorriso di lei lievemente imbarazzato, la sensazione che insieme sarebbero potuti andare ovunque, e – eccola lì! lei!, e stava parlando di sé, affettuosa e a proprio agio, e l'attimo dopo mi chiedeva di Hobie e del negozio, di come stavo, cosa stavo leggendo e ascoltando e mi faceva mille domande, ma allo stesso tempo era ansiosa di condividere con me la sua vita, il suo appartamento gelido così costoso da riscaldare, la luce deprimente e l'odore di umido e stantio, i vestiti a poco prezzo nei negozi sulla via principale e le tante catene americane che ormai a Londra è come in un centro commerciale, e che farmaci stai prendendo e che farmaci sto prendendo io (soffrivamo entrambi di disturbo post-traumatico da stress, una malattia che in Inghilterra aveva una sigla diversa, a quanto pareva, e se non ci stavi attento ti spedivano in un ospedale per i veterani dell'esercito); il suo minuscolo giardino, che condivideva con altre sei persone, e la svitata donna inglese che l'aveva riempito di tartarughe malaticce portate illegalmente dal Sud della Francia («muoiono tutte, di freddo e malnutrizione – è veramente crudele – lei non le sfama come si deve, pane sbriciolato, te l'immagini, io compro cibo per tartarughe al negozio per animali senza dirglielo»), e il suo disperato desiderio di prendersi un cane, ma a Londra ovviamente era difficile, con la quarantena, la stessa che c'era anche in Svizzera, com'era possibile che finisse sempre a vivere in posti ostili ai cani? E cavoli, erano anni che non mi vedeva così bene, le ero mancato, le ero mancato un sacco, che bella serata – e rimanemmo lì per ore, a ridere di piccole cose ma anche a parlare seriamente, con gravità, e lei era generosa e ricettiva (un'altra cosa: ascoltava, la sua attenzione era stupefacente – non mi era mai capitato che qualcuno mi ascoltasse così; con lei mi sentivo diverso, una persona migliore, potevo dirle cose che non potevo raccontare a nessun altro, di certo non a Kitsey, che aveva quella maniera spiazzante di rispondere ai commenti seri con una battuta, o cambiando argomento, o interrompendomi, o a volte semplicemente facendo finta di non aver sentito), e fu bellissimo stare con lei, e io l'avevo amata ogni minuto di ogni giorno, col cuore e la mente e l'anima e tutto il resto, e si stava facendo tardi e avrei voluto che quel posto non chiudesse mai, mai.

«No no» stava dicendo, facendo scivolare un dito sul bordo del calice di vino – la forma delle sue mani mi commuoveva profondamente, l'anello di Welty sul suo dito, e potevo fissarle come non avrei mai potuto fissare il suo viso senza farla sentire a disagio. «In realtà il film mi è piaciuto un sacco. E la musica...» Rise, e quella risata, per me, aveva tutta la gioia della canzone in sottofondo. «Ti toglie il fiato. Welty una volta è andato a sentirlo, alla Carnegie. Una delle serate più belle della sua vita, mi ha detto. È solo che...»

«Sì?» Il profumo del suo vino. Macchie rosse di vino sulle sue labbra. Una delle serate più belle della mia vita.

«Be'» scosse la testa, «le scene dei concerti. Quelle sale prova. Perché, sai» grattandosi un braccio, «è stata molto, *molto* dura, per me. Prove, prove, prove – sei ore di flauto al giorno –, mi facevano male le braccia e… be', sono sicura che le hai sentite spesso anche tu, le stronzate sul pensiero positivo che gli insegnanti e i fisioterapisti continuano a ripetere – "Oh, ma tu ce la puoi fare!", "Noi crediamo in te!" – e tu ci credi e lavori sodo e lavori ancora più sodo e ti odi perché non stai lavorando abbastanza, e pensi che è colpa tua se non fai progressi e lavori ancora di più e poi… be'.»

Rimasi in silenzio. Sapevo tutta la storia da Hobie, che me ne aveva parlato a lungo, angosciato. A quanto pareva, la zia Margaret aveva avuto perfettamente ragione a mandarla alla scuola per matti in Svizzera, coi dottori e le terapie e il resto. Perché nonostante tutto l'incidente l'aveva lasciata con un leggero deficit delle capacità motorie di precisione. Molto lieve, ma c'era. Irrilevante se avesse voluto fare la cantante, la ceramista, la custode dello zoo, il medico – ma non chirurgo. Tutt'altro che irrilevante per lei.

«E, non so, io a casa ascolto un sacco di musica, mi addormento tutte le sere con l'iPod, ma quand'è l'ultima volta che sono stata a un concerto?» disse triste.

Si addormentava con l'iPod? Cioè lei e come-si-chiama non facevano sesso? «E perché non ci vai?» dissi, mettendo da parte quel frammento d'informazione per pensarci più tardi. «Ti dà fastidio il pubblico? La folla?»

«Sapevo che l'avresti capito.»

«Be', sono sicuro che te l'avranno consigliato, perché con me l'hanno fatto…»

«Cosa?» Quant'era affascinante quel sorriso triste? «Xanax? Betabloccanti? Ipnosi?»

«Tutto quanto.»

«Be'… se il problema fossero gli attacchi di panico, forse. Ma non è così. A farmi star male è il rimorso. Dolore. Invidia… che è la cosa peggiore. Voglio dire… questa ragazza, Beta – che nome stupido, vero? Come musicista è veramente mediocre, non per darmi delle arie ma quando eravamo piccole riusciva appena a seguire lo spartito e adesso è nella Filarmonica di Cleveland e mi dà fastidio più di quanto sia disposta ad ammettere. Ma non ci sono pasticche per quello, no?»

«Ehm...» In realtà c'erano, e Jerome, sulla Adam Clayton Powell, ci stava facendo grandi affari.

«L'acustica, il pubblico... fanno scattare qualcosa... Vado a casa, odio tutti, parlo da sola, litigo con me stessa facendo le vocette, e dopo sono sottosopra per giorni. E... be', te l'ho detto, l'insegnamento, ci ho provato, ma non fa per me.» Pippa non aveva bisogno di lavorare, grazie al denaro della zia Margaret e di Welty (in effetti nemmeno Everett lavorava – il suo posto alla «biblioteca musicale», che inizialmente mi era stato presentato come l'inizio di una carriera fulminante, in realtà era più simile a un tirocinio non retribuito, con Pippa che pensava a coprire tutte le spese). «Gli adolescenti... non entro nemmeno nel merito di che tortura sia guardarli andare al conservatorio o a Città del Messico per l'estate a suonare nell'orchestra sinfonica. E i ragazzi più piccoli non sono abbastanza seri. Mi danno fastidio perché sono sciocchi. Prendono tutto troppo alla leggera, buttano via l'opportunità che hanno.»

«Be', insegnare è un lavoro di merda. Non vorrei farlo nemmeno io.»

«Sì, ma» sorso di vino, «se non posso suonare, cosa rimane? Perché, insomma, la musica è ancora la mia vita, in qualche modo, con Everett, e continuo a studiare e seguire corsi... ma sinceramente Londra non mi piace granché, è tetra e piovosa e non ho molti amici lì, e a volte sento qualcuno che piange, di notte, un lamento continuo e terribile, dall'appartamento accanto, e io... voglio dire, tu hai trovato qualcosa che ti piace, e sono così contenta, perché a volte mi chiedo davvero cosa voglio fare della mia vita.»

«Io...» Cercai disperatamente di dire la cosa giusta. «Torna a casa.»

«A casa? Intendi qui?»

«Certo.»

«E Everett?»

Non sapevo cosa rispondere.

Mi lanciò uno sguardo indagatore. «Non ti piace proprio, vero?»

«Uhm…» Che senso aveva mentire? «No.»

«Be'… se lo conoscessi meglio ti piacerebbe. È un bravo ragazzo. Sereno, tranquillo… molto equilibrato.»

Di nuovo, non sapevo cosa rispondere. Non possedevo nessuna di quelle tre qualità.

«E poi Londra… voglio dire, ho *pensato* di tornare a New York…»

«Davvero?»

«Certo. Hobie mi manca. Molto. Lui scherza sempre sul fatto che coi soldi che spende per telefonarmi potrebbe affittarmi un appartamento – ovviamente è rimasto a vent'anni fa, quando una chiamata a Londra costava cinque dollari al minuto o roba del genere. Praticamente tutte le volte che parliamo prova a convincermi a tornare… Be', conosci Hobie, non lo dice mai direttamente, ma sai, la butta lì, mi informa di un'opportunità di lavoro, un posto alla Columbia e cose così…»

«Sul serio?»

«Da un certo punto di vista non mi spiego neppure io perché continui a vivere così lontano. Welty era quello che mi portava alle lezioni di musica e ai concerti, ma era Hobie quello che stava a casa, sai, che veniva di sopra e mi preparava la merenda dopo la scuola e mi aiutava a piantare le calendule per la mia ricerca di scienze. Persino adesso, quando ho un brutto raffreddore, quando non mi ricordo come si cucinano i carciofi o quando non riesco a togliere la cera di una candela dalla tovaglia, indovina chi chiamo? Lui. Ma…» Era la mia immaginazione, o il vino la stava agitando un po'? «Vuoi la verità? Sai perché non torno più spesso, qui? A Londra…» Stava per piangere? «Non l'ho mai detto a nessuno, ma almeno a Londra non ci penso *ogni secondo*. "Questa è la strada che ho fatto tornando a casa il giorno prima." "Qui è dove io Welty e Hobie avevamo cenato la penultima volta." Almeno lì non penso tutto il tempo: meglio se vado a sinistra o a destra? Come se il mio destino dipendesse da decisioni così. Prendo la linea F o la 6? Premonizioni che non riesco a sopportare. Tutto pietrificato. Quando ritorno qui ho di nuovo tredici anni e… voglio dire… non in senso buono.

Quel giorno si è fermato tutto, letteralmente. Ho persino smesso di crescere. Lo sapevi? Non sono più cresciuta di un centimetro da quando è successo, nemmeno uno.»

«Sei perfetta.»

«Be', è piuttosto comune» disse lei, ignorando il mio goffo complimento. «I bambini feriti o traumatizzati... spesso smettono di crescere, non raggiungono l'altezza normale.» Senza accorgersene, a tratti Pippa assumeva il tono di voce del suo psichiatra, il dottor Camenzind – anche se non lo avevo mai conosciuto, mi accorgevo di quando quel tono professionale si insinuava nella sua voce come una sorta di meccanismo di distanziamento. «Le energie si canalizzano diversamente. Il processo della crescita va in tilt. Alla mia scuola, sai, c'era questa tipa – una principessa saudita – che era stata sequestrata a dodici anni. I rapitori poi furono giustiziati. Quando l'ho conosciuta io ne aveva diciannove, una ragazza carina, ma minuscola, tipo un metro e trenta, era rimasta talmente traumatizzata che non è più cresciuta di un centimetro dal giorno in cui l'avevano presa.»

«Mio Dio. La ragazza della cella sotterranea? Era a scuola con te?»

«Il Mont-Haefeli era strano. C'erano ragazze a cui avevano sparato mentre fuggivano dal palazzo presidenziale, e altre che erano state mandate lì perché i genitori volevano che perdessero peso o che si allenassero per le Olimpiadi invernali.»

Accettò la mia mano fra le sue senza protestare, era tutta imbaccuccata, non si era nemmeno tolta il cappotto. Pippa indossava le maniche lunghe anche in estate – ed era sempre avvolta in una mezza dozzina di sciarpe, come un insetto chiuso nel suo bozzolo –, l'imbottitura protettiva di una ragazza che era stata fatta a pezzi e rimessa insieme. Come avevo fatto a essere così cieco? Non c'era da stupirsi se il film l'aveva turbata: Glenn Gould girava perennemente infagottato in cappotti pesanti, e intanto i flaconi di pillole si accumulavano, e lui smetteva coi concerti, e la neve gli si ammucchiava attorno anno dopo anno.

«Perché... insomma, ti ho sentito parlarne, so che non puoi fare a meno di ripensare a quel giorno. E lo stesso vale per me.» Senza farsi notare, la cameriera le aveva versato altro vino, le aveva riempito il bicchiere senza che Pippa se ne accorgesse: *cara cameriera*, pensai, *che Dio ti benedica, ti lascerò una mancia che non hai mai visto in vita tua.* «Se solo mi fossi iscritta all'audizione di lunedì invece che di martedì. Se solo avessi lasciato che Welty mi accompagnasse al museo quando voleva lui… Erano settimane che insisteva per portarmi a quella mostra, voleva assolutamente che la vedessi… Ma io avevo sempre qualcosa di meglio da fare. Era più importante andare al cinema con la mia amica Lee Ann. Che, tra parentesi, è svanita nel nulla dopo l'incidente… non l'ho più incontrata dopo quel pomeriggio e quello stupido film della Pixar. Tutti questi piccoli segnali che ho ignorato, o non sono stata in grado di riconoscere… sarebbe stato tutto diverso se solo ci avessi fatto caso, per esempio, Welty aveva provato *in tutti i modi* a convincermi ad andare la settimana prima, me l'aveva chiesto dodici volte, era come se anche lui lo sentisse, che stava per accadere qualcosa di brutto; è stata colpa mia se siamo andati proprio quel giorno…»

«Almeno tu non eri stata appena espulsa da scuola.»

«Ti avevano espulso?»

«Sospeso.»

«È strano immaginare… pensa se non fosse mai successo. Se non fossimo stati lì in quel momento. Non ci saremmo incontrati. Cosa pensi che staresti facendo ora?»

«Non so» risposi, un po' sorpreso. «Non riesco proprio a immaginarlo.»

«Dai, provaci.»

«Io non ero come te. Non avevo nessuna passione.»

«Cosa facevi per divertirti?»

«Niente di interessante. Il solito. Videogiochi, fantascienza. Quando mi chiedevano cosa volevo fare, dicevo che volevo diventare un cacciatore di replicanti alla *Blade Runner* o qualcosa del genere.»

«Dio, quel film mi commuove sempre un sacco. Penso molto alla nipote di Tyrell.»

«Cioè?»

«La scena in cui Rachel guarda le fotografie sopra il pianoforte. Quando sta cercando di capire se i suoi ricordi appartengano a lei o alla nipote di Tyrell. Anch'io rivivo il passato, ma per capire se c'erano indizi. Cose che avrei dovuto cogliere e non ho visto.»

«Senti, lo capisco, anch'io ragiono in quel modo, ma i presagi, i segnali, è impossibile che tu potessi...» Perché non riuscivo a esprimermi quand'ero con lei? «Posso dire che sono discorsi folli? Soprattutto quando li senti fare da un altro? Incolpare te stessa per non aver saputo prevedere il futuro, be'...»

«Sì, forse. Ma il dottor Camenzind dice che lo facciamo tutti. Incidenti, catastrofi... Più o meno il settantacinque per cento delle vittime di un disastro è convinta di aver ignorato segnali premonitori, o di non averli interpretati correttamente, e tra i ragazzi sotto i diciotto anni la percentuale è ancora più alta. Ma questo non significa che i segnali non ci fossero, giusto?»

«Io non la vedo così. Col senno di poi, certo. Ma credo sia più come quando hai dei numeri in colonna e sbagli la prima somma e alla fine i conti non tornano. Se torni indietro trovi l'errore... il punto che ti avrebbe condotto al risultato corretto.»

«Sì, ma in questo caso è peggio, no? Vedi l'errore, il punto in cui hai sbagliato, e non puoi tornare indietro per rimediare. La mia audizione...» lungo sorso di vino, «per l'orchestra alla Juilliard, l'insegnante di solfeggio mi aveva detto che potevo tranquillamente aspirare al posto di secondo flauto, e che se avessi suonato veramente bene, forse anche a quello di primo. Ed era una cosa molto importante, o almeno ne ero convinta. Ma Welty...» Sì, erano lacrime, senza dubbio, gli occhi le brillavano alla luce della candela. «Sapevo di sbagliare, assillandolo perché mi accompagnasse Uptown, non c'era motivo perché venisse anche lui – Welty mi viziava un sacco anche quando mia madre era viva, ma dopo ha iniziato a farlo ancora di più, ed era una giornata importante per me, certo, ma era davvero *così* importante? No. Perché» aveva alzato leggermente la voce, ora «io non ci volevo nemmeno andare al museo, volevo che venisse con me perché sapevo che mi avrebbe portata fuori a pranzo prima dell'audizione, ovunque avessi voluto... lui sarebbe dovuto restare a casa quel giorno, aveva tante cose da fare, all'audizione non lasciavano entrare i parenti, avrebbe dovuto aspettare all'ingresso...»

«Sapeva quello che stava facendo.»

Mi guardò come se avessi detto la cosa più sbagliata; ma io sapevo che invece era giusta, se solo fossi riuscito a esprimermi correttamente.

«Per tutto il tempo in cui siamo stati insieme, lui ha sempre parlato di te» dissi. «E...»

«E cosa?»

«Niente!» Chiusi gli occhi, sopraffatto dal vino, da lei e dalla difficoltà di spiegarmi. «È solo che... i suoi ultimi istanti sulla terra, capisci... E la distanza tra la mia vita e la sua era molto, molto ridotta. Non c'era *nessuna* distanza. Era come se qualcosa si fosse aperto fra noi. Come una luce improvvisa di ciò che era vero... ciò che realmente importava. Non c'ero io e non c'era lui. Eravamo la stessa persona. Stessi pensieri... nessun bisogno di parlare. Si è trattato solo di pochi minuti, ma sarebbero potuti essere anni, un'eternità. E, uhm, so che sembra strano...» In effetti era un'analogia imbarazzante, assurda, del tutto delirante, ma non me ne venivano altre, «... ma hai presente Barbara Guibbory, che tiene quei seminari su a Rhinebeck, quelle cose sui ricordi delle vite passate? La reincarnazione, i legami karmici e tutta quella roba? Anime che sono state insieme per molte esistenze? Lo so, *lo so*» dissi, quando mi accorsi del suo sguardo sorpreso (lievemente allarmato), «ogni volta che vedo Barbara mi dice che devo cantilenare Um o Rum o cose del genere per guarire, tipo, i chakra bloccati... "muladhara carente"... non sto scherzando, è stata questa la sua diagnosi, "privo di radici", "oppressione del cuore", "campo energetico frammentato"... La prima volta che l'ho incontrata io me ne stavo lì a bere un cocktail e a farmi gli affari miei ed ecco che lei attacca discorso e mi parla del cibo che dovrei mangiare per costruirmi una base...» la stavo perdendo, lo vedevo, «scusa, sto un po' cambiando discorso, è solo che, be', abbiamo fatto questa discussione, e quella roba mi dà sui nervi come nient'altro. C'era anche Hobie, che si beveva uno scotch pregiato e a un certo punto le fa: "E io, Barbara? Anche io dovrei mangiare delle radici? Mettermi a testa ingiù?", e lei gli da un buffetto sul braccio e dice: "Oh, non preoccuparti, James, tu sei un Essere Evoluto".»

Questo la fece ridere.

«Ma Welty... anche lui lo era. Un Essere Evoluto. Come... davvero, non sto scherzando. Sul serio. Inspiegabile. Quelle storie che racconta Barbara... il guru Come-si-chiama che le mette la mano sulla testa in Birmania e in pochi istanti le infonde la conoscenza e la rende una persona diversa...»

«Insomma, Everett... naturalmente lui non ha mai *incontrato* Krishnamurti, ma...»

«Ah, vero, vero.» Everett – non sapevo perché mi infastidisse tanto – frequentava una specie di collegio fondato da un guru nel Sud dell'Inghilterra, dove seguiva lezioni come Amore per la Terra e Pensiamo agli Altri. «Ma voglio dire... è come se l'energia di Welty, o un campo di forze... Dio, sembra così banale ma non so come altro chiamarlo... lui è con me da quel momento. Io ero lì per lui e lui per me. Una cosa che non finisce.» Sebbene le provassi davvero, non avevo mai raccontato a nessuno quelle sensazioni. «Tipo che penso a lui, e lui è presente, la sua personalità è con me. Per esempio, appena andai a stare da Hobie, fin dal primo istante, mi precipitai in negozio, e non riuscivo a stare lontano da quel posto... era una cosa istintiva, non la so spiegare. Perché... mi interessavano gli oggetti d'antiquariato? No. Perché avrebbero dovuto? Eppure eccomi là. Curiosavo tra la sua roba. Leggevo le sue annotazioni sui cataloghi delle aste. Il suo mondo, i suoi oggetti. Tutto, lì, mi attraeva... come una calamita. Non che andassi a cercarle tutte quelle cose... non più di quanto le cose non cercassero me. E sì, insomma, prima dei diciotto anni nessuno mi aveva insegnato niente, ma era come se lo sapessi già, ero lassù da solo a fare il *lavoro* di Welty. E...» incrociai le gambe, inquieto, «è strano che mi abbia detto di venire da voi, ci hai mai pensato? È stato un caso? Forse. Ma secondo me no. È stato come se avesse capito chi ero e mi avesse mandato esattamente nel posto in cui avrei dovuto trovarmi, dalle persone con cui dovevo stare. Quindi sì...» Presi un respiro, stavo parlando un po' troppo in fretta. «Sì. Scusami. Non volevo cambiare discorso.»

«Non importa.»

Silenzio. I suoi occhi su di me. Ma al contrario di Kitsey – che non era mai completamente presente, che detestava i discorsi seri, che a una tirata del genere si sarebbe guardata intorno in cerca della cameriera o avrebbe fatto la prima osservazione sciocca e/o ironica che le fosse venuta in mente per evitare di rendere tutto troppo pesante – lei ascoltava, era lì, esattamente dov'ero io, e vedevo fin troppo bene quanto fosse triste per me, una tristezza amplificata dal suo affetto nei miei confronti: avevamo molto in comune, un'affinità mentale ed emotiva, amava stare con me, si fidava di me, voleva il mio bene, voleva essermi amica più di qualsiasi altra cosa; e mentre certe donne avrebbero provato un sottile compiacimento di fronte alla mia infelicità, per Pippa non era divertente constatare quanto mi disperassi per lei.

XXIX

Il giorno seguente – quello della festa di fidanzamento – tutta l'intimità della sera prima era svanita; e ciò che rimaneva (a colazione; nei nostri veloci saluti in corridoio) era la frustrazione di sapere che non l'avrei più avuta tutta per me; quando ci incrociavamo eravamo impacciati, parlavamo a voce alta e con troppa allegria, e mi ricordai (con una tristezza immensa) della sua visita dell'estate precedente, quattro mesi prima che si presentasse con «Everett», e l'intensa appassionante chiacchierata che avevamo fatto sulle scale all'ingresso, noi due soli, mentre si faceva buio: l'uno a fianco dell'altra, vicini («come due vecchi barboni»), il mio ginocchio contro il suo, il mio braccio che toccava il suo braccio, a guardare i passanti mentre parlavamo di un mucchio di cose: di quand'eravamo bambini, dei pomeriggi a Central Park e delle pattinate al Wollman Rink (c'eravamo mai visti, in passato? Incrociati e sfiorati sul ghiaccio, magari?), degli *Spostati*, che avevo da poco visto in TV insieme a Hobie, di Marilyn Monroe, che amavamo entrambi («un fantasma della primavera»), e di Montgomery Clift, ormai al tramonto, che se ne andava in giro con manciate di pillole nelle tasche (un dettaglio che non conoscevo e sul quale non avevo fatto commenti) e della morte di Clark Gable e di quanto Marilyn ci fosse stata male, quanto dovesse essersi sentita responsabile – e da qui, con qualche strano avvitamento, eravamo passati a parlare di destino, di occulto e di indovini: la data di nascita aveva qualcosa a che fare con la fortuna, o con la sua assenza? E i transiti dei pianeti, e gli allineamenti astrali negativi? Cos'avrebbe detto un chiromante? Ti sei mai fatto leggere la mano? No; tu? Forse dovremmo andare sulla Sesta da quel guaritore sensitivo, con la vetrina illuminata di viola e le sfere di cristallo, mi sembra sia aperto ventiquattr'ore su... ah, sì, intendi quel posto con la lampada Astro e la romena stramba che rutta sulla porta? E avevamo parlato finché era talmente buio che quasi non vedevamo più le nostre facce, e sussurravamo anche se non ce n'era bisogno, *tu vuoi tornare dentro? no, non ancora*, e la luna piena estiva splendeva bianca e pura sopra di noi, e il mio amore per lei era esattamente come la luna, semplice e immutabile. Alla fine eravamo dovuti rientrare, e nell'istante in cui avevamo varcato la soglia l'incantesimo si era infranto, e nel corridoio illuminato ci sentivamo rigidi e imbarazzati, come se le luci artificiali della casa fossero quelle che annunciavano la fine di uno spettacolo, e tutta la nostra intimità si fosse rivelata per quello che era: una finta. Per mesi avevo cercato disperatamente di rivivere quel momento; e in quel bar, per un paio d'ore, c'ero riuscito. Ma era di nuovo tutto irreale, eravamo tornati al punto di partenza, e cercavo di convincermi che era abbastanza averla avuta per poche ore. Però non era vero.

XXX

Anne de Larmessin – la madrina di Kitsey – aveva organizzato la nostra festa in un circolo privato in cui nemmeno Hobie aveva mai messo piede, ma di cui conosceva: la storia (venerabile), gli architetti (illustri) e i membri (straordinari, da Aron Burr ai Wharton). «Pare sia uno degli esempi migliori del primo neogreco nello Stato di New York» ci aveva informati con grande piacere. «Le gradinate... le cornici dei camini... mi chiedo se ci permetteranno di entrare nella sala di lettura. L'intonaco è originale, mi hanno detto, sarebbe veramente da vedere.»

«Quanta gente ci sarà?» chiese Pippa. Era stata costretta ad andare da Morgane Le Fay a comprare un vestito, perché nel suo bagaglio non c'era niente di adatto.

«Sui duecento.» Di questi, forse quindici erano ospiti miei (inclusi Pippa e Hobie, il signor Bracegirdle e la signora DeFrees), un centinaio gli invitati di Kitsey, e il resto era gente che persino lei sosteneva di non conoscere.

«E il sindaco» disse Hobie. «Due senatori. E il principe Alberto di Monaco, giusto?»

«Lo hanno *invitato*, sì. Ma dubito seriamente che verrà.»

«Oh, quindi solo una cosa tra intimi. Per i familiari.»

«Sentite, non farò altro che andare lì e fare quello che mi dicono.»

Era stata Anne de Larmessin a prendere in mano le redini delle nozze durante la «crisi» (l'aveva chiamata proprio così) di indifferenza della signora Barbour. Era stata sempre lei a trattare per ottenere la chiesa giusta, il reverendo giusto; a stilare la lista degli ospiti (stupefacente) e a organizzare i tavoli (incredibilmente complicato) e, alla fine, a quanto pareva, sarebbe stata lei ad avere l'ultima parola su tutto, dal cuscino portafedi alla torta. Era stata Anne de Larmessin a contattare lo stilista dell'abito di Kitsey e a mettere a disposizione la sua proprietà a St. Barth per la luna di miele; era lei che Kitsey chiamava ogni volta che le sorgeva un dubbio (cosa che accadeva più volte al giorno); insomma, per usare l'espressione di Toddy, si era autonominata Obergruppenführer della Cerimonia. Quello che rendeva il tutto davvero paradossale e perverso era che Anne de Larmessin era così infastidita da me che riusciva a malapena a guardarmi negli occhi. Ero distante anni luce dal compagno che avrebbe desiderato per la sua figlioccia. Persino il mio nome era troppo volgare per essere pronunciato. «E cosa ne pensa *lo sposo*?» «*Lo sposo* mi farà avere la sua lista degli invitati il prima possibile?» Evidentemente sposarsi con uno come me (un commerciante di mobili!) equivaleva, più o meno, al suicidio; di qui, lo sfarzo e la spettacolarità dei preparativi e l'estrema formalità della cerimonia, come se Kitsey fosse una principessa perduta di Ur e dovesse essere rimpinzata e avvolta in abiti eleganti e – accompagnata da suonatori di tamburello e ancelle – fatta sfilare in tutto il suo splendore verso l'oltretomba.

XXXI

Non essendo riuscito a trovare alcun motivo valido per arrivare alla festa completamente lucido, mi assicurai di uscire di casa bello carico, e con una pasticca di ossicodone d'emergenza nel taschino del mio miglior Turnbull & Asser.

Il circolo era così bello che la presenza degli ospiti era ancora più fastidiosa, perché mi impediva di osservare con calma i dettagli architettonici, i ritratti appesi l'uno accanto all'altro – alcuni davvero meravigliosi – e i libri rari sugli scaffali. Festoni in velluto rosso, ghirlande di Natale... erano candele vere, quelle sull'albero? Rimasi incantato, in cima alle scale, senza alcuna voglia di salutare gli invitati o parlare con loro, desiderando solo di essere altrove...

Una mano sul braccio. «Che succede?» disse Pippa.

«Cosa?» Non riuscivo a guardarla in faccia.

«Sembri molto triste.»

«Lo sono» dissi, ma non ero sicuro che l'avesse sentito, e quasi non lo udii neanch'io, perché nello stesso istante Hobie – accorgendosi che eravamo rimasti indietro – era tornato a cercarci nella folla, strillando: «Ah, siete *qua*».

«Vai, i tuoi ospiti ti aspettano» disse poi, dandomi un'amichevole gomitata, «chiedono tutti di te!» In mezzo a tutti quegli sconosciuti, Hobie e Pippa erano i soli ad avere un aspetto davvero interessante: lei, simile a una fata nel suo abito diafano, verde, con le maniche quasi trasparenti; lui, elegante e tenero nel doppiopetto blu notte, con le sue bellissime vecchie scarpe Peal & Co.

«Io...» Mi guardai intorno, disperato.

«Non preoccuparti per noi. Ci vediamo dopo.»

«Va bene» dissi, facendomi forza – stavano studiando un ritratto di John Adams vicino al guardaroba, dove attendevano che la signora DeFrees lasciasse il suo visone –, e mi incamminai verso le sale affollate. Ma non conoscevo nessuno, a parte la signora

Barbour, che non mi sentivo di affrontare, e che tuttavia mi prese per una manica prima che riuscissi a defilarmi. Era poggiata a una porta col suo gin e lime, in compagnia di un uomo dall'aspetto sgradevole, un vecchio gentiluomo col viso paonazzo, ruvido, una voce squillante e due ciuffi di capelli grigi che gli ricadevano sulle orecchie.

«Oh, Medora» stava dicendo, dondolandosi sui tacchi. «Sempre una delizia. Cara, vecchia ragazza. Così unica, così straordinaria. Ha quasi novant'anni! La sua famiglia appartiene al ramo Knicker-bocker più puro, naturalmente, come non manca mai di ricordare – oh, dovresti vederla, piena di brio coi servitori...» A quel punto si concesse una risatina indulgente. «È orribile, mia cara, ma talmente comico, o almeno credo che lo sembrerà anche a te... Vedi, non possono più assumere personale *di colore*, è questo il termine che si usa oggi, giusto? *Di colore?* Perché Medora ha questa propen-sione per, diciamo, *il patois della sua giovinezza*. Soprattutto quan-do cercano di tenerla buona o di infilarla nella vasca da bagno. È piuttosto combattiva, quand'è dell'umore giusto, mi dicono! Si è messa a inseguire uno degli inservienti di colore con un attizzatoio! Ah ah ah! Be'... sai... Medora appartiene a quella che si potrebbe chiamare generazione "Cabin in the Sky". Le terre della famiglia paterna erano in Virginia; Goochland County, mi pare. Matrimonio di convenienza, come non ne ho mai visti. E comunque il figlio – hai conosciuto il figlio, vero? – è stato una *tale* delusione, con l'alcol... E la *figlia.* Un mezzo fallimento sotto il profilo sociale. Be', a voler esser gentili. Piuttosto in sovrappeso, ecco. Colleziona gatti, se ca-pisci cosa intendo. Ora, il fratello di Medora, Owen... lui era un uomo tanto caro, è morto per un attacco di cuore nello spogliatoio dell'Athletic Club... era in un momento di intimità in quello spo-gliatoio, diciamo così... uomo adorabile, Owen, ma è sempre stato un po' un'anima in pena, se n'è andato senza aver trovato se stesso, secondo me.»

«Theo» disse la signora Barbour, allungando la mano verso di me proprio mentre io, con la disperazione di uno intrappolato in un'auto in fiamme, cercavo di dileguarmi. «Theo, vorrei presentarti Havistock Irving.»

Havistock Irving si girò e mi fissò con un intenso – e a quanto mi parve, non troppo cordiale – sguardo pieno di curiosità. «Theodore Decker.»

«Temo di sì» dissi, colto alla sprovvista.

«Vedo.» Il suo sguardo mi piaceva sempre meno. «Sei sorpreso che io sappia chi sei. Be', sai, conosco il tuo stimato socio, Hobart. E il suo stimato socio prima di te, il signor Blackwell.»

«Ma davvero» dissi, in tono volutamente annoiato; nel mio mestiere di antiquario, avevo a che fare quotidianamente con persone dai modi insinuanti quanto i suoi. La signora Barbour, che non mi aveva mollato la mano, la strinse più forte.

«Havistock è un discendente diretto di Washington Irving» intervenne prontamente. «Ne sta scrivendo una biografia.»

«Molto interessante.»

«Già, è molto interessante» concordò Havistock placido. «Anche se nel mondo accademico contemporaneo Washington Irving è stato un po' messo da parte. Emarginato» disse, soddisfatto per il termine scelto. «Non una voce pienamente americana, a giudizio degli studiosi. Un po' troppo cosmopolita... troppo europeo. Cosa del tutto normale, suppongo, dato che Irving ha imparato gran parte del mestiere da Addison e Steele. Ad ogni modo, il mio illustre antenato certamente approverebbe la mia routine quotidiana.»

«Vale a dire...?»

«Lavorare in biblioteca, sfogliare vecchi quotidiani, studiare antichi documenti amministrativi.»

«Documenti amministrativi?»

Agitò in aria una mano con disinvoltura. «Li trovo di grande interesse. E lo stesso vale per un mio socio in affari al quale sono molto vicino, e che qualche volta riesce a scovare informazioni piuttosto... ehm, utili, tra una scartoffia e l'altra... Credo che tu lo conosca.»

«Chi è?»

«Lucius Reeve.»

Nel silenzio che seguì, il mormorio della folla e il tintinnio dei bicchieri divennero un frastuono, come se una raffica di vento avesse spazzato la stanza.

«Sì. Lucius.» Sguardo divertito. Labbra melliflue e umide. «Esattamente. Sapevo che il suo nome ti sarebbe suonato familiare. Gli hai venduto un cassettone davvero interessante, se non ricordo male.»

«Esatto. E mi piacerebbe ricomprarglielo, se mai riuscirò a convincerlo.»

«Oh, ne sono certo. Però lui non è disposto a venderlo, come, come» disse, zittendomi in modo malizioso, «come non lo sarei io. Con l'altro pezzo, ancora più interessante, in arrivo.»

«Be', temo che quello dovrà dimenticarlo» replicai affabile. Il mio sussulto nel sentire il nome di Reeve era stato un puro riflesso, come sobbalzare alla vista di una prolunga attorcigliata o un pezzo di corda sul pavimento.

«Dimenticarlo?» Si lasciò sfuggire una risata. «Oh, non credo che lo farà.»

Sorrisi. Havistock sembrò solo più compiaciuto.

«È veramente sorprendente cosa si possa scoprire con un computer, di questi tempi» disse.

«Sì?»

«Be', sai, Lucius di recente è riuscito a trovare delle informazioni su altri pezzi interessanti che hai venduto. In effetti, non credo che gli stessi compratori siano necessariamente consapevoli di fino a che punto siano interessanti. Come le dodici sedie da soggiorno "Duncan Phyfe", a Dallas» specificò, sorseggiando il suo champagne. «Per non parlare dell'"importante Sheraton" che hai venduto a Houston. E hai fatto affari ancora più grossi a Los Angeles, vero?»

Cercai di rimanere impassibile.

«"Pezzi da museo." Naturalmente...» guardò la signora Barbour, «sappiamo bene, non è vero, che dipende tutto dal tipo di museo di cui stiamo parlando? Ah ah! Ma Lucius ha fatto davvero un buon lavoro ed è riuscito a ricostruire alcune delle tue vendite più intraprendenti. E, una volta terminate le vacanze, sta pensando a un bel viaggio in Texas per... ah!» disse, voltandosi con un lieve movimento elegante quando Kitsey, in un abito di satin azzurro, s'intromise per salutarci. «Un altro capolavoro! Hai un aspetto adorabile, mia cara.» Si sporse a baciarla. «Stavo proprio chiacchierando col tuo affascinante futuro sposo. Davvero incredibile, gli amici che abbiamo in comune!»

«Davvero?» Fu solo quando lei si voltò verso di me, per squadrarmi e poi baciarmi sulla guancia, che mi resi conto che non era stata sicura al cento per cento che mi sarei presentato alla festa. Il suo sollievo nel vedermi fu palpabile.

«E stai raccontando a Theo e alla mamma tutti i pettegolezzi?» chiese, girandosi verso Havistock.

«Oh, Kittycat, sei *assolutamente* perfida.» Con un gesto aggraziato fece scivolare un braccio sotto il suo, e allungò l'altro a darle un buffetto sulla mano: un piccolo, amabile, innocuo, diabolico ometto. «Ora, mia cara, vedo che hai bisogno di un drink, e lo stesso vale per me. Andiamo, ti va?» Mi rivolse un altro sguardo. «Cerchiamo un posto tranquillo in cui sparlare un po' del tuo fidanzato.»

XXXII

«Grazie al cielo se n'è andato» mormorò la signora Barbour avviandosi verso il bar. «Quelle chiacchiere inutili mi stancano terribilmente.»

«Anche a me.» Ero sudato. Come aveva fatto a scoprirlo? Tutti i pezzi che aveva nominato li avevo spediti con lo stesso corriere. E tuttavia – avevo un bisogno disperato di un drink – come faceva a conoscere tutti quei dettagli?

Mi resi conto che la signora Barbour aveva appena parlato. «Mi scusi?»

«Ho detto, non è straordinario? Sono *stupefatta* da questa gran folla.» Era vestita in modo molto semplice – abito nero, scarpe nere e il magnifico fermaglio a fiocco di neve – ma il nero non era il suo colore, e le dava un'aria claustrale, dolente e malata. «*Dovrei* socializzare? Immagino di sì. Oh, Dio, guarda, c'è il marito di Anne, che noia. È brutto da parte mia se ti confesso che in questo momento vorrei essere a casa?»

«Chi era quell'uomo?» le chiesi.

«Havistock?» Si passò la mano sulla fronte. «È un bene che parli ossessivamente di sé e della sua famiglia, o avrei fatto davvero fatica a ricordarmi il nome.»

«Avrei detto che era un suo caro amico.»

Sbatté le palpebre, sconsolata, e mi sentii in colpa per il tono che avevo usato.

«Be'» disse risoluta. «È il suo modo di fare. Si comporta come se fosse molto intimo con tutti.»

«Come mai lo conosce?»

«Oh... Havistock fa volontariato alla New York Historical Society. Conosce tutto e tutti. Anche se, che rimanga fra noi, non credo affatto che sia un discendente di Washington Irving.»

«No?»

«Be'... tutto sommato è un tipo divertente. E conosce veramente tutti, devo ammetterlo... Sostiene di avere un qualche legame con gli Astor, oltre a quello con Washington Irving, e chi può smentirlo? C'è chi trova piuttosto interessante il fatto che quasi tutte le persone con cui dice di avere un legame siano morte. Ciò detto, Havistock è delizioso, insomma, *quando vuole*, ecco. È molto, molto bravo a tener compagnia alle anziane signore... be', hai sentito cosa diceva. Ed è una miniera di informazioni sulla storia di New York: date, nomi, genealogie. Prima che arrivassi tu, mi stava raccontando la storia di *ogni* singolo edificio della via – scandali compresi – e di un omicidio nell'alta società proprio nella casa qui accanto, nel 1870 – sa tutto di tutti, già. Ciò detto, mesi fa a un pranzo ha intrattenuto l'intero tavolo con una storia assolutamente scurrile su Fred Astaire che *non poteva* essere autentica. Fred Astaire! Che impreca come un marinaio, che dà in escandescenza! Be', confesso che semplicemente non gli ho creduto – nessuno l'ha fatto. La nonna di Chance conosceva Fred Astaire quando lavorava a Hollywood e diceva che era l'uomo più adorabile della Terra. Alcune di quelle vecchie glorie erano orribili, naturalmente, le abbiamo sentite tutti certe storie. Oh» sospirò angosciata, «come sono stanca e affamata!»

«Venga...» Mi spiaceva per lei, e l'accompagnai a una sedia vuota, «si sieda. Vuole che le porti qualcosa da mangiare?»

«No, ti prego. Vorrei che restassi con me. Anche se immagino che non dovrei monopolizzarti» disse poco convinta. «Sei l'ospite d'onore.»

«Ci vorrà solo un attimo.» Mi guardai intorno nel salone. I camerieri giravano con vassoi di *hors d'œuvres* e nella sala accanto c'era un buffet, ma prima dovevo assolutamente parlare con Hobie. «Torno subito.»

Per fortuna Hobie era così alto – praticamente il più alto tra tutti i presenti – che ci misi poco a individuarlo, un faro in mezzo alla folla.

«Ehi» disse qualcuno, afferrandomi per il braccio quando già stavo per raggiungere Hobie. Era Platt, con una giacca di velluto verde che odorava di naftalina, e un aspetto arruffato e teso, già mezzo sbronzo. «Tutto bene fra voi due?»

«Scusa?»

«Tu e Kits avete risolto tutto?»

Non sapevo cosa rispondere. Dopo qualche secondo di silenzio si sistemò una ciocca biondo-grigia dietro l'orecchio. La sua faccia era rosea e gonfia, già vecchia, e io pensai, non per la prima volta, che non c'era alcuna libertà nel modo in cui si era sempre rifiutato di crescere, che a furia di buttarsi via era riuscito a distruggere ogni residuo barlume dei privilegi ereditati; e ora se ne sarebbe rimasto ai margini della festa col suo gin in mano, mentre il fratellino Toddy – ancora al college – intratteneva brillantemente un gruppo di invitati, tra cui il presidente di un college dell'Ivy League, un finanziere milionario e l'editore di un'importante rivista.

Platt mi stava ancora guardando. «Ascolta» disse. «So che non sono affari miei, tu e Kits...»

Scrollai le spalle.

«Tom non la ama» disse d'impulso. «Il fatto che tu sia ricomparso è stata la cosa migliore che potesse capitarle, e lei lo sa. Voglio dire, il modo in cui la tratta! Lei era con lui, sai, il weekend in cui morì Andy. Era Tom, la ragione per cui lo spedì da papà, anche se con lui Andy non ci sapeva fare; era lui la ragione per cui lei non andò. Tom, Tom, Tom. Pensava solo a Tom. E sì, all'apparenza lui è l'"Amore eterno" per lei, l'"Unico", come dice Kits, ma credimi, la verità è un'altra. Perché...» Fece una pausa, frustrato. «Il modo in cui lui la prendeva in giro – continuava a scroccarle soldi, andava a letto con altre ragazze, le mentiva – mi dava la nausea, come la dava alla mamma e al papà. Perché, fondamentalmente, Kits per lui è un buono pasto. È così che la vede. Eppure, non chiedermi perché, lei era pazza di lui. Completamente fuori di testa.»

«Lo è ancora, a quanto pare.»

Platt fece una smorfia. «Oh, dai. È te che sta per sposare.»

«Cable non mi sembra un tipo da matrimonio.»

«Be'. .» bevve un lungo sorso di gin, «*chiunque* sarà a sposare Tom, mɪ spiace per lei. Kits sarà anche impulsiva, ma non è stupida.»

«No.» Kitsey era tutt'altro che stupida. Non solo era riuscita a combinare un matrimonio che rendesse felice sua madre, ma nel frattempo se la spassava con la persona che amava davvero.

«Non avrebbe mai funzionato. Come ha detto Mami: "Una infatuazione bella e buona". "Un castello di sabbia."»

«Mi ha detto che lo ama.»

«Be', le ragazze amano sempre gli stronzi» disse Platt, senza prendersi la briga di argomentare. «Non l'hai notato?»

No, pensai, sconfortato, *non è vero*. Altrimenti, perché Pippa avrebbe dovuto preferire Everett a me?

«Mi sa che hai bisogno di bere, vecchio mio. In realtà…» mandò giù quel che rimaneva del suo bicchiere, «anch'io.»

«Senti, devo andare a parlare con una persona. E poi tornare da tua madre» mi girai e indicai il punto in cui l'avevo lasciata, «ha bisogno di un drink e di mangiare qualcosa.»

«Mamma!» esclamò Platt, come se gli avessi ricordato di un bollitore lasciato sul fuoco, e corse via.

XXXIII

«Hobie?»

Sembrò sorpreso quando gli toccai il gomito, e si voltò di scatto. «Tutto a posto?» disse immediatamente.

Mi sentii subito meglio, per il semplice fatto di averlo accanto –

di respirare la sua stessa aria pulita. «Ascolta» dissi, guardandomi intorno nervoso, «possiamo parlare un...»

«Ah, e questo è lo sposo?» ci interruppe una donna.

«Sì, congratulazioni!» Sconosciuti in avvicinamento.

«Com'è giovane! Sembri davvero molto giovane.» Una bionda sulla cinquantina mi prese la mano. «E com'è bello!» esclamò girandosi verso la sua amica. «Un principe azzurro! Possibile che abbia più di ventidue anni?»

Con garbo, Hobie fece le presentazioni – cortese e tranquillo come al solito, un animale sociale della specie più mite.

«Uhm» dissi, «mi dispiace trascinarti via, Hobie, spero che non ti sembri maleducato se...»

«Una parola in privato? Certo. Volete scusarmi?»

«Hobie» dissi, appena ci trovammo in un angolo relativamente appartato. Il sudore mi incollava i capelli alle tempie. «Conosci un tizio che si chiama Havistock Irving?»

Socchiuse gli occhi. «Chi?» disse, e poi, guardandomi più da vicino: «Sei sicuro che sia tutto a posto?».

Aveva colto il mio stato d'agitazione. «Certo» risposi, sistemandomi gli occhiali sul naso. «Sto bene. Ma... ascolta, Havistock Irving, questo nome ti dice qualcosa?»

«No. Dovrebbe?»

In maniera un po' confusa – morivo dalla voglia di un drink; ero stato stupido a non fermarmi al bar lungo il tragitto – gli raccontai dell'incontro di poco prima. Mentre parlavo, Hobie mi ascoltava senza cambiare espressione.

«Dimmi un po'» disse, osservando il mare di teste. «Lo vedi?»

«Uhm...» Gente ammassata davanti al buffet, vassoi pieni di ghiaccio a pezzetti, servitori guantati che sgusciavano ostriche... «Lì.»

Hobie – che senza occhiali era miope – sbatté le palpebre e strizzò gli occhi. «Quello con i...» e si portò le mani ai lati della testa per indicare i due ciuffi di capelli.

«Sì, lui.»

«Bene.» Incrociò le braccia in un gesto rude, e per un momento riuscii a immaginare un altro Hobie: non l'antiquario con le giacche su misura, ma il poliziotto, o il prete, che avrebbe potuto essere nella sua vecchia vita ad Albany.

«Lo conosci? Chi è?»

«Ah.» A disagio, si tastò il taschino sul petto in cerca di una sigaretta che non avrebbe potuto fumare.

«Lo conosci?» ripetei ansioso, con un'altra occhiata in direzione di Havistock. A volte era difficile estorcere a Hobie informazioni su questioni delicate – tendeva a cambiare argomento, chiudersi a riccio, farsi vago, e il posto peggiore per chiedergli qualcosa era una stanza affollata in cui il primo che passava avrebbe potuto interromperci.

«Non direi. Ma abbiamo fatto affari. Che ci fa qui?»

«Amico della sposa» dissi con un tono un po' brusco, e Hobie mi guardò stupito. «Come lo conosci?» insistetti.

«Be'» riluttante, «non so come si chiami davvero. Welty e io lo conoscevamo come Sloane Griscam. Ma il suo vero nome... be', è un altro.»

«Chi è?»

«Un picchio» tagliò corto Hobie.

«Okay» dissi, dopo un momento di confusione. Un picchio, nel gergo degli antiquari, era uno squalo che si insinuava in casa della gente anziana: per imbrogliarla o derubarla.

«Io...» Si dondolò sui tacchi, distolse lo sguardo, imbarazzato, «qui troverà molte prede interessanti, questo è certo. Un truffatore di prima categoria; lui e anche il suo socio. Furbi come il diavolo, quei due».

Un uomo calvo con un collare da prete si stava facendo strada verso di noi; incrociai le braccia e provai a girarmi dall'altra parte per scoraggiare il suo approccio, sperando che Hobie non lo vedesse e non s'interrompesse per salutarlo.

«Lucian Race. Perlomeno, questo era il nome che usava. Oh, erano una bella coppia. Vedi... Havistock, o Sloane, o come si fa chiamare ora, attaccava discorso con le vecchiette o coi signori di una certa età, si faceva dire dove vivevano, passava a trovarli... li puntava alle cene di beneficenza, ai funerali, alle aste di Important Americana, ogni occasione era buona. Ad ogni modo...» esaminò il suo bicchiere, «si presentava a casa loro col suo delizioso compare, il signor Race, e mentre i cari vecchietti erano distratti... davvero, una cosa orribile. Gioielli, dipinti, orologi, argento, qualsiasi cosa su cui riuscissero a mettere le mani. Be'» disse, cambiando tono, «è passato molto tempo.»

Avevo una tale voglia di bere che facevo fatica a staccare lo sguardo dal bancone degli alcolici. Vidi Toddy che mi indicava a una coppia di anziani che sorridevano con aria impaziente, come se non vedessero l'ora di trascinarsi fino a me per fare la mia conoscenza, ma gli girai le spalle, deciso. «Così fregavano i vecchi?» ripetei, sperando di scucire a Hobie qualcosa in più.

«Sì... mi dispiace dirlo, ma si approfittavano dei più indifesi! Chiunque li facesse entrare in casa. Parecchi di loro non possedevano molto, li ripulivano in un solo giro, ma se c'era un bel bottino... Oh, continuavano coi cesti di frutta e le chiacchiere e le confidenze per settimane...»

Il prete, o il pastore, o quel che era, aveva notato che ero occupato e aveva sollevato una mano con fare amichevole – a dopo! – prima di scomparire in mezzo alla gente. Era il vescovo della chiesa episcopale, padre Come-si-chiama, che avrebbe dovuto sposarci? O uno dei preti cattolici di St. Ignatius che la signora Barbour aveva iniziato a frequentare dopo la morte di Andy e del marito?

«Andava tutto liscio come l'olio. A volte fingevano di essere esperti di antichità e si offrivano di valutare gratuitamente qualche pezzo, era così che s'intrufolavano nelle case. O, nei casi più tragici – gente costretta a letto, poveri rimbambiti –, ingannavano le infermiere che se ne prendevano cura, spacciandosi per parenti. Detto questo...» Hobie scosse la testa. «Hai mangiato qualcosa?» chiese, nel suo tono cambiamo-argomento.

«Sì» risposi, anche se non era vero. «Grazie, ma se...»

«Oh, ottimo!» disse sollevato. «Laggiù ci sono le ostriche e il caviale. Anche quella cosa di granchio era buona. Non sei venuto a pranzo oggi. Ti ho lasciato un piatto di stufato di manzo, dei fagiolini e l'insalata; non hai mangiato, ho visto che era ancora tutto in frigo...»

«Perché tu e Welty avevate a che fare con lui?»

Hobie sbatté le palpebre. «Scusa?» disse distratto. «Oh.» Fece un cenno con la testa in direzione di Griscam. «Lui?»

«Già.» La festosa vivacità della sala – luci, specchi, camini accesi e candelieri luccicanti – mi dava la sensazione di essere assediato, osservato da ogni direzione.

«Be'...» Distolse lo sguardo – avevano appena portato un nuovo vassoio di caviale e stava per dirigersi al buffet – poi si rassegnò a proseguire il racconto. «Arrivò in negozio con un sacco di gioielli e argenteria da vendere, anni fa. Roba di famiglia, sosteneva. Ma c'era una saliera... antica, un pezzo importante, e Welty la riconobbe perché conosceva la signora a cui l'aveva venduta. E sapeva che era stata rubata da una coppia di picchi che si erano intrufolati in casa della donna con la scusa di raccogliere vecchi libri per beneficenza. Ad ogni modo, Welty prese i pezzi in consegna, telefonò alla vecchia signora e chiamò la polizia. E io, be', da parte mia...» si tamponò la fronte col fazzoletto a fiori liberty che aveva estratto dal taschino; la sua voce era così bassa che riuscivo appena a sentirlo, ma non mi azzardai a chiedergli di parlare più forte, «diciotto mesi prima avevo acquistato un'*eredità* da quel tizio, avrei dovuto capire che c'era qualcosa che non andava, ma... non c'era nulla di concreto, non abbastanza. Un edificio nuovo di zecca nelle East Eighties – una strana collezione ammassata senza criterio al centro della stanza, casse da tè, orologi a parete, statuette in osso di balena, sedie Windsor, così tante da farci una scuola – ma niente tappeti, niente divano, non un tavolo su cui mangiare, né letti su cui dormire – be', sono sicuro che tu avresti capito ben prima di me. L'eredità non esisteva, e neppure la vecchia zia. C'era solo quell'appartamento che aveva affittato come deposito per il frutto delle sue ruberie. Fra l'altro, e questo mi turbò ancora di più, lo conoscevo di fama perché all'epoca aveva un negozietto, solo una vetrina, davvero un buco, sulla Madison, non lontano dalla vecchia Parke-Bernet, un posto molto carino, aperto solo su appuntamento. Chevallet Antiquariato. Roba francese di prima qualità; non il mio settore. Ogni volta che ci passavo era chiuso. Non seppi chi fosse il proprietario, finché lui non mi contattò per quella faccenda dell'eredità.»

«E poi?» dissi, desiderando che Platt e il direttore della casa editrice per cui lavorava si tenessero alla larga.

«E...» Sospirò. «Per fartela breve, la questione finì in tribunale, e Welty e io rilasciammo una dichiarazione. Sloane – il *delapidateur*, come lo chiamava Welty – nel frattempo era già svanito nel nulla, il negozio svuotato da un giorno all'altro, "per rinnovo locali", e chiaramente non aprì più. Ma Race, credo, finì in galera.»

«Quand'è successo?»

Hobie si mordicchiò un dito e ci pensò su. «Oddio, saranno passati trent'anni? Trentacinque, forse?»

«Che altro sul conto di Race?»

Aggrottò le sopracciglia. «È qui anche lui?» E di nuovo passò in rassegna la folla.

«Io non l'ho visto.»

«Capelli fin qui.» Hobie fece un segno col dito, alla base del collo. «Come li portano gli inglesi. Gli inglesi di una certa età.»

«Capelli bianchi?»

«Allora no. Forse adesso. E una bocca sottile e cattiva...» increspò le labbra «... così.»

«È lui.»

«Be'...» Si tastò la tasca in cerca della sua lente d'ingrandimento con luce incorporata, prima di rendersi conto che in quella circostanza non sarebbe servita. «Gli hai proposto di restituirgli i soldi. Quindi se è *davvero* Race... non capisco perché faccia pressione. Non è nella posizione di causarci problemi o fare richieste, ti pare?»

«No» risposi dopo una lunga pausa, anche se era una bugia talmente grossa che a stento riuscii a pronunciarla.

«Be', rilassati» disse Hobie, chiaramente sollevato per aver chiuso la discussione. «Questa è in assoluto l'ultima cosa che dovrebbe rovinarti la serata. Anche se...» Mi diede una pacca sulla schiena; si guardava intorno, in cerca della signora Barbour. «È bene che tu avverta subito Samantha. Non deve assolutamente lasciar entrare quel furfante in casa sua. Per nessun motivo. Buonasera!» disse, rivolto alla coppia di anziani di prima, che era finalmente riuscita a raggiungerci e aspettava il proprio turno sorridendo con ansia. «James Hobart. Posso presentarvi lo sposo?»

XXXIV

La festa era iniziata alle sei e sarebbe finita alle nove. Sorridevo, sudavo, cercavo di farmi strada verso il bar, ma puntualmente venivo intercettato, bloccato, tirato per il braccio, e, come un Tantalo, stavo morendo di sete pur avendo il sollievo a portata di mano. «Ed eccolo qui, l'uomo del giorno!», «Sei raggiante!», «Congratulazioni!», «Ecco, Theodore, *devi* conoscere il cugino di Harry, Francis – i Longstreet e gli Abernathy sono imparentati da parte di padre, il ramo della famiglia di Boston, il nonno di Chance, vedi, era il primo cugino di – Francis? Oh, vi conoscete? Perfetto! E qui c'è... Oh, Elizabeth, eccoti, lascia che ti sequestri un momento, hai un aspetto delizioso, quel blu ti sta divinamente, mi piacerebbe molto presentarti...» Alla fine rinunciai all'idea di un cocktail (e di mangiare), e – accerchiato dallo sciame di invitati in continuo movimento – agguantai qualche flûte di champagne dai vassoi che ogni tanto mi capitavano a tiro, poi un paio di *hors d'œuvres*, una minuscola quiche lorraine, un bliny in miniatura con caviale, mentre gli sconosciuti andavano e venivano, e io, in trappola, annuivo educatamente in mezzo a quella folla di ricchi e potenti...

(*non dimenticare mai che non sei uno di loro*, mi aveva sussurrato all'orecchio il mio amico tossico dell'ufficio contabilità quando mi aveva visto fraternizzare con clienti importanti a una vendita di pezzi d'arte moderna e impressionista...)

...sorridevo, raggelato, in posa per le foto insieme a gente mai vista prima, in balia di frammenti di conversazioni di una noia mortale, partite di golf, politica, sport per bambini, scuole, terze e quarte e quinte case a Hyères e Hyannis e Parigi e Londra e Jackson Hole e Giove e non era odioso che a Vail avessero costruito tutti quei nuovi palazzi? Ti ricordi quand'era un caro, piccolo, semplice paesino... dove vai a sciare, Theo? Sai *sciare*? Be', allora tu e Kitsey dovete *assolutamente* venirci a trovare nella nostra casa a...

Nonostante con la coda dell'occhio non avessi mai smesso di cercare Pippa e Hobie, li vidi solo di sfuggita. Spensierata, Kitsey trascinava persone a fare la mia conoscenza e poi svaniva in un batter d'occhi. Havistock, grazie a Dio, non era riapparso. A un certo punto il caos iniziò a scemare: la gente cominciava ad avviarsi al guardaroba e i camerieri stavano iniziando a portare via i dessert dal tavolo del buffet, quando – ostaggio di un gruppo di cugini di Kitsey – mi guardai intorno in cerca di Pippa (come avevo fatto, in modo compulsivo, per tutta la serata, sperando di intercettare i suoi capelli rossi, l'unica cosa interessante o importante nel salone) e con mia grande sorpresa la vidi intenta a parlare con Boris. Conversavano vivacemente. Lui le stava addosso, cingendola mollemente con un braccio, la sigaretta spenta gli pendeva tra le dita. Sussurravano. Ridevano. Le stava mordendo l'orecchio?

«Scusatemi» dissi, e mi feci strada velocemente verso di loro, che, in piedi accanto al camino, si girarono e all'unisono aprirono le braccia a ricevermi.

«Ciao!» fece Pippa. «Stavamo giusto parlando di te!»

«Potter!» esclamò Boris, stringendomi a sé. Nonostante fosse vestito per l'occasione in un gessato blu (avevo notato spesso le orde di russi nel negozio Ralph Lauren sulla Madison), c'era comunque qualcosa che lo faceva apparire fuori luogo: gli occhi cerchiati gli davano un aspetto losco e minaccioso, e anche se i capelli non erano propriamente sporchi, davano comunque un'idea di non lavato. «Sono felice di vederti!»

«Lo stesso vale per me.» Lo avevo invitato, certo che non sarebbe venuto – non era da lui ricordarsi dettagli banali come date o indirizzi, né arrivare in orario – o arrivare, punto. «Sai chi è questo, giusto?» dissi, girandomi verso Pippa.

«Certo che mi conosce! Sa tutto di me! Ora siamo ottimi amici! Ma...» rivolto a me, con finta normalità, «una parola in privato. Ci vuoi scusare, per favore?» disse a Pippa.

«Un'altra conversazione privata?» scherzò lei, dando un giocoso colpetto alla mia scarpa con la scarpina da sera.

«Non ti preoccupare! Te lo riporto subito! Ciao!» E le mandò un bacio. E poi a me, nell'orecchio: «È splendida. Dio, quanto mi piacciono le rosse».

«Anche a me, ma non è lei che sposo.»

«No?» Sembrò sorpreso. «Ma mi ha salutato! Chiamandomi per

nome! Ah» disse, fissandomi più da vicino «sei arrossito! Sì, Potter!» gracchiò. «Sei tutto rosso! Come una ragazzina!»

«Sta' zitto» sibilai, voltandomi indietro per paura che avesse sentito.

«Non è lei, quindi? Non è la piccoletta? Uh, che peccato.» Si stava guardando in giro. «Quale, allora?»

La indicai. «Lì.»

«Ah! Quella in azzurro cielo?» Mi pizzicò affettuosamente il braccio. «Mio Dio, Potter! Lei? La donna più splendida della sala! Divina! Una dea!» Fece per prostrarsi sul pavimento.

«No, su...» lo afferrai per il braccio e lo tirai subito su.

«Un angelo! Dritto dal paradiso! Pura come la lacrima di un bimbo! Decisamente troppo per te...»

«Sì, credo che sia l'opinione diffusa.»

«... anche se...» si allungò per prendere il mio bicchiere di vodka da cui rubò un lungo sorso prima di ripassarmelo, «un po' freddina, a vederla, no? A me piacciono quelle un poco più calde. Lei... lei è un giglio, un fiocco di neve! Meno algida in privato, spero?»

«Ti sorprenderebbe.»

Inarcò le sopracciglia. «Ah. E... Lei è quella...»

«Sì.»

«L'ha ammesso?»

«Sì.»

«E per questo non sei vicino a lei. Sei arrabbiato.»

«Più o meno.»

«Be'» Si passò la mano fra i capelli. «Ora devi andare a parlarle.»

«Per quale motivo?»

«Dobbiamo andarcene.»

«*Andarcene?* Perché?»

«Perché ho bisogno che tu venga a fare una passeggiata con me.»

«Perché?» dissi, guardandomi attorno, desiderando che non mi avesse separato da Pippa, e con una voglia matta di ritrovarla. Le candele, il bagliore arancione del fuoco, mi facevano pensare al calore del wine bar, come se la luce fosse un tunnel segreto in grado di riportarmi alla sera prima e al piccolo tavolo di legno al quale eravamo rimasti seduti ginocchio contro ginocchio, il suo viso inondato dalla stessa luce calda. Doveva esserci un modo di attraversare la sala, afferrarle la mano e riportarla indietro, a quel momento.

Boris si scostò i capelli dagli occhi. «Dai. Starai alla grande, quando sentirai quello che ho da dirti! Ma devi andare a casa. A prendere il tuo passaporto. E c'è anche la questione dei soldi.»

Oltre la spalla di Boris: imperturbabili volti di donne sconosciute e altere. La signora Barbour, di profilo, voltata appena verso il muro, stringeva la mano all'allegro ecclesiastico, che ora non sembrava più tanto allegro.

«Ehi? Mi stai ascoltando?» Mi scosse il braccio. La stessa voce che mi aveva fatto ritornare sulla terra molte volte, dai cieli frattali delle sniffate di colla dove giacevo ad occhi aperti e privo di sensi sul letto, osservando le mirabolanti esplosioni bianche e blu sul soffitto.

«Dai! Parliamone una volta in macchina. Andiamo. Ho un biglietto per te...»

Andiamo? Lo guardai. Era l'unica cosa che avevo sentito.

«Ti spiegherò. Non mi guardare così! Va tutto bene. Non ti preoccupare. Ma per cominciare devi organizzarti in modo da stare via un paio di giorni. Tre giorni. Massimo. Quindi» agitò una mano, «vai, vai, mettiti d'accordo con Fiocco di neve e andiamocene. Non posso fumare qui, vero?» disse guardandosi intorno. «Non sta fumando nessuno?»

Andiamocene. Era la prima parola sensata che sentivo dall'inizio della serata.

«Perché devi andare a casa *immediatamente.*» Si agitava nello sforzo di catturare la mia attenzione. «Recupera il passaporto. E... soldi. Soldi ne hai?»

«Be', in banca» dissi, sistemandomi gli occhiali sul naso. D'un tratto avevo riacquistato la lucidità.

«Non sto parlando di banca. O di domani. Sto parlando di soldi in tasca. Ora.»

«Ma...»

«Posso ritrovarlo, ti dico. Ma non dobbiamo perdere altro tempo qui. Dobbiamo andarcene ora. Subito. Fuori di qui, vai» disse, con un calcio amichevole su uno stinco.

XXXV

«Eccoti qui, caro» fece Kitsey, facendo scivolare il braccio sotto il mio e sollevandosi in punta di piedi per baciarmi sulla guancia; un bacio che venne immediatamente catturato dai fotografi intorno a lei: uno delle pagine di cronaca mondana, l'altro assunto per la serata da Anne. «Non è magnifico? Oh, sei esausto? Spero che la mia famiglia non sia stata troppo invadente! Annie, cara…» Allungò una mano verso Anne de Larmessin, capigliatura bionda rigida come l'abito di taffetà che indossava, scollatura rugosa che mal si intonava al suo volto teso e scolpito. «È stato tutto assolutamente celestiale… credi che si possa fare uno scatto di famiglia? Solo tu, io e Theo? Noi tre?»

«Senti» dissi impaziente, appena l'imbarazzante rito delle foto fu consumato e Anne de Larmessin (la quale, in tutta evidenza, non mi considerava minimamente come uno di famiglia) si allontanò per salutare altri ospiti più importanti. «Io vado.»

«Ma…» sembrava confusa, «credo che Anne abbia prenotato un tavolo da qualche parte…»

«Be', dovrai inventare una scusa. Non dovrebbe essere un problema per te, no?»

«Theo, ti prego, non fare l'odioso.»

«Perché tua *madre* non ci andrà, ne sono certo.» Era quasi impossibile portare la signora Barbour a cena fuori, a meno che non fosse in qualche posto in cui fosse sicura di non incontrare qualcuno di sua conoscenza. «Di' che l'ho accompagnata a casa. Di' che si è ammalata. Di' che *io* mi sono ammalato. Usa l'immaginazione. Ti verrà in mente qualcosa.»

«Sei seccato con me?» Lessico familiare: *seccato*. Una parola che Andy e io usavamo da piccoli.

«Seccato? No.» Ora che lo shock si era sedimentato e mi ero abituato all'idea (lei? Con Cable?), mi sembrava tutto un volgare pettegolezzo che non aveva nulla a che vedere con me. Kitsey indossava gli orecchini di mia madre, notai – un gesto che in qualche modo mi commosse, perché aveva ragione, non le stavano affatto bene – e con una fitta dolorosa mi allungai per toccarli, e poi sfiorai lei, sulla guancia.

«Ahhh!» urlò qualche spettatore in sottofondo, contento di vedere finalmente la coppia felice scambiarsi un segno d'affetto. Kitsey, approfittandone all'istante, mi afferrò la mano e la baciò, scatenando un'altra pioggia di flash.

«Va bene?» le dissi nell'orecchio quando mi si avvicinò. «Se qualcuno te lo chiede, sono via per lavoro. Una vecchietta mi ha chiamato per valutare un'eredità.»

«Certo.» Bisognava ricoscerglielo: era brava a mantenere la calma. «Quando torni?»

«Oh, presto» dissi, non molto convinto. Non mi sarebbe dispiaciuto uscire da lì e camminare per giorni, per mesi, magari fino a qualche sperduta spiaggia messicana, dove avrei potuto vagabondare con indosso gli stessi vestiti fino a ridurli a un mucchio di stracci e diventare il gringo pazzo con gli occhiali bordati di corno che per vivere riparava tavoli e sedie. «Stammi bene. E tieni questo Havistock fuori da casa di tua madre.»

«Sai…» Parlava a voce tanto bassa che quasi non la udivo. «È un po' invadente, ultimamente. Telefona *costantemente*, dice che vuole passare, porta fiori, cioccolatini… povero vecchio. La mamma non vuole vederlo. Mi sento un po' in colpa a mandarlo via.»

«Be', non è il caso. Tienilo lontano. È più furbo di quel che sembra. Ora ciao» dissi ad alta voce, baciandole la guancia (altri flash; era lo scatto che i fotografi avevano atteso tutta la sera), e me ne andai da Hobie (che stava esaminando un ritratto con aria felice, chino in avanti col naso a pochi centimetri dalla tela) per avvisarlo che sarei stato via per un po'.

«Okay» fece cauto. Per tutto il tempo in cui avevo lavorato con lui, non mi ero mai preso una vera e propria vacanza, e raramente mi ero allontanato dalla città. «Tu e…» fece un cenno in direzione di Kitsey.

«No.»

«Tutto a posto?»

«Certo.»

Mi osservò; poi lanciò uno sguardo dall'altra parte della stanza, in direzione di Boris. «Sai che se hai bisogno di qualcosa» disse inaspettatamente, «puoi sempre chiedere?»

«Già, sì» dissi, colto alla sprovvista, incerto su cosa intendesse, e su come rispondere. «Grazie.»

Scrollò le spalle, apparentemente a disagio, e con un movimento impacciato tornò al suo ritratto. Boris era al bar a bere un calice di champagne e a trangugiare i bliny al caviale avanzati. Quando mi vide, svuotò il bicchiere e piegò la testa verso la porta: *fuori di qui!*

«A presto» dissi a Hobie, stringendogli la mano (cosa che di solito non facevo) mentre lui mi fissava con una certa perplessità. Avrei voluto salutare Pippa ma non la vedevo da nessuna parte. Nella biblioteca? In bagno? Ero determinato a rubare un'altra immagine di lei, solo un'altra, prima di andarmene. «Sai dov'è?» domandai a Hobie, dopo un rapido giro; ma si limitò a scuotere la testa. Perciò, innervosito, attesi al guardaroba per qualche minuto, finché Boris – la bocca piena di *hors d'œuvres* – mi afferrò per un braccio e mi trascinò giù per le scale e fuori dalla porta.

V

Noi abbiamo l'arte per non morire a causa della verità.
NIETZSCHE

Capitolo 11
La Mucca Viola

I

La Lincoln Town Car stava facendo il giro dell'isolato – ma quando l'autista si fermò per farci salire, vidi che non si trattava di Gyuri ma di un tipo nuovo, con un taglio di capelli da galeotto e penetranti occhi di un azzurro polare.

Boris ci presentò in russo. «*Privet! Menja zovut Anatolij*» disse il tipo, allungando una mano cosparsa di fregi color indaco simili ai motivi sulle uova di Pasqua ucraine.

«Anatolij?» feci cauto. «*Očen' prijatno?*» Seguì un fiume di parole in russo per me completamente indecifrabile e allarmato mi girai verso Boris.

«Anatolij» spiegò Boris affabile, «non parla neanche un filo di inglese. Giusto, Toly?»

Anatolij ci fissò serio nello specchietto e si lanciò in una nuova tirata. I tatuaggi sulle sue nocche, ne ero abbastanza sicuro, riflettevano precise simbologie carcerarie: strisce d'inchiostro a indicare la durata della pena, gli anni ancora da scontare e quelli già scontati, il tempo tradotto in linee sempre più complesse come gli anelli sul tronco di un albero.

«Dice che sei bravo a parlare» disse Boris ironico. «Molto ben educato.»

«Dov'è Gyuri?»

«Oh, è volato via l'altro giorno» disse Boris, frugando nel taschino della giacca.

«Volato? Volato dove?»

«Anversa.»

«Il mio quadro è lì?»

«No.» Boris aveva recuperato dalla tasca due fogli di carta che esaminò nella penombra prima di passarne uno a me. «Ma il mio appartamento è ad Anversa, e la mia auto anche. Gyuri andrà a prendere la macchina e alcune cose e poi verrà da noi.»

Sollevando il foglio alla luce vidi che era la stampata di un biglietto elettronico:

CONFERMATO

DECKER/THEODORE DL2334

DA NEWARK LIBERTY (EWR) AD AMSTERDAM (AMS)

ORARIO D'IMBARCO 00:45

TOTALE ORE DI VIAGGIO 7H 44MIN

«Da Anversa ad Amsterdam sono solo tre ore di macchina» disse Boris. «Arriveremo a Schiphol più o meno alla stessa ora – io un'ora dopo di te, a dir tanto – ho fatto prenotare a Myriam due voli diversi. Il mio fa scalo a Francoforte. Il tuo è diretto.»

«Stasera?»

«Sì, be', come vedi, non ci resta molto tempo...»

«E perché devo venire anch'io?»

«Perché potrei aver bisogno d'aiuto e non voglio coinvolgere altre persone. Be'... Gyuri. Ma non ho raccontato nemmeno a Myriam il motivo del nostro viaggio. Oh, oh, avrei *potuto*» si affrettò ad aggiungere, impedendomi di parlare. «È solo che... meno gente lo sa, meglio è. Comunque, devi correre dentro a prendere il passaporto e tutti i contanti che trovi. Toly ci accompagnerà a Newark. Io...» diede una pacca al suo bagaglio a mano, che prima di quel momento non avevo notato, posato accanto a lui sul sedile posteriore. «Io ho tutto pronto. Ti aspetterò qui.»

«E il denaro?»

«Tutto quello che hai a portata di mano.»

«Avresti dovuto avvertirmi prima.»

«Non ce n'era bisogno. I soldi...» stava rovistando in cerca di una sigaretta, «be', non mi ammazzerei per questo. Quello che trovi andrà benissimo. Perché, be', non è importante. È più che altro per fare scena.»

Mi tolsi gli occhiali, li pulii sulla manica. «Prego?»

«Perché...» si colpì la tempia con le nocche, uno dei suoi vecchi gesti, *testa di legno*, «perché ho intenzione di pagarli, ma non la somma che hanno chiesto. *Ricompensarli* per avermi derubato? Se lo facessi, perché non dovrebbero riprovarci? Che specie di lezione sarebbe? "Quest'uomo è debole." "Gli possiamo fare quello che vogliamo." Ma...» accavallò le gambe tastandosi le tasche in cerca di un accendino, «voglio che pensino che siamo intenzionati a pagare l'intera cifra. Magari conviene che ti fermi a un bancomat a prelevare... possiamo farlo lungo la strada, o in aeroporto forse. Faranno bella figura, le banconote nuove. Credo che sia consentito portare solo diecimila in contanti, in Europa, ma agli altri ci metto un elastico e me li ficco in valigia. E poi...» mi offrì una sigaretta, «non credo sia giusto che tiri fuori tu tutto quanto. Ci metterò io una parte dei soldi, una volta lì. In contanti: il mio regalo per te. E anche un assegno circolare – carta straccia, comunque – una falsa distinta di versamento, un assegno scoperto. Una banca fasulla giù ai Caraibi. A vederlo sembra tutto a posto, decisamente legale. Non so quanto bene funzionerà quella parte. Dovremo improvvisare. Nessuno con un po' di cervello accetterebbe un assegno circolare invece dei contanti per una cosa del genere! Ma credo che non abbiano esperienza, e che siano disperati, quindi...» incrociò le dita, «sono ottimista. Vedremo!»

II

Mentre Anatolij faceva il giro dell'isolato, corsi nel negozio e senza contarli presi tutti i soldi che trovai, qualcosa come sedicimila dollari. Poi andai di sopra e – mentre Popper zampettava per la stanza piagnucolando agitato – buttai un po' di cose in una borsa: passaporto, spazzolino da denti, rasoio, calzini, mutande, il primo paio di pantaloni che mi capitò sotto mano, qualche camicia, un maglione. La scatolina del Redbreast Flake era in fondo al cassetto dei calzini e agguantai anche quella ma subito la lasciai ricadere, e richiusi rapidamente il cassetto.

Mentre mi affrettavo lungo il corridoio col cane alle calcagna, gli stivali da pioggia di Pippa davanti alla porta della sua stanza mi fecero bloccare di colpo: nella mia mente, il verde estivo e luminoso della gomma si fuse con l'idea stessa di lei e di felicità. Per un istante rimasi lì, incerto. Poi tornai in camera mia, presi la prima edizione di *Ozma, regina di Oz* e scarabocchiai un messaggio così in fretta da non avere il tempo di ripensarci. *Buon viaggio. Ti amo. Non scherzo.* Ci soffiai sopra per far asciugare l'inchiostro e richiusi il libro, che posai sul pavimento accanto ai suoi stivali. La composizione che ne venne fuori (la Città di Smeraldo, stivali verdi, il colore di Ozma) era come un haiku in cui mi ero imbattuto per caso, la combinazione di parole perfetta per spiegarle cosa significava per me. Per un attimo restai immobile – l'orologio che ticchettava, ricordi d'infanzia sommersi, porte che si aprivano su vecchi e nitidi sogni a occhi aperti in cui Pippa e io passeggiavamo insieme su prati estivi – prima di tornare in camera a prendere la collana che, nello showroom di una casa d'aste, aveva attratto la mia attenzione come se ci fosse scritto sopra il suo nome: la tirai fuori dalla sua scatolina di velluto blu notte e la posai delicatamente su uno degli stivali in modo che riflettesse la luce in una chiazza dorata. Era topazio, diciottesimo secolo, una collana degna della regina delle fate, un girocollo con un fiocco di brillanti ed enormi, luminose pietre color miele: la stessa sfumatura dei suoi occhi. Quando, distogliendo lo sguardo dalle foto di lei sulla parete opposta, mi girai per andarmene e scesi di corsa le scale, lo feci con lo stesso antico terrore misto a euforia di quando, da bambino, lanciavo un sasso contro una finestra. Hobie sapeva esattamente quanto mi era costata la collana. Ma quando Pippa l'avesse trovata, e avesse letto le mie parole, io sarei già stato lontano.

III

Dovevamo partire da due terminal diversi, perciò ci salutammo sul marciapiede dove mi scaricò Anatolij. Le porte di vetro si aprirono con un sibilo strozzato. Dentro, oltre i controlli di sicurezza, sui pavimenti lucidi della hall addormentata, consultai i monitor e oltrepassai negozi bui con le serrande abbassate, Brookstone, Tie Rack, Nathan's hot dogs, allegri brani anni Settanta che lambivano la mia coscienza (*love... love will keep us together... think of me babe whenever...*), gate spettrali, transennati e vuoti, studenti stravaccati a dormire sui sedili, l'unico bar ancora aperto, l'unica yogurteria, l'unico duty free, dove, come Boris mi aveva raccomandato con insistenza, mi fermai a comprare una bottiglia di vodka («giusto per non rischiare... forse è meglio se ne prendi due») e poi in fondo, fino al mio (affollato) gate, pieno di famiglie esotiche dallo sguardo spento, ragazzi con lo zaino seduti a gambe incrociate sul pavimento, e uomini d'affari dalle facce unte, chini sui portatili come sempre.

L'aereo era pieno. Mentre fendevo il pigia pigia del corridoio (economy, posto centrale, quinta fila), mi domandavo come avesse fatto Myriam a trovarmi un posto su quel volo. Fortunatamente ero troppo stanco per farmi altre domande; mi addormentai prima che il segnale luminoso delle cinture di sicurezza si spegnesse – niente drink, niente cena, niente film – e mi risvegliai solo quando le tendine si sollevarono e la luce inondò la cabina e la hostess arrivò spingendo il carrello con la nostra colazione preconfezionata: un grappoletto d'uva ghiacciato; un bicchiere di succo ghiacciato; un croissant unto color giallo uovo avvolto nel cellophane; e, a scelta, tè o caffè.

Eravamo rimasti d'accordo che ci saremmo incontrati al ritiro bagagli. Silenziosi uomini d'affari afferravano le valigette e scappavano via – alle loro riunioni, ai loro piani marketing, dalle amanti, chissà. Bande di cannaioli giovani e chiassosi, toppe arcobaleno sugli zaini, sgomitavano per aguantare i borsoni e si scambiavano dritte su quale fosse il migliore coffee shop per sballarsi fin dal mattino: «oh, ragazzi, *di fisso* il Bluebird...».

«No, aspetta... Haarlemmerstraat? No, sul serio, me l'ero scritto. Ci andiamo diretti? Perché non mi ricordo il nome, ma apre presto e fanno *colazioni* fantastiche! E puoi prenderti i pancake e il succo d'arancia e la tua Apollo 13 e fumartela lì al tavolo!»

Marciarono via – quindici o venti ragazzi, spensierati, i capelli splendenti, lo zaino in spalla, discutendo di quale fosse il modo più economico per arrivare in centro. Anche se non avevo altro bagaglio che quello a mano, restai nell'area di ritiro per più di un'ora, a guardare una valigia avvolta con parecchi giri di nastro adesivo scivolare tristemente sul rullo, finché Boris non arrivò alle mie spalle e mi salutò saltandomi addosso, un braccio intorno al collo come per strangolarmi.

«Forza» disse. «Hai un aspetto orribile. Andiamo a prendere qualcosa da mangiare, e a parlare! Gyuri e la macchina sono qui fuori.»

IV

Per qualche motivo non mi ero aspettato di trovare la città tutta agghindata per Natale: rami di abeti e decorazioni, addobbi luccicanti nelle vetrine e un forte vento freddo che soffiava dai canali, e fuochi e bancarelle e gente in bicicletta, giocattoli e colori e dolci, il fulgore e la confusione delle feste. Cagnolini, bambini piccoli, pettegoli, curiosi e gente carica di pacchi, clown con cilindri e cappotti militari e un piccolo giullare che ballava in abiti natalizi à la *Avercamp.* Non ero ancora del tutto sveglio e niente di tutto ciò mi sembrava più reale del fugace sogno su Pippa che avevo fatto in aereo, con lei che si aggirava per un parco pieno di fontane e un pianeta con un anello come quelli di Saturno che pendeva basso e imponente nel cielo.

«Nieuwmarkt» disse Gyuri quando sbucammo in un'ampia piazza con un turrito e fiabesco castello e – tutt'intorno – un mercato all'aperto, sempreverdi recisi coperti da un sottile velo di neve, venditori con le muffole che pestavano i piedi, atmosfera da libro illustrato per ragazzi. «Oh, oh, oh.»

«Qui è sempre pieno di polizia» disse Boris cupo, andando a sbattere contro la portiera quando Gyuri prese una curva stretta.

Per varie ragioni la questione dell'alloggio mi preoccupava, ed ero pronto a smarcarmi con garbo nel caso in cui mi fossi trovato in situazioni tipo squatter o un giaciglio improvvisato sul pavimento. Fortunatamente scoprii che Myriam mi aveva prenotato una stanza in un albergo affacciato su un canale della città vecchia. Lasciai giù il bagaglio, chiusi i soldi nella cassaforte e tornai da Boris che mi aspettava per strada. Gyuri era andato a parcheggiare l'auto.

Boris buttò la sigaretta sull'acciottolato e la schiacciò col tacco. «Era un po' che non venivo qui» disse, il respiro una nuvoletta bianca, mentre guardava i passanti nei loro vestiti scuri. «Il mio appartamento è ad Anversa – è per motivi di lavoro che sono lì. Un'altra città bellissima – stesse nuvole marine, stessa luce. Un giorno ci andiamo. Ma mi dimentico di quanto mi piace anche qui. Sto morendo di fame, e tu?» chiese mollandomi un pugno sul braccio. «Ti va di fare due passi?»

Camminammo lungo stradine anguste, vialetti umidi troppo stretti per le macchine, nebbiosi piccoli negozi color ocra pieni di vecchie stampe e porcellane polverose. Passerella sul canale: acqua marrone, solitaria anatra marrone. Tazze di plastica semisommerse che facevano su e giù. Il vento era forte e umido e soffiava spilli di nevischio e lo spazio attorno a noi sembrava chiuso e fradicio. I canali non ghiacciavano in inverno? chiesi.

«Sì, ma...» si soffiò il naso, «riscaldamento globale, suppongo.» Nello stesso completo e cappotto della sera precedente sembrava allo stesso tempo del tutto fuori luogo e assolutamente a suo agio. «Che tempo da lupi! Ci infiliamo qui? Che dici?»

Il sudicio bar, o caffè, o quel che era, era di legno scuro e arredato in tema marittimo: remi e salvagenti, candele rosse che ardevano piano nonostante fosse giorno, un'atmosfera nebbiosa e desolata. Luce fumosa, umida. Gocce di condensa sull'interno della vetrina. Niente menu. Solo una lavagnetta scarabocchiata con nomi di cibi incomprensibili: *dagsoep, draadjesvlees, kapucijnerschotel, zuurkoolstamppot.*

«Dai, fammi ordinare» disse Boris, e lo fece, sorprendentemente, in olandese. Quello che arrivò era il suo tipico pasto a base di birra, pane, salsicce e patate con maiale e crauti. Mentre s'ingozzava soddisfatto, Boris raccontò il suo primo e unico tentativo di andare in bicicletta in città (una catastrofe, un disastro), e quanto gli pia-

ceva l'aringa nuova ad Amsterdam, per la quale non era stagione,
e per fortuna, dato che a quanto appresi si mangiava sollevandola
dalla coda e infilandosela in bocca tutta intera; ma io ero troppo
disorientato da quanto mi circondava per ascoltare sul serio, e con
i sensi dolorosamente acuiti rimestavo il pasticcio di patate con la
forchetta e sentivo l'estraneità di quel luogo schiacciarmi da ogni
lato, l'odore di tabacco e malto e noce moscata, le pareti dello stesso marrone malinconico di un vecchio libro rilegato in pelle e poi,
in lontananza, i paesaggi oscuri e le sciabordanti acque salmastre,
i cieli bassi e gli antichi edifici tutti addossati gli uni agli altri in
un'atmosfera volubile, poetica, da rovina imminente, la solitudine
acciottolata di una città che sembrava – almeno, a me – il posto
adatto per lasciare che l'acqua si chiudesse sulla tua testa.

Poco dopo Gyuri ci raggiunse, con le guance rosse e il fiatone.
«Il parcheggio, un bel un problema qui» disse. «Scusate.» Allungò
la mano verso di me. «Felice di vederti!» e mi abbracciò con un
calore apparentemente sincero che mi colse alla sprovvista, come
fossimo vecchi amici che non si vedevano da tanto. «Tutto bene?»

Boris, già alla seconda pinta, stava parlando di Horst. «Non
so perché non si trasferisca qui ad Amsterdam» disse, masticanda
do con gioia un pezzo di salsiccia. «È un continuo lamentarsi di
New York! Odio odio odio! E intanto...» accennò con la mano al
canale fuori dalla finestra appannata, «tutto ciò che ama è qui. Anche la lingua è quasi come la sua. Se volesse davvero vivere felice,
Horst, avere una vita un minimo serena o felice... dovrebbe sbor-
sare ventimila dollari per tornare in quel posto a disintossicarsi e
poi venire qui a fumare Buddha Haze e passare tutto il giorno in
un museo.»

«Horst...?» dissi, spostando sguardo dall'uno all'altro.

«Sì?»

«Lui sa che siete qui?»

Boris tranguggiò la sua birra. «Horst? No, non lo sa. Sarà molto,
molto più facile se Horst verrà a sapere tutto dopo. Perché...» si
leccò una goccia di mostarda dal dito, «i miei sospetti sono fondati.
È quel fottuto Saša che l'ha rubato. *Il fratello di Ulrika*» disse con
foga. «Il che mette Horst in una brutta posizione rispetto a Ulrika.

Quindi, molto meglio se sistemo la faccenda da solo, capisci? Farò un favore a Horst in questo modo, un favore che non si dimenticherà.»

«Cosa intendi con "sistemare la faccenda"?»

Boris sospirò. «È...» Si guardò intorno per assicurarsi che nessuno stesse ascoltando, anche se eravamo i soli clienti nel locale. «Be', è complicato, potrei stare qui a raccontare per tre giorni, ma posso anche dirti cos'è successo in tre frasi.»

«Ulrika sa che l'ha preso lui?»

Scrollata di spalle. «Zero assoluto.» Un'espressione che avevo insegnato a Boris anni prima, mentre facevamo gli scemi a casa mia dopo scuola. *Zero assoluto. Dacci un taglio.* L'evanescente crepuscolo del deserto, le ombre allungate. *Datti una mossa. Siamo seri. Manco per sogno.* Le stesse ombre sul suo viso. La luce dorata che baluginava sulla vetrata che dava sulla piscina.

«Saša sarebbe stato ben stupido a dirlo a Ulrika» commentò Gyuri, con espressione preoccupata.

«Non so cosa sappia o non sappia Ulrika. Non ha importanza. Di sicuro lei è più leale nei confronti del fratello di quanto lo sia con Horst, e l'ha dimostrato più volte. Uno si aspetterebbe...» fece un cenno alla cameriera perché portasse una birra a Gyuri, «uno si aspetterebbe che Saša avesse il buon senso di non toccare il quadro, almeno per un po'! E invece no. Non può usarlo come garanzia per farsi prestare dei soldi ad Amburgo o Francoforte per via di Horst – perché lui lo verrebbe a sapere in un secondo. Perciò l'ha portato qui.»

«Be', senti, se sai chi ce l'ha dovremmo semplicemente chiamare la polizia.»

Silenzio e sguardi assenti, neanche avessi tirato fuori una tanica di benzina e proposto di darci fuoco da soli.

«Be', voglio dire» insistetti sulla difensiva, dopo che la cameriera era arrivata con la birra di Gyuri, l'aveva posata e se n'era andata senza che né Gyuri né Boris aprissero bocca. «Non è la cosa più sicura? E più facile? Se la polizia lo recupera e tu non ci vai di mezzo?»

Sul marciapiede, sferragliare di una donna in bicicletta, scampanellio, il fischio dei raggi, mantello nero da strega che svolazza.

«Perché…» spostai lo sguardo, «quando pensi a quel che ha passato il quadro – a quel che *deve* aver passato – non so se capisci, Boris, quante attenzioni ci vogliono solo per *spedire* un dipinto? Solo per *imballarlo* come si deve? Perché correre rischi?»

«È esattamente quello che penso io.»

«Una telefonata anonima. A quelli del Dipartimento arte rubata. Non sono come la polizia normale… non hanno legami con la polizia normale… il quadro è l'unica cosa che gli interessa. Loro sapranno cosa fare.»

Boris si appoggiò allo schienale. Si guardò attorno. Poi guardò me.

«No» disse. «Non è una buona idea.» Aveva il tono di chi si rivolge a un bambino di cinque anni. «Vuoi sapere perché?»

«Pensaci. È il modo più facile. Non dovresti fare nulla.» insistetti.

Boris posò con cautela il suo boccale di birra.

«Per loro è la maniera più sicura» continuai «di riprenderselo senza che corra il rischio di subire danni. E poi, se lo faccio *io* – se li chiamo *io* – merda, potrei farli chiamare da Hobie» mani nei capelli, «sotto ogni punto di vista, evitereste di esporvi personalmente. Voglio dire…» Ero troppo stanco, disorientato; due paia d'occhi addosso come punte di trapano, non riuscivo a pensare. «… se lo facessi *io*, o qualcun altro esterno alla tua, ehm, organizzazione…»

Boris scoppiò in una sonora risata. «*Organizzazione?* Be'…» Scosse la testa in modo così vigoroso che i capelli gli finirono sugli occhi. «Suppongo che sia la definizione giusta, dal momento che siamo tre o poco più! Ma come organizzazione non siamo molto grandi né particolarmente organizzati, come puoi vedere.»

«Dovresti mangiare qualcosa» mi disse Gyuri, nella pausa tesa che seguì, guardando il mio piatto di maiale e patate ancora intonso. «Dovrebbe mangiare» disse a Boris. «Digli di mangiare.»

«Lascialo morire di fame se vuole. Comunque…» proseguì Boris, afferrando un pezzo di maiale dal mio piatto e ficcandoselo in bocca…

«Una telefonata. Ci penserò io.»

«No» sbottò, scostando la sedia dal tavolo, il mento sollevato in un atteggiamento aggressivo. «Non lo farai. No, no, fottiti, sta' zitto, *non* lo farai.» D'un tratto la mano di Gyuri era sul mio polso, un tocco leggero che conoscevo bene, il linguaggio di quando eravamo a Las Vegas e dalla cucina mio padre berciava *e di chi è questa cazzo di casa? Dimmi un po', chi paga i fottutissimi conti?*

«E, e...» Boris proseguì in tono imperioso, sfruttando il suo vantaggio, «voglio che la pianti con questa stupida storia della telefonata. "Telefoniamo, telefoniamo"» ripeté, mentre io continuavo a tacere, agitando la mano avanti e indietro come se mi ostinassi a parlare di sciocchezze infantili, *unicorni e regni incantati*. «So che stai cercando di dare una mano, ma questa non è la strada giusta. Quindi dimenticatene. Niente più "telefonate". Ad ogni modo» il tono tornò affabile mentre versava un po' della sua birra nel mio boccale mezzo vuoto. «Come ti stavo spiegando. Dato che Saša ha così tanta fretta, è in grado di pensare lucidamente? Di pianificare le sue mosse in anticipo? No. Saša non è di queste parti. I legami che ha qui sono pericolosi. Ha bisogno di soldi. Ed è così preoccupato di stare alla larga da Horst che ha finito per andare a sbattere addosso a me.»

Non dissi nulla. Avrei potuto chiamare la polizia per conto mio. Non c'era alcun motivo di coinvolgere Boris o Gyuri.

«Un incredibile colpo di fortuna, no? E il nostro amico, il georgiano – un uomo molto ricco, ma così lontano dal mondo di Horst e dei collezionisti d'arte che nemmeno conosce il nome del quadro. Solo un uccello, ha detto – un piccolo uccello giallo. Ma Cherry crede che dica la verità, che l'abbia visto sul serio. Un tipo potente, pieno di case. Qui e ad Anversa. Un sacco di grana e quasi un padre per Cherry, ma non una persona di grande istruzione, se mi capisci.»

«Adesso il quadro dov'è?»

Boris si strofinò il naso con vigore. «Non lo so. Ma Vitja li ha contattati per dire che sa di un compratore. E ha fissato un incontro.»

«Dove?»

«Ancora non si sa. Hanno già cambiato il luogo mezza dozzina di volte. Paranoici» disse, toccandosi la tempia con le dita in un gesto che diceva *svitati*. «Potrebbero farci aspettare un giorno o due. Potremmo venire a saperlo solo un'ora prima.»

«Cherry» dissi, e mi fermai. Vitja era l'abbreviazione del nome russo di Cherry, Viktor – Victor, nella versione anglicizzata –, ma Cherry era solo un soprannome e di Saša non sapevo nulla: né l'età, né il cognome, né che aspetto avesse, niente di niente a parte il fatto che era il *fratello* di Ulrika – parola che Boris usava con una certa disinvoltura.

Boris si succhiò via l'unto dal pollice. «La mia idea era quella di organizzare l'incontro al tuo hotel. Sai, tu, l'americano, il pezzo grosso, interessato al quadro. Perché...» abbassò la voce mentre la cameriera scambiava il suo boccale vuoto con uno pieno, Gyuri che annuiva convinto, «di solito si fa così. Tutto molto professionale. Ma...» accennò una scrollata di spalle, «loro non sono pratici di queste cose, e paranoici. Vogliono scegliere il posto.»

«E cioè?»

«Non lo so ancora! Non te l'ho appena detto? Continuano a cambiare idea. Se vogliono che noi aspettiamo... aspetteremo. Dobbiamo lasciargli pensare che sono loro a condurre il gioco. Ora, scusami» disse, stirandosi e sbadigliando, strofinandosi l'occhio cerchiato di scuro con la punta del polpastrello, «sono stanco! Ho bisogno di una dormita!» Si voltò e disse qualcosa a Gyuri in ucraino, e poi si girò di nuovo verso di me, allungandosi per farmi scivolare un braccio intorno alle spalle. «Sai come tornare al tuo hotel?»

Cercai di divincolarmi. «Certo. Tu dove alloggi?»

«Nell'appartamento di un'amica, a Zeedijk.»

«Vicino a Zeedijk» lo corresse Gyuri alzandosi in piedi col suo fare educato e vagamente militaresco. «Il vecchio quartiere cinese.»

«Qual è l'indirizzo?»

«Non me lo ricordo. Mi conosci. Non mi ricordo mai indirizzi e cose del genere. Ma...» Boris si tastò la tasca. «Il tuo hotel.»

«Giusto.» A Las Vegas, se capitava che ci separassimo all'uscita del centro commerciale, inseguiti dalla security e con le tasche piene di buoni acquisto rubati, il Punto Rendez-Vous era sempre casa mia.

«Allora... ci vediamo lì. Tu hai il mio numero, e io il tuo. Ti chiamo quando so qualcosa di più. Ora...» mi diede uno schiaffetto sulla nuca, «smettila di preoccuparti, Potter! Non startene lì con quel muso triste! Se perdiamo, vinciamo, e se vinciamo, vinciamo! Andrà tutto bene comunque! Conosci la strada per tornare indietro, no? Dritto da questa parte, e a sinistra quando arrivi al Singel. Okay, ci sentiamo presto.»

V

Diretto all'hotel, sbagliai strada e mi ritrovai a vagare per parecchie ore senza un criterio, negozi decorati da grandi palle di vetro e grigi vicoli irreali dai nomi impronunciabili, Buddha dorati e minutaglie asiatiche, vecchie mappe, vecchi clavicembali, fumosi negozi marrone tabacco con stoviglie e calici e antichi vasi di Dresda. Era uscito il sole e sopra i canali c'era qualcosa di duro e di luminoso, uno scintillio che sembrava di poter respirare. I gabbiani planavano stridendo. Passò un cane con un granchio vivo in bocca. Stordito e affaticato com'ero, mi sentivo distante da me stesso, come se mi stessi osservando da fuori, e superai botteghe di dolci e coffee shop e negozi con giocattoli antichi e ceramiche di Delft dell'Ottocento, vecchi specchi e argenterie che risplendevano nella densa luce color cognac, armadietti francesi intagliati e tavoli in stile corte di Francia con intarsi a ghirlanda e una verniciatura che avrebbe fatto sospirare Hobie di ammirazione; in effetti l'intera città, nebbiosa, amichevole e colta, coi suoi fiorai e i forni e gli antiquari, mi ricordava Hobie; non solo per la ricchezza e l'abbondanza di oggetti d'epoca, ma anche perché c'era nell'aria qualcosa di sano, alla Hobie, come essere in un libro illustrato con bottegai in grembiule che spazzavano i pavimenti e gatti tigrati appisolati dietro finestre piene di sole.

Ma c'era davvero troppo da vedere, e io ero sopraffatto, esausto e infreddolito. Alla fine, chiedendo indicazioni ai passanti (rosee casalinghe con enormi mazzi di fiori, hippy coi denti macchiati di nicotina e occhiali dalla montatura di metallo), tra ponti e viuzze fiabescamente illuminate, ritrovai la strada fino al mio hotel, dove cambiai qualche dollaro alla reception e salii a fare una doccia nel bagno pieno di superfici di vetro ricurve e dettagli ricercati dalle li-

nee voluttuose, un ibrido tra lo stile art nouveau e le capsule spaziali
di qualche glaciale futuro fantascientifico, e poi mi addormentai a
faccia ingiù sul letto – dove fui svegliato, ore dopo, dal mio cellulare
che vibrando ruotava sul comodino, con la suoneria familiare che
mi fece credere, per un attimo, di essere a casa.

«Potter?»

Mi tirai su e cercai i miei occhiali. «Uhm...» Non avevo tirato le
tende prima di addormentarmi e i riflessi del canale baluginavano
sul soffitto nell'oscurità.

«Che succede? Sei fumato? Non dirmi che sei andato in un coffee
shop.»

«No, io...» Confuso, diedi un occhiata in giro – abbaini e travi a
vista, credenze e, fuori dalla finestra, quando mi alzai grattandomi
la nuca, i ponti del canale che risplendevano, linee arcuate riflesse
nell'acqua nera.

«Be', sto salendo. Non c'è una ragazza su con te, vero?»

VI

La mia stanza era distante due ascensori e un bel un tratto di
corridoio dalla reception, per cui rimasi sorpreso dalla rapidità con
cui arrivarono a bussare. Gyuri andò alla finestra e, nel suo modo
discreto, ci diede le spalle mentre Boris mi guardava con disapprovazione. «Devi vestirti» disse. Ero scalzo, con la vestaglia dell'hotel
e i capelli dritti in testa perché mi ero addormentato appena uscito
dalla doccia. «Hai bisogno di una sistemata. Vai, pettinati e fatti la
barba.»

Quando riemersi dal bagno (dove avevo lasciato appeso il mio
completo perché si rinfrescasse un po') lui si passò la lingua sulle
labbra e con aria critica disse: «Non hai niente di meglio?».

«Questo è un completo di Turnbull & Asser.»

«Sì, ma sembra che ci hai dormito dentro.»

«Non è proprio nuovissimo. Forse ho una camicia migliore.»

«Be', mettitela.» Stava aprendo una borsa ai piedi del letto. «E
prendi i tuoi soldi e mettili qui.»

Quando tornai di là coi gemelli in mano, dopo essermi cambiato la camicia, restai di sasso nel vedere Boris di fianco al letto, la testa china, intento a montare una pistola con la stessa maniacale precisione di Hobie quando lavorava giù in bottega, il carrello dell'arma che scattava con un energico, realistico, *clic*.

«Boris» protestai, «ma che cazzo.»

«Stai calmo» rispose lanciandomi un'occhiata di sbieco. Si tastò le tasche, ne estrasse un caricatore e lo infilò: *clac*. «Non è come pensi. Nient'affatto. È solo per far scena!»

Guardai l'ampia schiena di Gyuri, il quale, perfettamente impassibile, fingeva la stessa professionale sordità che a volte io assumevo di fronte alle coppie che in negozio litigavano a proposito di un mobile.

«È solo...» Con perizia fece scorrere qualcosa avanti e indietro, come a testare che tutto funzionasse, poi accostò l'occhio al mirino, gesti surreali provenienti da qualche profondo substrato del cervello dove i film in bianco e nero sfarfallavano ventiquattr'ore al giorno. «Li incontreremo in un locale dalle loro parti, e saranno in tre. Be', in realtà soltanto due. Due che *contano*. E ora te lo posso dire: ero un po' preoccupato che potesse esserci Saša. Perché in quel caso non avrei potuto accompagnarti. Ma tutto si è sistemato, ed eccomi qua!»

«Boris...» Lì impalato, capii all'improvviso, con un'ondata di nausea, in quale cazzo di situazione da idioti ero andato a cacciarmi...

«Non ti preoccupare! Mi sono già preoccupato io per te. Perché...» mi diede una pacca sulla spalla, «Saša è troppo nervoso. Ha paura di mostrare la sua faccia ad Amsterdam – ha paura che Horst lo venga a sapere. Per ottime ragioni. E questa per noi è una notizia molto molto buona. Allora...» Fece scattare la sicura della pistola: argento cromato, nero mercurio, una densità levigata che pareva deformare lo spazio intorno, come una goccia di olio da motore in un bicchiere d'acqua.

«Non penserai di andarci con quella» dissi incredulo nel silenzio che seguì.

«Be', sì. Nella fondina – *solo* per avercela. Ma aspetta, aspetta» disse, sollevando un palmo, «prima che cominci...» Non avevo parlato, me ne stavo immobile, pallido per la paura, «Quante volte devo ripetertelo? È solo per scena.»

«Stai scherzando.»

«Un travestimento» disse brusco. «Pura finzione. Non proveranno a fare i furbi, se vedono che sono armato, okay?» e poi, dato che non la smettevo di fissarlo, «Una misura di sicurezza! Perché, perché» disse coprendo la mia voce con la sua, «tu sei l'uomo ricco, e noi siamo le guardie del corpo ed è così che dev'essere. Loro se l'aspettano. Tutto molto tranquillo e civile. E se spostiamo il cappotto così…» mostrò la fondina sul fianco, «staranno attenti a non fare scherzi. *Molto* più pericoloso entrare tipo…» Si guardò intorno con l'aria titubante e goffa di una ragazzina sprovveduta.

«Boris.» Mi sentivo spento e frastornato. «Non posso farlo.»

«Non puoi fare cosa? Non puoi scendere dall'auto e farmi compagnia cinque minuti mentre recupero il tuo cazzo di quadro? Cosa?»

«No, sul serio.» La pistola adesso era sul copriletto; catturava lo sguardo, cristallizzava e amplificava l'energia negativa che vibrava nell'aria. «Non posso. Davvero. Lasciamo perdere tutto.»

«Lasciamo perdere?» Boris fece una smorfia. «Non fare così! Mi fai venire fin qui per niente e mi metti in una brutta situazione. E ora…» allungò un braccio, «all'ultimo minuto cominci a porre condizioni e a gridare "pericolo, pericolo" e a dirmi come devo muovermi? Non ti fidi di me?»

«Sì, ma…»

«Bene. Allora fidati di quel che ti dico. Tu sei il compratore» sbuffò impaziente. «Fine della storia. È già tutto organizzato.»

«Avremmo dovuto discuterne in anticipo.»

«Oh, avanti» disse esasperato, prendendo la pistola dal letto e infilandola nella fondina. «Per favore, smettila di fare questioni o arriveremo in ritardo. Non l'avresti neppure vista se fossi rimasto in bagno altri due minuti! Non avresti mai saputo che avevo addosso un'arma! Perché… Potter, ascoltami. Mi ascolti, per favore? Ecco cosa succederà. Entriamo, cinque minuti, stiamo lì, parliamo, parliamo *e basta*, tu ti prendi il quadro, tutti sono contenti, usciamo e ce ne andiamo da qualche parte a cena. Okay?»

Gyuri, che si era allontanato dalla finestra, mi stava squadrando da capo a piedi. Con un'espressione preoccupata, disse qualcosa a Boris in ucraino. Seguì un misterioso scambio di battute. Poi Boris si portò la mano al polso e fece per togliersi l'orologio.

Gyuri disse qualcos'altro, scuotendo la testa vigorosamente.

«Giusto» fece Boris. «Hai ragione.» Poi, a me, con un cenno: «Prendi il suo».

Rolex President di platino. Quadrante tempestato di diamanti. Stavo cercando un modo educato per rifiutare quando Gyuri si sfilò dal mignolo l'enorme diamante e – speranzoso, come un bimbo che porge un regalo fatto con le sue stesse mani – me lo offrì sul palmo aperto insieme al Rolex.

«Sì» disse Boris di fronte alla mia esitazione. «Ha ragione. Non sembri abbastanza ricco. Mi piacerebbe che avessi delle altre scarpe» continuò, lanciando uno sguardo critico ai miei mocassini, «ma dovremo accontentarci di queste. Ora, mettiamo i soldi in questa borsa qui», impugnatura di pelle, piena di banconote impilate, «e andiamo.» Lavorava svelto, con mani esperte, come la cameriera di un hotel che rifà il letto. «Le banconote più grosse in cima. Tutti questi bei centoni. Molto carini.»

VII

Per strada: lo splendore e il delirio delle festività. I riflessi danzavano e scintillavano sull'acqua nera: archi merlettati sulla via, ghirlande di luci sulle barche nel canale.

«Sarà tutto molto facile e tranquillo» ripeté Boris, che faceva zapping alla radio passando dai Bee Gees ai notiziari in olandese e in francese, in cerca di una canzone di suo gradimento. «Conto sul fatto che vogliono i soldi in fretta. Prima mollano il quadro, meno possibilità hanno di incrociare Horst. Non baderanno troppo all'assegno o alla distinta di versamento. Tutto ciò che vedranno è quel seicentomila scritto lì sotto.»

Ero seduto da solo sul sedile posteriore, con la borsa dei soldi. («Perché deve abituarsi, signore, a essere un passeggero illustre!» aveva detto Gyuri, facendo il giro dell'auto per aprirmi la portiera.)

«Vedi – la cosa che spero li fregherà – la distinta di versamento è perfettamente regolare» stava dicendo Boris. «E anche l'assegno circolare. Solo che viene da una bad bank. Isola di Anguilla. Russi ad Anversa – anche qui, a P.C. Hooftstraat – vengono a investire, riciclano soldi, comprano arte, ah! Sei settimane fa quella banca era a posto ma ora le cose sono cambiate.»

Ci eravamo lasciati alle spalle la zona dei canali. Per strada: angeli al neon, stilizzati e multicolori, che sporgevano dai piani alti come tante polene. Fiocchi di neve blu, fiocchi di neve bianchi, scie luminose, cascate di luci e stelle di Natale, abbaglianti, impenetrabili, tanto estranee quanto l'improbabile diamante che mi luccicava al mignolo.

«Vedi, devo dirti questo» Boris, dimenticò la radio e si voltò verso di me, «voglio dirti di non preoccuparti. Con tutto il cuore» aggiunse, corrugando le sopracciglia e allungandosi per scuotermi la spalla con fare incoraggiante. «È tutto a posto.»

«Come bere un bicchier d'acqua!» confermò Gyuri, e sorrise nello specchietto, felice dell'espressione che aveva usato.

«Ecco il piano. Vuoi sapere qual è il piano?»

«Suppongo che dovrei risponderti di sì.»

«Lasceremo la macchina un po' lontano. Fuori città. Poi ci troveremo con Cherry in un posto, e lui ci porterà all'incontro con la *sua* auto.»

«E sarà tutto molto tranquillo.»

«Assolutamente. E sai perché? Perché tu hai i soldi! E i soldi sono tutto ciò che vogliono. E anche con un assegno circolare falso, è un buon affare, per loro. Quarantamila dollari per non fare niente? Non male! Dopodiché Cherry ci riporterà al garage, col quadro... e poi usciamo! A festeggiare!»

Gyuri borbottò qualcosa.

«Si sta lamentando del parcheggio. Tanto perché tu lo sappia. Pensa che non sia una buona idea. Ma... non voglio andarci con la mia auto e l'ultima cosa che ci serve è una multa per divieto di sosta.»

«Dove si svolgerà l'incontro?»

«Be'... è un po' complicato. Prima usciamo dalla città e poi torniamo verso il centro. Hanno insistito perché ci vedessimo dalle loro parti e Cherry era d'accordo perché... be', è meglio, sul serio. Almeno, nel loro territorio, possiamo stare tranquilli che non ci saranno interferenze da parte della polizia.»

Stavamo attraversando un tratto di strada solitario, rettilineo e desolato, il traffico era scarso e i lampioni distanziati, e i rumori e il fulgore della città vecchia, le sue scie di luce, le sue allettanti scenografie – pattini d'argento, bambini felici sotto l'albero – avevano lasciato il posto a un paesaggio urbano più familiare e cupo: Fotocadeau, Locksmith Sleutelkluis, insegne in arabo, Shoarma, Tandoori Kebab, serrande abbassate, tutto chiuso.

«Siamo sulla Overtoom» disse Gyuri. «Non molto interessante né particolarmente bella. Il garage è quello del mio socio Dima. Per stasera ha messo il cartello COMPLETO, così nessuno ci darà fastidio. Lasceremo l'auto nel settore lunga sosta... ah» urlò, «*bljad'*» quando, dal nulla, un furgone strombazzante ci tagliò la strada, costringendolo a sterzare e a frenare bruscamente. «A volte qui la gente è aggressiva senza motivo» aggiunse cupo mentre metteva la freccia e svoltava nel garage.

«Dammi il tuo passaporto» intervenne Boris.

«Perché?»

«Lo chiudo nel vano portaoggetti per quando torniamo. Meglio che tu non lo tenga addosso, per sicurezza. Ecco, ci metto anche il mio» disse mostrandomelo. «E quello di Gyuri. Gyuri è un autentico cittadino americano, nato in America... sì» continuò mentre Gyuri scoppiava in una risata, «per te è tutto molto comodo, ma per me? È stato molto molto difficile ottenere un passaporto americano e non voglio assolutamente perderlo. Lo sai, vero Potter» guardandomi, «che adesso in Olanda sei obbligato per legge a portare sempre un documento d'identità? Fanno i controlli per strada, e se ti beccano senza ti fanno la multa. Voglio dire... ad Amsterdam? Che roba da Stato di polizia è mai questa? Chi ci crederebbe? *Qui?* Io mai. Neanche tra cent'anni. Ad ogni modo» chiuse a chiave il vano portaoggetti, «se ci fermano, meglio una multa, tante scuse e arrivederci, che avere con noi i passaporti.»

VIII

All'interno del garage, che vibrava di deprimenti luci verde oliva, c'erano parecchi posti liberi nell'area di lunga sosta, nonostante il cartello COMPLETO. Un uomo con indosso un giaccone sportivo si staccò dalla Range Rover alla quale era appoggiato, buttò la sigaretta in uno scintillio di brace arancione, e si avvicinò. La stempiatura, gli occhiali da sole a goccia, il petto e le spalle di una muscolosità militaresca gli davano l'aspetto di un ex pilota sferzato dal vento assegnato al monitoraggio di delicate strumentazioni di bordo in un qualche sito degli Urali.

«Victor» si presentò, quando scesi dall'auto, stritolandomi la mano nella sua.

Gyuri e Boris ricevettero una pacca sulla schiena. Dopo un conciso scambio preliminare in russo, un adolescente riccioluto con la faccia da bambino emerse dal posto di guida della Range Rover e Boris lo salutò con uno schiaffo sulla guancia fischiettando un allegro motivetto: *On the Good Ship Lollipop.*

«Lui è Shirley T» annunciò, tirandogli i ricci a cavatappi. «Shirley Temple. Lo chiamiamo tutti così… perché? Indovina?» Rise quando il ragazzo sorrise imbarazzato, mostrando due belle fossette.

«Non farti ingannare dall'aspetto» mi disse Gyuri sottovoce. «Shirley sembra un bambino, ma ha due coglioni così, tale quale a noi.»

Educatamente, Shirley annuì nella mia direzione – parlava inglese? Pareva di no – e aprì la portiera posteriore della Range Rover per farci salire – Boris, Gyuri e me – mentre Victor Cherry prendeva posto davanti.

«È una cosa semplice» disse in tono solenne mentre uscivamo dal parcheggio e tornavamo verso la Overtoom. «È il meccanismo del pegno.» Da vicino la sua faccia era larga e l'espressione scaltra, con una piccola bocca dalla piega arrogante che per qualche ragione calmò la mia agitazione rispetto alla serata e alla sua logica, ammesso che ne avesse una: i cambi di auto, la scarsità di informazioni, e il senso di estraneità che mi avvolgeva come un incubo. «Stiamo facendo un favore a Saša, e per questo si comporterà bene con noi.»

Lunghi edifici bassi. Luci sconnesse. La sensazione che non stesse accadendo, o che stesse accadendo a qualcuno che non ero io.

«Perché Saša può andare in banca e sfruttare il quadro per farsi dare un prestito?» stava dicendo Victor, pedante. «No. Saša può andare al banco dei pegni e farsi dare un prestito? No. Dato il modo in cui l'ha rubato, può forse andare da uno qualsiasi dei contatti che ha tramite Horst e ottenere un prestito in cambio del quadro? No. Di conseguenza Saša è estremamente felice dell'apparizione del misterioso americano – tu – che io gli sto portando.»

«Saša si fa di eroina come io e te respiriamo» mi disse piano Gyuri. «Appena ha due soldi esce e compra un sacco di roba, puntuale come un orologio.»

Victor Cherry si sistemò gli occhiali. «Esatto. Non è un amante dell'arte e non è uno che va per il sottile. Sta usando il quadro come una specie di carta di credito con interessi molto alti, o così crede. Un investimento per te – soldi per lui. Tu gli anticipi i soldi – e ti prendi il quadro come garanzia – e lui compra la roba, ne tiene metà, il resto lo taglia e lo vende, e, dopo un mese, torna da te col doppio dei soldi che gli avevi dato e si riprende il quadro. E se dopo un mese non torna col doppio dei soldi? Il quadro è tuo. Come ho detto. Un semplice pegno.»

«Solo che non andrà liscia come lui pensa...» Boris si stirò, sbadigliando. «Perché quando tu sparirai nel nulla, e salterà fuori che l'abbiamo fregato, che potrà fare? Se corre da Horst a chiedere aiuto è la volta che quello gli rompe il collo.»

«Sono contento che abbiano cambiato il luogo dell'incontro così tante volte. È un po' ridicolo. Ma ci fa gioco che oggi sia venerdì» disse Victor, togliendosi gli occhiali e pulendoseli sulla camicia. «Gli ho fatto credere che tu volevi tirarti indietro. Perché loro continuavano a disdire e cambiare programma. Tu sei arrivato solo oggi, ma loro non lo sanno – dato che continuavano a cambiare idea gli ho detto che ti eri innervosito e che eri stufo di startene ad Amsterdam con una valigetta piena di bigliettoni ad aspettare che si decidessero a muovere il culo, che avevi depositato il denaro ed eri pronto a tornare in America. Si sono un po' preoccupati. Quindi» fece un cenno verso la borsa, «arriva il weekend, e le banche sono chiuse, e tu non hai più tutti i contanti, solo una piccola parte, perché gli altri li hai depositati e… be', ci ho parlato a lungo al telefono e li ho incontrati una volta in un bar del quartiere a luci rosse, e alla fine hanno accettato di portare il quadro e fare lo scambio stasera senza averti mai visto solo perché gli ho detto che hai il volo domani; dunque peggio per loro, o si beccano l'assegno o non se ne fa niente. Il che… be', non erano contenti, ma si sono bevuti la storia dell'assegno. Il che rende tutto più semplice.»

«Molto più semplice» fece Boris. «Non ero sicuro di come avrebbero reagito alla faccenda dell'assegno. È un bene che pensino che è colpa loro, perché hanno tirato troppo la corda.»

«Qual è il posto?»

«Un lunchcafé.» Lo pronunciò come una parola sola. «De Paarse Koe.»

«Significa "La Mucca Viola" in olandese» disse Boris, per aiutarmi. «Un posto hippy. Nel quartiere a luci rosse.»

Strada lunga e deserta – ferramenta chiusi, mucchi di mattoni sul ciglio della strada, in qualche modo ogni dettaglio era importante e carico di significato, anche se le cose schizzavano via nel buio troppo veloci perché riuscissi a vederle davvero.

«Il cibo è così disgustoso» continuò Boris. «Cavolini e toast integrali vecchi e secchi. Ti aspetteresti almeno di trovarci qualche ragazza sexy, invece sono tutte grassone e coi capelli grigi.»

«Perché lì?»

«Perché di sera la via è tranquilla» disse Victor Cherry. «Il lunchcafé apre solo per pranzo, ma dato che è comunque un posto pubblico, la situazione non ci sfuggirà di mano, chiaro?»

Ovunque: estraneità. Senza accorgermene, avevo abbandonato la realtà e avevo attraversato il confine di qualche terra di nessuno in cui nulla aveva senso. Dimensione onirica, frammentazione. Cavi arrotolati e pile di macerie con la copertura in plastica mezza strappata dal vento.

Boris stava parlando con Victor in russo; e quando si rese conto che lo guardavo, si girò verso di me.

«Stiamo dicendo che Saša è a Francoforte stasera» disse, «dà una festa in un ristorante per un suo amico appena uscito di galera, e questo ci è stato confermato da tre fonti diverse, e l'hanno confermato anche a Shirley. Pensa di essere furbo, a starsene fuori città. Nel caso in cui i fatti di stasera arrivino alle orecchie di Horst, vuole poter alzare le mani e dire: "Chi, io? Io non c'entro niente".»

«Tu» mi disse Victor, «tu fai base a New York. Ho detto che sei un mercante d'arte, che ti hanno beccato a vendere falsi e che ora gestisci un giro tipo quello di Horst, in scala molto più piccola in termini di quadri, ma molto più ampia in termini di denaro.»

«Horst... Dio lo benedica» disse Boris. «Horst sarebbe l'uomo più ricco di New York se non desse via tutto, ogni centesimo. L'ha sempre fatto. Mantiene molte molte persone, oltre a se stesso.»

«Non è una buona cosa, per gli affari.»

«Sì. Ma gli piace avere compagnia.»

«Filantropo tossico, ah» fu il commento di Victor. Lo pronunciò filantròpo. «Meno male che di tanto in tanto ne muore qualcuno, altrimenti chissà quanti drogati se ne starebbero a ciondolare con lui in quella discarica. Comunque, meno parli là dentro, meglio è. Non si aspettano conversazioni educate. Solo affari. Sarà una cosa veloce. Dagli l'assegno, Borja.»

Boris disse qualcosa in ucraino, brusco.

«No, deve tirarlo fuori lui. Deve venire dalle sue mani.»

Sia sull'assegno circolare sia sulla distinta di versamento erano stampate le parole FARRUCO FRENETISEK, CITIZEN BANK ANGUILLA, cosa che intensificò la mia sensazione di essere lanciato su una traiettoria onirica, a velocità troppo alta per riuscire a rallentare.

«Farruco Frenetisek? Io sono lui?» Viste le circostanze mi parve una domanda pregna di significato – come se potessi staccarmi dal mio stesso corpo, o, almeno, come se avessi varcato un confine oltre il quale fatti fondamentali come l'identità non mi riguardavano più.

«Non ho scelto io il nome. Ho dovuto prendere quello che c'era.»

«È così che devo presentarmi?» C'era qualcosa che non andava nel tipo di carta, era troppo sottile, e il fatto che la distinta recitasse CITIZEN BANK e non CITIZEN'S BANK la rendeva poco credibile.

«No, ci penserà Cherry a fare le presentazioni.»

Farruco Frenetisek. In silenzio testai quel nome provando a rigirarmelo in bocca. Anche se era difficile da ricordare, suonava forte ed estraneo quel tanto che bastava a evocare la sperduta iperdensità di quelle strade buie, i binari del tram, acciottolato e altri angeli al neon – adesso eravamo di nuovo nella città vecchia, storica e inconoscibile, canali e rastrelliere per bici e luci di Natale che oscillavano sull'acqua scura.

«Quando pensavi di dirglielo?» stava chiedendo Victor Cherry a Boris. «Deve sapere qual è il suo nome.»

«Be', ora lo sa.»

Strade sconosciute, percorsi incomprensibili, distanze anonime. Avevo persino smesso di provare a leggere i nomi delle vie o tenere a mente il percorso che stavamo facendo. In mezzo a tutte le cose che mi circondavano – tutto ciò che riuscivo a vedere – l'unico punto di riferimento era la luna, alta sopra le nuvole, che nonostante fosse luminosa e piena sembrava in qualche modo instabile, priva di gravità, non quella limpida e immobile del deserto, ma il palloncino di un prestigiatore, pronto a scoppiare a un suo cenno, o a fluttuare via nell'oscurità, fuori dalla mia vista.

IX

La Mucca Viola si trovava su una strada a senso unico poco trafficata, larga il giusto perché potesse passarci una macchina. Tutti gli altri esercizi intorno – farmacia, panetteria, negozio di biciclette – erano chiusi, a parte un ristorante indonesiano in fondo alla via. Shirley Temple ci lasciò davanti al locale. Sul muro opposto, dei graffiti: smiley e frecce, Warning Radioactive, un fulmine a stencil con la parola Shazam, lettere grondanti in stile film dell'orrore, KEEP IT NICE!

Sbirciai oltre la porta a vetri. Il locale era lungo e stretto e, a prima vista, vuoto. Pareti viola; lampadario di vetro colorato; tavoli spaiati, sedie dipinte con tonalità tipo asilo infantile e luci basse tranne che nell'area del bancone, vicino al grill, e intorno a un banco frigo che splendeva sul fondo. Piante da appartamento malaticce; una foto in bianco e nero di John e Yoko autografata; una bacheca zeppa di volantini e flyer di Satsang, corsi di yoga e terapie olistiche varie. Alla parete un murales con gli arcani dei tarocchi e, sulla vetrina, uno scarno menu stampato al computer con una serie di pietanze integrali in stile Everett: zuppa di carote, zuppa di ortiche, passato di ortiche, torta di lenticchie e nocciole – niente di particolarmente appetitoso, ma fu sufficiente a ricordarmi che l'ultimo vero pasto che non fosse qualche boccone rubato qua e là era stato il curry a domicilio che avevo mangiato a letto, a casa di Kitsey.

Boris vide che guardavo il menu. «Ho fame anch'io» disse, in tono piuttosto formale. «Andremo a farci una bella cena insieme. Da Blake. Venti minuti.»

«Tu non entri?»

«Non ancora.» Si teneva leggermente in disparte, in modo da non essere visto attraverso la porta a vetri, e guardava su e giù lungo la strada. Shirley Temple stava facendo il giro dell'isolato. «Non restare qui a parlare con me. Vai con Victor e Gyuri.»

L'uomo che si affacciò alla porta del caffè era un tipo sulla sessantina, scheletrico, losco e dai modi nervosi, con un viso lungo e scavato e stravaganti capelli lunghi che gli arrivavano fin sotto le spalle e un cappellino di jeans che sembrava uscito direttamente da una puntata di *Soul Train* del 1973. Se ne stava lì col suo mazzo di chiavi e guardava oltre Victor, verso me e Gyuri, indeciso se lasciarci entrare o meno. Gli occhi molto ravvicinati, le sopracciglia grigie a cespuglio e i baffi grigi e voluminosi gli davano l'aria di un vecchio schnauzer sospettoso. Poi apparve un altro tipo, molto molto più giovane e molto molto più grosso, di mezza testa più alto persino di Gyuri, malese o indonesiano con un tatuaggio sul viso e vistosi orecchini di diamanti e una crocchia nera in testa che lo faceva assomigliare a uno dei ramponieri di *Moby Dick*, se uno dei ramponieri di *Moby Dick* avesse indossato pantaloni di velluto nero e un giubbotto da baseball di satin color pesca.

Il vecchio tossico stava facendo una chiamata al cellulare. Aspettò, gli occhi prudenti fissi su di noi per tutto il tempo. Poi fece un'altra chiamata, si voltò e scomparve nelle profondità del bar, il palmo premuto su guancia e orecchio alla maniera di una casalinga isterica, mentre l'indonesiano restò sulla porta a vetri a guardarci, immobile. Ci fu un breve scambio e poi il vecchio tornò e con la fronte aggrottata e apparente riluttanza iniziò a trafficare col mazzo, girando la chiave nella serratura. Nell'istante in cui entrammo prese a lagnarsi con Victor Cherry e ad agitare le braccia, mentre l'indonesiano si avvicinava e si appoggiava alla parete con le braccia conserte, in attesa.

Qualche imprevisto, pensai. Sconforto. In che lingua parlavano? Rumeno? Ceco? Non avevo idea di cosa stessero dicendo, ma Victor Cherry sembrava infastidito, mentre il vecchio tossico dalla testa grigia era sempre più agitato – arrabbiato? No: nervoso, frustrato, untuoso persino, la voce sempre più simile a un gemito, e per tutto il tempo l'indonesiano tenne gli occhi su di noi con la inquietante placidità di un anaconda. Rimasi dov'ero, a tre metri da lui e – nonostante Gyuri, con la borsa dei soldi, mi stesse un po' troppo vicino – misi su un'espressione assente, fingendo di esaminare le insegne e gli slogan sulla parete: Greenpeace, FurFree Zone, Vegan Friendly, Protected by Angels! Essendomi spesso trovato a comprare droga in situazioni losche (appartamenti pieni di scarafaggi nella zona ispanica di Harlem, trombe di scale che odoravano di piscio nelle case popolari su St. Nicholas), avevo abbastanza esperienza per sapere che le transazioni di quel genere si assomigliavano tutte. Facevi il rilassato e l'indifferente, non parlavi se non in caso di assoluta necessità e anche allora solo nel tono più piatto, e – appena ti davano quello per cui eri lì – te ne andavi.

«Protetti dagli angeli, un cazzo» mi bisbigliò all'orecchio Boris, che mi aveva raggiunto in silenzio e si era piazzato al mio fianco.

Non dissi nulla. Anche a distanza di tutti quegli anni, era fin troppo facile per noi ricadere nell'abitudine di sussurrarci all'orecchio come durante le lezioni della Spirsetskaja, cosa che, in quel contesto, non sarebbe stata una buona idea.

«Siamo in orario» disse Boris. «Ma uno dei loro uomini non si è fatto vedere. Per questo il Grateful Dead qui è tanto nervoso. Vogliono che aspettiamo finché non arriva. Colpa loro, perché hanno cambiato il luogo dell'incontro un mucchio di volte.»

«Che sta succedendo là in fondo?»

«Lascia che ci pensi Vitja» disse, dando un colpetto con la scarpa a una palla di pelo rinsecchita sul pavimento. *Un topo morto?* pensai, con un sussulto, prima di rendermi conto che era un giochino per gatti, uno dei tanti sparpagliati sul pavimento accanto a una lettiera piena di escrementi e sabbia scurita dal piscio che giaceva seminascosta ai piedi di un tavolo da quattro.

Mi stavo giusto chiedendo se tenere una lettiera sporca in un ristorante, in un punto in cui i clienti rischiavano di metterci il piede dentro, potesse costituire un vantaggio dal punto di vista logistico (per non dire estetico, o igienico o persino legale), quando mi resi conto che la chiacchierata era finita e i due si erano girati verso Gyuri e me – Victor Cherry e il vecchio tossico che, sospettoso e pieno di aspettativa, si avvicinò di un passo e fece saettare lo sguardo da me alla borsa nella mano di Gyuri. Il quale, obbediente, a sua volta fece un passo avanti, aprì la borsa, la posò, e, chinando il capo in un gesto servile, si allontanò per lasciare che il vecchio la esaminasse.

Lui ci sbirciò dentro, lo sguardo miope; arricciò il naso. Con un'esclamazione stizzita sollevò gli occhi verso Cherry, che rimase impassibile. Seguì un altro oscuro scambio di battute. Il grigio sembrava insoddisfatto. Poi chiuse la borsa, si alzò e mi guardò, gli occhi guizzanti.

«Farruco» mi presentai nervoso. Avevo dimenticato il mio cognome e mi augurai che nessuno me lo chiedesse.

Cherry mi lanciò uno sguardo: *i documenti*.

«Giusto, giusto» dissi, infilando la mano nella tasca interna della giacca in cerca dell'assegno e della distinta di versamento – che dispiegai un attimo dopo, con quello che speravo apparisse un atteggiamento disinvolto, controllando il cognome prima di passarglieli...

Frenetisek. Ma proprio quando stavo allungando la mano – *bam*, fu come un colpo di vento che attraversa la casa e fa sbattere una porta dove non te l'aspetti – Victor Cherry in un attimo fu dietro al grigio e lo colpì sulla nuca col calcio della pistola, così forte che gli volò via il cappellino e le ginocchia gli cedettero e cadde a terra con un grugnito. L'indonesiano, ancora mollemente poggiato al muro, fu colto alla sprovvista tanto quanto me: s'irrigidì, i nostri occhi si incrociarono in un sussulto del tipo *ma che cazzo?*, quasi un fulmineo scambio di occhiate fra amici, e non riuscivo a capire perché non si era ancora staccato dal muro finché non mi voltai e vidi con orrore che sia Boris che Gyuri gli puntavano contro una pistola: Boris teneva il calcio della sua appoggiato sul palmo sinistro, e Gyuri, con l'arma in una mano e la borsa dei soldi nell'altra, indietreggiando raggiunse l'ingresso principale.

Come un flash improvviso, qualcuno schizzò fuori dalla cucina: una giovane donna asiatica – no, un ragazzo; pelle bianca, occhi vuoti e spaventati che scivolarono sulla stanza, sciarpa con stampa Ikat, lunghi capelli al vento, e via, scomparve con la stessa rapidità con cui si era materializzato.

«C'è qualcuno sul retro» dissi d'un fiato, guardandomi attorno in ogni direzione, la stanza che vorticava come la giostra di un lunapark e il cuore che mi batteva così forte che non riuscivo a far uscire le parole, non ero sicuro che qualcuno mi avesse sentito – o che Cherry mi avesse sentito, in ogni caso, dal momento che lo vidi afferrare il grigio per la parte posteriore della giacca, serrargli un braccio intorno al collo, la pistola alla tempia, urlargli contro in chissà quale lingua dell'Europa dell'Est e strattonarlo verso il retro del locale mentre l'indonesiano si schiodava dal muro, con grazia e con calma, e guardava ora me ora Boris per un tempo che mi parve lunghissimo.

«Razza di puttane, vi pentirete di questo scherzetto» disse piano.

«Le mani, le mani» disse Boris cordiale. «Dove posso vederle.»

«Non ho un'arma.»

«Fa lo stesso.»

«Va bene» fece l'indonesiano, con la stessa cordialità. Con le mani alzate, mi squadrò dalla testa ai piedi – stava memorizzando la mia faccia, compresi con un brivido, l'immagine archiviata all'istante nel database del suo cervello – e poi si rivolse a Boris.

«So chi sei» disse.

Il bagliore sottomarino del refrigeratore per i succhi di frutta. Sentivo il mio stesso respiro che entrava e usciva, entrava e usciva. Un rumore metallico in cucina. Urla indistinte.

«Mettiti giù, se non ti dispiace» disse Boris con un cenno.

L'indonesiano si mise in ginocchio senza protestare e – molto lentamente – si sdraiò del tutto. Non sembrava essere nervoso o impaurito.

«Ti conosco» disse di nuovo, la voce leggermente soffocata.

Un movimento rapido ai margini del mio campo visivo, così repentino che sobbalzai: un gatto, nero come il demonio, un'ombra vivente, oscurità che volava nell'oscurità.

«E chi sono, allora?»

«Borja-di-Anversa, sbaglio?» Non era vero che non aveva un'arma; persino io avevo notato il rigonfiamento sotto l'ascella. «Borja il polacco? Borja Erbamatta? Il socio di Horst?»

«E anche se lo fossi?» replicò Boris affabile.

L'uomo rimase in silenzio. Boris, scostandosi i capelli dagli occhi con un colpetto della testa, fece un verso beffardo e sembrò sul punto di dire qualcosa di sarcastico, ma proprio in quel momento Victor Cherry spuntò sul retro, da solo, tirandosi fuori dalla tasca quello che sembrava un paio di fascette di plastica – e il mio cuore sussultò quando vidi, sotto il suo braccio, un pacco della dimensione e dello spessore giusti, avvolto nel feltro bianco e legato con dello spago colorato. Sprofondò un ginocchio nella schiena dell'indonesiano e iniziò a trafficare con le fascette per mettergliele ai polsi.

«Esci» mi disse Boris, e poi – i miei muscoli erano contratti e induriti – «Vai! Sali in macchina!» mi gridò dandomi una piccola spinta.

Mi guardai attorno senza capire – non riuscivo a vedere la porta, non c'era una porta – e poi eccola lì, e mi precipitai fuori così in fretta che scivolai e quasi inciampai su uno dei giochini per gatti, verso la Range Rover in attesa, motore acceso, accostata al marciapiede.

Nella lieve pioggerellina che aveva appena cominciato a cadere, Gyuri teneva d'occhio la via – «Dentro, dentro» sibilò, scivolando sul sedile posteriore e facendomi segno di imitarlo, proprio nel momento in cui Boris e Victor Cherry, sbucati dal ristorante come due furie, salivano a bordo e l'auto partiva a una deludente velocità moderata.

X

In auto, di nuovo sulla strada principale, il clima era di giubilo: risate, scambi di cinque, mentre il mio cuore batteva così forte che a stento riuscivo a respirare. «Che succede?» gracchiai, deglutendo per riprendere fiato e spostando lo sguardo dall'uno all'altro ansiosamente; poi, visto che tutti e quattro incluso Shirley Temple continuavano a ignorarmi e a blaterare in un miscuglio sincopato di russo e ucraino, gridai: «*Anglijskij!*».

Boris si girò verso di me, strofinandosi gli occhi, e fece scivolare un braccio attorno al mio collo. «C'è stato un cambio di programma» disse. «Abbiamo seguito l'ispirazione del momento, pura improvvisazione. Non avremmo potuto chiedere di meglio. Il loro terzo uomo non si è presentato.»

«Li abbiamo beccati a corto di personale.»

«Impreparati.»

«A pantaloni calati! Sul cesso!»

«Tu» ansimai nello sforzo di tirare fuori le parole, «tu avevi detto niente pistole.»

«Be', nessuno si è fatto male, no? Che differenza fa?»

«Perché non abbiamo semplicemente pagato?»

«Perché abbiamo avuto fortuna!» Allargò le braccia. «Un'occasione unica! Ci hanno dato l'opportunità! Che potevano fare? Loro erano due, noi quattro. Se avessero avuto un minimo di buonsenso, non avrebbero dovuto farci entrare. E... sì, lo so, sono quarantamila, ma perché dovrei dargli anche solo un centesimo se non sono costretto? Per ringraziarli di avermi derubato?» Boris ridacchiò. «Hai visto la faccia di Grateful Dead quando Cherry gli ha dato la botta in testa?»

«Sai di cosa si stava lamentando, il vecchio caprone?» disse Victor, girandosi verso di me tutto esaltato. «Del fatto che li voleva in euro! "Cosa, dollari?"» imitando la sua espressione stizzita. «"Me li hai portati in dollari?"»

«Scommetto che ora li vorrebbe, quei dollari.»

«Scommetto che si pente di non aver tenuto la bocca chiusa.»

«Mi piacerebbe sentire quella telefonata a Saša.»

«Vorrei sapere il nome del tipo che gli ha dato buca. Ho tanta voglia di offrirgli da bere.»

«Chissà chi è.»

«Probabilmente è a casa sotto la doccia.»

«A studiare la Bibbia.»

«A guardare *Canto di Natale* in TV.»

«O ad aspettare nel posto sbagliato.»

«Io...» Avevo la gola talmente chiusa che dovetti deglutire prima di parlare. «E quel tipo?»

«Eh?» Pioveva, la pioggia picchiettava lieve contro il parabrezza. Strade nere e scintillanti.

«Che tipo?»

«Il tipo. La tipa. Quello della cucina. Quello che era.»

«Cosa?» Cherry si girò – aveva ancora il fiatone, ansimava. «Io non ho visto nessuno.»

«Neanch'io.»

«Be', io sì.»

«Com'era?»

«Giovane.» Avevo davanti agli occhi il fermoimmagine di quel giovane viso spettrale, la bocca leggermente aperta. «Giacca bianca. Sembrava giapponese.»

«Davvero? Riesci a distinguerlo a prima vista, da dove vengono? Giappone, Cina, Vietnam?»

«Non ho visto bene. Asiatico.»

«Asiatico, o asiatica?»

«Credo che siano tutte ragazze quelle che lavorano in cucina, lì» disse Gyuri. «Macrobiotico. Riso integrale e roba del genere.»

«Io...» Non sapevo che dire.

«Be'...» Cherry si passò la mano sui capelli cortissimi, «sono contento che sia scappata, chiunque fosse, perché sapete cos'altro ho trovato là dietro? Mossberg 500 a canne mozze.»

Seguirono fischi e risate.

«Merda.»

«Dov'era? Grozdan non ha...»

«No. In un...» Fece un gesto come a indicare una fasciatura. «Come si dice. Appeso sotto il tavolo, avvolto in una specie di straccio. L'ho visto per caso quando ero per terra. Tipo che... ho guardato insù. Ed eccolo lì, proprio sopra la mia testa.»

«Non l'hai lasciato lì, vero?»

«No! L'avrei preso, ma era troppo grande e avevo le mani occupate. L'ho aperto e ho tolto il percussore e l'ho buttato nel vicolo. E poi...» tirò fuori dalla tasca una pistola argentata con la canna cortissima e la passò a Boris, «questa!»

Boris la sollevò alla luce e la osservò.

«Cara piccola J-frame, facile da nascondere e da portare. Fondina da caviglia, sotto quei bei jeans a zampa di elefante! Ma per sua sventura non è stato abbastanza veloce.»

«Le fascette di plastica» mi disse Gyuri, con la testa leggermente inclinata. «Vitja è sempre un passo avanti.»

«Be'» Cherry si asciugò il sudore, «sono leggere e sottili da tenere addosso, e spesso mi hanno evitato di sparare alla gente. Non mi piace far male a qualcuno, se non sono obbligato.»

Città medievale: stradine contorte, luci drappeggiate sui ponti e canali splendenti increspati dalle gocce, confusi nella pioggia.

Un'infinità di negozi anonimi, vetrine luccicanti, lingerie e reggicalze, utensili da cucina schierati come strumenti chirurgici, ovunque parole straniere, Snel bestsellen, Retrostijl, Showgirl-Sexboetiek.

«La porta sul retro era aperta» disse Cherry, togliendosi il giaccone sportivo e prendendo un sorso da una bottiglia di vodka che Shirley T. aveva tirato fuori da sotto il sedile – le mani un po' tremanti e il viso, in particolare il naso, che brillava di un rosso squillante alla *Rudolph la renna*. «Devono averla lasciata aperta per lui – il terzo uomo – perché entrasse da lì. Io l'ho chiusa a chiave – ho costretto Grozdan a chiudere a chiave, pistola alla testa, piagnucolava e tirava su col naso come un bambino...»

«Quel Mossberg» mi disse Boris, afferrando la bottiglia dalle mani di Cherry. «Maledetto arnese infernale. A canne mozze? Una pioggia di pallottole da qui ad Amburgo. Puntalo sul soffitto e colpirai lo stesso metà della gente nella stanza, cazzo.»

«Bel trucchetto, no?» osservò Victor Cherry pensieroso. «Dire che il tuo terzo uomo non c'è? "Aspettate cinque minuti, per favore"? "Scusate, c'è stato un errore"? "Sarà qui a momenti"? E invece è nel retro col fucile. Una bella trappola, se ci avessero pensato...»

«Magari ci hanno pensato. Altrimenti perché tenere l'arma là dietro?»

«Io credo che l'abbiamo scampata bella, ecco cosa credo...»

«C'era una macchina parcheggiata davanti, io e Shirley ci siamo spaventati» disse Gyuri, «mentre voi eravate tutti dentro, due tipi, abbiamo pensato che eravamo nella merda ma erano solo due gay, dei tizi francesi, che cercavano un ristorante...»

«... ma nel retro nessuno, grazie a Dio, ho fatto stendere Grozdan sul pavimento e l'ho attaccato al termosifone con le fascette» stava dicendo Cherry. «Ah, ma...!» Sollevò il pacco avvolto nel feltro. «Per prima cosa. Questo. Per voi.»

«Lo passò a Gyuri che – lentamente, con la punta delle dita, come fosse un vassoio traballante – lo passò a me. Boris – ingollando un sorso e asciugandosi la bocca col dorso della mano – mi colpì allegramente il braccio con la bottiglia mentre canticchiava *we wish you a merry Christmas we wish you a merry Christmas.*

Il pacco sulle mie ginocchia. Feci scorrere le mani lungo tutto il bordo. Il feltro era così sottile che capii che era lui solo sfiorandolo coi polpastrelli, la consistenza e il peso erano perfetti.

«Continua» disse Boris, annuendo, «è meglio se questa volta lo apri, per essere certo che non è il libro di Educazione civica! Dove l'hai trovato?» chiese a Cherry quando iniziai a trafficare con lo spago.

«Quel lurido mobiletto per scope. Una merda di valigetta di plastica. Grozdan mi ci ha portato subito. Pensavo che avrebbe cazzeggiato un po', ma è bastato il ferro puntato alla testa. Perché farsi ammazzare quando c'è ancora tutta quella torta alla marijuana nel frigo?»

«Potter» disse Boris, cercando di catturare la mia attenzione; e poi di nuovo: «Potter».

«Sì?»

Sollevò la valigetta. «Questi quaranta pezzi sono per Gyuri e Shirley T. Gli daranno una boccata d'ossigeno. Per il servizio. Perché è grazie a questi due se non abbiamo pagato a Saša *neanche un centesimo* per essersi preso il disturbo di rubare una cosa che ti appartiene. E Vitja…» si allungò a stringergli la mano, «ora siamo più che a posto. Sono io in debito, ora.»

«No, non potrò mai restituirti quello che ti devo, Borja.»

«Lascia stare. Non è niente.»

«Niente? *Niente?* Non è vero, Borja, perché è grazie a te se questa notte io sono vivo, e così tutte le notti fino all'ultima notte…»

Era una storia interessante, ad avere voglia di ascoltarla – qualcuno aveva fatto il nome di Cherry in relazione a qualche crimine, non specificato ma evidentemente molto serio, un crimine che lui non aveva commesso, non c'entrava proprio niente, del tutto innocente, il tipo aveva cantato per farsi ridurre la pena e a meno che Cherry, a sua volta, non fosse stato disposto a cantare sul conto dei suoi superiori («cosa per niente saggia, se volevo continuare a respirare»), si sarebbe fatto dieci anni, e Boris, Boris lo aveva salvato perché aveva rintracciato l'infame, fuori su cauzione ad Anversa, e la storia di come c'era riuscito era complicata ed entusiasmante e Cherry era sul punto di commuoversi e tirava su col naso, e c'era dell'altro, che aveva a che fare con un incendio doloso e un sacco di sangue e forse anche una sega circolare, ma a quel punto non stavo più ascoltando una parola, perché avevo slegato lo spago e i lampioni e i riflessi acquosi della pioggia scivolavano sulla superficie del mio quadro, il mio cardellino, che – lo sapevo con certezza, senza il minimo dubbio, ancora prima di girarlo per guardare il retro – era vero.

«Visto?» disse Boris, interrompendo Vitja proprio al culmine della storia. «Ha un bell'aspetto, vero, il tuo *zolotaja ptica*? Te l'avevo detto che ce n'eravamo presi cura, no?»

Incredulo, feci scorrere il polpastrello lungo i bordi della tavola, tipo san-Tommaso-non-vedo-non-credo sul palmo di Cristo. Come tutti gli antiquari sanno, e come sapeva anche san Tommaso, è più difficile ingannare il tatto che la vista, e anche a distanza di tutti quegli anni le mie mani ricordavano il quadro così bene che le dita andarono immediatamente a cercare, uno in ogni angolo, i minuscoli segni dei chiodi con cui una volta, tanto tempo fa, il dipinto, si diceva, era stato appeso all'ingresso di una taverna, o come parte di un mobiletto, nessuno lo sapeva.

«È ancora vivo, là dietro?» fece Victor Cherry.

«Credo di sì.» Boris mi piantò un gomito nelle costole. «Di' qualcosa.»

Ma non ci riuscivo. Era vero; lo riconoscevo, anche al buio. Il rilievo della pennellata gialla dell'ala e le piume graffiate con l'impugnatura del pennello. Una scheggiatura sull'angolo superiore sinistro che prima non c'era, un difetto minuscolo grande neanche due millimetri, ma altrimenti: perfetto. Io ero diverso, lui no. E mentre lame di luce baluginavano sulla superficie del quadro, sentii come la mia vita, a confronto, era solo un'esplosione di energia informe e transitoria, uno sfrigolio di elettricità biologico tanto insignificante quanto i lampioni che scintillando sparivano uno dopo l'altro alle mie spalle.

«Ah, bellissimo» disse Gyuri amabile, chinandosi verso di me per guardare. «Così puro! Come una margherita. Capisci quello che sto cercando di esprimere?» disse, dandomi un colpetto, quando non risposi. «Un fiore semplice, solo in un campo? E però...» fece un gesto. *Eccolo qui! Straordinario!* «Capisci cosa sto dicendo?» insistette, ma io ero ancora troppo stupefatto per rispondere.

Nel frattempo Boris mormorava nell'orecchio di Vitja, mezzo in inglese e mezzo in russo, qualcosa riguardo al *ptica*, e a qualcos'altro che non riuscii a cogliere, qualcosa a proposito di madre e figlio, tanto amore. «Vorresti ancora aver chiamato gli sbirri dell'arte, eh?» disse, passandomi il braccio sulla spalla e avvicinando la sua testa alla mia, proprio come quando eravamo ragazzi.

«Possiamo *ancora* chiamarli» disse Gyuri, scoppiando a ridere, dandomi un pugno sul braccio.

«Esatto, Potter! Che dici? No? Forse non ti pare più un'idea tanto buona, eh?» gli fece eco Boris col sopracciglio alzato.

XI

Quando entrammo nel garage e scendemmo dall'auto erano ancora tutti esaltati e ridevano e raccontavano le varie fasi dell'imboscata in un miscuglio di lingue diverse – tutti tranne me, assente e in preda all'eco dello shock, scene veloci e movimenti improvvisi che dall'oscurità riverberavano su di me, troppo sconvolto per parlare.

«Guardalo» disse Boris, interrompendo una frase a metà e colpendomi il braccio. «Ha l'aria di aver ricevuto il miglior pompino della sua vita.»

Stavano tutti ridendo di me, persino Shirley Temple, tutto il mondo era una risata che rimbalzava metallica fra le pareti piastrellate avvolgendosi su se stessa come un frattale, delirio e fantasmagoria, l'impressione che il mondo crescesse e si gonfiasse come un palloncino favoloso che fluttuava e si levava fino alle stelle, e anch'io ridevo e non sapevo nemmeno perché, dato che ero ancora così scosso che tremavo tutto.

Boris si accese una sigaretta. La faccia verdognola nella luce sotterranea. «Avvolgi quella cosa» disse accennando al quadro, «e poi lo mettiamo al sicuro in hotel e andiamo a cercarti un pompino vero.»

Gyuri aggrottò la fronte. «Non si va prima a mangiare?»

«Hai ragione. Sto morendo di fame. Prima cena, poi pompino.»

«Da Blake?» disse Cherry, aprendo la portiera davanti della Land Rover dal lato del passeggero. «Diciamo, fra un'ora?»

«Va bene.»

«Odio andarci conciato così» disse Cherry, toccandosi il colletto della camicia, che era trasparente e appiccicoso di sudore. «Ma d'altra parte ho proprio voglia di un po' di cognac. Uno di quelli da cento euro. Potrei buttarne giù un litro in questo momento. Shirley, Gyuri...» Disse qualcosa in ucraino.

«Sta dicendo» fece Boris, fra le risate che seguirono, «sta dicendo a Shirley e Gyuri che stasera la cena la offrono loro...» e Gyuri sollevò trionfante la borsa.

Pausa. A un tratto Gyuri sembrava preoccupato. Disse qualcosa a Shirley Temple e Shirley – ridendo di lui, le fossette profonde nel viso di pesca – fece segno di no con la mano, disse no alla borsa che Gyuri provò a offrirgli, e alzò gli occhi al cielo quando Gyuri gliela offrì di nuovo.

«*Ne sejčas*» disse Victor Cherry irritato. «Non ora. Ve li dividete dopo.»

«Ti prego» disse Gyuri, porgendo ancora la borsa.

«Oh, andiamo. Lo farete dopo, se no stiamo qui tutta la notte.»

Ja choču čtoby Shirley prinjala eto, disse Gyuri, una frase così semplice e scandita con tanta serietà che persino io, col mio russo stentato, riuscii a capirla. *Voglio che la prenda Shirley.*

«Col cazzo!» disse Shirley, in inglese, e – incapace di resistere – mi lanciò un'occhiata per assicurarsi che l'avessi sentito, come uno scolaretto orgoglioso di avere azzeccato la risposta.

«Forza, *dai*.» Boris – le mani sui fianchi – se ne stava in disparte, esasperato. «Ha importanza chi li porta in macchina? Uno di voi pensa di fuggire coi soldi? No. Siamo tutti amici qui. Allora?» disse, dato che nessuno dei due si muoveva. «La lasciamo per terra perché la trovi Dima? Uno di voi si decida, per favore.»

Seguì un lungo silenzio. Shirley, immobile con le braccia conserte, scosse con fermezza la testa quando Gyuri insistette di nuovo e poi, con sguardo preoccupato, rivolse una domanda a Boris.

«Sì, sì, per me va bene» rispose Boris impaziente. «Vai» disse a Gyuri. «Voi tre andate, insieme.»

«Sei sicuro?»

«Sicurissimo. Hai lavorato abbastanza per stasera.»

«Ce la farete?»

«No» disse Boris, «noi due andiamo a piedi! Certo, certo» disse, zittendo l'obiezione di Gyuri, «ce la caveremo, andate.» Ridevamo tutti quando Vitja, Shirley e Gyuri ci salutarono (*Davae!*) saltando sulla Range Rover che risalì la rampa e poi via, di nuovo sulla Overtoom.

XII

«Ah, che serata» fece Boris, grattandosi la pancia. «Muoio di fame! Andiamocene. Anche se…» il sopracciglio alzato, gettò un'occhiata alla Range Rover che si allontanava, «be', non importa. Andrà tutto bene. Due passi. Dal tuo hotel a Blake è una piccola passeggiata. E tu» mi disse, annuendo, «stai attento! Devi riavvolgerlo per bene! Non puoi mica portarti in giro il quadro così, senza lo spago.»

«Giusto» dissi io, «giusto» e feci il giro dell'auto per posarlo sul cofano mentre rovistavo nelle mie tasche in cerca dello spago colorato.

«Posso vederlo?» disse Boris, spuntandomi alle spalle.

Rimossi il feltro, e per un attimo restammo entrambi immobili, in soggezione, come due membri della piccola nobiltà fiamminga ai margini di una Natività.

«Un mucchio di guai...» Boris accese una sigaretta, espirò il fumo di lato, lontano dal quadro, «ma ne è valsa la pena, no?»

«Sì» dissi. Il tono delle nostre voci era scherzoso ma sommesso, simile a quello che avrebbero potuto usare due ragazzini intimiditi in una chiesa.

«Io l'ho tenuto per più tempo di tutti» disse Boris. «Se conti i giorni.» E poi, cambiando tono: «Ricordati... se mai avessi bisogno di un prestito, posso organizzare qualcosa in qualunque momento. Un solo affare, e potresti andare in pensione».

Ma io mi limitai a scuotere la testa. Non avrei potuto esprimere a parole quanto sentivo, ma era qualcosa di profondo e fondamentale che Welty aveva condiviso con me, e io con lui, al museo, tanti anni prima.

«Stavo solo scherzando. Più o meno. Ma no, sul serio» disse, strofinando le nocche sulla mia manica, «è tuo. Tutto tuo. Perché non te lo tieni e te lo godi per un po', prima di restituirlo a quelli del museo?»

Rimasi in silenzio. Mi stavo già domandando come avrei fatto esattamente a farlo uscire dal Paese.

«Forza, riavvolgilo. Dobbiamo andarcene di qui. Puoi guardarlo dopo, quanto vuoi. Oh, dai qua» disse, strappandomi lo spago dalle mani impacciate. «... dai, lascia fare a me, se no stiamo qui tutta la notte.»

XIII

Il quadro era di nuovo impacchettato, e Boris se l'era infilato sotto il braccio e – con un ultimo tiro di sigaretta – stava facendo il giro della macchina per raggiungere il posto di guida, quando, dietro di noi, una tranquilla e amichevole voce americana disse: «Buon Natale».

Mi girai. Erano tre: due tipi di mezza età, che si avvicinavano con passo indolente – era Boris che guardavano, non me, sembravano contenti di vederlo –, e qualche passo avanti a loro il ragazzo asiatico, spaventato. La sua giacca bianca non era affatto un'uniforme da aiuto cuoco, ma una bizzara casacca asimmetrica fatta di lana e spessa un paio di centimetri; stava tremando e aveva le labbra praticamente blu per la paura. Era disarmato, o almeno sembrava, il che era una buona notizia, perché ciò che più di ogni altra cosa mi saltò all'occhio degli altri due – tipi grossi, aria di chi non ha tempo da perdere – fu il metallo bluastro delle pistole che scintillava sotto la luce viscida delle lampade fluorescenti. Ma, ciononostante, continuavo a non capire – il tono amichevole mi aveva ingannato; e pensai che avessero preso il ragazzo e che volessero consegnarcelo – finché non guardai Boris e lo vidi rigido, bianco come il gesso.

«Mi spiace doverti fare questo» disse l'americano a Boris, anche se non sembrava affatto dispiaciuto – soddisfatto, più che altro. Portava un morbido cappotto grigio, spalle larghe e faccia annoiata, e, nonostante l'età, aveva qualcosa di petulante e di florido, come un frutto troppo maturo, morbide mani bianche e una morbida inespressività manageriale.

Boris – la sigaretta in bocca – era raggelato. «Martin.»

«Già, ehi!» esclamò Martin socievole, mentre l'altro – un tipaccio biondo cenere con la giacca da marinaio e i lineamenti rozzi da personaggio del folklore nordico – puntò dritto verso Boris e, dopo aver litigato per qualche secondo con la sua cintura, gli prese la pistola e la passò a Martin. In piena confusione guardai il ragazzo con la giacca bianca, era come se gli avessero dato una martellata in testa, non sembrava più divertito o ammirato di quanto lo fossi io.

«So che per te è una merda...» disse Martin, «ma. Mio Dio.» La voce pacata contrastava coi suoi occhi da vipera del deserto. «Ehi. È una merda anche per me. Frits e io eravamo da Pim, non ci aspettavamo di dover uscire. Tempo terribile, eh? Dov'è il nostro bianco Natale?»

«Che ci fai qui?» chiese Boris, che, immobile come il marmo, era più spaventato di quanto l'avessi mai visto.

«Tu che dici?» Ironica scrollata di spalle. «Sono sorpreso quanto te, se ti cambia qualcosa. Non avrei mai pensato che Saša avesse le palle di coinvolgere Horst. Ma – ehi, con un casino del genere per le mani, chi altro avrebbe potuto chiamare, giusto? Dammelo» disse, con un movimento della pistola, e con sconcerto mi resi conto che l'aveva puntata su Boris, e indicava l'oggetto avvolto dal panno di feltro tra le sue mani. «Andiamo. Passamelo.»

«No» disse Boris brusco, scostandosi i capelli dagli occhi.

Martin sbatté le palpebre in una smorfia tra il divertito e il confuso. «Cos'hai detto?»

«*No.*»

«Cosa?» Martin rise. «*No? Mi prendi per il culo?*»

«Boris! Daglielo!» balbettai, paralizzato dalla paura, quando il tipo che si chiamava Frits poggiò la pistola sulla tempia di Boris e poi lo prese per i capelli e gli tirò la testa all'indietro così forte da strappargli un gemito.

«Lo so» disse Martin amichevolmente, con un'occhiata complice verso di me, come a dire: *ehi, questi russi – sono pazzi, non è vero?* «Dai» disse a Boris. «Dà qua.»

Boris si lamentò di nuovo e mi lanciò un'occhiata inconfondibile, lo sguardo obliquo e incalzante delle nostre antiche scorribande al supermercato: *corri, Potter, vai.*

«Boris» dissi, dopo una pausa incredula, «per favore, daglielo e basta», ma Boris si limitò a gemere ancora, disperato, mentre Frits gli premeva con forza la pistola sotto il mento e Martin faceva un passo avanti per prendergli il quadro.

«Eccellente. Grazie molte» disse soddisfatto, infilandosi la pistola sotto il braccio e cominciando ad armeggiare con lo spago, che Boris aveva legato in un nodo stretto e ostinato. «Figo.» Non riusciva a muovere bene le dita, e da vicino, quando si era allungato a prendere il quadro, avevo capito il perché: era completamente fatto. «Ad ogni modo…» Martin guardò il buio dietro di sé, come a cercare la complicità di qualcuno che non c'era, poi, con un'altra delle sue divertite scrollate di spalle, «… mi dispiace.

Portali laggiù, Frits», e, ancora indaffarato col dipinto, accennò all'angolo più buio del parcheggio, e quando Frits si voltò verso di me per farmi segno con la pistola – *dai, forza, anche tu* – compresi, agghiacciato, ciò che Boris aveva intuito nell'istante in cui li aveva visti arrivare: il motivo per cui voleva che scappassi, o almeno che ci provassi.

Ma nei pochi secondi in cui Frits staccava gli occhi da Boris per farmi cenno di muovermi, la sigaretta che Boris teneva fra le dita schizzò in aria con un'esplosione di scintille. Frits urlò portandosi una mano alla guancia, poi incespicò all'indietro strattonandosi il colletto della camicia, nel punto in cui la sigaretta era andata a infilarsi. Nello stesso istante Martin – sul lato opposto della macchina rispetto a me, distratto dal dipinto – alzò lo sguardo, e io lo stavo ancora fissando senza espressione al di sopra del tettuccio dell'auto, quando, alla mia destra, si udirono tre rapidi colpi che ci fecero voltare entrambi. Col quarto (sussultai, gli occhi chiusi) uno schizzo di sangue caldo volò sopra il tettuccio e mi arrivò in piena faccia e quando riaprii gli occhi il tizio asiatico indietreggiava inorridito passandosi la mano sul torace striato di sangue come il grembiule di un macellaio, e io fissavo un'insegna illuminata BETAALAUTOMAAT OP nel punto in cui fino a un attimo prima era stata la faccia di Boris; e il sangue scorreva da sotto la macchina e Boris era per terra e si puntellava coi gomiti, muovendo i piedi nel tentativo di rialzarsi, non capivo se fosse ferito o no e allora, credo, corsi verso di lui senza rendermene conto, perché un attimo dopo ero dall'altra parte dell'auto che cercavo di aiutarlo ad alzarsi, sangue dappertutto, Frits era ridotto uno schifo, afflosciato contro la macchina con un buco grosso come una palla da baseball sul lato della testa, e io avevo appena notato la pistola di Frits a terra quando all'improvviso sentii Boris gridare, ed ecco Martin, gli occhi socchiusi e la manica sporca di sangue, la mano stretta attorno al braccio mentre cercava di sollevare la pistola e puntarcela contro.

Era già accaduto prima ancora che accadesse, come un salto in un DVD che ti porta veloce avanti nel tempo, perché non ho alcun ricordo dell'attimo in cui raccolsi la pistola da terra, solo un rinculo talmente forte da farmi volare il braccio all'indietro, e non udii davvero il *bang* finché non avvertii il rinculo e il bossolo volò indietro colpendomi in faccia, e io sparai ancora, gli occhi chiusi per il rumore e il braccio che sussultava a ogni colpo, il grilletto che faceva resistenza, come aprire un lucchetto troppo duro, i finestrini dell'auto che scoppiavano e Martin che alzava il braccio, il vetro antirapina che esplodeva e i pezzi di calcestruzzo che schizzavano da una colonna e io avevo colpito Martin alla spalla, il morbido tessuto grigio era zuppo e scuro, una chiazza nera che si allargava, l'odore di cordite e un'eco assordante al centro del mio cranio, più simile a un muro che si abbatte fragorosamente nella testa che a un suono reale che percuote i timpani, e fui ricacciato nel duro e opprimente buio interiore della mia infanzia, e gli occhi da vipera di Martin incrociarono i miei e lui si abbatté in avanti, la pistola appoggiata al tettuccio dell'auto, quando gli sparai di nuovo e lo colpii sopra l'occhio, un'esplosione rossa che mi fece trasalire e poi, da qualche parte dietro di me, udii il rumore di piedi che correvano sbattendo sull'asfalto – il ragazzo, giacca bianca che filava via col quadro sottobraccio su per la rampa, verso la strada, l'eco che riverberava nello spazio piastrellato e io che per poco non gli sparavo, ma ecco che era già l'istante dopo e tutto era diverso e io davo le spalle alla macchina, piegato in due, le mani sulle ginocchia e la pistola sul pavimento, non ricordavo di averla fatta cadere ma il rumore era lì, sbatteva sul pavimento e continuava a sbattere, mentre percepivo l'eco e le vibrazioni degli spari nel braccio, scosso dai conati di vomito, col sangue di Frits che strisciava e inacidiva sulla mia lingua.

Rumore di piedi che correvano nell'oscurità, e di nuovo non riuscivo a vedere né a muovermi, ogni cosa bordata di nero e io che cadevo anche se non era vero, perché per qualche ragione ero seduto su un muretto con la testa fra le ginocchia e guardavo la mia saliva rosso chiaro, o il mio vomito, gocciare sul calcestruzzo lucido fra le mie scarpe, e Boris, c'era Boris, ansimante e affannato e sanguinante, che tornava di corsa, la sua voce che mi raggiungeva da un milione di chilometri di distanza, Potter, tutto a posto? Se n'è andato, non ce l'ho fatta, è scappato.

Mi passai il palmo sul viso e vidi la macchia rossa sulla mia mano. Boris mi stava ancora parlando, concitato, ma anche se mi scuoteva la spalla era solo labbra che si muovevano e smorfie senza senso attraverso un vetro insonorizzato. Stranamente il fumo della pistola rovente aveva lo stesso corroborante odore di ammoniaca dei temporali di Manhattan e delle strade bagnate di città. Macchioline tipo uova di pettirosso sulla portiera di una Mini azzurro chiaro. Più vicino, il buio serpeggiava da sotto la macchina di Boris, una lucida piscina di satin larga un metro che si allargava e si muoveva come un'ameba, e io mi chiesi quanto ci avrebbe messo a raggiungere la mia scarpa e cosa avrei fatto quando l'avesse raggiunta.

Forte, ma senza rabbia, Boris mi colpì col pugno su un lato della testa: un gesto impersonale, di una freddezza assoluta. Come se stesse praticandomi un massaggio cardiaco.

«Forza» disse, «i tuoi occhiali.» Fece un cenno.

Gli occhiali – striati di sangue, intatti – erano per terra, ai miei piedi. Non ricordavo che mi fossero caduti.

Boris li prese, li strofinò sulla sua manica e me li passò.

«Avanti» disse, afferrandomi il braccio e sollevandomi. La sua voce era piatta e rassicurante nonostante fosse imbrattato di sangue e io sentissi che le mani gli tremavano. «Ora è tutto finito. Ci hai salvati.» Sentivo ancora il fischio continuo dello sparo, come uno sciame di locuste che mi ronzava nelle orecchie. «Sei stato bravo. Ora… qui. Svelto.»

Mi portò dietro un ufficio dalle pareti di vetro, buio e chiuso a chiave. Il mio cappotto di cammello era sporco di sangue, e Boris me lo sfilò come un addetto al guardaroba, lo girò al contrario e lo appoggiò su un paletto di cemento.

«Dovrai liberarti di quest'affare» disse, tremando con violenza. «Anche la camicia. Non ora – più tardi. Ora…» aprì una porta, entrò dietro di me, accese una luce, «forza.»

Un bagno umido, che puzzava di deodorante per cessi e urina. Niente lavandini, solo un rubinetto e uno scarico sul pavimento.

«Veloce, veloce» fece Boris aprendo il getto al massimo. «Non un lavoro di fino. Solo… *yeow!*» Fece una smorfia mentre buttava la testa sotto il getto, bagnandosi la faccia, strofinandola coi palmi… «Il tuo braccio» mi sentii dire. Lo muoveva male.

«Sì, sì…» L'acqua fredda schizzava dappertutto, lui tirò su la te-

sta per respirare. «Mi ha preso, niente di grave, solo un graffio…
oddio…» sputava e farfugliava, «avrei dovuto ascoltarti. Hai provato a dirlo! Boris, hai detto, c'è qualcuno lì dietro! In cucina! Ma io
ti ho ascoltato? Ti sono stato a sentire? No. Quel bastardo – il tipo
cinese – era il ragazzo di Saša! Woo, Goo, non mi ricordo come si
chiama. Aah…» Ficcò di nuovo la testa sotto il getto, gorgogliando
per un attimo mentre l'acqua gli scrosciava sul viso. «Amico! Ci hai
salvati, Potter, pensavo che saremmo morti…»

Fece un passo indietro, si passò le mani sul viso arrossato e gocciolante. «Okay» disse, asciugandosi l'acqua dagli occhi, scrollan-
dosela via, per poi guidarmi verso il rubinetto scrosciante, «adesso
tu. Testa sotto… sì sì, fredda!» Sussultai e lui mi spinse sotto il
getto. «Mi spiace! Lo so! Mani, faccia…»

Acqua come ghiaccio, che mi soffocava, anche dentro al naso,
mai sentito nulla di così gelido, ma mi aiutò a riprendermi un po'.

«Veloce, veloce» disse Boris, aiutandomi a tirarmi su. «Sul vestito – scuro – non si vede. Per la camicia non possiamo farci nulla,
colletto su, ecco, lascia fare a me. La sciarpa è in macchina, giusto? Puoi avvolgerla attorno al collo? No, no, lascia stare quello…»
Tremando avevo afferrato il cappotto, i denti che sbattevano per il
freddo, tutta la parte superiore del corpo fradicia, «be', d'accordo,
fa' pure o ti congelerai, però tienilo così, con la fodera all'esterno.»

«Il tuo braccio.» Anche se il suo cappotto era scuro e la luce fioca, vidi la bruciatura sulla manica all'altezza del bicipite, lana nera
appiccicosa di sangue.

«Lascia perdere. Non è niente. Mio Dio, Potter…» Si avviò
verso la macchina a mezza corsa, mentre io mi affrettavo dietro di
lui, colto dal panico al pensiero di perderlo, di ritrovarmi da solo.
«Martin! Quel bastardo ha un brutto diabete. Ho sperato che morisse per anni. Grateful Dead, sono in debito anche con te!» disse,
infilandosi la pistola a canna corta in tasca, poi – dal taschino del
completo – prese una busta di polverina, la aprì e la rovesciò, una
nuvola bianca che andò a spargersi sul pavimento.

«Ecco» disse, ripulendosi le mani e facendo passo indietro;
era di un bianco mortale, le pupille immobili, e anche quando mi
guardava era come se non mi vedesse. «Penseranno a una storia

di droga. Di sicuro Martin ce ne ha un po' addosso, era strafatto, hai notato? Per questo era così lento – lui e anche Frits. Non si aspettavano quella chiamata – non si aspettavano di dover lavorare stasera. *Dio...*» strizzò gli occhi, «siamo stati fortunati.» Sudato, pallido come un morto, si asciugò la fronte. «Martin mi conosce, non si aspettava che avessi un'altra pistola e tu... a te non ci hanno proprio pensato. Sali in macchina» disse. «No no...» Mi prese per un braccio; come un sonnambulo mi ero avviato dietro di lui verso il posto del guidatore. «Dall'altra parte, lì per terra è un macello. Oh...» Si fermò di colpo, e dopo quella che mi parve un'eternità, nella tremolante luce verdastra, barcollando, si allungò a recuperare la sua pistola dal pavimento, la pulì strofinandola con un pezzo di stoffa preso dalla tasca e – maneggiandola con attenzione, avvolta nella stoffa – la buttò a terra.

«*Fiuu*» fece, cercando di respirare normalmente. «Questo li confonderà. Cercheranno di rintracciare il proprietario della pistola.» Si fermò, tenendosi il braccio ferito con una mano: mi squadrò da capo a piedi. «Ce la fai a guidare?»

Non riuscivo a rispondere. Stordito, confuso, tremante. Il cuore, dopo la collisione e il gelo del momento, aveva cominciato a battere forte, tonfi intensi e dolorosi, come un pugno che mi colpisse dritto al centro del petto.

Boris scosse la testa, fece un suono tipo *tch tch*. «Altro lato» disse, quando, coi piedi che si muovevano da soli, mi accorsi che lo stavo seguendo di nuovo. «No, no...» Mi fece fare il giro dell'auto, aprì la portiera del lato passeggero e mi diede una spintarella.

Fradicio. Tremante. Nauseato. Sul pavimento: un pacchetto di gomme Stimorol. Una cartina: Francoforte Offenbach Hanau.

Boris fece un giro attorno all'auto per controllare lo stato della carrozzeria. Poi, con cautela, tornò al posto di guida – vacillando un po', cercando di non calpestare il sangue – e si sedette al volante, lo afferrò con entrambe le mani e fece un respiro profondo.

«Okay» disse lentamente, espirando, parlando da solo come un pilota prima di decollare per una missione. «Allacciamo la cintura. Anche tu. Le luci dei freni funzionano? Le luci posteriori?» Si tastò le tasche, regolò il sedile, accese il riscaldamento al massimo. «Un sacco di benzina – bene. E anche sedili riscaldabili – ci faranno comodo. Non possiamo permettere che ci fermino» spiegò. «Perché io non potrei guidare.»

Tutta una serie di piccoli rumori: lo scricchiolio della pelle dei sedili, l'acqua che gocciolava dalla mia manica bagnata.

«Non puoi guidare?» dissi, nel brusio di quell'intenso silenzio.

«Be', *posso*.» Sulla difensiva. «L'ho *fatto*. Io...» Mise in moto la macchina, tirando indietro il sedile con un braccio. «Be', perché pensi che abbia un autista? Sono così capriccioso? No. Ma ho...» dito indice alzato, «una condanna per guida in stato di ebbrezza.»

Chiusi gli occhi per non vedere, mentre passavamo oltre, l'informe massa insanguinata a terra.

«Quindi, vedi, se mi fermano mi portano dentro e questo è ciò che non vogliamo che accada.» Riuscivo appena a sentire quello che diceva sopra al ronzio feroce nella mia testa. «Dovrai aiutarmi. Fai attenzione ai segnali stradali e guarda che non vada sulle corsie degli autobus. Le piste ciclabili qui sono rosse e non bisogna andare neanche lì, quindi stai attento anche a quelle.»

Di nuovo sulla Overtoom, direzione Amsterdam: Locksmith Sleutelkluis, Vacatures, Digitaal Printen, Haji Telecom, Onbeperkt Genieten, scritte in arabo, lunghe scie di luce, era come un incubo, non sarei mai uscito da quella cazzo di strada.

«Dio, è meglio se rallento» disse Boris serio. Aveva l'aria distrutta. «Trajectcontrole. Aiutami a guardare i segnali.»

Macchia di sangue sul mio polso. Grosse gocce pesanti.

«Trajectcontrole. Significa che qualche cazzo di aggeggio avverte i poliziotti se vai troppo veloce. Guidano macchine anonime, parecchi di loro, e a volte ti seguono per un po' prima di fermarti anche se – siamo fortunati – stasera non c'è molto traffico su questa strada. Weekend, immagino, e le feste. Questo non è esattamente un quartiere da Merry Christmas, non so se mi spiego. Hai capito cos'è appena successo, vero?» disse Boris respirando a fatica e grattandosi il naso con forza.

«No.» Era qualcun altro, a parlare. Non io.

«Be'... Horst. Quei tipi erano tutti e due uomini di Horst. Frits è forse l'unica persona in tutta Amsterdam che Horst poteva chiamare con così poco preavviso ma Martin... cazzo.» Parlava rapidamente e in modo confuso, così veloce che a stento riusciva a tirar fuori le parole, e i suoi occhi erano vuoti e fissi. «Chi cazzo lo sapeva che Martin era in città? Sai come si sono conosciuti Horst e Martin, vero?» disse, lanciandomi un'occhiata di sbieco. «In una comunità per matti! Una comunità per ricchi fuori di testa in California! "Hotel California" lo chiamava Horst! Era quando la famiglia di Horst gli parlava ancora. Lui stava lì in riabilitazione, mentre Martin ci stava perché lui è veramente fuori di testa, per davvero. Matto tipo che è capace di piantarti un coltello negli occhi. Ho visto Martin fare cose di cui non ho proprio voglia di parlare. Io...»

«Il tuo braccio.» Gli faceva male; vedevo le lacrime che scintillavano nei suoi occhi.

Boris fece una smorfia. «Naa. Questo è zero. Non è niente. Aah» disse, sollevando il gomito perché potessi annodargli il cavo del caricabatteria del telefono attorno al braccio – l'avevo tirato fuori al volo, ci avevo fatto due giri intorno alla ferita, più stretto che potevo –, «bravo. Per precauzione. Grazie! Anche se non c'è bisogno, davvero. È solo una bruciatura – più un livido che altro, credo. Meno male che questo cappotto è così spesso! Basta pulirla – un po' di antibiotico e qualcosa per il dolore – e starò bene. Io...» un fremito profondo, «devo trovare Gyuri e Cherry. Spero che siano andati dritti da Blake. Dima – bisogna avvisare anche Dima, per il puttanaio che abbiamo lasciato là dentro. Non sarà felice – verranno gli sbirri, un bel casino – ma sembrerà una cosa casuale. Niente lo collega a questa storia.»

I fari che ci scorrevano davanti. Il sangue che mi pulsava nelle orecchie. Non c'erano molte auto sulla strada, ma le poche che passavano mi facevano trasalire.

Boris gemette e si strofinò il palmo sul viso. Stava dicendo qualcosa, molto in fretta, agitato. «Cosa?»

«Dicevo che è un casino. Sto ancora cercando di capire.» La voce incrinata e discontinua. «Perché – è questo che mi sto chiedendo ora – forse mi sbaglio, forse sono paranoico – ma se Horst l'avesse sempre saputo? Che Saša aveva preso il quadro? Solo che magari Saša lo ha portato fuori dalla Germania e ha cercato di usarlo per farsi prestare dei soldi alle spalle di Horst. E poi quando le cose si mettono male – Saša va nel panico – chi altro può chiamare? Ovviamente sto solo pensando ad alta voce, forse Horst *non* sapeva che Saša l'aveva preso, forse non l'avrebbe mai saputo se Saša non fosse stato così distratto e scemo da... porca puttana questa cazzo di circonvallazione» sbottò Boris all'improvviso. Eravamo usciti dalla Overtoom e stavamo girando in tondo. «Qual è la direzione? Accendi il navigatore.»

«Io...» Mi misi a trafficare, parole incomprensibili, menu che non riuscivo a decifrare, Geheugen, Plaats, girai il quadrante, un altro menu, Gevarieerd, Achtergrond.

«Oh, diavolo. Proviamo questa. Dio, era stretta» disse Boris, prendendo la curva in modo approssimativo e un po' troppo veloce. «Hai le palle, Potter. Frits. . Frits era andato, così fatto che ancora un po' si addormentava in piedi, ma Martin, mio Dio. Poi tu... e viene fuori che sei così coraggioso? Urrà! Non ci stavo nemmeno pensando a te. Ma tu eri lì! Hai detto che non hai mai usato un'arma da fuoco prima d'ora?»

«No.» Fradice strade nere.

«Be', lascia che ti dica una cosa che forse ti sembrerà strana. Ma... è un complimento. Spari come una ragazza. Sai perché è un complimento? Perché» continuò, con un che di vacuo e febbrile nella voce, «in situazioni di pericolo, un maschio che non ha mai usato un'arma e una femmina che non ha mai usato un'arma, sai cosa succede? La femmina – così diceva Bobo – è molto più facile che ci prenda. La maggior parte degli uomini? Vogliono fare i duri, hanno visto troppi film, sono impazienti e sparano senza pensare... merda» sbottò Boris, dando una pedata al freno.

«Cosa.»

«Questa non va bene.»

«Questa che?»

«La strada è chiusa.» Ingranò la retro e percorse la strada in direzione inversa.

Cantieri. Recinzioni con le ruspe, edifici vuoti con la tela cerata blu alle finestre. Cataste di tubi, blocchi di cemento, graffiti in olandese.

«Che facciamo, ora?» dissi, nel silenzio paralizzato che seguì, dopo che avevamo svoltato in un'altra strada totalmente priva di illuminazione.

«Be', qui non ci sono ponti che possiamo attraversare. E quella è una strada senza uscita, perciò...»

«No, intendo *che facciamo*.»

«Per cosa?»

«Io...» I denti mi battevano così forte che riuscivo a malapena a parlare. «Boris, siamo fottuti.»

«No! Non è vero. La pistola di Grozdan...» goffamente, si diede una pacca sulla tasca del cappotto, «la butto nel canale. Non possono risalire a me, se non possono risalire a lui. E – non c'è nient'altro che possa portarli fino a noi. Perché la mia pistola? Pulita. Senza numero di serie. Persino gli pneumatici dell'auto sono nuovi! Porto la macchina da Gyuri e glieli faccio cambiare stasera. Senti qua» continuò, dato che io non rispondevo, «non ti preoccupare! Siamo salvi! Devo ripeterlo? S-A-L-V-I» (usando le dita per scandire le lettere, impacciato).

Prendemmo una buca e sussultai, portando d'istinto le mani al viso.

«E perché, soprattutto? Perché siamo vecchi amici... perché ci fidiamo l'uno dell'altro. E perché – oddio, c'è uno sbirro, aspetta che rallento.»

Mi fissavo le scarpe. Scarpe scarpe scarpe. Tutto ciò a cui riuscivo a pensare era che, quando me le ero infilate poche ore prima, non avevo ancora ucciso nessuno.

«Perché – Potter, Potter, pensaci. Ascoltami un momento, per favore. E se io fossi uno sconosciuto, qualcuno di cui non sai niente o di cui non ti fidi? Se ora tu avessi lasciato il garage insieme a uno sconosciuto? In quel caso la tua vita sarebbe incatenata per sempre a quella del tizio. Saresti obbligato a stare molto, molto attento con quella persona, per il resto dei tuoi giorni.»

Mani fredde, piedi freddi. Snackbar, Supermarkt, piramidi di frutta e di dolci illuminate, Verkoop Gestart!

«La tua vita – la tua libertà – affidata alla lealtà di uno sconosciuto? In quel caso? Sì. Da preoccuparsi. Assolutamente. Saresti in un guaio molto grosso. Nessuno sa di questa cosa a parte noi. Nemmeno Gyuri!»

Incapace di parlare, scossi forte la testa, cercando di riprendere fiato.

«Chi? China Boy?» Boris fece un verso disgustato. «A chi può dirlo? È minorenne e clandestino. Non parla nessuna lingua decente.»

«Boris» Mi chinai leggermente in avanti; mi sentivo sul punto di svenire. «Lui ha il quadro.»

«Ah.» Boris fece una smorfia di dolore. «*Quello* è andato, temo.»

«Cosa?»

«Per sempre, forse. Questo mi fa star male – male dentro. Perché, detesto dirlo – Woo, Goo, come si chiama? Dopo quello che ha visto – penserà solo a se stesso. Sarà spaventato a morte! Gente ammazzata! Deportazione! Non vuole essere coinvolto. Dimenticati del quadro. Non ha idea di quanto valga veramente. E se si ritrova gli sbirri alle calcagna? Piuttosto che passare anche solo un giorno in galera farà in modo di disfarsene il più in fretta possibile. Quindi...» Scrollò le spalle, frastornato. «Speriamo che *riesca* a scappare, quello stronzetto. Altrimenti ci sono buone possibilità che il *ptica* finisca buttato nel canale – o bruciato.»

La luce dei lampioni si specchiava sui cofani delle auto in sosta. Mi sentivo immateriale, tagliato fuori da me stesso. Che effetto mi avrebbe fatto rientrare nel mio corpo, non riuscivo proprio a immaginarlo. Eravamo di nuovo nella città vecchia, sferragliare di bici sul selciato, un notturno monocromo alla Aert van der Neer col diciassettesimo secolo che incombeva da entrambi i lati e monete d'argento che danzavano sull'acqua nera del canale.

«Ach, anche questa è chiusa» grugnì Boris, fermandosi di scatto e facendo inversione, «dobbiamo trovare un'altra strada.»

«Sai dove siamo?»

«Sì, ovvio» rispose, con una sorta d'inquietante, assurda allegria. «Quello laggiù è il nostro canale. L'Herengracht.»

«Che canale?»

«Amsterdam è un posto facile da girare» disse Boris, come se non avessi parlato. «Nella città vecchia tutto quello che devi fare è seguire i canali fino a... Dio, hanno chiuso pure questa.»

Tonalità diverse dello stesso colore. Oscurità stranamente animate. La piccola luna spettrale sopra i campanili era talmente minuscola che sembrava il satellite di un altro pianeta, annebbiata e nascosta, spaventose nuvole rischiarate appena da una lievissima sfumatura blu e marrone.

«Non preoccuparti, succede spesso. Qui c'è sempre qualcosa in costruzione. Enormi cantieri incasinati. Tutto questo credo che sia per una nuova linea della metro o qualcosa del genere. Dà fastidio a tutti. Molte accuse di corruzione, *bla bla*. Ma è lo stesso in tutte le città, no?» La sua voce era così impastata che sembrava ubriaco. «Lavori dappertutto, politici che si arricchiscono? È per questo che vanno tutti in bici, è più veloce, però, mi dispiace, io non vado da nessuna parte in bici una settimana prima di Natale. Oh, no...» Un ponte stretto, una fila di macchine dietro cui fu costretto a inchiodare. «Andiamo o no?»

«Io...» Eravamo bloccati su un ponticello pedonale. Gocce rosa ben visibili sui finestrini inondati di pioggia. La gente camminava avanti e indietro a meno di mezzo metro di distanza.

«Esci dalla macchina e guarda se la fila si muove. Oh, aspetta» disse impaziente prima che riuscissi a raccapezzarmi; spense la macchina e scese. Con la schiena illuminata a giorno dai fari appariva solenne e drammatico, circondato dal gas di scarico.

«Furgone» disse, risalendo in auto. Sbatté la portiera. Fece un respiro profondo e a braccia tese impugnò il volante.

«Cosa sta facendo?» Guardai da una parte all'altra, terrorizzato all'idea che qualche passante notasse le macchie di sangue, si gettasse sull'auto, picchiasse i pugni sui finestrini e spalancasse la portiera.

«Come faccio a saperlo? Ci sono troppe macchine in questa città del cazzo. Guarda» disse Boris – sudato e pallido nella luce violenta dei fari posteriori dell'auto davanti; altre automobili si erano fermate dietro di noi, eravamo in trappola –, «chissà per quanto resteremo qui. Siamo a soli pochi isolati dal tuo hotel. Meglio se esci e vai a piedi.»

«Io...» Erano le luci dell'auto davanti a colorare le gocce d'acqua sul parabrezza di quel rosso intenso?

Mi rivolse uno scatto impaziente della mano.

«Potter, vai» disse. «Non so cosa succederà con quel furgone. Ho paura che salti fuori la polizia stradale. Meglio per tutt'e due dividerci adesso. L'Herengracht – non puoi perderti. I canali qui sono circolari, lo sai, vero? Vai di là...» fece, indicandomelo, «lo troverai.»

«E il tuo braccio?»

«Non è niente! Mi toglierei il cappotto per fartelo vedere, ma è troppo difficile. Ora vai. Io devo parlare con Cherry.» Estrasse il cellulare dalla tasca. «Potrei dovermene andare fuori città, giusto per un po'...»

«Cosa?»

«... ma se non ci sentiamo per un po', non ti preoccupare, so dove sei. È meglio se non cerchi di chiamarmi o contattarmi. Torno appena posso. Andrà tutto bene. Vai – datti una ripulita, sciarpa attorno al collo, bella alta – ci sentiamo presto! Cerca di non sembrare così pallido e malato! Hai qualcosa con te? Hai bisogno di qualcosa?»

«Come?»

Si frugò nella tasca. «Ecco, prendi questa.» Una busta trasparente con tracce di adesivo. «Non troppa, è molto molto pura. La capocchia di un fiammifero. Non di più. E quando ti svegli non ti sentirai troppo male. Ora, ricordati...» digitò un numero sul cellulare; percepivo chiaramente la pesantezza del suo respiro, «tieniti la sciarpa bella alta sul collo e resta più che puoi sul lato buio della strada. Va'!» gridò, dato che ero ancora seduto lì, così forte che vidi un uomo sul marciapiede del ponte girarsi a guardare. «Sbrigati! *Cherry*» disse poi, sprofondando nel sedile visibilmente sollevato e iniziando a farfugliare con voce roca in ucraino mentre io uscivo dall'auto – appariscente ed esposto nel tremendo bagno dei fari dei veicoli fermi – e mi incamminavo a ritroso lungo il ponte, nella direzione da dove eravamo venuti.

Nell'ultima immagine che registrai di lui, parlava al telefono col finestrino abbassato, e si sporgeva in mezzo a un'enorme nuvola di gas di scarico, per vedere cosa stava succedendo col furgone fermo davanti.

XIV

L'ora, o le ore, di vagabondaggio lungo i canali che seguirono furono avvilenti come poche altre nella mia vita, il che è tutto dire. La temperatura era scesa, avevo i capelli bagnati, i vestiti zuppi, battevo i denti per il freddo; le strade erano sufficientemente buie da sembrare tutte uguali, ma non abbastanza da consentirmi di girare senza timore con indosso i vestiti impregnati del sangue dell'uomo che avevo appena ucciso. C'era qualche passante in giro, fortunatamente non troppi. Lungo le strade nere camminavo veloce, il ticchettio delle mie scarpe aveva un suono stranamente sicuro, mi sentivo a disagio e vulnerabile come un sognatore che cammina nudo in un incubo, evitavo i lampioni e cercavo in tutti i modi di rassicurarmi, con sempre minor successo, ripetendomi che il mio cappotto indossato al rovescio non aveva nulla di strano. Con la paura di essere riconosciuto, mi ero tolto gli occhiali, sapendo per esperienza che costituivano la mia caratteristica più saliente – la prima cosa che la gente notava, ciò che ricordava di me – e anche se trovare la strada senza occhiali era più difficile, allo stesso tempo ne ricavavo un irrazionale senso di protezione e copertura: le insegne delle vie illeggibili e i nebbiosi aloni dei lampioni che fluttuavano, isolati, nell'oscurità, le luci sfumate delle macchine e le scie delle luminarie, la sensazione di essere osservato da un inseguitore munito di una lente sfocata.

Ecco cos'era successo: avevo mancato il mio hotel di un paio di isolati. In più: non ero abituato agli hotel europei, dove dovevi suonare il campanello per entrare dopo una certa ora, e quando alla fine me lo trovai davanti, in preda agli starnuti e gelato fino alle ossa, e vidi la porta di vetro chiusa, restai per un tempo lunghissimo a sbatacchiare la maniglia come uno zombie, su e giù, su e giù, con l'ottusità ritmica e costretta di un metronomo, troppo intorpidito dal freddo per capire cosa mi impedisse di entrare. Attraverso il vetro, fissai torvo l'ingresso e la lucida scrivania nera: vuota.

Poi – giungendo di corsa dal retro, le sopracciglia arcuate in una linea stupefatta – un uomo distinto dai capelli scuri in un completo scuro. Ci fu un flash terribile quando i suoi occhi incrociarono i miei e io mi resi conto di che aspetto dovevo avere, dopodiché distolse lo sguardo, trafficando con la chiave.

«Mi dispiace, signore, chiudiamo la porta dopo le undici» disse, evitando di guardarmi in faccia. «È per la sicurezza dei clienti.»

«Sono stato sorpreso dalla pioggia.»

«Certo, signore.» Realizzai che stava fissando il polsino della mia camicia, con una macchia di sangue ormai marrone grande come una moneta. «Abbiamo degli ombrelli, al bancone, se dovessero servirle.»

«Grazie.» Poi, senza ragione: «Mi sono versato addosso della crema al cioccolato».

«Mi dispiace, signore. Saremo felici di provare a rimuovere la macchia in lavanderia, se lo desidera.»

«Sarebbe fantastico.» Non mi sentiva addosso l'odore del sangue? Nell'ingresso riscaldato ne emanavo il fetore, ruggine e sale. «È anche la mia camicia preferita. Profiteroles.» *Sta' zitto, sta' zitto.* «Deliziosi, però.»

«Ne sono felice, signore. Saremo lieti di prenotarle un posto al ristorante per domani sera, se lo vorrà.»

«Grazie.» Sangue nella bocca, quell'odore e quel sapore dappertutto, potevo solo sperare che non lo sentisse forte come lo sentivo io. «Ottima idea.»

«Signore?» disse, quando mi avviai verso l'ascensore.

«Scusi?»

«Immagino che abbia bisogno della chiave.» Si spostò dietro la scrivania, allungando la mano a prenderne una dal casellario. «27, giusto?»

«Esatto» dissi, allo stesso tempo grato perché mi aveva ricordato il numero della camera e allarmato per il fatto che era andato a colpo sicuro.

«Buonanotte, signore. Le auguro un gradevole soggiorno.»

Due ascensori. Un corridoio infinito, passatoia rossa. Quando entrai accesi tutte le luci – la lampada della scrivania, la lampada del letto, il lampadario sfavillante; buttai il cappotto sul pavimento e andai dritto verso la doccia, sbottonandomi nel frattempo la camicia insanguinata, incespicando come Frankenstein davanti ai forconi. Ammucchiai i vestiti in una massa appicciscosa e li gettai sul fondo della vasca da bagno e aprii l'acqua calda al massimo, rivoli rosa che mi scorrevano sotto i piedi, e mi strofinai col bagno-schiuma al giglio finché non puzzai come una ghirlanda di fiori da funerale e non sentii la pelle in fiamme.

La camicia era una battaglia persa: l'acqua scorreva pulita da un pezzo e sul collo c'erano ancora delle macchie marroni e irregolari. Lasciandola in ammollo nella vasca, mi dedicai alla sciarpa e poi alla giacca – lorde di sangue, anche se non si notava perché erano scure – e poi, rigirandolo nel verso giusto, con tutta la cautela del mondo (perché alla festa avevo messo quello di cammello, perché non quello navy?), il cappotto. Uno dei risvolti non era messo così male e l'altro malissimo. Lo schizzo color vino aveva creato una vistosa fantasia che mi fece rivivere da capo l'energia dello sparo: il rinculo, lo scoppio, la traiettoria delle gocce. Lo cacciai sotto il rubinetto del lavandino, ci versai sopra lo shampoo e lo strofinai a lungo con una spazzola da scarpe trovata nell'armadio; e quando lo shampoo fu finito, e anche il bagnoschiuma, passai la saponetta sulla macchia e sfregai ancora, come un servitore disperato delle favole, condannato a eseguire un compito impossibile prima dell'alba, pena la morte. Alla fine, le mani tremanti per lo sforzo, iniziai a usare il mio spazzolino e il dentifricio direttamente dal tubetto – che, curiosamente, funzionarono più di tutto il resto, senza riuscire comunque nell'intento di eliminare ogni traccia della serata.

Alla fine mollai il colpo e appesi il cappotto per farlo sgocciolare nella vasca: il fantasma inzuppato del signor Pavlikovsky. Ero stato attento a tenere i teli da doccia lontani dal sangue; con la carta igienica, che ammucchiavo e buttavo in modo compulsivo ogni dieci secondi, asciugavo laboriosamente le macchie color ruggine e le gocce sulle piastrelle. Passai lo spazzolino sulla malta fra una piastrella e l'altra. Un biancore chirurgico. Le pareti specchiate brillavano. Una moltitudine di solitudini riflettenti. Molto dopo aver fatto scomparire l'ultima traccia di rosa, continuai – sciacquando e rilavando gli asciugamani che avevo sporcato, che rilasciavano ancora un colore sospetto – e poi, stanco fino alle vertigini, m'infilai sotto la doccia, l'acqua così calda che riuscivo a malapena a sopportarla e mi strofinai tutto ancora una volta, dalla testa alle punte dei piedi, sfregandomi la saponetta tra i capelli fino a maciullarla e lacrimando per via della schiuma che mi scorreva negli occhi.

XV

Fui svegliato dal violento suono del campanello alla mia porta, che mi fece scattare come se mi fossi bruciato, a un'ora imprecisata. Le lenzuola erano aggrovigliate e intrise di sudore e le tapparelle abbassate, non avevo davvero idea dell'ora e nemmeno se fosse giorno o notte. Ero ancora mezzo addormentato. Mi buttai la vestaglia addosso e aprendo di poco la porta, senza togliere la catena, dissi: «Boris?».

Una donna in uniforme dal viso umidiccio. «Lavanderia, signore.»

«Scusi?»

«La reception, signore. Hanno detto che ha richiesto il ritiro della biancheria per stamattina.»

«Ehm...» Abbassai lo sguardo sul pomello. Come avevo fatto, dopo tutto quello che era successo, a dimenticare di mettere il cartellino NON DISTURBARE? «Un momento.»

Tirai fuori dalla valigia la camicia che avevo indossato alla festa di Anne – quella che Boris mi aveva costretto a togliere qualche ora prima. «Ecco» dissi, passandogliela attraverso la porta, e poi: «Aspetti».

La giacca del completo. La sciarpa. Entrambe nere. Potevo rischiare? Avevano un aspetto orribile ed erano bagnate, ma quando accesi la lampada della scrivania e le esaminai minuziosamente – occhiali sul naso, coi miei occhi allenati da Hobie a pochi centimetri dal tessuto – il sangue non si vedeva. Le tamponai in diversi punti con un fazzoletto bianco per vedere se diventava rosa. Sì, ma era quasi impercettibile.

La donna stava ancora aspettando e da un certo punto di vista il fatto che dovessi sbrigarmi era un sollievo: decisione rapida, nessuna esitazione. Prima di darle anche completo e sciarpa, recuperai il portafoglio, l'umido-ma-incredibilmente-intatto Oxycontin che avevo messo in tasca prima della festa de Larmessin (avrei mai potuto immaginare che sarei stato grato per quella forte matrice a rilascio prolungato? No) e la busta trasparente di Boris.

Chiudendo la porta, fui investito da una sensazione di sollievo. Ma neanche trenta secondi dopo s'insinuò in me una preoccupazione che si trasformò ben presto in un grido acuto. Decisione istintiva. Dovevo essere fuori di testa. Cosa diavolo mi era venuto in mente?

Mi sdraiai. Mi alzai. Tornai a sdraiarmi e cercai di dormire. Poi mi misi a sedere a letto e in una foga onirica, incapace di controllarmi, mi ritrovai a comporre il numero della reception.

«Sì, signor Decker, come posso aiutarla?»

«Ehm…» Strizzai forte gli occhi; perché avevo pagato la stanza con la carta di credito? «Mi stavo solo chiedendo – ho appena mandato un completo in lavanderia, e mi chiedevo se fosse ancora in hotel.»

«Come, scusi?»

«Portate la roba fuori? O la fate lavare all'interno dell'hotel?»

«La mandiamo fuori, signore. La ditta che utilizziamo è molto affidabile.»

«C'è modo di sapere se la roba è già uscita? Mi sono appena reso conto che ne ho bisogno per un evento questa sera.»

«Mi faccia controllare, signore. Rimanga in linea.»

Disperato, aspettai, fissando la busta di eroina sul comodino, contrassegnata con un teschio arcobaleno e la parola POSTPARTY. Un momento dopo l'addetto alla reception tornò in linea. «A che ora le serve il completo, signore?»

«Prima possibile.»

«Temo che sia già stato portato via. Il camioncino è appena partito. Ma la nostra lavanderia consegna in giornata. Lo avrà oggi pomeriggio entro le cinque, garantito. C'è altro, signore?» chiese nel silenzio che seguì.

XVI

Boris aveva ragione sulla sua roba, su quanto fosse pura – bianchissima, la solita dose mi fece un effetto mai visto, e per un periodo imprecisato vagai piacevolmente, su e giù sull'orlo della morte.

Città, secoli. Scivolavo dentro e fuori attimi lenti, deliziosi, disegni
sfumati, sogni di nuvole vuote e ombre in movimento, una quiete
che ricordava le splendide rappresentazioni di trofei di Jan Weenix,
uccelli morti con piume macchiate di sangue appesi a testa ingiù, e
nel barlume di coscienza che mi restava sentivo di aver capito la se-
greta magnificenza della morte, la verità che il resto dell'umanità era
condannata a ignorare fino all'ultimo istante: niente dolore, niente paura, un distacco perfetto; e io reclinato sul mio baldacchino,
che mi allontanavo nelle grandiose immensità come un imperatore
– via, via per sempre – e osservavo la gente affannarsi sulla costa,
finalmente libero da tutte le vecchie banalità e piccolezze umane,
l'amore e la paura e il dolore e la morte.

Quando il campanello penetrò i miei sogni, ore dopo, potevano
essere passati secoli, e non sussultai nemmeno. Tranquillo, mi alzai – oscillando felice nell'aria, appoggiandomi ai mobili mentre
camminavo – e sorrisi alla ragazza alla porta: bionda, aspetto timido, mi porgeva dei vestiti avvolti nella plastica.

«I suoi abiti, signor Decker.» Come tutti gli olandesi, pronunciò
il mio cognome «Decca» come Decca Mitford, un'antica conoscen-
te della signora DeFrees. «Con le nostre scuse.»

«Cosa?»

«Spero di non averle creato problemi.» Adorabile! Quegli occhi
blu! Il suo accento era affascinante.

«Mi scusi?»

«Le avevamo promesso che li avrebbe avuti entro le cinque. Alla
reception mi è stato detto di non metterglieli sul conto.»

«Oh, non c'è problema» dissi, chiedendomi se dovevo darle una
mancia, e rendendomi conto che lo sforzo di trovare i soldi, e contarli, era al di fuori della mia portata, e poi – chiudendo la porta,
buttando i vestiti ai piedi del letto e incespicando fino al comodino – controllai l'orologio di Gyuri: le sei e venti, cosa che mi fece
sorridere. Pensando a tutta la preoccupazione che la roba mi aveva risparmiato – un'ora e venti minuti di angoscia in meno! Agitato, a chiamare la reception! Immaginando gli sbirri di sotto! –
fui pervaso da una serenità vedica. Preoccuparsi! Che perdita di
tempo! Tutti i libri sacri avevano ragione. Chiaramente la «preoc-

cupazione» era il carattere distintivo di una persona primitiva, non evoluta. Com'era quel verso di Yeats, su quegli attoniti saggi cinesi? Tutte le cose cadono e vengono rifatte... Vecchi, luccicanti occhi.[16] Ecco la saggezza. La gente si era arrabbiata e aveva pianto e aveva distrutto cose per secoli e aveva levato alti lamenti per via delle proprie piccole vite senza importanza, quando – che senso aveva tutta quella sofferenza inutile? *Considerate come crescono i gigli di campo.* Perché preoccuparsi delle cose? In quanto esseri senzienti, non eravamo stati messi sulla Terra per essere felici, nel breve tempo che ci era concesso?

Assolutamente. Per questo non mi agitai a causa della sintetica nota prestampata che l'addetta alle pulizie aveva fatto scivolare sotto la mia porta (*Gentile Ospite, abbiamo tentato di servire la sua stanza ma sfortunatamente non siamo riusciti ad accedere...*), e fui più che felice di avventurarmi nel corridoio con addosso l'accappatoio per intercettare la cameriera e consegnarle un sinistro mucchio di asciugamani impregnati d'acqua – tutti gli asciugamani della stanza erano fradici, ci avevo arrotolato dentro il cappotto per far uscire l'acqua, su alcuni c'erano dei segni rosa di cui non mi ero accorto prima di – asciugamani nuovi? Certo! Oh, ha dimenticato la chiave, signore? È rimasto chiuso fuori? Un momento, la faccio rientrare. E sempre per questo, dopo, non esitai a ordinare al servizio in camera, permettendo al cameriere, con una certa indulgenza, di entrare nella stanza e sistemare il carrello *proprio ai piedi del letto* (zuppa di pomodoro, insalata, sandwich, patatine, tutte cose che mi tornarono su mezz'ora dopo, il vomito più bello del mondo, piacevole al punto che mi fece ridere: ooops! La migliore roba di sempre!). Stavo male, lo sapevo, le ore trascorse con addosso i vestiti bagnati a quindici gradi sotto zero mi avevano fatto venire la febbre alta e i brividi, ma veleggiavo troppo al di sopra delle cure del mondo perché me ne fregasse qualcosa. Ecco com'era il corpo: fallibile, soggetto alle malattie. Malessere, dolore. Perché la gente si agitava tanto a causa sua? Indossai tutti gli indumenti che avevo portato con me (due camicie,

[16] YEATS, WILLIAM BUTLER, *Lapislazzuli*, in *Le ultime poesie*, BUR, Milano 2004, traduzione di Ariodante Marianni. (*N.d.T.*)

il maglione, i pantaloni extra, due paia di calzini) e mi sedetti a sor
seggiare Coca-Cola dal minibar – ancora strafatto, ma il down non
avrebbe tardato – entrando e uscendo da vividi sogni a occhi aperti:
diamanti grezzi, neri insetti luccicanti, un sogno particolarmente nitido con Andy, bagnato fradicio, le scarpe da tennis che facendo *ciac
ciac* si lasciavano dietro una scia di acqua, e in lui c'era qualcosa di
diverso qualcosa di strano e come sbagliato che combini Theo?

non molto, tu?

non molto, ehi ho sentito che tu e Kits vi sposate me l'ha detto
papà

figo

già figo, noi non possiamo venire però, papà ha un evento allo
yacht club

ehi, che peccato

e poi io e Andy andavamo insieme da qualche parte con delle
valigie pesanti andavamo in barca, sul canale, solo che Andy diceva
tipo non esiste che io salga su quella barca e io tipo certo lo capisco,
perciò smontai la barca a vela vite dopo vite, e infilai i pezzi nella
mia valigia, l'avremmo portata via terra, con le vele e tutto il resto,
quello era il piano, bisognava solo seguire i canali e ti avrebbero
portato esattamente dove volevi andare o forse al punto dal quale
eri partito, ma era una faccenda più grande di quello che pensavo,
smontare una barca a vela, era diverso dallo smontare un tavolo o
una sedia e i pezzi erano troppo grossi per entrare in valigia e c'era
un'elica enorme che cercavo di ficcare dentro insieme ai miei vestiti
e Andy era annoiato e se ne stava in disparte a giocare a scacchi con
qualcuno che mi guardava in un modo che non mi piaceva e lui
disse be' se non puoi organizzarlo in anticipo, dovrai arrangiarti un
po' alla volta man mano che vai avanti

XVII

Mi svegliai con uno schianto nella testa, nauseato e con un prurito dappertutto come se avessi delle formiche sotto la pelle. Con la
droga che aveva abbandonato il mio sistema nervoso il panico era

tornato a ruggire due volte più forte di prima, dato che ero chiaramente malato, febbre e sudori, non potevo più nascondermelo. Dopo aver incespicato fino al bagno e vomitato di nuovo (non un euforico vomito da tossico, stavolta, ma il solito penosissimo schifo di sempre), tornai in camera e contemplai il completo e la sciarpa nella plastica ai piedi del letto e pensai, con un fremito, a quanto fossi fortunato. Era andato tutto per il meglio alla fine (giusto?), ma c'era mancato poco.

Maldestramente, tolsi il completo e la sciarpa dalla plastica – il pavimento sotto di me rollava lento, come su una nave, fui costretto ad appoggiarmi al muro per mantenere l'equilibrio – e mi allungai a prendere gli occhiali e mi sedetti sul letto per esaminare gli abiti sotto la luce. Il tessuto sembrava un po' liso, ma a parte quello era a posto. D'altra parte, non potevo esserne sicuro. L'abito era troppo scuro. Vedevo delle macchie, ma dopo un istante sparivano. I miei occhi non funzionavano ancora troppo bene. Forse era un tranello – forse se fossi sceso avrei trovato gli sbirri ad aspettarmi all'ingresso – ma no – allontanai quel pensiero – ridicolo. Se avessero trovato qualcosa di sospetto, si sarebbero tenuti i vestiti, no? Di sicuro non me li avrebbero riconsegnati puliti e stirati.

Ero ancora un po' fuori dal mondo: non ero in me. In qualche modo il sogno della barca a vela era colato fuori infettando la stanza, che perciò era la camera di un hotel ma anche la cabina di una nave: gli armadi a muro (sopra il letto e sotto il soffitto spiovente) erano stati fissati con viti di ottone fresato e smaltati fino a raggiungere una lucentezza nautica. Carpenteria navale; il ponte che oscillava, e, fuori, lo sciabordio del canale nero. Delirio: nessun ormeggio e noi che andavamo alla deriva. Fuori la nebbia era fitta, non un filo di vento, i lampioni brillavano di una diffusa, pallida, livida immobilità, sfumata e ammorbidita nella foschia.

Prurito, prurito. Pelle in fiamme. Nausea e mal di testa martellante. Più spettacolare era la roba, più profonda la sofferenza – mentale e fisica – quando l'effetto svaniva. Ero tornato ai brandelli di carne eruttati dalla fronte di Martin, ma a un livello quasi intimo, ero lì *dentro*, in ogni pulsazione e in ogni fiotto, e – ancora peggio, nel punto più profondo e agghiacciante – il quadro, perduto. Il cappotto

macchiato di sangue, i piedi del ragazzo in fuga. Blackout. Disastro
Per gli esseri umani – intrappolati nella dimensione biologica – non
c'era pietà: vivevamo un po', ci agitavamo inutilmente e poi mori-
vamo, condannati a marcire sottoterra come immondizia. Il tempo
ci distruggeva tutti abbastanza in fretta. Ma distruggere, o perdere,
una cosa immortale – spezzare legami più forti di quelli del tempo –
era una forma di separazione metafisica, una nuova stupefacente
sfumatura di disperazione.

Mio padre al tavolo del baccarà, nell'aria condizionata della mezzanotte. *C'è sempre qualcosa di più, un livello nascosto.* La fortuna
nelle sue forme e nelle sue manifestazioni più oscure. Interrogava
le stelle, aspettando il momento in cui Mercurio era retrogrado per
puntare pesante, proteso verso una forma di conoscenza appena oltre lo scibile. Nero il suo colore fortunato, nove il suo numero fortunato. Colpiscimi di nuovo, amico. *C'è uno schema, e noi ne facciamo
parte.* Eppure, se raschiavi a fondo quell'idea di schema (cosa che
apparentemente lui non si era mai preso la briga di fare), ti scontravi
con un vuoto così buio che era in grado di distruggere, categorica-
mente, tutto ciò che avevi mai guardato o al quale avevi mai pensato
in termini di luce.

Capitolo 12

Punto Rendez-Vous

I

I giorni prima di Natale furono un vortice sfocato, perché a causa della malattia e dell'isolamento persi ben presto la cognizione del tempo. Rimasi chiuso nella stanza, il cartellino NON DISTURBARE sulla porta; e il televisore acceso – invece di fornire un sottofondo di illusoria normalità – non faceva che aggiungere confusione alla confusione, aumentando il mio spaesamento: nessuna logica, nessuna struttura, cosa sarebbe venuto dopo non lo sapevi, poteva essere qualunque cosa, *Sesame street* in olandese, olandesi che discutevano seduti a un tavolo, altri olandesi che discutevano intorno a un tavolo, e anche se c'erano Sky News, la BBC e la CNN, nessuno dei telegiornali locali era in inglese (niente di rilevante, niente che riguardasse me o il garage). Ma poi rimasi di sasso quando, facendo zapping tra i canali, mi imbattei nella faccia di mio padre venticinquenne: uno dei suoi tanti ruoli da comparsa, un portaborse che si aggirava alle spalle di un candidato durante la conferenza stampa e annuiva alle sue promesse elettorali; e poi, per un fugace e sconvolgente istante, lui puntò gli occhi in macchina per guardare me, dall'altra parte dell'oceano, nel futuro. I risvolti ironici di quell'apparizione erano così stratificati e spiazzanti che restai a bocca aperta per l'orrore. A parte il taglio di capelli e il fisico più robusto (ottenuto grazie al sollevamento pesi: in quel periodo andava spessissimo in palestra), avrebbe potuto essere il mio gemello. Ma la cosa più scioccante era la sua aria da persona perbene – mio padre, già allora (doveva essere il 1985) disonesto e avviato sulla strada dell'alcolismo. Dalla sua faccia non trapelava nulla della sua indole né del futuro che lo aspettava. Al contrario, appariva risoluto, vigile, un modello di sicurezza e di fiducia.

Dopodiché spensi il televisore. La mia unica forma di contatto con la realtà era il servizio in camera, che chiamavo solo nelle ore più buie prima dell'alba, quando il personale era lento e assonnato. «No, vorrei i giornali olandesi, per favore» dicevo (in inglese) al cameriere che parlava olandese e che mi portava l'«International Herald Tribune» con le brioche olandesi e il caffè, il prosciutto e le uova e una selezione di formaggi olandesi. Ma dato che insisteva a presentarsi col «Tribune», prima dell'alba scendevo a procurarmi da solo i quotidiani locali, esposti a portata di mano su un tavolo che raggiungevo senza esser costretto a passare dalla reception.

Bloedend. Moord. Il sole non sembrava sorgere fin verso le nove del mattino e anche allora era fosco e cupo e diffondeva una luce bassa, debole, purgatoriale, come l'effetto scenico di un'opera tedesca. A quanto pareva il dentifricio che avevo usato per smacchiare il bavero del cappotto conteneva perossido o qualche altro agente sbiancante, visto che il punto su cui l'avevo strofinato riportava un alone bianco grande quanto la mia mano, coi bordi gessosi, un anello spettrale tutt'intorno alle tracce appena visibili del plasma cerebrale di Frits. Alle tre e mezza del pomeriggio circa la luce cominciava a scemare; per le cinque era buio pesto. A quell'ora, se non c'erano troppe persone per strada, sollevavo il bavero del cappotto, mi legavo la sciarpa stretta intorno al collo e – facendo attenzione a tenere la testa bassa – mi tuffavo nel buio fino a un negozietto gestito da asiatici a poche centinaia di metri dall'albergo, dove con gli euro che mi restavano compravo panini preconfezionati, mele, uno spazzolino, sciroppo per la tosse, aspirine e birre. *Is alles?* chiedeva la vecchia signora in un olandese incerto. Contava i miei soldi con una lentezza esasperante. Clic, clic, clic. Nonostante avessi le carte di credito avevo deciso di non usarle – un'altra arbitraria regola del gioco che avevo inventato per me stesso, una precauzione completamente irrazionale, perché chi volevo prendere in giro? Che differenza avrebbero potuto fare due panini al minimarket, quando in albergo avevano tutti i miei dati?

In parte era la paura, in parte la malattia a offuscare la mia capacità di giudizio, perché quale che fosse il tipo di infreddatura o di influenza che mi ero preso, si rifiutava di passare. Sembrava anzi che la tosse peggiorasse col passare delle ore, e i polmoni mi facevano sempre più male. Era vero quello che si raccontava sugli olandesi e l'igiene, sui prodotti olandesi per la pulizia: il negozietto all'angolo offriva uno stupefacente assortimento di articoli che non avevo mai visto prima, e tornai nella mia stanza con un flacone che esibiva un cigno bianco sullo sfondo di una montagna innevata e aveva sul retro l'etichetta col teschio e le ossa incrociate. Ma pur essendo sufficientemente aggressivo da dissolvere i segni rimasti sulla mia camicia, non bastò a cancellare le macchie scure, color fegato, sul colletto, che si erano convertite in una serie di aloni sovrapposti simili ai funghi che crescono sul tronco degli alberi. La risciacquai per la quarta o quinta volta, con gli occhi che lacrimavano, poi la chiusi in un sacchetto di plastica, e la sistemai sul ripiano più alto dell'armadio. Senza qualcosa a farle da zavorra, sapevo che sarebbe tornata a galla se l'avessi gettata in un canale, e avevo paura di portarla giù in strada e buttarla in un cestino – qualcuno mi avrebbe visto, la polizia mi avrebbe preso, era così che sarebbe andata, ne ero persuaso in modo profondo e irrazionale, come accade nei sogni.

Giusto per un po'. Quant'era un po'? Massimo tre giorni, mi aveva detto Boris da Anne de Larmessin. Ma non aveva messo in conto Frits e Martin.

Campane e ghirlande, stelle comete nelle vetrine dei negozi, fiocchetti e noci dorate. Di notte dormivo coi calzini, il cappotto macchiato e il maglione a collo alto oltre alla trapunta, visto che girare in senso antiorario la manopola del termosifone, come consigliava l'opuscolo rilegato in pelle dell'albergo, non era sufficiente ad attenuare i dolori e i brividi della febbre. Bianche piume d'oca, cigni bianchi. La stanza puzzava di candeggina come una Jacuzzi da quattro soldi. Le ragazze delle pulizie sentivano l'odore dal corridoio? Non mi sarei preso più di dieci anni per furto d'opera d'arte, ma con Martin avevo passato il limite – sola andata, niente ritorno.

Eppure avevo trovato una maniera accettabile di pensare alla morte di Martin, o meglio, di aggirarla. L'omicidio – la natura eterna dell'atto – mi aveva proiettato in un mondo così diverso, che di fatto era come se fossi già morto anch'io. La sensazione di trovarsi oltre qualunque confine, di guardare indietro verso la costa da un banco di ghiaccio alla deriva nel mare. Quel che era fatto non poteva essere cancellato. Ero finito.

E andava bene così. Non avevo molta importanza nel grande schema delle cose, e Martin neppure. Ci avrebbero dimenticati facilmente. Se non altro, era stata l'occasione per una lezione di natura sociale e morale. Ma per tutto il tempo a venire – fintantoché la Storia fosse stata scritta, finché i ghiacciai non si fossero sciolti e le strade di Amsterdam non si fossero ritrovate sott'acqua – il dipinto sarebbe stato ricordato e rimpianto. Chi conosceva, o a chi importavano, i nomi dei turchi che avevano fatto saltare il tetto del Partenone? E dei mullah che avevano ordinato la distruzione dei Buddha di Bamiyan? Eppure, vivi o morti: le loro azioni restavano. Il tipo peggiore di immortalità. Intenzionalmente o no: avevo spento una luce al centro del mondo.

Un atto di Dio, una fatalità: così la chiamavano le compagnie assicurative, una catastrofe tanto imprevedibile o misteriosa nelle sue dinamiche da non potersi descrivere altrimenti. Il grado di probabilità di un evento era misurabile, ma certi fatti cadevano così radicalmente al di fuori delle tavole attuariali che persino gli assicuratori dovevano ricorrere all'ordine sovrannaturale per definirli – *una sfortuna nera*, come mio padre aveva tristemente commentato una sera in giardino, accanto alla piscina, mentre il sole tramontava in fretta, fumando una Viceroy dopo l'altra per tenere lontane le zanzare, una delle poche volte in cui aveva provato a parlare con me della morte di mia madre, perché accadono le cose brutte, perché a me, perché a lei, nel posto sbagliato al momento sbagliato, solo una fatalità, uno su un milione, parole che, venendo da lui, non suonavano affatto come delle scuse, ma come una professione di fede, la miglior risposta che aveva da darmi, alla stregua di Allah l'ha Deciso o È la Volontà del Signore, un chinare il capo di fronte alla Fortuna, il Dio più grande e potente che mio padre conoscesse.

Se lui fosse stato nei miei panni. Mi faceva quasi ridere pensarci. Riuscivo a immaginarlo fin troppo bene, che camminava avanti e indietro nella sua tana, assaporando la drammaticità della situazione, un poliziotto incastrato dal vero colpevole e rinchiuso in cella, come quello impersonato da Farley Granger. Ma mi figuravo con altrettanta facilità la fascinazione che avrebbe provato nel contemplare le svolte e i rovesciamenti che la mia vita aveva subito negli ultimi giorni, colpi di scena tanto imponderabili quanto il responso delle carte, e lo immaginavo mentre scuoteva la testa afflitto. *Colpa dei pianeti. C'è una forma in queste cose, uno schema più grande. Se vuoi una spiegazione, eccotela servita.* Avrebbe fatto la sua divinazione numerologica o quel che è, sfogliato il suo libro dello Scorpione, lanciato monetine, consultato le stelle. Si poteva dire tutto di mio padre, ma non che non avesse una visione coerente del mondo.

L'hotel si stava riempiendo per le vacanze. Coppie. Membri delle forze armate americane che parlavano nei corridoi, il rango e l'autorità ben percepibili nel tono militaresco delle loro voci. A letto, in preda alla mia febbre oppiacea, sognavo montagne innevate, pure e terrificanti, i paesaggi alpini dei cinegiornali su Berchtesgaden, forti venti che soffiavano in dissolvenza incrociata col mare agitato nel dipinto a olio sopra il mio scrittoio: una barchetta a vela sballottata, sola nelle acque scure.

Mio padre: Molla quel telecomando quando ti parlo.

Mio padre: Be', non direi disastro, direi fallimento.

Mio padre: Deve mangiare con noi, Audrey? Deve sedersi al tavolo con noi ogni cazzo di sera? Non puoi dire ad Alameda di dargli da mangiare prima che io rientri?

Uno, Battaglia navale, Lavagna magica, Forza 4. I soldatini verdi e gli insetti di gomma raccapriccianti che avevo trovato nella mia calza di Natale.

Il signor Barbour: segnale a due bandiere. Victor: richiedi assistenza. Echo: cambio di rotta effettuato.

L'appartamento sulla Settima Avenue. Il grigio di una giornata piovosa. Le tante ore monotone passate a soffiare e aspirare in un'armonica giocattolo, soffiare e aspirare, soffiare e aspirare.

Il lunedì, o forse era già martedì – quando alla fine trovai il coraggio di aprire le tende, a pomeriggio tanto inoltrato che quasi non c'era più luce – vidi una troupe televisiva che all'uscita dell'hotel tendeva imboscate ai turisti delle feste. Voci inglesi, voci americane. I concerti di Natale a Sint Nicolaaskerk e mercatini stagionali che vendevano oliebollen. «Sono quasi stato investito da una bici ma a parte questo mi sono divertito.» Mi faceva male il petto. Richiusi le tende e mi infilai nella doccia, rimanendo sotto il getto caldo fino a che sentii male alla pelle. L'intero quartiere scintillava delle luci fiabesche dei ristoranti, negozi bellissimi che esponevano soprabiti in cachemire, pesanti maglioni fatti a mano e tutti i vestiti caldi che non avevo messo in valigia. Ma io non osavo neanche chiamare il servizio in camera per una tazza di caffè a causa dei quotidiani olandesi che avevo iniziato a studiare ben prima dell'alba: sulla prima pagina del giornale locale c'era una foto del garage con l'ingresso sigillato dal nastro della polizia.

I giornali giacevano sparsi nel punto più lontano del letto, la mappa di un posto orribile dove non volevo mettere piede. Eppure, incapace di controllarmi, tra i momenti in cui sonnecchiavo e quelli in cui mi perdevo in discussioni febbrili che non stavo avendo, con persone con le quali non stavo parlando, tornai a più riprese a rovistare tra le pagine alla ricerca di parole comprensibili, che erano poche e distanti tra loro. *Amerikaan dood aangetroffen.* Heroïne, cocaïne. *Moord*: mortalità, mordente, morboso, morto. *Drugsgerelateerde criminaliteit*: Frits Aaltink, afkomstig uit Amsterdam en Mackay Fiedler Martin uit Los Angeles. *Bloedig*: sanguinoso. *Schotenwisseling*: non ne avevo idea, anche se, *schoten*: forse significava spari? *Deze moorden kwamen als en schok voor* – eh?

Boris. Andai alla finestra e rimasi lì un po', prima di allontanarmi di nuovo. Nonostante la confusione degli ultimi momenti sul ponte, ricordavo che mi aveva raccomandato di non chiamarlo, era stato molto chiaro su quel punto, anche se ci eravamo separati così in fretta che non ero sicuro che mi avesse spiegato il motivo per cui dovevo aspettare che fosse lui a contattarmi, e in ogni caso, chissà se quel motivo era ancora valido? Aveva anche detto più volte di non essere ferito, o così continuavo a ripetermi, benché, nel diluvio di ricordi spiacevoli che da quella sera non avevano smesso di bombardarmi, continuassi a vedere la bruciatura sulla manica del suo cappotto, lana nera appiccicosa sotto la luce delle lampade al sodio.

Per quanto ne sapevo, la polizia municipale poteva averlo fermato sul ponte e trattenuto per guida senza patente: una circostanza quanto mai sfortunata, ma pur sempre meno drammatica di alcuni degli altri scenari che mi venivano in mente.

Twee doden bij bloedige... Non finiva mai. C'era sempre qualcosa di nuovo. Il giorno successivo, e quello dopo ancora, insieme alla mia Tradizionale Colazione Olandese c'erano altri articoli sugli omicidi della Overtoom: più brevi ma più ricchi di informazioni. *Twee dodelijke slachtoffers. Nog een of meer betrokkenen. Wapengeweld in Nederland.* La fotografia di Frits, e quelle di altri tizi con nomi olandesi e un articolo piuttosto lungo che non avevo alcuna speranza di riuscire a decifrare. *Dodelijke schietpartij nog onopgehelderd...* Mi preoccupava il fatto che avessero smesso di parlare di droga – il falso indizio di Boris – e che apparentemente la polizia stesse seguendo altre piste. Avevo dato origine a quella storia, e adesso vagava libera per il mondo e in tutta la città la gente ne leggeva e ne parlava in una lingua che non era la mia.

Un'enorme pubblicità di Tiffany sull'«Herald Tribune». Bellezza ed Eccellenza senza tempo. Buone feste da Tiffany & Co.

Il destino gioca brutti scherzi, amava dire mio padre. Sistemi, analisi delle oscillazioni.

Dov'era Boris? Nel mio annebbiamento febbrile provai, senza successo, a divertirmi o almeno a distrarmi immaginando lui che appariva dal nulla nel momento in cui meno te lo saresti aspettato. Scrocchiando le dita, facendo sussultare le ragazze. Con mezz'ora di ritardo sull'orario di inizio dell'esame, tutta la classe che scoppiava a ridere di fronte alla sua faccia perplessa oltre il vetro della porta chiusa a chiave: *ah, il nostro radioso futuro*, aveva commentato sprezzante quando sulla via di casa avevo provato a spiegargli l'importanza dei test standardizzati.

Nei miei sogni non riuscivo a essere dove avevo bisogno di essere. C'era sempre qualcosa che mi impediva di arrivarci.

Prima che lasciassimo gli Stati Uniti mi aveva mandato un messaggio col suo numero, e nonostante avessi paura di scrivergli (non sapendo in quali circostanze si trovasse, e temendo che il messaggio potesse essere ricondotto a me) continuavo a ripetermi che comunque ero in grado di contattarlo, se ce ne fosse stato bisogno. Lui sapeva dov'ero. Eppure, a notte fonda, mi ritrovai sveglio ad arrovellarmi, un continuo, implacabile *e se lo chiamassi, e se, che male potrebbe venirne?* Alla fine, non so bene quando – la lampada sul tavolino da notte accesa, quasi in sogno –, cedetti, presi il telefono e gli scrissi prima di avere il tempo di ripensarci: Dove sei?

Per le due o tre ore successive rimasi sdraiato, in uno stato d'ansia latente, con l'avambraccio sugli occhi per proteggermi da una luce inesistente. Sfortunatamente, quando verso l'alba mi svegliai dal mio sonno zuppo di sudore, il telefono era morto perché avevo dimenticato di spegnerlo, e – riluttante a chiedere alla reception se avessero un caricabatteria da prestarmi – esitai per ore prima di arrendermi, a metà pomeriggio.

«Certo, signore» disse l'addetto della reception, allungandomi il caricabatteria senza quasi guardarmi.

Dio ti ringrazio, pensai, cercando di non salire le scale troppo in fretta. Il telefono era vecchio, e lento, e dopo aver inserito la spina mi stancai presto di stare ad aspettare che apparisse il logo della Apple e andai al minibar a prendermi un drink, poi tornai indietro e fissai lo schermo ancora un po' finché finalmente comparve il salvaschermo, una vecchia immagine dei tempi della scuola che avevo caricato per gioco, non ero mai stato così contento di vedere una foto in vita mia, Kitsey a dieci anni in volo per parare un rigore. Ma proprio mentre stavo per digitare il PIN la schermata si oscurò, poi sfarfallò per una decina di secondi, bande nere e bande grigie che tremolarono e si polverizzarono prima che comparisse la faccina triste e tutto ripiombasse nel buio con un inquietante e definitivo clic.

Quattro e un quarto del pomeriggio. Il cielo si stava facendo blu oltremare sopra i campanili al di là del canale. Ero seduto sul tappeto con la schiena contro il letto e il filo del caricabatteria in mano, avendo provato sistematicamente tutte le prese della stanza, per due volte – un centinaio di tentativi spegnendo e riaccendendo il telefono, tenendolo sotto la lampada per capire se era acceso nonostante lo schermo fosse nero, provando a resettarlo, ma ormai era andato: non succedeva niente, il display freddo e vuoto, morto stecchito. Evidentemente era andato in corto circuito; la notte del garage si era bagnato – gocce di pioggia sullo schermo quando me l'ero sfilato di tasca –, ma anche se ad accendersi aveva impiegato qualche minuto più del normale, mi era sembrato che funzionasse a dovere, finché non avevo provato a metterlo in carica. Avevo il backup di tutti i dati nel portatile, a casa, la copia di tutto tranne dell'unica cosa che mi serviva al momento: il numero di Boris, che mi aveva inviato mentre andavamo in aeroporto.

Morbidi riflessi dell'acqua sul soffitto. Fuori, da qualche parte, la musica metallica di un carillon di Natale e le voci stonate dei cantori. *O Tannenbaum, O Tannenbaum, wie treu sind deine Blätter.*

Non avevo un biglietto di ritorno. Ma avevo la carta di credito. Potevo prendere un taxi per l'aeroporto in qualunque momento. *Puoi prendere un taxi per l'aeroporto*, mi dissi. Schiphol. Il primo volo in partenza. Per il Kennedy, o Newark. Avevo dei soldi con me. Parlavo da solo come un bambino. Chissà dov'era Kitsey... in giro per gli Hamptons, a quanto ne sapevo, comunque l'assistente della signora Barbour, Janet (che conservava il suo vecchio ruolo nonostante la signora Barbour non avesse esattamente bisogno di un'assistente, non più), era il tipo di persona che riusciva a metterti su un aereo con un preavviso di poche ore, ovunque ti trovassi, anche la vigilia di Natale.

Janet. Pensare a Janet era incredibilmente rassicurante. Janet, il cui buonumore era un sistema meteorologico a sé, impermeabile a ogni interferenza, Janet grassa e rosea coi suoi maglioni di shetland rosa e i suoi tessuti scozzesi, una ninfa di Boucher vestita J. Crew, Janet che diceva *eccellente!* in risposta a qualunque cosa e beveva caffè da una tazza rosa con la scritta *Janet*.

Era un sollievo riuscire di nuovo a pensare lucidamente. Che cosa sarebbe cambiato, per Boris, o per chiunque, se fossi rimasto ancora lì ad aspettare? Il freddo e l'umidità, la lingua illeggibile. Febbre e tosse. L'angosciante senso di costrizione. Non volevo andarmene senza Boris, senza sapere che Boris stava bene, ero come il soldato che nei film di guerra scappa lasciandosi dietro il compagno ferito senza rendersi conto di stare andando incontro a un inferno ancora peggiore, ma allo stesso tempo desideravo così tanto lasciare

Amsterdam che mi pareva già di vedermi in ginocchio a Newark,
all'arrivo, che baciavo il pavimento dell'aeroporto.

Elenco telefonico. Carta e penna. Solo tre persone mi avevano
visto: l'indonesiano, Grozdan e il ragazzo asiatico. E anche se era
probabile che qualche collega di Martin e Frits mi stesse cercando
(un'altra buona ragione per lasciare la città), non avevo alcun motivo di credere che la polizia fosse sulle mie tracce. Né che avesse
preso provvedimenti per impedirmi di lasciare il Paese, segnalando
alle autorità aeroportuali il numero del mio passaporto.

Poi – fu come ricevere un pugno in faccia – trasalii. Per qualche
motivo ero convinto che il mio passaporto fosse ancora alla reception, dove avevo dovuto esibirlo al momento della registrazione. Ma
in realtà non ci avevo più pensato, non dopo che Boris l'aveva preso
e chiuso nel vano portaoggetti della sua macchina.

Con molta, molta calma posai l'elenco telefonico, sforzandomi
di farlo in un modo che a un osservatore casuale sarebbe sembrato
naturale, disinvolto. In una situazione diversa non ci sarebbe stato
niente di complicato. Cerca l'indirizzo, trova l'ufficio, capisci dove
devi andare. Mettiti in fila. Aspetta il tuo turno. Sii cortese e man-
tieni la calma. Avevo le carte di credito, la carta d'identità con la
foto. Hobie poteva mandarmi il certificato di nascita via fax. Irrequieto, cercai di scacciare un aneddoto che Toddy Barbour aveva
raccontato una sera a cena – di quando, avendo perso il passaporto
(in Italia? in Spagna?), si era dovuto presentare con un testimone in
carne e ossa che confermasse la sua identità.

Lividi cieli d'inchiostro. Era presto in America. Hobie stava per
andare a mangiare, attraversava la strada verso il Jefferson Market,
magari faceva la spesa per il pranzo di Natale. Pippa era ancora in
California? La immaginavo rigirarsi in un letto d'albergo e cercare
il telefono insonnolita, gli occhi ancora chiusi, Theo sei tu, tutto
bene?

Meglio una multa con tante scuse che farsi trovare col passaporto
addosso.

Stavo male. Presentarmi al consolato (o chissà dove) per rispondere a domande e compilare scartoffie avrebbe significato più guai
di quanti me ne servissero. Non avevo fissato una data, nessun tem-

po massimo allo scadere del quale avrei preso una decisione, eppure qualunque mossa – una mossa a caso, una mossa senza senso, il movimento di un insetto che ronza dentro un barattolo – mi sembrava meglio che restare chiuso nella stanza per un altro minuto, a vedere persone immaginarie con la coda dell'occhio.

Un'altra gigantesca pubblicità di Tiffany sul «Tribune», che mi augurava Buone Feste. Poi sulla pagina di fronte un'altra pubblicità, macchine fotografiche digitali, con una frase firmata Joan Miró:

Puoi guardare un'immagine per una settimana e poi non pensarci più. Oppure puoi guardare un'immagine per un secondo e poi pensarci per il resto della vita

Centraal Station. Unione Europea, nessun controllo del passaporto al confine. Qualunque treno, qualunque destinazione. Mi immaginai a girare per l'Europa senza meta: le cascate del Reno e i passi tirolesi, scorci cinematografici e tempeste di neve.

A volte si tratta di giocare bene una brutta mano – mi venne in mente mio padre, la voce assonnata, mezzo addormentato sul divano.

Fissando il telefono, intontito dalla febbre, rimasi seduto immobile e provai a pensare. Boris, a pranzo, aveva parlato di prendere il treno da Amsterdam ad Anversa (e Francoforte, ma io non volevo neppure avvicinarmi alla Germania), o anche fino a Parigi. Se mi fossi presentato al consolato di Parigi per chiedere un nuovo passaporto, forse avrei corso meno rischi che qualcuno stabilisse un collegamento tra me e la storia di Martin. Ma che il ragazzo cinese fosse un testimone oculare era un dato di fatto. Per quanto ne sapevo, potevo essere finito dentro i computer della polizia di tutta Europa.

Andai in bagno per spruzzarmi un po' d'acqua sulla faccia. Troppi specchi. Chiusi il rubinetto e presi un telo per asciugarmi. Azioni metodiche, prima una poi l'altra. Fu dopo l'imbrunire, quando il mio umore si faceva sempre più cupo, che cominciai ad avere paura. Un bicchiere d'acqua. Un'aspirina per la febbre. Anche quella cominciava invariabilmente a salire dopo il tramonto. Azioni semplici.

Mi stava salendo l'agitazione, me ne rendevo conto. Non sapevo se fosse stato emesso un mandato di arresto nei confronti di Boris, ma anche se era preoccupante pensare che potevano averlo preso, mi angosciava molto di più l'ipotesi che i soci di Saša gli avessero messo qualcuno alle calcagna. Ma anche questo era un pensiero sul quale non potevo permettermi di soffermarmi.

II

Il giorno dopo – la vigilia di Natale – mi costrinsi a mangiare una ricca colazione in camera anche se non ne avevo voglia, e buttai via il quotidiano senza guardarlo perché temevo che se avessi letto ancora una volta le parole *Overtoom* o *Moord* non sarei riuscito a fare quello che dovevo. Terminata la colazione, con freddezza, raccolsi i giornali di una settimana accumulati sopra e intorno al letto e li gettai nel cestino della carta; recuperai dall'armadietto la mia camicia scolorita e – dopo aver controllato che il sacchetto fosse ben chiuso – la infilai in un altro sacchetto del negozio asiatico (che lasciai aperto, per trasportarlo meglio, e anche nel caso in cui mi fossi imbattuto in un mattone che faceva al caso mio). Poi, dopo aver alzato il bavero del cappotto e averci stretto intorno la sciarpa, girai il cartellino per la cameriera e me ne andai.

Il tempo faceva schifo, il che era d'aiuto. Un nevischio bagnato scendeva di traverso e picchiettava sul canale. Camminai per una ventina di minuti – starnutendo, avvilito, infreddolito – finché mi imbattei in un cestino a un angolo particolarmente deserto, senza macchine né pedoni, senza negozi, solo case all'apparenza disabitate e sigillate contro il vento.

Gettai velocemente la camicia e proseguii, con una scarica di euforia che mi sospinse lungo quattro o cinque vie, malgrado i denti che battevano per il freddo. Avevo i piedi bagnati, le suole delle scarpe troppo sottili per l'acciottolato; e stavo gelando. Quando raccoglievano l'immondizia? Non aveva importanza.

A meno che – scossi la testa per liberarmi di quel pensiero: il negozio degli asiatici. Sulla busta di plastica c'era il nome. Era a pochissimi isolati dal mio hotel. Ma quello era un ragionamento assurdo e cercai di convincermene. Chi mi aveva visto? Nessuno.

Charlie: Affermativo. Delta: Avanzo con Difficoltà.

Basta. Basta. Ormai è fatto.

Non sapendo dove trovare una stazione dei taxi, arrancai per venti minuti o più finché finalmente riuscii a fermarne uno per strada. «Centraal Station» dissi al tassista turco.

Ma quando mi ci lasciò davanti, dopo aver attraversato strade spettrali e grigie come quelle dei vecchi cinegiornali, per un attimo pensai che mi avesse portato nel posto sbagliato, dato che la facciata dell'edificio faceva piuttosto pensare a in museo: mattoni rossi, torrette e tetti spioventi in puro stile vittoriano olandese. All'interno della stazione passeggiai tra la folla dei vacanzieri facendo del mio meglio per non dare nell'occhio e ignorando la polizia che sembrava essere ovunque, stupefatto e a disagio di fronte al grande mondo democratico che sfrecciava e ribolliva intorno a me: nonni, studenti, novelli sposi spossati e bambini che trascinavano zainetti; borse della spesa e bicchieroni di Starbucks, il rumore delle ruote dei trolley, ragazzi che raccoglievano firme per Greenpeace, di nuovo il brusio delle cose umane. C'era un treno per Parigi nel pomeriggio, ma io volevo prendere l'ultimo della giornata.

Le code erano infinite, arrivavano fino al chiosco dei giornali. «Per questa sera?» mi chiese l'impiegata quando finalmente raggiunsi lo sportello: una florida bionda di mezza età con un seno morbido come un cuscino e la cortesia impersonale di una mezzana nella scena quotidiana dipinta da un pittore di second'ordine.

«Esatto» dissi, sperando di apparire più in forma di quanto mi sentissi.

«Quanti?» chiese, guardandomi a malapena.

«Uno.»

«Va bene. Il passaporto, per favore.»

«Solo un…» la voce rauca da malato, tastandomi le tasche; avevo sperato che non lo chiedesse… «oh. Mi spiace, non l'ho qui con me, è nella cassaforte dell'hotel… ma…» tirai fuori la carta d'identità dello Stato di New York, le carte di credito, il codice fiscale, e feci scivolare tutto sotto il vetro. «Ecco.»

«Per viaggiare le serve il passaporto.»

«Oh, certo.» Sforzandomi di sembrare ragionevole, informato. «Ma non partirò prima di stasera. Vede…?» indicando il pavimento ai miei piedi: niente bagagli. «Sono venuto a salutare la mia ragazza e visto che ero qui ho pensato di portarmi avanti e comprare il biglietto, se non è un problema.»

«Be'…» la donna diede un'occhiata allo schermo, «ha un sacco di tempo. Le consiglio di aspettare e comprare il biglietto quando torna stasera.»

«Sì…» pizzicandomi il naso per non starnutire, «ma preferirei prenderlo adesso.»

«Temo non sia possibile.»

«Per favore. Mi sarebbe di grande aiuto. Sono qui da quarantacinque minuti e non so quanta fila ci sarà più tardi.» Pippa – che aveva viaggiato per tutta Europa in treno – mi aveva detto, ne ero abbastanza sicuro, che non controllavano il passaporto. «Voglio solo acquistarlo adesso così da poter sbrigare tutte le commissioni prima di partire, con calma.»

La bigliettaia mi studiò con attenzione. Poi prese la carta d'identità e guardò la foto, poi di nuovo me.

«Senta» dissi, dato che era dubbiosa, o così mi pareva, «vede bene che sono io. Ha il mio nome, il codice fiscale… ecco» feci, cercando una penna e un foglio nella tasca. «Questa è la mia firma.»

Confrontò la firma con quella sul documento. Scrutò di nuovo me, il documento – e poi, d'un tratto, parve decidersi. «Non posso accettare questo documento.» Restituendomeli da sotto il vetro.

«Perché no?»

La fila alle mie spalle si allungava.

«Perché?» ripetei. «È perfettamente valido. Lo uso al posto del passaporto quando volo negli Stati Uniti. La firma corrisponde» insistetti, poiché taceva. «Non vede?»

«Mi spiace.»

«Vuole dire…» Sentivo la disperazione montare nella mia voce; lei sosteneva il mio sguardo con aria aggressiva, come sfidandomi a polemizzare. «Mi sta dicendo che devo tornare questa sera e rifare la fila da capo?»

«Mi spiace, signore. Non posso farci niente. Il prossimo» disse, guardando oltre la mia spalla.

Mentre mi allontanavo – facendomi largo a gomitate in mezzo alla folla – una voce dietro di me disse: «Ehi. Ehi, amico?».

Disorientato dalla scena alla biglietteria, dapprima pensai di essermelo immaginato. Ma quando, in ansia, mi voltai, vidi un adolescente con la faccia da furetto, gli occhi cerchiati di rosa e la testa rasata, che si dondolava sulle punte delle sue gigantesche sneakers. Dalle occhiate furtive che lanciava in giro credetti volesse vendermi un passaporto, invece si sporse verso di me e disse: «Lascia perdere».

«Cosa?» balbettai, fissando la poliziotta un paio di metri dietro di lui.

«Ascolta, amico. Ho fatto avanti e indietro un centinaio di volte col passaporto, e non hanno mai controllato. Ma l'unica volta che non lo avevo? Mi hanno arrestato, proprio così, carcere per immigrati in Francia, dodici ore col loro cibo di merda e i loro modi di fare di merda, uno schifo. Una cella lurida. Credi a me... è meglio se hai i documenti a posto. E niente roba strana in valigia.»

«Ehi, okay» dissi. Sudando nel cappotto, che non osavo sbottonare. La sciarpa che non osavo allentare.

Caldo. Mal di testa. Quando ripresi a camminare, avvertii l'occhio insistente di una videocamera di sicurezza che mi perforava; e tentai di non sembrare impacciato mentre fendevo la calca, debole e istupidito dalla febbre, rigirandomi il numero del consolato americano nella tasca.

Mi ci volle un po' per trovare una cabina telefonica – dalla parte opposta della stazione, in una zona piena di ragazzini dall'aria losca che, seduti in cerchio sul pavimento, tenevano quello che sembrava un consiglio tribale – e mi ci volle ancora di più per capire come usare il telefono.

Un fiume di parole in olandese. Dopodiché fui salutato da un'amichevole voce americana: benvenuti al consolato degli Stati Uniti in Olanda, volevo continuare in inglese? Menu, opzioni. Digiti 1 per questo, 2 per quello, per favore resti in linea se desidera parlare con un operatore. Seguii pazientemente le istruzioni, in piedi, fissando la gente che passava, finché mi venne in mente che forse non era una grande idea lasciare che tutti mi vedessero in faccia e mi girai verso il muro.

Il telefono squillò a vuoto così a lungo che quando all'improvviso qualcuno rispose ero smarrito in una nebbia catatonica. Una disinvolta voce americana che sembrava arrivare direttamente dalla spiaggia di Santa Cruz: «Buongiorno, consolato americano in Olanda, come posso aiutarla?».

«Buongiorno» dissi, sollevato. «Ho…» Avevo pensato di dare un nome falso, solo per ottenere le informazioni che mi servivano, ma ero troppo spossato per preoccuparmene… «Temo di avere un problema. Mi chiamo Theodore Decker e mi hanno rubato il passaporto.»

«Oh, mi dispiace.» disse la donna; stava digitando su una tastiera, riuscivo a sentirne il ticchettio all'altro capo del telefono. Musica natalizia in sottofondo. «È un brutto periodo dell'anno per perderlo… viaggiano tutti, sa com'è. Ha sporto denuncia?»

«Cosa?»

«Furto del passaporto… va denunciato immediatamente. La polizia deve esserne informata subito.»

«Io…» maledicendomi; perché avevo detto che me l'avevano rubato? «No, scusi, è appena successo. Centraal Station.» Mi guardai intorno. «Sto chiamando da una cabina telefonica. A dirle la verità non sono sicuro che me l'abbiano rubato, penso mi sia caduto dalla tasca.»

«Be'…» continuava a battere sulla tastiera, «perso o rubato, deve comunque fare la denuncia.»

«Sì, ma vede, stavo per prendere un treno, e senza passaporto non mi lasciano salire. E devo essere a Parigi stasera.»

«Mi scusi solo un istante.» C'erano troppe persone dentro la stazione, e l'odore di lana umida e di folla sbocciava orribilmente nell'atmosfera surriscaldata. Un attimo dopo la donna tornò in linea. «Dunque… ora ho bisogno che mi dia alcune informazioni.»

Nome. Data di nascita. Data e città in cui è stato rilasciato il passaporto. Sudavo sotto il cappotto. Tutt'intorno il respiro umido dei corpi.

«Ha un documento che dimostri la sua cittadinanza?» stava dicendo.

«Mi scusi…?»

«Un passaporto scaduto? Un certificato di nascita o di naturalizzazione?»

«Ho il codice fiscale. E la carta d'identità dello Stato di New York. Posso farmi faxare dagli Stati Uniti una copia del certificato di nascita.»

«Bene. Dovrebbe bastare.»

Veramente? Rimasi immobile. Tutto qua?

«Ha accesso a un computer?»

«Ehm…» C'era un computer in hotel? «Certo.»

«Bene…» Mi diede un indirizzo Internet. «Deve scaricare, stampare e compilare l'affidavit per furto e smarrimento del passaporto e portarlo qui. Al nostro ufficio. Siamo vicini al Rijksmuseum. Sa dov'è?»

Ero così sollevato che non riuscii a fare altro che restarmene lì impalato, col rumore della gente che mi scoppiettava e mi scivolava addosso in una confusione psichedelica.

«Dunque… ecco cosa mi serve» stava dicendo California Girl, e il suo tono frizzante mi riscosse dai miei febbrili sogni a occhi aperti in multicolor. «L'affidavit. I documenti faxati. Due fototessere 5 x 5 con sfondo bianco. E, non si dimentichi, una copia della denuncia alla polizia.»

«Prego?» dissi sussultando.

«Come le stavo dicendo. In caso di furto o smarrimento del passaporto abbiamo bisogno che lei denunci il fatto alla polizia.»

«Io…» Fissavo la fantasmatica convergenza di alcune donne arabe che, apparse in quel momento come dal nulla, mi scivolavano accanto in silenzio, velate e vestite di nero dalla testa ai piedi. «Non avrò tempo per farlo.»

«Non capisco.»

«Non è che debba tornare in America oggi. È solo che…» mi ci volle un attimo per ricompormi; un attacco di tosse mi aveva fatto lacrimare, «il mio treno per Parigi parte tra due ore. Quindi, insomma… non so che fare. Non sono sicuro di riuscire a recuperare tutti questi documenti e andare anche alla polizia.»

«Be'» rammaricata, «veramente, sa, i nostri uffici sono aperti solo per altri quarantacinque minuti.»

«Come?»

«Oggi chiudiamo presto. È la vigilia di Natale, no? E siamo chiusi domani e per tutto il weekend. Ma saremo di nuovo aperti lunedì dalle otto e mezzo di mattina.»

«*Lunedì?*»

«Sì, mi spiace» disse. Sembrava rassegnata. «È la procedura.»

«Ma è un'emergenza!» La voce aspra per la tosse.

«Emergenza? Familiare o medica?»

«Io...»

«Perché, in alcune circostanze molto rare, forniamo assistenza oltre l'orario d'ufficio, in caso di emergenza.» Non era più troppo amichevole; aveva fretta, recitava il copione a memoria, sentivo un altro telefono squillare in sottofondo, come le telefonate a un programma radiofonico. «Sfortunatamente tale servizio è riservato a questioni di vita o di morte e il nostro staff deve verificare che si tratti effettivamente di un'emergenza prima di autorizzare l'emissione di un documento di viaggio sostitutivo. Quindi, a meno che lei non debba andare a Parigi questo pomeriggio per urgenti questioni di salute o per un lutto, e a meno che lei non sia in grado di dimostrarlo, per esempio tramite un certificato medico o un affidavit firmato da un medico, un prete, o un impresario funebre...»

«Io...» Lunedì? Cazzo! Non mi passava neanche per la testa di andare alla polizia. «Senta, scusi, mi ascolti...» Voleva riagganciare.

«È così. Raccolga tutto quello che serve entro lunedì 28. E poi, sì, una volta che avremo la domanda la esamineremo il più rapidamente possibile... mi scusi, può attendere un attimo?» Clic. La sua voce, un po' più lontana. «Buongiorno, consolato americano in Olanda, può restare in linea per favore?» Il telefono riprese immediatamente a squillare. Clic. «Buongiorno, consolato americano in Olanda, può restare in linea per favore?»

«Quanto ci vorrà?» chiesi, quando tornò da me.

«Oh, dal momento in cui ci consegna i moduli dovrebbero volerci dieci giorni lavorativi al massimo. Giorni lavorativi, badi. Cioè... normalmente farei il possibile per farglielo avere entro sette giorni, ma con le vacanze, sono sicura che capirà, l'ufficio è un po' oberato in questo momento, e il nostro orario è molto irregolare fino a

Capodanno. Quindi... be', mi dispiace» aggiunse, nel silenzio sbigottito che seguì, «ci potrebbe volere un po'. Brutta notizia, lo so.»

«Che dovrei fare?»

«Ha bisogno dell'assistenza di viaggio?»

«Non sono sicuro di sapere cosa sia.» Grondavo sudore. Fetida aria surriscaldata, pregna degli odori della gente, a malapena respirabile.

«Ha bisogno di farsi spedire dei soldi? Un posto dove stare?»

«Come faccio a tornare a casa?»

«Lei risiede a Parigi?»

«No, negli Stati Uniti.»

«Be', con un passaporto temporaneo... ma un passaporto temporaneo non ha il chip che serve per entrare negli Stati Uniti, quindi non penso esistano scorciatoie che le possano consentire di arrivarci prima di quanto ci metterebbe aspettando che noi...» Drin drin, drin drin. «Può attendere in linea solo un momento, signore?»

«Senta, io mi chiamo Holly. Vuole che le lasci il mio interno, in caso abbia qualche problema o abbia bisogno di assistenza durante la sua permanenza?»

III

La febbre, per qualche motivo, tendeva a raggiungere il picco al tramonto. Ma dopo tutto il tempo che avevo passato in piedi al freddo, aveva iniziato a impennarsi a intervalli irregolari, spasmodici come i movimenti a singhiozzo di un grosso oggetto sollevato lungo la parete di un edificio, tanto che sulla via del ritorno a stento mi spiegavo come riuscissi a muovermi o a non cadere o anche solo a procedere in avanti, uno stato di incoscienza scivoloso e sospeso che mi portava su, in alto sopra le traverse piovose dei canali e più su ancora, fino a raggiungere gallerie immaginarie e correnti da dove avevo l'impressione di guardare me stesso; era stato un errore non prendere un taxi alla stazione, continuavo a vedere il sacchetto di plastica nel cestino della spazzatura e la faccia rosa e luccicante della donna della biglietteria e Boris con le lacrime agli occhi e il

sangue sulla mano, che stringeva la manica nel punto dov'era bruciata; e il vento ruggiva e la testa mi scottava e a tratti ero preso
da angosciosi sussulti epilettici: squarci di nero, agguati inesistenti,
non c'era nessuno nell'ombra, in realtà non c'era nessuno *per strada*, eccetto – di tanto in tanto – un ciclista sfocato, chino sul manubrio nella pioggerellina.

Testa pesante, mal di gola. Quando, alla fine, riuscii a fermare
un taxi al volo, ero a pochi minuti dall'hotel. L'unica cosa positiva,
quando arrivai di sopra – tremante e con le ossa gelate – era che
avevano pulito la stanza e rifornito il minibar, che mi ero scolato da
cima a fondo, Cointreau compreso.

Recuperai le due bottigliette di gin e le mischiai con l'acqua bollente del rubinetto, poi mi sedetti sulla sedia di broccato vicino alla
finestra tenendo il bicchiere con la punta delle dita, a guardare le
ore che scorrevano: a malapena cosciente, sprofondato nel torpore,
la solenne luce invernale che si rifrangeva da muro a muro in paral-
lelogrammi che scivolavano fino al tappeto per poi stringersi fino a
scomparire, ed era ora di cena, e lo stomaco mi faceva male e la gola
era infiammata dalla bile ed ero ancora seduto lì, al buio. Non era
niente a cui non avessi pensato in passato, a lungo e in circostanze
molto meno difficili di quelle in cui mi trovavo in quel momento; un
impulso che mi scuoteva imprevedibile e dirompente, un sussurro
velenoso che non mi abbandonava mai del tutto, che certi giorni
indugiava ai margini della mia percezione, ma che in altri ruggiva
fuori controllo in una specie di violenta furia visionaria, non ero
sicuro del perché, a volte bastava a innescarlo anche solo un brutto
film o una festa insopportabile, noia a breve termine e sofferenza
di lungo corso, panico di un istante e disperazione permanente che
mi investivano nello stesso momento e si infiammavano di una luce
livida talmente desolata che vedevo, letteralmente vedevo, guardando indietro negli anni con un'angoscia nitida e articolata, che il
mondo e tutto ciò che esso conteneva erano intollerabilmente e definitivamente fottuti e niente era mai stato buono o a posto, un'atroce claustrofobia dell'anima, la stanza senza finestre, nessuna via
d'uscita, ondate di vergogna e orrore, *lasciatemi stare*, mia madre
morta sul pavimento di marmo, *basta basta*, mormorare ad alta voce

tra me e me negli ascensori, nei taxi, *lasciatemi stare, voglio morire*, un furore freddo, intelligente e autodistruttivo che mi aveva – più di una volta – fatto correre di sopra in una nebbia di risolutezza a buttare giù un mix qualsiasi di alcolici e pillole, secondo quello che mi trovavo per le mani: e se me l'ero cavata era stato solo per via di un'alta soglia di tolleranza e della mia inettitudine, spiacevolmente sorpreso nel risvegliarmi, ma contento almeno per il fatto che a Hobie non era toccato di trovarmi così.

Uccelli neri. Apocalittici cieli plumbei alla Egbert van der Poel.

Mi alzai e accesi la luce sullo scrittoio, vacillando nel debole bagliore color urina. Potevo aspettare. Potevo scappare. Ma queste più che scelte erano forme di resistenza: l'inutile dibattersi e immobilizzarsi di un topo nella tana di un serpente, buono solo a prolungare la sofferenza e l'incertezza. E c'era anche una terza opzione: perché per vari motivi ero propenso a credere che un funzionario del consolato mi avrebbe richiamato abbastanza in fretta se avessi lasciato un messaggio dopo l'orario di chiusura in cui dichiaravo di essere un cittadino americano desideroso di costituirsi per avere ucciso un uomo.

Atto di ribellione. Vita: vuota, vana, intollerabile. Cosa mi obbligava alla lealtà nei suoi confronti? Nulla. Perché non battere il Fato sul tempo? Gettare il libro nel fuoco e chiuderla lì? L'orrore del presente non sembrava sul punto di finire, c'era ancora molto terrore esterno, empirico, là fuori, destinato a sommarsi alla mia personale scorta endogena; e, se avessi avuto abbastanza roba (guardai nella busta: meno di metà rimasta), sarei stato più che felice di prepararmi una bella striscia e di crollarci sopra: un'oscurità magnanima, un'esplosione di stelle.

Ma non ce n'era abbastanza per avere la certezza di riuscire a farla finita. Non volevo sprecare quella che avevo per un oblio di qualche ora, solo per risvegliarmi di nuovo nella mia gabbia (o peggio: in un ospedale olandese, senza passaporto). Anche se, a ben pensarci, la mia soglia di tolleranza era vicina ai minimi termini, ed ero quasi sicuro che avrei potuto compiere con successo l'operazione se solo mi fossi ubriacato prima e poi avessi mandato giù la mia pillola d'emergenza.

Una bottiglia di bianco ghiacciato nel minibar. Perché no? Finii il gin e la stappai, sentendomi determinato e pieno di giubilo – avevo fame, avevano portato i cracker e gli snack ma il piano avrebbe funzionato meglio se fossi stato a stomaco vuoto.

Il sollievo fu immenso. Un calmo rifiuto. Perfetto, la gioia perfetta di buttare via tutto. Trovai una stazione radio che trasmetteva musica classica – canti natalizi medioevali, austeri e solenni, meno melodiosi di una telecronaca di spettri – e considerai l'ipotesi di farmi un bagno.

Ma il bagno poteva aspettare. Invece aprii il cassetto dello scrittoio e trovai una cartellina contenente la carta intestata dell'hotel. La pietra grigia della cattedrale, un esacordo minore. Rex virginum amator. Tra la febbre e lo sciabordio dell'acqua nei canali, lo spazio intorno a me era silenziosamente scivolato in un'ambiguità spettrale, un'area di confine fra la stanza vera e propria e la cabina di una nave mossa dolcemente dalle onde. La vita in mare aperto. La morte per acqua. Andy, quando eravamo bambini, che con la sua inquietante voce da piccolo marziano mi diceva che sul canale didattico aveva sentito che la Madonna proteggeva i marinai, e una delle preghiere del rosario era per non morire annegati. Maria Stella Maris. Maria Stella del Mare.

Pensai a Hobie alla messa di mezzanotte, inginocchiato nel banco nel suo completo nero. La doratura si consuma naturalmente. Sull'anta di un armadio, sul piano di uno scrittoio, ci sono spesso numerose minuscole tacche.

Oggetti in cerca dei loro legittimi proprietari. Possedevano qualità umane. Erano ambigui o onesti o sospetti o per bene.

I pezzi veramente notevoli non spuntano così, dal nulla.

La penna dell'albergo non era un granché, mi sarebbe piaciuto averne una migliore, ma la carta era spessa e candida. Quattro lettere. Quelle per Hobie e la signora Barbour avrebbero dovuto essere le più lunghe, visto che erano le persone che più di tutte meritavano una spiegazione e anche perché erano le uniche alle quali, se fossi morto, sarebbe importato qualcosa. Ma avrei scritto anche a Kitsey – per assicurarle che non era colpa sua. La lettera per Pippa sarebbe stata la più breve. Volevo solo farle sapere quanto l'amassi e allo stesso tempo che non aveva neanche un briciolo di colpa per non avermi ricambiato.

Ma non le avrei detto così. Volevo lanciare petali di rosa, non un dardo avvelenato.

Il punto era comunicarle, in poche parole, che mi aveva reso felice, tralasciando la parte più ovvia.

Quando chiusi gli occhi, fui trafitto da lampi di ricordi di una precisione clinica che la febbre aveva fatto esplodere da chissà dove, come traccianti sparati nella giungla, violente fiammate di un materiale composito ed emotivamente stratificato. Luminose corde d'arpa che filtravano attraverso le sbarre alle finestre del nostro vecchio appartamento sulla Settima Avenue, la ruvida stuoia di agave e il reticolo rosso che lasciava impresso sulle mie mani e sulle ginocchia quando giocavo per terra. Un abito da sera color mandarino di mia madre con dei frammenti luccicanti sulla gonna che io volevo sempre toccare. Alameda, la nostra vecchia domestica, che affettava i plantani in una ciotola di vetro. Andy, che mi salutava prima di fiondarsi lungo il buio corridoio dell'appartamento dei suoi: *Agli ordini, Capitano.*

Voci medievali, austere e ultraterrene. La solennità di un canto disadorno.

In realtà non mi sentivo turbato, era questo il fatto. Piuttosto, era come affrontare l'ultima e più dolorosa di una serie di devitalizzazioni, quando il dentista si china sotto la lampada e dice *abbiamo quasi finito.*

24 dicembre

Cara Kitsey,

sono terribilmente dispiaciuto ma voglio che tu sappia che questo non ha niente a che fare con te, né con altri della tua famiglia. Tua madre riceverà un'altra lettera con qualche informazione in più, ma nel frattempo desidero assicurarti, in privato, che il mio gesto non è stato condizionato da nulla che sia successo tra noi, specialmente nell'ultimo periodo.

Da dove fosse spuntato quel tono severo, e la grafia innaturalmente rigida – del tutto in contraddizione con le ondate di ricordi
e allucinazioni che mi assediavano da ogni lato –, proprio non lo
sapevo.

Il nevischio bagnato che bersagliava la finestra possedeva una
specie di densità storica, carestie, eserciti in marcia, un infinito stil-
licidio di tristezza.

Come ben sai, e hai avuto occasione di farmi notare tu stessa, ho
diversi problemi che hanno avuto origine molto prima che ti conoscessi, e nessuno di questi problemi è colpa tua. Se tua madre ti
dovesse rivolgere qualche domanda riguardo al tuo ruolo nei recenti
eventi, consigliale di fare due chiacchiere con Tessa Margolis, o –
meglio ancora – con Em, che sarà più che felice di condividere con
lei l'opinione che ha di me. Inoltre, passando a tutt'altro argomento,
ti raccomando di non far più entrare Havistock Irving nel tuo appartamento, mai più.

Kitsey bambina. I capelli fini sparsi sul viso. Zitti scemi. Smettetela o racconto tutto.

Ultima cosa, ma non meno importante...

(qui la penna esitò)

ultima cosa, ma non meno importante, voglio dirti che alla festa eri
bellissima e che mi ha commosso vederti con gli orecchini di mia
madre. Lei era pazza di Andy, e avrebbe adorato anche te e il fatto
che stavamo insieme. Mi spiace che non abbia funzionato. Ma ti
auguro il meglio. Sinceramente.

Con amore,
Theo

Busta sigillata; indirizzo scritto; messa da parte. Dovevano avere
dei francobolli alla reception.

Caro Hobie,

questa è una lettera difficile da scrivere e doverla scrivere mi dispiace molto.

Sudore e brividi, a fasi alterne. Vedevo chiazze verdi. Avevo la febbre così alta che mi pareva che le pareti stessero rimpicciolendo.

I pezzi falsi che ho venduto non c'entrano. Immagino scoprirai abbastanza presto di cosa si tratta.

Acido nitrico. Nerofumo. I mobili, come tutte le cose viventi, nel corso del tempo acquisivano segni e cicatrici.
Gli effetti del tempo, visibili e invisibili.

e, non so bene come dirlo, ma mi viene in mente la cagnolina malata che io e mia madre trovammo per strada a Chinatown. Era a terra fra due bidoni dell'immondizia. Era un cucciolo di pitbull. Tutta sporca e puzzava. Pelle e ossa. Troppo debole per reggersi sulle zampe. La gente le passava a fianco senza fermarsi. E io ero sconvolto e mia madre mi promise che l'avremmo presa con noi se fosse stata ancora lì dopo che avevamo mangiato. E quando uscimmo dal ristorante, lei era ancora lì. Così chiamammo un taxi, e io la tenni in braccio, e una volta a casa mia madre le sistemò una cuccia in cucina e lei era così contenta e ci leccò la faccia e bevve litri d'acqua e mangiò il cibo per cani che le avevamo comprato e lo vomitò subito dopo.
Be', per farla breve, morì. Non fu colpa nostra. Ma ci sentivamo come se lo fosse. L'avevamo portata dal veterinario e le avevamo comprato del cibo speciale, ma stava sempre peggio. Ormai ci eravamo molto affezionati a lei. E mia madre la portò da un altro specialista all'Animal Medical Center. E il veterinario disse: questo cane ha una malattia – di cui non ricordo il nome – e ce l'aveva già quando l'avete trovato, e so che non è quello che vorreste sentirvi dire ma sarebbe molto meglio se lo sopprimeste ora

La mia mano era volata sulla pagina in una serie di scatti intermittenti e istintivi. Ma quando arrivai in fondo, nell'atto di allungare il braccio per prendere un altro foglio, mi bloccai, inorridito. Ciò che avevo vissuto come una specie di lunga carezza finale, non aveva nulla dell'addio eloquente e toccante che avevo immaginato. La grafia era inclinata e pasticciata, né intelligente né coerente né tantomeno leggibile. Dovevano esserci modi molto più veloci e semplici di ringraziare Hobie e dire quello che volevo dirgli: ossia che non doveva starci male, era sempre stato buono con me e aveva fatto del suo meglio per aiutarmi, proprio come io e mia madre avevamo fatto del nostro meglio per salvare la cucciola di pitbull, che – in effetti era un paragone azzeccato, solo non volevo tirarla troppo per le lunghe – nonostante fosse docile per natura nei giorni prima di morire era diventata incredibilmente violenta, tanto che aveva praticamente distrutto l'appartamento e fatto a pezzi il divano.

Sdolcinato, patetico, di cattivo gusto. Mi sentivo la gola come se me l'avessero raschiata con un rasoio.

Viene via il rivestimento. Guarda qua: ci sono i tarli. Dovremo trattarlo col Cuprinol.

La notte che ero andato in overdose nel bagno di Hobie, al piano di sopra, convinto di non risvegliarmi e invece poi mi ero svegliato con la guancia contro le vecchie piastrelle esagonali e psichedeliche del pavimento, ero rimasto sbalordito da quanto potesse apparire meravigliosa una stanza da bagno pre-guerra arredata con semplici sanitari bianchi, se la osservavi dall'aldilà.

L'inizio della fine? O la fine della fine?

Fabelhaft. Divertirsi come non mai.

Una cosa alla volta. Aspirine. Acqua fredda dal minibar. Le aspirine grattavano e mi si piantavano all'altezza del petto, come cercare di mandar giù della ghiaia, e così mi davo dei colpi per farle scendere, e l'alcol mi aveva fatto sentire molto peggio, avevo sete, ero confuso, ami nella gola, l'acqua che mi sgocciolava dalle guance, rantolavo e respiravo male, avevo aperto il vino per coccolarmi (in teoria) ma scendeva giù come trementina, bruciandomi e graffiandomi lo stomaco, dovevo fare un bagno, chiamare perché mi portassero qualcosa di caldo, qualcosa di semplice, un brodo o un tè? No: dovevo solo finire il vino o magari passare direttamente alla vodka; da qualche parte su Internet avevo letto che soltanto il due per cento dei tentati suicidi per overdose andavano a segno, il che sembrava una percentuale incredibilmente bassa anche se sfortunatamente confermata dalla mia precedente esperienza. *Non pioverà più.* Questo sì era il messaggio di un suicida. *Era solo uno scherzo.* Il marito di Jean Harlow, che si era ucciso durante la prima notte di nozze. Quello di George Sanders era stato il migliore, un vecchio classico hollywoodiano, mio padre lo sapeva a memoria e gli piaceva citarlo. *Caro mondo, me ne vado perché mi annoio.* E poi, Hart Crane. Una piroetta e poi la caduta, con la camicia che si gonfiava mentre volava nel vuoto. *Arrivederci a tutti!* Un addio urlato, nel saltare dal parapetto della nave.

Non riconoscevo più il mio corpo. Aveva smesso di appartenermi. Le mani sembravano separate, fluttuavano di loro iniziativa, e quando mi alzai fu come muovere una marionetta, dispiegare me stesso, alzarmi a scatti come tirato dai fili.

Hobie mi aveva detto che quando era giovane beveva Cutty Sark perché era il whiskey di Hart Crane. Cutty Sark significa Gonna Corta.

Pareti verde chiaro nella stanza del pianoforte, palme e gelati al pistacchio.

Finestre coperte di ghiaccio. Le stanze non riscaldate dell'infanzia di Hobie.

I Vecchi Maestri, loro non si sbagliavano mai.

A che pensavo? Cosa provavo?

Respirare mi procurava dolore. La bustina di eroina era sul comodino dall'altra parte del letto. Ma anche se mio padre, col suo instancabile amore per l'inferno dello show business, avrebbe adorato quell'ambientazione – la roba, il portacenere colmo, l'alcol e il resto –, io non sopportavo l'idea di farmi trovare stecchito con la vestaglia dell'hotel come un ex cantante di piano bar. Dovevo darmi una ripulita, farmi la doccia e rasarmi e indossare il mio completo, così non avrei avuto un aspetto troppo squallido quando mi avessero trovato, e solo allora, dopo che le cameriere del turno di notte se ne erano andate, avrei tolto il cartellino NON DISTURBARE dalla porta: meglio farsi trovare subito, non volevo che arrivassero a me seguendo la puzza.

Sembrava fosse passata una vita dalla serata con Pippa, e pensai a quant'ero stato felice, mentre correvo a incontrarmi con lei nella tagliente oscurità invernale, al mio sollievo nello scorgerla sotto un lampione davanti al Film Forum e a com'ero rimasto nascosto per meglio assaporarlo: la gioia di vederla lì ad aspettarmi. La sua espressione ansiosa mentre scrutava la folla. Era me che aspettava: me. E il colpo al cuore di credere, solo per un momento, di poter avere ciò che non poteva essere mio.

Il completo dall'armadio. Le camicie sporche. Perché non avevo pensato di farne lavare una? Le scarpe erano fradice e distrutte, cosa che aggiungeva la definitiva nota malinconica al quadro – ma no (fermandomi confuso al centro della stanza), volevo davvero sistemarmi, vestirmi da capo a piedi, con le scarpe e tutto, come un cadavere sul tavolo dell'obitorio? Avevo ricominciato di colpo con i sudori freddi, di nuovo brividi e fremiti, la solita routine. Avevo bisogno di sedermi. Forse era il caso di ripensare il taglio della messa in scena. Strappare le lettere. Farlo passare per un incidente. Sarebbe stato più bello se avessero creduto che ero stato sul punto di andare a una misteriosa festa in maschera, giusto una dose prima di uscire – seduto sul bordo del letto, ooops, un po' troppa, stelle filanti nere e lecca-lecca frizzanti, e io che collassavo deliziosamente.

Bianche ali del tumulto. Un salto in corsa verso l'infinito.

Poi – a uno squillo di tromba – mi misi in moto. Il canto liturgico aveva lasciato il posto a un'esplosione di note festose e fuori luogo. Melodiche, sfacciate. Un'onda di frustrazione mi montò dentro. La suite dello *Schiaccianoci*. Tutto sbagliato. Tutto sbagliato. Uno spettacolare show natalizio non era affatto la nota giusta sulla quale uscire di scena, uno sfavillante pezzo orchestrale, Marcia del Qualcosa di Qualcosa, e tutt'a un tratto il mio stomaco si contrasse, un violento reflusso nella gola, come se avessi ingoiato un litro di succo di limone, e un attimo dopo, senza quasi avere il tempo di lanciarmi ad afferrare il cestino della spazzatura, ecco che vomitavo tutto, un fiotto trasparente e acido, roba giallastra su roba giallastra.

Quando finì, mi sedetti sul tappeto con la fronte appoggiata al bordo metallico e affilato del cestino e con l'infantile musica da balletto che zampillava irritante in sottofondo: non ero neanche ubriaco, questo era il vero inferno, stavo solo male. In corridoio alcune coppie di americani ridevano, salutandosi ad alta voce mentre si separavano per raggiungere le rispettive camere: vecchi amici del college, impieghi nel settore finanziario, cinque anni o più di diritto d'impresa e Fiona che iniziava la prima elementare in autunno, tutto bene a Oaklandia, be', allora buonanotte, quanto vi vogliamo bene ragazzi, la vita che avrei potuto avere anch'io solo che non la volevo. A quanto ricordo, fu questa l'ultima cosa che pensai prima di riuscire a rimettermi in piedi e trascinarmi a spegnere quella musica fastidiosa e poi – con lo stomaco sottosopra – mi buttai sul letto a faccia ingiù come se mi stessi lanciando da un ponte, ogni lampada nella stanza che risplendeva mentre io affondavo lontano dalla luce, e il buio mi si richiudeva addosso.

IV

Da ragazzino, dopo che mia madre morì, provavo sempre a tenerla stretta nella mia mente prima di addormentarmi così magari sarei riuscito a sognarla, ma non succedeva mai. O, meglio, la sognavo di continuo, ma solo in quanto assenza, non come presenza: una brezza che attraversa una casa appena sgomberata, la sua grafia su un quaderno, il suo profumo, strade sconosciute di città perdute dalle quali sapevo che era appena passata, un'ombra che si allontanava lungo un muro assolato. A volte la scorgevo tra la gente, o in un taxi in partenza, e queste sue apparizioni mi davano un piacere intensissimo anche se non riuscivo a raggiungerla. Alla fine, mi sfuggiva sempre: non arrivavo a rispondere alle sue chiamate, oppure perdevo il suo numero; o correvo a perdifiato sin dove avrebbe dovuto essere, solo per scoprire che se n'era già andata. Nel corso della mia vita adulta questi cronici incontri mancati pulsavano di un'ansia più disordinata e molto più dolorosa: venivo colto dal panico se scoprivo, o ricordavo, o apprendevo da una fonte improbabile che lei viveva dall'altra parte della città in qualche orribile appartamento di periferia, dove per ragioni incomprensibili non ero mai andato a trovarla. Di solito stavo tentando di prendere a tutti i costi un taxi o di raggiungerla quando mi svegliavo. Questi scenari assillanti erano caratterizzati da una ripetitività al limite del brutale che mi ricordava l'agitato agente di borsa marito di una delle clienti di Hobie, al quale, quando era di un certo umore, piaceva raccontare sempre gli stessi tre aneddoti di quand'era stato in Vietnam, meccanicamente, con le stesse parole e gli stessi gesti: lo stesso ra-ta-ta delle armi da fuoco, la stessa mano che vibrava il colpo, sempre nell'identico punto. Le facce si facevano immobili sopra i liquori del dopocena quando lui partiva con la solita solfa, che avevamo sentito tutti un milione di volte e che (come il mio feroce loop alla ricerca di mia madre, notte dopo notte, anno dopo anno, sogno dopo sogno) era rigidamente sceneggiata e immutabile. Sarebbe sempre inciampato e caduto sulla stessa radice; non sarebbe mai arrivato in tempo dal suo amico Gage, proprio come io non sarei mai riuscito a trovare mia madre.

Ma quella notte, finalmente, la trovai. O più precisamente: lei trovò me. Ebbi l'impressione di vivere un momento irripetibile, anche se magari qualche altra notte, in qualche altro sogno, lei tornerà da me allo stesso modo – magari quando starò per morire, benché forse sia chiedere troppo. Di sicuro avrei meno paura della morte (non solo della mia ma della morte di Welty, della morte di Andy, della Morte in generale) se pensassi di trovare sulla soglia una presenza familiare pronta ad accogliermi, perché – ora che lo scrivo mi viene da piangere – mi torna alla mente la volta in cui il povero Andy mi disse, col terrore stampato in faccia, che mia madre era la prima persona che conosceva – e che gli piaceva – a essere morta. E, forse, quando Andy è approdato strisciando, tra sputi e accessi di tosse, nel lontano Paese dall'altra parte dell'acqua, è stata proprio mia madre a inginocchiarsi al suo fianco per accoglierlo in quella terra straniera. Magari è stupido confessare di nutrire certe speranze. Ma, va' a vedere, forse evitare di farlo sarebbe persino più stupido.

In ogni caso – che si trattasse di un momento irripetibile oppure no – fu un regalo; e se aveva a disposizione una sola visita, se era tutto quello che le avevano concesso, lei l'aveva tenuta per quando ne avevo davvero bisogno. Perché all'improvviso, era lì. Io ero in piedi davanti a uno specchio e guardavo la stanza riflessa, che era molto simile al negozio di Hobie, o meglio, era una versione più spaziosa ed eterna del negozio di Hobie, con le pareti marrone violoncello e una finestra spalancata che era come il punto d'accesso a un inimmaginabile, ancor più vasto teatro fatto di sole. Lo spazio alle mie spalle non era tanto uno spazio nel senso convenzionale del termine, quanto un'armonia perfettamente composta, una realtà più ampia e realistica con tutto attorno un profondo silenzio, oltre il suono e le parole; dove tutto era quiete e chiarezza, e allo stesso tempo, come in una pellicola riavvolta, si poteva immaginare il latte versato che tornava nella brocca, un gatto che saltava ma all'indietro e riatterrava silenziosamente sul tavolo, una stazione di passaggio dove il tempo non esisteva o, più precisamente, esisteva tutto nello stesso istante in ogni direzione, e tutte le storie e i movimenti accadevano simultaneamente.

E quando dopo aver distolto per un istante lo sguardo tornai a guardare, vidi il suo riflesso dietro di me, nello specchio. Ammutolii. In qualche modo sapevo che non mi era permesso voltarmi – era contro le regole, quali che fossero le regole di quel posto – però potevamo vederci, i nostri occhi potevano incontrarsi nello specchio, e lei era felice di vedermi proprio come io ero felice di vedere lei. Era proprio lei. Una presenza corporea. Una realtà psichica palpabile, profondità e densità di informazioni. Si frapponeva tra me e il posto, qualunque esso fosse, dal quale era giunta, quel paesaggio al di là. E successe tutto nel momento in cui i nostri occhi s'incontrarono nello specchio, sorpresa e divertimento, i suoi stupendi occhi blu coi cerchietti scuri attorno alle iridi, occhi blu cobalto ricolmi di luce: ciao! Tenerezza, intelligenza, tristezza, ironia. Movimento e immobilità, immobilità e modulazione, e tutta la carica e la magia di un grande dipinto. Dieci secondi, l'eternità. Tutto era un cerchio che riconduceva a lei. Potevi capirlo in un istante, e viverlo per sempre: lei esisteva solo nello specchio, nello spazio della cornice, e nonostante non fosse viva, non esattamente, non era nemmeno morta perché non era ancora nata, ma neanche non-nata – e lo stesso, per qualche strana ragione, valeva per me. E sentivo che avrebbe potuto dirmi tutto quello che volevo sapere (la vita, la morte, il passato, il futuro) nonostante fosse già lì, nel suo sorriso, la risposta a ogni domanda, il sorriso della vigilia di Natale di qualcuno con un segreto troppo bello per lasciarselo scappare, non ancora: *be' devi solo aspettare e lo saprai, d'accordo?* Ma proprio quando stava per parlare – col sospiro esasperato e affettuoso che conoscevo molto bene, un suono che riesco a sentire anche adesso –, io mi svegliai.

V

Quando aprii gli occhi era mattina. Tutte le lampade nella stanza erano accese e mi ritrovai sotto le coperte senza sapere come ci fossi finito. Ogni cosa era ancora permeata e impregnata della sua presenza – una presenza più alta, più vasta, più profonda della vita stessa, uno sfasamento dello sguardo che conferiva alle cose un alone iridato, e ricordo di aver pensato che doveva essere così che si sentivano quelli che avevano avuto la visione di un santo; non che mia madre fosse una santa, ma la sua apparizione era stata chiara e improvvisa come una fiammella che si accende in una stanza buia.

Ancora mezzo addormentato, restai lì fra le lenzuola, tenuto a galla dalla dolcezza del sogno che rifluiva placido attorno a me. Anche i rumori mattutini che giungevano dal corridoio parevano aver assorbito l'atmosfera e il colore della sua presenza; perché se tendevo l'orecchio, nel mio stato di dormiveglia, mi pareva di sentire il suono preciso, leggero e brioso dei suoi passi mescolarsi allo sferragliare del carrello del servizio in camera, allo stridio dei cavi dell'ascensore, al rumore delle porte che si aprivano e si chiudevano: un suono cittadino, un suono che ricollegavo a Sutton Place, e a lei.

Poi, all'improvviso, come un'esplosione che spazzò via gli ultimi sbuffi di bioluminescenza del sogno, le campane della chiesa vicina presero a rintoccare con un clangore tanto violento che sobbalzai, colto dal panico, cercando tastoni i miei occhiali. Avevo dimenticato che giorno era: Natale.

Incerto sulle gambe, mi alzai e andai alla finestra. Campane, campane. Le strade erano bianche e deserte. Il ghiaccio splendeva sulle tegole dei tetti; fuori, sull'Herengracht, la neve danzava e vorticava. Uno stormo di uccelli neri gracchiava planando sul canale, il cielo frenetico della loro presenza, ampi movimenti trasversali e ondulazioni come un unico corpo senziente, turbinii e avvitamenti, avanti e indietro, e sentii che quel movimento mi si imprimeva dentro a livello molecolare, cielo bianco e mulinelli di neve e il vento feroce dei poeti.

Prima regola del restauro. Mai fare ciò che non puoi disfare.

Dopo la doccia, mi rasai e mi vestii. Poi, con calma, sistemai e misi via le mie cose. Avrei dovuto trovare il modo di ridare a Gyuri il suo anello e l'orologio, sempre che fosse ancora vivo, cosa di cui dubitavo ogni momento di più: l'orologio da solo valeva una fortuna – una BMW serie 7, l'anticipo per un appartamento. Li avrei spediti via FedEx a Hobie perché li custodisse e avrei lasciato i suoi estremi alla reception per Gyuri, nell'eventualità che si presentasse.

Vetri ghiacciati, la neve che imbiancava l'acciottolato, muta e spessa, niente traffico per le strade, epoche diverse in sovrapposizione, il 1940 mescolato al 1640.

Era importante non pensare troppo. Era importante cavalcare l'energia del sogno che mi aveva seguito fin oltre il risveglio. Visto che non parlavo olandese, sarei andato al consolato americano e avrei chiesto al funzionario di turno di chiamare la polizia olandese. Rovinando il Natale a qualcuno, il pranzo in famiglia del giorno di festa. Ma non volevo aspettare, non mi fidavo di me stesso. Forse era una buona idea scendere di sotto e collegarmi a sito del Dipartimento di Stato per capire quali fossero i miei diritti di cittadino americano – di certo al mondo esistevano posti molto peggiori dell'Olanda per finire in prigione e forse se avessi raccontato tutto quello che sapevo (su Horst e Saša, Martin e Frits, Francoforte e Amsterdam) sarebbero riusciti a rintracciare il quadro.

Ma chi poteva dire come sarebbe andata. Non ero sicuro di niente, se non del fatto che non volevo più scappare. Qualunque cosa fosse successa non avrei fatto come mio padre, che aveva svicolato e tramato fino all'attimo in cui la macchina si era ribaltata e aveva preso fuoco; sarei rimasto e avrei accettato quello che doveva accadere; e, a questo proposito, andai dritto in bagno e gettai la busta trasparente nel gabinetto.

Ed ecco fatto: veloce come la fine di Martin, e altrettanto irreversibile. Come diceva papà? *Prendi il toro per le corna.* Non che lui l'avesse mai fatto.

Avevo controllato ogni angolo della stanza, sistemato tutto quello che c'era da sistemare tranne le lettere. Anche solo guardare la mia grafia mi metteva a disagio. Ma – mi resi conto con un sussulto – *dovevo* scrivere a Hobie: non le patetiche farneticazioni dettate dall'alcol ma poche righe pragmatiche a proposito del libro mastro, del libretto degli assegni, della chiave della cassetta di sicurezza. Probabilmente era il caso di accollarmi per iscritto la responsabilità della vendita dei mobili contraffatti, mettendo ben in chiaro che lui non c'entrava nulla. Forse avrei potuto farmi autenticare la dichiarazione al consolato americano; forse Holly (o chi per lei) mossa da pietà avrebbe acconsentito a lasciarmelo fare prima di chiamare la polizia. Griša avrebbe potuto confermare un sacco di dettagli senza mettersi nei pasticci: non ne avevamo mai parlato, non mi aveva mai fatto domande in proposito, ma sapeva che doveva esserci qualcosa di losco dietro tutti quei viaggi top secret al magazzino.

Restavano Pippa e la signora Barbour. Dio, le lettere che avevo scritto a Pippa e non avevo mai spedito! Il mio tentativo migliore, il più creativo, dopo la sua disastrosa visita in compagnia di Everett, cominciava, e finiva, con quella che all'epoca mi era parsa una frase leggera e toccante: *Me ne vado per un po'*. Come messaggio d'addio di un aspirante suicida, l'avevo giudicato, almeno in termini di sintesi, un piccolo capolavoro. Sfortunatamente avevo sbagliato la dose e mi ero svegliato dodici ore dopo col copriletto sporco di vomito, pronto a trascinarmi di sotto sofferente come un cane in tempo per la riunione delle dieci con l'agenzia delle entrate.

Detto questo: una lettera prima-di-finire-dentro era tutt'altra storia, e la cosa migliore era non scriverla affatto. Pippa sapeva bene chi ero. Non avevo niente da offrirle. Io ero malattia, instabilità, ero tutto ciò da cui lei voleva fuggire. Il carcere avrebbe solo confermato quello che già sapeva. La cosa migliore che potevo fare era tagliare i ponti. Se mio padre avesse veramente amato mia madre – se l'avesse amata così come aveva giurato una volta – non avrebbe forse fatto lo stesso?

E poi – la signora Barbour. Era il genere di scoperta che ti colpisce nell'attimo in cui la nave sta per affondare, la straordinaria rivelazione dell'ultima ora, quando le scialuppe vengono calate in mare e la nave è in fiamme; ma alla fine, di fronte alla prospettiva del suicidio, era il pensiero di lei a trattenermi, lei era l'unica persona a cui non sopportavo di fare una cosa del genere.

Sulla soglia della stanza – sul punto di scendere a chiedere informazioni sul corriere espresso e a consultare il sito del Dipartimento di Stato prima di telefonare al consolato – mi bloccai. Un piccolo sacchetto di dolci chiuso con un fiocchetto appeso alla maniglia, un augurio scritto a mano: *Buon Natale!* Da qualche parte qualcuno rideva, e un delizioso aroma di caffè e caramello e pane appena sfornato si spandeva nel corridoio. Avevo ordinato la colazione in camera ogni mattina, sforzandomi di mandarla giù – ma l'Olanda non era famosa per il suo caffè? E invece io l'avevo trangugiato giorno dopo giorno senza nemmeno sentirne il sapore.

Feci scivolare il sacchetto di dolci nella tasca del completo e rimasi dov'ero ad assaporare quel profumo per un istante. Persino ai condannati a morte era concesso di scegliere l'ultimo pasto, un argomento di discussione che Hobie (instancabile cuoco e buongustaio) aveva introdotto più di una volta a fine serata al momento dell'Armagnac mentre rovistava in cerca di tabacchiere vuote e piattini spaiati da offrire come portacenere ai suoi ospiti: per lui era una questione metafisica, che si valutava meglio a stomaco pieno dopo che i dessert erano stati portati via e mentre l'ultimo piatto di confetti al gelsomino passava di mano in mano, perché – se fossi giunto alla fine, al termine della notte, un momento prima di chiudere gli occhi e dire addio alla Terra – tu cosa sceglieresti, in effetti? Qualcosa di consolante che ti riporti al passato? Il pollo alla buona di un'antica domenica di quand'eri ragazzo? Oppure – approfittando di un'ultima prelibatezza – fagiano ai frutti di bosco e tartufo bianco di Alba? Quanto a me: non mi ero neppure accorto di avere fame fino all'attimo prima di affacciarmi nel corridoio, ma adesso, con lo stomaco in subbuglio e in bocca un cattivo sapore e la prospettiva di quello che sarebbe stato il mio ultimo pasto da uomo libero, mi parve di non aver mai sentito un profumo più delizioso di quel tepore zuccherino: caffè aromatizzato alla cannella e le brioche al burro della colazione continentale. Buffo, pensai, mentre tornavo dentro a prendere il menù del servizio in camera: desiderare qualcosa così a portata di mano, un appetito che nasceva dall'appetito stesso.

Vrolijk Kerstfeest! disse il cameriere mezz'ora dopo – un ragazzo tarchiato e scarmigliato uscito dritto da un Jan Steen, con una ghirlanda natalizia in testa e un ramoscello di agrifoglio dietro l'orecchio.

Sollevando i coperchi d'argento dai vassoi con gesto scenografico. «Pane di Natale, specialità olandese» disse scherzoso, indicandolo. «Solo per oggi.» Avevo ordinato la «Colazione della Festa con Champagne» che includeva una mini bottiglia di champagne, uova con tartufo e caviale, una macedonia, un piatto di salmone affumicato, del paté e una mezza dozzina di ciotoline con salse, cetriolini, capperi, spezie e cipolline sottaceto.

Aveva stappato lo champagne e se n'era andato (dopo che gli avevo dato quasi tutti gli euro che mi restavano di mancia) e io mi ero appena versato del caffè e lo stavo assaggiando con prudenza, chiedendomi se l'avrei digerito (avevo ancora la nausea e l'odore non era più così delizioso, da vicino), quando squillò il telefono.

Era l'addetto alla reception. «Buon Natale, signor Decker» disse veloce. «Mi spiace ma temo ci sia qualcuno che sta salendo da lei. Abbiamo provato a fermarli...»

«Cosa?» Raggelato. La tazza sollevata a mezz'aria.

«Stanno salendo. Ora. Ho provato a fermarli. Gli ho chiesto di aspettare ma non mi hanno dato retta. Cioè... il mio collega gli ha chiesto di aspettare. È sparito prima che potessi chiamarla...»

«Ah.» Guardandomi in giro. Tutti i miei propositi andati in fumo in un secondo.

«Il mio collega...» a voce più bassa, «il mio collega lo sta seguendo su per le scale... è successo tutto molto in fretta, ho pensato che dovevo...»

«Le ha lasciato un nome?» chiesi, andando alla finestra e domandandomi se fosse il caso di spaccare il vetro con una sedia. La stanza era al primo piano e non era un gran salto, non più di tre metri.

«No, signore.» Parlando molto velocemente. «Non siamo riusciti... per dirle quant'era di fretta... ha superato il bancone prima che...»

Subbuglio nel corridoio. Grida in olandese.

«... siamo a corto di staff, stamattina, come sono sicuro capirà...»

Colpi decisi alla porta – uno scatto nervoso come lo schizzo infinito che usciva dalla fronte di Martin, che mi fece rovesciare il caffè. Cazzo, pensai, guardandomi il completo e la camicia: un disastro. Non potevano almeno aspettare che finissi la colazione? D'altronde, pensai – pulendomi la camicia con un tovagliolo, avviandomi risoluto verso la porta: potevano essere gli uomini di Martin. Forse sarebbe stato tutto più rapido di quanto avessi previsto.

Invece, quando spalancai la porta – non riuscivo a crederci – mi trovai davanti Boris. Stropicciato, gli occhi rossi, messo male. Neve sui capelli, neve sulle spalle. Ero troppo esterrefatto per provare sollievo. «Che cazzo» dissi, quando mi abbracciò, e poi, rivolgendomi all'addetto della reception che ci veniva incontro a grandi passi: «No, è tutto a posto».

«Visto? Perché dovevo aspettare? Perché dovevo aspettare?» fece Boris con rabbia, agitando un braccio in direzione dell'uomo, che si era fermato di colpo e ci fissava. «Non l'avevo detto? Avevo detto che sapevo dov'era la stanza! Come facevo a saperlo se non era mio amico?» E tornando a me: «Non so perché fanno tutte queste sceneggiate. È ridicolo! Ho aspettato una vita e non c'era nessuno alla reception. Nessuno! Il deserto del Sahara!» (fulminando il tizio con un'occhiata). «Ho aspettato, ho aspettato. Ho suonato il campanello! Poi appena ho iniziato a salire le scale – "aspetti, aspetti, signore"...» con un tono da bambino lagnoso, «"torni qua" – e poi si è *messo* a inseguirmi...»

«La ringrazio» dissi all'addetto, o piuttosto alla sua schiena, dato che dopo qualche istante di sconcerto e irritazione si era voltato e si era avviato in silenzio lungo il corridoio. «Molte grazie, sul serio» gli urlai; ero contento di constatare che fermavano i visitatori che provavano a salire di forza.

«Certo, signore.» Senza voltarsi. «Buon Natale.»

«Hai intenzione di farmi entrare?» disse Boris, quando alla fine le porte dell'ascensore si chiusero e restammo soli. «O rimaniamo qua a guardarci teneramente?» Puzzava da far schifo, come se non si lavasse da giorni, e aveva un'aria vagamente sprezzante e insieme soddisfatta di sé.

«Io...» il cuore mi batteva forte, d'un tratto mi sentivo di nuovo male, «per un minuto, sì.»

«Un minuto?» Mi squadrò da capo a piedi. «Devi andare da qualche parte?»

«In effetti, sì.»

«Potter...» il tono scherzoso, poggiando la borsa, tastandomi la fronte con le nocche, «hai una brutta cera. Hai la febbre. Sembra che tu abbia appena scavato il canale di Panama.»

«Sto alla grande» ribattei secco.

«Non si direbbe. Sei bianco come una pezza. Perché sei vestito così bene? Perché non hai risposto alle mie telefonate? Cos'è quella roba?» disse – spiando il carrello del servizio in camera alle mie spalle.

«Prego, serviti pure.»

«Be', se non ti spiace. Che settimana. Ho guidato tutta la fottutissima notte. Bel modo di merda di passare la vigilia di Natale...» togliendosi il cappotto, lasciandolo cadere a terra, «be', a dir la verità ne ho passate di peggio. Almeno non c'era traffico in autostrada. Ci siamo fermati in un posto assurdo, l'unico aperto, un benzinaio, salsicce con la senape, di solito mi piacciono, ma mio Dio, lo stomaco...» Aveva preso un bicchiere dal minibar, si stava versando lo champagne.

«E tu, qui.» Agitando una mano. «Fai la bella vita, a quanto vedo. Roba di lusso.» Si era tolto le scarpe, muoveva le dita dei piedi nei calzini bagnati. «Cristo, ho le dita congelate. C'è un sacco di fango per strada – la neve è già quasi acqua.» Prendendo una sedia. «Siediti con me. Mangia qualcosa. Tempismo perfetto.» Aveva alzato il coperchio dello scaldavivande, stava annusando le uova col tartufo. «Deliziose! Ancora calde! Che, che cos'è?» disse, mentre io frugavo nelle tasche del cappotto e gli porgevo l'orologio e l'anello di Gyuri. «Ah, sì! Avevo dimenticato. Fa lo stesso. Puoi darglieli tu.»

«No, fallo tu per me.»

«Be', dovremmo chiamarlo. Qui c'è abbastanza cibo per cinque persone. Perché non chiamiamo…» sollevò la bottiglia dello champagne, controllò il livello come se stesse analizzando un rendiconto finanziario dal contenuto preoccupante, «perché non chiediamo che ce ne portino un'altra, una piena, o anche due, e magari del caffè o del tè? Io…» avvicinando la sedia, «sto morendo di fame! Gli dico…» sollevando una fetta di salmone affumicato, facendola dondolare sopra la bocca prima di trangugiarla e cercare il cellulare in tasca, «gli dico di lasciare la macchina da qualche parte e venire a piedi, no?»

«Va bene.» Qualcosa dentro di me era morto nel momento in cui l'avevo visto, più o meno come succedeva con mio padre quand'ero bambino, le lunghe ore a casa da solo e l'involontaria ondata di sollievo nel sentire la chiave che girava nella serratura, e poi immediato il tonfo al cuore non appena lo vedevo apparire.

«Che c'è?» Leccandosi rumorosamente le dita. «Non vuoi che Gyuri venga qui? Chi è che ha guidato con me tutta la notte? E non ha dormito? Almeno fagli fare colazione.» Aveva già aggredito le uova. «Sono successe un sacco di cose.»

«Anche a me sono successe un sacco di cose.»

«Dove vai?»

«Ordina quello che vuoi.» Pescai dalla tasca la tessera per aprire la porta, gliela misi in mano. «Metti tutto sul conto della stanza.»

«Potter…» lasciando cadere il tovagliolo, venendomi dietro e poi fermandosi e – con mia grande sorpresa – mettendosi a ridere. «E allora vai. Dai tuoi nuovi amici o dai tuoi affari tanto importanti!»

«Mi sono successe un sacco di cose.»

«Be'…» con sufficienza, «non so cos'è successo a *te*, ma posso dirti che quello che è successo a *me* è di sicuro cinquemila volte peggio. È stata una settimana… resterà negli annali. Mentre tu te la spassavi in hotel, io…» fece un passo avanti, una mano sulla mia manica, «aspetta.» Il suo telefono aveva squillato; si voltò per metà, parlò rapidamente in ucraino prima di tagliare corto e chiudere la comunicazione nel vedermi sulla porta.

«Potter.» Mi afferrò per le spalle, guardando dritto nelle mie pupille, poi mi costrinse a voltarmi e mi fece rientrare in stanza, un calcio alla porta per chiuderla. «Che cazzo? Sembri tipo *L'inferno dei morti viventi*. Come si intitolava il film che ci piaceva? Quello in bianco e nero? Non *I morti viventi*, quello poetico...»

«*Ho camminato con uno zombi*. Di Val Lewton.»

«Giusto. Quello. Siediti. L'erba qui è bella forte, anche se tu ci sei abituato avrei dovuto avvisarti...»

«Non ho fumato erba.»

«... perché ti dico, la prima volta che sono venuto qui, avevo più o meno vent'anni, al tempo fumavo erba tutti i giorni, mai più avrei pensato che potesse farmi quell'effetto e – mio Dio. Colpa mia – sono stato un coglione col tizio del coffee shop. "Dammi la più forte che hai." Be', me l'ha data! Tre tiri e non camminavo più! Non stavo più in piedi! Era come se mi fossi dimenticato come si faceva! Vista annebbiata, zero controllo dei muscoli. Zero contatto con la realtà!» Mi aveva fatto sedere sul letto; mi si era seduto di fianco con un braccio intorno alle spalle. «E, cioè, tu mi conosci ma... così mai! Il cuore che mi batteva forte come se avessi fatto una corsa e per tutto il tempo ero rimasto seduto immobile – non capivo più dov'ero – solamente buio! Completamente solo e piagnucolavo, hai presente, parlavo con Dio nella mia testa, "cosa ho fatto", "perché mi merito questo". Non so come ho fatto a uscire di lì! Un incubo. E questo con l'erba, ti dico! L'erba! Sono uscito in strada con le gambe molli e mi sono aggrappato al cestino di una bicicletta vicino a piazza Dam. Vedevo le macchine che salivano sul marciapiede e mi tiravano sotto. Alla fine sono arrivato nell'appartamento della mia ragazza a Jordaan e sono rimasto per un sacco di tempo in una vasca da bagno senz'acqua. Quindi...» Guardava sospettoso la mia camicia macchiata di caffè.

«Non ho fumato erba.»

«Lo so, me l'hai detto! Ti ho solo raccontato una storiella. Ho pensato che ti poteva interessare. Va be' – non c'è problema» disse. «Comunque.» Il silenzio che seguì fu infinito. «Mi sono dimenticato di dirti... mi sono dimenticato di dirti» mi stava versando un bicchiere di acqua minerale, «ti ho detto cos'è successo dopo? Che ho girato per il Dam? Sono stato male per tre giorni. La mia ragazza che diceva: "Usciamo, Boris, non puoi continuare a star qua e sprecare tutto il weekend". Ho vomitato al museo Van Gogh. Che classe.»

L'acqua fredda, nella gola infiammata, mi fece venire la pelle d'oca e mi scagliò dentro un ricordo tangibile di quand'ero ragazzino: la luce dolorosa del deserto, il doloroso dopo-sbronza pomeridiano, i denti che battevano per l'aria condizionata. Io e Boris scossi dai conati di vomito che ridevamo di quei conati, mentre ci strafogavamo di cracker raffermi in camera mia.

«Be'...» Boris mi lanciò un'occhiata di sbieco, «c'è in giro un brutto virus. Se non fosse Natale scenderei a comprare qualcosa per il tuo stomaco. Dai, dai...» buttando del cibo su un piatto, spingendolo verso di me. Afferrò la bottiglia di champagne dal secchiello, controllò di nuovo il livello, poi versò quello che restava nel mio bicchiere di succo d'arancia mezzo vuoto (mezzo vuoto perché se l'era bevuto lui).

«Dai» disse, sollevando il suo bicchiere verso di me. «Buon Natale a te! Lunga vita a noi! Cristo è nato, rendiamogli gloria! Ora...» buttando giù lo champagne – aveva poggiato le brioche sulla tovaglia, si stava ammucchiando del cibo sul piattino per il pane, «mi dispiace, so che vuoi sentire tutta la storia, ma ho fame e prima devo mangiare.»

Paté. Caviale. Il pane di Natale. Nonostante tutto avevo fame anch'io e decisi di approfittare con gratitudine del momento e del cibo che avevo davanti e così cominciai a mangiare e per un po' nessuno dei due disse niente.

«Meglio?» chiese poco dopo. «Sei uno straccio.» Servendosi altro salmone. «Anche Shirley si è beccato l'influenza.»

Non fiatai. Avevo appena iniziato ad abituarmi al fatto che lui era lì, nella stessa stanza con me.

«Pensavo fossi in giro con una ragazza. Be'... ecco dove siamo stati io e Gyuri» disse, visto che non parlavo. «Siamo stati a Francoforte. Già – questo lo sai. È stato pazzesco! Ma...» tracannando lo champagne, andando al minibar e accucciandosi per guardarci dentro...

«Hai il mio passaporto?»

«Sì, ho il tuo passaporto. Wow, c'è del vino buono qua! E tutte queste belle mini Absolut.»

«Dov'è?»

«Ah...» Tornando con una bottiglia di vino rosso sottobraccio e tre mignonette di vodka che mise nel secchiello del ghiaccio. «Ecco qua.» Tirando fuori il passaporto dalla tasca, lanciandolo sul tavolo con noncuranza. «Ora» sedendosi, «possiamo fare un brindisi?»

Io ero sul bordo del letto, immobile, il piatto mezzo pieno ancora sulle ginocchia. Il mio passaporto.

Nella pausa che seguì, Boris si allungò al di sopra del tavolo per dare un colpetto col medio al mio bicchiere di champagne, un acuto tintinnio cristallino come quello che annuncia un brindisi a fine pasto.

«Posso avere la tua attenzione, per favore?» domandò ironico.

«Che c'è?»

«Brindiamo?» Inclinando il bicchiere verso di me.

Mi strofinai la mano sulla fronte. «E a cosa?»

«Eh?»

«Brindiamo a cosa, esattamente?»

«Al Natale? Alla grazia di Dio? Può andare?»

Il silenzio tra noi, sebbene non esattamente ostile, diventava via via più teso e ingombrante. Alla fine Boris si abbandonò sulla sedia e indicò il mio bicchiere e disse: «Scusa se insisto, ma quando hai finito di fissarmi, credi che potremmo...».

«Prima o poi dovrò riflettere con calma su tutto.»

«Cioè?»

«Dovrò mettere ordine nella mia testa, prima o poi. Sarà un bel lavoro. Tipo questo va qui... quello va là. Due mucchi separati. Magari anche tre.»

«Potter, Potter, Potter...» con affetto, e un tono mezzo sprezzante, allungandosi verso di me, «sei un testone. Non hai il senso della gratitudine né della bellezza.»

«"Nessun senso della gratitudine." Brindo a questo, perché no.»

«Come? Non te lo ricordi il nostro Natale felice di tanti anni fa? I bei giorni andati? Che non torneranno più? Tuo padre» un gesto plateale della mano, «al tavolo del ristorante? La festa e la gioia? Non custodisci quel ricordo nel cuore?»

«Per l'amor del cielo.»

«Potter...» trattenendo il respiro, «sei proprio unico. Sei peggio di una donna. "Muoviti, muoviti." "Sveglia, vai." Non hai letto i miei messaggi?»

«Quali messaggi?»

Boris – mentre prendeva il bicchiere – di colpo si bloccò. Guardò a terra e io d'un tratto vidi la borsa poggiata accanto alla sua sedia.

Divertito, s'infilò l'unghia del pollice tra i denti davanti. «Qualche domanda?»

Le parole indugiavano sopra i resti della colazione. Riflessi distorti sul coperchio curvo del portavivande.

Raccolsi la borsa e mi alzai; e il suo sorriso svanì quando mi vide andare verso la porta.

«Aspetta!» disse.

«Aspettare cosa?»

«Non la apri?»

«Ascolta...» Mi conoscevo troppo bene, non mi fidavo di me stesso; non avrei commesso lo stesso errore due volte di fila...

«Che stai facendo? Dove vai?»

«Lo porto di sotto. Lo faccio mettere in cassaforte.» Non sapevo neanche se avessero una cassaforte, però non volevo tenermi il quadro vicino – era più al sicuro con degli sconosciuti, in un guardaroba, ovunque. Avrei chiamato la polizia appena Boris se ne fosse andato, ma non prima; non c'era ragione di trascinarlo in quella storia.

«Non l'hai neanche aperta! Non sai nemmeno cosa c'è dentro!»

«È evidente.»

«Cosa cazzo significa?»

«Forse non ho bisogno di sapere cos'è.»

«Ah, no? Forse invece sì. Non è quello che pensi» aggiunse, con sufficienza.

«No?»

«No.»

«Come fai a sapere cosa penso?»

«È ovvio che so cosa pensi! E... ti sbagli. Mi dispiace. Ma...» alzando le mani, «è qualcosa di molto, molto meglio.»

«Meglio?»

«Sì.»

«Come fa a essere *meglio*?»

«È meglio e basta. Molto molto meglio. Devi fidarti di me. Aprila e vedrai» disse, annuendo brusco.

«E questi cosa sarebbero?» esclamai dopo trenta secondi di stupore. Sollevando una mazzetta di centoni – dollari –, poi un'altra.

«Non è tutto.» Strofinandosi la nuca col palmo della mano. «Solo una parte.»

Guardai i soldi, poi lui. «Una parte di cosa?»

«Be'...» con un sorrisetto, «ho pensato che i contanti avrebbero fatto più scena, giusto?»

Le voci attutite di un programma comico che arrivavano dalla stanza accanto, i tempi fissi delle risate registrate in tv.

«Una sorpresa ancora più bella per te! Non è tutto, bada bene. Valuta americana, ho pensato, più comodo per il ritorno. La cifra con cui sei venuto – solo un po' di più. In effetti non hanno ancora pagato – i soldi non sono ancora arrivati. Ma... presto, spero.»

«Chi non ha pagato? Pagato cosa?»

«Questi soldi sono miei. Personali. Dalla cassaforte di casa. Mi sono fermato ad Anversa per prenderli. È più bello così – più bello per te da aprire, no? La mattina di Natale. Oh Oh Oh? Ma te ne arriveranno molti altri.»

Rigirai la mazzetta di soldi e la guardai: davanti e dietro. Fascettati, direttamente dalla Citibank.

«"Grazie, Boris." "Oh, di niente"» disse, ironico. «"È stato un piacere."»

Soldi a mazzette. Freschi al tatto. C'era in quella scena un qualche contenuto, un'emozione nascosta che non riuscivo a decifrare.

«Come ho detto – è solo una parte. Due milioni di euro. In dollari sono molti, molti di più. Quindi – buon Natale! È il mio regalo per te! Posso aprirti un conto in Svizzera per il resto e darti un libretto di risparmio così – che c'è?» disse, quasi indietreggiando, quando rimisi la mazzetta nella borsa, la chiusi e la spinsi verso di lui. «No! Sono tuoi!»

«Non li voglio.»

«Ma non hai capito! Lasciami spiegare, per favore.»

«Ho detto che non li voglio.»

«Potter...» incrociando le braccia e guardandomi con distacco, lo stesso sguardo che aveva usato al bar dei polacchi, «chiunque altro al mio posto uscirebbe di qui ridendo e non si farebbe vedere mai più.»

«Allora perché non lo fai?»

«Io...» guardandosi intorno nella stanza, come se non sapesse cosa rispondere, «te lo dico io perché! In nome dei vecchi tempi. Anche se mi tratti come un criminale. E perché voglio sistemare tutto con te...»

«Sistemare cosa?»

«Come cosa?»

«Che cosa, esattamente? Me lo spieghi? Da dove diavolo arrivano questi soldi? Come cazzo fai a pensare che possano sistemare qualcosa?»

«Be', veramente, non dovresti saltare così in fretta a...»

«Non voglio soldi!» Stavo quasi gridando. «Voglio il quadro. Dov'è il quadro?»

«Se solo aspettassi un secondo prima di...»

«Da dove vengono questi soldi? Da che fonte, esattamente? Bill Gates? Babbo Natale? Il topino dei denti?»

«Per favore. Non ti pare di esagerare coi drammi? Hai proprio preso da tuo padre.»

«Dov'è? Che ne hai fatto? Non ce l'hai più, vero? L'hai scambiato? L'hai venduto?»

«No, ovvio, l'ho – ehi...» strisciando la sedia all'indietro con foga, «Cristo, Potter, calmati. Ovviamente non l'ho venduto. Perché avrei dovuto venderlo?»

«Non lo so! Come faccio a saperlo? Perché è successo tutto questo? Per quale dannato motivo? Perché sono qui con te? Perché mi ci hai tirato in mezzo? Mi hai portato qui per aiutarti a uccidere qualcuno? È per questo?»

«Non ho mai ucciso nessuno in vita mıa» disse Borıs altezzoso.

«Oh, Dio. Ho sentito bene? Dovrei ridere? Davvero hai appena detto che non hai mai...»

«Quella era autodifesa. Lo sai. Non vado in giro a far del male alla gente per divertimento, ma se devo proteggermi, lo faccio. E tu» parlandomi sopra in tono imperioso, «con Martin, a parte il fatto che adesso non sarei qua e probabilmente neanche tu...»

«Mi fai un favore? Se non riesci a star zitto, puoi almeno andare di là e restarci per un po'? Perché non ho voglia di averti tra i piedi, al momento.»

«... e comunque, per la storia di Martin, ı poliziotti ti darebbero una medaglia, se lo sapessero, e lo stesso farebbero molti altri, innocenti, che non vivono più per colpa sua. Martin era...»

«Anzi, guarda, perché non te ne vai? È la cosa migliore.»

«Martin era un diavolo. Non completamente umano. Non era solo colpa sua. Era nato così. Senza sentimenti, capisci? So che Martin ha fatto di peggio, alla gente, peggio che sparare. Non a *noi*» disse in fretta, muovendo la mano, come se quello fosse il fulcro di tutte le nostre incomprensioni. «A noi lui ci avrebbe sparato per cortesia, lasciando perdere tutte quelle sue cattiverie extra. Ma – Martin era un brav'uomo? Un essere umano nel vero senso del termine? No. Non lo era. Neanche Frits era un fiorellino. Quindi... questo rimorso e dolore che provi – devi vederla sotto una luce diversa. Devi vederla come un atto eroico al servizio di un bene superiore. Non puoi avere sempre una prospettiva così nera sulla vita, sai, ti fa molto male.»

«Posso chiederti una cosa?»

«Quello che vuoi.»

«Dov'è il quadro?»

«Ascolta...» Boris inspirò, e distolse lo sguardo. «Questo è il massimo che ho potuto fare. So quanto lo volevi. Anche se non pensavo avresti reagito così male per il fatto di averlo perso.»

«Puoi almeno dirmi dov'è?»

«Potter...» la mano sul cuore, «mi dispiace che tu sia così arrabbiato. Non me l'aspettavo. Ma avevi detto che non lo avresti tenuto comunque. Che l'avresti restituito. Non è quello che hai detto?» aggiunse, dato che continuavo a fissarlo.

«Pensi davvero di aver fatto la cosa giusta? Ma come diavolo fai a...»

«Be', te lo dirò! Se stai zitto e mi lasci parlare! Invece di continuare a farneticare e farti venire la schiuma alla bocca e rovinare il nostro Natale!»

«Ma di che stai parlando...»

«Idiota.» Picchiettandosi le tempie con le nocche. «Da dove pensi che vengano i soldi?»

«Come cazzo faccio a saperlo?»

«Sono i soldi della ricompensa!»

«Ricompensa?»

«Sì! Per averlo restituito intatto!»

Mi ci volle un momento. Ero in piedi. Dovetti sedermi.

«Sei arrabbiato?» disse Boris con cautela.

Voci nel corridoio. Spenta luce invernale che rimbalzava sul paralume d'ottone.

«Pensavo saresti stato contento. No?»

Ma non mi ero ancora ripreso abbastanza da riuscire a parlare. L'unica cosa che potevo fare era fissarlo, esterrefatto.

Notando la mia espressione, Boris si spostò i capelli dalla faccia e rise. «Sei stato tu a darmi l'idea. Ma forse non ti sei reso conto di quanto fosse brillante! Puro genio! Avrei dovuto pensarci io. "Chiama quelli dei furti d'arte, chiama quelli dei furti d'arte." Be', era una cosa da pazzi! All'inizio la vedevo così. Devi ammetterlo, tu vai un po' fuori di testa quando si tratta di quel quadretto. Solo che poi...» scrollò le spalle, «le cose hanno preso quella brutta piega, come sai fin troppo bene, e dopo che ci siamo separati sul ponte ho parlato con Cherry, cosa facciamo, cosa facciamo, ci siamo spremuti le meningi e abbiamo fatto un po' di ricerche, e...» sollevando il bicchiere verso di me, «be', in effetti era un'idea geniale! Perché mai avrei dovuto dubitare di te? Sei stato la mente di tutto fin dall'inizio! Io che me ne stavo in Alaska – a camminare otto chilometri fino al benzinaio per rubare una barretta Nestlé – e intanto tu, be', guardati. Una mente superiore! Perché mai avrei dovuto non darti retta? Perché – ci rifletto un po' su, e...» alzando le braccia, «avevi ragione. Chi l'avrebbe detto? Più di un milione di dollari di ricompensa per il tuo quadro! Anzi neanche per il quadro! In cambio di informazioni utili al suo ritrovamento! E senza altre domande! In contanti, puliti puliti…»

Fuori, la neve volava contro la finestra. Nella stanza affianco qualcuno tossiva forte, o rideva, non ero sicuro.

«Avanti e indietro, avanti e indietro, per tutti questi anni. Una cosa da sfigati. Scomodo, pericoloso. E – la domanda che mi faccio adesso – perché cazzo ho fatto tutta quella fatica? Quando avrei potuto incassare tanti bei soldini puliti giusto in cambio di una soffiata? Perché – avevi ragione tu – per loro era una questione d'affari e basta. Non mi hanno chiesto niente di niente. Gli interessava solo riavere il quadro.» Boris si accese una sigaretta e fece cadere con un sibilo il fiammifero nel bicchiere d'acqua. «Non l'ho visto coi miei occhi, avrei voluto – non pensavo fosse una buona idea restare nei paraggi, se capisci cosa intendo. Squadre SWAT tedesche! Giubbotti antiproiettile, armi. Mani in alto! Faccia a terra! Un gran casino e gente per la strada! Ah, avrei voluto vedere l'espressione di Saša!»

«Hai chiamato la polizia?»

«Be', non io di persona! Il mio socio Dima – Dima è incazzato coi tedeschi per gli spari nel suo garage. Non ce n'era proprio bisogno, e per lui è una bella gatta da pelare. Vedi…» nervosamente, incrociò le gambe e sbuffò fuori una grossa nuvola di fumo, «avevo un'idea su dove potevano tenerlo. C'è un appartamento a Francoforte. Di una vecchia ragazza di Saša. Ci tenevano tutti qualcosa. Ma era impossibile entrarci, anche con una mezza dozzina di ragazzi. Chiavi, allarmi, telecamere, password. E c'era un problema…» sbadigliando, coprendosi la bocca col dorso della mano, «be', due problemi. Il primo è che la polizia ha bisogno di prove concrete per perquisire un appartamento. Non è che chiami semplicemente col nome del ladro, un cittadino anonimo che vuole rendersi utile, se capisci cosa intendo. E, secondo problema – non ricordavo l'indirizzo esatto. Molto molto riservato – ci sono stato una sola volta – a tarda notte, e non nelle migliori condizioni. Conoscevo a malapena il quartiere… più che altro case occupate, adesso è molto carino… mi sono fatto accompagnare da Gyuri, abbiamo fatto su e giù per la strada, su e giù per la strada. Ci abbiamo messo un casino. E alla fine…? Mi sono ricordato in quale fila di case era ma non ero sicuro al cento per cento di beccare quella giusta. Quindi sono sceso e mi sono avviato a piedi. Spaventato com'ero di stare in quella strada – avevo paura di essere visto – sono smontato dalla macchina e ho cominciato a camminare. Sulle mie gambe. Con gli occhi mezzi chiusi. Mi sono ipnotizzato da solo, hai presente, cercando di ricordare quanti passi avevo fatto… Cercando di *sentire* dov'era… Comunque – sto divagando. Dima…» raccogliendo le briciole sulla tovaglia, «la cognata del cugino di Dima, l'ex cognata in realtà, ha sposato un olandese, e hanno un figlio che si chiama Anton – ventuno, forse ventidue anni, immacolato come la neve, van den Brink il cognome – Anton è un cittadino olandese che è cresciuto parlando olandese quindi questo ci era d'aiuto, se mi segui. Anton…» mangiucchiando una brioche: facendo una faccia strana, sputando un seme di segale che gli era rimasto tra i denti, «Anton lavora in un bar dove va molta gente ricca, sulla C. Hooftstraat, l'Amsterdam di lusso – la strada di Gucci, la strada di Cartier. Un bravo ragazzo. Parla inglese, olandese, forse qualche parola di russo. Comunque Dima ha fatto chiamare la polizia da Anton e gli ha fatto dire che aveva visto due tedeschi, uno dei quali rispondeva alla descrizione di Saša – gli occhiali da vecchietta, la camicia tipo *Casa nella prateria*, il tatuaggio tribale sulla mano che Anton si è offerto di riprodurre su un pezzo di carta, perché l'aveva visto nella fotografia che gli avevamo dato – comunque, Anton ha chiamato la polizia e gli ha detto che aveva visto questi tedeschi ubriachi marci nel suo bar che discutevano, e che erano così arrabbiati e su di giri che avevano dimenticato lì – indovina cosa? Una cartelletta! Be', ovviamente era una cartelletta di foto e documenti messi insieme da noi apposta per incastrarli. All'inizio abbiamo pensato a un telefono, un telefonino con dentro le foto e il resto, ma nessuno del gruppo era abbastanza nerd da poterlo fare in maniera sicura al cento per cento. Allora – ho stampato delle foto… quelle che ti ho fatto vedere, più delle altre che avevo per caso nel telefono… il fringuello in mezzo a dei giornali relativamente recenti, per dargli una data, hai capito cosa voglio dire. Giornali

vecchi di due anni – ma comunque. Anton aveva semplicemente trovato questa cartelletta, capisci, sotto una sedia, con qualche
altro documento a proposito di quella storia di Miami, sai, giusto
per fornire un collegamento utile alle autorità. Abbiamo inserito
l'indirizzo dell'appartamento di Francoforte, e ovviamente il nome
di Saša. Tutta un'idea di Myriam, è lei che si merita i complimenti,
dovresti offrirle da bere alla grande quanto torni a casa. Ha spedito
via FedEx delle cose dall'America – molto molto convincenti. Col
nome di Saša, con il…»

«Saša è in prigione?»

«Certo che sì.» Boris rise sonoramente. «Noi ci prendiamo il riscatto, il museo si prende il quadro, gli sbirri chiudono il caso, la
compagnia assicurativa si riprende i soldi, il pubblico è contento,
tutti escono vincitori.»

«Riscatto?»

«Be', ricompensa, riscatto, chiamalo come ti pare.»

«Chi ha pagato questi soldi?»

«Non lo so.» Boris fece un gesto irritato. «Il museo, il governo,
un privato cittadino. Cosa importa?»

«A me importa.»

«Be', non dovrebbe. Dovresti solo ringraziare. Perché» disse,
sollevando il mento, alzando la voce, «sai che c'è, Theo? Sai che
c'è? Indovina un po'! Indovina quanto siamo stati fortunati! Non
c'era solo il tuo uccellino, là dentro, ma – chi l'avrebbe detto? Un
sacco di altri quadri rubati!»

«Altri quadri?»

«Due dozzine, o anche di più! Alcuni dei quali scomparsi da un
sacco di anni! E – mica tutti carini e belli come il tuo, anzi la maggior parte non lo è. Questa è la mia opinione personale. Ma c'erano
lo stesso delle belle ricompense, per quattro o cinque di quei quadri
– ricompense più sostanziose che per il tuo. E anche alcuni di quelli
non così famosi – un'anatra morta, il ritratto di un tizio grasso e noioso che non hai mai sentito nominare – anche per quelli ti davano
dei soldi – cinquantamila qua, centomila là. Chi l'avrebbe detto?
"Informazioni utili al ritrovamento." Tutto fa brodo. E spero» concluse solenne, «che magari tu mi perdonerai grazie a questo?»

«Questo cosa?»

«Perché... Parlano di "uno dei ritrovamenti di opere d'arte rubate più importanti di sempre". E questa è la cosa che speravo ti facesse piacere – forse no, chi lo sa, ma io ci speravo. Capolavori da museo, restituiti allo Stato! Un vero tesoro culturale! Immensa gioia! Tutti gli angeli che cantano in coro! Ma non sarebbe mai successo, se non fosse stato per te.»

Rimasi seduto in silenzio.

«Ovviamente» aggiunse Boris, accennando alla borsa aperta sul letto, «non sono tutti lì dentro. Anche Myriam e Cherry e Gyuri hanno avuto il loro bel regalo di Natale. E ho dato ad Anton e Dima il trenta per cento subito. Quindici per cento a testa. In realtà Anton ha fatto tutto il lavoro, quindi secondo me lui doveva prendere venti e Dima dieci. Ma sono un sacco di soldi per Anton, perciò è contento.»

«Hanno recuperato altri quadri. Non solo il mio.»

«Sì, te l'ho appena...»

«Quali quadri?»

«Oh, alcuni molto famosi e illustri! Scomparsi da anni!»

«Per esempio...?»

Boris fece un verso irritato. «Oh, non li so i nomi, sai che non devi chiederlo a me. Qualcosa di moderno – molto importante e costoso, erano tutti molto eccitati, anche se, devo essere sincero, io non capisco cos'abbiano di speciale, alcune di quelle croste. Com'è che una cosa che sembra fatta in prima elementare costa così tanto? *Blob insignificante. Bastone nero con garbuglio intorno.* Ma poi anche... parecchie opere d'importanza storica. Uno era un Rembrandt.»

«Un paesaggio marittimo?»

«No... delle persone in una stanza buia. Un po' noiosino. C'era un bel van Gogh, però, una spiaggia. E poi... oh, non so... le solite cose, la Madonna, Gesù, tanti angeli. Anche delle sculture. E dei quadri asiatici. A me sembrava non valessero niente, ma mi sa che sbagliavo.» Boris spense la sigaretta con forza. «Il che me lo fa venire in mente. È scappato.»

«Chi?»

«Il cinese di Saša.» Era andato al minibar ed era tornato con cavatappi e bicchieri. «Non era in casa quando sono arrivati gli sbirri, buon per lui. E – se è furbo, e lo è – non tornerà.» Sollevando le dita incrociate. «Troverà un altro riccone da cui farsi mantenere. È quello che fa. È un buon lavoro, se riesci a ottenerlo. Comunque…» mordendosi il labbro mentre toglieva il tappo, pop!, «mi spiace di non averci pensato io, anni fa! Un bell'assegno sostanzioso! Facile come respirare! Soldi puliti! Invece di correre dietro alla pallina come ho fatto per tutti quegli anni. Avanti e indietro…» agitando il cavatappi, tic, toc, «avanti e indietro. Snervante! Un sacco di tempo, un sacco di grane, e un sacco di soldi facili del governo proprio lì sotto il mio naso! Lascia che ti dica…» si sporse, versandomi un bicchiere di rosso con un gorgoglio, «da un certo punto di vista, Horst probabilmente è contento quanto te che sia andata a finire così. Gli piace fare soldi come a tutti, ma si sente anche in colpa, il bene pubblico, il patrimonio culturale, bla bla bla.»

«Non capisco cosa c'entri Horst in tutto ciò.»

«No, nemmeno io, e non lo scopriremo mai» disse Boris. «È sempre molto cauto e gentile. E sì, sì…» impaziente, bevendo un rapido sorso di vino, «e sì, sono arrabbiato con Horst, un po', forse non mi fido di lui come una volta, forse in realtà non mi fido di lui per niente. Però… Horst dice che non avrebbe mandato Martin se avesse saputo che si trattava di noi. E forse è la verità. "Mai, Boris – non l'avrei mai fatto." Chi lo sa? A essere onesti – giusto tra noi – penso che lo dica solo per salvarsi la faccia. Perché dopo che tutto è andato a rotoli con Martin e Frits, cosa poteva fare? A parte tirarsi indietro con eleganza? Dire che non ne sapeva nulla? Comunque non ne sono sicuro, è solo una mia teoria. Horst ha la sua versione della faccenda.»

«Cioè?»

«Dice…» Boris inspirò, «Horst dice che non sapeva che Saša aveva preso il quadro, non finché l'abbiamo rubato noi e Saša l'ha chiamato all'improvviso chiedendogli aiuto. È stata una pura coincidenza che Martin fosse in città – era qui in vacanza da Los Angeles. Tra i drogati, Amsterdam è una meta abbastanza famosa, a Natale. E sì, su questo…» si strofinò gli occhi, «be', sono abbastanza sicuro che Horst stia dicendo la verità. La telefonata di Saša per lui *è stata* una sorpresa. Saša lo ha supplicato di salvarlo. Non c'è stato tempo per parlare. Horst ha dovuto agire in fretta. Come faceva a sapere che si trattava di noi? Saša non era nemmeno ad Amsterdam – aveva saputo tutto da fonti di seconda mano, da Chinky, che non parla nemmeno bene il tedesco – e Horst l'ha saputo da Saša. Tutto combacia se lo guardi dalla giusta prospettiva. Detto ciò...» alzò le spalle.

«Detto ciò?»

«Be' – Horst sicuramente non sapeva che il quadro era ad Amsterdam, né che Saša stava provando a usarlo per ottenere un prestito, non finché Saša si è fatto prendere dal panico e l'ha chiamato dopo che gli abbiamo fregato il quadro. Di questo sono sicuro. Ma: Horst e Saša erano d'accordo fin da subito a far scomparire il quadro, a farlo arrivare a Francoforte, grazie all'affare finito male di Miami? Forse. A Horst piaceva molto quel quadro. *Molto.* Te l'ho detto – l'ha riconosciuto l'istante in cui l'ha visto. Senza neanche pensarci. Nome del pittore e tutto il resto»

«È uno dei quadri più famosi al mondo.»

«Be'...» Boris scrollò le spalle, «come ho già detto, ha studiato. È cresciuto circondato dalla bellezza. In ogni caso, Horst non sa che sono stato io a infarcire quella cartelletta. Potrebbe non essere così contento se lo venisse a sapere. Eppure...» rise forte, «sarebbe mai venuto in mente a Horst? mi chiedo io. Per tutto questo tempo, la ricompensa a portata di mano? Gratis e legale! Che scintillava in bella vista, come il sole! So solo che io non ci avevo mai pensato – non fino a ora. Felicità e gioia in tutto il mondo! Capolavori perduti e ritrovati! Anton il grande eroe – in posa per le foto, che parla con Sky News! Standing ovation alla conferenza stampa di ieri sera! Tutti lo amano – come quel tizio che ha fatto atterrare l'aereo sul fiume qualche anno fa e ha salvato tutti quanti, te lo ricordi? Ma, nella mia testa, non è ad Anton che battono le mani – in realtà è a te.»

C'erano così tante cose da dire a Boris, che non riuscivo a dirne nessuna. Provavo solo la forma più astratta di gratitudine. Forse, pensai – infilando una mano nella borsa, tirando fuori una mazzetta di soldi e rigirandomela tra le dita –, forse la buona sorte era come la cattiva sorte, nel senso che ti serviva un po' di tempo per abituarti all'idea. All'inizio non sentivi niente. L'emozione ti raggiungeva dopo.

«Bello, no?» disse Boris, chiaramente sollevato dal fatto che avessi cambiato atteggiamento. «Sei contento?»

«Boris, devi prenderne metà.»

«Credimi, sono a posto. Quello che ho adesso mi basta per mettermi in vacanza per un po', se mi va. Chissà – magari apro un bar a Stoccolma, come vorrebbe Astrid. O magari no. Mi sa che mi annoierei un tantino. Ma tu... sono tutti tuoi! E ne arriveranno altri. Ricordi la volta che tuo padre ci diede cinquecento dollari a testa? Volavano come piume! Molto nobile e grandioso! Be' – per me, all'epoca? Che avevo sempre fame? Che ero triste e solo? Senza niente? Un patrimonio! Mai visti così tanti soldi! E tu...» gli si era arrossato il naso; pensavo stesse per starnutire, «sei sempre stato buono e rispettoso, hai condiviso con me tutto quello che avevi e – e io cosa ho fatto?»

«Oh, Boris, dai» dissi imbarazzato.

«Ti ho derubato – ecco cos'ho fatto.» Occhi lucidi per l'alcol. «Mi sono preso quello che avevi di più caro. E come ho fatto a trattarti così male, quando desideravo solo il meglio per te?»

«Smettila. No – davvero, smettila» dissi, quando mi accorsi che piangeva.

«Che posso dire? Mi hai chiesto perché l'ho preso? e io cosa posso risponderti? Solo che – non è mai come sembra – tutto bene, tutto male. Sarebbe molto più facile se fosse così. Anche tuo padre... mi dava da mangiare, parlava con me, passava del tempo con me, mi ospitava sotto il suo tetto, mi dava i suoi vestiti... tu odiavi tuo padre così tanto, ma per certe cose era un brav'uomo.»

«Bravo non direi.»

«Be', io sì.»

«Saresti l'unico. E sbaglieresti.»

«Senti. Sono più tollerante di te» concesse Boris, rinvigorito dalla prospettiva di una discussione, inghiottendo le lacrime con un singulto. «Xandra – tuo padre – li mettevi sempre in cattiva luce. E sì... tuo padre era distruttivo... irresponsabile... un bambino. Ma il suo spirito era grande. Lo faceva terribilmente soffrire! Faceva più male a se stesso che agli altri. E sì...» disse con fare teatrale, impedendomi di obiettare, «sì, ti ha derubato, o ci ha provato, lo so, ma sai che c'è? Anch'io ti ho derubato e l'ho fatta franca. Chi è peggio? Perché lascia che ti dica...» toccando la borsa col piede, «il mondo è molto più strano di quello che crediamo o che potremmo immaginare. E so come la pensi, o come ti piace pensarla, ma forse in una situazione come questa non si può ridurre tutto a "bene" e "male" come fai sempre tu. Tipo... i tuoi due mucchi separati, il male qui, il bene là? Forse non è così semplice. Perché – con tutta la strada che ho fatto per venire qua, guidando tutta la notte, con le luci di Natale sull'autostrada e non mi vergogno a dirtelo, sono rimasto senza parole – perché pensavo, non potevo farci niente, alla parabola della Bibbia – sai, quella dove il fattore ruba l'obolo della vedova, ma poi scappa in campagna e fa fruttare il gruzzolo e riporta mille volte tanto alla vedova a cui l'aveva rubato? E lei lo perdona con gioia, e uccidono il vitello più grasso, e fanno festa?»

«Non penso sia tutto nella stessa parabola.»

«Be' – catechismo, in Polonia, è passato tanto tempo. Comunque. Perché, quello che sto cercando di dire – quello che pensavo in macchina venendo da Anversa la notte scorsa – il bene non deriva sempre dalle buone azioni, né le cattive azioni hanno sempre un effetto negativo, o no? Persino i buoni e i saggi non sono sempre in grado di prevedere l'esito di quello che fanno. È un'idea spaventosa! Ricordi il principe Myškin nell'*Idiota*?»

«Non sono in vena di conversazioni intellettuali al momento.»

«Lo so, lo so, ma ascoltami. Hai letto *L'idiota*, vero? Sì. Be', *L'idiota* è un libro molto inquietante per me. Mi ha fatto così effetto che dopo non ho quasi più letto romanzi, a parte roba tipo *Uomini che odiano le donne*. Perché...» provavo a intromettermi, «be', magari me lo dici dopo, a cosa pensavi, lasciami finire di dirti perché l'ho trovato inquietante. Perché tutto quello che Myškin fa è buono... altruista... tratta tutti con compassione e comprensione e a cosa porta tutta quella bontà? Omicidi! Disastri! Una volta mi preoccupavo un sacco di questa cosa. Me ne stavo sveglio a letto di notte e mi preoccupavo! Perché – perché? Com'era possibile? Ho letto quel libro tre volte, pensando di non averlo capito. Myškin era gentile, amava la gente, era tenero, perdonava sempre, non faceva mai niente di sbagliato – ma si fidava di tutte le persone sbagliate, prendeva solo decisioni sbagliate, faceva soffrire tutti quelli che gli stavano intorno. Quel libro contiene un messaggio oscuro. "A che pro essere buoni?" Ma – questo è ciò che ho capito ieri notte, mentre guidavo. E se... se fosse più complicato di così? Se fosse vero anche il contrario? Perché se è vero che il male può discendere dalle buone azioni... dove sta scritto che da quelle cattive può venire solo il male? Magari a volte – il modo sbagliato è quello giusto? Magari prendi la strada sbagliata e ti porta comunque dove volevi? O vedila in un altro modo, certe volte puoi sbagliare tutto, e alla fine viene fuori che andava bene?»

«Non sono sicuro di capire dove vuoi andare a parare.»

«Be' – devo dire che io personalmente non ho mai tirato una linea così netta tra "bene" e "male" come fai tu. Per me, spesso quella linea non esiste. Le due cose non sono mai separate. Una non può esistere senza l'altra. Finché agisco mosso dall'amore, sento che sto facendo del mio meglio. Invece tu – sei sempre preso a giudicarti, sempre lì a rimpiangere il passato, a maledirti, a prenderti la colpa, a chiederti "e se questo", "e se quello". "La vita è crudele." "Avrei preferito morire io." Be' – pensaci, a questo. E se tutte le tue azioni e le tue scelte, buone o cattive, non facessero differenza per Dio? E se il disegno fosse già deciso? No no – aspetta – ecco una domanda che vale la pena di farsi. E se fossero proprio la nostra cattiveria e i nostri errori a decidere il nostro destino e a condurci al bene? Se per alcuni di noi non esistesse un altro modo per arrivarci?»

«Per arrivare dove?»

«Vedi di capirmi, quando dico "Dio" intendo semplicemente una logica a lungo termine che noi non siamo in grado di decifrare. Come un'enorme massa d'aria che si muove lentamente e si avvicina a noi da lontano, spingendoci a caso, tipo...» fendette l'aria, per imitare una foglia trasportata dal vento. «Ma... forse non così a caso né in modo così indiscriminato, in fin dei conti, se mi segui.»

«Scusa, ma non capisco esattamente il punto.»

«Non c'è bisogno di un punto. Il punto è che forse il punto è fuori dalla nostra portata, non siamo in grado di vederlo né di comprenderlo. Perché...» alzando il sopracciglio, «be', se tu non avessi preso il quadro al museo, e Saša non l'avesse rubato, e io non avessi pensato a chiedere la ricompensa – be', non mancherebbero ancora all'appello anche tutti gli altri quadri? Magari per sempre? Avvolti nella carta da pacco... chiusi in quell'appartamento? Senza che nessuno possa ammirarli? Soli e lontani dal mondo? Forse era necessario che uno andasse perso, per ritrovare gli altri?»

«Penso che in questo caso dovremmo chiamarla "ironia della sorte", più che "divina provvidenza".»

«Sì – ma perché vuoi darle un nome? E se fossero la stessa cosa?»

Ci guardammo. E io pensai che nonostante i suoi difetti, che erano tanti e spettacolari, il motivo per cui Boris mi piaceva ed ero sempre felice quand'ero con lui, fin dal momento in cui l'avevo conosciuto, era che non aveva paura. Non capitava spesso di incontrare qualcuno che si muoveva per il mondo nutrendo per esso un tale aspro disprezzo ma anche una fede stramba e incrollabile nel «Pianeta della Terra», come gli piaceva chiamarlo da bambino.

«Allora...» finì il vino e se ne versò dell'altro, «quali sarebbero questi tuoi impegni importanti?»

«A proposito di che?»

«Un attimo fa, avevi fretta di andartene. Perché invece non resti qui un altro po'?»

«Qui?»

«No – non intendo *qui* qui – non ad Amsterdam – sono d'accordo con te che dovremmo andarcene dalla città, e per quanto mi riguarda vedrò di non metterci piede per un pezzo. Intendevo dire, perché non ci rilassiamo e ci facciamo un giro prima di tornare in America? Vieni ad Anversa con me. Vieni a vedere casa mia! A conoscere i miei amici! Dimentica per un po' i problemi con la tua ragazza.»

«No, vado a casa.»

«Quando?»

«Oggi, se ci riesco.»

«Così presto? No! Vieni ad Anversa! C'è questo servizio fantastico – non come il quartiere a luci rosse – due ragazze, duemila

euro e bisogna chiamare con due giorni di anticipo. Due due due.
Gyuri può accompagnarci – io mi metto davanti e tu ti sdrai dietro
e dormi. Che ne dici?»

«Mi sa che è meglio se mi lasci all'aeroporto.»

«Invece mi sa – che è meglio di no! Se fossi io quello che vende
i biglietti? Non ti farei proprio salire su un aereo. Sembra che ti sei
beccato l'aviaria o la SARS.» Stava slacciando le scarpe zuppe d'acqua,
provando a farci entrare i piedi. «Ah! Vediamo se sai rispondere a
questa domanda. Perché...» tenendo in mano le scarpe da buttare,
«mi dici perché continuo a comprarmi queste scarpe italiane di pelle
così fighe se poi le faccio fuori in una settimana? Quando – i miei
vecchi anfibi – te li ricordi? Buoni per scappare di corsa! Saltando
giù dalle finestre! Mi sono durati anni! Chi se ne frega se stanno di
merda coi miei completi. Devo trovarmene un paio uguale, e poi
non lo tolgo più per il resto della vita. Ma dove» disse, guardando corrucciato l'orologio, «dov'è finito Gyuri? Non dovrebbe avere
troppi problemi a parcheggiare, il giorno di Natale.»

«Ma l'hai chiamato?»

Boris si picchiò una mano in fronte. «No, mi sono dimenticato.
Merda! Probabilmente ha già fatto colazione. Oppure è in macchina, e sta morendo congelato.» Scolando quel che restava del vino,
riempiendosi le tasche con le mini vodka. «Sei pronto a partire? Sì?
Fantastico. Allora possiamo andare.» Stava raccogliendo, notai, gli
avanzi del pane e del formaggio in un tovagliolo. «Scendi e paga.
Anche se...» guardò con aria di disapprovazione il cappotto macchiato buttato sul letto, «devi proprio sbarazzarti di quello.»

«E come?»

Fece un cenno con la testa verso il torbido canale fuori dalla
finestra.

«Veramente?»

«Perché no? Non c'è una legge che vieta di buttare un cappotto
nel canale, o sbaglio?»

«Avrei detto di sì.»

«Be' – magari sì. Ma non gliene frega un cazzo a nessuno, secondo me. Sapessi la merda che ho visto galleggiare lì dentro quando
c'è stato lo sciopero degli spazzini. E gli americani ubriachi che ci

vomitavano, non ne hai un'idea. Anche se...» guardando fuori dalla finestra, «sono d'accordo con te, meglio non farlo in pieno giorno. Possiamo portarlo ad Anversa nel bagagliaio della macchina e buttarlo nell'inceneritore. Ti piacerà un sacco casa mia.» Cercando il telefono; componendo un numero. «Un loft per artisti, ma senza l'arte! E quando riaprono i negozi andiamo a comprarci un cappotto nuovo.»

VI

Tornai a casa con un volo notturno due giorni più tardi (dopo un Santo Stefano ad Anversa senza feste né escort, ma a base di zuppa in scatola, iniezioni di penicillina e qualche vecchio film sul divano di Boris) e arrivai da Hobie verso le otto di mattina, il fiato che condensava in nuvolette bianche, entrando dalla porta adorna di melissa, passando per il salotto con l'albero di Natale spento e quasi senza regali, fino al retro della casa dove trovai Hobie con la faccia gonfia e gli occhi assonnati, in ciabatte e vestaglia, in piedi su una scaletta a mettere via la zuppiera e la scodella per il punch che aveva usato per il pranzo di Natale. «Ciao» dissi, poggiando a terra la valigia – tutto preso da Popchik che mi trotterellava tra i piedi descrivendo dei leali e geriatrici otto di benvenuto –, e solo quando sollevai lo sguardo e lo vidi scendere dalla scala notai l'espressione risoluta sul volto di Hobie: era preoccupato, ma con un sorriso fermo, sulla difensiva, stampato in faccia.

«E tu?» dissi, raddrizzando la schiena, togliendomi dalle spalle il cappotto nuovo e sistemandolo sopra una sedia. «Successo qualcosa?»

«Non molto.» Senza guardarmi.

«Buon Natale! Be'... un po' in ritardo. Come *è andato* il Natale?»

«Bene. E il tuo?» disse dopo un momento.

«Non così male, in fin dei conti. Sono stato ad Amsterdam» aggiunsi, visto che non diceva niente.

«Ah, veramente? Dev'essere stato bello.» Distratto, la mente altrove.

«Com'è andato il pranzo?» chiesi dopo una pausa cauta.

«Oh, molto bene. Ha nevicato un po' ma per il resto è stata una bella adunata.» Aveva qualche difficoltà a chiudere la scala. «Ci sono due o tre regali per te lì sotto l'albero, se vuoi aprirli.»

«Grazie. Li apro stasera. Sono esausto. Posso darti una mano?» dissi, facendo un passo avanti.

«No, no. No, grazie.» Qualunque fosse il problema, glielo senti-vo nella voce. «Ce la faccio.»

«Okay» mi chiesi perché non facesse commenti sul suo regalo: un antico ricamo, lettere e numeri adornati da rampicanti, animali da fattoria stilizzati: *Marry Sturtevant, 11 anni. 1779.* Non l'aveva aperto? L'avevo scovato sul fondo di una scatola piena di mutando-ni sintetici della nonna al mercato delle pulci – non era costato poco per il mercato delle pulci, quattrocento dollari, ma avevo visto pezzi simili alle aste di Americana venire acquistati per dieci volte tanto. Lo fissai in silenzio mentre lavoricchiava in cucina in modalità pi-lota automatico – girava in tondo, apriva il frigorifero e lo chiudeva senza tirar fuori niente, riempiva il bollitore per il tè, ostinatamente chiuso nel suo bozzolo, rifiutandosi di guardarmi.

«Hobie, che succede?» dissi alla fine.

«Niente.» Cercava un cucchiaio, ma aveva aperto il cassetto sba-gliato.

«Che c'è, non me lo vuoi dire?»

Si voltò a guardarmi, un lampo d'incertezza negli occhi, poi si girò di nuovo verso i fornelli e sputò il rospo: «È stato molto inap-propriato da parte tua regalare quella collana a Pippa».

«Perché?» dissi, sorpreso. «Si è arrabbiata?»

«Io…» Fissava il pavimento, scosse la testa. «Non capisco cosa ti succeda» disse. «Non so più cosa pensare. Senti, non voglio assu-mermi il ruolo del censore» proseguì, dato che me ne stavo seduto lì, immobile. «Veramente, non fa per me. In effetti preferirei non parlarne affatto. Ma…» Cercava le parole. «Non ti rendi conto di quanto sia patetico e inappropriato? Regalare a Pippa una collana da trentamila dollari? La sera della tua festa di fidanzamento? La-sciarla lì così, sui suoi stivali, fuori dalla sua porta?»

«Non l'ho pagata trentamila dollari.»

«L'avresti pagata settantacinque se l'avessi comprata al dettaglio.

E un'altra cosa…» Prese una sedia e vi si lasciò cadere. «Oh, non so cosa fare» mormorò, infelice. «Non so da dove cominciare.»

«Scusa?»

«Ti prego, dimmi che quest'altra faccenda non ha niente a che fare con te.»

«Faccenda?» chiesi, cauto.

«Be'.» La musica classica del mattino dalla radio in cucina, una meditativa sonata per pianoforte. «Due giorni prima di Natale ho ricevuto una visita decisamente inattesa da parte del tuo amico Lucius Reeve.»

La sensazione di precipitare fu immediata, una caduta interminabile e rovinosa.

«Che ha formulato delle accuse molto pesanti nei tuoi confronti. Accuse ben più gravi di quanto mi aspettassi.» Hobie si pizzicò gli occhi chiusi tra pollice e indice. «Lasciamo perdere le altre questioni per un attimo. No, no» disse, zittendomi con un gesto della mano quando provai a interromperlo. «Cominciamo dall'inizio. Cominciamo dai mobili.»

Un silenzio insopportabile si srotolò tra di noi.

«Ammetto di non averti facilitato il compito di venire a confidarti con me. E riconosco di essere stato io, in fondo, ad averti messo nella posizione di dover… Ma…» si guardò intorno, «due milioni di dollari, Theo!»

«Senti, lasciami dire una cosa…»

«Avrei dovuto prendere nota – quel Lucius aveva con sé fotocopie, bolle di spedizione, pezzi che non avevamo mai avuto, tantomeno venduto, pezzi di livello, da Important Americana, mai esistiti nella realtà, e non riuscivo a tenere tutto a mente, a un certo punto ho semplicemente smesso di contare. Dozzine! Non avevo idea delle dimensioni della cosa. E mi hai mentito riguardo alle sue intenzioni. Ciò che interessava a Reeve non era infiltrare pezzi a casa di qualche vecchietta.»

«Hobie? Hobie, ascolta.» Mi guardava ma senza guardarmi. «Mi spiace che tu abbia dovuto scoprirlo così, speravo di riuscire a sistemare tutto prima, ma me ne sono già occupato, okay? Posso ricomprare tutto ora, ogni singolo pezzo.»

Invece di mostrarsi sollevato, si limitò a scuotere la testa. «È terribile Theo. Come ho potuto permettere che accadesse?»

Se fossi stato meno scosso, avrei argomentato che il suo unico peccato era stato quello di fidarsi di me e di credere a ciò che gli raccontavo, ma lo spettacolo della sua confusione e incredulità mi impedì di aprir bocca.

«Come ho fatto a non accorgermene? Aveva…» Hobie distolse lo sguardo, scosse di nuovo la testa, «la tua grafia, Theo. La tua firma. Un tavolo Duncan Phyfe… sedie da pranzo Sheraton… un divano Sheraton spedito in California… l'avevo fatto io quel divano, Theo, con le mie mani, mi hai visto mentre lo mettevo insieme, è Sheraton tanto quanto lo è quel sacchetto di Gristede. Struttura completamente nuova. Anche i braccioli sono nuovi. Solo due delle gambe sono originali, tu eri là e mi guardavi mentre sagomavo le altre…»

«Mi dispiace Hobie – l'agenzia delle entrate chiamava tutti i giorni – non sapevo che fare…»

«Lo so» disse, ma c'era una domanda nei suoi occhi persino mentre lo diceva. «Era la Crociata dei fanciulli. Tu, su in negozio, sempre da solo…» si buttò indietro sulla sedia, alzò gli occhi al soffitto, «ma perché non ti sei fermato? Perché hai continuato? Tutti quegli anni, a spendere soldi che non avevamo! Ci hai cacciato in un baratro impossibile da risalire! E anche se potessimo ripianare i debiti, cosa che non siamo assolutamente in grado di fare e tu lo sai…»

«Hobie, per prima cosa, io *posso* ripagare i debiti e secondo…» avevo bisogno di caffè, non ero sveglio, ma non ce n'era di già fatto e non era proprio il momento di alzarsi e mettersi a trafficare con la caffettiera, «secondo, be', non voglio certo dire di aver agito bene, perché non è così, nella maniera più assoluta, cercavo un modo per uscire da un periodo difficile, ma non so proprio come ho fatto a farmi prendere la mano fino a quel punto. Ma – no, no, ascolta» dissi con urgenza; vedevo che i suoi pensieri lo stavano portando lontano da me, nello stesso luogo indefinito in cui si rifugiava mia madre quando era costretta a subire qualche complicata e improbabile bugia di mio padre. «Qualunque cosa ti abbia detto, e io non so cosa ti abbia detto, ora ho i soldi. Va tutto bene. Okay?»

«Immagino che sia meglio non chiederti da dove vengono.» Poi, mestamente: «Dove sei stato veramente? Se non ti dà fastidio che te lo chieda?».

Accavallai e riaccavallai le gambe, mi passai le mani sulla faccia. «Amsterdam.»

«Perché Amsterdam?» Poi, mentre tentavo di mettere insieme una risposta: «Non pensavo saresti tornato».

«Hobie...» in fiamme per la vergogna; avevo sempre cercato di nascondergli la mia doppiezza, di mostrargli solo la versione migliorata e ripulita di me stesso, mai quella logora e vergognosa che volevo celare a ogni costo, imbrogliona e codarda, bugiarda e truffatrice...

«*Perché* sei tornato?» Parlava veloce e con tristezza, come se volesse liberarsi di quelle parole il più in fretta possibile, e agitato com'era si alzò e cominciò a camminare in tondo, con le pantofole che sbattevano sul pavimento. «Pensavo che non ti avremmo più rivisto. Tutta la notte – le ultime notti – sono rimasto a letto sveglio, provando a pensare. Naufragio. Catastrofe. Tutti i telegiornali che parlavano di quei quadri rubati. Proprio un bel Natale. E tu... introvabile. Non rispondevi al telefono – nessuno sapeva dove fossi...»

«Oh, Dio» dissi, sinceramente inorridito. «Mi dispiace. E ascolta, ascolta» lo implorai – la sua bocca era una linea sottile, e scuoteva la testa come per prendere le distanze da quello che stavo per dire, come se non avesse più senso ascoltare, «se sei preoccupato per i mobili...»

«Mobili?» Il placido, tollerante, comprensivo Hobie: ribolliva come una caldaia sul punto di esplodere. «Chi ha parlato di mobili? Reeve ha detto che eri scappato, filato via il più velocemente possibile ma...» sbatteva le palpebre in fretta, si sforzava di ricomporsi, «non gli ho creduto, non potevo credergli, e ho avuto paura che fosse successo qualcosa di orribile. Oh, sai cosa voglio dire» mezzo arrabbiato, dal momento che non rispondevo. «Che dovevo pensare? Il modo in cui sei scappato dalla festa – Pippa e io, non puoi immaginartelo, l'ospite si è un po' risentita, "dov'è lo sposo" piagnucolava, te ne sei andato così all'improvviso, noi non eravamo invitati all'after-party e così ce la siamo svignata – e poi – pensa come mi sono sentito quando sono tornato e ho trovato la casa aperta, con la porta praticamente spalancata, il cassetto dei soldi razziato... e poi la collana, il biglietto che hai lasciato a Pippa era così strano, lei era preoccupata tanto quanto me...»

«Dici davvero?»

«Certo che sì!» Esasperato, praticamente gridando. «Cosa dovevamo pensare? E infine, la visita di Reeve. Stavo facendo la pasta sfoglia – non avrei dovuto aprire la porta, pensavo fosse Moira – erano le nove di mattina e me ne stavo là, a bocca aperta e ricoperto di farina – Theo, perché l'hai fatto?» disse con disperazione.

Non sapendo a cosa si riferisse – avevo fatto talmente tante cose – non potei far altro che scuotere la testa e distogliere lo sguardo.

«Era talmente insensato – come facevo a crederci? Infatti *non* ci credevo. Perché capisco» disse, visto che non rispondevo, «davvero, capisco la storia dei mobili, hai fatto quello che dovevi, e credimi, te ne sono grato, se non fosse per te ora lavorerei alle dipendenze di qualcun altro e vivrei in qualche topaia di monolocale. Ma...» affondando i pugni nelle tasche della vestaglia, «tutti quegli altri raggiri? Non ho potuto fare a meno di chiedermi quale sia stato il tuo ruolo. A maggior ragione dopo che te ne eri andato senza dire mezza parola, col tuo amico – il quale, odio dirlo, è un gran bel tipo, ma ha l'aria di uno che è stato in prigione più di una volta...»

«Hobie...»

«Oh, Reeve. Avresti dovuto sentirlo.» Aveva perso di colpo tutte le energie; pareva molle e sconfitto. «Il vecchio serpente. E – voglio che tu lo sappia – furto di opere d'arte? Ti ho difeso senza mezzi termini. Qualunque altra cosa avessi fatto – ero certo che non avessi fatto *quello*. E poi? Neanche tre giorni dopo? Cosa salta fuori al telegiornale? Quel quadro! Insieme a molti altri. Diceva la verità?» e poiché continuavo a non rispondere. «Sei stato tu?»

«Sì. Cioè, voglio dire, tecnicamente no.»

«Theo.»

«Posso spiegare.»

«Fallo per favore» disse, sfregandosi la tempia col palmo della mano.

«Siediti.»

«Io…» Si guardò intorno disperato, come se sedersi al tavolo con me potesse fargli perdere tutta la risolutezza.

«No, devi sederti. È una lunga storia. La farò più breve possibile.»

VII

Non disse una parola. Non rispose neanche al telefono quando suonò. Io ero stanchissimo e ancora indolenzito per il lungo volo, e, evitando di parlare dei due cadaveri, gli feci il miglior resoconto che potei quanto al resto: frasi brevi, solo fatti, senza provare a giustificarmi o a spiegare. Quando terminai, rimase lì seduto – io ero turbato dal suo silenzio, non c'era alcun rumore in cucina, a parte il monotono ronzio del vecchio frigo. Alla fine, appoggiò la schiena allo schienale e incrociò le braccia.

«A volte tutto gira in un modo bizzarro, no?» disse.

Restai in silenzio, chiedendomi cosa intendesse.

«Voglio dire…» strofinandosi gli occhi, «è una cosa che capisco solo ora che sto invecchiando. Com'è strano il tempo. Quanti scherzi e quante sorprese.»

La parola *scherzo* fu tutto ciò che udii, o capii. Poi, all'improvviso, si alzò – in tutto il suo metro e novantacinque, e c'era qualcosa di severo e di triste nella sua postura, o così mi sembrò, l'ancestrale fantasma del poliziotto di quartiere o il buttafuori che sta per cacciarti dal pub.

«Ci penserò io» dissi.

Sbatté le palpebre. «A cosa?»

«Ti farò un assegno per l'intera somma. Devi solo tenerlo finché non ti dico che puoi incassarlo, è tutto quello che ti chiedo. Non ho mai voluto farti del male, lo giuro.»

Con uno dei suoi ampi movimenti del braccio, scacciò via le mie parole. «No, no. Aspetta qui. Voglio mostrarti una cosa.»

Si alzò e andò verso il salotto. Scomparve per un attimo. E – quando tornò – aveva in mano un album di fotografie che cadeva a pezzi. Si sedette. Sfogliò varie pagine. E – quando giunse a una in particolare – lo spinse sul tavolo verso di me. «Ecco» disse.

Una fotografia sbiadita. Un ragazzo minuto come un uccellino, col naso importante, sorrideva fissando un pianoforte in una camera stile belle époque piena di palme in vaso: non Parigi, non proprio: il Cairo. Vasi gemelli, molti bronzi francesi, tanti piccoli dipinti. Uno – dei fiori in un bicchiere – lo riconobbi vagamente come un Manet. Ma l'occhio mi cadde e si fermò sulla copia di un'immagine molto più familiare, una o due foto sopra.

Era, ovviamente, una riproduzione. Ma anche nella vecchia fotografia velata, brillava della sua luce isolata e stranamente moderna.

«Una copia d'artista» disse Hobie. «Anche il Manet. Niente di speciale ma...» poggiando le mani sul tavolo, «quei quadri sono stati una parte importantissima della sua infanzia, la parte più felice, prima che si ammalasse – figlio unico, coccolato e viziato dalla servitù – fichi e mandaranci e fiori di gelsomino sul balcone – parlava arabo e francese, lo sapevi, vero? E...» Hobie incrociò le braccia, si tamburellò le labbra con la punta dell'indice, «parlava di come coi grandi quadri sia possibile conoscerli a fondo, quasi abitarli, anche attraverso le riproduzioni. Anche Proust – c'è un famoso passaggio in cui Odette apre la porta, raffreddata, è imbronciata, ha i capelli sciolti e non curati, la pelle arrossata, e Swann, che non si è mai interessato a lei fino a quel momento, se ne innamora perché somiglia alla ragazza di un affresco lievemente danneggiato di Botticelli. Che Proust stesso conosceva solo attraverso una riproduzione. Non aveva mai visto l'originale, nella Cappella Sistina. Ma anche così – l'intero romanzo in qualche modo ruota intorno a quel momento. E il deterioramento è parte del fascino, le guance macchiate del dipinto. Partendo da una semplice riproduzione, Proust riesce a ri-sognare l'immagine, la usa per dare nuova forma alla realtà, ne trae qualcosa di suo da trasmettere al mondo. Perché – il tratto della bellezza è il tratto della bellezza. Non importa se è passato dalla fotocopiatrice un milione di volte.»

«No» dissi, anche se non stavo pensando al quadro, ma ai mutanti di Hobie. Pezzi ravvivati dal suo tocco e lucidati finché pareva che gli avessero versato sopra l'oro fuso del Tempo, copie che ti facevano amare Hepplewhite o Sheraton, anche se non avevi mai visto né pensato a un pezzo di Hepplewhite o Sheraton in vita tua.

«Be', sono solo un vecchio copista che parla da solo. Sai cosa diceva Picasso. "I cattivi artisti copiano, gli artisti bravi rubano." Eppure, quando c'è vero genio, è come una scossa. Non importa con quanta frequenza riesci ad afferrare il cavo, o in quanti lo abbiano stretto prima di te. La linea elettrica è la stessa. Caduta sulla terra da una dimensione superiore. Lo shock che trasmette è lo stesso da sempre. E queste copie...» si chinò in avanti, le mani sul tavolo, ripiegate una sull'altra «le copie d'artista con cui lui crebbe andarono distrutte quando la casa al Cairo bruciò, anzi, a dire la verità lui le aveva perdute già prima, quando era rimasto invalido e l'avevano spedito in America, ma – be', era una persona come noi, si affezionava agli oggetti, per lui avevano personalità e anima, e sebbene avesse perso quasi tutto di quell'esistenza, non aveva *davvero* perso i due quadri, perché gli originali erano là fuori, nel mondo. Fece molti viaggi per vederli – infatti, prendemmo il treno fino a Baltimora per vedere l'originale del suo Manet quando fu esposto là, anni fa, ai tempi in cui la madre di Pippa era ancora viva. Un bel viaggio, per Welty. Ma sapeva che non sarebbe mai riuscito a tornare al museo d'Orsay. E il giorno che lui e Pippa andarono alla mostra sugli olandesi? Che quadro pensi volesse farle vedere, in particolare?»

La cosa interessante, nella fotografia, era come il fragile bambino con le gambe storte – che rideva con dolcezza, immacolato nel suo vestito da marinaio – fosse allo stesso tempo il vecchio morente che mi aveva stretto la mano: due fotogrammi distinti, uno sovrapposto all'altro, della stessa anima. E il dipinto, sopra la sua testa, era il cardine attorno a cui tutto ruotava: sogni e premonizioni, passato e futuro, fortuna e destino. Non c'era un unico significato. Ce n'erano tanti. Era un enigma che continuava a espandersi.

Hobie si schiarì la gola. «Posso chiederti una cosa?»

«Certo.»

«Come l'hai conservato?»

«In una federa.»

«Di cotone?»

«Be', il percalle è cotone?»

«Senza imbottitura? Senza niente per proteggerlo?»

«Solo carta e nastro adesivo. Sì» dissi, quando i suoi occhi si velarono di allarme.

«Avresti dovuto usare pellicola e pluriball!»

«Ora lo so.»

«Mi spiace.» Sussultando; portandosi una mano sulla tempia. «Sto ancora provando a capire. Hai viaggiato con quel quadro dentro una valigia su un volo della Continental Airlines?»

«Come ho detto. Avevo tredici anni.»

«Perché non me l'hai detto? Avresti potuto» disse, quando scossi la testa.

«Oh, certo» risposi, un po' troppo in fretta, mentre ripensavo all'isolamento e al terrore di quel periodo: la mia costante paura che intervenissero i servizi sociali; l'odore intenso del sapone nella mia stanza che non si poteva chiudere a chiave, la drastica freddezza della reception grigio-pietra in cui avevo atteso che il signor Bracegirdle mi ricevesse, l'ansia di essere mandato via.

«Mi sarei fatto venire in mente una soluzione. Anche se, quando sei capitato qua, senza un posto dove stare – be', spero non ti dispiaccia quello che dico, ma anche il tuo avvocato – insomma, lo sai anche tu, la situazione lo rendeva nervoso, era ansioso di mandarti via da qua e, anche nel mio caso, molti vecchi amici mi dissero, "James, è davvero troppo per te...", capisci anche tu perché possano averlo pensato» aggiunse frettolosamente, quando notò l'espressione sulla mia faccia.

«Oh, ma sì, certo.» I Vogel, i Grossman, i Mildeberger, sebbene gentili, trovavano sempre il modo di trasmettere (a me, in ogni modo) l'idea che oh-be'-Hobie-ha-già-tanti-di-quei-grattacapi.

«Da un certo punto di vista era una pazzia. So come doveva apparire dall'esterno. Eppure – be' – sembrava un messaggio così chiaro, il modo in cui Welty ti aveva mandato da noi, e poi eccoti qua, come un piccolo insetto, che tornava e tornava sempre...» Si fermò un attimo a riflettere, le sopracciglia corrucciate, una versione più profonda della sua espressione perpetuamente preoccupata. «Ti dirò quello che sto provando a esprimere in maniera un po' goffa, dopo la morte di mia madre non facevo che camminare, in quell'orribile estate che sembrava non voler mai finire. Camminavo anche da Albany a Troy, a volte. Me ne stavo sotto le tende dei ferramenta al riparo dalla pioggia. Qualunque cosa pur di non tornare a casa, in quella casa senza lei dentro. Fluttuavo come un fantasma. Me ne stavo in biblioteca finché non mi cacciavano e poi salivo sull'autobus per Watervliet e poi camminavo un altro po'. Ero un bambinone, avevo dodici anni ed ero già alto come un uomo, la gente pensava fossi un barbone, le casalinghe mi scacciavano con la scopa se mi beccavano nei paraggi della veranda. Ma è così che mi ritrovai dalla signora DePeyster – lei aprì la porta mentre stavo seduto sul suo dondolo e disse: Avrai sete, vuoi entrare? Ritratti, miniature, dagherrotipi, la vecchia Zia Questa, il vecchio Zio Quello e così via. La scala a chiocciola che scendeva. Ed eccomi là – sulla mia scialuppa di salvataggio. L'avevo trovata. A volte dovevi darti un pizzicotto dentro quella casa, per ricordarti di non essere nel 1909. Alcuni dei più bei pezzi classici americani che abbia mai visto, e, mio Dio, quel vetro Tiffany – era prima che Tiffany diventasse tanto di moda, alla gente non interessava, non era ancora *la* marca che è oggi, probabilmente in città le sue cose costavano già parecchio, ma dai rigattieri di provincia praticamente te le regalavano. Presto iniziai anch'io a frequentare quei negozietti. Ma in casa DePeyster... era tutta roba di famiglia. Ogni pezzo aveva la sua storia. E lei era felice di mostrarti il punto in cui stare, a che ora, per ammirare ogni cosa nella migliore luce possibile. Nel tardo pomeriggio, quando il sole girava intorno alla stanza...» allargò le dita, *boom, boom!* «si accendevano uno alla volta come petardi messi in fila.»

Da dove ero seduto avevo una visuale chiara dell'Arca di Noè di Hobie: coppie di elefanti, zebre, bestie intagliate in marcia per due, sino al minuscolo gallo con la gallina e i conigli e i topi che chiudevano la fila. E la mia memoria era là, oltre le parole, un messaggio in codice da quel primo pomeriggio: un acquazzone, la familiare fila di creature allineate sul bancone della cucina in attesa di essere salvate. Noè: il grande conservatore, il grande custode.

«E...» si era alzato per fare del caffè, «immagino sia ignobile passare tutta la vita a interessarsi così tanto a degli *oggetti*...»

«Chi l'ha detto?»

«Be'...» si voltò, le spalle ai fornelli, «non è come gestire un ospedale pediatrico, mettiamola così. Dov'è la nobiltà nel riparare un mucchio di vecchi tavoli e sedie? Un mestiere che corrode l'anima, molto probabilmente. Ho assistito a troppe liquidazioni di beni per non saperlo. Idolatria! Tenere troppo alle cose può distruggerti. Solo – se tieni abbastanza a un oggetto, esso acquista una vita propria, o no? E non è questo il punto fondamentale delle cose – delle cose belle –, il fatto che ti mettono in contatto con una bellezza superiore? Quelle prime immagini che ti spalancano il cuore e tu spendi il resto della vita a inseguirle o a tentare di ricatturarle, in un modo o nell'altro? Perché, insomma – riparare vecchie cose, preservarle, prendersene cura – da un certo punto di vista non c'è un fondamento razionale per tutto ciò…»

«Non c'è "un fondamento razionale" per niente che mi interessi.»

«Be', no, neanche per me» ammise. «Ma» ficcando i suoi occhi miopi nel barattolo, riempì la caffettiera, «cioè, scusa se non la smetto di blaterare, ma da qua, dal mio punto di vista, mi sembra che alla base ci sia una specie di equivoco, o no?»

«Che vuoi dire?»

Rise. «I grandi quadri – la gente accorre per vederli, attirano folle, sono riprodotti all'infinito sulle tazze e sui tappetini dei mouse e su qualunque cosa. E, questo riguarda anche me, puoi passare una vita intera a visitare musei con grande piacere, un bel giretto, e poi via, a pranzo da qualche parte. Ma…» tornò a sedersi al tavolo, «se un quadro ti affonda davvero nel cuore e cambia il tuo modo di vedere, e di pensare, e di provare emozioni, non pensi, "oh, amo questo quadro perché è universale", "amo questo quadro perché parla a tutto il genere umano". Non è questa la ragione per cui ci si innamora di un'opera d'arte. È un sospiro segreto in un vicolo. *Pss, tu. Ehi ragazzino. Sì, proprio tu.*» Le dita scorrevano sulla foto sbiadita – il tocco del conservatore, un tocco senza tocco, lo spazio di un'ostia tra la superficie e l'indice. «Un'intimo colpo al cuore. Il tuo sogno, il sogno di Welty, il sogno di Vermeer. Tu vedi un quadro, io ne vedo un altro, il libro d'arte lo colloca in un altro modo ancora, la signora che compra la cartolina al negozio di souvenir del museo vede qualcosa di completamente diverso, per non parlare della gente d'altri tempi – quattrocento fa, quattrocento anni nel futuro –, non colpirà mai nessuno allo stesso modo, e la maggior parte delle persone non ne verrà affatto toccata in maniera profonda, ma – un quadro veramente grande è abbastanza fluido da farsi strada nella mente e nel cuore da ogni possibile angolazione, in modi unici e molto particolari. *Sono tuo, tuo. Sono stato dipinto per te.* E – oh, non so, fermami se sto farneticando...» passandosi una mano sulla fronte, «ma anche Welty parlava di oggetti fatali. Ogni mercante d'arte e antiquario li sa riconoscere. Opere che tornano e ritornano. Forse per qualcun altro, che non è antiquario, non si tratta di un oggetto. Può essere una città, un colore, un'ora del giorno. Il chiodo su cui il tuo destino tende a impigliarsi e a strapparsi.»

«Sembra di sentire mio padre.»

«Be' – vedila in un altro modo. Chi è che ha detto che le coincidenze sono solo il modo che Dio ha scelto per restare anonimo?»

«Ora sembri *veramente* mio padre.»

«E se i giocatori d'azzardo l'avessero capito meglio di chiunque altro? Tutto ciò che ha davvero valore rappresenta una scommessa. E le cose buone non entrano spesso dalla porta sul retro?»

VIII

E sì. Immagino che la risposta sia sì. O – per citare un'altra paradossale perla di mio padre: a volte devi perdere per vincere.

Perché è trascorso quasi un anno, ormai, e ho viaggiato quasi tutto il tempo, undici mesi spesi tra sale d'attesa di aeroporti, camere d'albergo e altri posti di passaggio, riporre il bagaglio a mano nelle cappelliere, decolli e atterraggi, vassoi di plastica e aria stantia dalle ventole a forma di branchie di squalo – e benché manchi ancora un po' al Ringraziamento ci sono già le luminarie e negli Starbucks degli aeroporti cominciano a risuonare le prime canzoni natalizie come *Tannenbaum* di Vince Guaraldi e *Greensleeves* di Coltrane; e tra le moltissime cose a cui ho avuto modo di pensare (tipo per cosa vale la pena vivere? per cosa vale la pena morire? quali cose non sono altro che un'assurda perdita di tempo?), ho pensato molto a quello che mi ha detto Hobie: alle immagini che ti colpiscono al cuore e lo fanno sbocciare come un fiore, immagini che ti aprono a una bellezza talmente grande che puoi passare tutta la vita a cercarla senza più riuscire a ritrovarla.

E mi ha fatto bene, il tempo che ho trascorso da solo in viaggio. Un anno è il tempo che mi ci è voluto per vagare con calma per conto mio e ricomprare i falsi ancora in giro, un processo delicato che, ho scoperto, è meglio condurre di persona: tre o quattro viaggi al mese, New Jersey e Oyster Bay e Providence e New Canaan, e – più lontano – Miami, Houston, Dallas, Charlottesville e infine Atlanta, dove, su invito della mia adorabile cliente Mindy, moglie di un magnate dei pezzi di ricambio per auto di nome Earl, ho passato tre piacevolissimi giorni nella dependance di un castello nuovo di zecca fornito di sala da biliardo, «gentleman's pub» (con tanto di barman inglese appositamente importato) e un poligono di tiro al coperto con un sistema di bersagli montati su binari realizzato su misura. Alcuni dei miei clienti che hanno fatto fortuna nel settore informatico o grazie ai fondi speculativi hanno seconde case in posti esotici, esotici per me, almeno, Antigua e Messico e le Bahamas, Monte Carlo e Juan-les-Pins e Sintra, notevoli vini locali e cocktail da sorseggiare in giardini terrazzati con palme, agavi e ombrelloni bianchi che stormiscono al vento come vele. E ho vissuto in uno stato intermedio, ho volato nel fragore grigio, seduto accanto a finestrini punteggiati di gocce di pioggia, inerpicandomi verso cieli smagliati di sole, e poi di nuovo giù, attraverso nuvole e pioggia, su scale mobili e dentro ascensori, ancora più giù, fino alla confusione di facce dell'area reclamo bagagli, una specie di aldilà, lo spazio tra la terra e l'ultraterreno, tra il mondo e il non-mondo, pavimenti lucidi ed echi di cattedrali dal tetto di vetro e l'anonimo bagliore dei terminal, un'identità di massa di cui non voglio far parte e di cui non faccio parte, se non che è quasi come se fossi morto, mi sento diverso, *sono* diverso, e c'è un certo torpido piacere nell'entrare e uscire da questa forma di coscienza collettiva, mentre sonnecchio su sedie di plastica o mi aggiro per i corridoi scintillanti del Duty Free, e ovviamente sono tutti gentilissimi dopo che atterri, campi di tennis al coperto e spiagge private e l'inevitabile tour per ammirare un Bonnard, un Vuillard, tutti sempre molto cordiali, e poi un pranzo leggero a bordo piscina, seguito da un assegno pesante e da un viaggio in taxi per tornare in albergo, decisamente più povero di prima.

È un cambiamento sostanziale. Non so bene come spiegarlo. La distanza tra il desiderio e la sua assenza, tra il provare interesse per qualcosa e non provarne affatto.

Certo c'è anche molto altro. Lo shock e l'aura. Tutto è più forte e più luminoso e mi sento sull'orlo di qualcosa d'ineffabile. Messaggi in codice nelle riviste di bordo. Scudo d'energia. Cura assoluta. Elettricità, colori, fulgore. Ogni cosa è un segnale che indica qualcos'altro. E, steso sul mio letto in una fredda stanza color biscotto, a Nizza, col balcone affacciato sulla Promenade des Anglais, osservo le nuvole riflesse nelle finestre scorrevoli e mi meraviglio di come anche la mia tristezza possa rendermi felice, di come la moquette da muro a muro e i finti mobili Biedermeier e il leggero mormorio di un'annunciatrice francese su Canal Plus possano in qualche modo sembrarmi tanto necessari e giusti.

Mi piacerebbe potermene dimenticare, ma non posso. È come il suono di un diapason. C'è e basta. È sempre qui con me.

Rumore bianco, un rombo impersonale. L'incandescenza mortifera dei terminal d'imbarco. Ma anche questi posti sigillati e liberi da ogni anima sono pregni di significato, costellati e tonanti di significato. Sky Mall. Stereo portatili. Isole riflettenti di Drambuie e Tanqueray e Chanel n° 5. Guardo le facce svuotate degli altri passeggeri – valigette in pugno, zaini in spalla, passi strascicati lungo i corridoi – e penso a ciò che mi disse Hobie: la bellezza cambia la venatura della realtà. E continuo a pensare anche a una verità più convenzionale: ovvero, che la ricerca della bellezza pura è una trappola, una scorciatoia per l'amarezza e il dolore, che la bellezza dev'essere sempre associata a qualcosa di più profondo.

Ma cos'è quel qualcosa? Perché sono fatto così? Perché tengo alle cose sbagliate, e non mi curo di quelle giuste? O, per metterla in un altro modo: come è possibile che, pur rendendomi conto che tutto quel che amo o che m'interessa è un'illusione, io continui a sentire che tutto ciò per cui vale la pena vivere risiede proprio in quell'illusione?

Un grande dolore, che comincio a comprendere solo adesso: il cuore non si sceglie. Non possiamo obbligarci a desiderare ciò che è bene per noi o per gli altri. Non siamo noi a determinare il tipo di persone che siamo.

Perché – non ci martellano forse fin dall'infanzia con l'idea opposta, un luogo comune profondamente radicato nella nostra cultura, da William Blake a Lady Gaga, da Rousseau a Rumi alla *Tosca* a *Mister Rogers*, un messaggio curiosamente uniforme, trasversale: se sei in dubbio, cosa fai? Come fai a sapere cosa è giusto per te? Ogni psicologo, ogni consulente del lavoro, ogni principessa Disney conosce la risposta: «Sii te stesso». «Segui il tuo cuore.»

Ma ecco ciò che vorrei davvero che qualcuno mi spiegasse. Cosa succede se ti ritrovi con un cuore inaffidabile? Se questo cuore, per ragioni imperscrutabili, ti porta ostinatamente, avvolto in una nube di indicibile fulgore, lontano da tutto ciò che è sano, dal conforto dei piaceri domestici, dal senso civico e dai legami sociali e da tutte quelle che vengono comunemente considerate virtù per trascinarti invece verso uno stupendo falò di rovina, immolazione e disastro? Ha forse ragione Kitsey? Se il tuo io più profondo ti conduce cantando dritto verso il fuoco, devi voltargli le spalle? Tapparti le orecchie con la cera? Ignorare il perverso splendore che il cuore ti grida contro? Metterti sulla strada che ti porterà alla normalità, orari ragionevoli e regolari controlli medici, relazioni stabili e promozioni sicure, il «New York Times» e il brunch della domenica, il tutto con la promessa di diventare una persona migliore? O – come Boris – è meglio tuffarsi di testa e con una risata nel sacro fuoco che chiama il tuo nome?

Non si tratta di apparenze esteriori, ma del significato interiore. Una grandezza che è *nel* mondo, ma non *del* mondo, una grandezza che il mondo non capisce. Quella prima, fugace visione di qualcosa di *altro*, in presenza del quale continui a sbocciare.

Un io che non vorresti avere. Un cuore tuo malgrado.

Anche se il mio fidanzamento non è ancora saltato, non in via ufficiale perlomeno, mi è stato fatto capire – con garbo, nel modo più-leggero-dell'aria tipico dei Barbour – che non devo sentirmi vincolato. Il che è perfetto. Nulla è stato detto e nulla *è* detto.

Quando mi invitano a cena (come capita spesso, se sono in città) è tutto molto piacevole e lieve, e anche sciolto, intimo e sottile e insieme per nulla personale; vengo trattato come un membro della famiglia (quasi), benvenuto in qualunque momento; qualche volta sono riuscito a convincere la signora Barbour a uscire dall'appartamento, abbiamo passato dei bei pomeriggi, un pranzo al Pierre e un'asta o due; e Toddy è anche stato capace, nel modo più diplomatico, con naturalezza e quasi per caso, di fare il nome di un dottore molto bravo, senza la minima allusione al fatto che potrei averne bisogno.

[A proposito di Pippa: anche se ha preso il libro, ha lasciato la collana, insieme a una lettera che ho aperto con tanta impazienza che ho letteralmente distrutto la busta e strappato a metà il foglio. Il nocciolo – dopo essermi inginocchiato e aver ricomposto i pezzi – era questo: era stata felice di vedermi, il tempo che avevamo passato assieme a New York aveva significato molto per lei, chi altro al mondo avrebbe potuto regalarle una collana così bella? era perfetta, più che perfetta, solo che non poteva accettarla, era davvero troppo, le dispiaceva, e – forse stava parlando a sproposito, e se era così sperava che io la perdonassi, ma non dovevo pensare che lei non ricambiasse il mio amore, perché mi amava, eccome se mi amava. (Davvero? pensai, stupefatto). Solo che era complicato, e non lo diceva unicamente per sé, ma anche per me, dal momento che avevamo così tante esperienze in comune, lei e io, ed eravamo tremendamente simili – troppo. E visto che entrambi eravamo stati feriti così precocemente, e con tanta durezza, in un modo violento e irrimediabile che la maggior parte della gente non avrebbe mai potuto capire, non sarebbe stato un po'… precario? Contrario al principio di autoconservazione? Due persone così instabili e abitate da una profonda pulsione di morte, costrette a sostenersi a vicenda per tutta la vita? Intendiamoci, non che lei non fosse felice adesso, perché lo era, ma tutto sarebbe potuto cambiare in un attimo, per me come per lei, o no? l'improvvisa inversione di rotta, la sterzata verso il precipizio, non era quello il pericolo? dato che i nostri problemi e le nostre debolezze erano tanto simili, non c'era il rischio che uno dei due trascinasse a fondo l'altro? e mentre le sue parole

mi aleggiavano intorno, compresi d'un tratto, e con grande stupore,
dove voleva arrivare. (Ero stato ben stupido a non averlo capito,
dopo tutte le ferite che aveva riportato, la gamba spappolata, le
operazioni multiple; l'adorabile strascichio nella sua voce, l'adorabile strascichio nei suoi passi, il pallore e le braccia strette al petto,
le sciarpe e le felpe e i mille strati di vestiario, il sorriso lento e in-
sonnolito: lei stessa, con la sua natura di bambina trasognata, era il
sublime mescolato al disastro, il lecca-lecca alla morfina che avevo
inseguito per tutti quegli anni.)

Ma, come chi legge queste righe avrà avuto modo di verificare
(ammesso che qualcuno le legga), l'idea di essere Trascinato Verso
il Basso non mi ispira alcun terrore. Non che desideri trascinare
qualcun altro con me, ma – non potrei essere *io* a cambiare? Non
posso essere *io* quello forte? Perché no?]

[Puoi avere quella che vuoi tra loro due, diceva Boris, seduto
accanto a me sul divano del suo loft ad Anversa, aprendo pistacchi
coi denti mentre guardavamo *Kill Bill*.

No, non posso.

E perché no? Io sceglierei Fiocco di Neve. Ma se vuoi l'altra,
perché no?

Perché ha un ragazzo?

E allora? disse Boris.

Che vive con lei?

E allora?

Ed è esattamente quello che sto pensando io: E allora? Se andassi
a Londra? Che cosa succederebbe?

E questa domanda potrebbe essere la più disastrosa della mia
vita come la più intelligente.]

Ho scritto tutto questo, stranamente, con l'idea che Pippa prima o poi lo vedrà – il che, certamente, non è destinato ad accadere.
Nessuno lo leggerà, per ovvie ragioni. Non l'ho scritto basandomi
solo sulla memoria: quel quaderno che il mio professore di Lettere
mi regalò tanti anni fa è stato il primo di una serie, e l'inizio di
un'intermittente ma duratura abitudine alla scrittura nata a tredici anni, con delle lettere indirizzate a mia madre, formali eppure
curiosamente intime: lunghe, ossessive, nostalgiche missive che

hanno il tono di lettere scritte per una madre viva e impaziente di ricevere notizie, lettere che raccontavano dove «mi trovavo» (mai dove vivevo) e delle persone «con cui mi trovavo» lettere che elencavano in modo esaustivo cosa mangiavo e bevevo e indossavo e guardavo in TV, quali libri leggevo, con quali giochi giocavo, quali film vedevo, le cose che facevano e dicevano i Barbour e le cose che facevano e dicevano papà e Xandra – queste epistole (datate e firmate, vergate in una grafia precisa e curata, pronte per essere strappate dal quaderno e spedite) si alternavano a esplosioni di infelicità del tipo Odio Tutti e Vorrei Essere Morto, mesi macinati senza che producessi altro che due o tre scarabocchi sconnessi, casa di B, non vado a scuola da tre giorni ed è già venerdì, la mia vita in un haiku, sono uno zombi, Dio ieri sera ci siamo così devastati che sono quasi svenuto, abbiamo giocato al Dado del Bugiardo e mangiato cereali e mentine per cena.

Eppure, anche dopo essere tornato a New York, continuai a scrivere. «Possibile che sia così fottutamente più freddo di quanto ricordassi?, e perché questa stupida lampada del cazzo mi rende così triste?» Descrivevo cene opprimenti; registravo conversazioni e mettevo per iscritto i miei sogni; annotavo con scrupolo tutto ciò che Hobie mi insegnava nel sottoscala del negozio.

mogano del diciottesimo secolo: più facile dissimulare interventi – occhio ingannato dal colore più scuro
Se non è fatto artigianalmente la differenza si vede – risultato troppo uniforme!

1. una libreria mostra segni di usura sui ripiani più bassi dove viene più spesso spolverata e toccata, ma non su quelli in cima
2. sui mobili con serratura, occhio ai graffi nell'area subito sotto, dove il legno è stato colpito dalle altre chiavi del mazzo

E in mezzo a tutto ciò, appunti sull'esito delle aste di Important Americana («Lotto 77 Fed. parz. tinto ebano, specchio convesso $7500») e – con sempre maggior frequenza – sinistre tabelle ed elenchi che chissà perché mi illudevo sarebbero risultati incomprensibili a chi avesse preso in mano il quaderno, quando invece erano lampanti:

1-8 dic	320,5 mg
9-15 dic	202,5 mg
16-22 dic.	171,5 mg
23-30 dic.	420,5 mg

... e a impregnare ogni millimetro di quei resoconti, e a infondere loro un significato molto più alto, ecco il segreto visibile solo a me: un fiore che sboccia nell'oscurità, mai menzionato esplicitamente.

Perché, se sono i nostri segreti a definirci, e non il volto che mostriamo al mondo, allora il quadro era il segreto che mi elevava al di sopra della superficie dell'esistenza e mi permetteva di conoscermi per quello che sono. Ed è là: nei miei quaderni, in ogni pagina, anche se non c'è. Sogno e magia, magia e delirio. La Teoria dei Campi Unificati. Un segreto a proposito di un segreto.

[Quel piccoletto, diceva Boris in macchina, mentre andavamo ad Anversa. Capisci subito che il pittore lo ha *visto* – e non semplicemente immaginato, hai presente? È una creatura vera, quella incatenata al muro. E anche in mezzo a dozzine di uccellini simili, io lo riconoscerei in un secondo.]

E ha ragione. Lo stesso vale per me. E se potessi viaggiare indietro nel tempo mi precipiterei a spezzare quella catenella, senza neppure un istante di esitazione per il fatto che così facendo impedirei al quadro di venire dipinto.

Solo che è più complicato di così. Chissà perché Fabritius ha dipinto il cardellino? Un piccolo capolavoro a sé, unico nel suo genere. Era giovane, ma già molto famoso. Poteva contare su committenti importanti (anche se sfortunatamente quasi nessuna delle opere che ha dipinto per loro è arrivata sino a noi). Potremmo figurarcelo come un giovane Rembrandt, sommerso di incarichi prestigiosi, lo studio che riluce di gioielli e asce da battaglia, calici e pellicce, pelli di leopardo e armature, tutto il potere e la tristezza delle cose terrene. Perché quel soggetto? Un solitario uccellino domestico? Così atipico per un tempo in cui gli animali venivano rappresentati perlopiù morti, a titolo di sontuosi trofei, lepri flosce e pesci e pollame, ammucchiati e destinati alla tavola? Perché mi appare tanto significativo che il muro sia vuoto – né arazzi, né corni da caccia, né altri orpelli – e che il nome dell'artista e l'anno vi spicchino con tanta evidenza, dato che Fabritius non poteva sapere (o forse sì?) che il 1654, l'anno in cui dipinse il quadro, sarebbe stato anche l'anno della sua morte? E avverto in questo un brivido premonitore, come se Fabritius avesse intuito che quella piccola opera misteriosa sarebbe stata una delle poche a sopravvivergli. L'anomalia del *Cardellino* mi perseguita a ogni livello. Perché non un soggetto più consueto? Perché non un paesaggio marino, o un paesaggio agreste, un episodio storico, il ritratto su commissione di un personaggio importante, un gruppo di bevitori in una taverna, un mazzo di tulipani, perdio, qualunque cosa al posto di quel piccolo prigioniero solitario, incatenato al suo trespolo? Chissà cosa stava tentando di comunicare Fabritius scegliendo un soggetto tanto minuscolo? E se è vero quello che dicono – che ogni capolavoro in realtà è un autoritratto –, cosa vuole dirci Fabritius di sé? Un pittore considerato insuperabile dai più grandi pittori della sua epoca, che morì così giovane, e così tanto tempo fa, del quale non sappiamo quasi nulla? Di sé in quanto pittore: ci dice molto. I suoi tratti parlano da soli. Ali sinuose; penne graffiate. Si percepisce la rapidità del pennello, la sicurezza della sua mano, spessi strati di colore. E tuttavia ci sono anche passaggi semitrasparenti, resi così amorevolmente accanto alle pennellate dense e pastose, che dal contrasto emerge una specie di tenerezza, e anche senso dell'umorismo; sotto i peli del pennello s'intravede un altro strato di pittura; vuole farci sentire la soffice lanugine sul petto, la sua morbidezza e consistenza, la fragilità dei minuscoli artigli aggrappati al trespolo d'ottone.

Ma cosa dice il quadro, di Fabritius in quanto uomo? Niente che abbia a che fare con la devozione religiosa o sentimentale o famigliare; niente che rimandi alla passione civile o ad ambizioni di carriera o all'ossequio nei confronti della ricchezza e del potere. C'è solo il minuscolo battito di un cuore e la solitudine, un muro assolato e il senso di una fuga impossibile. Un tempo che non si muove, un tempo che non può essere chiamato tale. È intrappolato nel cuore della luce: il piccolo prigioniero, saldo. Mi torna in mente una cosa che ho letto una volta a proposito di Sargent: come, nei ritratti, Sargent cercasse sempre l'animale nel soggetto (una tendenza che, da allora, riscontro ovunque nelle sue opere: nei lunghi nasi volpini e nelle orecchie appuntite delle sue ereditiere, negli intellettuali coi denti da coniglio e nei leonini capitani d'industria, nei suoi bambini paffuti con la faccia da gufo). E, in questo piccolo ritratto, è difficile non cogliere il lato umano nel cardellino. Dignitoso, vulnerabile. Un prigioniero che ne osserva un altro.

Ma chissà cosa intendeva davvero dire Fabritius? Della sua opera ci è rimasto così poco che è audace persino tentare un'interpretazione. L'uccello guarda verso di noi. Non è idealizzato o umanizzato. È un uccello vero e proprio. Guardingo, rassegnato. Non c'è una morale né una storia. Non c'è soluzione. C'è solo un duplice abisso: quello tra il pittore e l'uccello imprigionato; e quello tra la testimonianza dell'uccello che il pittore ci ha lasciato e la nostra esperienza di esso, secoli dopo.

E sì – agli studiosi potrà interessare l'uso innovativo del pennello o della luce, l'influenza storica e il significato nel contesto dell'arte olandese del periodo. Ma non a me. Come mia madre mi disse tanti anni fa, mia madre che amava il quadro pur avendolo visto soltanto in un libro preso in prestito dalla Comanche County Library, da bambina: il significato non conta. L'importanza storica lo trasforma in qualcosa di muto. Oltre quelle distanze impercorribili – tra l'uccello e il pittore, il quadro e lo spettatore – sento con fin troppa chiarezza ciò che il quadro dice a *me*, uno *pss* in un vicolo, come direbbe Hobie, personale e specifico, che riverbera attraverso i secoli. È lì, nell'aria sciacquata di luce, nei colpi di pennello che, da vicino, l'artista ci permette di vedere esattamente per ciò che sono – lampi di pigmento lavorati a mano, il passaggio visibile di ogni setola – e poi, basta allontanarsi un po', ecco che si compie il miracolo, o lo scherzo, come sostiene Horst, anche se in realtà è le due cose insieme, il processo di transustanziazione grazie al quale il quadro è un quadro ma è anche penne e ossa. È il luogo in cui la realtà va a cozzare con l'ideale, in cui uno scherzo diventa serio e tutto ciò che è serio diventa uno scherzo. Il punto magico in cui ogni idea e il suo opposto sono ugualmente veri.

E spero che in questo ci sia una qualche verità più grande a proposito della sofferenza, o almeno di come io la interpreto – anche se sono giunto alla conclusione che le uniche verità che contano per me sono quelle che non capisco, che non posso capire. Ciò che è misterioso, ambiguo, inesplicabile. Ciò che non entra in una storia, ciò che non ha una storia. Il luccichio di una catenella che esiste a malapena. Una macchia di sole su un muro giallo. La solitudine che separa ogni creatura vivente da ogni altra creatura vivente. Dolore inscindibile dalla gioia.

Perché – cosa sarebbe accaduto se quel particolare cardellino (ed è molto particolare) non fosse stato catturato o non fosse nato in cattività, ed esibito in una casa dove il pittore Fabritius poteva vederlo? La bestiola non può aver compreso perché le toccasse vivere in condizioni tanto dolorose: frastornata dai rumori (come immagino), assalita dal fumo, dall'abbaiare dei cani, dagli odori in cucina, importunata dagli ubriachi e dai bambini, condannata a volare solo quel tanto che le consentiva la più corta delle catene. Eppure anche un bambino riesce a coglierne la dignità: un pizzico di coraggio, tutto piumette e fragili ossicini. Non timido, nemmeno disperato, ma determinato a rimanere al suo posto. Deciso a non ritrarsi dal mondo.

E, sempre di più, mi sorprendo a fissare l'attenzione su quella sua determinazione. Perché non m'interessa quello che dice la gente, quanto spesso lo dice né con quanto entusiasmo: nessuno mi convincerà mai che la vita è una sorpresa stupenda e appagante. Perché questa è la verità: la vita è una catastrofe. Il fatto fondamentale dell'esistenza – il nostro vagare in cerca di cibo, o di veri amici o di qualunque altra cosa – è una catastrofe. Lasciamo da parte quelle ridicole sciocchezze da *Piccola città* di cui tutti blaterano sempre: il miracolo di una nascita, la gioia per una semplice fioritura, La Vita è Troppo Bella Per Poterla Comprendere e via dicendo. Per me – e continuerò a ripeterlo ostinatamente finché vivrò, finché cadrò sulla mia nichilistica e ingrata faccia e sarò troppo debole per ripeterlo un'ultima volta: meglio non nascere, che nascere in questa fogna.

Una foiba di letti d'ospedale, bare, e cuori infranti. Nessun sollievo, nessuna attrattiva, nessun re-styling, per usare una delle espressioni preferite di Xandra, nessun progresso se non l'invecchiamento e la perdita, e nessuna fuga se non la morte. [«Ufficio reclami!» Ricordo l'ironia di Boris quando, da ragazzi, un pomeriggio a casa sua, ci eravamo ritrovati a discutere dell'argomento vagamente metafisico che erano le nostre madri: perché loro due – angeli, dee – erano dovute morire? mentre i nostri orribili padri scoppiavano di vita, e bevevano, e si espandevano, e continuavano a combinare casini, e a incespicare e seminare dolore e devastazione, sorretti da una salute apparentemente indistruttibile? «Hanno preso quelli sbagliati! C'è stato un errore! È tutto ingiusto! A chi bisogna rivolgersi, in questo posto di merda? Chi è il capo?».]

E – forse è ridicolo continuare così, anche se non importa visto che nessuno leggerà mai queste righe – ma che senso ha sapere che andrà a finir male per tutti noi, compresi i più felici, che alla fine perderemo tutto ciò che conta – e tuttavia riconoscere che nonostante questo, per quanto crudelmente truccata sia la partita, è possibile giocarsela con una specie di gioia?

Provare a ricavarci un senso da un certo punto di vista sembra incredibilmente ingenuo e datato. Forse intravedo uno schema solo perché ho osservato il caos troppo a lungo. Ma d'altro canto, parafrasando Boris, forse vedo uno schema perché *c'è*.

E ho scritto queste pagine, può darsi, per provare a capire. Ma allo stesso tempo non voglio capire, o provare a capire, perché facendolo tradirei i fatti. Quello che è certo è che non ho mai avvertito il mistero del futuro con tanta intensità: il sentimento della clessidra che si esaurisce, la rapida febbre del tempo. Forze sconosciute, non scelte, non volute. E ho viaggiato così a lungo, hotel prima dell'alba in città straniere, chilometri su chilometri, che sento le vibrazioni dei jet dentro le ossa, nel corpo, un senso di movimento costante attraverso i continenti e i fusi orari che si protrae ben oltre l'attimo in cui scendo dall'aereo e barcollando mi avvio verso un'altra reception, Salve mi chiamo Emma/Selina/Charlie/Dominic, benvenuto all'hotel Tal-dei-Tali! sorrisi esausti, una firma con mano tremante, tapparelle da abbassare, un altro letto sconosciuto su cui sdraiarmi, un'altra stanza sconosciuta che dondola intorno a me, nuvole e ombre, un malessere che è quasi allegria, la sensazione di essere morto e di risvegliarmi in paradiso.

Perché – proprio la notte scorsa ho sognato di un viaggio e di serpenti a strisce, velenosi, con teste a forma di freccia, e nonostante fossero molto vicini non ne avevo paura, per niente. E in mente avevo una frase sentita chissà dove: *Noi, standoti accanto, dimentichiamo di morire*. Sono queste le epifanie che mi sorprendono dentro ombrose stanze d'albergo, coi minibar luminosi e le voci straniere nel corridoio, dove il confine tra i mondi si assottiglia.

E, dopo Amsterdam, che è stata davvero la mia Damasco, la stazione decisiva, il culmine della mia Conversione, come si potrebbe chiamarla, continuo a sentirmi profondamente commosso dalla transitorietà degli alberghi: non nel modo banale da rivista patinata, ma con un fervore quasi trascendentale. Una volta a ottobre, proprio intorno al Giorno dei Morti, mi trovavo in un albergo messicano sulla spiaggia dove i saloni erano pieni di tende svolazzanti e tutte le stanze portavano nomi di fiori. La camera Azalea, la camera Camelia, la camera Oleandro. Opulenza e splendore, corridoi pervasi da una brezza che sapeva di eternità e ogni stanza con la porta di un colore diverso. Peonia, Glicine, Rosa, Fiore della Passione. E, chissà: magari è proprio così il luogo che ci aspetta alla fine del viaggio, una maestosità inimmaginabile fino al momento esatto in cui ci ritroveremo a varcarne la soglia, la vista su cui sbalorditi poseremo lo sguardo quando finalmente Dio ci toglierà le mani dagli occhi e dirà: Guardate!

[Pensi mai di smettere? chiesi, durante la parte noiosa di *La vita è meravigliosa*, la camminata al chiaro di luna con Donna Reed, quando ero ad Anversa e guardavo Boris che, con un cucchiaino e l'acqua presa da un contagocce, si preparava quella che lui chiamava una «botta».

Ma lasciami in pace! Mi fa male il braccio! Mi aveva mostrato la profonda ferita al bicipite – nera ai bordi. Fatti sparare *tu* a Natale, e poi vedi se hai voglia di restartene lì a mandar giù aspirina!

Sì, ma sei pazzo a fartela in vena.

Be' – credici o no – per me non è un problema. Lo faccio solo nelle occasioni speciali.

Questa l'ho già sentita.

Ma è vero! È così, per ora. Ho conosciuto persone che l'hanno fatto di tanto in tanto per tre o quattro anni e non hanno avuto problemi, finché si sono limitate a due-tre volte al mese. Detto questo, aggiunse Boris cupo – la luce blu del film che si rifletteva sul cucchiaino –, *sono* un alcolizzato. Il danno è fatto, in questo senso. Sarò ubriaco fino alla morte. Se qualcosa mi uccide – indicando la bottiglia di vodka Russian Standard sul tavolo – sarà quella. Davvero non ti sei mai bucato?

Credimi, mi ha dato già abbastanza problemi il fatto di prenderla nell'altro modo.

Be', è un bel marchio e fa paura, lo capisco. Io – onestamente preferisco sniffare, il più delle volte – club, ristoranti, in giro, è più veloce e più facile fare un salto al bagno degli uomini e farsi una botta. Così – la desideri in ogni momento. Ne avrò una voglia pazza anche sul letto di morte. Meglio non cominciare mai. Anche se – è veramente irritante vedere certi coglioni che fumano crack da una pipa e intanto discettano di quanto sporco e rischioso sia l'ago, di come loro non lo userebbero mai, capisci? Come se fossero molto più saggi di te.

Perché hai cominciato?

Perché tutti cominciano? La mia ragazza mi ha lasciato! La ragazza di allora. Volevo essere cattivo e autodistruttivo, ahahah. Obiettivo raggiunto.

Jimmy Stewart con indosso la felpa dell'università. Luna d'argento, voci tremanti. Ragazze di Buffalo non volete uscire stasera, uscire stasera.

Allora, perché non smetti? dissi.

Perché dovrei?

Devo davvero dirti perché?

Sì, ma se non ne ho voglia?

Se puoi smettere, perché non lo fai?

Chi di spada ferisce, di spada perisce, rispose Boris spiccio, usando il mento per schiacciare il pulsante di un laccio emostatico dall'aspetto molto professionale.]

E per quanto tutto ciò sia terribile, lo capisco. Non possiamo sce-

gliere cosa vogliamo e cosa non vogliamo e questa è la verità nuda
e cruda. Non possiamo scappare da ciò che siamo. (Una cosa devo
riconoscerla a mio padre: almeno ci ha *provato* a volere ciò che è
ragionevole – mia madre, la ventiquattrore, me – prima di perdere
completamente la testa e fuggire.)

E per quanto mi piacerebbe credere che ci sia una verità dietro
l'illusione, mi sono convinto che non c'è alcuna verità dietro l'illusione. Perché, tra la "realtà" da un lato, e il punto in cui la mente
va a sbattere contro la realtà, esiste uno spazio sottile, uno spicchio
d'arcobaleno da cui origina la bellezza, il punto in cui due superfici
molto diverse tra loro si mescolano e si confondono per procurare
ciò che la vita non ci dà: e questo è lo spazio in cui tutta l'arte prende forma, e tutta la magia.

E – aggiungerei – anche tutto l'amore. O, forse più accuratamente, questo spazio intermedio illustra la discrepanza fondamentale
dell'amore. Visto da vicino: una mano lentigginosa su un cappotto
nero, una rana origami caduta di lato. Fa' un passo indietro, e l'illusione riprende il sopravvento: la-vita-più-grande-della-vita, che non
finisce mai. Pippa stessa è il gioco tra questi due opposti, l'amore
e il non-amore, l'esserci e il non-esserci. Fotografie sul muro, un
calzino arrotolato sotto il divano. Il momento in cui ho allungato la
mano per toglierle qualcosa dai capelli e lei ha riso e si è scostata per
evitare il mio tocco. E così come la musica è lo spazio tra le note,
così come le stelle sono belle per il vuoto che le separa, così come il
sole colpisce le gocce di pioggia da una certa angolazione e proietta
un prisma di colori attraverso il cielo – allo stesso modo lo spazio in
cui io esisto, e voglio continuare a esistere, e a essere franchi in cui
spero di morire, è la zona di mezzo: dove la disperazione si è scon-
trata con la pura alterità e ha creato qualcosa di sublime.

Ed è per questo che ho scelto di scrivere queste pagine così come
le ho scritte. Perché solo entrando nello spazio intermedio, nel confine policromo tra verità e non-verità, essere qui a scrivere tutto ciò
diventa tollerabile.

Qualunque cosa ci insegni a parlare con noi stessi è importante:
qualunque cosa ci insegni a cullarci fino a uscire dalla disperazione.
Ma il quadro mi ha anche insegnato che possiamo comunicare l'un

l'altro a distanza di secoli. E sento di avere qualcosa di molto serio e urgente da dirti, mio inesistente lettore, e sento che devo dirtelo immediatamente come se ci trovassimo nella stessa stanza. Che la vita – qualunque cosa sia – è breve. Che il destino è crudele ma forse non casuale. Che la Natura (intesa come Morte) vince sempre, ma questo non significa che dobbiamo inchinarci e prostrarci al suo cospetto. Che forse anche se non siamo sempre contenti di essere qui, è nostro compito immergerci comunque: entrarci, attraversare questa fogna, con gli occhi e il cuore ben aperti. E nel pieno del nostro morire, mentre ci eleviamo al di sopra dell'organico solo per tornare vergognosamente a sprofondarvi, è un onore e un privilegio amare ciò che la Morte non tocca. Perché se disastro e oblio hanno inseguito il quadro attraverso il tempo – così ha fatto l'amore. Nella misura in cui il quadro è immortale (e lo è), io ho una minuscola, luminosa, immutabile parte in quell'immortalità. Esiste; e continuerà a esistere. E io aggiungo il mio amore alla storia delle persone che hanno amato le cose belle, e se ne sono prese cura, e le hanno strappate al fuoco, e le hanno cercate quand'erano disperse, e hanno provato a preservarle e a salvarle intanto che, letteralmente, se le passavano di mano in mano, chiamando dalle rovine del tempo la successiva generazione di amanti, e quella dopo ancora.

Ringraziamenti

Grazie a

Robbert Ammerlaan, Ivan Nabokov, Sam Pace, Neal Guma. Non avrei potuto scrivere questo romanzo senza ognuno di voi. Un grazie anche al mio editor Michael Pietsch; i miei agenti Amanda Urban e Gill Coleridge; e a Wayne Furman, David Smith, e Jay Barksdale della New York Public Library.

Devo inoltre ringraziare Michelle Aielli, Hanan Al-Shaykh, Molly Atlas, Kate Bernheimer, Richard Beswick, Paul Bogaards, Pauline Bonnefoi, Skye Campbell, Kevin Carty, Alfred Cavallero, Rowan Cope, Simon Costin, Sjaak de Jong, Doris Day, Alice Doyle, Matt Dubov, Greta Edwards-Anthony, Phillip Feneaux, Edna Golding, Alan Guma, Matthew Guma, Marc Harrington, Dirk Johnson, Cara Jones, James Lord, Bjorn Linnell, Lucy Luck, Louise McGloin, Jay McInerney, Malcolm Mabry, Victoria Matsui, Hope Mell, Antonio Monda, Claire Nozieres, Ann Patchett, Jeanine Pepler, Alexandra Pringle, Rebecca Quinlan, Tom Quinlan, Eve Rabinovits, Marius Radieski, Peter Reydon, Georg Reuchlein, Laura Robinson, Tracy Roe, Jose Rosada, Rainer Schmidt, Elizabeth Seelig, Susan de Soissons, George Sheanshang, Jody Shields, Louis Silbert, Jennifer Smith, Maggie Southard, Daniel Starer, Synthia Starkey, Hector Tello, Mary Tondorf-Dick, Robyn Tucker, Karl Van Devender, Paul van der Lecq, Arjaan van Nimwegen, Leland Weissinger, Judy Williams, Jayne Yaffe Kemp, e lo staff dell'Hotel Ambassade e l'ex Helmsley Carlton House Hotel.

Finito di stampare nel mese di settembre 2014 presso il
Nuovo Istituto Italiano d'Arti Grafiche – Bergamo

Printed in Italy